COLLECTION FOLIO

Nathan Hill

Les fantômes du vieux pays

Traduit de l'américain
par Mathilde Bach

Gallimard

Titre original :
THE NIX

Né en 1976, Nathan Hill est originaire de l'Iowa, aux États-Unis. Il vit aujourd'hui en Floride et enseigne la littérature et l'écriture à l'université Saint-Thomas dans le Minnesota. Ses nouvelles ont été publiées dans de nombreuses revues américaines. Son premier roman, *Les fantômes du vieux pays*, a été élu Révélation étrangère 2017 par le magazine *Lire*.

Pour Jenni

Il y avait un roi, à Sāvatthi. Un jour, il demanda à un homme de rassembler tous les habitants de la ville aveugles de naissance. Lorsque l'homme se fut exécuté, le roi lui demanda de montrer un éléphant aux aveugles. À certains d'entre eux, l'homme présenta la tête de l'éléphant, à d'autres, une oreille, à d'autres encore, une défense, la trompe, le corps, une patte, l'arrière-train, la queue, la touffe de poils au bout de la queue. À chacun, il déclara : « Ceci est un éléphant. »

Lorsqu'il raconta au roi ce qu'il avait fait, le roi alla voir les aveugles et leur demanda : « Dites-moi, aveugles, à quoi ressemble un éléphant ? »

Ceux à qui l'on avait montré la tête de l'éléphant répondirent : « Un éléphant, Votre Majesté, ressemble à une jarre à eau. » Ceux à qui on avait montré une oreille répondirent : « Un éléphant ressemble à un panier. » Ceux à qui on avait montré une défense répondirent : « Un éléphant ressemble à un soc. » Ceux à qui on avait montré la trompe répondirent : « Un éléphant ressemble à un pilier. » Ceux à qui on avait montré le corps répondirent : « Un éléphant ressemble à une réserve. » Chacun décrivit ainsi l'éléphant d'après la partie qu'on lui en avait montrée.

Puis, à force de « Un éléphant ressemble à ceci, un éléphant ne ressemble pas à cela ! Un éléphant ne ressemble pas à cela, un éléphant ressemble à ceci ! », ils en vinrent aux mains.

Et le roi fut ravi.

Paroles inspirées du Bouddha

PROLOGUE

Fin de l'été 1988

Si Samuel avait su que sa mère allait partir, peut-être aurait-il fait plus attention. Peut-être l'aurait-il davantage écoutée, observée, aurait-il consigné certaines choses essentielles. Peut-être aurait-il agi autrement, parlé autrement, été une autre personne.

Peut-être aurait-il pu être un enfant pour qui ça valait la peine de rester.

Mais Samuel ne savait pas que sa mère allait partir. Il ne savait pas qu'en réalité elle partait depuis des mois déjà — en secret, et par morceaux. Retirant des choses de la maison, une à une. Une robe de son placard. Une photo de l'album. Une fourchette du service en argent. Un édredon de sous le lit. Chaque semaine, elle prenait un objet différent. Un pull. Une paire de chaussures. Une décoration de Noël. Un livre. Lentement, sa présence s'atténuait dans la maison.

Elle s'y employait depuis presque un an quand Samuel et son père commencèrent à éprouver une sensation étrange, une sorte de déséquilibre, un sentiment confus et parfois dérangeant, voire morbide, de rapetissement. Le phénomène les frappait dans des moments curieux. Ils regardaient la bibliothèque, interloqués, et pensaient soudain : *C'est tous les livres qu'on a ?* Ils passaient devant le vaisselier et se figeaient, convaincus qu'il manquait quelque chose. Mais quoi ? Face à cette impression bizarre, aux détails du quotidien soudain remaniés, ils étaient à court de mots, interdits. Ils n'avaient pas compris que s'ils ne mangeaient plus de plats en cocotte, c'était parce qu'il n'y avait plus de cocotte dans la maison. Que si la bibliothèque semblait dépenaillée, c'était qu'elle l'avait dépouillée de tous les recueils de poèmes. Et que s'il semblait y avoir tout à coup de la place dans la vitrine du vaisselier, c'était que le service avait été soulagé de deux assiettes, deux bols et une théière.

Comme s'ils étaient cambriolés au compte-gouttes.

« Il n'y avait pas plus de photos sur ce mur avant ? demandait le père, debout au pied des marches, en plissant les yeux. On n'avait pas cette affiche du Grand Canyon, là-haut ?

— Non, répondait la mère de Samuel. On l'a enlevée.

— Ah bon ? Je ne m'en souviens pas.

— C'est *toi* qui as voulu l'enlever.

— Moi ? » s'étonnait le père, pris dans un brouillard épais. Il avait l'impression de perdre la tête.

Des années plus tard, en cours de sciences au lycée, Samuel entendit une histoire à propos d'une espèce de tortues d'Afrique qui traversaient l'océan pour venir déposer leurs œufs sur les plages d'Amérique du Sud. Les scientifiques avaient cherché en vain une raison à cet immense périple. Pourquoi les tortues prenaient-elles cette peine ? La théorie dominante voulait qu'elles aient commencé à le faire des milliers d'années plus tôt, quand l'Amérique du Sud et l'Afrique étaient encore collées l'une à l'autre. À l'époque, une rivière à peine séparait les deux continents et les tortues venaient simplement déposer leurs œufs sur la rive opposée. Mais par la suite, lorsque les continents avaient entamé leur inexorable dérive, la rivière s'était élargie centimètre par centimètre, chaque année, de manière indécelable par les tortues. Elles avaient donc continué à se rendre au même endroit, sur la rive opposée, chaque génération nageant un tout petit peu plus loin que la précédente, et après cent millions d'années, la rivière était devenue un océan, sans que jamais les tortues ne s'en rendent compte.

Voilà comment sa mère les avait quittés, décida Samuel. Voilà de quelle manière elle était partie — imperceptiblement, lentement, bribe par bribe. Taillant dans sa vie comme dans la pierre, jusqu'à ce que la seule chose qui reste encore à dépouiller de son socle soit sa propre personne.

Le jour où elle disparut, elle quitta la maison, une seule valise à la main.

PREMIÈRE PARTIE

CALAMITY PACKER

Fin de l'été 2011

1

Le gros titre apparaît à la une un après-midi, presque simultanément, sur plusieurs sites d'informations : AGRESSION DU GOUVERNEUR PACKER !

Quelques minutes plus tard, la télévision s'empare du sujet. Interrompant les programmes pour un flash spécial, le présentateur adresse un regard grave à la caméra et annonce : « Nous apprenons à l'instant de nos correspondants à Chicago que le gouverneur Sheldon Packer a été agressé. » Pendant un moment, personne n'en sait plus, il a été agressé, c'est tout. La confusion se prolonge encore quelques minutes, durant lesquelles les deux mêmes questions sont sur toutes les lèvres : Est-ce qu'il est mort ? Et : Est-ce qu'on a des images ?

Les premiers à s'exprimer sont des envoyés spéciaux dépêchés sur les lieux, qui prennent l'antenne en direct depuis leurs téléphones portables. Ils expliquent que Sheldon Packer se trouvait à l'hôtel Hilton où il avait prononcé un discours durant un dîner de soutien. Après quoi, le gouverneur avait entrepris de traverser Grant Park entouré de son équipe, serrant des mains, embrassant des bébés, sacrifiant à tous les rituels populistes typiques des campagnes électorales, quand, soudainement, du milieu de la foule, une personne ou un groupe de personnes l'a agressé.

« Que voulez-vous dire par *l'a agressé* ? » interroge le présentateur, assis dans un studio au sol noir brillant et jeux de lumières bleues, blanches et rouges en arrière-plan. Son visage est aussi moelleux qu'un fondant au chocolat. Derrière lui, on distingue des gens installés à des bureaux, en train de travailler. Il ajoute : « Pourriez-vous nous décrire l'agression ?

— Tout ce dont je suis sûr pour le moment, dit le reporter, c'est que des objets ont été lancés.

— Quel genre d'objets ?

— Nous n'avons pas encore de certitudes à ce sujet.

— Le gouverneur a-t-il été touché par un de ces objets ? Est-il blessé ?

— Je crois qu'il a été touché, oui.

— Avez-vous vu ses agresseurs ? Étaient-ils nombreux ? À jeter des objets ?

— Il y a eu une grande confusion. Des cris.

— Les objets qui ont été lancés, étaient-ils gros ou petits ?

— Je dirais qu'ils étaient plutôt petits. Assez petits pour être lancés.

— Plus gros qu'une balle de base-ball ?

— Non, plus petits.

— De la taille d'une balle de golf, alors ?

— Sans doute, oui.

— Étaient-ce des objets coupants ? Lourds ?

— Tout s'est passé très vite.

— Était-ce un acte prémédité ? Un complot ?

— À l'heure où nous parlons, toutes les hypothèses sont encore permises. »

Un logo est créé : *Terreur à Chicago*. Le logo vole à travers l'écran, flottant tel un drapeau dans le vent, et vient se poser près de l'oreille du présentateur. Une carte de Grant Park se déploie sur un écran tactile géant, c'est un grand classique du journal télévisé moderne : à l'écran, une personne communique via un autre écran, se place devant, en prend le contrôle avec ses mains, zoome, dézoome, le tout en super haute définition. Le comble du cool.

En attendant de recevoir de nouvelles informations, la conversation en plateau se focalise sur la portée de l'incident dans la course à la présidence : est-ce un handicap ou une opportunité pour le gouverneur ? Une opportunité, de l'avis général, puisqu'il va lui permettre de sortir d'un anonymat relatif, de résonner au-delà des quelques conservateurs évangéliques fanatiques qui ont beaucoup apprécié son bref passage à la gouvernance du Wyoming, où il a, entre autres choses, imposé l'interdiction absolue de l'avortement, l'obligation pour les élèves *et leurs enseignants* de procéder à la lecture publique des Dix Commandements chaque matin avant de prononcer le Serment d'allégeance, et l'instauration de l'anglais non seulement comme langue officielle mais comme seule langue légale du Wyoming, sans la maîtrise de laquelle l'accession à la propriété serait interdite. Il a également autorisé les armes à feu dans les parcs naturels nationaux. Enfin, il a fait promulguer un décret affirmant la prévalence de la loi étatique sur la loi fédérale dans tous les domaines, acte équivalant, selon les plus éminents constitutionnalistes, à une sécession du Wyoming vis-à-vis des États-Unis. Par ailleurs, il portait des bottes de cow-boy, organisait des conférences de presse dans son ranch, au milieu des troupeaux de bétail. Et circulait avec une arme chargée à balles réelles, un revolver qui se balançait ostensiblement sur sa hanche dans un holster en cuir.

Lorsque à la fin de son mandat de gouverneur il a déclaré qu'il ne se représentait pas afin de se concentrer sur les priorités nationales, il est instantanément devenu pour les médias un candidat à la présidentielle. En s'appuyant sur une rhétorique populiste anti-élites, il a peu à peu mis au point un personnage public à mi-chemin entre le prédicateur et le cow-boy, qui a rencontré un écho favorable notamment parmi la classe populaire blanche conservatrice subissant de plein fouet la récession en cours. Il s'est livré à des comparaisons — les immigrés volant les emplois des Américains : des coyotes tuant le bétail dans leurs enclos —, à des manipulations de langage — Washington est ainsi devenu *Warshington* — et s'est ingénié à parler une langue populaire, familière, voire grossière, avec un fort accent et des jeux de mots de mauvais goût à toutes les phrases.

D'après ses partisans, ce n'était ni plus ni moins la manière dont n'importe quel habitant du Wyoming, en dehors de l'élite, s'exprimait.

Ses détracteurs, eux, aimaient à rappeler que, les tribunaux ayant invalidé presque l'intégralité de ses initiatives dans le Wyoming, de fait, son bilan législatif était nul. Mais cela n'entamait en rien l'enthousiasme des gens qui continuaient à payer 500 dollars le couvert, 10 000 dollars la conférence et 30 dollars le livre, *Le Cœur d'un véritable Américain*, pour lever des fonds en sa faveur (ce que d'ailleurs il appelait « larver des fonds ») et rassembler, ainsi que les journalistes l'appelaient, son « trésor de guerre », pour une « future campagne présidentielle, qui sait ».

Et voilà que le gouverneur vient d'être agressé, même si personne ne sait comment, avec quoi, par qui et si, oui ou non, il est blessé. Les présentateurs télé se succèdent, spéculant sur les dégâts potentiels de l'impact d'un projectile lancé à pleine vitesse dans l'œil. Ils dissertent là-dessus durant au moins dix minutes, s'appuyant sur des graphiques illustrant la propension d'une masse légère projetée à près de cent kilomètres à l'heure à pénétrer la membrane liquide de l'œil. Une fois épuisé ce sujet, on envoie la publicité. Suivie de l'annonce d'un documentaire programmé pour le dixième anniversaire du 11-Septembre : *Jour de terreur, Décennie de guerre.* En attendant.

Puis il se produit un événement qui sauve les informations de l'impasse matérielle où elles s'enfonçaient : quelqu'un a tout filmé avec une caméra numérique et posté la vidéo sur Internet.

Et voici donc le film qui, durant la semaine à venir, sera diffusé plusieurs milliers de fois à la télévision, partagé des millions de fois sur Internet et qui deviendra la troisième vidéo la plus regardée du mois juste après le nouveau clip de la star des ados du moment, Molly Miller, et son tube « You Have Got to Represent »[1], et un film amateur où un

1. *Represent* est un verbe fréquemment utilisé dans le rap américain, son strict équivalent n'existe pas vraiment en français, il contient à la fois l'idée d'être fier, de représenter et d'assumer ce que l'on est, d'où l'on vient, sa culture, son art, son clan, etc. Les rappeurs français ont tendance à franciser le terme ou à l'utiliser directement en anglais dans leurs chansons. *(Toutes les notes sont de la traductrice.)*

enfant de deux ou trois ans rit aux éclats au point d'en tomber à la renverse. Voici ce qu'on voit sur la vidéo de Sheldon Packer :

Quand le film commence, il n'y a que du blanc à l'écran, le vent souffle dans un micro, on entend des bruits de doigts qui farfouillent autour, comme quand on écoute la mer dans un coquillage, pendant ce temps la caméra ajuste son ouverture sur la luminosité de cette journée très ensoleillée et le blanc cède la place à un ciel bleu, puis à un vert flou qu'on suppose être de la pelouse. Ensuite on entend une voix, une grosse voix d'homme qui parle trop près du micro : « Ça filme ? Je ne sais pas si ça filme. »

L'image finit par apparaître nettement au moment précis où l'homme pointe la caméra sur ses deux pieds. Et s'agace, contrarié : « Ça filme, oui ou non ? Où est-ce qu'on voit si ça filme ? » Puis on entend la voix d'une femme, plus calme, mélodieuse, paisible, qui répond : « Regarde derrière. Qu'est-ce que ça dit derrière ? » Et son mari, ou son petit ami, qui que ce soit d'ailleurs, qui est incapable de garder l'image stable, dit : « Tu veux pas m'aider plutôt ? » d'un ton agressif et accusateur qui vise manifestement à suggérer que s'il y a problème, quel qu'il soit, avec la caméra, c'est sa faute à elle. Oh, et durant tout ce temps, l'image tressaute, à vous donner le vertige, en gros plan sur les chaussures de l'homme. Des baskets montantes blanches. Extraordinairement blanches, tout juste sorties du magasin. Apparemment il est debout sur une table de pique-nique. « Ça dit quoi derrière ? demande la femme.

— Où ? Où ça derrière ?

— Sur l'écran.

— *Ça,* je sais, dit-il. Mais où, sur l'écran ?

— Dans le coin en bas à droite, répond-elle, imperturbable. Qu'est-ce que ça dit ?

— Ça dit juste *R*.

— Ça veut dire que ça enregistre. Ça filme.

— C'est débile, dit-il. Pourquoi ça dit pas juste *On* ? »

L'image passe de ses chaussures à une sorte d'attroupement en train de se former au loin.

« Le voilà ! Regarde ! C'est lui ! Le voilà ! » crie-t-il. Il pointe alors la caméra devant lui et, lorsque enfin l'image cesse de tressauter, Sheldon Packer apparaît, à une trentaine de mètres, entouré d'une nuée de collaborateurs et autres gardes du corps en costume noir. La foule grossit un peu. En arrière-plan, les gens remarquent tout à coup que quelque chose est en train de se produire, que quelqu'un de célèbre est dans les parages. Le cameraman braille à présent : « Gouverneur ! Gouverneur ! Gouverneur ! Gouverneur ! Gouverneur ! Gouverneur ! Gouverneur ! » L'image se met à tressauter manifestement à cause des grands gestes ou des bonds, ou les deux, qu'il est en train de faire.

« Comment on fait pour zoomer sur ce truc ?

— Appuie sur Zoom », dit la femme. Le plan se resserre alors et devient encore plus flou, surexposé même. En fait, la seule raison pour laquelle ce film est utilisable à la télévision, c'est que le type finit par passer la caméra à sa compagne, en disant : « Tiens, prends-moi ce truc, là, tu veux ? » Et il se précipite pour aller serrer la main du gouverneur.

Plus tard, tout ce fatras du début sera coupé au montage, et la vidéo qui sera diffusée des centaines de fois à la télévision commencera à ce moment-là, sur l'image arrêtée, avec un cercle rouge tracé après coup autour d'une femme assise sur un banc à droite de l'écran. « Apparemment, c'est l'auteur des faits », explique le présentateur. Les cheveux blancs, la soixantaine, sans aucun signe distinctif, on dirait une figurante dans un film, posée là pour remplir l'écran. Elle porte une chemise bleu clair sur un débardeur et des leggings noirs, comme des collants de yoga. Ses cheveux ébouriffés lui retombent sur le front. Elle a un physique assez athlétique — mince, mais musclé. Elle remarque ce qui se passe autour d'elle. Elle voit le gouverneur approcher, elle referme son livre, se lève et le fixe. Tout au bord de l'image, elle est debout, perplexe. Les mains sur les hanches. À se mordre l'intérieur des joues. On dirait qu'elle pèse le pour et le contre. Comme si elle s'interrogeait : *Est-ce que je le fais ?*

Puis elle se met à marcher, à vive allure, droit sur le gouverneur. Elle a abandonné son livre sur le banc et elle marche, à grandes enjambées, comme ces banlieusards qui tournent en rond autour du centre commercial. Sauf que ses bras restent raides, collés le long de son corps, les poings serrés. Elle arrive assez près du gouverneur pour pouvoir l'atteindre, et c'est là que, justement, le hasard écarte la foule de telle sorte que, depuis le point de vue en surplomb de la caméra, se dessine un axe visuel parfaitement dégagé qui va de la femme au gouverneur. Marchant sur un chemin de gravier, la femme baisse les yeux et, comme si l'idée venait de la frapper, elle se penche et ramasse une poignée de cailloux. Ainsi armée, elle se met à crier, et on l'entend très distinctement car, à ce moment précis, le vent tombe et la foule se tait, à croire que tout le monde sait que cet événement va se produire et fait de son mieux pour qu'on puisse en garder la meilleure trace possible — elle crie : « Espèce de cochon ! » Et elle lance les cailloux.

Au début, c'est la confusion générale, les gens cherchent d'où viennent les cris, ou bien ils grimacent en se protégeant des jets de pierre. Alors la femme se baisse à nouveau, ramasse une nouvelle poignée de cailloux et la lance, ramasse et lance, ramasse et lance, ramasse et lance, on dirait un enfant en pleine bataille de boules de neige. Le petit groupe se replie sur lui-même, les mères couvrent les visages des enfants, le gouverneur est plié en deux, la main sur son œil droit. Et elle continue à lancer des cailloux, jusqu'à ce que les gardes du corps du gouverneur arrivent à sa hauteur et la plaquent au sol. Ils ne la *plaquent* pas vraiment d'ailleurs, on dirait plus des lutteurs épuisés, enlaçant l'adversaire avant de s'effondrer au sol avec lui.

C'est fini. La vidéo en entier dure moins d'une minute. Après sa diffusion, rapidement, certaines informations remontent à la surface. Le nom de la femme est rendu public : Faye Andresen-Anderson, que tout le monde sur les plateaux des journaux télévisés transforme en « Anderson-Anderson », en faisant des parallèles avec d'autres affreux personnages aux doubles patronymes, notamment Sirhan Sirhan[1]. Rapidement, on découvre qu'elle est enseignante assistante dans une école élémentaire des environs, ce qui donne du grain à moudre à certains experts pour démontrer l'emprise de l'idéologie libérale extrémiste dans l'enseignement public. Pendant à

1. Sirhan Sirhan, d'origine transjordanienne, a été condamné pour l'assassinat de Robert Francis Kennedy le 5 juin 1968.

peu près une heure, le nouveau gros titre est UNE ENSEIGNANTE AGRESSE LE GOUVERNEUR PACKER !, jusqu'à ce que quelqu'un mette la main sur une photo de la femme participant à une manifestation en 1968. Sur l'image, elle est assise dans l'herbe avec des milliers d'autres jeunes gens, au milieu d'une foule géante et indistincte où flottent des bannières et des pancartes de fortune, ainsi qu'un grand drapeau américain. La femme regarde le photographe d'un air hagard, les yeux absents, perdus derrière de grosses lunettes rondes. Elle est penchée sur la droite, assoupie ou juste alanguie contre une personne hors cadre, dont on ne voit qu'une épaule. À sa gauche, une femme aux cheveux longs vêtue d'une veste militaire fixe l'objectif d'un air de défi pardessus ses lunettes d'aviateur argentées.

Nouveau gros titre : UNE SOIXANTE-HUITARDE EXTRÉMISTE AGRESSE LE GOUVERNEUR PACKER !

Et, comme si le scénario n'était pas déjà assez savoureux, vers la fin de la journée, deux autres choses se produisent, qui propulsent définitivement l'information dans la stratosphère. D'abord, on apprend que le gouverneur Packer doit subir d'urgence une opération chirurgicale du globe oculaire. Puis, on déterre une archive de 1968 révélant que la femme a été arrêtée — quoique jamais officiellement inculpée ni condamnée — pour *prostitution*.

Cette fois, c'est presque trop. Comment peut-on condenser autant de détails hallucinants dans un seul gros titre ? UNE HIPPIE EXTRÉMISTE, PROSTITUÉE ET ENSEIGNANTE CRÈVE LES YEUX DU GOUVERNEUR PACKER LORS D'UNE VIOLENTE AGRESSION !

Les informations rediffusent en boucle le moment

où le gouverneur est touché par les projectiles. Dans un effort louable de montrer au plus grand nombre l'instant précis où un morceau pointu de gravier atteint la cornée de son œil droit, on zoome sur lui au point que l'image est complètement pixellisée. Les experts soupèsent les mobiles de l'agression, évaluent la menace qu'elle fait planer sur la démocratie. Certains qualifient la femme de terroriste, d'autres prétendent que c'est là l'illustration de l'effondrement du débat politique, d'autres encore disent que la croisade pro-armes du gouverneur encourage précisément ce genre de comportements, et que donc, en un sens, il l'a bien cherché. On établit des comparaisons avec le Weather Underground et les Black Panthers. La NRA déclare que si le gouverneur Packer avait eu son revolver sur lui, rien de tout cela ne serait jamais arrivé. Pendant ce temps, bizarrement, les gens qui travaillent à leurs bureaux en arrière-plan, derrière le présentateur, ne semblent pas s'activer davantage qu'au début de la journée.

Il ne faut pas plus de quarante-cinq minutes à un rédacteur un peu malin pour pondre un titre accrocheur : « Calamity Packer », rapidement adopté par toutes les chaînes et intégré aux logos spécialement créés pour couvrir l'événement.

La femme, elle, a été placée en détention dans une prison du sud de la ville en attendant sa mise en examen. Impossible de l'interviewer. Sans ses explications, le récit de la journée se construit sur les rares faits avérés et sur un savant mélange d'opinions et de suppositions, débouchant sur un scénario qui s'imprime peu à peu dans la tête des gens : la femme est une ancienne hippie, devenue une libérale extrémiste, qui déteste tellement le gouverneur qu'elle a attendu le bon moment, de manière préméditée, pour l'agresser violemment.

Sauf qu'il y a une faille dans cette théorie, une faille béante : le caractère improvisé de l'escapade du gouverneur dans le parc, dont même son service de sécurité ignorait le moindre détail à l'avance. Et que par conséquent la femme ne pouvait pas anticiper, ce qui invalide complètement l'idée qu'elle lui aurait tendu un piège. Mais cette incohérence profonde se noie dans la marée d'informations toutes plus sensationnelles les unes que les autres, et n'est jamais vraiment soulevée.

2

Le professeur Samuel Anderson est assis dans la pénombre de son petit bureau de l'université, le visage éclairé par la lueur grise de l'écran de son ordinateur. Les stores des fenêtres sont baissés. Une serviette-éponge obstrue l'interstice de lumière sous la porte. Il a sorti la poubelle de la pièce pour ne pas être interrompu par le gardien qui passe le soir. Et il porte un casque afin que personne n'entende ce qu'il est en train de faire.

Il se connecte. Atteint l'écran d'accueil du jeu et son décor familier d'orques et d'elfes enchevêtrés dans une lutte sans merci. La musique explose dans ses oreilles, grondement de batterie et de basses, triomphale, intense et guerrière. Il tape un mot de passe plus complexe et plus alambiqué encore que celui qu'il utilise pour accéder à son compte en banque. Et tandis qu'il pénètre dans le *Monde d'Elfscape*, il laisse derrière lui Samuel Anderson, le professeur assistant de littérature anglaise, pour devenir Dodger le Voleur Elfique, avec l'impression familière de rentrer à la maison. Cette impression de rentrer à la maison après une longue journée et de retrouver quelqu'un qui est content de vous voir rentrer, c'est cela qu'il vient chercher, c'est pour cela qu'il y revient, qu'il passe quarante heures par semaine derrière son écran pour se préparer à ce genre de raid, avec tous ses amis anonymes en ligne, et partir, tous ensemble, tuer un ennemi gigantesque et mortel.

Ce soir, c'est un dragon.

Ils arrivent de partout, se connectent depuis un sous-sol, un bureau, une tanière plongée dans une semi-obscurité, un box ou autres postes de travail, une bibliothèque publique, un dortoir, une chambre d'amis, leurs ordinateurs portables posés sur le comptoir d'une cuisine, ou quelque gros PC vrombissant, cliquetant, craquant comme si quelque chose dans sa tour de plastique était en train de frire. Ils mettent leur casque, tapent leur code et apparaissent, matérialisés dans le monde du jeu, à nouveau réunis, comme tous les mercredis et tous les vendredis et tous les samedis soir depuis plusieurs années maintenant. Presque tous habitent à Chicago, ou dans les environs immédiats. Le serveur du jeu auquel ils sont connectés — il y en a des milliers à travers le monde — est situé dans un ancien entrepôt d'abattoirs au sud de Chicago et, pour des raisons de décalage et de latence du réseau, *Elfscape* vous attribue toujours le serveur le plus proche de votre domicile. En pratique, ils sont donc tous plus ou moins voisins, même s'ils ne se sont jamais rencontrés dans la vraie vie.

« Yo, Dodger ! » lance quelqu'un au moment où Samuel se connecte.

Yo, tape-t-il en guise de réponse. Il ne parle jamais dans le jeu. Les autres pensent que c'est parce qu'il n'a pas de micro. En fait, il en a un, il a juste peur qu'un de ses collègues traîne dans les couloirs la nuit et le surprenne en train de raconter des histoires de dragons. Ainsi la guilde ne sait rien ou presque sur lui, à part qu'il ne manque jamais un raid et qu'il a tendance à écrire les mots en toutes lettres plutôt que d'utiliser les abréviations communément utilisées sur Internet. Par exemple, il écrit « Je reviens tout de suite » au lieu du « BRB » qu'utilisent les autres, ou « pas sur mon clavier » au lieu de « AFK »[1]. En ligne, on s'interroge sur cette persistance anachronique chez lui. Son nom, « Dodger », est pris pour une allusion au base-ball, alors que c'est une référence à Dickens. Le fait que personne ne saisisse l'allusion procure à Samuel un sentiment de supériorité intellectuelle, sous lequel il étouffe la honte qu'il éprouve à consacrer autant de temps au même jeu que des collégiens de douze ans.

Samuel se rassure en se persuadant que des millions de gens font la même chose. Sur tous les continents. Vingt-quatre heures sur vingt-quatre. Si on prend le nombre de joueurs branchés sur le *Monde d'Elfscape* à n'importe quelle heure de la journée, cela équivaut à la population d'une ville comme Paris, en tout cas c'est ce qu'il se dit parfois quand il ressent cette béance en lui, cette impression que sa vie s'est arrêtée.

Une des raisons pour lesquelles il ne dit jamais à personne dans la vraie vie qu'il joue à *Elfscape*, c'est parce qu'ils pourraient vouloir savoir quel est le but

1. « BRB » pour « Be Right Back » : « Je reviens tout de suite », et « AFK » pour « Away From Keyboard » : « pas sur mon clavier ». D'une manière générale, l'essentiel du vocabulaire des jeux en réseau n'est pas traduit et utilisé en anglais et en abréviations par les joueurs du monde entier.

d'*Elfscape*. Et que pourrait-il bien répondre ? *Vaincre des dragons et tuer des orques*.

Sauf si vous décidez d'être un orque : dans ce cas, le but est de vaincre des dragons et tuer des elfes.

Mais c'est tout, voilà le tableau, la substantifique moelle, le yin et le yang.

Il a commencé en tant qu'elfe de premier niveau et gravi les échelons jusqu'au quatre-vingt-dixième niveau d'elfe, ce qui lui a pris grosso modo dix mois. En route, il a vécu des aventures. Parcouru des continents. Rencontré des gens. Trouvé des trésors. Accompli des quêtes. Puis, arrivé au niveau quatre-vingt-dix, il a trouvé une guilde et formé une équipe avec ses nouveaux compagnons de guilde pour tuer des dragons, des démons, et surtout des orques. Il a tué tellement d'orques. Et chaque fois qu'il atteint un orque en un point vital, le cou, la tête ou le cœur, le jeu se met à clignoter COUP FATAL !, accompagné d'un son qui s'éteint, un petit cri d'orque terrorisé. Il est devenu accro à ce son. Ce son le met en extase. Son personnage appartient à la catégorie des voleurs, ce qui signifie que parmi ses compétences particulières il y a le vol à la tire, la fabrication de bombes et l'invisibilité. Un de ses passe-temps favoris est de s'introduire en territoire ennemi, chez les orques, et de poser de la dynamite sur les routes où les orques circulent ensuite et explosent. Après quoi, il pille les cadavres de ses ennemis, ramasse leurs armes, leur argent et leurs vêtements et les abandonne là, nus, vaincus et morts.

À quel moment c'est devenu aussi jouissif, mystère.

Ce soir, ils sont vingt elfes armés jusqu'aux dents, en plus de leurs armures habituelles, contre un seul dragon, mais c'est un énorme dragon. Avec des crocs acérés. Crachant du feu. Et couvert d'écailles aussi épaisses que des feuilles d'acier, ce que seuls ceux d'entre eux dont les cartes graphiques sont puissantes perçoivent. Le dragon semble endormi. Lové comme un chat sur le sol de lave de sa tanière nichée au creux d'un volcan, évidé naturellement. Le plafond de la tanière est suffisamment élevé pour permettre au dragon de voler, car, durant la deuxième phase de la bagarre, le dragon se propulse dans les airs et vole en cercle au-dessus d'eux en projetant des bombes enflammées sur leurs têtes. C'est la quatrième fois qu'ils essaient de tuer ce dragon ; ils n'ont jamais dépassé la phase deux. S'ils veulent le tuer, c'est parce que ce dragon est assis sur un monceau de trésors, d'armes et d'armures dissimulés au fond de la tanière, et grâce auxquels leur guerre contre les orques sera bien plus aisée. Des veines de magma rougeoient, incandescentes sous la surface rocailleuse. Elles exploseront sous leurs pieds durant la troisième et dernière phase du combat, cette phase qu'ils n'ont pas encore vue faute d'arriver à esquiver toutes les boules de feu de la phase deux.

« Est-ce que vous avez tous regardé les vidéos que j'ai envoyées ? » demande le leader du raid, un elfe guerrier du nom de Pwnage. Plusieurs avatars de joueurs opinent du chef. Il leur a fait suivre des vidéos tutorielles montrant comment vaincre ce dragon. Pwnage voulait que chacun ait bien à l'esprit les moyens de venir à bout de la phase deux, dont apparemment le secret réside dans le fait de se déplacer sans cesse et d'éviter de rester groupés dans un coin.

ON Y VA !!! écrit Axman, dont l'avatar est en train de mimer l'acte sexuel contre un mur en pierre. Plusieurs autres elfes dansent sur place pendant que Pwnage réexplique le combat une dernière fois.

Samuel joue à *Elfscape* depuis son ordinateur professionnel, la connexion Internet y est plus performante, ce qui lui permet d'augmenter sa force de frappe d'environ deux pour cent lors d'un raid comme celui-ci, sauf en cas d'incidents sur le réseau ou de trafic trop important, quand les étudiants se connectent lors des sessions d'inscriptions par exemple. Il enseigne la littérature dans une petite université située au nord-ouest de Chicago, dans une banlieue, au point de jonction de tous les grands axes routiers, le long desquels s'alignent centres commerciaux gigantesques et parkings de bureaux, et où s'entassent sur trois voies les voitures des parents qui envoient leurs enfants dans l'université de Samuel.

Des enfants comme Laura Pottsdam — blonde, quelques taches de rousseur, débraillée dans des débardeurs à logos et shorts de sport avec inscriptions en travers de l'arrière-train, inscrite en master de Marketing et Communication, et qui, ce jour-là justement, a déboulé dans le cours d'introduction à la littérature de Samuel, lui a tendu une copie dont elle n'avait pas écrit un seul mot elle-même, avant de s'empresser de demander la permission de quitter le cours.

« Sauf si on a une interrogation écrite, a-t-elle dit. Dans ce cas, je reste. Mais sinon, il faut vraiment que j'y aille.

— Une urgence ? a-t-il demandé.

— Non. Je veux juste pas perdre de points.

Est-ce que vous avez prévu de nous faire faire quoi que ce soit qui puisse nous rapporter des points aujourd'hui ?

— Nous allons discuter du texte. Cela pourrait vous être utile.

— Mais est-ce que ça va m'apporter des *points* ?

— Non, je suppose que non.

— D'accord, alors il faut vraiment que j'y aille. »

Ils lisaient *Hamlet*, et Samuel savait par expérience que le cours serait compliqué. À cause du vocabulaire, qui poserait des difficultés aux étudiants, les fatiguerait. Le devoir qu'il leur avait demandé de rendre portait sur l'identification des erreurs logiques dans la pensée de Hamlet, ce qui, d'après Samuel lui-même, était un exercice merdique. Il y en aurait au moins un pour demander quel était le but de l'exercice, pourquoi ils étaient obligés de lire une vieillerie pareille. Et : *En quoi tout ça nous sera utile dans la vraie vie ?*

Autant dire qu'il ne crevait pas d'impatience.

Dans ces moments-là, Samuel pense à l'époque de son heure de gloire. Quand, à l'âge de vingt-quatre ans, il a vu l'une de ses nouvelles publiée par un magazine. Et pas n'importe quel magazine, *le* magazine. Dans un numéro spécial consacré aux « Cinq de moins de vingt-cinq ». C'était le titre qu'ils avaient choisi pour désigner « la nouvelle génération de grands auteurs américains ». Et il en faisait partie. C'était sa toute première publication. La seule chose qu'il avait jamais publiée, en fin de compte. Il y avait sa photo, sa biographie, et sa formidable prose. Le lendemain, il avait reçu quelque chose comme cinquante coups de fil de la crème de la crème de l'édition. Ils voulaient en voir davantage.

Il n'avait rien d'autre à montrer. Ils s'en fichaient. Il signa un contrat et reçut un gros paquet d'argent pour un livre qu'il n'avait pas encore écrit. C'était dix ans plus tôt, avant la crise financière américaine, avant le krach immobilier et bancaire qui avait laissé l'économie mondiale sur les genoux. Parfois Samuel songe que sa carrière a suivi peu ou prou la même trajectoire que la finance mondiale. Avec le recul, le bon temps de l'été 2001 paraît désormais une douce et fantasque chimère.

ON Y VAAAAAAA !!! écrit de nouveau Axman. Il a cessé de s'acharner sur le mur de la grotte, à présent il saute sur place. Lycéen, en seconde, couvert de boutons, troubles de l'hyperactivité, finira sans doute dans mon cours d'introduction à la littérature, pense Samuel.

« Qu'avez-vous pensé de *Hamlet* ? » a-t-il demandé à ses étudiants aujourd'hui après le départ de Laura.

Grognements. Mines renfrognées. Un gamin au fond de la classe a levé les mains en l'air, ses deux pouces boudinés pointés vers le bas. « C'était débile, a-t-il dit.

— J'ai rien compris, a renchéri un autre.

— Trop long, a continué une autre.

— *Beaucoup* trop long. »

En leur posant des questions, Samuel espérait lancer une discussion avec ses étudiants, n'importe laquelle : le fantôme est-il réel ou bien est-ce que c'est Hamlet qui hallucine ? Pourquoi Gertrude s'est-elle remariée si vite, à votre avis ? Est-ce que Claudius est un scélérat ou bien Hamlet est-il amer ? Etc. Mais rien. Aucune réaction. Les yeux vides. Rivés à leurs genoux ou à leur écran d'ordinateur. Comme toujours. Samuel est impuissant face aux ordinateurs, il ne peut pas les éteindre. Chaque salle de cours est équipée d'ordinateurs, il y en a un sur chaque table, l'université ne manque d'ailleurs jamais une occasion de s'en féliciter dans toutes ses brochures : *Un campus connecté ! Des étudiants en ligne avec le XXIe siècle !* Aux yeux de Samuel, tout ce que l'école leur apprend, c'est à rester assis bien sagement derrière un ordinateur en faisant semblant de travailler. À feindre une concentration intense alors qu'ils sont, au choix, en train de consulter des résultats sportifs, leurs emails personnels, de regarder des vidéos ou juste de rêvasser. Et quand on y pense, peut-être que c'est ce qu'il y a de plus important à savoir sur la façon d'appréhender un poste de travail en Amérique : rester assis bien sagement derrière son bureau, surfer sur Internet et ne pas devenir dingue.

« Combien parmi vous ont lu la pièce en entier ? » a demandé Samuel, et sur les vingt-cinq personnes présentes dans la salle, seules quatre ont levé la main. Et ce n'étaient pas des mains fières, mais des bras qui se dépliaient lentement, timidement, mal à l'aise d'avoir effectué jusqu'au bout l'exercice. Quant aux autres, ils semblaient presque lui en vouloir — leurs regards dédaigneux, leurs corps avachis lui signifiaient clairement leur ennui monstrueux. Comme s'il avait provoqué leur apathie, comme si c'était *sa* faute. Après tout, s'il ne leur avait pas donné un exercice aussi débile, ils n'auraient pas eu besoin de ne pas le faire.

« Cible en vue », lance Pwnage, qui fonce droit sur le dragon, une hache énorme à la main. Le reste du raid le suit, en poussant des cris déchaînés, dans une imitation approximative des films qu'ils ont vus sur les guerres médiévales.

Notons au passage que Pwnage est un *Elfscape Genius*. Un expert des jeux vidéo. Sur la vingtaine d'elfes présents ce soir, six sont contrôlés par lui. Il possède un village entier de personnages qu'il peut choisir d'utiliser ou non, mélanger, accommoder en fonction du combat qu'il doit mener avec eux, il a à sa disposition toute une microéconomie autosuffisante, il peut en faire jouer plusieurs à la fois grâce à une technique hyper élaborée appelée le « multiboxing » qui requiert l'interaction de plusieurs ordinateurs connectés à une sorte de tour de contrôle omnisciente d'où il donne des ordres à l'aide de manœuvres préprogrammées sur son clavier et d'un joystick à quinze boutons. Pwnage sait tout ce qu'il y a à savoir sur le jeu. Il semble avoir assimilé tous les secrets d'*Elfscape*, on dirait un arbre qui, ayant poussé à côté d'une clôture, aurait fini par faire corps avec elle. Lorsqu'il supprime des orques, il accompagne fréquemment le coup fatal de son cri de guerre : *J't'ai pwné la face !!!*

Durant la première phase du combat, leur principale tâche consiste à éviter la queue du dragon, qui se balance dans les airs et claque contre le sol rocheux. Tout le monde s'emploie donc à donner des coups de hache au dragon tout en évitant sa queue durant les quelques minutes qu'il faut pour faire baisser ses points de vie à soixante pour cent. C'est à ce moment-là que le dragon se met à voler.

« Phase deux », annonce Pwnage d'une voix calme, robotisée via la transmission par Internet. « Attention, feu. Garez-vous. »

Les boules de feu fusent sur le raid, la plupart des joueurs ont du mal à continuer à combattre le dragon tout en évitant le feu, sauf les personnages de Pwnage, tous les six s'en sortent sans problème, un pas d'un côté, un pas de l'autre, et ils évitent les boules de feu de quelques pixels à peine.

Samuel s'efforce d'esquiver les flammes mais son esprit est ailleurs, dans l'interrogation écrite qu'il a donnée à sa classe aujourd'hui. Après le départ de Laura, et après qu'il a clairement été établi qu'aucun de ses étudiants n'a lu la pièce, il lui est soudain venu des envies de punition. Alors il leur a demandé de rédiger, en deux cent cinquante mots, une explication de texte du premier acte de *Hamlet*. Ils ont râlé. Ce n'était pas ce qu'il avait prévu, mais quelque chose dans l'attitude de Laura l'avait mis dans une humeur passive-agressive. Ça avait beau n'être qu'un cours d'introduction à la littérature, le fait qu'elle s'intéresse davantage aux *points* qu'à la littérature l'avait piqué. Peu importe le sujet du cours, ce qui l'intéressait c'était combien cela lui rapportait. On aurait dit une espèce de trader de Wall Street achetant des actions de plantations de café un jour et des créances hypothécaires le lendemain. Peu importe sur quoi on se positionne, ce qui compte c'est combien on peut en tirer. Laura ne raisonnait qu'en ces termes : combien elle aurait de points à la fin, combien vaudrait son diplôme, c'était la seule chose qui comptait.

Avant, Samuel annotait leurs copies — au stylo rouge, même. Il leur enseignait des subtilités de langage, la différence et les usages de « ceci » et « cela », « quand » et « lorsque », « car » et « parce que ». Toutes ces choses. Jusqu'au jour où, alors qu'il faisait le plein à la station-service la plus proche du campus, en levant la tête vers l'enseigne lumineuse — qui annonçait : *Le plı en – de 2, c facil !* — il s'était figé et avait pensé : *À quoi bon ?*

Vraiment, honnêtement, en quoi le fait de connaître *Hamlet* pourrait-il un jour leur être utile ?

Il leur a donné une interrogation écrite, puis les a libérés une demi-heure avant la fin du cours. Il était fatigué. Debout face à cette meute indifférente, il commençait à se sentir comme Hamlet dans son premier monologue : sans substance. Il avait envie de disparaître. Que ses chairs fondent en une rosée liquide. Cela lui arrivait souvent ces derniers temps : il se sentait plus petit que son corps, comme si son esprit s'était rabougri, à force d'être celui qui laisse ses accoudoirs aux voisins dans l'avion, celui qui s'écarte pour laisser passer les gens sur le trottoir.

Le fait qu'il ait éprouvé ce sentiment juste après être allé sur Internet consulter de nouvelles photos de Bethany ne pouvait bien sûr pas être une coïncidence. Chaque fois qu'il fait quelque chose dont il se sent coupable, ses pensées se tournent vers elle, et ces jours-ci, c'est presque permanent, comme si sa vie entière étouffait sous d'impénétrables couches de culpabilité. Bethany — son grand amour, son grand désastre — qui vit toujours à New York, d'après ce qu'il sait. Une violoniste se produisant dans les plus grandes salles de spectacle, enregistrant des albums en solo, enchaînant les tournées mondiales. Taper son nom dans Google, c'est ouvrir un robinet qui se déverse en lui sans discontinuer. Pourquoi se punit-il ainsi, à aller regarder, plusieurs fois par an, toutes ces photos de Bethany somptueuse en robe du soir, avec son violon à la main et de gigantesques gerbes de roses dans les bras, entourée d'admirateurs en pâmoison à Paris, Melbourne, Moscou, Londres ?

Que penserait-elle de tout cela ? Elle serait déçue,

bien entendu. Elle se dirait que Samuel n'a pas évolué d'un iota — toujours à jouer aux jeux vidéo comme un gamin dans le noir. Le gamin qu'il était quand ils s'étaient rencontrés. Samuel pense à Bethany comme d'autres pensent à Dieu le Père. S'interrogeant sur *Son jugement.* C'est la même interrogation, sauf que Samuel a remplacé Dieu par l'autre grande absence de sa vie : Bethany. Et parfois, quand ses pensées s'emballent, il a l'impression de tomber dans un trou, de vivre à côté de sa vie, comme si, à un pas près, il s'était trompé de chemin et se retrouvait à suivre une route saugrenue et triste qui avait fini par être la sienne.

Les hurlements de sa guilde le replongent dans le jeu d'un coup. Les elfes tombent un à un. Le dragon rugit au-dessus d'eux tandis que le raid déploie ses armes longue portée les plus féroces — flèches, mousquets, couteaux de lancer et des objets électriques, lumineux qui jaillissent des mains nues des sorciers.

« Attention à toi, Dodger », dit Pwnage, et Samuel se rend compte qu'il est sur le point de se faire écraser. Il plonge sur le côté. La boule de feu atterrit juste à côté de lui. Sa barre de vie chute d'un coup, il est proche de zéro.

Merci, tape Samuel.

Avant de se mettre à applaudir en voyant le dragon tomber au sol et la phase trois commencer. Il ne reste à présent qu'une poignée d'assaillants sur la vingtaine du début : Samuel, Axman, l'infirmier du raid et quatre des six personnages de Pwnage. C'est la première fois qu'ils atteignent la phase trois. Ils n'ont jamais été aussi forts contre ce dragon.

La phase trois ressemble beaucoup à la phase un,

sauf que maintenant le dragon bouge dans tous les sens autour d'eux et que des veines de magma en fusion s'ouvrent en permanence sous leurs pieds dans des séismes qui décrochent d'énormes stalactites mortelles du plafond de la grotte. La plupart des grands combattants d'*Elfscape* périssent de cette manière. Ce n'est pas tant une question de compétences ou d'adresse qu'une question de mémorisation de schémas prédéfinis et une capacité à faire plusieurs choses en même temps : allez-vous être capable d'éviter les éruptions de lave sous vos pieds en même temps que les chutes de rochers au-dessus de votre tête, surveiller la queue du dragon pour ne pas vous retrouver sur son chemin et continuer à le larder de coups de poignard grâce à un mouvement en dix coups très élaboré, pour l'affaiblir le plus vite possible et faire tomber sa barre de vie à zéro avant le moment fatidique, au bout de dix minutes d'un compte à rebours intérieur, à l'issue duquel il déclenche un phénomène baptisé « enragé », devient complètement fou et tue tout le monde autour de lui ?

Dans le feu de l'action, Samuel est en transe. Mais juste après, même quand ils l'emportent, il est toujours assailli par la déception face au trésor factice qui leur tient lieu de récompense, rien que des données digitales, quant aux armes et aux armures qu'ils ont réussi à piller en chemin, elles ne leur serviront bientôt plus à rien : dès que les gens se mettent à battre le dragon, les concepteurs du jeu créent un nouveau monstre encore plus difficile à tuer et protégeant un trésor encore plus précieux — et le cycle recommence à l'infini. En fait, on ne peut pas vraiment gagner. Ou arriver à la fin du jeu. À certains moments, comme là, tandis qu'il regarde l'infirmier essayer de maintenir Pwnage en vie, que la barre de vie du dragon se rapproche de plus en plus de zéro, que Pwnage crie « Allez allez allez allez ! » et qu'ils sont à deux doigts d'une victoire épique, le jeu lui paraît tout à coup absolument vain, et Samuel songe que tout ce qu'il voit, en fait, c'est une poignée de gens solitaires tapant sur des claviers dans le noir, envoyant des signaux électriques à un serveur général dans les environs de Chicago, qui renvoie à son tour quelques bouffées de données. Tout le reste — le dragon, sa tanière, le magma en fusion, les elfes, leurs sabres et toute leur magie —, tout cela n'est qu'une vitrine, une façade.

Qu'est-ce que je fais là ? se demande-t-il alors que la queue du dragon s'abat sur lui, qu'Axman est empalé par une stalactite et que l'infirmier est réduit en cendres, englouti dans une crevasse de lave, ne laissant plus qu'un seul elfe dans le jeu, Pwnage, leur dernière chance de gagner, s'il arrive à rester en vie, alors toute la guilde se met à l'encourager, criant dans les casques, observant la barre de vie du dragon passer de quatre pour cent à trois pour cent puis deux pour cent…

Et même si près du but, Samuel se demande : *À quoi bon ?*

Qu'est-ce que je suis en train de faire ?

Que penserait Bethany ?

3

La danse que Pwnage exécute dans l'obscurité de son salon ressemble à une compilation de toutes ces gesticulations auxquelles les footballeurs s'adonnent après chaque but marqué. Sa préférée, c'est encore celle où il tourne son poing en rond devant lui dans une roue invisible — « le barattage de beurre », ça s'appelle, du moins lui semble-t-il.

« Pwnage est un maître ! » crie une voix. Nul doute que les elfes lui accorderaient une *standing ovation* s'ils n'étaient pas tous réduits à l'état de cadavres. Leurs acclamations résonnent dans les enceintes de son installation digne d'une salle de cinéma. Chacun des six écrans d'ordinateur montre un angle spécifique du dragon mort.

Et un barattage de beurre.

Ensuite, avec son poing fermé, il fait ce geste comme s'il démarrait une tondeuse à gazon.

Enfin, cette danse obscène où il a l'air de fesser quelque chose devant lui, un cul, selon toute vraisemblance.

Puis les fantômes des elfes retournent à leur corps et, un à un, ses amis se relèvent ainsi du sol de la grotte, ressuscités comme cela n'arrive que dans les jeux vidéo où l'on meurt sans jamais vraiment *Mourir*. Pwnage ramasse le butin au fond de la grotte et le distribue aux membres de sa guilde — des glaives, des haches, des armures, des anneaux magiques. Cela lui procure un sentiment de bonté et de générosité, comme s'il était déguisé en Père Noël un 25 décembre.

Bientôt, les autres se déconnectent, et il les salue l'un après l'autre, les félicite pour leurs performances et tente de les convaincre de rester en ligne encore un moment, ils arguent alors de l'heure tardive, du travail qui les attend demain matin et il finit par convenir qu'il est temps d'aller dormir. Il se déconnecte, éteint tous ses ordinateurs, se met au lit et ferme les yeux, mais il est vite rattrapé par les Éclairs, ces hallucinations passagères d'elfes, d'orques ou de dragons qui défilent en rafales dans son cerveau tandis qu'il essaie de trouver le sommeil après une nouvelle session sur *Elfscape*.

Il n'avait pas prévu de jouer aujourd'hui. En tout cas, certainement pas aussi longtemps. Aujourd'hui était censé être le premier jour de son nouveau régime. Il s'était promis de commencer à manger mieux — fruits et légumes, protéines maigres, sans graisses saturées, pas de plats cuisinés industriels, des portions raisonnables, des repas équilibrés, des apports nutritionnels consistants, à partir d'aujourd'hui. Et ce matin même, il a démarré son tout nouveau mode de vie alimentaire en cassant une noix du Brésil, qu'il a ensuite soigneusement mâchée et avalée car, d'après le manuel du parfait régime qu'il a acheté en prévision de ce jour, les noix du Brésil sont l'un des « Cinq Meilleurs Aliments que vous ne consommez pas assez ». Il a aussi acheté toute la série des livres dans la même collection, les menus et recettes associés au régime ainsi que l'ensemble des applications mobiles, prônant toutes une cuisine à base de protéines animales et de noix — le régime typique du chasseur/cueilleur. Et tandis qu'il mâchait, il songeait à toutes les bonnes graisses, antioxydants et métanutriments contenus dans la noix du Brésil se répandant dans son corps, éliminant les radicaux libres, réduisant son cholestérol et lui donnant peut-être même des forces nouvelles pour se mettre en mouvement car *il y avait tellement à faire.*

La cuisine avait besoin d'un coup de neuf de toute urgence : le plan de travail en mélaminé était tout fissuré et gondolé sur les bords, le lave-vaisselle s'était mis en rade au printemps dernier, le système d'évacuation de la poubelle vers le vide-ordures ne fonctionnait plus depuis peut-être un an, trois des quatre brûleurs de la gazinière étaient morts, récemment le réfrigérateur était devenu fou — la partie frigo s'éteignait sans crier gare, laissant pourrir hot-dogs, viandes cuisinées et briques de lait, tandis que la partie congélateur s'emballait, et tous ses repas de plateau télé se retrouvaient prisonniers du permafrost. Ajoutez à cela les placards qu'il aurait fallu débarrasser d'une gigantesque collection de Tupperware jaunis et autres sachets oubliés de fruits secs, noix, chips, bocaux d'herbes et d'épices entassés les uns sur les autres, dessinant les strates géologiques de ses précédentes tentatives de régime, dont chacune requérait l'achat de nouveaux bocaux d'herbes et d'épices, le stock ayant le temps, entre chaque tentative sérieuse, de se rabougrir en une masse informe, indistincte, inutilisable et complètement déshydratée.

Il savait bien ce qu'il aurait dû faire : ouvrir tous les placards en grand, jeter l'intégralité de leur contenu à la poubelle et s'assurer qu'il n'y avait pas de colonies de bactéries ou de bestioles installées au fond dans les recoins sombres, mais en fait il n'en avait pas vraiment envie car il avait trop peur de ce qu'il pourrait y trouver, *des bestioles* en l'occurrence. Parce que alors il serait obligé de recouvrir les parois de plastique, de tout passer au vermifuge et de tout ranger aussi autour de la cuisine, créant ainsi une sorte d'« aire de rassemblement » pour entasser les éléments nécessaires (nouveaux placards, lattes de parquet, appareils électroménagers, outils, marteaux, scies, boîtes de clous, vis, tuyaux en PVC, et tout le bordel indispensable à un réaménagement drastique de la cuisine), mais en regardant les pièces autour de lui, il était bien obligé de constater que ça allait être très difficile : le salon, par exemple, devait absolument rester une zone préservée, sans débris, au cas où un soir prochain il aurait des invités inattendus (c'est-à-dire Lisa) pour qui l'attrait, voire la séduction, d'un tas d'outils serait limité ; même chose dans la chambre, qui, pour exactement les mêmes raisons, était évidemment un autre mauvais endroit pour créer l'aire de rassemblement nécessaire, quoiqu'il faille bien admettre que Lisa n'avait plus mis les pieds chez lui depuis un bon moment, elle avait longuement insisté sur le fait qu'ils devaient garder « une distance » afin de franchir cette nouvelle étape de leur relation. Ce qui ne l'empêchait pas de faire des exceptions en lui demandant de la déposer au travail, ou bien au centre commercial quand elle avait besoin de faire quelques commissions, et il n'allait quand même pas la laisser en plan, sans permis de conduire ni voiture, sous prétexte qu'elle avait demandé le divorce, certes la plupart des gars l'auraient fait, mais ce n'était *pas comme cela qu'il avait été élevé.*

La seule zone possible pour créer l'aire de rassemblement du matériel nécessaire à la cuisine était donc la chambre d'amis, malheureusement impraticable elle aussi car elle débordait déjà de trucs et de machins qu'il ne pouvait se résoudre à jeter — cartons remplis de récompenses scolaires, badges, trophées, médailles, certificats d'aptitude, et, quelque part là-dedans, ce carnet relié de cuir noir qui contenait les premières pages d'un roman qu'il s'était promis d'achever très bientôt — il lui faudrait donc se plonger dans ces cartons et tout inventorier avant de pouvoir dégager l'espace nécessaire à la rénovation de la cuisine, indispensable au démarrage de son tout nouveau régime.

Autre problème : le budget. Où trouver de quoi financer son grand projet de régime alors que ses différents comptes pour le *Monde d'Elfscape* et son tout nouveau smartphone creusaient déjà des découverts abyssaux dans ses finances ? Et oui, il voulait bien convenir que, vu de l'extérieur, l'achat d'un téléphone à quatre cents dollars et la souscription à un abonnement Internet illimité pouvaient sembler une dépense exorbitante pour quelqu'un dont la vie ne dépendait pas de la communication électronique, et le fait est que depuis qu'il l'avait acheté, l'immense majorité des textos qu'il avait reçus émanait du fabricant du smartphone lui-même — enquête de satisfaction, publicité pour des assurances, offres d'essai des autres produits électroniques de la marque —, les rares autres messages venaient de

Lisa pour lui dire qu'on l'avait appelée au dernier moment au comptoir Lancôme, ou qu'elle quittait le comptoir Lancôme plus tôt que prévu, ou qu'elle devait rester plus tard au comptoir Lancôme, ou bien qu'elle n'avait pas besoin qu'il vienne la chercher parce qu'elle avait été invitée à « sortir » par « quelqu'un du travail », ces derniers messages, à l'ambiguïté enrageante, le faisaient frémir de jalousie, alors il se roulait en boule sur son canapé, en se rongeant les ongles et en se demandant où s'arrêtait la fidélité de Lisa. Bien entendu, il n'était plus en droit d'exiger d'elle une parfaite monogamie conjugale, bien entendu, il voyait bien en quoi le divorce représentait une sorte de *finalité* pour leur relation, cependant il savait aussi qu'elle ne l'avait pas quitté *pour un autre homme*, et qu'il comptait toujours énormément dans sa vie, une partie de lui continuait ainsi à penser qu'en se rendant suffisamment utile, secourable et présent pour Lisa, elle ne le « quitterait » jamais vraiment, il avait donc besoin du smartphone.

De même qu'il avait besoin du régime, et de toutes les applications d'exercices physiques indispensables à la mise en place d'une nouvelle alimentation, pour y enregistrer les aliments et boissons ingurgités chaque jour et recevoir une analyse quotidienne de ses apports caloriques et nutritionnels. Par exemple, en enregistrant ce qu'il avalait pendant un jour normal comme « base de comparaison » avec ses futurs menus excellemment équilibrés, il avait découvert que ses trois expressos du matin (sucrés) équivalaient à 100 calories, que ses six latte et brownies du déjeuner en valaient 400 supplémentaires, ce qui lui laissait encore 1 500 calories de marge pour atteindre le plafond de 2 000 calories par jour, et ouvrait donc la perspective d'un dîner composé de deux, voire trois paquets de Fajitas au Saumon des Trésors de l'Océan surgelés, contenant chacun des légumes émincés façon frites et un sachet d'un truc rouge salé appelé « Épices du Grand Sud » auquel il ajoutait souvent une cuillère à café de sel (à laquelle son smartphone avait attribué un total de *zéro calorie*, ce qui était à ses yeux une énorme victoire en matière de goût). La plupart du temps, il avalait ces plats au saumon à toute allure, s'efforçant d'ignorer la cuisson plus qu'approximative du micro-ondes, les poivrons verts lui brûlaient littéralement la langue, tandis que l'intérieur du saumon, encore glacé, craquait sous la dent comme une sorte d'écorce humide et froide, laissant un arrière-goût globalement répugnant, ce qui ne l'empêchait pas de continuer à remplir son congélateur de paquets de fajitas au saumon, pour deux bonnes raisons : sur le paquet il était écrit *Plaisir maximum pour un minimum de calories !*, et c'était la meilleure et la plus longue promotion jamais vue au supermarché du coin, dix paquets pour cinq dollars (dans la limite de dix paquets par passage en caisse).

Quoi qu'il en soit, l'application du smartphone avait analysé les nutriments et métanutriments consommés, les avait comparés aux apports journaliers recommandés en vitamines, acides, graisses, etc., et présentés dans un graphique qui, s'il avait tout fait correctement, aurait dû s'afficher dans une nuance de vert délicate. Le graphique était rouge vif : il n'avait absolument rien avalé qui puisse lui assurer les bases d'une bonne santé. D'ailleurs, il était bien obligé d'admettre que ces derniers temps ses yeux et les pointes de ses cheveux avaient jauni de manière déconcertante, ses ongles étaient devenus plus fins, friables, et avaient tendance, quand il les rongeait, à se fendiller en deux presque jusqu'à leur base, et aussi, tout comme ses cheveux, ils avaient purement et simplement cessé de pousser et semblaient même s'amenuiser par endroits, ou se recourber, tandis qu'autour de son poignet, comme un bracelet de montre, s'étendait en permanence une rougeur inquiétante. Ainsi donc, il avait beau être loin des 2 000 calories maximum par jour, il ne consommait pas les bonnes calories, et pour « manger mieux » il lui faudrait changer complètement d'alimentation et passer à des produits frais et bio, en l'occurrence les plus chers, inabordables vu les prélèvements qu'il accumulait déjà sur son compte et l'abonnement auquel il venait de souscrire pour son smartphone. Le tour ironique et paradoxal qu'avait pris l'affaire ne lui échappait pas : le service qu'il payait pour lui indiquer comment bien manger l'en empêchait en le mettant dans l'incapacité financière de bien manger, tout en faisant grossir de manière dramatique le découvert de sa carte de crédit, toute possibilité de combler un jour ce vide s'éloignant inexorablement de lui tel un continent à la dérive. Sans parler de son emprunt immobilier, qui lui aussi ne cessait d'enfler à cause d'un agent qui l'avait convaincu des années plus tôt, avant que la ville (et le marché immobilier national dans son ensemble) ne plonge dans une mouise totale, de refinancer sa maison par un « amortissement passif » de son prêt. À l'époque cela avait été une manne financière énorme, grâce à laquelle il avait acheté une télévision HD, plusieurs consoles de jeux vidéo dernier cri et une installation informatique hors de prix, qui s'avéraient de véritables gouffres à présent que les remboursements mensuels augmentaient et que la valeur de sa maison avait chuté pour atterrir à un chiffre absurdement ridicule, comme si la maison avait entre-temps été éventrée par l'explosion d'un labo d'amphét' clandestin.

Tout cela le rendait nerveux, en plus d'autres problèmes financiers et budgétaires qui venaient s'ajouter, si nerveux que son cœur s'emballait, rebondissait et se serrait dans sa poitrine comme si quelqu'un pratiquait sur lui un massage de la cage thoracique, mais de l'intérieur. Et ainsi que disait toujours Lisa, « On n'a rien tant qu'on n'a pas la santé », ce qui lui fournissait un prétexte idéal pour se donner à fond dans les choses qui l'aidaient à gérer son stress : la programmation de haut niveau et les jeux vidéo.

C'est de ce côté-là qu'il avait fini par se tourner ce jour-là. Avant de s'acquitter des tâches nécessaires à la mise en place de son nouveau régime, il avait décidé de s'atteler d'abord à ses *autres* tâches, celles qui l'attendaient sur *Elfscape* : les vingt quêtes qu'il accomplissait chaque jour et qui lui valaient des avantages carrément cool dans le jeu (comme de pouvoir chevaucher des griffons volants et d'engranger des atouts, tels que des haches démesurément grandes, et des vestes et des pantalons de costume super classe qui donnaient à son avatar des airs de grand seigneur). Pour obtenir ces avantages, les quêtes — il s'agissait la plupart du temps de liquider un ennemi quelconque, de délivrer un message en franchissant des obstacles ou de localiser un truc important égaré — devaient être accomplies chaque jour sans exception pendant quarante jours d'affilée *le plus rapidement possible, mathématiquement*, ce qui en soi était déjà une récompense, car chaque victoire était ponctuée par des feux d'artifice, des trompettes rugissantes et l'apparition de son nom dans le classement des Meilleurs Joueurs d'*Elfscape*, lui assurant une déferlante de messages de félicitations et d'admiration de toute sa liste de contacts. C'était comme d'être le jeune marié le jour du mariage. Et dans la mesure où Pwnage n'avait pas un seul personnage mais assez de personnages pour former une équipe complète de softball, cela signifiait qu'une fois achevées les quêtes de son personnage principal, il devait ensuite les recommencer une à une pour tous ses personnages alternatifs, de sorte que le nombre de quêtes à honorer chaque jour s'élevait à environ deux cents, selon le nombre de « portes » qu'il voulait franchir. La réalisation quotidienne de ses quêtes prenait ainsi près de cinq heures — et il avait beau savoir que cinq heures d'affilée représentaient pour la plupart des gens le seuil de tolérance maximal aux jeux vidéo, pour lui ces cinq heures n'étaient que la première étape indispensable pour *pouvoir vraiment jouer*, une sorte d'échauffement avant le début de la vraie session, un obstacle à franchir pour pouvoir commencer à vraiment s'amuser.

C'est ainsi que ce jour-là, le temps qu'il en ait fini avec les quêtes journalières, il faisait déjà nuit dehors et, après cinq heures à jouer tel un automate, son cerveau était parti si loin, dans un flou si épais, littéralement constipé par un bouchon si énorme qu'il n'avait plus la concentration ni la motivation ni l'énergie suffisantes pour tenir aucun de ses autres engagements plus nobles, comme faire les courses ou cuisiner ou se lancer dans une rénovation compliquée de la cuisine. Il était donc resté derrière son ordinateur, avait rechargé ses batteries avec six latte et un burrito surgelé, et continué à jouer.

Et il a joué si longtemps que maintenant, il a beau essayer de dormir, les Éclairs sont plus vifs que jamais, et il n'y a simplement plus aucune chance que le sommeil vienne, et Pwnage en arrive ainsi à la conclusion que la seule chose qu'il lui reste à faire c'est de se relever et de redémarrer les ordinateurs pour voir si les meilleurs joueurs de la côte Ouest sont encore en ligne et entamer un nouveau raid. Après quoi il bascule sur les serveurs australiens pour pouvoir assiéger le dragon de nouveau. Puis, vers quatre heures du matin, c'est le tour des Japonais, les plus féroces, de se connecter, une vraie aubaine, il peut alors faire équipe avec ces gars-là et s'acharner sur le dragon encore et encore, jusqu'à ce que le fait de le tuer ne constitue plus une victoire, mais une routine, un truc ordinaire, voire un peu rébarbatif. Le temps que l'Inde se connecte, les Éclairs se sont enfin calmés, transformés en une espèce de pâte luminescente molle, floue et lourde, alors il abandonne le jeu, avec une sensation brumeuse, comme si son front avait avancé d'un mètre par rapport à son visage, il se dit qu'il a besoin d'un sas de décompression avant d'aller au lit et met un de ces DVD qu'il a déjà vus un bon million de fois (le raisonnement consistant à se dire qu'ainsi il n'a pas besoin d'être pleinement attentif pour suivre le film puisqu'il le connaît déjà par cœur), l'un de ces films d'apocalypse où la terre finit toujours anéantie d'une manière ou d'une autre — météorites, aliens, activité volcanique non détectée sous la croûte terrestre —, devant lesquels il faut à peine une quinzaine de minutes pour que son esprit se mette à divaguer, le temps que le héros découvre le secret que le gouvernement cachait à la population et comprenne à quel point c'est la merde, et c'est à peu près à ce moment-là que Pwnage s'échappe et se met à repenser à sa journée, se souvenant vaguement d'avoir éprouvé l'après-midi même un intense désir de changer son alimentation, et, mû peut-être par la culpabilité de ne pas avoir exploité ce jour pourtant idéal pour commencer à mieux manger, il croque une noix du Brésil en se disant qu'il vaut toujours mieux faire les choses en douceur, et que la noix du Brésil est une sorte de passerelle entre sa vie actuelle et sa future vie saine ; il se détend alors, fixe l'écran de la télévision d'un œil globuleux, avale les morceaux de noix tout en assistant à la destruction de la planète et il sourit en imaginant un rocher de la taille de la Californie s'abattant à la surface du globe, supprimant toute trace de vie humaine et réduisant tout en poussière dans un grand éclair blanc, puis il se lève du canapé, c'est presque l'aurore, il se demande où a bien pu passer la nuit, se traîne jusqu'à sa chambre, tombe nez à nez avec son reflet dans le miroir — cheveux blanc-jaune, pupilles dilatées, rouges de fatigue et de déshydratation — et se met au lit où il sombre plus qu'il ne s'endort, dans un noir fracassant, soudain et total. À ce moment-là, dans cet état proche du coma, l'image qu'il essaie de garder en tête, c'est celle de lui-même en train de danser.

Il voudrait se souvenir de ce qu'il éprouvait alors : une joie transcendantale. La première fois qu'il a vaincu le dragon. Avec tous ses amis de Chicago en liesse.

Mais impossible de convoquer ce souvenir à présent, ce sentiment qui l'avait fait danser comme un fou. Pwnage essaie de se remettre dans le même état d'esprit, mais il se sent comme détaché de cette image de lui-même, comme si c'était quelque chose qu'il avait vu à la télévision il y a longtemps. Comment la même personne, qui se sent aussi mal maintenant, a-t-elle pu baratter du beurre, démarrer la tondeuse à gazon, balancer de grandes fessées ?

Demain, se promet-il.

Demain, il commencera son nouveau régime — ce sera le jour officiel, le premier, le vrai. Et peut-être qu'en fait aujourd'hui c'était juste un échauffement, un coup pour rien, un faux départ en préparation du vrai premier jour de son nouveau régime, qui ne saurait tarder maintenant. Très vite viendra le jour où il se lèvera tôt le matin, avalera un petit déjeuner sain et se mettra au travail dans la cuisine, rangera les placards, fera les courses, évitera soigneusement l'ordinateur, et finira, au bout du compte, par passer une journée entière à faire exactement tout comme il faut.

Il le jure, le promet. Un jour prochain verra l'aube d'un changement total.

4

« Vous pensez que j'ai *triché* ? s'exclame Laura Pottsdam, étudiante en deuxième année et tricheuse invétérée. Vous pensez que j'ai recopié le devoir que je vous ai rendu ? Moi ? »

Samuel hoche la tête. S'efforce d'avoir l'air peiné par toute cette situation, tel un parent obligé de punir son enfant. *Cela me coûte davantage qu'à toi*, voilà le sentiment qu'il essaie de traduire par son expression, même si c'est loin d'être ce qu'il ressent vraiment. En réalité, une partie de lui prend un *malin plaisir* à mettre un étudiant en échec. C'est une façon de se venger sur eux d'avoir à leur faire cours.

« Est-ce que je peux dire une chose ? Une bonne fois pour toutes ? *Je. N'ai. Pas. Recopié. Ce. Devoir* », insiste Laura Pottsdam à propos du devoir qu'elle a presque entièrement recopié. Samuel le sait grâce au logiciel — ce logiciel absolument extraordinaire fourni par l'université qui analyse tous les devoirs produits par ses étudiants et les compare à tous les autres documents enregistrés dans des archives gigantesques. Le cerveau de ce logiciel contient littéralement des millions de mots écrits par tous les lycéens et étudiants de tout le pays — Samuel plaisante à ce propos avec ses collègues, il prétend que, si tout à coup le logiciel acquérait une intelligence artificielle et une conscience propre, la première chose qu'il ferait serait de foncer à Cancún pour le Spring break[1].

Le logiciel a analysé le devoir de Laura et trouvé 99 % de ressemblance avec un autre document — la seule chose qui n'a pas été recopiée, c'est le nom, « Laura Pottsdam ».

Plurium interrogationum (ou « La question piège »)

« Il y a quelque chose qui ne va pas avec le logiciel ? » s'interroge Laura, étudiante en deuxième année, originaire de Schaumburg, dans l'Illinois, inscrite en Marketing et Communication, petit mètre soixante, cheveux blond sale et plus filasse encore à la lueur verdâtre du bureau de Samuel, tee-shirt en coton blanc très fin, avec une inscription illustrant une grande fête qui a dû avoir lieu alors qu'elle n'était même pas née. « Je me demande ce qui ne va pas avec ce logiciel. Est-ce qu'il se trompe souvent ?

— Vous êtes en train de dire que c'est une erreur ?

— C'est *trop bizarre*. Je ne comprends pas. Pourquoi est-ce que ça dirait une chose pareille ? »

Laura est ébouriffée comme si elle venait d'essuyer une tornade, ses cheveux partent dans tous les sens.

1. Les vacances de printemps, traditionnellement passées par les étudiants américains sur la côte caraïbe du Mexique où ils s'adonnent à des fêtes débridées et abondamment alcoolisées.

Impossible d'ignorer son micro-short en coton rayé, à peine plus grand qu'un filtre à café. Sans parler de ses jambes bronzées à souhait. Et de ses pantoufles à figurine en peluche, d'un vert jaunâtre couleur chou de Bruxelles, aux extrémités recouvertes d'un film de saleté grisâtre à force d'avoir été portées à l'extérieur. Tout à coup Samuel est frappé à l'idée qu'elle est venue là, jusqu'à son bureau, aujourd'hui, *en pyjama*.

« Le logiciel ne se trompe pas, dit-il.

— Vous voulez dire *jamais* ? Il ne se trompe *jamais* ? Vous voulez dire qu'il est infaillible, parfait ? »

Les murs du bureau de Samuel sont décorés, sans surprise, de ses différents diplômes, les étagères remplies de livres aux titres interminables, la pièce dans son ensemble et sa pénombre évoquent on ne peut mieux l'univers professoral : la chaise en cuir sur laquelle Laura est assise en ce moment, tapant ses pantoufles contre les pieds du siège ; les dessins du *New Yorker* scotchés sur la porte ; la petite plante qu'il arrose avec un pulvérisateur d'un demi-litre ; un perforateur à trois trous ; un calendrier en guise de sous-main ; une tasse à café à l'effigie de Shakespeare ; quelques jolis stylos. Le tableau complet. Un portemanteau avec une veste en tweed au cas où. Et lui, dans son fauteuil ergonomique. Qui, l'espace d'un instant, se réjouit qu'elle ait employé correctement le mot « infaillible ». Quant à l'odeur de renfermé qui plane dans son bureau, peut-être vient-elle de Laura, tout juste sortie du lit, ou bien c'est la sienne qui flotte encore de la nuit dernière où il a veillé tard sur *Elfscape*.

« D'après le logiciel, dit-il en lisant le rapport sur

le devoir de Laura, ce texte vient du site Internet Devoirstoutprets.com.

— Vous voyez ? C'est bien ce que je disais ! Je n'en ai jamais entendu parler. »

Il est l'un de ces jeunes professeurs qui s'habillent encore d'une manière que ses étudiants pourraient considérer comme « branchée ». Chemises au col déboutonné, jeans, baskets à la mode. Certains y voient une marque de bon goût, d'autres un signe de faiblesse, d'insécurité et de désespoir. Et comme de temps à autre aussi il laisse échapper un juron en cours, il ne risque pas d'avoir l'air vieux et coincé. Le short en coton de Laura a des rayures rouges, noires et bleu marine. Son tee-shirt est délavé et élimé au dernier degré, et cependant il est impossible de dire s'il est usé ou s'il a été fabriqué pour avoir l'air usé. Elle continue : « Il est évident que je ne serais pas allée recopier un devoir idiot sur Internet. *Même pas en rêve.*

— Vous prétendez donc que c'est une coïncidence.

— Je n'ai aucune idée de la raison pour laquelle le logiciel a dit ça. C'est vraiment trop bizarre ? »

Laura a cette habitude de terminer ses phrases sur une note ascendante de telle façon que même ses affirmations sonnent comme des questions. C'est le genre de tics que Samuel a du mal à se retenir de ne pas imiter, c'est la même chose pour les accents. Il songe aussi que sa capacité à le regarder dans les yeux et à rester détendue, sans la moindre agitation physique, tout le temps qu'elle lui ment, est assez impressionnante. Elle ne laisse paraître aucune des manifestations physiques habituelles chez les menteurs : sa respiration est normale, son attitude détendue, indolente, ses yeux ne fuient pas le regard de Samuel, ils ne dévient pas sur le côté indiquant un effort d'imagination, son visage ne trahit pas le moindre effort pour dissimuler ou exprimer des émotions particulières, émotions qui semblent traverser ses traits à un rythme tout à fait normal et avec un naturel confondant, rien à voir avec l'expression typique du menteur dont les muscles faciaux se mettent en mouvement pour créer mécaniquement la bonne expression.

« D'après le logiciel, poursuit Samuel, le devoir en question a également été remis il y a trois ans au sein du lycée public de Schaumburg. » Il marque une pause, le temps que l'information fasse son chemin et son effet. « N'est-ce pas là votre ville d'origine ? C'est bien de là que vous venez, non ? »

Petitio principii
(ou « L'argument circulaire »)

« Vous savez », dit Laura en se tortillant sur son siège, une jambe placée sous ses fesses, dans ce qui pourrait être le premier signe physique de détresse qu'elle laisse échapper. Son short est si court que, lorsqu'elle s'agite sur son siège, la peau de ses cuisses couine en se décollant du cuir dans un bruit moite de succion. « Je ne voulais rien en dire, mais je me sens vraiment blessée. Par tout cela ?

— Blessée.

— Euh… *ouaaaais* ? Vous m'accusez d'avoir triché ? C'est genre, carrément violent ? »

Sur le tee-shirt de Laura, dont Samuel, toute réflexion faite, pense qu'il a été artificiellement délavé avec des colorants, des produits chimiques quelconques ou peut-être même des lampes à UV ou autres procédés abrasifs, on peut lire l'inscription « Fête de la plage du Lagon, été 1990 » en grosses lettres de bulles de BD à l'ancienne sur une image d'océan traversée par un arc-en-ciel.

« Ça ne se fait pas de traiter quelqu'un de tricheur, dit-elle. C'est stigmatisant. Il y a eu des études à ce sujet ? Plus on traite quelqu'un de tricheur, plus il a de chances de tricher. »

Plus il a de *risques* de tricher aurait été plus correct, se dit Samuel.

« Et il ne vaut mieux pas non plus punir quelqu'un qui a triché, continue Laura, parce que alors il sera forcé de tricher encore plus. Pour ne pas redoubler ? C'est genre » — son index décrit un cercle en l'air — « un cercle vicieux ? »

En cours, Laura Pottsdam est systématiquement en avance de trois minutes ou en retard de deux minutes. Sa place préférée est située au fond à gauche de la classe. Plusieurs garçons ont lentement mais sûrement changé de place pour se rapprocher de son orbite, rampant tels des mollusques de la droite vers la gauche de la salle au fur et à mesure du semestre. La plupart d'entre eux ont droit à deux ou trois semaines juste à côté d'elle jusqu'au jour où tout à coup ils se retrouvent à l'autre bout de la classe. On dirait des particules chargées d'électricité rebondissant les unes contre les autres dans une sorte de mélodrame psychosexuel indépendant du programme universitaire.

« Vous n'avez jamais écrit ce devoir, dit Samuel. Vous l'avez acheté au lycée, puis vous l'avez réutilisé pour mon cours. C'est le seul sujet à l'ordre du jour. »

Laura replie ses deux jambes sous elle. Elles font un bruit humide en se décollant du cuir brillant.

Appel à la pitié

« C'est *trop injuste* », dit-elle. La souplesse avec laquelle elle plie et déplie ses jambes ne peut s'expliquer que par sa jeunesse ou par la pratique intensive du yoga, ou bien les deux. « Vous avez demandé un devoir sur *Hamlet*. C'est ce que je vous ai donné.

— Je vous ai demandé d'*écrire* un devoir sur *Hamlet*.

— Et comment j'étais censée le savoir ? Ce n'est pas ma faute si vous avez des règles bizarres.

— Ce ne sont pas mes règles. Ce sont les règles de n'importe quelle école.

— C'est faux. J'ai utilisé ce devoir au lycée, et j'ai eu un A.

— Quel dommage.

— Je ne pouvais donc pas savoir que ça n'irait pas. Comment j'aurais pu le savoir ? Personne ne m'a jamais dit que ce n'était pas bien.

— Vous saviez forcément que ce n'était pas bien. Puisque vous avez menti. Si vous n'aviez pas pensé que ce n'était pas bien, vous n'auriez pas menti.

— Mais je mens tout le temps. *Sur tout*. C'est plus fort que moi.

— Eh bien vous devriez arrêter.

— Mais je ne peux pas être punie deux fois. J'ai déjà été punie au lycée pour avoir recopié ce devoir. Je ne peux pas l'être une deuxième fois maintenant. Ce n'est pas, genre, de la double incrimination ?

— Je croyais que vous aviez eu un A au lycée.

— Non, ce n'est pas ce que j'ai dit.

— Pourtant j'en suis assez certain. Je suis quasiment certain que c'est exactement ce que vous *venez* de dire.

— C'était une hypothèse.

— Je ne crois pas, non.

— Je pense que je m'en serais rendu compte. *Hein.*

— Est-ce que vous êtes à nouveau en train de mentir ? Vous mentez, là ?

— Non. »

Durant un moment ils se jaugent comme deux joueurs de poker en train de bluffer. Le plus long regard qu'ils ont jamais échangé. En classe, Laura passe presque tout son temps à regarder sous sa table, où elle cache son téléphone portable. Persuadée que tant que son portable est sous la table il est bien caché, et que personne ne le voit. Elle ne saisit pas à quel point la manœuvre est grossière et transparente. La seule raison pour laquelle Samuel ne lui a pas demandé d'arrêter de regarder son téléphone en cours, c'est qu'il compte bien s'en servir pour la saquer sur ses « points de participation » à la fin du semestre.

« De toute façon, dit-il, la double incrimination, ça ne fonctionne pas de cette manière. Et en l'occurrence, ici, le sujet c'est que lorsque vous rendez un devoir le principe de base veut que ce soit vous qui l'ayez écrit. Vous et personne d'autre.

— C'est *mon* devoir.

— Non, vous l'avez acheté.

— Je sais, persiste-t-elle. C'est à moi. C'est ma propriété. C'est *mon devoir.* »

Et tout à coup, il se rend compte qu'effectivement,

s'il ne qualifie pas cela de « tricherie » mais de « travail de documentation », elle pourrait bien avoir raison.

Fausse analogie

« En plus, je vous ferai remarquer qu'il y a des gens qui font des choses beaucoup plus graves, dit Laura. Prenez ma meilleure amie par exemple ? Elle paie son professeur particulier de mathématiques pour faire ses devoirs à sa place. C'est *beaucoup* plus grave, non ? Et elle n'est même pas punie ! Pourquoi moi je devrais être punie et pas elle ?

— Elle n'est pas dans mon cours, répond Samuel.

— D'accord, parlons de Larry, alors.

— Qui ?

— Larry Broxton ? Dans votre cours ? Je sais de source sûre qu'il fait faire tous ses devoirs par son grand frère. Vous ne le punissez pas, lui. Ce n'est pas juste. C'est *beaucoup plus grave.* »

Samuel se souvient de ce Larry Broxton — deuxième année, cheveux coupés très court, blond comme les blés, habituellement vêtu d'un maxi short argenté et d'un tee-shirt uni arborant l'énorme logo d'un magasin de vêtements présent dans tous les centres commerciaux du pays — il faisait partie de la meute de garçons qui, après avoir rampé jusqu'à elle, s'étaient retrouvés éjectés de l'orbite de Laura Pottsdam. Foutu Larry Broxton, aussi pâle et vaguement verdâtre que la chair d'une vieille pomme de terre, perdu dans de vaines et pathétiques tentatives de se faire pousser une barbe et une moustache blondes qui lui donnaient surtout l'air d'avoir des miettes de pain collées sur son visage, une allure voûtée, renfermée, évoquant mystérieusement pour Samuel une sorte de fougère qui ne pousserait qu'à l'ombre. Larry Broxton, dont il n'avait jamais entendu le son de la voix en cours, dont la croissance plantaire accélérée avait distancé depuis longtemps le reste de son corps, l'affublant d'une démarche traînante, comme s'il flottait sur deux grands poissons d'eau douce tout plats, chaussés, par-dessus le marché, de ces espèces de sandales en plastique noires dont Samuel était à peu près persuadé qu'elles étaient destinées à être portées à la piscine ou dans les douches publiques. Ce même Larry Broxton qui, systématiquement, passait les dix minutes de « création libre et échange spontané » que Samuel donnait à chaque classe à se gratter les parties génitales d'un air paresseux et absent, et qui, chaque jour des deux semaines où il avait été assis à côté de Laura Pottsdam, s'était débrouillé pour la faire rire en sortant du cours.

Pente glissante

« Tout ce que je dis, poursuit Laura, c'est que si vous me pénalisez moi, il faut que vous pénalisiez tout le monde. Parce que tout le monde le fait. Et vous allez vous retrouver avec plus personne en cours.

— Sans personne, dit-il.
— Quoi ?
— Vous allez vous retrouver *sans personne* en cours. Pas *avec plus personne.* »
Laura le dévisage comme s'il venait de lui parler en latin.
« *Avec plus personne*, c'est incorrect.
— Peu importe. »
Il sait bien à quel point c'est désagréable et condescendant de corriger la grammaire de quelqu'un dans une conversation. C'est du même ordre que d'être à une fête et de relever le manque de culture de son voisin, c'est d'ailleurs précisément ce qui est arrivé à Samuel lors de sa première semaine à l'université. Dans un dîner de présentations organisé chez la doyenne de l'université, sa patronne, une ancienne prof du département de Lettres qui avait grimpé les échelons administratifs un à un. Elle avait bâti le genre de carrière académique tout à fait typique : elle savait absolument tout ce qu'il y avait à savoir dans un domaine extraordinairement restreint (sa niche à elle, c'était la production littéraire pendant et sur la Grande Peste). Au dîner, elle avait sollicité son avis sur une partie spécifique des *Contes de Canterbury*, et, lorsqu'il avait hésité, s'était écriée, un peu trop fort : « Vous ne l'avez pas lu ? Oh, ça alors, *doux Jésus.* »

Non sequitur

« Par ailleurs ? reprend Laura. J'ai trouvé que c'était très injuste de votre part de faire une interrogation écrite.

— Quelle interrogation écrite ?

— Celle que vous avez faite ? Hier ? Sur *Hamlet* ? Je vous ai demandé s'il y aurait une interrogation écrite et vous avez dit non. Et après vous en avez donné une.

— C'est mon droit.

— Vous m'avez *menti*, dit-elle avec cet air offensé et peiné qui semble le fruit du visionnage de milliers de téléfilms mélodramatiques.

— Je n'ai pas menti, dit-il. J'ai changé d'avis.

— Vous ne m'avez pas dit la vérité.

— Vous n'auriez pas dû sécher le cours. »

C'était quoi exactement qui l'énervait autant chez Larry Broxton ? Pourquoi était-il à ce point révulsé quand il les voyait assis ensemble à rire, ou marchant côte à côte sur le chemin de la sortie ? En partie parce qu'il n'avait aucune estime pour ce garçon — son allure, son ignorance crasse, son visage prognathe, le mur de silence qu'il imposait aux autres pendant les discussions en classe, assis, immobile, amas de chair inutile au cours et au monde en général. Toutes ces choses l'énervaient, et sa colère était d'autant plus forte à l'idée que Laura puisse envisager de laisser ce garçon *lui faire des choses*. De le laisser la toucher, voire de se blottir volontairement contre sa peau de tuberculeux, de poser sa bouche sur ses lèvres gercées, de lui permettre de la peloter, de poser ses mains sur elle, ses ongles rongés jusqu'à la racine et pourtant violacés de saleté. L'idée qu'elle puisse volontairement le suivre jusqu'à son dortoir sordide et lui enlever son short de basket trop grand, au milieu des odeurs de transpiration, de vieille pizza, de peaux mortes et d'urine. À l'idée qu'elle puisse laisser faire toutes ces choses sans en souffrir, Samuel souffrait à sa place.

Post hoc, ergo propter hoc

« Je ne vois pas pourquoi je serais pénalisée, reprend Laura, juste parce que j'ai séché. C'est vraiment injuste.

— Ce n'est pas pour cela que vous êtes pénalisée.

— Après tout, c'est juste un cours. Pas la peine d'en faire, genre, une guerre nucléaire ? »

Et ce qui achevait Samuel, c'était de penser que, sans doute, ce qui avait réuni Laura et Larry, c'était lui, et le fait qu'ils ne l'aimaient pas. Leur point en commun, c'était Samuel. Le fait de le trouver pénible et ennuyeux suffisait à alimenter leurs messes basses et leurs bavardages entre deux séances de pelotage poussé. En un sens, c'était sa faute. Samuel se sentait responsable de la catastrophe sexuelle qui avait eu lieu dans sa classe, sous ses yeux, au fond à gauche.

Faux compromis

« Je vais vous dire, commence Laura, le dos bien droit maintenant, penchée vers lui. Je veux bien reconnaître que j'ai eu tort de recopier le devoir, si vous, vous admettez que vous avez eu tort de donner cette interrogation écrite.

— OK.

— Voilà ce que je vous propose en guise de compromis : je réécris le devoir, et vous me donnez une autre interrogation écrite pour me rattraper. Comme ça, tout le monde est content. » Elle lève alors les mains, paumes tendues vers lui, et sourit. « *Voilà*[*1], conclut-elle.

— En quoi est-ce un compromis ?

— Je crois qu'il faut que nous dépassions la question de savoir si "Laura a triché" et que nous nous concentrions sur "comment avancer ensemble" ?

— Cela n'a rien d'un compromis si à la fin vous obtenez tout ce que vous voulez.

— Mais vous aussi, vous avez ce que vous voulez. J'assume l'entière responsabilité de mes actes.

— Et de quelle manière ?

— En le disant. En disant » — elle dessine en l'air des guillemets — « *J'assume l'entière responsabilité de mes actes* » — guillemets volants fermés.

« Quand on assume la responsabilité de ses actes, on en supporte les conséquences.

— C'est-à-dire, être pénalisée.

— Tout à fait, être pénalisée.

— C'est absolument injuste ! Ce n'est pas normal, je ne peux pas à la fois être pénalisée et assumer l'entière responsabilité de mes actes. Ce devrait être l'un ou l'autre. C'est comme ça que ça marche. Et vous savez quoi ? »

Faux-fuyant

« Je n'ai même pas *besoin* de ce cours. Je ne devrais même pas le suivre. À quoi ça va me servir de savoir

1. Les expressions en italique suivies d'un astérisque sont en français dans le texte.

tous ces trucs dans la vraie vie ? Qui est-ce qui va un jour me demander si je connais *Hamlet* ? À quel moment je pourrais bien avoir besoin de cette information ? Vous pouvez me le dire ? Hein ? Dites-moi, à quel moment je vais avoir besoin de savoir tous ces trucs ?

— Je ne vois pas le rapport.

— Il y en a un, pourtant. Et pas des moindres, *au contraire*. Parce que, justement, vous ne pouvez pas me le dire. Vous êtes incapable de me citer un moment où je pourrais avoir besoin de cette information. Et vous voulez savoir pourquoi ? Parce que la réponse, c'est que ça ne me servira *jamais à rien.* »

Samuel sait que c'est sans doute vrai. Demander à des étudiants d'envisager *Hamlet* sous l'angle des erreurs logiques semble en fin de compte assez stupide. Mais depuis qu'un certain doyen d'université a décidé un jour qu'il fallait absolument enseigner les sciences et les mathématiques dans *tous les cours* (la raison étant apparemment que ces disciplines sont le passage obligé si l'on veut pouvoir boxer dans la même catégorie que les Chinois), Samuel est contraint dans ses rapports annuels de démontrer de quelle manière il met en avant la pratique des mathématiques dans son cours de littérature. Enseigner les principes de la logique va dans ce sens, il est d'ailleurs en train de se dire qu'il aurait dû davantage insister sur la question vu le nombre d'erreurs logiques, dix environ d'après ses calculs, que Laura a énoncées depuis le début de leur conversation.

« Écoutez, dit-il, je ne vous ai pas forcé la main. Personne ne vous oblige à suivre mon cours.

— Bien sûr que si ! Tout le monde me force à

suivre votre cours et à lire cette connerie de *Hamlet*, qui ne me servira jamais à rien de toute ma vie !

— Vous êtes libre de laisser tomber le cours quand vous le souhaitez.

— Non, c'est pas vrai !

— Et pourquoi ça ? »

Argumentum verbosium

« Je ne peux pas avoir une mauvaise note à ce cours : si je ne valide pas mes unités en sciences humaines, je ne pourrai pas dégager la place nécessaire dans mon emploi du temps en septembre pour les cours de statistiques et d'informatique que je devrai suivre pour prendre de l'avance avant l'été suivant où il faudra que je valide mes points de stage pour pouvoir avoir mon diplôme en trois ans et demi, ce qu'il faut absolument que j'arrive à faire parce que l'argent que mes parents avaient prévu pour mes études ne couvre plus quatre années complètes car ils ont dû puiser dedans pour payer leur divorce et ils m'ont expliqué que "tous les membres de la famille doivent faire des sacrifices en temps de crise" et que le mien consisterait soit à faire un prêt pour payer mon dernier semestre à l'université, soit à me botter le cul pour avoir mon diplôme plus rapidement. En gros, si je redouble ce cours, je fiche par terre tout mon plan. Et ma mère n'allait déjà pas très bien à cause du divorce mais voilà qu'on lui a trouvé une tumeur ? À l'utérus ? Et on va l'opérer la semaine prochaine pour l'enlever ? Et je dois rentrer à la maison une fois par semaine pour, je cite, *être là pour elle*, alors que tout ce que je fais là-bas c'est jouer au Banco avec ses débiles de copines. Et je ne vous parle pas de ma grand-mère, qui est toute seule depuis que Grand-Papa est mort, et comme elle perd un peu la boule, elle n'arrive plus à prendre ses médicaments, et je suis censée m'occuper d'elle également en allant remplir son pilulier une fois par semaine, sans quoi elle serait fichue de se retrouver dans le coma ou pire, et je ne sais même pas qui va s'occuper d'elle la semaine prochaine, pendant que j'effectuerai mes travaux d'intérêt général, ce qui est dégueulasse vu que tout le monde avait bu au moins autant que moi à cette fichue fête et que je suis la seule à m'être fait arrêter pour ivresse publique et manifeste et quand le lendemain j'ai demandé au flic sur quels fondements s'appuyait mon arrestation, il m'a répondu qu'on m'avait trouvée debout au milieu de la route en train de crier : "Je suis complètement bourrée !", ce dont je ne me souviens absolument pas. Et comme si ça ne suffisait pas, ma colocataire est une grosse feignasse qui passe son temps à me piquer mon Pepsi Max sans jamais me rembourser ni même me remercier, et chaque fois que j'ouvre la porte du frigo, il manque un autre Pepsi Max et elle laisse traîner toutes ses affaires partout et elle a le culot de vouloir me donner des conseils pour maigrir alors qu'elle doit peser dans les cent vingt kilos, tout ça parce que avant elle en pesait cent soixante-dix et du coup elle croit qu'elle a tout compris à la diététique et me balance des *T'as déjà perdu cinquante kilos, toi ?* et moi j'ai envie de lui répondre *J'ai jamais eu cinquante kilos à perdre*, mais elle déblatère sur sa perte de poids phénoménale et combien sa vie a changé depuis qu'elle a entamé son chemin vers une alimentation plus saine, blablabla…

Elle est si assommante avec son calendrier de régime qui prend tout le mur et m'empêche d'afficher quoi que ce soit d'autre, mais je ne peux rien dire car, en tant que membre de son entourage, je suis censée la soutenir ? Comme si c'était mon boulot de lui demander tous les jours si elle a brûlé son quota de calories quotidien et de la féliciter si elle y est arrivée et de surtout ne jamais faire entrer dans la maison de *nourriture autodestructrice*, et je ne vois pas bien pourquoi c'est moi qui dois me priver alors que c'est son problème à elle, mais je laisse pisser et comme je veux être une bonne colocataire je n'achète ni chips, ni petits gâteaux, ni ces gâteaux Savane que *j'adore*, le seul plaisir que je m'accorde *dans la vie*, c'est mon Pepsi Max, que techniquement elle n'est pas censée boire puisqu'elle prétend que les boissons gazeuses étaient l'une de ses béquilles alimentaires avant qu'elle entame son chemin vers une alimentation plus saine, mais enfin, il y a genre deux calories dans un verre de Pepsi Max, ça ne va pas la tuer, non ? Et — oh oui, j'oubliais — mon père s'est pris un coup de couteau à une soirée mousse la semaine dernière. Même s'il va très bien maintenant, je trouve ça dur de me concentrer sur mes études parce que, eh ben il a quand même pris *un coup de couteau*, et puis aussi qu'est-ce qu'il foutait à une soirée mousse, question à laquelle il refuse tout bonnement de répondre et quand je me mets à l'interroger il m'envoie promener comme si j'étais ma mère. Et mon petit ami est parti étudier dans une université de l'Ohio et il insiste pour que je lui envoie des photos cochonnes de moi, il dit que c'est le seul moyen pour lui de ne pas regarder toutes les jolies filles autour de lui, et comme j'ai peur qu'il couche avec une de ces traînées de l'Ohio, je le fais, et je sais qu'il aime les filles épilées, ça ne me dérange pas de me raser pour lui, mais après je me retrouve avec tous ces petits boutons rouges super moches qui me grattent, et il y en a un qui s'est infecté, je vous laisse imaginer comment je peux expliquer à l'infirmière de quatre-vingt-dix ans de l'infirmerie que j'ai besoin d'une pommade parce que je me suis coupée en me rasant les poils pubiens. Ajoutez à tout ça le pneu que je viens de crever sur mon vélo, l'évier de notre kitchenette qui est bouché, le bac à douche plein des gros poils noirs de ma colocataire qui sont aussi collés à mon savon à la lavande, ma mère qui a dû donner notre chien parce qu'elle ne pouvait plus gérer un tel niveau de responsabilité, tous ces dés de jambon allégé périmés depuis genre trois semaines et qui commencent à sentir dans le fond de notre frigo, ma meilleure amie qui a dû avorter et Internet qui ne marche plus. »

Appel à l'émotion

Laura Pottsdam, cela va sans dire, est à présent en larmes.

Faux dilemme

« Je vais être obligée d'arrêter mes études ! » mugit Laura. Les mots sortent de sa bouche dans un geignement monotone et embrouillé. « Si jamais j'ai un F, adieu ma bourse et adieu l'université, je serai obligée de tout arrêter ! »

Dans l'immédiat, le problème de Samuel, c'est que quand il voit quelqu'un pleurer, il ne peut pas s'empêcher d'avoir envie de pleurer lui aussi. Ça a toujours été ainsi, aussi loin qu'il se souvienne. Il a l'impression d'être un bébé dans une pouponnière, pleurant par solidarité avec les autres bébés. Pleurer lui semble une chose si impudique et si fragilisante qu'il se sent honteux et embarrassé quand quelqu'un le fait devant lui, cela vient réveiller en lui toutes les strates d'humiliations enfantines accumulées jusqu'à l'âge adulte et lui donne le sentiment d'être un gamin pleurnichard dans la peau d'un homme. Alors toutes les séances de psy, toutes les petites morts de l'enfance reviennent à la charge. Comme si son corps tout entier devenait une blessure béante saignant à la moindre petite brise.

Les larmes de Laura coulent sans retenue. Elle ne fait aucun effort pour les retenir, au contraire, elle les laisse s'emballer librement. C'est une crise de larmes avec toute la panoplie : yeux rouges, nez qui coule, reniflements, hoquets, contractions faciales qui transforment son visage en une effroyable grimace. Ses yeux sont remplis de larmes, ses joues luisent d'humidité et il y a un vilain amas de morve sous sa narine gauche. Elle a les épaules voûtées, elle se tient affalée, les yeux fixés au sol. Si cela continue, dans dix secondes, Samuel sera dans le même état. Le spectacle de quelqu'un qui pleure lui est juste insoutenable. C'est la raison pour laquelle les mariages de collègues de travail ou de parents lointains sont un véritable désastre pour lui, chaque fois il se retrouve à sangloter de manière complètement disproportionnée par rapport à son attachement aux mariés. Même chose pour les films tristes au cinéma, où, même s'il ne voit pas les gens pleurer dans le noir, il les entend renifler, se moucher, respirer difficilement, et il n'a plus qu'à piocher dans ses archives personnelles de crises de larmes pour savoir à quelle catégorie ils appartiennent et tester leur style sur lui-même, ce qui devient plus problématique encore quand il est accompagné, et du coup hypersensible aux émotions de la fille avec laquelle il sort et terrorisé à l'idée que, voulant se blottir contre lui pour être réconfortée, elle le découvre en larmes, sanglotant dix fois plus fort qu'elle.

« Et il faudra que je rembourse tous mes frais de scolarité ! lâche Laura dans un quasi-hurlement. Si je me plante, je serai obligée de tout rembourser et ma famille sera ruinée, à la rue, morte de faim ! »

Samuel sait que c'est un mensonge, les frais de scolarité ne fonctionnent pas comme cela, mais à ce stade, s'il ouvre la bouche, il va se mettre à pleurer. Le sanglot qu'il réfrène est à présent localisé dans sa gorge, enroulé autour de sa pomme d'Adam, et il sent toutes les crises de larmes de son enfance fondre sur lui, toutes les fêtes d'anniversaire fichues en l'air, tous les dîners en famille interrompus en plein milieu, les classes entières figées devant lui qui s'enfuit en courant, tous les soupirs exaspérés des profs, des proviseurs et surtout de sa mère — oh, sa mère aurait tellement voulu qu'il arrête de pleurer, elle restait là debout à essayer de le calmer, à lui frotter les épaules pendant ses crises en disant « Ça va aller, ça va aller » de sa voix la plus douce, sans voir que c'était précisément l'attention qu'elle portait à ses larmes, le fait qu'elle les voie, qui les faisait couler de plus belle. Le sanglot remonte à présent le long de son larynx, alors il se retient de respirer et répète dans sa tête « Je contrôle la situation, je contrôle la situation », et cela semble fonctionner jusqu'au moment où ses poumons se mettent à brûler dans sa poitrine, à court d'oxygène, et ses pupilles à se rétracter ; il ne lui reste donc plus que deux options : éclater en sanglots là, devant Laura Pottsdam — ce qui est juste impensable, atrocement humiliant et terriblement impudique — ou bien tenter la diversion par le rire, procédé que lui a appris un psy tout juste diplômé : « Le contraire de pleurer, c'est rire, chaque fois que vous avez envie de pleurer, essayez de rire à la place, normalement, les deux s'annulent », technique qui lui avait semblé complètement stupide à l'époque mais qui, depuis, s'est plusieurs fois avérée payante. Il sait que c'est le seul moyen à présent d'éviter le désastre qui consisterait à se mettre à pleurer comme un veau. Quant aux conséquences s'il éclate de rire, là maintenant, il ne les envisage pas, il ne pense qu'à une chose, tout plutôt que fondre en larmes, et au moment où la pauvre Laura — prostrée, dévastée, trempée de larmes et infiniment vulnérable — s'étrangle dans un sanglot pour articuler « Je ne pourrai pas revenir en cours l'année prochaine, je n'aurai plus d'argent, plus aucun endroit où aller, et plus aucun avenir », la réaction de Samuel est : « Ha-ha-ha-ha-ha-ha-ha-haaaaaa ! »

Ad hominem

Ce qui était sans doute un mauvais calcul.

L'effet que produit son rire est d'ores et déjà lisible sur le visage de Laura : il y a d'abord comme une ondulation, une onde de choc, une surprise, puis très vite, de la raideur, de la colère, peut-être même du dégoût. Son rire — si agressif, si factice, façon mauvais génie enragé dans un film d'horreur — sonnait, il s'en rend compte à présent, extrêmement cruel. Laura s'est figée d'un coup, elle est sur la défensive, droite comme un *i*, le visage glacial, sans plus la moindre trace de larmes. La rapidité avec laquelle elle a changé de figure et de posture est absolument indescriptible. Cela lui fait penser à une expression aperçue sur un sachet de légumes surgelés à l'épicerie : *congélation flash*.

« Pourquoi avez-vous fait ça ? » demande-t-elle, sa voix maintenant d'un calme monocorde surnaturel. Elle ressemble à un homme de main de la mafia, l'air prêt à exploser, menaçant.

« Je suis désolé, je ne l'ai pas fait exprès. »

Elle examine son expression pendant un moment atrocement long. La morve qui lui coulait sous le nez a disparu. La métamorphose est vraiment spectaculaire, toute trace de sa crise de larmes s'est purement et simplement envolée. Même ses joues sont sèches.

« Vous avez *ri* de moi, dit-elle.

— Oui, dit-il. Oui, c'est vrai.

— Pourquoi avez-vous ri de moi ?

— Je suis désolé, dit-il. C'était mal. Je n'aurais pas dû.

— Pourquoi est-ce que vous me détestez autant ?

— Je ne vous déteste pas. Vraiment, Laura, croyez-moi.

— Pourquoi est-ce que tout le monde me déteste ? Qu'est-ce que j'ai fait ?

— Rien du tout. Ce n'est rien. Ce n'est pas votre faute. Tout le monde vous aime.

— C'est faux.

— Vous êtes profondément aimable. Tout le monde vous aime. Je vous aime bien.

— Vous ? Vous m'aimez bien ?

— Mais oui. Beaucoup. Je vous aime beaucoup.

— Vous me le jurez ?

— Bien sûr. Vraiment, je suis désolé. »

La bonne nouvelle, c'est que Samuel n'a plus envie de pleurer maintenant, hors de danger, son corps se relâche, il arrive même à esquisser un petit sourire de commisération et il est tellement content que la situation soit revenue à un niveau de neutralité émotionnelle normal, il a même le sentiment qu'ils viennent de traverser un sacré merdier, ensemble, comme des camarades de tranchée, ou bien des voisins de siège dans l'avion après une zone de turbulences intenses. C'est le genre de camaraderie que Laura lui inspire maintenant, il lui sourit donc, hoche la tête, lui adresse peut-être même un clin d'œil. Il se sent tellement libéré à présent, que, oui, il lui fait un clin d'œil.

« Oh, dit Laura. Oh, je vois. » Elle croise les jambes, se renfonce dans son siège en cuir. « Je vous plais.

— Pardon ?

— J'aurais dû m'en douter. Bien sûr.

— Non, je crois qu'il y a un malentendu…

— Pas de problème. Ce n'est pas comme si c'était la première fois qu'un prof tombe amoureux de moi. C'est chou.

— Non, vraiment, ce n'est pas du tout ça.

— Vous m'aimez beaucoup. Vous venez de le dire vous-même.

— Certes, mais je ne l'entendais pas en ce sens, reprend-il.

— Bon, maintenant je connais la suite. Soit je couche avec vous, soit je n'ai pas mon année, c'est ça ?

— *Absolument pas.*

— Depuis le début, c'était ce qui était prévu. Toute cette mise en scène, c'était juste pour me mettre dans votre lit.

— Non ! » crie-t-il, piqué au vif par l'accusation, de cette manière ambiguë qui, quand on vous accuse de quelque chose — même si vous êtes innocent —, vous fait vous sentir un peu coupable. Alors il se lève, va jusqu'à la porte en passant devant Laura et annonce : « Il est temps que vous partiez maintenant. Nous avons fini. »

Épouvantail

« Vous savez que vous ne pouvez pas me recaler, dit Laura, qui n'a manifestement pas l'intention de se lever. Vous ne pouvez pas me pénaliser parce que c'est la loi.

— Cette discussion est terminée.

— Vous ne pouvez pas me pénaliser parce que j'ai des difficultés d'apprentissage.

— Vous n'avez aucune difficulté d'apprentissage.

— Si. J'ai des difficultés à me concentrer, à tenir un délai, à lire, et je ne sais pas me faire des amis.

— Ce n'est pas vrai.

— Si, c'est vrai. Vous pouvez vérifier, il y a des preuves.

— Quel est le nom exact de votre pathologie ?

— Elle n'a pas encore été baptisée.

— Comme c'est pratique.

— D'après la loi en faveur des Américains handicapés, vous êtes tenu de faire des aménagements dans votre enseignement pour tous les étudiants souffrant de difficultés d'apprentissage.

— Vous n'avez absolument aucun problème à vous faire des amis, Laura.

— Si. Je ne me fais jamais d'amis.

— Je vous vois tout le temps avec des tas d'amis.

— Ça ne dure jamais. »

Samuel est bien obligé de reconnaître que c'est vrai. Là tout de suite, il s'efforce de trouver quelque chose de méchant à lui rétorquer. Une insulte assez forte pour contrer par la rhétorique le poids de l'accusation qu'elle vient de porter contre lui. S'il la blesse suffisamment, s'il l'insulte assez violemment, l'accusation ne tiendra plus. Ce sera la preuve absolue qu'elle ne lui plaît pas, raisonne-t-il.

« Et à quel genre d'aménagements pensez-vous avoir droit ?

— Avoir mon année.

— Vous croyez donc que la loi en faveur des Américains handicapés a été conçue pour protéger les tricheurs ?

— Alors juste réécrire mon devoir.

— Quel est le nom de votre pathologie ?

— Je vous l'ai déjà dit, ils ne lui ont pas encore donné de nom.

— Qui ça, ils ?

— Les médecins.

— Et ils ne savent pas de quoi il s'agit.

— Nan.

— Et quels sont les symptômes ?

— Oh, eh bien, c'est vraiment affreux. Chaque nouveau jour est une sorte d'enfer sur terre ?

— Quels sont les symptômes, précisément ?

— D'accord, si vous y tenez, au-delà de genre trois minutes, je suis incapable de me concentrer en cours, je ne sais *absolument* pas suivre une consigne, je n'arrive jamais à prendre de notes, je ne retiens jamais les noms des gens, et parfois aussi je peux lire toute une page et à la fin je n'ai pas retenu un mot de ce que je viens de lire. Quand je lis, je perds le fil tout le temps, je peux sauter genre quatre lignes sans même m'en rendre compte, et la grande majorité des tableaux et des graphiques ne m'évoque rien du tout, je suis complètement nulle en puzzles, et parfois je dis exactement le contraire de ce que je voudrais dire. Oh, et mon écriture est vraiment très négligée et je n'ai jamais été capable d'épeler le mot *aluminium*, et il m'arrive d'annoncer à ma colocataire que je vais nettoyer tout mon côté de la chambre alors que je n'ai aucune intention de le faire. À l'extérieur, j'ai beaucoup de mal à évaluer les distances. Je serais totalement incapable de vous dire où se situe le nord. J'entends les gens prononcer des phrases comme “Un tiens vaut mieux que deux tu l'auras” et je ne comprends absolument pas ce que ça veut dire. J'ai perdu mon téléphone genre huit fois rien que l'année dernière. Eu dix accidents de voiture. Et chaque fois que je joue au volley, à un moment ou un autre, je me ramasse la balle en pleine figure alors que je fais tout pour l'éviter.

— Laura, déclare Samuel, qui sent son moment venu, qui sent l'insulte monter comme une bulle le long de son œsophage, vous n'avez absolument aucune difficulté d'apprentissage.

— Si.

— Non », dit-il, avant de marquer une pause pour ménager ses effets et être sûr de prononcer les mots clairement, lentement, sans erreur ni incompréhension possibles : « Vous n'êtes juste pas très intelligente. »

Argumentum ad baculum (ou « Recours aux menaces »)

« Vous vous rendez compte de ce que vous venez de dire ?! lance Laura, qui s'est levée, son sac à la main, prête à tourner les talons d'un air indigné.

— C'est la vérité, dit Samuel. Vous n'êtes pas très intelligente et vous n'êtes pas non plus quelqu'un de bien.

— Vous n'avez pas le droit de dire ça !

— Et vous, vous n'avez pas de difficultés d'apprentissage.

— Je pourrais vous faire renvoyer !

— Il faut que vous en soyez consciente. Il faut que quelqu'un vous le dise.

— Vous êtes d'une violence ! »

C'est à ce moment-là que Samuel remarque que les autres professeurs ont été alertés par les cris. Tout le long du couloir, les portes s'entrouvrent, laissant passer des têtes. Trois étudiants assis par terre, entourés de livres, qui étaient sans doute installés là pour travailler en groupe, le dévisagent. Saisi par sa hantise de la honte, il ne se sent tout à coup plus du tout aussi courageux que l'instant d'avant. En reprenant la parole, il pose sa voix trente décibels plus bas, on dirait une petite souris.

« Je crois qu'il est temps pour vous de partir », dit-il.

Argumentum ad crumenam (ou « Recours à l'argent »)

Laura sort en trombe de son bureau et, une fois dans le couloir, se retourne pour lui crier dessus : « Je paie pour étudier ici ! Je paie cher ! C'est moi qui paie votre salaire, vous n'avez pas le droit de me traiter comme ça ! Mon père donne beaucoup d'argent à cette école ! Bien plus que ce que vous gagnez en un an ! Il est avocat et vous allez avoir de ses nouvelles ! Vous êtes allé beaucoup trop loin ! *Vous allez voir qui commande ici !* »

Sur quoi, elle fait volte-face et part en tapant des pieds, avant de disparaître au bout du couloir.

Samuel ferme sa porte. S'assied. Fixe sa jardinière — un sympathique petit gardénia à l'air un peu fatigué. Il prend le vaporisateur et asperge la plante, le vaporisateur fait ce petit bruit, comme un canard qui caquette.

À quoi pense-t-il ? Au fait qu'il pourrait bien se mettre à pleurer maintenant. Que Laura Pottsdam va sans doute effectivement le faire renvoyer. Qu'il y a encore une odeur dans ce bureau. Qu'il a gâché sa vie. Et qu'il déteste cette expression *aller beaucoup trop loin*.

5

« Allô ?

— Bonjour ! Pourrais-je parler à M. Samuel Andresen-Anderson, s'il vous plaît ?

— C'est moi.

— Professeur Andresen-Anderson, je suis content d'être arrivé à vous joindre. Je suis Simon Rogers…

— En fait, on m'appelle Anderson tout court.

— Pardon ?

— Samuel Anderson. C'est tout. Le coup du double nom avec trait d'union, c'est interminable, on en a plein la bouche.

— Bien sûr, monsieur.

— Qui est à l'appareil ?

— Eh bien, comme je vous le disais, monsieur, je suis Simon Rogers du cabinet d'avocats Rogers & Rogers. Nous sommes basés à Washington DC. Peut-être avez-vous entendu parler de nous ? Nous sommes spécialisés dans les actions politiques très médiatisées. Je vous appelle au sujet de votre mère.

— Pardon ?

— Des actions médiatisées orientées à gauche la plupart du temps, j'entends. Je veux parler de ces gens qui s'enchaînent aux arbres, par exemple, vous voyez ? Ce sont nos clients. Ou encore ceux qui organisent des actions contre les baleiniers, les filment puis les diffusent à la télévision — ces gens-là sont pile notre cible. Ou bien quelqu'un qui s'en prendrait à un républicain en poste et dont la vidéo serait vue par des millions de personnes sur Internet, vous me suivez ? Nous défendons les acteurs de la vie politique, à condition que la couverture médiatique le justifie, bien entendu.

— Vous avez parlé de ma mère, non ?

— Votre mère, monsieur, oui. Je défends votre mère qui fait l'objet d'une mise en examen du procureur de Chicago, j'ai pris le relais de l'avocat commis d'office, effectivement.

— Une mise en examen ?

— Je représenterai ses intérêts à la fois devant la cour et dans la presse, du moins tant que les fonds couvriront mes émoluments, mais c'est peut-être un sujet dont nous devrions discuter plus tard, monsieur, pas aujourd'hui bien sûr, il serait grossier de parler d'argent si tôt dans notre relation.

— Je ne comprends pas. De quels fonds parlez-vous ? Pourquoi la presse s'intéresse-t-elle à elle ? Est-ce que c'est elle qui vous a demandé de m'appeler ?

— À laquelle de ces questions souhaiteriez-vous que je réponde en premier, monsieur ?

— Que se passe-t-il ?

— Eh bien, monsieur, comme vous le savez, votre mère est poursuivie pour coups et blessures. Et vu la nature clairement incontestable des preuves qui pèsent contre elle, monsieur, elle va sans doute plaider coupable et accepter un arrangement.

— Ma mère a agressé quelqu'un ?

— Oh, je vois, bien, dans ce cas, reprenons du début. Je pensais que vous étiez déjà au courant.

— Au courant de quoi ?

— Pour votre mère.

— Comment je pourrais être au courant de quoi que ce soit à propos de ma mère ?

— C'est passé au journal télévisé.

— Je ne regarde pas le journal télévisé.

— C'était aux informations locales, nationales, dans les journaux, toutes les dépêches radio, et de nombreuses émissions de débat ou de divertissement.

— Putain de merde.

— Sans parler d'Internet, monsieur. L'agression a été largement diffusée sur Internet. Vous ne regardez rien de tout cela ?

— Quand est-ce que c'est arrivé ?

— Avant-hier. La célébrité de votre mère est, pour ainsi dire, devenue virale, monsieur. Démultipliée à l'infini.

— Qui a-t-elle agressé ?

— Sheldon Packer, monsieur. Le gouverneur Sheldon Packer, du Wyoming. Elle l'a agressé à coups de pierres. Plusieurs pierres, monsieur. Qu'elle lui a jetées.

— C'est une blague.

— Que je ne qualifierai d'ailleurs sans doute pas de pierres durant les débats. Plutôt des cailloux, ou du gravier, ou bien, maintenant que j'y pense, des *gravillons*.

— Vous mentez. Qui est à l'appareil ?

— Comme je vous l'ai dit, je suis Simon Rogers de Rogers & Rogers, monsieur, et votre mère est en attente de son procès.

— Pour avoir agressé un candidat à la présidentielle.

— Techniquement, il n'est pas encore candidat à proprement parler, mais vous avez saisi, oui. C'est passé en boucle, vingt-quatre heures sur vingt-quatre, sur toutes les chaînes d'informations. Vous n'en avez pas entendu parler ?

— J'ai été très occupé.

— Vous êtes enseignant. Un cours d'introduction à la littérature. D'une heure, deux fois par semaine. J'espère, monsieur, que je ne me montre pas trop intrusif, c'est écrit sur le site Internet de votre campus.

— Je comprends.

— Voyez-vous, je me demande ce que vous avez bien pu faire des quarante heures restantes dans votre emploi du temps depuis que cette information est tombée.

— J'étais sur mon ordinateur.

— Et cet ordinateur dispose d'une connexion Internet, je suppose ?

— Je… en fait, j'écrivais. Je suis écrivain.

— Car voyez-vous, à l'heure qu'il est, le pays tout entier se demande plutôt si on va jamais pouvoir parler *d'autre chose* que de Faye Andresen-Anderson. C'est la saturation totale, voyez-vous, je m'étonne donc que vous, monsieur, n'ayez pas entendu un seul mot à ce sujet, alors qu'il s'agit de votre mère.

— Nous n'avons plus vraiment de contact, elle et moi.

— Ils l'ont même rebaptisée, pour que ce soit plus percutant : Calamity Packer. C'est une célébrité.

— Vous êtes sûr qu'il s'agit de ma mère ? Ça ne lui ressemble vraiment pas.

— Vous êtes bien Samuel Andresen-Anderson ? C'est votre nom complet ?
— Oui.
— Et votre mère est Faye Andresen-Anderson, n'est-ce pas ?
— Oui.
— Qui vit à Chicago, dans l'Illinois ?
— Ma mère n'habite pas à Chicago.
— Où habite-t-elle ?
— Je n'en sais rien. Je ne lui ai pas parlé depuis vingt ans !
— Vous n'êtes donc absolument pas au courant de sa situation actuelle, monsieur. C'est exact ?
— Oui.
— Elle pourrait donc tout à fait habiter à Chicago, dans l'Illinois, sans que vous n'en sachiez rien.
— Je suppose.
— Cette femme qui attend en prison a donc de fortes chances d'être votre mère, si vous me permettez. Quelle que soit son adresse actuelle.
— Et elle a agressé le gouverneur…
— Nous utiliserons des termes moins connotés, si vous le voulez bien. Nous n'employons pas le mot "agressé". Nous préférons dire qu'elle a exercé ses droits, comme le Premier Amendement l'y autorise, par le biais symbolique d'un jet de gravillons. D'après le bruit de clavier que j'entends, vous êtes en train de vérifier tout cela sur un moteur de recherche ?
— Oh mon Dieu, ils ne parlent que de ça !
— Certes, monsieur.
— Il y a une vidéo ?
— Qui a été vue plusieurs millions de fois. Puis remixée, remastérisée et même transformée en une chanson hip-hop assez amusante.

— Je n'arrive pas à y croire.

— Probablement devriez-vous éviter d'écouter cette chanson, d'ailleurs, du moins tant que la plaie est encore vive.

— Je suis en train de lire un éditorial qui compare ma mère à al-Qaida.

— Certes, monsieur. Tout à fait répugnant. Toutes ces choses affreuses qui ont été dites. Aux informations. Des horreurs.

— Il y a eu d'autres choses ?

— Il vaut sûrement mieux que vous le découvriez par vous-même.

— Vous pouvez toujours me donner un exemple.

— Le climat est tendu, monsieur. Le climat, les émotions, tout est exacerbé, voyez-vous. À cause de la coloration politique des faits, bien entendu.

— Et donc, qu'a-t-il été dit d'autre ?

— Qu'elle est une terroriste hippie, extrémiste et prostituée, pour ne citer qu'un exemple très féroce mais assez représentatif.

— Prostituée ?

— Terroriste, hippie, extrémiste et oui, monsieur, prostituée, vous avez bien entendu. Elle fait l'objet d'une campagne de dénigrement absolument abominable, il n'y a pas de mots.

— Mais pourquoi prostituée ?

— Elle a été arrêtée pour prostitution, monsieur. À Chicago.

— Redites-moi ça ?

— Arrêtée, mais jamais officiellement accusée, monsieur. Ce qui est un détail très important.

— À Chicago.

— Oui, monsieur, à Chicago. En 1968. Quelques années avant votre naissance et dans un passé suffisamment lointain pour qu'elle ait eu le temps non seulement de se racheter mais de trouver sa voie vers Dieu, ou du moins sera-ce mon argument si nous allons jusqu'au procès. Nous parlons de prostitution *sexuelle*, bien sûr.

— D'accord, vous savez quoi ? C'est impossible. Elle n'a jamais été à Chicago en 1968. En 1968, elle était chez elle, dans l'Iowa.

— Notre dossier indique qu'elle a passé un mois à Chicago vers la fin de l'année 1968, quand elle était à l'université.

— Ma mère n'est jamais allée à l'université.

— Votre mère n'a jamais *obtenu son diplôme*. Mais elle a bien été étudiante à l'Université de l'Illinois, c'est-à-dire à Chicago, durant un semestre, à l'automne 1968.

— Non, ma mère a grandi dans l'Iowa et lorsqu'elle a eu son bac elle est restée dans l'Iowa où elle a attendu que mon père revienne de l'armée. Elle n'a jamais quitté sa ville natale.

— Cela ne correspond pas aux informations que nous avons.

— Elle n'a jamais quitté l'Iowa, jusque, disons, les années quatre-vingt.

— Notre dossier indique, monsieur, qu'elle a participé à la campagne contre la guerre du Vietnam de 1968.

— D'accord, cette fois, c'est trop. C'est absolument impossible. La *dernière* chose que ferait ma mère, c'est manifester.

— Puisque je vous le dis, monsieur. Il existe une photo. Une preuve photographique.

— Vous vous trompez de femme. Il y a erreur.

— Faye, Andresen de son nom de jeune fille, née

en 1950, dans l'Iowa. Souhaitez-vous que je vous indique les neuf chiffres de son numéro de sécurité sociale ?

— Non.

— Parce que je l'ai, son numéro de sécu.

— Non.

— Il y a donc de fortes chances, monsieur. Cela signifie qu'à moins d'une preuve du contraire ou d'une incroyable coïncidence, cette femme en prison est bien votre mère.

— Bien.

— C'est hautement probable. Sûr à quatre-vingt-dix-neuf pour cent. Au-delà du doute raisonnable. Une certitude, même si vous voudriez qu'il en soit autrement.

— Je comprends.

— Cette femme en prison, nous l'appellerons donc "votre mère". Sur cette question, le débat est clos, si vous voulez bien.

— Entendu.

— Comme je vous le disais, il est très improbable que votre mère soit déclarée non coupable, la preuve qui l'accable résistant pour ainsi dire à toute controverse. Le mieux que nous puissions faire, monsieur, c'est d'espérer pouvoir plaider et obtenir un verdict clément.

— Je ne vois pas en quoi je peux vous aider.

— Vous êtes un témoin de moralité. Vous pourrez écrire une lettre au juge expliquant pourquoi votre mère ne mérite pas d'aller en prison.

— Et pourquoi le juge m'écouterait-il ?

— Il ne vous écoutera peut-être pas, monsieur. En particulier *ce* juge. Le juge Charles Brown. Surnommé "Charlie". Je ne plaisante pas, c'est vraiment son nom. Il était censé prendre sa retraite le mois dernier, mais il a repoussé l'échéance juste pour pouvoir présider au procès de votre mère. Sans doute parce que c'est un cas très médiatisé ? Une affaire de portée nationale. Il a, de plus, une réputation épouvantable sur les cas où le Premier Amendement est en cause. L'honorable Charlie Brown n'a pas beaucoup de patience vis-à-vis des contestataires, c'est le moins qu'on puisse dire.

— Si c'est pour qu'il n'y prête aucune attention, à quoi bon lui écrire cette lettre ? À quoi bon m'appeler, même ?

— À cause de votre statut respectable de professeur, monsieur, et de votre relative renommée, et tant qu'il y aura des fonds, je remuerai ciel et terre. J'ai une réputation à tenir.

— De quels fonds parlez-vous ?

— Ainsi que vous pouvez l'imaginer, monsieur, Sheldon Packer est relativement impopulaire dans certains milieux. Dans ces mêmes cercles, votre mère est une sorte d'héroïne subversive.

— Du lancer de pierres.

— Une courageuse combattante de la lutte contre le fascisme républicain, disait l'un des chèques que j'ai encaissés pour elle. Beaucoup de gens ont donné de l'argent pour qu'elle ait une défense. Il y a de quoi payer mes services pendant au moins quatre mois.

— Et ensuite ?

— Je suis optimiste, nous arriverons certainement à un accord avant, monsieur. Pouvons-nous compter sur vous ?

— Au nom de quoi ? Au nom de quoi devrais-je l'aider, *elle* ? C'est toujours la même chose.

— La même chose que quoi, monsieur ?

— Tout ce mystère autour de ma mère — qui serait allée à l'université, aurait manifesté, se serait fait arrêter —, j'ignorais tout de ces histoires. Un secret de plus qu'elle ne m'a jamais raconté.

— Je suis sûr qu'elle avait ses raisons, monsieur.

— Je ne veux rien avoir à faire dans cette histoire.

— Si je puis me permettre, votre mère a vraiment effroyablement besoin de vous en ce moment.

— Je n'écrirai pas de lettre, et je me fiche qu'elle aille en prison.

— Mais il s'agit de votre mère, monsieur. Celle qui vous a mis au monde et, permettez-moi d'insister, qui vous a nourri.

— Elle nous a abandonnés, mon père et moi. Elle est partie sans un mot. En ce qui me concerne, elle a cessé d'être ma mère à partir de ce moment.

— Et il n'y a absolument aucune chance de vous réconcilier un jour ? Au fond de vous, il n'y a aucun manque d'une figure maternelle qui viendrait remplir votre vie, en combler les failles ?

— Je vais devoir raccrocher.

— Elle vous a mis au monde. Elle a pansé vos plaies d'enfant. Découpé votre nourriture en petits morceaux. N'avez-vous pas envie d'avoir dans votre vie quelqu'un qui se souviendra toujours de votre anniversaire ?

— Je raccroche. Au revoir. »

6

C'est au son du gargouillis d'une machine à cappuccino dans un café d'aéroport que Samuel reçoit le premier message concernant Laura Pottsdam. Il vient de sa doyenne, experte en Grande Peste. *J'ai eu un entretien avec une de vos étudiantes*, écrit-elle. *Elle a proféré d'étranges accusations à votre encontre. Lui avez-vous réellement dit qu'elle était stupide ?* Samuel survole alors le reste du message tout en s'enfonçant dans sa chaise. *Sincèrement, je suis choquée par tant d'inconvenance. Mlle Pottsdam ne m'a pas paru stupide. Je l'ai autorisée à réécrire son devoir sans pénalités. Il faut que nous discutions de tout cela immédiatement.*

Le café où il s'est installé est situé de l'autre côté des portes de sécurité, le vol de la mi-journée pour Los Angeles va embarquer d'ici un quart d'heure. Il a rendez-vous avec Guy Periwinkle, son éditeur. Au-dessus de sa tête, une télévision diffuse une chaîne d'informations en continu, sans le son, où l'on voit sa mère lancer des pierres sur le gouverneur Packer.

Il s'efforce de l'ignorer. Il écoute le chaos de bruits autour de lui : les commandes de café qui fusent, les annonces au haut-parleur sur le niveau de menace terroriste et la nécessité de ne laisser aucun bagage sans surveillance, les enfants qui pleurent, la mousse, la vapeur, le lait qui bout. Juste à côté du café se trouve un stand de cirage de chaussures — deux chaises surélevées tels des trônes, sous lesquelles se tient ce type prêt à vous cirer les chaussures. L'homme est noir, il lit un livre, il porte un uniforme : bretelles, casquette à visière, le tout ayant un air suranné très étudié. Samuel attend Periwinkle, qui hésite à s'y asseoir.

« Je suis un Blanc magnifiquement élégant, dit-il sans quitter des yeux l'homme au stand de cirage. Il est issu d'une minorité et affublé d'un costume dégradant.

— Et alors ? demande Samuel.

— Alors je n'aime pas l'image que ça renvoie. »

Periwinkle est à Chicago cet après-midi, en route pour Los Angeles. Son assistant a appelé pour dire qu'il fallait qu'ils se rencontrent mais que le seul créneau disponible qu'il avait, c'était à l'aéroport. L'assistant a donc acheté un billet d'avion pour Samuel, un aller simple pour Milwaukee, dont, a-t-il dit, il pouvait se servir s'il voulait mais qui n'avait pour but que de lui permettre de passer les portes de sécurité pour accéder à la zone d'embarquement.

Periwinkle lance un regard au type du cirage. « Tu sais ce que c'est le vrai problème ? Le vrai problème, ce sont les caméras sur les téléphones.

— Je ne me suis jamais fait cirer les chaussures.

— Arrête de mettre des baskets », réplique Periwinkle sans même jeter un regard vers les pieds de Samuel. Ce qui signifie que durant les quelques minutes qu'ils viennent de passer ensemble dans cet aéroport, Periwinkle a eu le temps de remarquer et d'intégrer le fait que Samuel portait des chaussures bas de gamme. Et sans doute d'autres choses encore.

Samuel a toujours cette sensation près de son éditeur : l'impression d'être négligé, pas convenable par rapport à lui. Periwinkle fait dans les quarante ans alors qu'en réalité il a l'âge du père de Samuel, soixante-cinq ans. Sa manière de lutter contre le temps qui passe, c'est d'être toujours en avance sur son époque. Il cultive une allure altière, bien droite, un port de roi — on dirait qu'il se prend pour un luxueux cadeau d'anniversaire impeccablement emballé. Ses chaussures sont fines et élégantes, un modèle italien sans doute, avec un aspect bombé au bout. Sa taille semble vingt centimètres plus fine que n'importe quel autre adulte mâle dans cet aéroport. Le nœud de sa cravate est aussi serré et dur qu'un écrou. Ses cheveux vaguement grisonnants sont coupés sur une longueur de un centimètre qui semble parfaitement uniforme. À côté de lui, Samuel a toujours l'impression d'être un sac à patates. Avec ses habits de solderies, mal ajustés, une taille trop grands sans doute. Comparé à Periwinkle dans ses costumes cintrés qui lui dessinent un corps tout en angles et en lignes droites, Samuel a l'air gros.

Periwinkle, c'est un spot braqué sur les défauts des autres. Comme s'il présentait à chacun un miroir conscient de l'image qu'il projette. Par exemple, dans un café, normalement, Samuel commande un cappuccino. Avec Periwinkle, il commande un thé vert. Un cappuccino, c'est trop cliché, et en prenant un thé vert, il s'est dit qu'il ferait une meilleure impression sur Periwinkle.

Entre-temps, Periwinkle a commandé un cappuccino.

« Je vais à LA, dit-il. Sur le tournage du dernier clip de Molly.

— Molly Miller ? demande Samuel. La chanteuse ?

— Mmm, c'est une cliente. Peu importe. Elle tourne un nouveau clip. Pour son nouvel album. Elle a aussi fait une apparition en guest-star dans une sitcom. Et il est question d'une émission de télé-réalité aussi. Et de publier ses Mémoires, raison pour laquelle je vais là-bas. Le titre de travail est *Les erreurs que j'ai faites jusqu'ici.*

— Elle a quoi, seize ans ?

— Officiellement dix-sept. Mais en fait elle en a vingt-cinq.

— Tu plaisantes ?

— Dans la vraie vie. Mais tu gardes ça pour toi.

— De quoi parle le livre ?

— C'est compliqué. Il faut que ce soit suffisamment *blasé** pour ne pas écorner son image, mais sans être ennuyeux pour conserver son aura glamour. À la fois intelligent, pour que les gens ne disent pas que c'est un livre d'ado pour les ados, mais pas trop intelligent puisqu'en l'occurrence la cible, ce sont les ados. Et bien entendu, comme dans tous les témoignages de célébrités, il faut qu'il y ait une grosse révélation.

— Ah bon ?

— C'est indispensable. De quoi appâter les journaux et les magazines avant la publication pour créer du buzz. Quelque chose de croustillant pour que tout le monde en parle. C'est la raison pour laquelle je vais à L.A. Pour chercher des idées. Elle tourne son nouveau clip. Ça sort dans quelques jours. De la soupe, une vraie merde. Tiens, écoute le refrain : "*You have got to represent !*"

— C'est accrocheur. Et pour la révélation, tu as décidé ?

— Je suis pour une aventure lesbienne de courte durée. Une expérience au lycée. Avec une amie spéciale, juste quelques baisers. Tu vois ce que je veux dire. Rien qui puisse vraiment choquer les parents, juste de quoi nous attirer les faveurs des gays. Elle a déjà le marché des ados, si en plus elle pouvait conquérir le marché gay… » Periwinkle ponctue la fin de sa phrase en mimant une petite boule qui ferait une énorme explosion. « *Boum* », conclut-il.

C'est Periwinkle qui a lancé Samuel, Periwinkle qui est allé le chercher au fond de son trou et lui a fait signer un énorme contrat de publication. Samuel était encore étudiant à l'époque, et Periwinkle passait son temps à faire le tour des campus à la recherche de nouveaux auteurs pour une nouvelle collection dédiée aux jeunes prodiges. Il avait signé Samuel après avoir lu une seule nouvelle de lui. Puis il avait réussi à vendre cette nouvelle à un grand magazine. Avant de lui offrir un contrat qui était un véritable pont d'or. Tout ce que Samuel avait à faire, c'était écrire un livre.

Ce que, bien sûr, il n'a jamais fait. En dix ans. Et c'est la première conversation qu'il a avec son éditeur depuis des années.

« Alors, comment va l'édition ? demande Samuel.

— L'édition. Ah ah. Très drôle. Je ne fais plus vraiment d'édition aujourd'hui. Pas au sens traditionnel. » Il se penche et sort une carte de visite de son cartable. *Guy Periwinkle : créateur de valeur* — sans logo, sans même un numéro de téléphone.

« Je suis dans la fabrication, désormais, dit Periwinkle. Je construis des choses.

— Mais pas des livres.

— Si, des livres. Bien sûr. Mais c'est surtout pour créer de la valeur. Un public. Un intérêt. Le livre, c'est juste l'emballage, le contenant. C'est la conclusion à laquelle je suis arrivé. L'erreur que font les gens qui travaillent dans l'édition c'est de penser que leur travail consiste à concevoir de bons contenants. Quelqu'un qui dit qu'il travaille dans l'édition, c'est comme un vigneron qui te dirait qu'il fabrique des bouteilles. Ce qu'on crée en réalité, c'est de la valeur. Le livre, c'est juste l'une des formes sous lesquelles se présente cette valeur, une échelle, un emprunt. »

Au-dessus d'eux, la vidéo de Calamity Packer tourne toujours, c'est le moment où les gardes du corps se ruent sur la mère de Samuel, s'apprêtent à la plaquer au sol. Samuel détourne la tête.

« Je suis davantage partisan d'un travail de synergie multi-supports entre des plateformes communicantes, poursuit Periwinkle. La société pour laquelle je travaillais a été absorbée par un autre éditeur depuis un bon moment déjà, qui lui-même a été absorbé à son tour par un plus grand groupe, etc. Comme le bonhomme Pac-Man. Aujourd'hui, nous appartenons à un conglomérat multinational qui possède des actions dans l'édition, la télévision câblée, la radio, l'industrie musicale, les médias, la production cinématographique, les cabinets de conseil politique, la gestion d'image, les relations publiques, la publicité, les magazines, l'imprimerie et les droits. Et le transport aussi, il me semble. Quelque part au milieu de tout ça.

— Ça a l'air compliqué.

— Imagine que je suis le pivot immobile autour duquel gravite une tornade d'opérations médiatiques. »

Periwinkle lève les yeux vers la télévision au-dessus d'eux et regarde la vidéo de Calamity Packer passer pour la douzième fois. Dans une petite fenêtre en bas à gauche de l'écran, le présentateur conservateur de l'émission commente les images, qui sait ce qu'il dit.

« Hé ! crie Periwinkle à la serveuse. Vous pourriez monter le son ? »

Quelques secondes après, la télévision retrouve sa voix. Ils entendent le présentateur demander si l'agression de Packer doit être envisagée comme un acte isolé ou bien comme le signe de violences à venir.

« Oh, c'est sans aucun doute le signe de violences à venir, répond un des invités. C'est ce que font les libéraux quand ils se retrouvent coincés. Ils attaquent.

— Ce n'est pas très différent de, disons, l'Allemagne des années trente, poursuit un autre invité. Cela me fait penser à ce poème, vous savez, eh bien c'est la même chose, ici : quand ils sont venus chercher les patriotes, je n'ai rien dit.

— Exactement ! lance le présentateur. Si on ne dit rien, il n'y aura plus personne pour nous défendre quand ils viendront *nous* chercher. Nous devons mettre fin à tout cela avant. »

Hochement de tête général. Coupure pub.

« Mince alors, dit Periwinkle en secouant la tête

et en souriant. Calamity Packer. Voilà une femme que je voudrais bien connaître. Voilà une histoire que j'aimerais bien raconter. »

Samuel sirote son thé sans un mot. Le thé a infusé trop longtemps, il a un goût amer.

Periwinkle regarde sa montre, puis la porte d'embarquement où les gens commencent à faire la queue — pas vraiment la queue d'ailleurs, mais encore quelques personnes et une file d'attente devrait se former.

« Comment va le travail ? demande Periwinkle. Tu enseignes toujours ?

— Pour le moment.

— Dans cet… endroit ?

— Oui, toujours le même campus.

— Tu te fais combien ? Dans les trente mille ? Laisse-moi te donner un conseil. Tu veux bien que je te donne un conseil ?

— OK.

— Quitte le pays, mon pote.

— Pardon ?

— Sans déconner. Trouve-toi un sympathique pays du tiers-monde en voie de développement et vas-y, tu feras un malheur.

— Tu crois ?

— Oui, absolument. C'est ce qu'a fait mon frère. Il est prof de maths au lycée et entraîneur de l'équipe de football à Jakarta. Avant ça, Hong Kong. Et encore avant, Abu Dhabi. Que des écoles privées. Les élèves sont principalement des enfants de l'élite gouvernementale et industrielle. Il se fait deux cent mille par an, plus un logement de fonction, plus une voiture, plus un chauffeur. À ton école, là, ils te donnent une voiture et un chauffeur ?

— Non.

— Quand on est un minimum informé, bon sang, pour rester enseigner en Amérique, il faut être atteint d'une forme de psychose grave. En Chine, en Indonésie, aux Philippines, au Moyen-Orient, ils demandent que ça, des gens comme toi. Il y a qu'à se baisser. En Amérique, t'es sous-payé, exploité, insulté par les politiciens et méprisé par les étudiants. Là-bas, t'es un putain de héros. C'est mon conseil, suis-le.

— Merci.

— Tu devrais, vraiment. Parce que j'ai de mauvaises nouvelles pour toi, mon pote.

— Ah. »

Gros soupir, gros froncement de sourcils façon clown triste et secouage de tête. « Je suis désolé mais il va falloir qu'on annule notre contrat avec toi. C'est pour ça que je voulais te voir. Tu nous as promis un livre.

— Sur lequel je travaille.

— On t'a payé un très gros à-valoir pour ce livre, et tu ne nous as jamais donné le livre en question.

— Je suis tombé sur un os. Un blocage. La page blanche. C'est en train de s'arranger.

— Nous invoquons la clause de non-remise de notre contrat, qui autorise l'éditeur à réclamer le remboursement des paiements déjà versés en cas de non-remise. En d'autres termes ? Il faut que tu nous rendes l'argent. Je voulais te le dire de vive voix.

— De vive voix. Dans un café. À l'aéroport.

— Bien entendu, au cas où tu ne pourrais pas payer, nous serons obligés de te poursuivre en justice. Notre service juridique déposera tous les documents la semaine prochaine auprès de la Cour suprême de l'État de New York.

— Mais le livre va arriver. Je me suis remis à écrire.

— Et c'est une excellente nouvelle pour toi ! Car nous abandonnons tous nos droits sur une quelconque production relative au livre en question, donc il est tout à toi. Et nous te souhaitons bonne chance.

— Combien vous me réclamez ?

— Le montant de l'à-valoir, plus les intérêts, plus les frais juridiques. Vois le bon côté des choses : tu ne nous as occasionné aucune autre perte, on ne peut pas en dire autant de tous nos investissements récents. Donc ne t'en fais pas trop pour nous. Tu as toujours l'argent, n'est-ce pas ?

— Non. Bien sûr que non. J'ai acheté une maison.

— Combien il te reste à rembourser ?

— Trois cent mille.

— Et combien vaut la maison ?

— Quelque chose comme quatre-vingt mille ?

— Ah ! Le miracle américain, je vois.

— Écoute. Je suis navré que ça ait pris autant de temps. J'aurai bientôt terminé le livre. C'est promis.

— Comment te le dire sans être désagréable ? En fait, on n'en veut plus, du livre. Le monde dans lequel nous avons signé ce contrat n'existe plus.

— Comment ça ?

— Premièrement, plus personne ne sait qui tu es. Il aurait fallu qu'on batte le fer pendant qu'il était chaud. Ton fer, mon ami, est congelé. Mais en plus le pays tout entier a changé. Ta charmante histoire sur un amour d'enfance était tout à fait percutante dans le monde d'avant le 11-Septembre, mais aujourd'hui ? Cela paraît un peu dérisoire, presque incongru. Et — sans vouloir t'offenser — il n'y a rien de particulièrement intéressant chez toi.

— Merci.

— Ne le prends pas mal. Il y a à peine une personne sur un million qui est assez intéressante pour remplir mes critères.

— Je ne peux absolument pas me permettre de rembourser.

— La solution est toute trouvée, mon gars. Tu vends la maison, tu caches tes avoirs, tu te mets en banqueroute et tu déménages à Jakarta. »

Le haut-parleur grésille : l'embarquement des passagers de première classe pour Los Angeles va pouvoir commencer. Periwinkle lisse son costume. « Il faut que j'y aille », dit-il. Il avale d'un trait le reste de son café et se lève. « Écoute, j'aurais préféré que ça se passe autrement. Vraiment. J'aurais préféré que nous n'ayons pas à en arriver là. Si seulement tu avais quelque chose à nous proposer, quelque chose d'intéressant ? »

Samuel sait qu'il a quelque chose sous la main, quelque chose qui a de la valeur. C'est la seule chose qu'il a à proposer à Periwinkle. Là tout de suite, c'est la seule chose vraiment intéressante le concernant.

« Et si je te disais que j'ai un nouveau livre à te proposer, commence Samuel. Un tout autre livre.

— Eh bien, je te répondrais qu'alors nous devrions ajouter une charge supplémentaire contre toi à ton dossier. Puisque tu aurais écrit un autre livre pour un concurrent alors que tu étais sous contrat avec nous.

— Je ne m'y suis pas encore mis. Je n'en ai pas écrit une ligne.

— Dans ce cas, en quoi est-ce que c'est un "livre" ?

— Ce n'est pas un livre. C'est un synopsis. Une accroche. Tu veux l'entendre ?

— Bien sûr. Envoie.

— C'est une sorte de livre de confessions sur une célébrité.

— OK. Qui est la célébrité ?

— Calamity Packer.

— OK, d'accord. Bon, on a déjà un agent sur le coup. Elle ne veut pas parler. Laisse tomber, c'est une impasse.

— Et si je te disais que c'est ma mère ? »

7

C'est l'idée, donc. Ils se mettent d'accord à l'aéroport. Samuel honorera son contrat avec son éditeur en écrivant un livre sur sa mère — une biographie, une mise à nu, une confession.

« Une sordide histoire de sexe et de violence, déclare Periwinkle, de la main du fils qu'elle a abandonné ? Bon Dieu, ouais, on tient quelque chose que je pourrais vendre. »

Le livre racontera le passé interlope de Faye Andresen au sein des mouvements contestataires, l'époque où elle s'est prostituée, celle où elle a abandonné sa famille puis vécu dans l'ombre jusqu'au jour où elle en est sortie pour terroriser le gouverneur Packer.

« Il faut que le livre sorte avant les élections, pour des raisons évidentes de force de frappe, poursuit Periwinkle. Et Packer devra y apparaître en héros de l'Amérique. Une sorte de messie populaire. Ça te va ?

— D'accord.

— On a quelques pages déjà écrites, en fait.

— Comment ça, déjà écrites ? demande Samuel.

— Sur Packer. On a déjà un nègre sur le coup. Il a pondu une centaine de pages.

— Comment c'est possible ?

— Tu n'es pas sans savoir que la plupart des nécrologies sont rédigées avant que les gens meurent ? C'est le même principe. On avait une biographie en préparation, on attendait juste d'avoir un angle. C'est déjà dans les tuyaux. En d'autres termes, la moitié de ton livre est prête pour l'impression. L'autre moitié, c'est la partie sur la mère. Qui, bien entendu, est la méchante de l'histoire en l'occurrence. Tu as bien intégré cet aspect des choses, n'est-ce pas ?

— Oui.

— Et tu vas pouvoir l'écrire ? Ça ne te pose aucun problème de dresser un tel portrait de ta mère ? Du point de vue moral ? éthique ?

— Un assassinat de papier, intimité, vie publique, tout y passe. J'ai bien compris l'idée. »

Et ça ne va pas être difficile, songe Samuel, de faire une chose pareille à la femme qui les a quittés sans un mot, sans un avertissement, qui l'a laissé grandir sans mère. En fait, c'est comme si deux longues décennies de ressentiment et de douleur avaient enfin trouvé, pour la première fois, un exutoire.

Samuel appelle donc l'avocat de sa mère et lui explique qu'il a changé d'avis. Il dit qu'il serait ravi d'écrire une lettre au juge pour défendre le cas de sa mère et souhaiterait la rencontrer pour rassembler quelques informations essentielles à la rédaction de cette lettre. L'avocat lui donne alors l'adresse de sa mère à Chicago, lui organise un rendez-vous le lendemain même, et dans l'intervalle Samuel est incapable de fermer l'œil, fébrile à l'idée de revoir sa mère pour la première fois depuis sa disparition. Cela lui semble injuste que ce moment ait mis vingt ans à arriver et qu'il n'ait à présent que vingt-quatre heures pour s'y préparer.

Combien de fois l'a-t-il imaginé ? Combien de scénarios de retrouvailles a-t-il échafaudés ? Et dans chacune de ces milliers, de ces millions de versions, il finit toujours par montrer à sa mère à quel point il a réussi, à quel point il est intelligent. Il lui apparaît toujours sûr de lui, adulte et mûr. Élégant, heureux. Lui montre à quel point sa vie est extraordinaire, à quel point son absence l'a à peine atteint. À quel point *il n'a pas besoin d'elle.*

Dans ses scénarios de retrouvailles, sa mère implore son pardon, lui ne pleure jamais. C'est toujours comme ça que ça se passe.

Mais comment va-t-il faire pour que ça se passe comme ça dans la vraie vie ? Aucune idée. Il demande à Google. Qui lui déroule, pendant une bonne partie de la nuit, groupes de soutien pour enfants abandonnés par leurs parents, sites Internet remplis de lettres majuscules, de caractères gras, de GIFs animés, d'émoticônes joyeuses ou perplexes, de petits oursons et d'angelots. En lisant ces pages, Samuel est frappé par la similarité des problèmes de chacun : les sentiments violents de honte, de gêne et de responsabilité éprouvés par chaque enfant abandonné ; le mélange d'adoration et de haine pour le parent absent ; la solitude qui s'accompagne d'un désir autodestructeur de se mettre à l'écart. Etc. Cela lui fait le même effet que s'il se regardait dans un miroir. Tout son musée des horreurs lui revient en pleine figure, révélé au grand jour par d'autres, et Samuel en est mortifié. Face à tous ces gens qui ressentent exactement les mêmes choses que lui, Samuel a l'impression d'être d'une banalité navrante alors qu'il a tellement besoin de prouver à sa mère qu'il est cet homme extraordinaire qu'elle a eu tort d'abandonner.

Aux alentours de trois heures du matin, il réalise qu'il vient de passer cinq minutes complètes à fixer le même GIF animé — un ourson dispensant un « câlin virtuel » : ses bras s'ouvrent et se ferment à l'infini, c'est supposé être une embrassade rassurante, mais Samuel trouve un air sarcastique à l'ourson, qu'il soupçonne d'être en train de se moquer de lui en applaudissant à tout rompre.

Il délaisse l'ordinateur et dort d'un sommeil agité pendant quelques heures avant de se réveiller à l'aube, de prendre une douche et d'avaler une cafetière entière pour s'engouffrer dans sa voiture et rouler jusqu'à Chicago.

Malgré la proximité de Chicago, Samuel y va rarement ces derniers temps, et il se souvient pourquoi maintenant : plus il s'approche de la ville, plus la route semble un champ de mines ou de bataille — des chauffards qui zigzaguent, déboîtent devant vous, vous collent au pare-chocs, vous klaxonnent dans les oreilles, lancent des appels de phare, comme autant de traumas intimes exposés au grand jour. Samuel navigue dans cette circulation chaotique comme dans un magma de haine morose. Avec cette angoisse permanente larvée, et qui augmente plus il s'en rapproche, à l'idée de ne pas réussir à se déporter pour s'engager sur sa bretelle de sortie. Il assiste à ce phénomène étrange et banal pourtant des conducteurs autour de lui qui accélèrent quand ils voient son clignotant, occupant l'espace où il comptait s'insérer. Il n'y a pas de lieu moins hospitalier en Amérique — pas de lieu moins fraternel, moins coopératif, pas de lieu où le sacrifice pour le bien commun ait moins de sens — qu'une route de Chicago à l'heure de pointe. Le meilleur moyen de s'en rendre compte, c'est de se retrouver dans une file d'une centaine de voitures devant une sortie, et c'est exactement là qu'atterrit Samuel pour rejoindre le quartier de sa mère. Au milieu des gens qui resquillent, se glissent dans la moindre brèche à l'avant de la file, au nez et à la barbe de tous les conducteurs attendant patiemment leur tour et enrageant d'avoir à attendre encore plus longtemps parce qu'une voiture de plus leur est passée devant, bouillant d'une colère plus sourde encore à l'égard du trou du cul qui n'a pas daigné attendre son tour comme tous les autres, qui n'a pas enduré ce qu'ils endurent, et rongeant leur frein, plus profondément encore, à l'idée d'être des gros pigeons qui font la queue bien sagement dans leur bagnole.

Ils s'énervent donc, beuglent, font des gestes obscènes, collent au pare-chocs devant eux. De sorte qu'il n'y ait plus le moindre centimètre pour les tricheurs. Ni pour personne. Samuel fait comme tout le monde, avec le sentiment que s'il laissait passer qui que ce soit devant lui, il trahirait tous ceux qui attendent derrière lui. Chaque fois qu'un centimètre de route se dégage, il met les gaz. La file oscille ainsi vers la sortie jusqu'à ce que, l'espace d'une seconde où il surveille son rétroviseur pour vérifier qu'il n'y a pas de resquilleur derrière lui, un morceau de macadam se libère devant lui et il voit cette putain de BMW doubler sur la gauche et il est sûr qu'elle va vouloir passer devant tout le monde, alors il accélère un peu trop brutalement et vient taper dans le pare-chocs de la voiture devant lui.

Un taxi. Le chauffeur sort tel un diable de sa boîte en hurlant : « Putain de putain d'enculé ! », le doigt pointé sur Samuel pour bien montrer à tout le monde que c'est lui — et personne d'autre — l'enculé.

« Pardon ! » dit Samuel en levant les mains en l'air.

La file d'attente, à l'arrêt maintenant, mugit dans leur dos, un concert de klaxons, de cris fébriles et furieux. Quant aux resquilleurs, ils saisissent immédiatement l'opportunité de se glisser devant le taxi arrêté. Dont le chauffeur est désormais au niveau de la vitre de Samuel en train de menacer : « Je vais te buter, espèce de putain d'enculé ! »

Sur quoi, il lâche un énorme crachat.

Plus précisément, il se penche en arrière, comme pour prendre son élan, et projette en avant un glaviot visqueux qui vient s'écraser sur la vitre de Samuel et y reste collé, sans même dégouliner, fiché là comme une poignée de pâtes sur un mur, jaunâtre et gazeux, plein de déchets alimentaires et moucheté d'immondes gouttes de sang. On dirait l'un de ces débuts d'embryons qu'on trouve parfois dans les œufs crus. Satisfait de son œuvre, le chauffeur repart en trombe vers sa voiture et démarre.

Samuel passe tout le reste du trajet jusqu'à South Loop avec pour passager cette éclaboussure de phlegme et de morve sur la vitre. Il a l'impression de conduire à côté d'un assassin en cavale qu'il n'ose pas regarder dans les yeux. C'est une sorte de brume sombre et blanchâtre dans son champ de vision qui continue de le suivre une fois sorti et engagé sur une longue rue déserte aux caniveaux parsemés de sacs plastique et de gobelets de fast-food. Il dépasse un arrêt de bus et un terrain vague à l'herbe rase où un projet d'immeuble a manifestement été abandonné en cours de route, laissant les fondations à nu. Il traverse un pont qui enjambe les voies de chemin de fer qui desservaient autrefois les abattoirs du quartier, dans le sud de Chicago, avec une vue imprenable sur l'ancien plus haut building du monde, sis dans ce quartier qui fut naguère le quartier le plus dynamique au monde en matière de boucherie. C'est désormais le chemin pour atteindre l'adresse de sa mère, qui vit donc dans un ancien entrepôt tout près des voies ferrées, surmonté d'une pancarte annonçant LOFTS DISPONIBLES. Tout le long de ce trajet, un quart de l'attention de Samuel demeure concentrée sur le crachat gluant toujours collé à sa vitre. Il est de plus en plus sidéré par l'immobilité de la chose, on dirait de la résine époxydique, celle qu'on utilise pour réparer les objets en plastique. Il s'émouvrait presque des prouesses dont le corps humain est capable. De plus, ce quartier le rend nerveux. Il n'y a absolument *personne* sur les trottoirs.

Il se gare, revérifie l'adresse. Sur la porte de l'immeuble, il y a une sonnette. Et juste là, écrit à la main sur un morceau de papier jauni dans une encre qui a viré au rose, il y a le nom de sa mère : Faye Andresen.

Il appuie sur la sonnette. Aucun bruit, ce qui lui fait penser, en plus de l'âge avancé de la chose et des fils électriques qui en sortent, qu'elle est cassée. Vu la façon dont la sonnette de sa mère reste coincée un moment avant de finalement céder sous la pression de son doigt avec un petit *tac*, personne n'a appuyé sur ce bouton depuis très longtemps.

Tout à coup, il est frappé par l'idée que sa mère était là durant tout ce temps, durant toutes ces années. Son nom écrit sur une étiquette, visible depuis la rue, délavée par le soleil, juste là, sous les yeux des passants. Cela lui semble inadmissible. Aux yeux de Samuel, après être partie, elle aurait dû cesser d'exister.

La porte s'ouvre, avec un bruit magnétique lourd.

Il entre. L'intérieur du bâtiment, une fois passé l'entrée et les boîtes aux lettres, semble incomplet. Le carrelage cède la place à un béton brut. Les murs blancs n'ont pas été peints, juste préparés. Il monte les trois étages. Trouve la porte — une porte en bois brut, sans peinture, inachevée, telle qu'on les vend dans les magasins de bricolage. Il ne sait pas à quoi il s'attendait, mais certainement pas à ce rien tout nu. À cette porte anonyme.

Il frappe. Entend une voix à l'intérieur, la voix de sa mère : « C'est ouvert », dit-elle.

Il pousse la porte. Du couloir, il voit que l'appartement est baigné de lumière. Des murs blancs nus. Une odeur familière qu'il n'arrive pas à resituer.

Il hésite. Incapable de se résoudre à passer cette porte et à rentrer dans la vie de sa mère. Au bout d'un moment, sa voix résonne de nouveau. « Tout va bien, dit-elle. N'aie pas peur. »

À ces mots, il manque de s'effondrer. Il la revoit à présent, les souvenirs affluent, sa silhouette au-dessus de son lit dans le matin blême, il a onze ans et elle est sur le point de partir pour ne plus jamais revenir.

Ces mots le consument sur place. Ils franchissent les décennies d'une seule enjambée, convoquant ce petit garçon timide qu'il était alors. *N'aie pas peur.* C'était la dernière chose qu'elle lui avait dite.

DEUXIÈME PARTIE

LES FANTÔMES DU VIEUX PAYS

Fin de l'été 1988

1

Samuel pleurait dans sa chambre, en silence, pour que sa mère ne l'entende pas. C'étaient de petits sanglots, des larmes coulant sur la pointe des pieds, une sorte de couinement sur un visage froissé à la respiration saccadée. Des larmes de Catégorie 1 : petites, dissimulables, gratifiantes et purgatives, se contentant le plus souvent de monter aux yeux sans même avoir besoin de couler. Les larmes de Catégorie 2 étaient plus émotionnelles, souvent déclenchées par un sentiment de honte, de gêne ou de déception. D'où le phénomène de transformation de larmes de Catégorie 1 en larmes de Catégorie 2 dès lors qu'une tierce personne était présente : l'embarras causé par les larmes, par l'image de pleurnichard qu'elles donnaient de lui, générait un nouveau type de larmes — avec joues mouillées, chiffonnées et morveuses, encore loin cependant de la gutturale Catégorie 3, caractérisée par des larmes aussi lourdes que des gouttes de pluie, des accès de gémissements sonores, une respiration convulsée et un réflexe de dissimulation immédiate. En Catégorie 4, la crise de sanglots était continue, quant à la Catégorie 5, mieux vaut ne même pas y penser. Le conseiller scolaire l'avait encouragé à envisager ses larmes dans ces termes, par catégories, comme pour les ouragans.

Ce jour-là, quand il éprouva le besoin de pleurer, il annonça donc à sa mère qu'il montait dans sa chambre pour lire, ce qui lui arrivait fréquemment. Il passait le plus clair de son temps à lire, seul dans sa chambre, ces Histoires dont vous êtes le héros qu'il achetait à la librairie mobile de son école. Il prenait plaisir à l'apparence de tous ces livres côte à côte sur les étagères, identiques, harmonieux, leurs dos blanc et rouge, leurs titres tels que *Perdu en Amazonie*, *Le Voyage à Stonehenge*, *La Planète des dragons*. Il aimait les bifurcations incessantes du chemin narratif, quand il butait sur une décision vraiment délicate, il retenait la page avec son pouce et regardait plus loin pour être sûr de prendre la bonne décision. Il y avait une clarté et une symétrie dans ces livres qu'il ne retrouvait quasiment jamais dans la vraie vie. De temps en temps, il se prenait à imaginer que sa vie était une Histoire dont vous êtes le héros, et que le dénouement heureux n'était qu'une question de décisions judicieuses. De cette manière, le monde autour de lui, mouvant et imprévisible, lui semblait plus structuré, moins terrifiant.

Ainsi avait-il dit à sa mère qu'il lisait alors qu'en réalité il se faisait une bonne petite Catégorie 1. Il n'était même pas sûr de la raison pour laquelle il pleurait, le simple fait d'être à la maison lui donnait envie de se cacher dans un coin.

La maison, ces derniers temps, songeait-il, était devenue un lieu insupportable.

Comme si tout ce qui y entrait s'y trouvait piégé — la chaleur du dehors, l'odeur de leurs corps. La touffeur de la fin de l'été ne leur laissait pas de répit, l'Illinois tout entier semblait fondre. Calciné. L'air épais comme de la colle. Figeant les bougies sur leurs socles, ployant le cou des fleurs. Toutes choses flétries. Échines courbées.

C'était le mois d'août 1988. Durant les années suivantes, Samuel se retournerait sur le passé, regardant ce mois comme le dernier où il avait eu une mère. À la fin du mois d'août, elle aurait disparu. Mais il ne le savait pas encore. Tout ce qu'il savait, c'était qu'il avait besoin de pleurer, pour des raisons abstraites : il faisait chaud, il était inquiet, sa mère se comportait bizarrement.

Alors il monta dans sa chambre. Et pleura, surtout pour ne plus y penser.

Mais elle l'entendit. Dans le silence absolu de la maison, elle entendit son fils pleurer à l'étage. Elle ouvrit sa porte et dit « Tout va bien, mon chéri ? », ce qui fit immédiatement redoubler ses larmes.

Dans ces moments-là, elle savait qu'il valait mieux ne pas évoquer l'intensification des larmes, ne même pas relever, car le simple fait de les remarquer les démultipliait par un effet boomerang dévastateur — ces fameux jours où il n'arrivait plus à s'arrêter de pleurer et où elle n'arrivait plus à dissimuler son exaspération — et les sanglots devenaient alors une crise de larmes incontrôlable avec hyperventilation et déluge de morve. Elle tenta donc, d'un ton aussi apaisant que possible, un « J'ai faim. Tu n'as pas faim, toi ? Viens, on sort manger un morceau, rien que nous deux », qui sembla le calmer assez efficacement pour lui permettre de se changer et de monter dans la voiture, avec juste quelques hoquets de larmes encore dans la voix. Et ce, jusqu'à ce qu'ils se retrouvent au restaurant et qu'elle remarque une promotion sur les hamburgers, « Pour deux achetés, un gratuit », et s'exclame : « Super. Je te prends un hamburger, qu'est-ce que tu en dis ? Ça te va, un hamburger ? », et Samuel, qui avait passé tout le chemin à penser à ses nuggets de poulet à la sauce moutarde, n'eut pas le cœur de la décevoir en refusant. Il hocha donc la tête et attendit dans la voiture bouillante pendant que sa mère allait chercher les hamburgers en essayant de se convaincre que de toute façon il voulait un hamburger depuis le début en fait, mais plus il y pensait, plus l'idée du hamburger le révoltait — le pain rassis, les cornichons amers et les vermicelles d'oignon s'échappant d'entre les couches. Avant même qu'elle revienne avec les hamburgers, il avait la nausée rien que d'y penser. Sur le chemin du retour, il s'efforçait de lutter contre les larmes qui montaient quand sa mère remarqua ses reniflements mouillés : « Il y a quelque chose qui ne va pas, mon ange ? » Tout ce qu'il réussit à articuler fut : « Je ne veux pas de hamburger ! », avant de sombrer dans une crise de Catégorie 3.

Faye ne dit rien. Elle se contenta de faire demi-tour tandis qu'il enfouissait son visage dans le revêtement brûlant de son siège en sanglotant.

De retour à la maison, ils mangèrent sans un mot. Assis dans la chaleur de la cuisine avec sa mère, Samuel, affalé sur sa chaise, mâchait péniblement ses dernières bouchées de poulet. Devant eux, les pales du ventilateur brassaient l'air chaud d'un point à un autre. Autour d'eux, les fenêtres ouvertes guettaient une brise qui ne venait pas. Ils fixaient une mouche qui bourdonnait en cercle, effleurant le plafond. Elle seule, dans la pièce, semblait vivante.

Elle se cogna contre le mur, puis contre la moustiquaire, puis vint soudain mourir, sans crier gare, juste au-dessus de leur tête. Elle tomba raide en plein vol et atterrit sur la table de la cuisine, aussi lourde qu'une bille.

Leurs regards s'arrêtèrent sur le petit cadavre entre eux, puis se croisèrent. *Elle est vraiment morte ?* La panique sur le visage de Samuel. Les larmes qui lui montaient aux yeux de nouveau. Il fallait absolument le distraire. Il fallait absolument que sa mère fasse quelque chose.

« Allons nous promener, dit Faye. Remplis ton chariot. Prends tes neuf jouets préférés.

— Quoi ? dit-il en écarquillant des yeux apeurés, immenses, déjà tremblants et humides.

— Fais-moi confiance.

— D'accord », dit-il, et effectivement, durant une quinzaine de minutes, cela détourna son attention. Faye avait l'impression que c'était là son premier devoir de mère : créer des diversions. Quand Samuel commençait à pleurer, elle l'en détournait. Pourquoi neuf jouets ? Parce que Samuel était un petit garçon méticuleux, ordonné et analytique, le genre à inventer des rituels comme garder sous son lit une boîte contenant ses dix jouets préférés. Dont la plupart étaient des figurines *Star Wars* et des petites voitures Hot Wheels. Il réactualisait son classement régulièrement, remplaçait un jouet par un autre. Mais la boîte était toujours là. Et à tout moment, il pouvait énoncer la liste de ses dix jouets préférés.

C'est la raison pour laquelle elle lui avait demandé d'en choisir neuf : pour voir lequel il laisserait de côté.

Samuel ne se posait pas de questions, ni pourquoi

neuf jouets, ni pourquoi les emmener en promenade. Non, elle lui avait assigné une mission, il s'en acquittait. Il ne discutait jamais les règles arbitraires.

Elle était triste de voir qu'il se laissait embobiner si facilement.

Faye regrettait qu'il ne soit pas plus malin. Un peu moins crédule. Parfois elle aurait voulu qu'il ait plus de répondant. Qu'il l'affronte davantage, qu'il lui résiste davantage. Mais il n'y avait rien à faire. Elle ordonnait, il exécutait. Un petit robot docile. Elle l'observa, comptant ses jouets, hésitant entre deux versions de la même figurine — un Luke Skywalker avec des jumelles et un Luke Skywalker avec un sabre laser — et songea qu'elle devrait éprouver de la *fierté*. Qu'elle devrait être fière qu'il fût un enfant si réfléchi, si gentil. Mais sa gentillesse avait un prix : il était sensible. La larme si facile. Fragile à un point absurde. Aussi résistant que la peau d'un raisin. Ce qui la poussait à se montrer dure parfois avec lui. Parce qu'elle n'aimait pas la façon dont il traversait la vie en ayant l'air de craindre les coups. Parce qu'elle n'aimait pas la façon dont il lui renvoyait en miroir ses propres failles.

« Ça y est, maman », dit-il, et elle compta huit jouets dans son chariot — pour finir, il avait laissé de côté *les deux* Luke Skywalker. Mais du coup il n'y avait que huit jouets, pas neuf. Il avait été incapable de suivre une simple consigne. Et maintenant elle ne savait plus quoi faire de lui. Qu'il obéisse si aveuglément l'avait mise en colère, à présent qu'il n'avait même pas su obéir correctement, elle était encore plus en colère. Et amère par-dessus le marché.

« Allons-y », dit-elle.

Dehors, la moiteur de l'air stagnant était presque

irréelle. Pas un souffle ni un bruit, sinon les vibrations de chaleur affleurant sur l'asphalte et les toits. Ils descendirent la large rue qui ondulait le long de leur pâté de maisons, croisant de temps à autre de courtes impasses. Le quartier déployait devant eux ses pelouses jaunies, desséchées, ses portes de garage et ses maisons toutes identiques : porte d'entrée très en arrière, porte de garage très en avant, comme si la maison tentait de se cacher derrière son garage.

Ces portes de garage lisses, beiges, anonymes — elles semblaient capturer quelque chose d'essentiel de l'atmosphère des lieux, quelque chose de la solitude des banlieues, songeait-elle. Une grande porte d'entrée vous donne une ouverture sur le monde, mais une porte de garage vous en exclut, vous confine à l'intérieur.

Comment avait-elle atterri dans un endroit pareil ?

En suivant son mari, voilà tout. C'était Henry qui les avait emmenés dans cette maison d'Oakdale Lane, dans cette petite ville de Streamwood, l'une des nombreuses banlieues toutes semblables de Chicago. Et ce, après être passés par plusieurs petits trois-pièces aux différents avant-postes du Midwest agro-industriel, suivant la progression de Henry dans le domaine où il avait choisi d'exercer : les plats cuisinés surgelés. Quand ils se retrouvèrent à Streamwood, Henry souligna bien le fait que c'était leur dernier déménagement, puisqu'il avait désormais un boulot suffisamment intéressant pour y rester : vice-président associé de la R&D, division Surgelés alimentaires. Le jour où ils emménagèrent, Faye conclut : « On y est donc. » Puis elle se tourna vers Samuel et poursuivit : « Ce sera donc ici l'endroit d'où tu seras. »

Streamwood, songeait-elle à présent. *Ni ruisseau, ni bois*[1].

« Le truc avec les portes de garage… » commença-t-elle, avant de se tourner vers Samuel qui scrutait l'asphalte, concentré. Il ne l'avait pas entendue.

« Peu importe », abandonna-t-elle.

Samuel tirait son chariot, les roues en plastique claquaient sur le bitume. De temps à autre, un gravillon se coinçait dans le mécanisme, les roues se bloquaient et, interrompu dans sa progression, il manquait tomber en avant. Chaque fois que cela se produisait, il avait l'impression de décevoir sa mère. Il inspectait donc le sol, guettant le moindre débris, le moindre épi, le moindre morceau d'écorce, et lorsqu'il les chassait du bout du pied, il prenait garde de ne pas rester coincé dans une fissure de la chaussée, et trébucher, sur rien de vraiment concret, juste un faux pas, dont il craignait qu'il ne fasse qu'augmenter la déception de sa mère. Il s'efforçait de marcher aussi vite qu'elle — elle risquait d'être déçue s'il traînait derrière et qu'elle était obligée de l'attendre — mais il ne pouvait pas aller assez vite sans risquer que l'un de ses huit jouets ne se renverse, maladresse qui la décevrait forcément. Il fallait donc qu'il réussisse à trouver le rythme parfait pour à la fois suivre sa mère et pouvoir ralentir quand la route s'avérait plus accidentée, moins égale, tout en guettant et en dégageant du passage les débris sans trébucher, et s'il arrivait à faire tout cela en même temps, alors peut-être la journée ne serait-elle pas si mauvaise. Peut-être serait-elle sauvée. Et peut-être sa mère serait-elle moins déçue. Peut-être pourrait-il

1. En anglais, « *stream* » signifie « ruisseau » et « *wood* », « bois ».

effacer ce qui s'était passé plus tôt, quand il avait été, une fois de plus, un insupportable geignard.

Il en concevait du remords à présent, qu'est-ce qui l'avait empêché de manger ce hamburger, il s'était monté la tête, sûrement, et s'il avait bien voulu considérer ce hamburger autrement, ça aurait pu être un repas tout à fait agréable. Il se sentait terriblement coupable en y repensant. La manière dont sa mère avait fait demi-tour pour aller lui chercher des nuggets de poulet lui semblait maintenant héroïque et infiniment généreuse. Plus qu'il ne pourrait jamais l'être, lui. Il se sentait égoïste. Cette façon qu'il avait d'obtenir tout ce qu'il voulait en pleurant le dégoûtait, même si cela n'avait rien de volontaire. Et il réfléchissait à une manière de dire à sa mère que, s'il le pouvait, il voudrait ne plus jamais pleurer et qu'elle n'ait plus jamais besoin de passer des heures à le calmer ou de se plier à ses moindres demandes.

Voilà ce qu'il avait envie de lui dire. Il était en train de mettre les mots en ordre dans sa tête. Pendant ce temps, sa mère regardait les arbres. Une rangée de chênes devant la pelouse de l'un des voisins. Qui, comme tout le reste, avaient cet air courbé, desséché et triste, des branches qui traînaient par terre. Des feuilles plus vraiment vertes mais d'une teinte ambre roux. Le silence total. Pas un carillon à vent, pas un oiseau, pas un chien qui aboie, un enfant qui rit. Sa mère avait les yeux levés vers cet arbre. Samuel s'arrêta et suivit son regard.

Elle dit : « Tu vois ? »

Samuel ne savait pas ce qu'il était censé voir. « L'arbre ? dit-il.

— Là-haut, près de la plus haute branche. Tu

vois ? » Elle pointa le doigt en l'air. « Tout en haut. Cette feuille. »

Il suivit son doigt et vit une feuille toute seule, différente des autres. Verte, épaisse, dressée bien droite, claquant, ondulant comme un poisson, tordue comme par un vent violent. La seule feuille de l'arbre à se comporter ainsi. Le reste pendait dans l'air stagnant, immobile. Il n'y avait pas un souffle de vent dans le quartier, et pourtant cette feuille tournait comme une folle.

« Tu sais ce que c'est ? demanda-t-elle. C'est un fantôme.

— C'est vrai ? dit-il.

— Cette feuille est hantée.

— Ça existe, les feuilles hantées ?

— N'importe quoi peut être hanté. Il y a des fantômes partout, y compris dans les feuilles. »

Il observa la feuille qui tournoyait comme si elle était attachée à un cerf-volant.

« Pourquoi fait-elle ça ?

— C'est l'esprit de quelqu'un, dit-elle. Mon père m'a expliqué ça. Une de ses vieilles histoires. De son enfance en Norvège. C'est l'esprit d'une personne qui n'est pas assez bonne pour aller au paradis, mais pas assez méchante pour aller en enfer. Une personne qui est entre les deux. »

Samuel n'avait jamais envisagé cette possibilité.

« Elle ne trouve pas le repos, continua-t-elle. Elle voudrait s'échapper. Peut-être que c'était une bonne personne qui a juste fait une chose très méchante. Ou bien peut-être qu'elle a fait beaucoup de choses méchantes mais qu'elle les regrettait beaucoup. Peut-être qu'elle ne voulait pas faire des choses méchantes mais qu'elle ne pouvait pas s'en empêcher. »

Sur ce, une fois de plus, Samuel se mit à pleurer. Il sentit son visage se froisser. Les larmes lui montèrent aux yeux à toute allure. Impossible de les retenir. Il savait trop bien toutes les choses méchantes qu'il avait faites, encore et encore. Faye le vit, ferma les yeux, se frotta les tempes du bout des doigts et mit la main sur son visage. Elle avait atteint son seuil de tolérance pour la journée, il s'en rendait bien compte, elle était à bout de patience, et pleurer à cause des choses méchantes qu'il avait faites était encore une chose méchante de plus.

« Mon chéri, dit-elle, pourquoi tu pleures ? »

Il avait toujours envie de lui dire qu'il n'y avait rien au monde qu'il désirait davantage que de ne plus jamais pleurer. Mais il n'arrivait pas à parler. Tout ce dont il fut capable, au milieu d'un torrent de larmes et de morve, fut un incohérent : « Je ne veux pas être une feuille !

— Où vas-tu chercher des idées pareilles ? »

Elle lui prit la main et le tira jusqu'à la maison. Tout le long du chemin, on n'entendit que le claquement des roues de son chariot et ses sanglots. Elle l'accompagna dans sa chambre et lui dit de ranger ses jouets.

« Et je t'avais dit de prendre neuf jouets, ajouta-t-elle. Tu en as pris huit. La prochaine fois, tâche d'être plus attentif. » La déception dans sa voix fit redoubler ses larmes, il pleurait tellement qu'il était incapable d'articuler quoi que ce soit, incapable donc de lui dire que s'il n'en avait pris que huit c'était parce que le neuvième était le chariot lui-même.

2

Le père de Samuel tenait à ce que les dimanches soir soient « un moment privilégié en famille ». Il y avait donc dîner obligatoire, tous ensemble, assis autour de la table, avec Henry qui s'échinait à entretenir la conversation. Le menu était composé de repas tout prêts sortis du congélateur de travail de Henry, où il conservait les plats expérimentaux ou en cours de validation marketing. La plupart du temps, c'étaient des recettes un peu plus audacieuses, plus exotiques — des mangues à la place des pommes au four, des patates douces à la place des pommes de terre habituelles, du porc sauce aigre-douce au lieu des bouchées de porc grillé, ou bien encore des aliments qui au premier abord ne paraissaient pas destinés à être congelés : des friands au homard, par exemple, ou bien du fromage grillé, ou des rillettes de thon.

« Tu sais ce qui est intéressant dans les plats surgelés, dit Henry, c'est qu'ils n'étaient pas très populaires jusqu'au jour où Swanson a décidé de les rebaptiser "plateaux télé". À l'époque, les plats surgelés existaient déjà depuis une dizaine d'années et quand ils ont changé leur nom en "plateaux télé", *boum*, les ventes ont explosé.

— Mm-mm, marmonna Faye, les yeux fixés sur son poulet cordon-bleu.

— Comme si les gens avaient attendu qu'on leur donne la permission de manger devant la télévision. Comme si tout le monde *voulait* manger devant la télévision mais qu'il fallait que quelqu'un en prenne la responsabilité.

— Absolument fascinant », dit Faye, sur un ton qui lui cloua immédiatement le bec.

Le silence se prolongea jusqu'à ce que Henry demande ce qu'ils voulaient faire de leur soirée, que Faye lui suggère d'aller regarder la télévision, qu'il lui propose de se joindre à lui, qu'elle lui dise non, elle avait la vaisselle à laver, « pars devant », que Henry propose de l'aider à nettoyer, que Faye dise non, il ne ferait que la ralentir, que Henry suggère qu'elle le laisse faire pour ce soir et qu'elle se détende, sur quoi Faye se leva, excédée, en disant : « Tu ne sais même pas où se rangent les choses », et Henry lui jeta un regard noir, sembla sur le point de répliquer mais se tut finalement.

Pendant ce temps, Samuel songeait que le couple formé par son père et sa mère était comme le mariage d'une petite cuillère et d'un vide-ordures.

« Est-ce que je peux sortir de table ? » demanda Samuel.

Henry lui lança un regard meurtri. « C'est notre soirée en famille, dit-il.

— Tu peux y aller », dit Faye, et Samuel glissa de sa chaise et se précipita dehors. Avec ce sentiment bien connu : l'envie d'aller se cacher. Qu'il éprouvait chaque fois que la tension de la maison semblait s'amonceler en lui. Il se cachait dans les bois, un petit bosquet qui bordait un ruisseau triste derrière leur pâté de maisons. Quelques arbres courtauds qui émergeaient de la boue. Un étang pas plus profond que la taille. Et un ruisseau qui collectait toutes les eaux usées du pâté de maisons, dont l'eau revêtait ce film huileux aux couleurs miroitantes après la pluie. Rien qu'on puisse vraiment appeler des bois, rien qu'un morceau de nature pathétique. Mais suffisamment épais pour le dissimuler. Quand il était là-bas, il était invisible.

Si on lui demandait ce qu'il fabriquait, il disait qu'il jouait, ce qui n'était pas tout à fait vrai. Pouvait-on vraiment parler de *jouer* alors qu'il ne faisait que s'asseoir dans l'herbe et la boue, se cacher derrière les feuilles et lancer des feuilles hélicoptères dans les airs pour les regarder tournoyer jusqu'au sol ?

Samuel avait prévu de descendre jusqu'au ruisseau et de rester caché là deux bonnes heures, au moins jusqu'à l'heure d'aller se coucher. Il se cherchait un endroit, un creux confortable dans le sol qui lui permettrait de se mettre à couvert. Un endroit où, avec quelques branches, quelques feuilles sur lui, il serait invisible. Tandis qu'il ramassait les brindilles et les branches nécessaires, qu'il fourrageait parmi les feuilles et les glands sous ce chêne, quelque chose craqua au-dessus de sa tête. Une branche qui se brise, de l'écorce qui s'effrite, il leva la tête juste à temps pour voir quelqu'un sauter de l'arbre et atterrir lourdement sur le sol à côté de lui. C'était un garçon, pas plus vieux que Samuel, qui se dressait fièrement devant lui en le fixant de ses yeux verts perçants, presque félins. Il n'était pas plus imposant que Samuel, ni plus grand ni plus gros, mais il occupait l'espace d'une manière intangible. Son corps avait une *présence*. Il s'approcha.

Son visage fin et anguleux était barbouillé de sang sur les joues et le front.

Samuel laissa tomber ses brindilles. Il voulut s'enfuir. Il donna l'ordre à ses jambes de courir. Le garçon s'approcha encore et, de derrière son dos, il sortit un couteau, un grand couteau de boucher argenté, le genre que Samuel avait vu sa mère utiliser pour découper des morceaux de viande avec des os.

Samuel se mit à pleurer.

Il resta là, debout, à pleurer, les pieds vissés au sol, attendant son destin, quel qu'il soit, s'y soumettant. Il sauta directement dans une crise de Catégorie 3, trempé et morveux. Le visage tordu, les yeux exorbités, comme si on lui tirait la peau par-derrière. Le garçon se tenait juste devant lui maintenant, et Samuel avait le nez sur le sang, du sang frais et luisant au soleil, une goutte dégoulinant le long de sa joue jusque sous son menton, dans son cou et sous sa chemise, et Samuel ne se demandait même pas d'où venait le sang, sa simple présence le faisait gémir. Le garçon avait des cheveux roux, courts, des yeux impénétrables, des taches de rousseur, le maintien physique, l'assurance corporelle et la souplesse d'un athlète. Lentement il brandit la lame au-dessus de sa tête, reproduisant la gestuelle universellement compréhensible du meurtrier psychopathe s'apprêtant à poignarder sa victime.

« Voilà ce que j'appelle une embuscade réussie, déclara le gamin. Si on était en guerre, tu serais mort à l'heure qu'il est. »

Le cri que Samuel laissa échapper contenait tous ses malheurs à la fois, condensés en une longue plainte, un appel à l'aide, triste et désespéré.

« Putain de merde, dit le gamin. Ce que t'es moche quand tu pleures. » Il baissa le couteau. « Ça va. Regarde. Je blague, c'est tout. »

Mais Samuel ne pouvait plus s'arrêter. Les vagues d'hystérie déferlaient sur lui.

« C'est pas grave, dit le gamin. Pas de problème. T'as pas besoin de parler. »

Samuel s'essuya le nez du revers de la manche et embarqua un long filet de morve au passage.

« Viens avec moi, reprit le gamin. Il y a quelque chose que je veux te montrer. »

Il conduisit Samuel au ruisseau, marcha encore plusieurs mètres le long de la rive jusqu'à un endroit près de l'étang où un arbre s'était déraciné, laissant une large béance entre les racines et la terre.

« Regarde », dit le gamin. Il lui montra un endroit où il avait aplani la terre pour creuser une cuvette. Dans la cuvette, il y avait plusieurs animaux : quelques grenouilles, un serpent, un poisson.

« Tu les vois ? » demanda-t-il. Samuel hocha la tête. Le serpent, voyait-il à présent, n'avait plus de tête. Les grenouilles avaient été éventrées ou embrochées. Il devait y en avoir huit ou neuf, toutes mortes sauf une, qui agitait les pattes en l'air, coincée sur le dos. Le poisson était décapité au niveau des ouïes. Le tout baignait dans un jus gluant et sanguinolent au fond de la cuvette.

« Je me disais que j'allais leur foutre le feu, poursuivit le gamin. Tu sais, je pourrais faire un lance-flamme avec une bombe insecticide et un briquet ? »

Il mima le geste : allumer le briquet, avec la bombe juste devant.

« Assieds-toi », dit-il. Samuel obéit, et le garçon trempa deux doigts dans le sang.

« Il faut qu'on t'endurcisse un peu », dit-il. Il barbouilla le visage de Samuel de sang — deux traits sous les yeux, un sur le front.

« Voilà, dit-il. Maintenant, tu es initié. » Il planta le couteau dans la terre, droit. « Maintenant, tu es vraiment vivant. »

3

Le soleil se couchait, la chaleur de la journée se retirait, les moustiques sortaient des bois en véritables escadrons bourdonnants, escortant les deux garçons à la lisière des arbres, dans la boue et l'humidité. Ils avaient parcouru des territoires dont Samuel ignorait l'existence, au-delà de son quartier, vers un autre secteur : le Village Vénitien. Le visage des garçons luisait, humide, ils s'étaient nettoyés des viscères animaux avec l'eau du ruisseau. Ils avaient beau avoir le même âge, la même taille, et à peu près la même carrure — petits donc, onze ans, noueux et minces comme des cordes tressées serré — on voyait au premier coup d'œil que l'un d'entre eux avait incontestablement l'ascendant. Il s'appelait Bishop Fall — celui qui sautait des arbres, tendait des embuscades, tuait des animaux. Et il était justement en train d'expliquer à Samuel comment un jour il deviendrait un général cinq étoiles de l'armée américaine.

« Devoir, honneur, patrie, dit-il. Combattre l'ennemi. C'est ma devise.

— Quel ennemi ? » demanda Samuel, tout en regardant autour de lui les maisons du Village

Vénitien, plus grandes que toutes celles qu'il avait jamais vues auparavant.

« On s'en fiche, n'importe lequel, répondit Bishop. *Hooah*[1] ! »

Il s'engagerait dans l'armée après l'école militaire en tant qu'officier, puis il deviendrait commandant, puis colonel, puis un jour, enfin, général cinq étoiles.

« Tu savais qu'un général cinq étoiles a un plus grand service de renseignements que le président ? dit Bishop. Je serai au courant de tous les secrets.

— Tu me raconteras ? demanda Samuel.

— Non. C'est confidentiel.

— Mais je ne les répéterai à personne, c'est promis.

— C'est une question de sécurité nationale, désolé.

— S'il te plaît ?

— Pas question. »

Samuel hocha la tête. « Tu vas être sacrément bon. »

Bishop se retrouva dans la classe de Samuel en CM2 à l'école publique cette année-là, il venait de se faire renvoyer de son école privée, l'Académie du Sacré Cœur, car, disait-il, il n'en avait « rien à foutre », ce qui signifiait qu'il avait écouté AC/DC sur son Walkman, dit à une des sœurs d'aller se « faire enculer », et s'était battu avec à peu près n'importe qui, pourvu qu'ils aient envie d'en découdre, même les lycéens ou les prêtres.

L'Académie du Sacré Cœur était une école préparatoire catholique, c'était aussi la seule option

1. Traduction phonétique du sigle HUA : « Heard Understood Acknowledged » (Entendu Compris Bien reçu). Utilisé par l'armée américaine pour indiquer une réponse affirmative.

possible dans les environs si vous vouliez que votre enfant ait une chance d'aller dans les grandes universités de la côte Est. Tous les parents du Village Vénitien y envoyaient leurs enfants. Samuel n'était jamais venu au Village Vénitien, mais parfois, lors de ses longues balades à vélo, il était passé devant la grille en cuivre de trois mètres de haut. Les maisons, ici, étaient de grandes villas de style romain, avec des toits plats, des tuiles ocre, des allées circulaires autour de fontaines spectaculaires. Entre chaque maison, il y avait l'équivalent d'un terrain de football. Une piscine dans chaque jardin. Des voitures de sport dans les allées, ou des voiturettes de golf, ou les deux. Samuel essayait d'imaginer qui pouvait bien vivre ici : des stars de la télévision, des joueurs de base-ball professionnels. Mais Bishop déclara que la plupart d'entre eux avaient des « boulots super chiants dans des bureaux ».

« Ce gars-là, dit Bishop en pointant du doigt une des maisons, il a une compagnie d'assurances. Et celui-là, continua-t-il en en montrant une autre, il dirige une banque, quelque chose dans ce genre. »

Le Village Vénitien était composé de dix-neuf unités familiales, dont chacune comprenait deux étages, six chambres, quatre salles de bains, trois boudoirs, des comptoirs de cuisine en marbre, une cave pouvant contenir cinq cents bouteilles, un ascenseur intérieur privé, des vitres anti-ouragan, une salle de gym, un garage pour quatre voitures, toutes d'une superficie de 492 mètres carrés qui, à cause d'une colle spéciale utilisée dans le processus de construction, dégageaient une légère odeur de cannelle. La similarité parfaite des maisons était d'ailleurs un argument de vente pour des familles soucieuses de ne pas avoir la plus belle maison du quartier. Les agents immobiliers plaisantaient souvent sur cette question, disant que dans le Village Vénitien il n'y avait jamais de problèmes de voisins jaloux, aucune rivalité, ils étaient tous à égalité. D'autres hiérarchies se faisaient jour malgré tout : tel belvédère dans le jardin, telle véranda ou tel jardin d'hiver à étage, tel court de tennis. Toutes les maisons sortaient du même moule, mais libre à chacun de les accessoiriser à sa guise.

Avec, par exemple, ce jacuzzi d'eau salée dans le jardin d'une des villas devant laquelle Bishop s'arrêta.

« C'est là qu'habite le proviseur du Sacré Cœur, annonça-t-il. C'est un gros connard. »

D'un geste frimeur, il s'attrapa l'entrejambe et fit un doigt vers la maison, puis il ramassa une petite pierre qui traînait dans le caniveau.

« Mate ça », dit-il, et il lança la pierre en direction de la maison du proviseur. Il le fit avant même qu'aucun d'entre eux n'ait le temps d'y penser. Soudaine, cette pierre volait dans les airs, et ils la regardaient voler et, l'espace d'un instant, l'action sembla comme ralentie, tandis que les deux garçons se rendaient compte que la pierre allait bel et bien heurter la maison et qu'à présent ils ne pouvaient plus rien y changer. Le caillou traversa le ciel rouge orangé, ce n'était plus qu'une question de gravité désormais, et de temps. Il décrivit un arc de cercle vers le sol, manqua de peu la Jaguar vert foncé dans l'allée du proviseur et vint frapper la porte en aluminium du garage juste derrière, avec un *tonk* sonore et percutant. Les deux garçons se regardèrent avec un mélange d'excitation et de terreur, ce son de caillou-contre-la-porte-de-garage leur semblait le bruit le plus fracassant qu'ils aient jamais entendu.

« Putain de merde ! » s'exclama Bishop, et tous deux, comme mus par un instinct animal primaire, telles des proies prises en chasse, se mirent à courir.

Ils détalèrent le long de la Via Veneto, la seule rue du quartier, plus ou moins tracée sur la piste que les biches empruntaient quand ce coin de la banlieue était encore une réserve naturelle, et qui reliait un petit lac artificiel au nord à une grande fosse de drainage au sud, deux sources d'eau potable qui suffisaient à subvenir aux besoins d'une population de cervidés tout le long de l'hiver de l'Illinois. Certains descendants de la horde persistaient d'ailleurs, semant le désordre dans les jardins fleuris et les serres verdoyantes du Village Vénitien. Les habitants du quartier trouvaient ces biches si dérangeantes qu'ils payaient un exterminateur pour venir les en débarrasser, lequel laissait derrière lui une facture trimestrielle et des pierres à sel empoisonnées posées à hauteur de biche adulte (mais, bien entendu, trop haut pour qu'aucun des chiens du voisinage ne les ingère accidentellement). Le poison n'agissait pas immédiatement, l'organisme de la biche l'emmagasinait, de sorte que lorsque l'instinct de mort de la bête se réveillait, elle s'aventurait loin de sa horde et allait gentiment mourir ailleurs. Ainsi donc, en plus des boîtes aux lettres en forme de gondoles et des fontaines ouvragées devant chaque maison, l'autre point commun architectural entre toutes les maisons du Village Vénitien, c'étaient ces pierres à sel accompagnées de leur panneau ATTENTION POISON. DANGER ! dans une typographie tout à fait délicate que l'on retrouvait également sur tous les papiers à en-tête du Village Vénitien.

Le quartier n'aurait jamais existé s'il n'y avait pas eu là une faille fiscale que s'étaient empressés d'exploiter trois investisseurs de Chicago. Avant de devenir le Village Vénitien, l'endroit abritait la réserve naturelle de l'Asclépiade, baptisée d'après le nom d'une plante qui y poussait en abondance et attirait en été un très grand nombre de papillons très rares. La ville recherchait une organisation privée — de préférence non lucrative et/ou caritative — pour gérer la réserve de l'Asclépiade, ses nombreux chemins de randonnée, son dynamisme et sa biodiversité. D'après les accords qu'avait esquissés la ville, l'acquéreur des terres devait s'engager à ne pas les exploiter et à ne pas non plus les vendre à quiconque aurait le projet de les exploiter. Mais le contrat ne précisait pas à qui *cet* acheteur (le deuxième) pourrait vendre les terres. Ainsi, l'un des associés acheta les terres puis les vendit à un autre associé, qui les revendit aussitôt au troisième, qui s'empressa de monter une SCI avec les deux autres et de s'attaquer à la forêt. Ils installèrent une grille en cuivre épaisse autour de ce qui avait autrefois été la réserve de l'Asclépiade, et firent campagne auprès d'une clientèle de premier choix, type Sotheby's, avec ce genre d'accroche irrésistible : « La rencontre du luxe et de la nature. »

L'un des trois partenaires historiques, un trader en matières premières avec des bureaux à la Bourse de Chicago et aussi à Wall Street, vivait toujours dans le Village Vénitien. Un dénommé Gerald Fall. Le père de Bishop.

Gerald Fall était la seule personne du pâté de

maisons, à part les deux garçons, à avoir vu la pierre frapper la maison du proviseur, puis Samuel et Bishop dévaler en courant la pente douce vers le cul-de-sac de la Via Veneto, où il se tenait debout dans l'allée devant sa maison, la porte de sa BMW noire ouverte, le pied droit déjà dans la voiture, le pied gauche encore au sol, sol qu'il avait fait recouvrir de pavés lisses hors de prix. Il s'apprêtait à partir lorsqu'il avait aperçu son fils en train de lancer la pierre sur la maison du proviseur. Les deux garçons ne remarquèrent sa présence qu'une fois dans l'allée, face à lui, freinant sur les dalles luisantes avec le bruit caractéristique des joueurs de basket sur le sol d'un gymnase. Bishop et son père se jaugèrent un moment.

« Le proviseur est malade, dit le père. Pourquoi tu l'embêtes ?

— Désolé, dit Bishop.

— Il est très mal en point. C'est un homme malade.

— Je sais.

— Il était peut-être en train de dormir et tu as gâché son repos.

— J'irai m'excuser, c'est promis.

— J'y compte bien.

— Où tu vas ?

— À l'aéroport. Je vais à New York pour quelque temps.

— Encore ?

— N'embête pas ta sœur pendant mon absence. » Il baissa les yeux sur leurs chaussures, mouillées et sales. « Et ne mettez pas de boue dans la maison. »

Sur ce, le père se glissa dans sa voiture, claqua la portière, mit le moteur en marche, et la BMW décrivit un cercle le long de l'allée, les pneus couinant comme un petit animal sur les pierres lisses.

À l'intérieur, la maison des Fall affichait une sorte de formalisme, pour rien au monde Samuel n'aurait voulu toucher à quoi que ce soit : des sols en pierre blanche, des chandeliers avec leurs breloques en cristal, des fleurs trempant dans des vases délicats et fins, si fragiles, des peintures abstraites accrochées aux murs et éclairées par des ampoules dissimulées quelque part dans les murs, une sorte de cage en bois épais renfermant une dizaine de boules à neige, le dessus des tables si net qu'on se voyait dedans comme dans un miroir, le revêtement en marbre blanc de la cuisine, lui aussi immaculé, et cette unité architecturale délimitant chaque pièce et chaque couloir par des arches et des colonnes corinthiennes dont le haut était si travaillé qu'on aurait dit des mousquets éclatés.

« Par là », dit Bishop. Il le conduisit dans une pièce qui ne pouvait être que le « salon télé » vu l'écran géant qui occupait tout un mur, plus grand que les garçons eux-mêmes, plus large que leur envergure. Sous la télévision, des câbles et des fils jaillissaient de partout, raccordés à des consoles de jeux empilées dans un petit placard. Des cartouches de jeux étaient éparpillées au sol comme des douilles.

« Tu préfères *Metroid*, *Castlevania* ou *Super Mario* ? demanda Bishop.

— Je sais pas.

— Je peux sauver la princesse dans *Super Mario* sans jamais mourir. Et j'ai battu *Mega Man*, *Double Dragon* et *Kid Icarus*.

— On joue à ce que tu veux.

— Ouais, t'as raison. On s'en fiche, c'est presque

toujours pareil, de toute façon. Même principe de base : fonce. »

Il tendit la main vers le placard et en sortit une console Atari enroulée dans ses câbles.

« Moi, je préfère les classiques, déclara-t-il. Les jeux qui ont été fabriqués avant qu'on tombe dans les clichés. *Galaga*. *Donkey Kong*. Ou *Joust*, c'est un de mes préférés, même si c'est un peu bizarre.

— Je n'y ai jamais joué.

— Ouais, ben c'est plutôt bizarre. Y a des autruches, des trucs comme ça. Des ptérodactyles. Et il y a *Centipède* aussi. Et *Pac-Man*. Tu as déjà joué à *Pac-Man*, non ?

— Oui !

— Ça déchire, hein ? Le voilà, tiens. » Bishop ramassa un jeu appelé *Missile Command* et le glissa dans la console Atari. « D'abord tu me regardes, après tu sauras jouer. »

Le but de *Missile Command* était de protéger six villes d'un déluge permanent de missiles intercontinentaux. Chaque fois qu'un missile atterrissait sur l'une des six villes, cela faisait un bruit d'explosion hideux suivi d'une éclaboussure censée représenter un nuage de fumée mais qui ressemblait davantage aux ondoiements d'un galet tombant dans une mare. La bande-son du jeu était composée d'à peu près huit mesures imitant la sirène d'un raid aérien. Bishop positionna sa cible devant lui pile en face des missiles et appuya sur son bouton. Une légère traînée lumineuse jaillit du sol et grimpa lentement vers la cible où elle percuta une bombe dans sa chute. Arrivé au niveau neuf, Bishop n'avait pas encore perdu une seule ville. Samuel finit par perdre le fil des niveaux, ce qui fait qu'au moment où le ciel apparut criblé de missiles tombant à toute allure, il n'avait aucune idée du nombre de tableaux qu'il avait franchis. Tout le long du jeu, Bishop resta de marbre, bouche bée, figé.

« Tu veux que je te remontre ? proposa-t-il tandis que GAME OVER clignotait sur l'écran.

— T'as gagné ?

— Comment ça, *gagné* ?

— T'as sauvé toutes les villes ?

— C'est impossible.

— Alors à quoi ça sert ?

— L'anéantissement est inévitable. Le but c'est de le retarder au maximum.

— Pour que les gens aient le temps de s'enfuir ?

— C'est ça. Par exemple.

— Recommence. »

Bishop en était donc au niveau six ou sept de sa deuxième partie, et Samuel, au lieu de regarder l'écran, observait son visage — si concentré, si imperturbable, même quand les missiles s'écrasaient sur les villes tout autour de lui, alors que ses mains bougeaient à toute allure sur la manette — quand, du couloir, il entendit autre chose, quelque chose de nouveau.

De la musique. Claire et cristalline, rien à voir avec les démangeaisons digitales qu'éructait la télévision. Des gammes musicales, un instrument à cordes montant et descendant les gammes.

« C'est quoi ?

— C'est ma sœur, dit Bishop. Bethany. Elle répète.

— Elle répète quoi ?

— Son violon. Elle va devenir une violoniste célèbre. Elle est vraiment hyper douée.

— Tu m'étonnes ! » lâcha Samuel avec un peu

trop d'enthousiasme, sur un ton trop enjoué par rapport à la conversation. Mais il avait envie que Bishop l'apprécie. Il essayait de lui être agréable. Bishop lui lança un regard curieux, fugitif, avant de reporter son attention devant lui, dans le vide, vers le niveau dix, le onze, tandis que la musique au-dehors délaissait les gammes pour un vrai morceau, un solo vertigineux et intense, et Samuel n'arrivait pas à croire qu'une personne, et non la radio, puisse produire un tel son.

« C'est vraiment ta sœur ?

— Ouais.

— Je veux voir, dit Samuel.

— Attends. Mate ça, dit Bishop en explosant deux bombes d'un seul coup.

— Juste une seconde, dit Samuel.

— Mais je n'ai même pas encore perdu une seule ville ! Si ça se trouve, je vais faire le meilleur score de *Missile Command* de tous les temps. Et toi, tu vas assister à un événement historique.

— Je reviens tout de suite.

— Comme tu veux, dit Bishop. Tant pis pour toi. »

Samuel se leva et partit à la recherche de la musique. Il suivit les sons, parcourut le hall voûté, la cuisine rutilante et se retrouva à l'arrière de la maison, devant un bureau où, glissant le nez puis les yeux par la porte, il vit, pour la première fois, la sœur de Bishop.

Ils étaient jumeaux.

Bethany avait le visage de Bishop, les mêmes sourcils en accent circonflexe, la même intensité. On aurait dit une princesse elfique sur la couverture d'une Histoire dont vous êtes le héros : jeune, immortelle, belle et omnisciente. Les traits saillants de ses pommettes et de son nez étaient plus flatteurs sur elle que sur Bishop. Là où Bishop avait l'air en colère, elle avait l'air majestueuse, sculpturale. Ses longs cheveux auburn épais, ses sourcils délicats froncés par la concentration, son long cou, ses bras graciles, sa posture altière et la manière étudiée dont elle s'asseyait dans sa jupe, avec un sens des convenances, de l'élégance, une maturité de femme du monde, crucifièrent Samuel. Il contemplait la chorégraphie de ses mouvements autour du violon, la façon dont sa tête, son cou et son torse épousaient les allées et venues de l'archet. Il y avait un contraste si saisissant avec les gamins de l'orchestre de son école, qui extirpaient des sons de leurs instruments à toute force, mécaniquement, brutalement. Elle semblait jouer sans effort.

Il ne le savait pas à l'époque, mais cette vision deviendrait l'aune à laquelle il mesurerait la beauté le reste de sa vie. À partir de ce jour, toutes les filles qu'il rencontrerait, il les comparerait à cette fille-là.

Elle termina sur une note longue, en faisant cette chose incroyable avec l'archet qui ne cessait d'aller et venir sur les cordes sans que jamais elle s'interrompe, un son étiré, liquide. Puis elle ouvrit les yeux et les planta dans les siens, et ils se dévisagèrent durant un moment terrifiant jusqu'à ce qu'elle pose le violon sur ses cuisses et dise : « Salut, toi. »

Jamais Samuel n'avait éprouvé de désirs aussi embarrassants. C'était la première fois de sa vie que son corps le picotait à ce point : des sueurs froides s'amoncelaient sous ses aisselles, sa bouche lui semblait tout à coup trop petite, sa langue soudainement énorme et pâteuse, une sensation de panique s'empara de ses poumons comme s'il avait retenu sa respiration trop longtemps. Tout cela entra en collision en lui dans une sorte d'hyperconscience, une attraction magnétique étrange envers l'objet de son désir qui contrastait violemment avec la manière dont il s'efforçait d'habitude de disparaître ou de s'effacer devant les autres gens.

La fille attendait sa réponse, les mains sur ses genoux, à côté de son violon, les chevilles croisées, ces yeux verts pénétrants…

« Je suis un ami de Bishop, lâcha finalement Samuel. Je suis venu avec Bishop.

— OK.

— Ton frère ? »

Elle sourit. « Oui, je suis au courant.

— Je t'ai entendue répéter. Qu'est-ce que tu prépares ? »

Elle le regarda d'un air interrogateur. « Je me mets les notes sous les doigts, dit-elle. J'ai un concert bientôt. Qu'est-ce que tu en as pensé ?

— C'était beau. »

Elle hocha la tête et sembla réfléchir à sa remarque. « Les doubles silences dans le troisième mouvement sont vraiment difficiles à jouer.

— Hmm-hmm.

— Et les arpèges de la troisième page sont durs. En plus, je suis obligée de jouer en dixième, ce qui est bizarre.

— Oui.

— J'ai l'impression de chuter tout le long de ce troisième mouvement. De dégringoler comme dans un escalier.

— Ça ne s'entendait pas.

— J'ai l'impression d'être un oiseau dont on a agrafé les ailes à une chaise.

— D'accord », dit Samuel. Qui ne maîtrisait pas *du tout* le sujet.

« Il faut que je me détende, reprit-elle. Surtout dans le deuxième mouvement. Où il y a ces longues lignes mélodiques. Si je les joue avec trop de vigueur, toute la musicalité du morceau est gâchée. Il faut que je sois sereine et calme, et quand je joue en solo, mon corps, c'est tout le contraire.

— Peut-être que tu peux, je ne sais pas, essayer de respirer ? » suggéra Samuel, répétant ce que lui disait sa mère quand il partait dans ses incontrôlables crises de Catégorie 4. *Respire.*

« Tu sais ce qui marche ? dit-elle. J'imagine que mon archet est un couteau. » Elle le leva en l'air et le pointa sur lui en jouant la menace. « Ensuite j'imagine que le violon est un morceau de beurre. Et je fais comme s'il fallait que je fasse passer le couteau à travers le beurre. C'est la sensation recherchée. »

Samuel acquiesça, éberlué.

« D'où tu connais mon frère ? demanda-t-elle.

— Il m'a fait peur en sautant d'un arbre.

— Oh, dit-elle, comme si c'était une réponse tout à fait sensée. Il joue à *Missile Command* là, non ?

— Comment tu le sais ?

— C'est mon frère. Je le *sens*.

— Vraiment ? »

Elle soutint son regard durant un moment, puis gloussa. « Non. Je l'entends.

— Tu entends quoi ?

— Le jeu. Écoute. Tu ne l'entends pas ?

— Je n'entends rien du tout.

— Il faut que tu te concentres. Écoute bien. Ferme les yeux et écoute. »

Il s'exécuta, et il commença à entendre les sons de la maison se séparer les uns des autres, le magma bourdonnant se divisa en détails distincts : la climatisation tournant quelque part à l'intérieur des murs, le souffle des bouches d'aération, le vent fouettant la maison au-dehors, le réfrigérateur et le congélateur, et à mesure que Samuel reconnaissait ces choses, il les écartait de son chemin et poussait sa concentration plus loin dans la maison, serpentant d'une pièce à l'autre, jusqu'à ce que, tout à coup, il les entende, telles des bulles remontant à la surface du silence, timides, étouffées, les sirènes du raid aérien, les explosions de missiles, les détonations des tirs de roquette.

« Je l'entends », dit-il. Quand il rouvrit les yeux, Bethany ne le regardait plus. Elle tournait la tête vers la grande fenêtre, le jardin et la forêt au-delà. Samuel suivit son regard et vit, dehors, dans la lumière du crépuscule, à la lisière des bois, à une quinzaine de mètres, un grand cerf. Brun clair, tacheté. De grands yeux noirs. Lorsqu'il bougea, il le vit boitiller, trébucher, tomber, se redresser et se relever, pour repartir en oscillant et en tressautant.

« Qu'est-ce qu'il a ? demanda Samuel.

— Il a léché le sel. »

Les pattes avant du cerf cédèrent une fois de plus sous lui, et il continua en rampant sur le ventre. Puis il se redressa un moment, mais il tendit et tordit le cou de sorte qu'il ne parvint qu'à tourner sur lui-même. Il avait les yeux écarquillés, affolés. Une écume rose coulait de son nez.

« Ça arrive tout le temps », dit Bethany.

Le cerf avança vers la forêt, entre les arbres. Ils

le regardèrent s'en aller en boitant, jusqu'à ce qu'il disparaisse entre les feuillages. Puis le silence tomba, en dehors des sons étouffés qui leur parvenaient de l'autre bout de la maison : des bombes tombant du ciel, réduisant à néant des villes entières.

4

Dès le début de l'année scolaire, ce nouveau phénomène commença à se produire : Samuel, assis en classe, notait scrupuleusement tout ce que disait Mlle Bowles, quelle que soit la matière abordée — histoire de l'Amérique, calcul, grammaire —, se concentrait sincèrement, s'efforçait de comprendre, craignant qu'à tout moment Mlle Bowles ne l'interroge sur ce qu'elle venait de dire — ce qui arrivait souvent et lui donnait l'occasion d'humilier les élèves qui répondaient de travers en suggérant qu'ils seraient mieux à leur place en CM1 plutôt qu'en CM2 — alors Samuel écoutait attentivement, le moindre mot, rien ne lui échappait, il ne s'accordait aucun répit, ne pensait jamais aux filles ou à quoi que ce soit qui les concerne de près ou de loin, et cependant ce phénomène se produisait. Cela commençait par une sorte de bouffée de chaleur, un picotement, cette sensation qui précède les chatouilles, cette anticipation terrible. Puis il éprouvait soudain son corps avec une acuité nouvelle, son corps jusque-là ignoré, effacé derrière la façade que Samuel percevait : le tissu sur ses épaules, l'élastique de ses chaussettes, la surface en contact avec son coude. La majeure partie du temps, le corps n'existe pas vraiment. Mais ces derniers temps, plus souvent qu'il n'aurait voulu, son membre se dressait. En classe, à son bureau, il se manifestait. Tendait le tissu de son jean, puis butait contre la barre métallique sous son pupitre d'écolier. Et le problème, c'est que toute cette histoire d'érection, de renflement, de pression était à la fois mortifiante et, d'une manière purement physique, *très très* agréable. Il priait pour qu'elle disparaisse et désirait qu'elle persiste en même temps.

Mlle Bowles s'en était-elle rendu compte ? Pouvait-elle le voir ? Que chaque jour certains garçons de sa classe décrochaient, l'œil vitreux, tandis que leur système nerveux les emportait loin d'elle ? Si oui, elle n'en disait jamais rien. Et elle n'avait jamais non plus interpellé un garçon dans cet état-là pour lui demander de se lever et de répondre à sa question. Ce qui, pour Mlle Bowles, paraissait étrangement clément.

Samuel tourna la tête vers l'horloge : encore dix minutes avant la récréation. Son pantalon était tendu au maximum. Il était pris au piège de sa chaise. Son esprit s'évada alors malgré lui dans des visions de filles, un inventaire d'images mentales accidentellement égarées devant ses yeux : le décolleté d'une femme penchée en avant au centre commercial ; quelques centimètres de cuisse, d'entrejambe aperçus quand les filles s'asseyaient en classe ; et à présent une autre vision, Bethany, dans sa chambre, assise bien droite, genoux serrés, dans une robe en voile de coton, le violon sous le menton, ses yeux fixés sur lui, ses yeux de chat verts.

Lorsque la sonnerie annonça la récréation, il fit

semblant de chercher quelque chose dans le casier de son bureau. Après que tout le monde eut quitté la salle, il se leva et manœuvra de telle façon que quiconque eût assisté au spectacle aurait pensé qu'il faisait du hula hoop au ralenti et sans hula hoop.

Les gamins, en rang jusqu'à la cour, avançaient sans broncher, décidés mais lents malgré l'énergie accumulée dans leurs corps d'adolescents de onze ans assis sans bouger des heures durant sous le regard implacable de Mlle Bowles. Ils marchaient en silence, aucune tête ne dépassait contre le mur de droite du grand couloir sur lequel l'équipe pédagogique de l'école avait cru bon d'afficher quelques messages d'encouragement comme APPRENDS EN T'AMUSANT ! tandis que tous les autres dictaient un comportement strict : NE TE BAGARRE PAS ; PARLE À VOIX BASSE ; MARCHE, NE COURS PAS ; ATTENDS TON TOUR ; SOIS POLI ; N'UTILISE PAS PLUS DE PAPIER TOILETTE QUE NÉCESSAIRE ; NE PARLE PAS LA BOUCHE PLEINE ; TIENS-TOI BIEN À TABLE ; RESPECTE L'ESPACE DE CHACUN ; LÈVE LA MAIN AVANT DE PARLER ; NE PRENDS LA PAROLE QUE SI ON TE LA DONNE ; NE SORS PAS DU RANG ; EXCUSE-TOI SI BESOIN ; SUIS LES CONSIGNES ; NE GASPILLE PAS LE SAVON.

Pour la plupart des élèves, l'enseignement à proprement parler était accessoire, le plus difficile, et de loin, était d'apprendre comment se comporter à l'école. Comment se plier aux règles rigides de l'école. La permission d'aller aux toilettes, par exemple. Les déjections des élèves étaient l'un des sujets les plus encadrés de l'école. Obtenir de Mlle Bowles de pouvoir aller aux toilettes pendant les cours exigeait de respecter une marche à suivre excessivement ritualisée — il fallait le demander *très très* gentiment, la convaincre du caractère urgent de la situation pour qu'elle ne puisse pas penser que c'était un prétexte pour sortir de la classe et aller fumer une cigarette, boire de l'alcool ou prendre de la drogue — si elle acceptait, elle rédigeait alors une autorisation détaillée aussi longue que la Constitution. Elle écrivait votre nom, l'heure de votre départ (à la seconde près), et, le plus horrible, la nature de votre visite (numéro 1 ou 2), puis vous demandait de lire le formulaire à voix haute, qui énumérait vos « Droits et Devoirs », à commencer par le fait que vous quittiez la classe pour une durée maximum de deux minutes, que, durant votre déplacement dans l'enceinte, vous vous engagiez à marcher du côté droit du couloir, à vous rendre directement aux toilettes les plus proches sans parler à quiconque, ni courir, ni perturber quoi que ce soit en chemin et à ne rien faire d'illégal une fois dans les toilettes. Après quoi il fallait signer l'autorisation et patienter le temps que Mlle Bowles vous explique que vous veniez de signer un contrat et que de sévères sanctions étaient réservées aux gens qui enfreignaient les contrats. La plupart du temps, les gosses l'écoutaient les yeux écarquillés de panique, dansant d'un pied sur l'autre pour se retenir de faire pipi tandis que l'heure tournait, et que plus elle parlait, plus le temps qu'il leur restait sur les deux précieuses minutes allouées diminuait, de sorte qu'une fois dans le couloir ils n'avaient plus, au mieux, qu'une petite centaine de secondes pour aller aux toilettes, faire leur affaire et revenir en classe, le tout sans courir, ce qui était impossible.

De plus, on ne pouvait avoir que deux autorisations d'aller aux toilettes par *semaine*.

Il y avait aussi une règle pour la fontaine à eau : à leur retour de la récréation, les élèves avaient le droit de passer à la fontaine exactement *trois secondes chacun* — sans doute pour leur apprendre la coopération et la solidarité — mais bien sûr, après une récréation endiablée, les gamins étaient haletants, épuisés d'avoir évacué toute l'angoisse accumulée, et il y avait une vague de chaleur, et puis ils n'avaient pas souvent le droit d'aller aux toilettes, alors la seule eau que ces gamins suants, surchauffés et brûlés par le soleil buvaient dans la journée, c'était celle de la fontaine à eau, pendant trois secondes. Une double peine, perverse : s'ils se défoulaient trop à la récréation, ils passaient le reste de la journée desséchés et épuisés, mais s'ils se forçaient à ne pas courir, s'ils s'économisaient, arrivés à la fin de l'après-midi, ils ne tenaient plus en place et s'exposaient à des problèmes de comportement presque certains. La plupart d'entre eux se donnaient donc à fond pendant la récréation puis essayaient d'engloutir le plus d'eau possible durant leurs trois minuscules secondes. Et terminaient la journée à l'état de veaux affligés et déshydratés, ce qui était en fait l'état dans lequel Mlle Bowles les préférait.

Elle se tenait donc debout devant la fontaine, comptait leurs trois secondes à voix haute, et à trois, chaque gamin levait la tête, le menton trempé, bien loin d'avoir bu assez pour tenir par ce temps chaud et humide, sous le ciel de plomb du Midwest.

« C'est n'importe quoi, dit Bishop à Samuel pendant qu'ils attendaient leur tour. Ouvre grand tes yeux. »

Et lorsque ce fut le tour de Bishop de se pencher au-dessus de la fontaine, il appuya sur le bouton et but sans jamais quitter Mlle Bowles des yeux, pendant qu'elle égrenait : « Un. Deux. Trois. » Quand Bishop ne s'arrêta pas de boire, elle répéta « trois », plus ostensiblement, et quand il ne s'arrêta toujours pas de boire, elle dit : « C'est fini maintenant. Suivant ! » Alors il apparut clairement que Bishop n'avait pas l'intention de s'arrêter de boire avant d'avoir eu son compte, et tous les autres, derrière lui, purent se rendre compte qu'il ne buvait même plus mais laissait juste l'eau couler sur ses lèvres tout en continuant de regarder Mlle Bowles jusqu'à ce qu'elle comprenne que ce n'était pas un problème de nouvel élève qui ne connaissait pas les règles mais un défi évident à son autorité. Pour faire face à la confrontation, elle commença par se mettre en position, mains plantées sur les hanches, menton en avant, voix grave : « Bishop. Tu vas arrêter de boire. *Tout de suite.* »

Il la fixa de cet air las et éteint incroyablement culotté, dans la queue les gamins n'en croyaient pas leurs yeux, ils gloussaient, fébriles à l'idée que Bishop se rapprochait maintenant dangereusement du battoir. Quiconque enfreignait aussi ouvertement les règles y avait droit.

Le battoir était célèbre.

Il était accroché au mur dans le bureau du principal, chargé de la discipline au sein de l'école, le malheureusement nommé Laurence Large, un homme court sur pattes dont tout le poids pesait au-dessus de la ceinture, de sorte que ses jambes paraissaient malingres et frêles sous un tronc si énorme que c'était à se demander comment ses chevilles et ses tibias ne cédaient pas. Son battoir était taillé en forme de raquette, dans un morceau de bois de huit centimètres d'épaisseur, large comme deux feuilles de papier et criblé d'une dizaine de petits trous. Pour être plus aérodynamique, supposaient les gamins. Pour aller et venir plus rapidement.

La force de ses coups de battoir était légendaire, sa technique parvenait à générer suffisamment de puissance pour, par exemple, exploser les lunettes de Brand Beaumonde, morceau de bravoure dont le récit se propageait bien au-delà de la classe de CM2 : Large avait cogné l'arrière-train de Beaumonde si fort que l'onde de choc avait parcouru le corps tout entier du pauvre gosse et lézardé ses culs-de-bouteille. Des comparaisons avec des joueurs de tennis professionnels et leurs services à 250 km/h circulaient, Large parvenait en effet à transférer tout le poids de son corps dans des coups terribles — et athlétiquement improbables vu sa corpulence. Bien sûr, de temps à autre, cela remontait aux oreilles de parents qui se plaignaient des méthodes de punition rétrogrades, mais le battoir étant le moyen ultime de prévention et de dissuasion, sa mise en application restait assez rare. Du moins certainement pas assez fréquente pour déclencher une campagne officielle. Le simple fait d'être assuré de voir son postérieur réduit à néant suffisait à maintenir les plus turbulents à un niveau sonore et nerveux assez faible pour se fondre dans la stupeur hébétée de peur qui régnait à l'école. (Le fait qu'ils entrent dans des crises d'hyperactivité dès le retour à la maison était néanmoins régulièrement mentionné par les parents aux enseignants, qui hochaient alors tranquillement la tête en pensant : *C'est pas mon problème.*)

Chaque enseignant avait son propre point de rupture quant aux attitudes rebelles. Pour Mlle Bowles, ce moment survint au bout de douze secondes. Les douze secondes que Bishop passa à la fontaine. Les douze secondes qu'il passa à fixer Mlle Bowles qui lui ordonnait de dégager le passage jusqu'à ce qu'elle finisse par l'attraper par le col, le décollant du sol avec un bruit de tissu déchiré avant de l'escorter jusqu'au terrifiant bureau du principal Large.

D'habitude, quand un enfant revenait du battoir, dix ou vingt minutes après y avoir été envoyé, on frappait à la porte, Mlle Bowles ouvrait et le principal Large apparaissait avec sa grande main posée sur le dos du petit impudent cramoisi et morveux. Le visage de ceux qui venaient de tâter du battoir était toujours le même : mouillé, sombre, les yeux rougis, le nez qui coule, vaincu. Toute trace de rébellion ou de défi disparue. Même les plus turbulents, les plus tapageurs, semblaient en cet instant vouloir se rouler en boule sous leur bureau et mourir. Alors Large déclarait : « Je crois que ce jeune homme est prêt à retourner en classe », et Mlle Bowles répondait : « J'espère qu'il a retenu la leçon », et même pour des élèves de onze ans, il était clair que ce dialogue était téléphoné, que les deux adultes n'étaient pas en train de se parler mais en train de jouer une scène à destination de leur public, dont le sous-titre était évidemment : *Franchis la ligne et tu seras le suivant.* Après quoi, le gamin avait le droit de retourner à sa chaise, où commençait alors sa deuxième punition : ses fesses palpitantes, rougies et à vif comme une plaie béante, sur une chaise en plastique aussi dure que du bois, réveillant encore et encore la douleur du battoir. Le gamin, assis là, souffrant, pleurait donc et Mlle Bowles répétait : « Pardon, je ne t'ai pas entendu. Tu as quelque chose à ajouter ? », et le gamin hochait la tête, pathétique, démoli, *Non*, et toute la classe savait bien que le seul but de Mlle Bowles était d'attirer l'attention sur ses larmes pour l'humilier encore un peu plus. En public. Devant tous ses amis. Il y avait chez Mlle Bowles une cruauté que son pull bleu asexué contenait à peine.

Ce jour-là, tous attendaient le retour de Bishop. Fébriles. Prêts à l'accepter, maintenant qu'il avait été initié. Maintenant qu'il savait par quoi ils étaient tous passés. Il était l'un d'entre eux. Ils l'attendaient donc, prêts à le réconforter, à lui pardonner ses larmes. Dix minutes passèrent, puis quinze, et finalement pile à la dix-huitième minute, l'inévitable coup sur la porte retentit. Et Mlle Bowles insista lourdement en demandant : « Qui cela peut-il bien être ? », avant de reposer la craie dans la rainure du tableau noir et de marcher à grands pas vers la porte. Ils étaient bien là, Bishop et le principal Large, et elle resta sidérée, tout comme la classe entière resta sidérée de voir que non seulement Bishop ne pleurait pas, mais qu'il souriait ostensiblement. Il avait l'air *ravi*. La main de Large n'était pas posée sur le dos de Bishop. Le principal maintenait même une distance étrange entre Bishop et lui, cinquante ou soixante-dix centimètres, comme si le garçon était atteint d'une sorte de maladie contagieuse. Mlle Bowles dévisagea le principal Large pendant un long moment, et Large, au lieu de s'en tenir au scénario habituel en disant que Bishop était prêt à retourner en classe, lâcha, sur un ton détaché, comme un soldat évoquant la guerre : « Voilà. Il est à vous. »

Bishop marcha alors jusqu'à son bureau, suivi d'un seul et même regard par toute la classe, et il s'assit, ou plutôt sautá sur sa chaise, en atterrissant lourdement sur son derrière, les yeux fièrement levés, défiant quiconque d'essayer de lui faire du mal.

Ce moment-là demeurerait, palpitant, dans le cœur de chaque élève de CM2 qui y avait assisté. L'un d'entre eux avait réussi à traverser le pire du monde des adultes et à en ressortir victorieux. Après cela, personne ne chercha plus jamais d'ennuis à Bishop Fall.

5

La mère de Samuel lui parla du Nix. Un autre des fantômes de son grand-père. Le plus effrayant de tous. Le Nix, dit-elle, était un esprit de l'eau qui voguait le long de la côte à la recherche d'enfants, en particulier les plus aventureux qui se promenaient tout seuls dehors. Lorsqu'il en trouvait un, l'esprit lui apparaissait sous la forme d'un grand cheval blanc. Sans selle, mais apprivoisé, gentil. Il se baissait aussi bas que possible pour que l'enfant puisse grimper sur son dos.

Au début, les enfants avaient peur mais, en fin de compte, comment auraient-ils pu refuser ? Un cheval, pour eux tout seuls ! Alors ils sautaient dessus, et une fois à deux mètres cinquante du sol, ils étaient ravis — rien d'aussi grand ne s'était jamais penché sur eux auparavant. Ils se sentaient pousser des ailes. Et donnaient des coups de talon pour aller plus vite, alors le cheval partait au petit trot, et plus les enfants appréciaient, plus le cheval accélérait.

Puis, ils désiraient qu'on les voie sur le cheval.

Ils voulaient que leurs amis les admirent, envient leur tout nouveau cheval. Leur cheval *à eux*.

Le même scénario se répétait chaque fois. Les

enfants victimes du Nix commençaient toujours par éprouver de la peur. Puis qu'ils avaient de la chance. Puis un sentiment de propriété. Puis de l'orgueil. Et enfin de la terreur. Ils éperonnaient le cheval tant qu'ils pouvaient, se retrouvaient accrochés à son cou, au grand galop. Vivant le plus beau jour de leur vie. Ils ne s'étaient jamais sentis aussi importants, ils n'avaient jamais ressenti un plaisir si intense. Et c'est à ce moment-là seulement — au pinacle de la vitesse et de la joie, au moment où ils avaient le plus l'impression de contrôler le cheval, de le posséder, au moment où ils se sentaient les plus forts, les plus vaniteux, les plus arrogants et les plus fiers — que le cheval quittait brutalement la route qui menait à la ville et galopait vers les falaises qui surplombaient la mer. Il courait à fond de train droit vers le vide vertigineux et les flots déchaînés dessous. Les enfants hurlaient alors, tiraient de toutes leurs forces sur la crinière du cheval, gémissaient, mais rien n'y faisait. Le cheval sautait de la falaise et tombait. Jusque dans la chute, les enfants se cramponnaient encore à son cou, on les retrouvait écrasés sur les rochers ou noyés dans les eaux glacées.

Son père avait raconté cette histoire à Faye. Toutes ses histoires de fantôme lui venaient de Papy Frank, un homme grand et mince, intensément renfermé, avec un accent troublant. La plupart des gens trouvaient son silence intimidant, Samuel le trouvait apaisant, au contraire. Lors des rares Thanksgiving ou Noël où ils lui rendaient visite dans l'Iowa, la famille, assise autour de la table, mangeait sans un mot. Difficile d'entretenir une conversation avec quelqu'un qui ne livrait pour unique commentaire qu'un hochement de tête ponctué d'un décourageant « Hmm ». Ils se contentaient donc de manger leur dinde jusqu'à ce que le grand-père eût fini la sienne et se lève de table pour aller se mettre devant la télévision dans la pièce d'à côté.

Papy Frank ne s'animait que lorsqu'il racontait des histoires du vieux pays — des mythes anciens, d'antiques légendes, de vieilles histoires de fantômes qu'il avait entendues dans son enfance là où il avait grandi, dans l'extrême nord de la Norvège, un petit village de pêcheurs dans l'Arctique qu'il avait quitté à dix-huit ans. Quand il avait raconté l'histoire du Nix à Faye, il lui avait dit que la morale était : *Ne te fie pas aux choses qui sont trop belles pour être vraies*. Mais elle grandit et tira une autre conclusion, dont elle fit part à Samuel pendant le dernier mois qu'elle passa avec lui, avant de les quitter. Elle lui raconta la même histoire, mais elle y ajouta sa propre morale : « Les choses que tu aimes le plus sont celles qui un jour te feront le plus de mal. »

Samuel ne comprenait pas.

« Le Nix n'apparaît plus sous la forme d'un cheval aujourd'hui », dit-elle. Assis dans la cuisine, ils espéraient en vain que la vague de chaleur se calme enfin, face au réfrigérateur ouvert, un ventilateur soufflant l'air froid sur eux, ils lisaient en buvant de l'eau glacée, leurs verres laissant des ronds d'eau froide sur la table. « Le Nix apparaissait sous la forme d'un cheval dans le temps, mais plus aujourd'hui, dit-elle.

— À quoi ressemble-t-il aujourd'hui ?

— Il est différent d'une personne à une autre. Mais la plupart du temps, il prend des traits humains. La plupart du temps, c'est quelqu'un que tu crois aimer. »

Samuel ne comprenait toujours pas.

« Les gens s'aiment parfois pour de mauvaises raisons, poursuivit-elle. Ils s'aiment parce que c'est facile. Ou bien parce qu'ils sont habitués à s'aimer. Ou bien parce qu'ils ont laissé tomber. Ou bien parce qu'ils ont peur. Mais les gens peuvent devenir les Nix les uns des autres. »

Elle prit une gorgée d'eau, puis appuya le verre froid contre son front. Ferma les yeux. C'était un long et pénible samedi après-midi. Après une nouvelle dispute, où il était question de vaisselle sale, Henry était parti se réfugier au travail. Leur lave-vaisselle couleur vert avocat des années soixante-dix avait finalement rendu l'âme cette semaine-là, et pas une fois Henry n'avait proposé de nettoyer la pile d'assiettes, de bols, de casseroles et de verres qui avait envahi l'évier et une bonne partie du plan de travail. Samuel soupçonnait sa mère de laisser volontairement la quantité devenir ingérable — voire d'en rajouter, en utilisant plusieurs casseroles différentes pour un plat qui en nécessitait normalement une seule — afin de le tester. Est-ce que Henry allait finir par s'en rendre compte ? Par donner un coup de main ? Ni l'un ni l'autre, et elle en tirait des conclusions à l'infini.

« J'ai l'impression de me retrouver en cours d'économie domestique, lâcha-t-elle quand la pile de vaisselle finit par être totalement insoutenable.

— De quoi tu parles ? dit-il.

— Comme au lycée ! Toi tu vas t'amuser pendant que moi je fais la cuisine et le ménage. Rien n'a changé. En vingt ans, absolument rien n'a changé. »

Henry avait lavé toute la vaisselle, puis, arguant d'urgences à gérer au bureau, il les avait abandonnés, Faye et Samuel, seuls tous les deux, une fois encore. Assis dans la cuisine, ils lisaient chacun leur livre. De la poésie incompréhensible pour elle. Une Histoire dont vous êtes le héros pour lui.

« Au lycée, il y avait une fille, elle s'appelait Margaret, commença Faye. Margaret était une fille brillante, drôle, spirituelle. Elle est tombée amoureuse d'un garçon, Jules. Un superbe garçon, pour qui tout était possible. Tout le monde était jaloux d'elle. Mais en fait, Jules était son Nix.

— Pourquoi ? Que s'est-il passé ? »

Elle reposa son verre sur la flaque qu'il avait formée sur le bois. « Il s'est envolé, dit-elle. Elle s'est retrouvée coincée, elle n'a jamais quitté la ville. J'ai entendu dire qu'elle était toujours là-bas, à travailler comme caissière dans la pharmacie de son père.

— Pourquoi a-t-il fait ça ?

— C'est ce que font les Nix.

— Elle ne s'en était pas rendu compte ?

— C'est difficile à deviner. Mais une des règles de base, c'est que la plupart du temps les gens dont on tombe amoureux avant l'âge adulte sont des Nix.

— N'importe qui ?

— A priori, oui.

— Quand est-ce que tu as rencontré Papa ?

— Au lycée, dit-elle. Nous avions dix-sept ans. »

Les yeux de Faye se perdirent dans le brouillard jaune environnant. Le réfrigérateur vrombit, toussa et cliqueta, puis d'un coup, dans un éclair bref et final, il s'arrêta. La lumière s'éteignit. Et l'horloge digitale de la radio s'éteignit elle aussi. Faye regarda alors autour d'elle et dit : « Les plombs ont sauté. » Ce qui voulait donc dire que Samuel devrait aller à la cave remettre le disjoncteur, car le compteur était en bas et sa mère refusait d'aller à la cave.

La lampe torche était lourde, dure dans sa main, avec sa poignée en aluminium alvéolé, son gros embout caoutchouté d'une taille suffisante pour blesser quelqu'un. Sa mère ne voulait pas aller à la cave car c'était à la cave que vivait l'esprit domestique. Du moins l'histoire le prétendait-elle, une autre histoire de son grand-père : sur les esprits domestiques qui vivaient dans les caves et vous hantaient toute votre vie. Sa mère disait qu'elle en avait rencontré un quand elle était petite et qu'il lui avait fichu une trouille bleue. Après cela, elle avait toujours détesté les caves.

Mais, insistait-elle, son esprit domestique n'apparaissait à personne d'autre, rien qu'à elle, Samuel était donc en parfaite sécurité. Il pouvait aller à la cave sans crainte.

Il commença à pleurer. Un sanglot doux et discret : soit il y avait à la cave un méchant fantôme qui l'épiait en ce moment même, soit sa mère était un peu folle. Il avança à tâtons sur le béton et concentra toute son attention sur le rayon de lumière qui éclairait son chemin. S'efforçant de ne rien voir en dehors de ce cercle de lumière. Et lorsque enfin il distingua le compteur sur le mur d'en face, il ferma les yeux et marcha aussi droit que possible. Glissant les pieds au sol, la lampe torche pointée devant lui, avançant, avançant jusqu'à ce que la lampe heurte le mur. Il ouvrit les yeux. Sur le compteur. Il enclencha le disjoncteur et les lumières s'allumèrent autour de lui. Il regarda derrière lui. Rien. Rien d'autre que le bazar ordinaire de la cave. Il s'attarda un moment, le temps de se remettre de ses émotions, d'arrêter de pleurer. Il s'assit par terre. Il faisait tellement plus frais en bas.

6

Durant ces quelques premières semaines d'école, Bishop et Samuel nouèrent une alliance naturelle. Bishop faisait tout ce qu'il voulait, et Samuel le suivait. Des rôles simples auxquels chacun d'entre eux se conformait aisément. Ils n'eurent même pas besoin d'en discuter, ils se coulèrent dedans telles des pièces glissées dans une fente de distributeur automatique.

Ils se retrouvaient dans les bois pour jouer à la guerre près de l'étang. Bishop avait toujours un scénario tout prêt pour leurs jeux. Ils combattaient les rouges au Vietnam, les nazis durant la Seconde Guerre mondiale, les Confédérés pendant la guerre de Sécession, les Anglais pendant la guerre d'Indépendance, les Indiens durant la Conquête. Et, mis à part leur unique tentative un peu confuse de rejouer la guerre de 1812, leurs combats avaient toujours un objectif clair, les deux garçons étaient toujours les gentils, tandis que leurs ennemis étaient toujours les méchants, et tous les deux finissaient toujours par gagner.

Quand ils ne jouaient pas à la guerre, ils jouaient aux jeux vidéo chez Bishop, c'était ce que Samuel préférait, car cela impliquait la possibilité de croiser Bethany, dont il était amoureux. Même s'il n'aurait sans doute pas utilisé le mot « amoureux » si tôt. C'était plutôt un état d'attention et d'agitation exacerbées qui se manifestait physiquement sous la forme d'une amplitude vocale réduite (sans le vouloir ni le faire exprès, il avait tendance à se renfermer, à s'autoflageller en sa présence) et d'un désir intense de toucher ses vêtements, de les caresser doucement entre son pouce et son index. La sœur de Bishop l'exaltait autant qu'elle le terrifiait. Mais la plupart du temps, elle les ignorait. Bethany semblait complètement inconsciente de l'effet qu'elle produisait. Elle faisait ses gammes, écoutait sa musique, fermait sa porte. Elle voyageait de festivals en concours, où ses solos de violon lui valaient rubans et trophées, qui terminaient accrochés au mur de sa chambre à côté des posters des comédies musicales d'Andrew Lloyd Webber et d'une petite collection de masques comiques et tragiques en porcelaine. Des fleurs séchées également, celles qu'elle recevait à l'issue de ses récitals, d'énormes bouquets de roses qu'elle faisait patiemment sécher avant de les suspendre au mur, au-dessus de son lit, une floraison de verts et roses pastel tout à fait assortis aux nuances de son couvre-lit, de ses rideaux et de son papier peint. Une chambre de fille jusqu'au bout des ongles.

Samuel connaissait cette chambre : deux ou trois fois, il l'avait observée, de l'extérieur, à l'abri des bois. Il quittait sa maison juste après le coucher du soleil, sous le ciel qui s'épaississait, se violaçait, il descendait jusqu'à la rivière et parcourait les chemins boueux à travers bois, à l'arrière des maisons du Village Vénitien, au-delà des jardins où roses et violettes refermaient leurs boutons pour la nuit, derrière les niches et les serres dont émanaient des effluves de soufre et de phosphore, derrière la maison du proviseur de l'Académie du Sacré Cœur, qui, à cette heure du soir, se trouvait parfois immergé à l'extérieur dans son jacuzzi d'eau salée sur mesure ; Samuel se déplaçait alors prudemment, lentement, en faisant bien attention de ne fouler ni brindilles ni tas de feuilles mortes, tout en gardant un œil sur le proviseur, qui à cette distance ressemblait à une masse blanche informe dont les différentes parties — ventre, menton, aisselles — ne se distinguaient que par leur aspect affaissé. Puis il continuait, faisant le tour du pâté de maisons, à travers bois, jusqu'au fond évasé de l'impasse, où il prenait position derrière la maison des Fall, entre les racines des arbres, à quelque chose comme trois mètres de l'endroit où commençait la pelouse, intégralement vêtu de noir avec un manteau à capuche noir qui lui descendait jusqu'aux chevilles de sorte que la seule partie visible de son corps était ses yeux.

De là, il observait.

L'éclat jaune orangé des lumières, les silhouettes allant d'une pièce à l'autre de la maison. Et lorsque Bethany s'encadrait dans la fenêtre de sa chambre, un boulon d'anxiété sautait dans son estomac. Il s'enfonçait encore un peu plus dans le sol. Elle portait une robe en coton léger, comme toujours, avec toujours un peu plus d'allure que n'importe qui, avec toujours l'air de sortir d'un restaurant chic ou de l'église. Cette manière dont le tissu ondulait le long de ses jambes quand elle marchait puis retombait délicatement sur sa peau lorsqu'elle s'arrêtait, telles des plumes ondoyant lentement dans les airs. Samuel aurait voulu plonger dans cette étoffe, s'y noyer.

Il ne voulait qu'une chose : la voir. Juste avoir la confirmation qu'elle existait bel et bien. C'était tout ce dont il avait besoin, et dès qu'il l'avait vue, il quittait les lieux, bien avant qu'elle n'enlève ses vêtements et qu'il puisse être accusé de quoi que ce soit de déshonorant si on le surprenait. Rien que cela — voir Bethany et partager ce moment d'intimité silencieuse avec elle — suffisait à l'apaiser, à lui donner la force de surmonter une nouvelle semaine. Le fait qu'elle aille à l'Académie du Sacré Cœur et non dans son école, qu'elle passe autant de temps dans sa chambre ou en voyage, lui semblait injuste, cruel. Les filles dont les autres garçons étaient amoureux étaient toujours là, devant eux en classe, assises à côté d'eux à la cantine. Le fait que Bethany soit si inaccessible justifiait aux yeux de Samuel ses moments passés à l'épier. Elle les lui devait.

Puis, un jour, alors qu'il était chez eux, elle entra dans le salon télé pendant que Bishop jouait à la Nintendo et s'effondra dans le pouf gigantesque où Samuel était assis. Elle se tenait de telle façon qu'une petite partie de son épaule touchait une petite partie de son épaule à lui. Soudain il eut l'impression que tout le sens de la vie et du monde entier tenait dans ces quelques centimètres carrés.

« Je m'ennuie », dit-elle. Elle portait une robe bain de soleil jaune. Samuel sentait l'odeur de son shampooing, un mélange de miel, de citron et de vanille. Il resta parfaitement immobile, effrayé à l'idée que, s'il bougeait, elle pourrait s'en aller.

« Tu veux essayer ? dit Bishop en lui proposant la manette.

— Non.

— Tu veux jouer à cache-cache ?

— Non.

— Le jeu de la boîte ? Red Rover[1] ?

— Comment veux-tu qu'on joue à Red Rover ?

— Je fais que balancer des idées au hasard. Je réfléchis. Je cherche.

— Je ne veux pas jouer à Red Rover.

— La marelle ? Le jeu de la pièce ?

— Arrête, tu dis des bêtises. »

Samuel sentait son épaule transpirer au contact de celle de Bethany. Il était si crispé qu'il avait mal.

« Ou bien ces jeux de filles bizarres, dit Bishop, tu sais, où on fait des cocottes en papier pour découvrir avec qui on va se marier, combien d'enfants on aura.

— Je n'ai pas du tout envie de faire ça.

— Tu n'as pas envie de savoir combien de bébés tu auras ? Moi je dis onze.

— La ferme.

— On pourrait jouer à Action.

— Je n'ai pas envie de jouer à Action.

— C'est quoi, Action ? demanda Samuel.

— C'est Action ou Vérité, sans le baratin, répondit Bishop.

— J'ai envie d'aller quelque part, dit Bethany. Sans aucune raison. J'ai envie d'aller quelque part juste pour être ailleurs et pas ici.

1. Le jeu de Red Rover, populaire dans les années 1970, se joue à deux équipes, chacune formant une chaîne en se tenant par la main. Les joueurs doivent briser la chaîne pour rejoindre l'équipe adverse, jusqu'à ce qu'il n'y ait plus qu'une personne dans l'équipe perdante.

— Au parc ? dit Bishop. À la plage ? En Égypte ?
— Pour aucune autre raison que le fait d'être quelque part sans raison.
— Oh, dit Bishop. Alors c'est au centre commercial que tu veux aller.
— Oui, dit-elle. Au centre commercial. Bonne idée.
— Je suis partant pour le centre commercial ! lança Samuel.
— Nos parents ne nous emmènent jamais au centre commercial, dit Bethany. Ils disent que c'est plouc et vulgaire.
— *Moi vivant, on ne me verra jamais porter ce genre de vêtements*, imita Bishop, en bombant le torse et en singeant son père.
— Moi, je vais au centre commercial demain, dit Samuel. Avec ma mère. Il faut qu'on achète un nouveau lave-vaisselle. Je te rapporterai quelque chose. Qu'est-ce que tu veux ? »

Bethany réfléchit. Elle fixa le plafond et se tapota la pommette du bout des doigts, réfléchit encore longtemps et lâcha finalement : « Surprends-moi. »

Et toute la nuit et toute la journée qui suivirent, Samuel pensa à ce qu'il pourrait acheter à Bethany. Quel cadeau pourrait contenir tout ce qu'il avait besoin de lui dire ? Quel cadeau pourrait traduire ses sentiments pour elle, renfermer, bien emballée, toute la puissance de son amour, de sa fidélité, de sa totale dévotion ?

Il savait donc quelles fonctions le cadeau devait remplir, mais impossible de se figurer son apparence. Quelque part dans les millions de rayons du centre commercial, le cadeau parfait l'attendait sûrement. Mais quel était-il ?

Dans la voiture, Samuel était calme, sa mère était nerveuse. Elle était toujours dans cet état quand ils allaient au centre commercial. Elle haïssait le centre commercial, chaque fois qu'elle était obligée d'y aller, ses critiques sur ce qu'elle appelait « la culture de centre commercial de banlieue » se faisaient plus sévères, plus intransigeantes encore.

Ils quittèrent leur quartier pour un axe routier plus large, qui ressemblait à n'importe quel axe routier de la banlieue américaine : une galerie des glaces. Telle était donc la grande promesse de la banlieue américaine, dit-elle : la satisfaction des menus désirs. L'accession à la possession de choses qu'on ignorait même vouloir posséder. Une épicerie plus grande. Une quatrième allée. Un parking plus grand et plus confortable. Une nouvelle sandwicherie ou un nouveau vidéoclub. Un McDonald's un peu plus près de chez soi que celui qui était déjà là avant. Un McDonald's juste à côté du Burger King, juste en face du Quick, sur le même pâté de maisons que le KFC et le Pizza Hut avec son buffet à volonté. C'était là tout ce qu'il y avait à gagner : le *choix*.

Ou plutôt, *l'illusion* du choix, dit-elle, tous ces restaurants proposant sensiblement le même menu, avec de légères variations sur le type de pommes de terre et de steaks. De même qu'à l'épicerie, quand elle se retrouvait face aux dix-huit sortes de spaghettis. Elle ne comprenait pas. « Qui a besoin de dix-huit sortes de spaghettis ? » Samuel haussait les épaules. « Exactement », rebondissait-elle. À quoi bon vingt marques de café ? Et tous ces shampooings ? Face au rayon des céréales et à ces centaines d'options possibles, il était facile d'oublier qu'en fait ce n'était qu'une seule et même possibilité.

Au centre commercial — sous l'immense cathédrale, étincelante, spacieuse et climatisée du centre commercial — ils regardaient les lave-vaisselle, mais Faye était distraite par d'autres articles d'électroménager : un appareil pour mieux conserver les restes, un autre pour mieux les broyer, un autre pour que la nourriture n'attache pas dans la poêle, un autre pour la congeler plus facilement, un autre pour la réchauffer plus vite. À chaque article, elle poussait un *Oh !* de surprise, l'examinait, le retournait dans sa main, lisait l'emballage, et disait : « Je me demande qui a pu concevoir un truc pareil ? » Elle se méfiait de ce genre de choses, soupçonnait que quelqu'un les avait créées dans le but unique de susciter un besoin chez elle, ou bien que quelqu'un avait décelé en elle un besoin dont elle-même ignorait l'existence. Au rayon jardinage, c'est une tondeuse à gazon automotrice qui attira son attention, rutilante, massive et d'un rouge vif. « Je n'ai jamais seulement pensé que j'aurais un jour une pelouse, dit-elle, et voilà que maintenant j'ai une envie folle d'acheter ce truc. C'est mal ? »

« Non, il n'y a rien de mal à ça », dit-elle plus tard, chez un des cuisinistes du centre commercial, reprenant le fil de la conversation comme si elle n'avait pas cessé de parler. « Il n'y a rien de mal dans tout ça. Mais je ne sais pas, j'ai l'impression de… » Elle s'interrompit, considéra un objet en plastique blanc, scruta l'instrument censé réaliser une parfaite julienne de légumes. « N'est-ce pas juste absurde ? De penser que je pourrais *acheter* un truc pareil ?

— Je ne sais pas.

— Est-ce que c'est bien moi ? dit-elle en dévisageant la chose au creux de sa main. La vraie moi ? C'est ça que je suis devenue ?

— Tu peux me donner un peu d'argent ?

— Pour quoi faire ? »

Samuel haussa les épaules.

« Ne va pas acheter quelque chose juste pour l'acheter. Juste pour avoir acheté quelque chose.

— Promis.

— Tu n'as pas *besoin* d'acheter quelque chose. C'est ça que je veux dire. Personne n'a réellement besoin de ces trucs. »

Elle plongea la main dans son sac et lui tendit un billet de dix dollars. « Retrouve-moi ici dans une heure. »

Il attrapa l'argent et s'éloigna dans l'éclatante lumière blanche du centre commercial. C'était un endroit incommensurable. Un animal énorme, palpitant. Le bruit d'un enfant ou de plusieurs criant ou pleurant quelque part au loin se fondait dans le vacarme multidirectionnel : Samuel n'avait aucune idée de la provenance du son, ou même si l'enfant était triste ou joyeux. C'était un fait sonore déconnecté. Il était inconcevable qu'on ait pu penser un instant qu'il pourrait ne pas y avoir suffisamment de magasins dans le centre commercial, et pourtant quelqu'un avait bel et bien décidé qu'il en fallait plus et implanté ces kiosques au milieu de chaque allée, spécialisés dans des marchandises très pointues ou particulièrement astucieuses : comme ces petits hélicoptères télécommandés dont le vendeur vantait les prouesses en les faisant voler au-dessus des têtes inquiètes de la foule ; des porte-clés avec votre nom incrusté au laser dedans ; des fers à friser spéciaux dont Samuel ne comprenait absolument pas l'intérêt ; des saucisses dans des coffrets cadeaux ; des pavés de verre avec des hologrammes en 3D à l'intérieur ; une gaine qui vous donnait l'air plus mince ; des chapeaux brodés de messages personnalisés sous vos yeux ; des tee-shirts imprimés avec la photo de votre choix. Avec ses centaines de magasins, de stands, le centre commercial semblait promettre une chose simple : ici, vous pouviez trouver tout ce dont vous aviez besoin. Même des objets apparemment ésotériques. Ou bien des choses qu'il paraissait improbable de trouver dans un centre commercial. Du produit pour blanchir les dents, par exemple. Ou bien un massage suédois. Ou encore un piano. Et pourtant ils étaient tous là. Le trop-plein était là pour se substituer à votre imagination. Arrêtez de songer à ce que vous désirez, le centre commercial a déjà réalisé tous vos rêves.

Essayer de trouver le cadeau idéal dans ce centre commercial, c'était comme de lire une Histoire dont vous êtes le héros sans les choix pour vous guider à travers le livre. Il fallait qu'il devine à quelle page il devait se rendre. Le dénouement heureux était là, quelque part, caché.

Samuel passa devant la boutique de bougies et respira deux ou trois grandes bouffées de cannelle. Le salon de manucure lui donna une légère migraine toxique. Il résista vaillamment à l'appel des distributeurs en plastique de bonbons impossibles à mâcher. La musique de fond du centre commercial se mélangeait à la musique qui résonnait dans chaque magasin, on avait l'impression d'être dans une voiture avec une radio qui ne cessait de changer de station. Les chansons disparaissaient, réapparaissaient. On passait d'un joyeux morceau de la Motown à « The Twist » de Chubby Checker, une des chansons que sa mère détestait le plus — Samuel ne savait même pas comment il était au courant de ça. Il pensait à la musique, aux airs qui sortaient des magasins quand il aperçut le disquaire de l'autre côté de l'aire de restauration, et l'idée le frappa tout à coup sans qu'il comprenne comment cela lui avait pris autant de temps.

De la musique.

Bethany était une *musicienne*. Il courut jusqu'au magasin, embarrassé d'avoir passé tout ce temps à se demander ce qu'*il* pourrait lui donner sans s'être demandé ce qu'*elle*, elle pourrait *vouloir*. Cela lui semblait égocentrique et égoïste, et il allait vraiment falloir qu'il travaille là-dessus, mais plus tard, quand il n'aurait plus besoin de trouver le cadeau idéal en moins de dix minutes.

Il s'engouffra alors dans le magasin et fut brièvement découragé quand il vit que toutes les cassettes un peu branchées coûtaient dans les douze dollars, soit deux de plus que son budget. Mais son désespoir ne dura pas car il aperçut une corbeille en plastique remplie de cassettes avec une étiquette « Musique classique » et, au-dessous, « moitié prix », qui semblait un signe du destin. Ces cassettes étaient à six dollars et l'une d'entre elles — il en était certain — était forcément le cadeau idéal.

Cependant, tandis que Samuel fourrageait dans le chaos cliquetant de la corbeille en plastique, il mit le doigt sur un problème fondamental : il n'y connaissait absolument rien en musique classique. Il ne savait rien de ce qui pourrait plaire à Bethany, de ce qu'elle avait déjà chez elle. Il ne savait même pas ce qui était *bien*. Certains noms étaient familiers — Beethoven, Mozart — mais la plupart étaient complètement inconnus. Ou carrément imprononçables. Et il était sur le point de repartir avec l'un de ces grands noms qu'il avait déjà entendus quelque part — Stravinsky, même s'il était incapable de se souvenir où — lorsqu'il songea que s'il avait déjà entendu ce nom, alors cela voulait dire que Bethany possédait probablement déjà tous les enregistrements possibles et imaginables de Stravinsky et avait déjà eu le temps de s'en lasser. Il fallait donc qu'il se tourne vers quelque chose de plus moderne, de plus intéressant, quelque chose de nouveau, quelque chose qui mette en avant ses goûts fascinants et montre à quel point il était différent des autres, indépendant d'esprit, qu'il ne suivait pas le troupeau comme un mouton. Il choisit donc les dix pochettes les plus intéressantes. Celles sur lesquelles il n'y avait ni le portrait du compositeur, ni une vieille peinture à l'huile ou une photo d'orchestre poussiéreux, ni un chef d'orchestre. Il privilégia les pochettes conceptuelles : des couleurs vives, des formes géométriques abstraites, des spirales psychédéliques. Il les emporta jusqu'au comptoir, les empila devant le caissier et demanda : « Laquelle de ces cassettes ne serait jamais achetée par personne ? »

Le caissier, un assistant manager d'une trentaine d'années à l'air sensible, avec une queue-de-cheval, ne sembla pas étonné par la question, il regarda les cassettes une à une puis, avec un air d'autorité qui inspira confiance à Samuel, en prit une, la brandit et dit : « Celle-là. Personne n'achète jamais celle-là. »

Samuel posa ses dix dollars et le caissier emballa la cassette dans un sac.

« C'est vraiment très moderne, dit le caissier. Vraiment dingue.

— Parfait, dit Samuel.

— C'est le même morceau enregistré dix fois de suite. C'est vraiment un truc bizarre. Tu es sûr ?

— *Je suis sûr.*

— OK », dit-il. Il lui rendit sa monnaie et Samuel se retrouva avec encore quatre dollars en poche. Il fonça vers le magasin de bonbons. Le cadeau idéal se balançait au bout de son bras et battait contre l'arrière de ses jambes, il salivait à l'idée des bonbons qu'il allait pouvoir s'acheter, les rythmes de la musique du centre commercial résonnaient dans sa tête, ses yeux brillaient : des scénarios défilaient dans son esprit, des scénarios où il faisait toujours les bons choix et où toutes ses aventures connaissaient les meilleurs et les plus heureux dénouements.

7

Bishop Fall était un voyou, certes, mais pas le genre primaire. Il ne choisissait pas des proies faciles. Il fichait la paix aux petits maigrichons, aux filles ingrates. La facilité ne l'intéressait pas. Ce qui l'attirait, c'étaient les puissants, les arrogants, les forts, les dominants.

Durant le premier rassemblement scolaire de l'année, Bishop se focalisa sur Andy Berg, champion local en matière de brutalité, le seul élève de CM2 doté de poils aux jambes et sous les bras, terreur de tous les gringalets et pleurnichards du coin. Son surnom, « Iceberg », lui avait été donné par le professeur de sport. On l'appelait aussi, tout simplement, « le Berg ». À cause de sa taille (colossale), de sa vitesse (lente) et de ses mouvements (irrésistibles). Le Berg était le voyou typique de la petite école : beaucoup plus grand et plus fort que n'importe qui dans la classe, laissant se déchaîner des démons intérieurs enragés par ses limites mentales, seules limites qu'il connaisse d'ailleurs. Le reste de son corps était lancé dans une sorte de sprint génétique vers l'âge adulte. En CM2, il était plus grand que les professeurs femmes. Plus lourd également. Son corps n'était pas de ceux qui semblent taillés pour les succès athlétiques. Il serait simplement *épais*. Le torse comme un fût de bière. Les bras comme des cuisses de bœuf.

Le rassemblement débuta comme d'habitude, les élèves du CP au CM2 étaient assis sur les gradins du gymnase dans cette drôle d'odeur de sol en caoutchouc, à regarder l'assistant du principal, Terry Fluster (qui, au passage, était habillé en aigle blanc et rouge d'un mètre quatre-vingts, la mascotte de l'école), leur faire répéter une série d'acclamations, commençant comme toujours par : *Les Aigles avec moi ! Les drogues, on n'y touche pas !*

Puis le principal Large les fit taire et leur adressa son discours inaugural typique, sur ses attentes en termes de comportement et ses méthodes d'enseignement : zéro tolérance, zéro blabla philosophico-pédagogique. Discours pendant lequel les élèves décrochaient, fixant leurs chaussures d'un air absent, à part les CP bien sûr, qui entendaient ce discours pour la première fois et étaient, naturellement, terrifiés.

Le rassemblement se concluait avec l'habituel refrain de M. Fluster : *En avant les Aigles ! En avant les Aigles !*

Et les élèves criaient et applaudissaient avec à peu près le quart du niveau d'enthousiasme de l'assistant du principal, mais assez fort quand même pour couvrir le refrain entonné par Andy Berg, que seuls quelques-uns autour de lui percevaient, Samuel et Bishop inclus : *Kim est une pédale ! Kim est une pédale !*

Dirigé droit sur le pauvre Kim Wigley, debout deux places à gauche de Berg, de loin la cible la plus facile de tout le CM2, l'un de ces gamins auxquels l'adolescence n'épargnait aucune de ses disgrâces prépubères : d'abondantes pellicules grasses, un appareil dentaire massif, un impétigo chronique, une myopie extrême, des allergies terribles aux noix et au pollen, des otites déstabilisantes, de l'eczéma facial, les yeux qui rougissent, des verrues, de l'asthme, et même un épisode de poux au CE1 qu'il se trouvait toujours quelqu'un pour lui rappeler. En plus de quoi il devait faire dans les vingt kilos tout mouillé. Et était affublé d'un prénom de fille.

Dans ce genre de moments, Samuel savait très bien ce qu'il aurait fallu faire : défendre Kim, faire cesser le harcèlement, se dresser contre le géant Andy Berg car *les voyous reculent lorsqu'ils rencontrent une résistance*, disaient les brochures qu'on leur distribuait chaque année sur le bien-être à l'école. Ce qui était, tout le monde le savait, un énorme mensonge. L'année d'avant, en l'occurrence, Brand Beaumonde s'était rebellé contre le Berg à cause des blagues incessantes sur ses culs-de-bouteille, il s'était levé en plein milieu de la cantine et avait lancé, dans un spasme nerveux : « Ferme ta grande bouche, espèce de gros abruti ! » Et le Berg avait bel et bien reculé et l'avait laissé tranquille le reste de la journée, et tous ceux qui avaient assisté à la scène jubilaient parce que peut-être cela voulait-il dire qu'ils étaient en sécurité à présent, que les brochures disaient vrai finalement, et un grand vent d'optimisme avait soufflé sur l'école, faisant de Brand un héros, jusqu'à ce que le Berg le retrouve ce jour-là quand il rentrait chez lui et le tabasse si violemment que la police, qui avait dû s'en mêler, avait interrogé les amis de Brand, qui avaient tous bien retenu la leçon désormais : la fermer. Car les voyous ne reculent pas.

La grande rumeur qui courait sur le Berg cette année — propagée par le Berg lui-même — était qu'il avait été le premier de tout le CM2 à coucher. Avec une fille. Une ancienne baby-sitter, avait-il dit, qui, pour le citer, *était folle de sa bite.* Ce qui, bien entendu, était impossible à vérifier mais que personne ne contestait pour autant. Personne dans les vestiaires n'aurait risqué son intégrité physique en énonçant à portée d'oreille du Berg fanfaronnant l'évidence pourtant flagrante : aucune lycéenne ne s'intéresserait à un gamin de CM2 à moins d'être tarée, moche comme un pou ou émotionnellement dérangée. Ou les trois à la fois. C'était juste impossible.

Et pourtant.

Il y avait quelque chose dans la façon dont Berg parlait de sexe qui laissait les garçons dubitatifs. Le foisonnement d'informations. L'exactitude et la spécificité crue des détails. Quelque chose qui les faisait douter, qui les poursuivait tard dans la nuit, les mettait en colère, même, enrageant à l'idée qu'il dise la vérité, à l'idée qu'il ait vraiment pu se taper une lycéenne, et si c'était vrai, alors c'était la preuve ultime de l'injustice de ce monde, où sans nul doute Dieu n'existait pas. Ou bien s'il existait, Dieu les détestait donc, car personne dans l'école ne méritait moins de connaître sa première fois que ce connard d'Andy Berg. Et ils se farcissaient ses récits à longueur de cours de sport, qu'il avait dû allumer l'un des cigares de son père pour couvrir l'odeur de chatte mouillée, qu'il ne baiserait pas cette semaine parce que la fille avait ses anglaises, et la fois où il avait déchargé et où la capote avait explosé *tellement il était chaud.* Les garçons en faisaient des cauchemars, de ces détails, et de l'horreur plus générale que suscitait la représentation de l'immonde Andy Berg en pleine action alors que la plupart d'entre eux venaient tout juste d'avoir « la conversation » avec leurs parents et que le sexe leur paraissait encore une chose terrifiante et sale.

Peut-être était-ce la façon dont le Berg s'était moqué de Kim au rassemblement qui poussa Bishop à agir. Ça avait dû lui paraître trop facile, trop évident — la résignation de Kim, son corps passif, affaissé trahissant son acceptation totale de la hiérarchie qui s'appliquait ici. Kim se tenait debout, comme absent, prêt à se faire maltraiter. La cible était trop facile pour ne pas heurter l'idée que se faisait Bishop de la justice, son désir de bon soldat de protéger les faibles et les innocents d'une violence disproportionnée.

Tandis que tous les élèves sortaient en rang du gymnase, Bishop tapa sur l'épaule du Berg. « Il y a une rumeur qui court sur toi », dit-il.

Le Berg le toisa d'un air las. « Ouais ? C'est quoi ?

— Que tu as déjà couché.

— Tu ferais mieux d'y croire, connard.

— C'est vrai, alors, la rumeur.

— Elle écarte tellement les cuisses que t'en croirais pas tes yeux. »

Samuel traînait en retrait, prudent. Habituellement, il aurait été mal à l'aise si près du Berg, mais avec Bishop entre eux, il se sentait en sécurité. La personnalité de Bishop avait tendance à capter toute l'attention. Comme si, derrière lui, Samuel disparaissait.

« OK, dit Bishop. J'ai quelque chose pour toi.
— Quoi ?
— Un truc pour les gens plus mûrs. Comme toi.
— C'est quoi ?
— Je préfère ne rien dire pour le moment. On pourrait nous entendre. C'est vraiment dément, carrément illégal.
— De quoi tu parles, putain ? »

Bishop leva les yeux au ciel et fit mine de regarder autour de lui pour vérifier que personne ne tendait l'oreille dans leur direction, avant de s'approcher plus près du Berg et de lui faire signe de pencher sa tête gigantesque vers lui pour lui murmurer à l'oreille : « Du porno.
— *Arrête !*
— Moins fort.
— T'as du porno ?
— Une énorme réserve.
— Sérieusement ?
— Ça fait un moment que je me demandais qui ici était assez mûr pour regarder ça.
— Cool ! » lança le Berg, en transe. Parce que pour les gamins de son âge, pour les gamins qui abordaient l'adolescence dans les années quatre-vingt, avant Internet, avant que le web rende le porno accessible et du coup banal, pour cette dernière génération de garçons pour qui le porno était encore un *objet physique*, avoir du porno, c'était comme avoir un superpouvoir. Susceptible de vous faire accéder immédiatement à un niveau élevé de popularité et de respectabilité parmi vos semblables. Cela arrivait environ deux fois dans l'année, un garçon inconnu au bataillon mettait la main sur la collection de magazines porno de son père et se

retrouvait propulsé tout en haut de l'échelle sociale, du moins tant que cela ne lui créait pas de problèmes, ce qui finissait toujours par arriver, au bout de quelques jours ou de quelques mois, en fonction du garçon. Celui dont le désir d'attirer l'attention, dont le besoin d'être aimé était trop désespéré, trop évident, avait tendance à voler la pile en entier pour un quart d'heure de gloire, son étoile brillant au firmament mais se consumant en un jour, le temps que son père remarque la disparition de tous ses magazines porno et comprenne l'entourloupe. D'autres garçons, capables de se maîtriser davantage et moins avides d'admiration, se montraient plus mesurés dans leur approche du porno. Ils retiraient les magazines de la pile un par un, commençaient par le dernier ou l'avant-dernier de la pile, un numéro sans doute déjà abondamment compulsé, exploré, digéré, puis finalement abandonné. Ils l'apportaient à l'école et laissaient tout le monde le regarder avant de le remettre en place une semaine ou deux plus tard, pour en reprendre un autre, lui aussi vers le bas de la pile, et de recommencer. Ceux-là réussissaient à maintenir leur niveau de popularité durant parfois plusieurs mois, avant qu'un enseignant finisse par remarquer un groupe de garçons assis dans un coin de la cour et vienne s'enquérir de ce qui les captivait au point de les empêcher de courir dans tous les sens et qui ne pouvait donc être que quelque chose de répréhensible.

En d'autres termes, l'accès de ces garçons au porno était toujours temporaire. Ce qui expliquait pourquoi le Berg était si intrigué.

« Où c'est ? demanda-t-il.

— Y a de quoi foutre la trouille à la plupart de

ces gamins, ils comprendraient même pas ce qu'ils sont en train de regarder.

— Je veux voir.

— Toi, c'est différent. Je crois que ça ira pour toi.

— Tu m'étonnes que ça ira.

— OK. On se retrouve après les cours. Quand tout le monde a quitté l'école. Dans l'escalier derrière la cantine, près du quai de chargement. Je te montrerai où je les ai cachés. »

Le Berg opina, puis sortit du gymnase. Samuel tapa sur l'épaule de Bishop.

« Qu'est-ce que tu fais ? »

Bishop sourit. « Je vais battre l'ennemi sur son propre terrain. »

Plus tard ce jour-là, après la dernière sonnerie, après que tous les bus étaient venus puis repartis et une fois le bâtiment complètement vide, Bishop et Samuel attendirent derrière l'école, du côté non visible depuis la route, là où il n'y avait que du béton et de l'asphalte. De là, l'école ressemblait à un entrepôt d'expédition massive, industrielle, mécanique, automatisée, apocalyptique. Avec de gigantesques climatiseurs dont les ventilateurs tournaient à l'intérieur de coques en aluminium encroûtées de fumées noires, vrombissant tel un escadron d'hélicoptères militaires toujours sur le point de décoller mais ne le faisant jamais. Il y avait des morceaux de papier et de carton soufflés par le vent dans les coins et les crevasses. Et un broyeur de déchets industriel : en métal, de la taille d'un camion-benne, peint de ce vert forêt typique des véhicules de propreté et tout poisseux d'écume sale.

Juste à côté du quai de chargement se trouvait un escalier qui descendait à une porte que personne n'utilisait jamais. Personne ne savait même où elle menait, d'ailleurs. D'un côté, l'escalier était flanqué du mur du quai, de l'autre, de barreaux verticaux impossibles à escalader. Il y avait aussi une grille en haut de l'escalier. Pour quiconque prenait la peine d'y penser assez longtemps, cet escalier était une énigme. Les barreaux étaient manifestement là pour éloigner les intrus, sauf que même avec la grille verrouillée, il n'y avait rien de plus simple que de sauter dans l'escalier depuis le quai de chargement qui le surplombait. Mais la porte de la cave au pied de l'escalier était l'une de ces portes qui ne s'ouvrent que de l'intérieur, sur l'extérieur elle n'avait même pas de poignée. La seule fonction de cette porte semblait donc être de piéger les gens à l'intérieur, ce qui était au moins une bizarrerie architecturale, sinon un vrai danger en cas d'incendie. De toute façon, la quantité de saleté, de feuilles mortes, d'emballages plastique et de mégots de cigarettes indiquait clairement que l'escalier n'avait plus été emprunté depuis des années.

C'était là qu'ils attendaient le Berg, Samuel dans un état de nerfs et de peur terrible à l'idée de ce que Bishop avait prévu de faire, c'est-à-dire enfermer Andy Berg dans la cage d'escalier et l'y laisser toute la nuit.

« Je crois vraiment qu'on ne devrait pas faire ça, dit-il à Bishop, qui était en bas de l'escalier en train de cacher un sac en plastique noir sous un tas de feuilles et de saletés.

— Détends-toi, répondit-il. Ça va aller.

— Et si ça tourne mal ? » dit Samuel, au bord d'une crise de Catégorie 2 rien que de penser aux représailles d'Andy Berg après un coup pareil.

« Allez, on peut encore s'en aller avant qu'il arrive. Tant que personne n'a rien.

— J'ai besoin que tu joues ton rôle. Qu'est-ce que tu dois faire ? »

Samuel fronça les sourcils et toucha le volumineux cadenas métallique caché dans sa poche. « Quand il arrive en bas des marches, je ferme la grille.

— Tu fermes la grille *silencieusement*, dit Bishop.

— Oui. Pour qu'il ne se rende compte de rien.

— À mon signal, tu fermes la grille.

— C'est quoi le signal ?

— Je te regarderai avec insistance.

— C'est-à-dire ?

— Un regard hyper intense. Quand tu le verras, tu sauras.

— OK.

— Et une fois que la grille est fermée ?

— Je la verrouille, dit Samuel.

— C'est la partie essentielle de ta mission.

— Je sais.

— La partie la plus importante.

— Si je la verrouille, alors il ne pourra pas sortir et nous casser la figure.

— Il faut que tu penses en soldat. Que tu te concentres sur ta mission.

— OK.

— Je n'ai rien entendu. »

Samuel donna un coup de pied par terre. « J'ai dit *hooah*.

— C'est mieux. »

La soirée était chaude, humide, les ombres s'étiraient sur le sol et la lumière tournait à l'orange foncé. Des nuages d'orage s'amoncelaient à l'horizon, ces grands cumulus du Midwest, telles des avalanches, annonçant une nuit de pluies tropicales et d'éclairs de chaleur. Le vent soufflait en bourrasques violentes à travers les arbres. L'air était chargé d'électricité et d'ozone. Bishop acheva de cacher le sac au pied des marches. Samuel s'entraînait à refermer la grille sans la faire grincer. Puis les deux garçons finirent par remonter pour attendre sur le quai de chargement, Bishop vérifiant et revérifiant le contenu de son sac à dos tandis que Samuel tripotait les contours du gros cadenas dans sa poche.

« Hé, Bish ?

— Ouais ?

— Qu'est-ce qu'il s'est passé dans le bureau du principal ?

— Comment ça ?

— Quand tu es parti pour le battoir. Qu'est-ce qui s'est passé là-dedans ? »

Bishop cessa un moment de fourrager dans son sac à dos. Il regarda Samuel, puis autour de lui, puis plus loin. Il se tenait d'une certaine manière, qui était devenue familière pour Samuel : son corps semblait s'enrouler sur lui-même, contracté, ses yeux presque fermés et ses sourcils froncés en accent circonflexe. Une posture de défiance, un air que Samuel lui connaissait : il l'avait vu avec le principal, Mlle Bowles, et M. Fall, et quand Bishop avait jeté cette pierre sur la maison du proviseur. Une férocité, une sévérité peu communes chez un garçon de onze ans.

Mais qui disparut aussi vite qu'elle était venue lorsque Andy Berg tourna au coin du bâtiment, marchant de son pas stupide et lourd, traînant les pieds comme si ses orteils étaient trop éloignés de son minuscule cerveau, comme si son système nerveux n'arrivait pas à couvrir toute l'étendue de son corps.

« Il est là, dit Bishop. Tiens-toi prêt. »

Le Berg portait son uniforme habituel : pantalon de jogging noir, baskets blanches sans marque et un tee-shirt avec une inscription humoristique, ce jour-là « Où est le bifteck[1] ? ». Il était le seul garçon de la classe à pouvoir porter des imitations de baskets de marque sans être raillé par les autres. Sa taille de géant et sa propension à la violence lui donnaient des libertés que n'avaient pas les autres en matière de mode. La seule concession qu'il faisait au goût du jour, c'était cette queue-de-rat qu'il se laissait pousser, comme environ le quart des garçons de son âge. Une queue-de-rat en bonne et due forme était parfaite quand le garçon coupait tous ses cheveux sauf pile au milieu de l'arrière de sa tête. Chez le Berg, c'était un ruban noir frisé qui lui descendait dans le cou et le dos. Il approcha du quai de chargement, où les deux garçons, assis en hauteur, jambes croisées, le dominaient légèrement.

« Tu es venu, dit Bishop.

— Montre-moi ce que t'as, pédé.

— D'abord, promets-moi que tu ne vas pas flipper.

— Ferme ta gueule.

— Beaucoup de gamins flippent devant ce genre de trucs. Il faut être assez mature. C'est vraiment hardcore.

— Je peux gérer.

1. Réplique rendue célèbre par une publicité des années 1980, blague sexuelle où une fille, trouvant le sexe de son petit ami trop petit, demande : « Où est le bifteck ? »

— Ah oui ? » dit Bishop. Il avait une intonation amusée, sarcastique. Le genre d'intonation qui fait qu'on n'arrive pas à savoir si c'est une plaisanterie ou une insulte. Le genre d'intonation qui donne le sentiment d'avoir une longueur de retard. Et ce sentiment transparaissait sur le visage du Berg — il hésitait, incertain. Il n'était pas habitué aux gamins dotés de malice ou d'esprit.

« D'accord, alors on va dire que tu peux gérer, poursuivit Bishop. On va dire que tu ne vas pas flipper. C'est rien que t'as pas déjà vu après tout, c'est ça ? »

Le Berg opina.

« Rien que tu vois pas tous les jours, c'est ça ? Avec cette lycéenne que tu te tapes ?

— Qu'est-ce qu'elle vient foutre là-dedans ?

— Rien, je me demande juste pourquoi t'as tellement la dalle alors que tu peux avoir cette fille quand tu veux. Pourquoi t'as besoin de porno ?

— J'en ai pas besoin.

— Et pourtant t'es là.

— T'en as même pas. Tu mens.

— Ce qui me fait penser que peut-être tu ne nous dis pas tout. Peut-être que cette fille est moche. Peut-être qu'elle n'existe pas.

— Va te faire foutre. Tu me les montres tes merdes, oui ou non ?

— OK. Je veux bien te montrer une photo. Et si ça ne te fait pas flipper, je te montrerai les autres. »

Bishop fourragea dans son sac à dos, puis il en sortit une page de magazine, plusieurs fois pliée, un bord déchiré là où elle avait été arrachée. Il la tendit — lentement, précautionneusement — au Berg, qui la lui prit des mains, agacé par tant de manières, de mise en scène. Le Berg la déplia, et avant même de l'avoir complètement étalée devant lui, ses yeux s'écarquillèrent, ses lèvres s'ouvrirent légèrement et son visage perdit son masque de barbarie habituel pour afficher une sorte de vertige.

« Waouh, dit-il. Ah *oui.* »

Samuel ne voyait pas l'image qui ravissait le Berg à ce point. Il ne voyait que le verso de la page, une publicité pour un alcool de couleur brune.

« C'est *dément* », reprit le Berg. On aurait dit un chien bavant devant l'assiette de son maître.

« Pas mal, dit Bishop, mais pas si *dément* que ça. En fait, c'est assez banal. Même un peu comique, si tu veux mon avis.

— Où t'as eu ça ?

— On s'en fout. Tu veux en voir d'autres ?

— Putain, ouais.

— Et tu le diras à personne ?

— Où c'est ?

— Faut que tu promettes. Tu le diras à personne.

— D'accord. Je promets.

— Dis-le vraiment.

— Allez, montre. »

Bishop leva les bras l'air de dire *je laisse tomber*, puis il désigna l'escalier sous leurs pieds. « En bas. J'ai tout planqué en bas, sous les ordures, au pied des marches. »

Le Berg laissa tomber la page qu'il était en train de regarder, ouvrit la grille de l'escalier et se précipita en bas. Bishop regarda Samuel et opina du chef : c'était le *signal.*

Samuel sauta du quai de chargement juste à l'endroit où se tenait le Berg une seconde plus tôt. Il marcha jusqu'à la grille et la referma très lentement, comme ils s'y étaient entraînés. De là il apercevait le Berg au pied de l'escalier, son horrible queue-de-rat, son dos extra large courbé vers le sol, balayant les déchets et les feuilles mortes et découvrant le sac plastique que Bishop avait dissimulé dessous.

« Là-dedans ? Dans le sac ? demanda le Berg.

— Ouais. C'est là. »

Quand la grille se referma, elle émit un petit clic insignifiant. Samuel glissa le gros cadenas entre les barreaux et le ferma. Le cliquetis sonore du mécanisme de verrouillage intérieur avait quelque chose de satisfaisant. De définitif. D'irrévocable. *Ils l'avaient fait.* Ils ne pouvaient plus revenir en arrière.

À quelques mètres à peine, la page que Bishop avait donnée au Berg flottait au vent. Elle voletait dans les tourbillons de brise tout autour du quai de chargement, se tordait sur ses plis et replis. Samuel l'attrapa. L'ouvrit. Et la première impression qu'il en eut, avant même que tous les contours lui apparaissent distinctement comme étant des formes humaines, le trait dominant, ce qui semblait définir la photo et resterait imprimé sur sa rétine, c'étaient les *poils.* Des tonnes de poils noirs et bouclés. Autour de la tête de la fille, des cheveux, une cascade noir de jais, lourde, qui semblait peser sur elle, des boucles serrées qui tombaient jusqu'au sol où elle était assise, la chair de ses fesses jaillissant sous elle comme de la pâte à pain, un bras en arrière, en appui sur son coude, tandis que de l'autre main elle s'ouvrait l'entrejambe de deux doigts, dans un geste qui faisait penser au symbole de la paix inversé, et découvrait cet endroit charnu et rouge vif caché sous une autre touffe de poils noir foncé, épais, bouclés, qui lui remontaient presque jusqu'au nombril et s'effilaient sur ses cuisses granuleuses, où les poils ressemblaient davantage à de pathétiques tentatives de moustache et de barbe adolescentes et redescendaient inexorablement sous elle. On aurait dit une scène de jungle anonyme, Samuel l'observait, tentait de la saisir dans son ensemble, d'y prendre le plaisir qu'Andy Berg avait semblé y prendre, mais il n'en retirait qu'une sorte de curiosité abstraite combinée à une espèce de révulsion, d'horreur face au monde des adultes qui lui apparaissait comme un lieu terrible, épouvantable.

Il plia la page en petits carrés. Il s'efforçait d'oublier ce qu'il venait de voir, quand, du bas de l'escalier, le Berg explosa soudain : « C'est quoi ce *bordel* ? »

Au même moment, un flash blanc crépita. Bishop avait à la main un appareil photo Polaroid qui émit un bourdonnement, puis un clic, avant de délivrer un carré blanc de film photographique.

« C'est quoi ce bordel ? » répéta le Berg. Samuel grimpa à l'échelle qui menait sur le quai et courut jusqu'au bord d'où Bishop contemplait le Berg en riant et en faisant sécher la photo. Autour du Berg, il y avait plusieurs images, il avait sans doute renversé le sac et laissé tout le contenu s'éparpiller. Sur presque toutes, distinguait Samuel à présent, des gros plans de pénis en érection. Des pénis d'adultes. D'adultes particulièrement virils. Horriblement turgescents, violacés, certains dégoulinant de sperme et humides. Des pénis découpés dans des magazines, mais aussi de vrais polaroids, dans une lumière blanche, avec une faible approche, dans des gros plans anonymes, des queues détachées de leur corps émergeant d'entre les ombres ou les plis de quelque ventre mou.

« C'est quoi ce bordel ? » Andy Berg semblait incapable de trouver d'autres mots que ceux-là. « C'est quoi ce bordel ?

— Tu vois ? Je le savais, dit Bishop. Tu flippes.

— C'est quoi cette merde ?

— Tu n'es pas assez mûr.

— Je vais te buter.

— Manifestement, tu n'en es pas encore à ce stade de développement. »

Le Berg remonta les marches quatre à quatre. Il était si énorme, si massif quand il bougeait qu'il semblait impossible à contenir. Et eux qui avaient pensé qu'avec un simple cadenas ils allaient réussir à l'arrêter. L'espace d'un instant, Samuel le vit sauter, exploser en morceaux. Il imagina le Berg surgissant de sa cage tel un animal de cirque enragé. Samuel fit un pas en arrière et se réfugia derrière Bishop, une main sur son épaule. Le Berg courut jusqu'en haut de l'escalier, le bras tendu en avant pour pousser la grille. Mais la grille ne bougea pas. Et la force de l'élan du Berg rencontra la lourde grille en métal, et la chose la plus fragile des deux — le bras du Berg — céda.

Son poignet se tordit et son épaule se vrilla avec un bruit sec de craquement suivi d'un son liquide horrible. Le Berg rebondit alors en arrière et atterrit violemment sur les marches qu'il dégringola presque jusqu'en bas, cramponné à son bras, gémissant, pleurant. La grille vibrait contre le cadenas.

« Oh mon Dieu, gémit le Berg. *Mon bras !* »

« Allez, on y va ! dit Samuel.

— Attends, dit Bishop. Encore une chose. »

Il marcha le long du quai jusqu'à se trouver juste au-dessus du Berg, presque deux mètres au-dessus de sa tête.

« Regarde ce que je vais faire maintenant, lança Bishop par-dessus les sanglots étouffés du Berg. Je vais pisser un coup, et il n'y a rien que tu puisses faire pour m'en empêcher. Et tu n'emmerderas plus jamais qui que ce soit. Parce que j'ai cette photo. » Bishop agita le polaroid dans sa direction. « Tu devrais voir ça. Toi, là, au milieu de tout ce porno de grosse pédale. Tu veux que cette photo se retrouve dans tous les casiers de l'école ? Scotchée sous toutes les tables ? Glissée dans chaque manuel ? »

Le Berg le regarda et, l'espace d'un moment, le gosse de CM2 jaillit de ce corps de géant : il était sidéré, blessé, pathétique et terriblement triste. On aurait dit un animal frappé de stupeur après s'être pris un coup de pied.

« Non, cracha-t-il entre deux larmes.

— Alors je suppose que tu vas bien te tenir maintenant, dit Bishop. Cesser de te moquer de Kim. Ou de qui que ce soit. »

Bishop défit sa ceinture, sa braguette, descendit son caleçon et lâcha un long et puissant jet d'urine sur Andy Berg, qui gémit et se retourna pour se protéger en hurlant. Il se recroquevilla tandis que Bishop lui pissait sur le dos, le tee-shirt et la queue-de-rat.

Puis les deux garçons ramassèrent leurs affaires et s'en allèrent. Ils ne prononcèrent pas un mot jusqu'au moment de se séparer, là où Bishop coupait à travers bois vers le Village Vénitien tandis que Samuel continuait dans l'autre sens vers chez lui. Bishop lui donna une tape sur le bras en disant : « Fais ce que tu dois faire, soldat », puis il disparut.

Cette nuit-là, la vague de chaleur éclata enfin. Assis devant la fenêtre de sa chambre, Samuel regardait l'orage essorer le monde à l'extérieur. Dans le jardin, le vent fouettait furieusement les arbres et le ciel était zébré d'éclairs. Il imaginait Andy Berg, dehors, en pleine tempête, toujours pris au piège, trempé jusqu'aux os. Il l'imaginait grelottant, glacé, blessé, seul.

Le matin venu, les premières fraîcheurs de l'automne flottaient dans l'air. Andy Berg n'était pas à l'école. La rumeur disait qu'il n'était pas rentré chez lui la veille. On avait appelé la police. Des parents et voisins étaient sortis pour le chercher. Finalement, au petit matin, il avait été retrouvé, trempé et malade, au pied de l'escalier derrière l'école. À présent il était à l'hôpital. À aucun moment il ne fut question des polaroids.

Samuel se disait que le Berg avait attrapé froid, peut-être la grippe, à cause de la pluie. Mais Bishop avait une autre théorie. « Il a bien fallu qu'il se débarrasse des images pornos, non ? dit-il à la récréation ce jour-là. Imagine, si on le trouvait avec ces photos sur lui.

— Ouais, réfléchit Samuel. Mais comment ? »

Assis sur les balançoires immobiles, ils regardaient un jeu de chat perché, et, fait rare, Kim Wigley jouait avec les autres, d'habitude il évitait au maximum la récréation, ou même n'importe quel espace public où le Berg était susceptible de l'agresser. Et voilà qu'à présent il jouait joyeusement, insouciant.

« Le Berg est à l'hôpital maintenant, dit Bishop. Probablement à cause d'un empoisonnement, si tu veux mon avis.

— Un empoisonnement ?

— Il les a mangées. Les photos. C'est comme ça qu'il s'en est débarrassé. »

Samuel essaya de s'imaginer en train de manger un polaroid. En train de mâcher un bout de plastique rigide. D'avaler ces coins pointus.

« Il les a mangées ?

— Absolument. »

De l'autre côté de la cour, Kim leur jeta un regard et adressa un vague signe de la main à Bishop. Bishop le lui rendit. Puis il éclata de rire et dit : « *Hooah* », avant de courir rejoindre les autres pour jouer avec eux, en sautant presque, ses pieds touchant à peine le sol.

8

Ces derniers temps, on pouvait apercevoir le proviseur de l'Académie du Sacré Cœur avançant d'un pas lourd et court le long de la grande rue du Village Vénitien, le plus souvent juste après le coucher du soleil, traînant sa grande carcasse avec mille précautions, comme si ses jambes pouvaient céder sous lui à tout moment. La canne avec laquelle il marchait était une acquisition récente, dont le proviseur appréciait l'allure royale qu'elle lui conférait. En réa-lité, l'amélioration causée par ce seul artifice sur son corps voûté et ses membres douloureux était assez impressionnante. À présent, il semblait atteint d'une *noble infirmité.* Comme un héros de guerre. La canne était en chêne teint dans une nuance ébène. Une poignée de nacre était fixée au sommet par une collerette en étain gravée d'une fleur de lys. L'acquisition de la canne avait été un soulagement pour les voisins, elle dissimulait à leurs yeux la douleur du proviseur, ce qui les exonérait de demander de ses nouvelles et d'avoir à subir une autre conversation sur la Maladie. Au cours des six derniers mois, ils avaient vidé le sujet de sa substance. Le proviseur avait désormais raconté à chaque voisin tous les détails de la Maladie, cette mystérieuse affliction qu'aucun médecin n'était parvenu à diagnostiquer et aucun médicament à guérir. De la première à la dernière maison du quartier, chacun connaissait les symptômes : sentiment d'oppression dans la poitrine, respiration superficielle, transpiration abondante, salivation incontrôlable, crampes abdominales, vision floue, fatigue, léthargie, état de faiblesse générale, maux de tête, vertiges, perte d'appétit, pouls ralenti, et des contractions et ondulations musculaires étranges et involontaires, juste sous la peau, qu'il montrait à ses voisins horrifiés si par malchance elles se manifestaient pendant qu'ils discutaient avec lui. Les crises s'abattaient sur lui au milieu du jour ou de la nuit et duraient entre quatre et six heures avant de disparaître comme par magie. Il était d'une franchise et d'une impudeur totales sur les détails de son état. Il parlait comme les gens atteints d'une maladie terrible, de cette manière qu'a la maladie d'éclipser toute notion de pudeur et d'intimité. Racontant par exemple son désarroi en matière de priorités quand il avait la diarrhée et la nausée *en même temps*. Les voisins opinaient du chef, avec un sourire crispé, tentant de dissimuler leur effroi dans la mesure où leurs enfants — et c'était le cas de tous les enfants du Village Vénitien — fréquentaient l'Académie du Sacré Cœur et que chacun savait combien le proviseur avait le bras long. Un coup de téléphone de lui au doyen de Princeton, Yale, Harvard ou Stanford pouvait multiplier par mille les chances d'un élève d'entrer dans une de ces universités. Tout le monde le savait, et subissait donc les longues et palpitantes descriptions des procédures médicales et émanations corporelles du proviseur, s'efforçant d'y voir un investissement dans les études et l'avenir de leurs enfants. Ainsi étaient-ils au courant de ses innombrables visites à des spécialistes hors de prix, allergologues, oncologues, gastro-entérologues, cardiologues, de tous ses IRM, scanners et autres biopsies d'organes peu ragoûtantes. Il faisait toujours la même plaisanterie sur le fait que sa dépense la plus utile pour le moment avait été cette canne. (Qui était, en matière de cannes, absolument magnifique, les voisins devaient en convenir.) Il soutenait que le fait de sortir et de bouger demeurait le meilleur des médicaments, d'où ses marches nocturnes et ses bains — un le matin, un le soir — dans le jacuzzi à l'eau salée de son jardin, dont il disait qu'ils étaient l'une des dernières joies qu'il lui restait encore.

Les moins charitables des voisins étaient secrètement convaincus que la raison de ses promenades nocturnes était moins sa santé que l'occasion de pouvoir se plaindre durant une heure complète, en satané tyran qu'il était. Ils se gardaient d'échanger entre eux sur le sujet, ils le confiaient à leur femme peut-être, mais *pas plus*, sachant parfaitement que cela les ferait passer pour égoïstes, insensibles et impitoyables car le proviseur était bel et bien malade, d'une maladie mystérieuse, qui lui causait une douleur et une angoisse énormes, et dont pourtant ils avaient, eux, l'impression d'être les victimes, affligés de l'obligation d'écouter ses plaintes. Ces soirs-là, parfois, ils se sentaient comme assiégés, soixante pénibles minutes d'assaut jusqu'à ce qu'ils réussissent à s'en débarrasser et à retourner à leur salon, pour essayer de profiter de ce qui restait de leur soirée. Une fois rentrés chez eux, ils allumaient la télévision et tombaient sur un de ces fichus reportages à propos d'une quelconque crise humanitaire ou d'une autre fichue guerre civile Dieu sait encore où, les images de blessés, d'enfants affamés leur sautaient au visage, et les voisins éprouvaient une colère vive et amère *envers ces enfants* qui venaient envahir et gâcher leurs seuls moments de détente, le peu de « temps pour eux » qu'ils avaient dans toute la journée. La mauvaise foi des voisins atteignait alors son paroxysme, quand ils estimaient que leur vie non plus n'était pas facile et que cependant personne ne les entendait se plaindre. Tout le monde avait ses problèmes après tout — et qu'est-ce qui empêchait les autres de les régler en silence ? dans leur coin ? en faisant preuve d'un peu de décence ? sans avoir besoin de faire participer tous les autres ? Ce n'est pas comme *s'ils y pouvaient quelque chose*, eux, les voisins. Ce n'est pas comme *s'ils y étaient pour quelque chose* dans les guerres civiles.

Bien entendu, tout cela n'était jamais formulé. Et le proviseur ne se doutait absolument pas de ce qu'ils pensaient. Mais certains de ses voisins directs avaient désormais coutume de laisser leurs lumières éteintes et d'attendre dans la pénombre qu'il ait dépassé leurs maisons. D'autres s'arrangeaient pour aller dîner au restaurant, tôt, à l'heure de ses promenades. Certains, en bas du pâté de maisons, avaient mis au point un système d'évitement très perfectionné, et c'est ainsi que le proviseur atterrissait parfois tout au fond du cul-de-sac, frappait à la porte des Fall et demandait à entrer pour prendre un café, ce qui se produisit la première fois que Samuel eut la permission d'aller dormir chez Bishop.

C'était la première fois qu'il dormait chez un ami.

Le père de Samuel, qui l'avait accompagné en voiture, avait été sidéré en arrivant devant les grilles du Village Vénitien.

« Ton ami vit *ici* ? » demanda-t-il, et Samuel acquiesça.

Le vigile voulut voir le permis de conduire de Henry, lui fit remplir un formulaire, signer une décharge et expliquer la raison de sa visite.

« C'est pas la Maison Blanche non plus », lâcha-t-il au vigile. Ce n'était pas une blague. Sa voix était chargée de venin.

« Avez-vous une caution ? demanda le vigile.

— Quoi ?

— Votre visite n'a pas été annoncée, j'ai besoin d'une caution. En cas de dommages ou de violations.

— Qu'est-ce que vous croyez que je vais faire ?

— C'est la règle. Vous avez une carte de crédit ?

— Hors de question que je vous laisse ma carte de crédit.

— C'est temporaire. Comme je vous disais, au cas où.

— Je dépose mon fils, c'est tout.

— Vous déposez votre fils ? D'accord, ça fera l'affaire.

— L'affaire pour quoi ?

— Pour la caution. »

Après quoi le vigile les escorta dans une voiturette de golf jusqu'à la maison des Fall où Henry déposa Samuel avec une brève accolade et un « Sois sage. Appelle-moi si tu as besoin », avant de remonter dans sa voiture en lançant un regard de pure haine au vigile. Samuel regarda son père et la voiturette de golf disparaître en haut de la Via Veneto. Puis il attrapa son sac à dos, qui contenait quelques affaires pour la nuit et, au fond, la cassette qu'il avait achetée au centre commercial pour Bethany.

Il lui donnerait son cadeau ce soir.

Ils étaient tous là — Bishop, Bethany et leurs deux parents — à attendre dans la même pièce, ce que Samuel n'avait jamais vu auparavant, toute la famille réunie dans le même endroit au même moment. Une autre personne était présente, assise au piano : le proviseur. Ce même proviseur qui avait expulsé Bishop de l'Académie du Sacré Cœur était assis sur le tabouret du demi-queue Bösendorfer de la famille.

« Bonjour, dit Samuel à personne en particulier.

— Donc c'est toi l'ami de la nouvelle école ? » dit le proviseur.

Samuel acquiesça.

« Cela fait plaisir de voir qu'il s'est intégré », dit le proviseur. La remarque concernait Bishop mais elle était adressée à son père. Bishop était assis dans un fauteuil tapissé ancien, il avait l'air petit là-dedans. On aurait dit que la présence du proviseur avait envahi tout l'espace. C'était l'un de ces hommes dont le corps reflète à la perfection la position sociale. Sa voix était puissante. Son corps était puissant. Sa posture, jambes largement écartées, torse bombé, était *puissante.*

Bishop occupait le fauteuil le plus éloigné du proviseur, bras croisés, les pieds rentrés dessous, une petite boule de colère. Il était tellement enfoncé dans son siège qu'on aurait dit qu'il essayait de s'y fondre. Bethany était plus près du piano, parfaitement droite, comme toujours, les fesses au bord de sa chaise, chevilles croisées, mains sur les genoux.

« On y retourne ! » lança le proviseur. Il pivota face au piano et posa la main sur le clavier. « Et pas de triche. »

Bethany se détourna du piano et regarda Samuel. Sa poitrine frémit sous l'intensité de son regard. Il lutta contre l'envie de baisser les yeux.

Le proviseur fit résonner une note sur le piano, une note puissante, profonde, basse que Samuel ressentit jusque dans son ventre.

« *La*, dit Bethany.

— Exact ! annonça le proviseur. Encore. »

Une autre note, cette fois vers la droite du clavier, qui émit un tintement délicat.

« *Do*, dit Bethany, sans quitter Samuel des yeux, sans trahir aucune expression.

— Encore exact ! dit le proviseur. On va corser un peu l'exercice. »

Il pressa trois touches en même temps, et produisit un son dissonant et laid. On aurait dit qu'un enfant avait tapé au hasard sur le clavier. Le regard de Bethany sembla flotter quelques instants — comme si elle prenait congé d'elle-même, l'œil absent, lointain. Mais elle refit surface et annonça : « *Si* bémol, *do*, *do* dièse.

— Impressionnant ! dit le proviseur en applaudissant.

— Je peux y aller ? demanda Bishop.

— Pardon ? fit son père. Tu disais ?

— Je peux y aller ? répéta Bishop.

— Peut-être, si tu apprends à demander correctement. »

Bishop finit par lever la tête et regarder son père. Ils se défièrent du regard pendant un long moment inconfortable. « Puis-je me retirer ? demanda Bishop.

— Tu peux. »

Une fois dans la salle de jeux, il apparut clairement que Bishop n'avait aucune envie de parler. Il fourra *Missile Command* dans l'Atari. Il s'assit, le visage fermé et silencieux tandis qu'il tirait des fusées en l'air. Puis il s'agita sur son siège et déclara : « C'est de la merde, on n'a qu'à regarder un film », et il mit un film qu'ils avaient déjà vu plusieurs fois, sur un groupe d'adolescents qui s'alliaient pour défendre leur ville d'une invasion surprise des Russes. Il s'était écoulé à peu près vingt minutes du film lorsque Bethany ouvrit la porte et se glissa dans la pièce.

« Il est parti, dit-elle.

— Tant mieux. »

Samuel n'en revenait pas d'avoir à ce point l'estomac retourné chaque fois qu'il la voyait de près. Même là, alors que Bishop avait manifestement envie d'être seul et que Samuel se sentait en trop et se demandait s'il ne ferait pas mieux d'appeler son père pour qu'il revienne le chercher, malgré tout, lorsque Bethany entra dans la pièce, il exulta. Comme si elle effaçait tout le reste autour. Samuel devait prendre sur lui pour se retenir de la toucher, de lui ébouriffer les cheveux, de lui pincer le bras, le lobe de l'oreille, ou n'importe lequel de ces gestes que les garçons font pour terroriser les filles dont ils sont amoureux, ces manœuvres qui n'ont en fait pour but que d'entrer en contact de la seule manière qu'ils connaissent : brutale, comme des barbares. Mais Samuel en savait assez pour se rendre compte que ce n'était pas une bonne stratégie à long terme, il resta donc assis pesamment, immobile, sur son pouf habituel, en espérant que Bethany allait s'asseoir à côté de lui.

« C'est un trou du cul, dit Bishop. Un énorme trou du cul.

— Je sais, dit Bethany.

— Pourquoi ils le laissent entrer chez nous ?

— Parce que c'est le proviseur. Mais aussi parce qu'il est malade.

— C'est ironique.

— Il ne sortirait pas errer dehors s'il n'était pas malade.

— Ouais, il y a un mot pour ça, *ironique*.

— Tu n'écoutes pas ce que je te dis. Tu ne le verrais pas s'il *n'était pas malade*. »

Bishop se redressa et fronça les sourcils. « Qu'est-ce que tu veux dire, à la fin ? »

Bethany se tenait les mains dans le dos, à se mordre l'intérieur de la joue comme elle le faisait chaque fois qu'elle se concentrait intensément. Ses cheveux étaient attachés en queue-de-cheval. Ses yeux étaient d'un vert farouche. Elle portait une robe bain de soleil jaune qui tirait vers le blanc délavé sous la taille.

« Je ne fais que souligner l'évidence, dit Bethany. S'il n'était pas malade, il ne ferait pas ces promenades et tu n'aurais pas besoin de subir sa présence.

— Je ne suis pas sûr d'aimer ce que tu essaies de dire.

— Vous parlez de quoi tous les deux ? demanda Samuel.

— De rien », dirent-ils d'une seule voix de jumeaux.

Ils regardèrent le reste du film tous les trois dans un silence pesant, ils virent les ados américains chasser les envahisseurs russes, mais la fin triomphale du film ne paraissait pas aussi triomphale que d'habitude à cause de la tension étrange qui flottait dans la pièce, du conflit latent qui donnait à Samuel l'impression de se retrouver à table avec ses parents durant l'un de *ces moments*. À la fin du film, on leur dit d'aller se coucher, ils firent leur toilette, se brossèrent les dents, enfilèrent leur pyjama, et on montra la chambre d'amis à Samuel. Et juste avant qu'on leur dise d'éteindre la lumière, Bethany frappa doucement à la porte, passa la tête et dit : « Bonne nuit.

— Bonne nuit », répondit-il.

Elle le regarda et s'attarda un moment comme si elle voulait ajouter quelque chose.

« Tu faisais quoi ? demanda Samuel. Tout à l'heure. Avec le piano.

— Ah ça, dit-elle. Des tours de magie.

— Tu faisais une démonstration ?

— En quelque sorte. J'entends des trucs. Mes parents aiment bien m'exhiber.

— Quels trucs ?

— Des notes, des tonalités, des vibrations.

— Dans le piano ?

— Partout. Avec le piano c'est plus facile, parce que tous les sons ont un nom. Mais en réalité, il y en a partout.

— Qu'est-ce que tu veux dire par “il y en a partout” ?

— Chaque son est en fait plusieurs à la fois, dit-elle. Des trilles et des harmoniques. Des tons et des accents.

— Je ne comprends pas.

— Un coup sur le mur. Un tintement sur une bouteille en verre. Le chant d'un oiseau. Des pneus sur la route. Le téléphone qui sonne. Le lave-vaisselle qui tourne. Il y a de la musique partout.

— Tu entends de la musique dans tout ça ?

— Notre téléphone est un peu trop aigu, chaque fois qu'il sonne, c'est affreux. »

Samuel tapota le mur, en tendant l'oreille. « Je n'entends rien d'autre qu'un bruit sourd.

— Il y a bien plus à entendre qu'un bruit sourd. Écoute. Essaie de séparer les sons. » Elle frappa sur le cadre de la porte. « C'est le son du bois, mais le bois n'est pas d'une densité constante, cela donne donc plusieurs tonalités, très rapprochées les unes des autres. » Elle frappa à nouveau. « Puis il y a le son de la colle, du mur tout autour, de l'air comprimé à l'intérieur du mur.

— Tu entends tout ça ?

— C'est là. Quand tu les additionnes, cela fait un bruit sourd. Un son très brun. Comme si tu mélangeais toutes les couleurs de la boîte de feutres, c'est cela le son que tu obtiens.

— Je n'entends rien de tout ça.

— C'est plus difficile de les entendre autour de soi. Un piano, c'est un instrument équilibré. Pas une maison.

— Incroyable.

— Agaçant, surtout.

— Pourquoi ?

— Eh bien, prends les oiseaux, par exemple. Un en particulier, le pic chevelu, qui fait ce cri *chip che-ri chip che-ri chip che-ri*, tu vois ? C'est un oiseau d'été.

— Je vois.

— Mais je n'entends pas vraiment le *che-ri*. Moi, j'entends une tierce et une quinte en *la* bémol majeur.

— Je ne sais pas ce que ça veut dire.

— C'est un *do* qui part en *mi* bémol, et c'est exactement la même chose que dans un solo de Schubert, ou bien dans une symphonie de Berlioz, ou encore dans un concerto de Mozart. Du coup, chaque fois que cet oiseau se met à chanter, il y a toutes ces mélodies qui me remplissent la tête.

— Je voudrais pouvoir en dire autant.

— Non. C'est terrible. C'est un carambolage permanent là-dedans.

— Mais tu as de la musique plein le cerveau. Alors que moi j'ai surtout des soucis. »

Elle sourit. « Je voudrais juste pouvoir dormir le matin, dit-elle. Mais il y a ce pic chevelu qui vient chanter juste devant ma fenêtre. Je voudrais pouvoir l'éteindre. Ou bien éteindre mon cerveau. L'un des deux.

— J'ai quelque chose pour toi, dit Samuel. Un cadeau.

— Ah bon ?

— Quelque chose qui vient du centre commercial.

— Le centre commercial ? » dit-elle, perdue. Elle eut besoin d'un moment pour se souvenir, puis son visage s'éclaira. « Mais oui ! Le centre commercial ! *C'est vrai !* »

Samuel fouilla dans son sac à dos et sortit la cassette, rutilante, dans son emballage plastique. Tout à coup cela lui sembla minuscule — à peu près la taille et le poids d'un jeu de cartes. Trop petit, songea-t-il, pour signifier tout ce qu'il aurait voulu. Pris de panique, il lui tendit le paquet à toute vitesse, le lui jeta presque pour ne pas se débiner. « Voilà, dit-il.

— Qu'est-ce que c'est ?

— C'est pour toi. »

Elle prit la cassette.

« Ça vient du centre commercial », dit-il.

Il s'était imaginé ce moment où Bethany lui adressait un grand sourire, passait ses bras autour de lui et s'émerveillait, incrédule, qu'il ait pu choisir un cadeau si parfait, combien il devait la connaître pour la comprendre si profondément, combien ils étaient semblables en fait, avec la même richesse artistique intérieure. Mais l'expression qui était en train de se dessiner sur le visage de Bethany ne ressemblait pas du tout à cela. Les plis qui se formaient autour de ses yeux et sur son front — on aurait dit cette tête que les gens font quand ils froncent les sourcils pour essayer de comprendre quelqu'un qui parle avec un fort accent.

« Est-ce que tu sais ce que c'est ?

— C'est vraiment très moderne, dit-il, répétant ce que lui avait dit le caissier au centre commercial. Vraiment dingue.

— Je n'arrive pas à croire qu'ils en ont fait un enregistrement, dit-elle.

— Ils en ont fait dix ! dit-il. C'est le même morceau enregistré dix fois de suite. »

Sur quoi Bethany éclata de rire. D'un rire qui fit comprendre à Samuel que, pour des raisons qui lui échappaient, il était un idiot. Manifestement, il était passé à côté d'une information cruciale.

« Qu'est-ce qu'il y a de si drôle ? dit-il.

— Ce morceau, expliqua-t-elle, c'est une sorte de blague.

— Comment ça ?

— C'est une cassette entière de, en fait, ce n'est que du *silence*, dit-elle. Sur toute la cassette… rien que du silence. »

Il la fixa, interdit.

« Il n'y a pas de notes, dit-elle. Ça a bel et bien été représenté une fois. Le pianiste s'est assis au piano et n'a rien fait.

— Comment ça, rien ?

— Il est resté assis là, à compter les temps. Et puis plus rien. Le morceau était fini. Je n'arrive pas à croire qu'ils en aient fait un enregistrement.

— Dix enregistrements.

— C'était une sorte de coup monté. C'est très connu.

— Donc, toute cette cassette, dit-il, est vierge ?

— Je suppose que ça fait partie de la blague.

— Merde.

— Non, c'est super, dit-elle en serrant la cassette contre sa poitrine. Merci, vraiment. C'est touchant, vraiment. »

Touchant, vraiment. Les mots lui tournèrent dans la tête longtemps après son départ, après avoir éteint la lumière et couvert son corps tout entier et sa tête sous une montagne de couvertures pour se rouler en boule et pleurer un peu. Il avait fallu si peu de temps pour que ses rêves les plus fous soient remplacés par l'implacable réalité. Le décalage entre tout ce qu'il en avait espéré et le gigantesque ratage de cette soirée lui laissait un goût amer. Bishop n'avait pas envie d'être avec lui. Il laissait Bethany indifférente. Le cadeau était un échec. Tel était le prix de l'espoir, comprenait-il, une terrible déception.

Il avait dû s'endormir dans cette position car il se réveilla, des heures plus tard, sous les couvertures, en sueur, dans le noir, avec Bishop au-dessus de lui, qui disait : « Réveille-toi. On y va. »

Samuel le suivit, encore groggy, tandis que Bishop

lui disait d'enfiler ses chaussures et de sortir par la fenêtre du salon télé du rez-de-chaussée. Ce qu'il fit dans un état de stupeur ensommeillée.

« Suis-moi », continua Bishop une fois dehors, et ils remontèrent la pente douce de la Via Veneto dans le noir et le silence complets de la nuit. Il devait être deux heures du matin. Peut-être trois. Samuel n'était pas sûr. Le calme était étrange à cette heure de la nuit — pas un bruit, pas un souffle, pas la moindre *intempérie.* Les seuls bruits étaient l'arrosage se mettant en route ici ou là et le grondement de moteur du jacuzzi du proviseur. Des bruits automatiques, mécaniques. Bishop marchait avec détermination, voire avec arrogance. D'une démarche différente de celle qu'il adoptait quand ils jouaient à la guerre dans les bois et qu'il se cachait derrière les arbres, plongeait derrière les buissons. Là, il marchait à découvert, en plein milieu de la route.

« Tu vas avoir besoin de ça », dit-il en tendant à Samuel une paire de gants en plastique bleus, des gants de jardinage. Ils étaient trop grands — sans doute appartenaient-ils à la mère de Bishop. Ils lui montaient jusqu'aux coudes et, au bout de chaque doigt, il restait trois ou quatre centimètres vides.

« Là-bas », poursuivit Bishop en le conduisant jusqu'à un endroit, près de la maison du proviseur, où la pelouse épaisse et duveteuse rejoignait la forêt sauvage. Il y avait là un poteau métallique, qui devait faire leur taille à peu près, au-dessus duquel il y avait un bloc de sel blanc lisse, moucheté de taches brunes et surmonté d'un disque en cuivre. Bishop tenta d'atteindre le disque et de tirer dessus.

« Aide-moi », ordonna-t-il, et les deux garçons s'acharnèrent sur la capsule jusqu'à ce qu'elle finisse par céder. Le nez dessus, essoufflé, Samuel sentait l'odeur d'animal sauvage de l'objet, par-dessus une autre odeur, quelque chose comme du soufre, cette odeur d'œuf pourri, qui venait du sel lui-même. Il pouvait aussi lire le panneau fixé à la moitié du poteau qui disait : DANGER. POISON. NE PAS TOUCHER.

« C'est ce truc-là qui tue les cerfs, non ? demanda Samuel.

— Prends-le de ton côté. »

Ils firent tomber le bloc du poteau. Il était bien plus lourd et plus encombrant qu'il n'en avait l'air. Ils le transportèrent vers la maison du proviseur.

« Je ne suis pas sûr de vouloir faire ça, dit Samuel.

— On y est presque. »

Ils progressaient lentement, portant le gros bloc gris entre eux, autour de la piscine du proviseur, puis sur les deux marches qui menaient au jacuzzi, bouillonnant, tournoyant doucement, avec au fond une petite lumière bleue.

« Là-dedans, dit Bishop en désignant l'eau du menton.

— Je ne suis pas sûr.

— À trois », continua-t-il, et ils soulevèrent, balancèrent, en avant, en arrière, une fois, deux fois, trois fois, et lâchèrent. Ils jetèrent le bloc dans l'eau qui l'avala dans une grande éclaboussure suivie d'un bruit sourd lorsqu'il atterrit.

« Bien joué », dit Bishop. Ils observèrent le bloc, son image brouillée par l'eau scintillante. « D'ici l'aube, ça sera dissous, dit Bishop. Personne ne le saura.

— Je veux rentrer chez moi, déclara Samuel.

— Viens », répondit Bishop en le prenant par le

bras. Ils redescendirent la rue. Quand ils arrivèrent à la maison, Bishop ouvrit la fenêtre de la salle télé, puis s'immobilisa.

« Tu veux savoir ce qui s'est passé dans le bureau du principal ? demanda-t-il. Pourquoi j'ai pas eu droit au battoir ? »

Samuel retenait ses larmes, essuyait la morve qui coulait de son nez avec la manche de son pyjama.

« En fait, c'était très facile, commença Bishop. Le truc, c'est de comprendre que tout le monde a peur de quelque chose. À partir du moment où tu sais de quoi quelqu'un a le plus peur, tu peux lui faire faire ce que tu veux.

— Qu'est-ce que tu as fait ?

— Il était là, avec son battoir, OK ? Et il m'a dit de me pencher en avant et de poser les mains sur la table, OK ? Alors j'ai ôté mon pantalon.

— Tu as fait quoi ?

— J'ai défait ma ceinture, enlevé mon pantalon, mon caleçon, tout. J'étais nu des pieds à la taille et puis j'ai dit : "Voilà mon cul, c'est ça que vous voulez ?" »

Samuel le fixa, sidéré. « Pourquoi t'as fait un truc pareil ?

— Je lui ai demandé s'il aimait mon cul et s'il voulait le toucher.

— Je ne comprends pas pourquoi tu as fait ça.

— Tout à coup il est devenu tout bizarre.

— Ouais…

— Il m'a dévisagé un long moment et puis il m'a dit de me rhabiller. Et il m'a raccompagné en classe. C'est tout. Facile, non ?

— Comment t'as eu l'idée de faire un truc pareil ?

— Peu importe, dit Bishop. Merci de m'avoir

aidé ce soir. » Il grimpa par la fenêtre. Samuel le suivit, traversa la maison endormie sur la pointe des pieds jusqu'à la chambre d'amis, se glissa sous les couvertures, puis se ravisa et ressortit pour trouver une salle de bains et se laver les mains trois, quatre, cinq fois. Incapable de savoir si la sensation de brûlure sur ses doigts venait du poison ou de son imagination.

9

L'invitation apparut un jour dans la boîte aux lettres sous une enveloppe en papier couleur crème, lourde et carrée. Le nom de Samuel était écrit dessus d'une écriture précise et féminine.

« Qu'est-ce que c'est ? interrogea Faye. Une invitation à un anniversaire ? »

Il regarda l'enveloppe, puis sa mère.

« Une soirée pizza ? dit-elle. Sur la piste de roller ?

— Arrête.

— De qui ça vient ?

— Je ne sais pas.

— Tu devrais peut-être l'ouvrir. »

À l'intérieur, imprimée sur un carton luxueux, une invitation. Dont le papier mélangé à des éclats argentés brillait à la lumière. Les caractères semblaient avoir été pressés à la feuille d'or, ils s'enroulaient et se déroulaient en lettres cursives :

Merci de vous joindre à nous
en la cathédrale de l'Académie du Sacré Cœur
pour écouter Bethany Fall
jouer le Concerto pour violon n° 1 de Bruch

Samuel n'avait jamais reçu une invitation aussi fastueuse. Les invitations d'anniversaire de l'école étaient ordinaires, peu soignées, de vagues cartes avec des animaux ou des ballons dessus. Cette invitation-là pesait littéralement *son poids*. Il la passa à sa mère.

« On peut y aller ? » demanda-t-il.

Elle examina l'invitation et fronça les sourcils. « Qui est cette Bethany ?

— Une amie.

— De l'école ?

— En quelque sorte.

— Et tu la connais assez bien pour être invité à ça ?

— On peut y aller ? S'il te plaît ?

— Mais tu aimes la musique classique, toi ?

— Oui.

— Depuis quand ?

— Depuis je sais pas quand.

— Ce n'est pas une réponse.

— Maman.

— Le *Concerto pour violon* de Bruch ? Est-ce que tu sais ce que c'est, au moins ?

— *Maman*.

— Tout ce que je dis, c'est que je ne suis pas sûre que tu puisses réellement apprécier.

— C'est un morceau très difficile, ça fait des mois qu'elle le travaille.

— Et comment tu sais ça, toi ? »

Samuel émit alors un bruit sourd, furieux, trahissant sa frustration et son refus d'entrer dans les détails sur le sujet de cette fille, ce qui donna à peu près cela : « *Gaaargh !* »

« D'accord, dit sa mère avec un petit sourire satisfait. Nous irons. »

Le soir du concert, elle lui dit de bien s'habiller. « Imagine que c'est Pâques », dit-elle. Il revêtit donc les habits les plus chics de son placard : une chemise blanche raide et rêche, un nœud papillon noir serré autour du cou, un pantalon noir qui faisait de l'électricité statique au moindre frottement, des chaussures de ville dans lesquelles il entra avec un chausse-pied, si rigides qu'il s'arracha un bout de peau au talon. Pourquoi donc les adultes éprouvaient-ils le besoin de mettre des choses si inconfortables pour profiter des moments importants ?

Quand ils arrivèrent, la cathédrale de l'Académie du Sacré Cœur bourdonnait déjà d'agitation, des gens en costumes et robes à fleurs défilaient sous la voûte de la grande porte, on entendait les musiciens répéter depuis le parking. La cathédrale avait été bâtie sur le modèle des grandes églises européennes, en trois fois plus petit.

À l'intérieur, une large allée centrale était flanquée de part et d'autre de rutilants et massifs bancs en bois sculpté. Derrière les bancs, des torches enflammées étaient suspendues à des colonnes en pierre à près de cinq mètres au-dessus de l'assemblée. Les parents bavardaient entre eux, les hommes échangeaient des bises platoniques avec les femmes. Samuel observa ces petits baisers et vit qu'en fait les hommes n'embrassaient pas vraiment leurs joues, ils se contentaient de mimer un baiser dans une zone située autour de leur cou. Samuel se demanda si les femmes en concevaient une quelconque déception — elles s'attendaient à un baiser et ne récoltaient que de l'air.

Ils prirent place, étudièrent le programme. Bethany n'apparaissait que dans la seconde moitié.

La première moitié était réservée à des œuvres plus modestes — morceaux de musique de chambre mineurs, solos rapides. Clairement, la prestation de Bethany était le point d'orgue du spectacle. Le bouquet final. Les pieds de Samuel battaient nerveusement sur la moquette.

Les lumières se tamisèrent et les musiciens cessèrent leur échauffement chaotique, chacun prit sa place, et après une longue pause, un instrument à vent laissa échapper une note robuste derrière laquelle tous les autres s'engouffrèrent, ancrés à cette tonalité, tandis que quelque chose semblait se coincer dans la gorge de sa mère. Elle prit une grande bouffée d'air, et posa la main sur son cœur.

« C'était moi qui faisais cela, autrefois, dit-elle.

— Tu faisais quoi ?

— Je donnais le *la*. Au hautbois. Autrefois c'était moi.

— Tu jouais de la musique ? Quand ?

— *Chhh*... »

Encore un autre. Encore un secret que sa mère lui avait caché. Sa vie était un brouillard impénétrable pour lui, tout ce qui était arrivé avant lui relevait du mystère, celé sous des haussements d'épaules ambigus, de vagues abstractions et sibyllins aphorismes — « Tu es trop jeune », disait-elle. Ou bien : « Tu ne comprendrais pas. » Ou, plus agaçant encore : « Je te raconterai, un jour, quand tu seras plus grand. » Mais de temps à autre, un de ses secrets brisait ses chaînes. Sa mère avait donc été musicienne dans le passé. Il ajouta cette information à un inventaire mental baptisé *Les vies de Maman*... Musicienne. Quoi d'autre ? Quelles autres choses ignorait-il à son sujet ? Il y avait en elle des territoires immenses de secrets, c'était évident. Il avait toujours l'impression qu'elle taisait certaines choses, certaines choses qui l'empêchaient d'être tout à fait présente à sa vie. Elle arborait souvent cet air détaché, comme si un tiers d'elle-même seulement vous écoutait, tandis que le reste de son attention était tourné vers l'intérieur de sa tête.

Le plus gros de ces secrets avait fuité des années auparavant, quand Samuel était encore assez petit pour poser un tas de questions ridicules à ses parents. (Tu es déjà entrée dans un volcan ? Tu as déjà vu un ange ?) Ou pour croire à des choses impossibles. (Est-ce qu'on peut respirer sous l'eau ? Est-ce que *tous* les rennes savent voler ?) Ou simplement pour attirer l'attention, pour chercher les compliments. (Combien tu m'aimes ? Est-ce que je suis le meilleur enfant du monde ?) Ou pour être rassuré sur la place qu'il occupait dans le monde. (Tu seras toujours ma Maman ? Tu t'es déjà mariée avec quelqu'un d'autre que Papa ?) Sauf que, à cette dernière question, sa mère s'était raidie, l'avait regardé de toute sa hauteur et, sur un ton solennel et sérieux, avait déclaré : « En fait… »

Sans jamais terminer sa phrase. Il avait patienté, mais elle s'était interrompue, avait réfléchi et repris cet air morne et lointain.

« En fait quoi ? avait-il demandé.

— Rien, s'était-elle reprise. Ça n'a pas d'importance.

— Tu as déjà été mariée ?

— Non.

— Alors qu'est-ce que tu allais dire ?

— Rien. »

Samuel était donc allé poser la question à son père : « Est-ce que Maman a été mariée avant toi ?

— Quoi ?

— Je pense que Maman a été mariée avec quelqu'un d'autre avant toi.

— Non. *Seigneur.* Où as-tu été pêcher une idée pareille ? »

Quelque chose était arrivé à sa mère, il en était persuadé. Quelque chose de profond qui aujourd'hui encore, des années plus tard, continuait de la préoccuper. De temps à autre, ce quelque chose s'abattait sur elle, et elle était comme soustraite au monde.

Pendant ce temps, le concert se poursuivait. Lycéens et lycéennes jouaient leur récital de fin d'année, des morceaux de cinq à dix minutes, au niveau exact que chacun pouvait atteindre. Après chaque performance, l'assemblée applaudissait à tout rompre. De la musique agréable, facile, tonale, du Mozart essentiellement.

Puis il y eut un entracte. Les gens se levèrent et se dispersèrent : à l'extérieur, pour fumer, ou vers le buffet, pour manger un morceau de fromage.

« Pendant combien de temps tu as joué de la musique ? » demanda Samuel.

Sa mère était penchée sur le programme. Elle faisait comme si elle ne l'entendait pas. « Cette fille, ton amie, quel âge a-t-elle ?

— Mon âge, dit-il. Elle est en CM2, comme moi.

— Et elle joue avec des lycéens ? »

Il hocha la tête. « Elle est vraiment très douée. » Et il éprouva alors une sorte de fierté, comme si le fait d'être amoureux de Bethany signifiait quelque chose d'important sur *lui*. Comme s'il récoltait les fruits de sa réussite à elle. Il ne serait jamais un génie de la musique, mais il pouvait être aimé par un génie de la musique. Tel était le butin de l'amour, pensa-t-il, étrangement, son succès rejaillissait sur lui.

« Papa aussi est très doué », ajouta Samuel.

Elle le regarda d'un air perplexe. « Qu'est-ce que tu veux dire ?

— Rien. Enfin, tu sais, il est très doué dans son travail.

— Drôle de réflexion.

— Mais c'est vrai. Il est *vraiment* très doué. »

Elle le fixa un moment, médusée.

« Est-ce que tu savais, dit-elle, revenant au programme, que le compositeur de ce morceau n'en a jamais tiré un centime de son vivant ?

— Quel morceau ?

— Celui que ton amie va jouer. Le type qui l'a écrit, Max Bruch, il n'a jamais touché un sou dessus.

— Pourquoi ça ?

— Il a été floué. C'était à l'époque de la Première Guerre mondiale, il était fauché, alors il l'a donné à deux Américains qui étaient censés lui envoyer de l'argent, mais ils n'en ont jamais rien fait. La partition a disparu pendant un long moment, avant de réapparaître dans la chambre forte de J. P. Morgan.

— Qui c'est ?

— Un banquier. Un industriel. Un financier.

— Un type très très riche.

— Oui, il y a très longtemps.

— Il aimait la musique ?

— Il aimait *posséder*, dit-elle. C'est une histoire banale. Le requin de la finance s'enrichit, tandis que l'artiste meurt sans un sou.

— Il n'est pas mort sans rien, dit Samuel.

— Il était ruiné. Il n'avait même plus sa partition.

— Il en avait le souvenir.

— Le souvenir ?

— Oui. Il pouvait toujours s'en souvenir. C'est déjà ça.

— Mieux vaut avoir l'argent, si tu veux mon avis.

— Pourquoi ?

— Parce que quand tout ce qu'il te reste d'une chose, c'est son souvenir, tu ne penses plus qu'à ceci : comment tu l'as perdue.

— Je ne crois pas.

— Tu es jeune. »

Les lumières s'éteignirent à nouveau, les gens regagnèrent leurs places, le bourdonnement des bavardages cessa, et tout plongea dans le noir et le silence, la cathédrale entière sembla se fondre dans le halo de lumière devant l'autel — un spot illuminant un espace vide au sol.

« Nous y voilà », murmura sa mère.

Tout le monde attendait. Une véritable agonie. Cinq secondes, dix secondes. C'était tellement long ! Samuel se demanda si on n'avait pas oublié de prévenir Bethany que c'était à elle. Ou si elle n'avait pas oublié son violon à la maison. Mais tout à coup il entendit une porte s'ouvrir quelque part devant lui. Puis des pas, des chaussures légères sur le sol dur. Et, enfin, Bethany se glissa dans la lumière.

Elle portait une fine robe verte, les cheveux relevés en chignon, et pour la première fois elle avait l'air minuscule. Avec tous ces adultes et ces lycéens autour de lui, devant lui, c'était comme si l'échelle de Samuel avait été modifiée. Bethany avait l'air d'une enfant ici. Il s'inquiétait pour elle. C'était trop lourd pour ses frêles épaules.

Le public applaudit poliment. Puis Bethany posa son violon sous son menton. Elle étira son cou et ses épaules. Et, sans un mot, l'orchestre commença à jouer.

D'abord un battement grave, comme un orage au loin, au-delà du cercle de lumière. Que Samuel éprouvait dans sa poitrine et jusque dans ses orteils. Il transpirait. Bethany n'avait pas de partition ! Elle allait jouer de tête ! Que se passerait-il si elle oubliait les notes ? Si elle avait un trou ? Il comprenait à présent à quel point la musique était terrifiante, impitoyable — les tambours continueraient d'avancer, que Bethany joue son rôle ou non. Lentement, délicatement, les bois se joignirent aux percussions — rien d'impressionnant, trois notes, chacune plus basse que la précédente, répétées. Davantage une *préparation* qu'une mélodie. Comme s'ils apprêtaient le sanctuaire en vue de l'irruption de la musique. Comme si ces trois notes étaient un rituel nécessaire pour l'accueillir. Pas encore la musique, mais une passerelle vers la musique.

Puis Bethany se redressa, plaça son archet dans l'angle adéquat, et alors il n'y eut plus de doute, quelque chose était sur le point de se produire. Elle était prête, le public était prêt. Les bois tinrent une longue note voltigeuse qui s'évanouit peu à peu, tel un caramel étiré jusqu'au vide. Et tandis que cette note disparaissait, tandis que le noir l'avalait, Bethany en libéra une nouvelle. Qui enfla, s'amplifia, jusqu'à faire taire toutes les autres voix sous la haute voûte.

Jamais il n'y avait eu plus grande solitude que cette musique.

Les chagrins de toute une vie réunis et distillés. Grave, puis plus aiguë, une plainte lente, ascendante, puis descendante, et ainsi de suite, telle une danseuse, ondulant jusqu'en haut de la gamme, pressant le pas, préfigurant, parvenue au sommet, une forme d'abandon, de désolation. Et l'archet de Bethany, penché sur cette dernière note enfin atteinte — on aurait dit un gémissement, un visage en larmes. Un son ancien, familier, et Samuel se sentit sombrer dans cette note, se replier peu à peu autour d'elle. Et alors qu'il pensait qu'elle avait atteint le sommet, une autre note jaillit, plus haute encore, à peine une volute, le bord extrême de l'archet sur la corde la plus fine, un son infiniment délicat : net, noble, doux, ponctué d'un léger frisson du doigt de Bethany, comme si la note pulsait, vivante. Vivante, mais mourante à présent qu'elle diminuait et se décomposait. Et plutôt que faiblir, le jeu de Bethany semblait se retirer, s'éloigner. Comme dérobé. Comme si, où qu'elle aille, ils ne pouvaient la suivre, tel un fantôme passant dans l'autre monde.

Puis l'orchestre reprit l'avantage, un canon plein et profond, et il leur fallait bien toutes ces notes pour rejoindre cette minuscule jeune fille dans sa robe verte.

Le reste du concert se déroula dans une sorte de brouillard. De temps à autre, Samuel s'émerveillait d'un accord de Bethany : cette manière qu'elle avait de jouer sur deux cordes à la fois sans en léser aucune, cette mémoire qui lui permettait de jouer un morceau si long à la perfection, ces mouvements de doigts si rapides. Ce qu'elle arrivait à faire était inhumain. Vers le milieu du deuxième mouvement, Samuel était parvenu à la seule conclusion qui s'imposait : il ne pourrait jamais la mériter.

Le public se déchaîna. Ils se levèrent, acclamèrent

Bethany, la couvrirent de bouquets de roses si énormes qu'elle vacilla. Elle les tenait dans ses bras, disparaissait presque derrière les fleurs.

« Tout le monde aime les prodiges, dit sa mère, elle aussi debout, applaudissant. Les prodiges nous permettent d'échapper à l'ordinaire de nos vies. Nous pouvons nous dire que si nous n'avons rien d'exceptionnel, c'est de naissance, et c'est la meilleure des excuses.

— Elle travaille ce morceau depuis des mois.

— Mon père m'a toujours dit que je n'avais rien d'exceptionnel. Je suppose que j'ai prouvé qu'il avait raison. »

Samuel cessa d'applaudir et regarda sa mère.

Elle leva les yeux au ciel et lui tapota la tête. « Peu importe. Oublie ce que j'ai dit. Tu veux aller saluer ton amie ?

— Non.

— Pourquoi ça ?

— Elle est occupée. »

Et elle l'était en effet, entourée d'une foule qui la félicitait, amis, famille, ses parents, des musiciens.

« Tu devrais au moins lui dire qu'elle a bien joué, insista Faye. La remercier pour son invitation. Par politesse.

— Il y a déjà des tas de gens pour lui dire qu'elle a bien joué, répondit Samuel. On peut y aller maintenant ? »

Sa mère haussa les épaules. « D'accord. Si c'est ce que tu veux. »

Ils se dirigèrent donc vers la sortie, avançant lentement à travers la mer de ceux qui sortaient aussi, Samuel se faufilant entre les hanches des uns, les pantalons des autres, quand il entendit son nom derrière lui. Bethany qui criait son nom. Il se retourna et la vit fendre la foule pour le rattraper, et lorsque enfin elle l'eut atteint, elle se pencha vers lui, sa joue contre la sienne, et il se dit qu'il était donc censé lui donner l'un de ces faux baisers qu'il avait vu les hommes faire plus tôt, mais elle lui murmura à l'oreille : « Viens ce soir. Fais le mur.

— D'accord », dit-il. Cette chaleur sur son visage. Elle aurait pu lui demander n'importe quoi, il aurait accepté.

« J'ai quelque chose à te montrer.

— Quoi ?

— La cassette que tu m'as donnée ? Ce n'est pas juste du silence. *Il y a autre chose.* »

Elle recula. Elle n'avait plus cet air minuscule qu'elle avait sur scène. Elle était de nouveau Bethany, dans ses proportions normales : élégante, sophistiquée, féminine. Soutenant son regard, souriant.

« Il faut que tu entendes ça », dit-elle. Puis elle s'en alla, retourna vers ses parents et son cercle d'admirateurs transis.

Sa mère lui jeta un regard suspicieux, mais il l'ignora. Il passa devant elle, sortit de l'église et s'engouffra dans la nuit, boitant un peu dans ses chaussures dures comme du bois.

Cette nuit-là, il resta allongé dans son lit jusqu'à ce que tous les bruits de la maison aient disparu — sa mère s'affairant dans la cuisine, son père devant la télévision en bas, le chuintement de la porte de leur chambre quand sa mère alla se coucher. Le cliquètement électrique de la télévision qui s'éteignait. Le bruit de l'eau dans le lavabo, de la chasse d'eau. Puis plus rien. Il attendit encore vingt minutes, juste pour être sûr, et il ouvrit sa porte, tournant la poignée fermement pour éviter le moindre bruit métallique, parcourut le couloir d'un pas léger, enjamba la partie qui grinçait sur le palier, dont il connaissait l'emplacement exact même dans le noir total, descendit l'escalier, posant les pieds aussi près du mur que possible pour éviter tout craquement, puis, prenant son temps, dix minutes complètes, il ouvrit la porte d'entrée — légère traction, *tic* discret, long silence, nouveau *tic* —, l'ouvrit centimètre par centimètre jusqu'à ce que l'ouverture soit assez large pour qu'il puisse s'y glisser.

Finalement, une fois libéré, il se mit à courir ! Il fendit l'air pur de la nuit, courut tout le long du pâté de maisons, jusqu'au ruisseau, avant de s'enfoncer dans les bois qui séparaient le Village Vénitien du reste du monde. L'univers tout entier ne résonnait que de ses pas et de son souffle, et lorsqu'il avait peur — de se faire prendre, des animaux dangereux de la forêt, des tueurs à la hache, des kidnappeurs, des trolls, des fantômes — il fixait ses pensées sur l'haleine chaude et humide de Bethany dans son oreille.

Quand il arriva, sa chambre était plongée dans le noir, sa fenêtre fermée. Samuel resta assis dehors durant un long moment, le temps de reprendre son souffle, à observer la maison, à se répéter qu'aucun parent n'était debout à cette heure, qu'aucun voisin ne le surprendrait en train de se faufiler dans le jardin, ce qu'il fit, lorsqu'il se décida enfin, à une vitesse incroyable, sans un bruit, en courant sur la pointe des pieds, puis il s'accroupit sous la fenêtre de Bethany et tapota la vitre du bout des doigts jusqu'à ce qu'elle émerge de l'obscurité.

Dans la pénombre de la nuit, il ne voyait d'elle

que des encoches : l'arête de son nez, une mèche de cheveux, une clavicule, une orbite. Elle n'était plus qu'un puzzle éparpillé flottant dans l'encre. Elle ouvrit la fenêtre et il grimpa à l'intérieur, basculant par-dessus le cadre en grimaçant quand le métal lui mordit le torse.

« *Pas de bruit* », dit quelqu'un d'autre que Bethany, quelque part dans le noir. Bishop. Après un instant de confusion, Samuel comprit que Bishop se trouvait dans la pièce, et en conçut autant de déception que de soulagement. Qu'aurait-il fait tout seul dans cette chambre avec Bethany ? Il l'ignorait, et pourtant, quoi que ce soit, il aurait bien aimé le savoir. Être seul avec elle, il en avait tellement envie.

« Salut, Bish, dit Samuel.

— On joue à un jeu, dit Bishop. Ça s'appelle : Écoute le silence jusqu'à ce que l'ennui te rende complètement dingue.

— La ferme, dit Bethany.

— T'as raison, ça s'appelle : Endors-toi au son d'une cassette vide.

— Ce n'est pas vide.

— C'est complètement vide.

— Ce n'est pas *que* vide, dit-elle. Il y a autre chose.

— C'est toi qui le dis. »

Samuel ne les voyait pas — dans la chambre, le noir était total. Il sentait leur présence, des ombres plus claires que l'obscurité. Il tenta de se repérer à l'intérieur de sa chambre, reconstituant le décor de mémoire : le lit, le placard, les fleurs au mur. Au plafond, il y avait des étoiles fluorescentes que Samuel n'avait jamais remarquées auparavant. Puis il perçut les pas, le frottement des étoffes et le léger couinement du sommier quand Bethany s'assit sur son lit, tout près de là où Bishop semblait être lui aussi, à côté du lecteur de cassettes qu'elle écoutait souvent le soir, seule, rembobinant toujours les mêmes passages d'une symphonie, ce que Samuel savait à force de l'épier.

« Viens ici, dit Bethany. Il faut que tu sois tout près. » Il monta donc sur le lit à son tour, se rapprocha d'eux à tâtons et sentit quelque chose sous sa main, quelque chose d'osseux et de froid, une jambe sans aucun doute, à l'un ou à l'autre.

« Écoute, dit-elle. Écoute bien attentivement. »

Le lecteur de cassettes cliqueta, Bethany se renfonça dans le lit, les draps l'enveloppant, puis on entendit le vide au tout début de la cassette juste avant que l'enregistrement commence.

« Tu vois, dit Bishop. Rien.

— Attends. »

Le son était lointain, étouffé, comme quand on ouvre un robinet et que l'eau s'engouffre dans les tuyaux enterrés.

« Là, dit Bethany. Tu entends ? »

Samuel fit non de la tête, puis il se rappela qu'elle ne pouvait pas le voir. « Non, dit-il.

— Le voilà, dit-elle. Écoute. C'est un son *sous* les sons. Il faut écouter ce qu'il y a en dessous.

— Tu racontes n'importe quoi, dit Bishop.

— Ignore ce que tu entends, écoute le reste.

— Quel reste ?

— *Eux*, répondit-elle. Les gens, le public, la pièce. On les entend. »

Samuel écoutait de toutes ses forces. Il baissa la tête vers le lecteur et plissa les yeux — comme si cela pouvait aider —, tentant de saisir un son ou un autre, cohérent sous le vide : paroles, toux, respirations.

« Je n'entends rien du tout, répéta Bishop.

— Tu n'es pas concentré.

— Bien sûr. Ça doit être ça.

— Il faut que tu te concentres.

— D'accord, alors je vais essayer de me concentrer. »

Ils écoutèrent le sifflement qui sortait de l'enceinte. Samuel était désolé de n'avoir rien entendu non plus.

Bishop dit : « Regardez-moi, un concentré de Bishop.

— Tu vas la fermer, oui ?

— Je n'ai jamais été aussi concentré de ma vie.

— S'il te plaît. La ferme.

— Te concentrer, tu dois, dit-il. Sentir la force, tu dois.

— Tu peux t'en aller, si tu veux. T'as qu'à te barrer.

— Avec joie, répondit Bishop en sautant du lit. Profitez bien de votre rien. »

La porte de la chambre s'ouvrit et se referma, les laissant seuls tous les deux, Samuel et Bethany, enfin seuls, terriblement seuls. Il resta assis, figé comme une statue.

« Maintenant, écoute.

— D'accord. »

Il tourna la tête dans la direction du son et se pencha. Le vide n'était pas un son aigu, c'était plus profond. On aurait dit un micro captant l'atmosphère d'un stade vide — le silence recelait un contenant, une rondeur. C'était un silence substantiel. Pas uniquement le son d'une pièce vide, plutôt le résultat d'une élaboration complexe de vide. Une création. Une *fabrication*.

« Là, écoute, murmura Bethany. Ils sont là.

— Les gens ?

— On dirait des fantômes dans un cimetière, dit-elle. On ne les entend pas d'une manière normale.

— Décris-les-moi.

— Ils semblent inquiets. Et perdus. Ils pensent qu'on est en train de les duper.

— Tu entends tout ça ?

— Oui, dans la rigidité du son. C'est comme ces toutes petites cordes très tendues en haut du piano. Celles qui ne vibrent jamais. Les sons blancs. C'est à cela que ces gens ressemblent. À de la glace. »

Samuel tenta d'entendre quelque chose qui y ressemblât, un bourdonnement plus aigu à l'intérieur même du vide ronronnant, persistant.

« Mais de temps en temps, cela change. Essaie d'entendre les variations. »

Il persistait, mais tout ce qu'il entendait, c'était un son qui sonnait comme d'autres sons : de l'air s'échappant d'un pneu de vélo, les pales d'un petit ventilateur, de l'eau s'écoulant derrière une porte fermée. Rien d'original. Rien que sa propre bibliothèque de sons résonnant dans son cerveau.

« Là, dit-elle. Le son se réchauffe. Tu entends ? C'est plus chaud, plus dense. Amplifié, éclos. Ils commencent à comprendre.

— À comprendre quoi ?

— Que peut-être ce n'est pas une mauvaise blague. Que peut-être on ne se moque pas d'eux en fait. Que peut-être ils ne sont pas extérieurs. Ils commencent à comprendre. Que peut-être ils font partie de l'expérience. Ils commencent à comprendre qu'ils ne sont pas venus là pour écouter de la musique. Ils commencent à comprendre qu'*ils sont la musique*. Qu'ils sont ce qu'ils sont venus chercher. Et ils en sont exaltés. Tu entends ?

— Oui, mentit Samuel. Ils sont heureux.

— Ils *sont* heureux. »

Et Samuel eut l'impression qu'il pouvait vraiment les entendre. C'était le même genre d'hallucination volontaire que lorsque, la nuit, il parvenait à se convaincre d'avoir entendu des intrus dans la maison, des fantômes, et que chaque son qui résonnait dans la maison venait le lui prouver. Ou encore ces jours où l'idée d'aller à l'école lui semblait si insupportable qu'il arrivait à se persuader qu'il était malade, à se sentir physiquement malade, au point qu'il se demandait comment la nausée pouvait être si réelle si elle était le fruit de sa propre création. C'était tout à fait la même chose avec ce son qu'il était censé entendre. Plus il y pensait, plus le vide résonnait et se réchauffait effectivement, jusqu'à devenir un vide bienheureux. Le son prit son expansion dans son esprit, il s'ouvrit et se consuma.

Était-ce là son secret ? se demanda-t-il. *Voulait-elle* simplement entendre ce que les autres ne pouvaient pas entendre ?

« Je l'entends maintenant, dit-il. Il suffit de le prendre en chasse.

— Oui, dit-elle. C'est exactement ça. »

Il sentit sa main lui saisir l'épaule et serrer, puis ses mouvements se rapprochèrent de lui, les vibrations et les vagues du matelas, les craquements du sommier le cernaient tandis qu'elle ondulait vers lui. Tout près. Il entendait sa respiration, sentait son haleine de dentifrice. Mais plus encore qu'il ne la sentait, il *éprouvait* sa présence, cette façon de déplacer l'air autour d'elle, d'émettre de l'électricité, cette proximité avec un autre corps, une sorte de magnétisme, son cœur qui s'emballait, tout cela lui parvenait comme une impression distillée dans l'espace, une intuition, et puis finalement comme une chose bien réelle, la chair de son visage assez proche désormais pour en saisir l'essence.

Ils étaient, comprit-il, sur le point de s'embrasser.

Ou plutôt, elle était sur le point de l'embrasser. *C'était en train d'arriver.* Il devait juste ne pas commettre d'impair. Mais à ce moment, entre l'instant où il comprenait qu'elle s'apprêtait à l'embrasser et celui où elle l'embrasserait, il semblait y avoir une infinité de façons de tout gâcher. Tout à coup il avait désespérément besoin de s'éclaircir la gorge. Et de se gratter la nuque, pile à la naissance des épaules, cet endroit qui le démangeait chaque fois qu'il était nerveux. Et il ne voulait pas non plus s'avancer pour l'embrasser de peur de lui cogner les dents dans le noir. Mais dans son intention de ne pas lui cogner les dents, il sembla carrément reculer et eut peur que Bethany prenne sa prudence pour de la réserve, une envie de *ne pas* l'embrasser, et s'arrête. Il avait également un problème de respiration. Quand respirer ? Son premier instinct était de retenir sa respiration, mais il songea ensuite que si jamais elle mettait trop longtemps à s'approcher ou s'ils s'embrassaient pendant trop longtemps, il risquerait de manquer d'air et d'être obligé d'interrompre le baiser pour en reprendre, et de lui cracher ses poumons au visage ou même dans la bouche. Dans ce minuscule laps de temps, toutes ces pensées se bousculaient simultanément, et les plus rudimentaires de ces mouvements, ses fonctions vitales les plus automatiques — rester assis bien droit, se taire, respirer —, devinrent une véritable épreuve à l'idée de ce baiser, raison pour laquelle, lorsque le baiser commença réellement, cela lui sembla un miracle.

Ainsi donc, ce que Samuel ressentit le plus fort durant ce baiser fut le soulagement qu'il ait enfin lieu. Et les lèvres sèches et gercées de Bethany. Curieux détail. Que Bethany ait les lèvres gercées. Cela le surprit. Dans son imagination, Bethany flottait bien au-delà de ces considérations terre à terre. Elle ne paraissait pas le genre de fille dont les lèvres puissent gercer.

Sur le chemin du retour cette nuit-là, il n'en revenait pas que tout semble exactement identique, sans qu'on puisse déceler en rien à quel point le monde avait changé en profondeur, radicalement.

10

Le premier livre que Samuel écrivit fut une Histoire dont vous êtes le héros : *Le Château sans retour*. Il faisait douze pages. Il l'illustra lui-même. Point de départ : vous êtes un courageux chevalier traversant un château hanté pour sauver une belle princesse. Un classique du genre. Il était même sûr d'avoir déjà lu quelque chose de très approchant dans l'une des nombreuses Histoires dont vous êtes le héros alignées sur les étagères de sa chambre. Il avait bien essayé de produire quelque chose de mieux, de plus original. Assis en tailleur par terre dans sa chambre, il avait longuement fixé les livres devant lui et finalement décidé qu'il y avait là tout l'éventail des possibilités humaines, un spectre narratif complet. Et plus aucune autre histoire à raconter. Toutes les idées qui lui venaient étaient soit trop basiques, soit trop stupides. Et son livre *ne pouvait pas être stupide*. Les enjeux étaient trop importants. Tous les élèves de sa classe écrivaient un livre, c'était un concours, tout le monde participait et le gagnant verrait son livre lu à voix haute devant toute la classe par le professeur.

Le Château sans retour était donc un dérivé. Et

alors ? Il pouvait raisonnablement espérer que ses camarades n'avaient pas encore épuisé tous les tropes narratifs classiques. Et au contraire, il avait une chance que le schéma familier de son histoire les rassure à la manière des vieux jouets ou des vieilles couvertures qu'ils cachaient parfois dans leurs sacs à dos.

Ensuite, il y avait le problème de l'intrigue. Les Histoires dont vous êtes le héros partent dans un sens, puis bifurquent, reviennent en arrière, repartent de l'autre côté, et chaque histoire est en fait contenue dans un schéma narratif unifié — plusieurs histoires en une. Mais son premier jet ressemblait davantage à une ligne droite avec six impasses et des choix qui n'en étaient pas réellement : Voulez-vous aller à gauche ou à droite ? (Si vous allez à gauche, *vous mourrez* !)

Il espérait que ses camarades lui pardonneraient ces faiblesses — le schéma narratif plagiaire, la pauvreté des intrigues multiples — pourvu qu'il parvienne à inventer des morts vraiment intéressantes, vraiment créatives, vraiment amusantes. Il s'y employa donc. Et il s'avéra particulièrement doué pour tuer ses personnages. Dans une des fins possibles impliquant une porte piégée et un précipice sans fond, Samuel avait écrit : « Vous tombez, vous tombez pour toujours, et même une fois ce livre refermé, votre dîner avalé, la nuit passée dans votre lit, en vous réveillant demain matin, vous tomberez toujours » — et il en était absolument époustouflé. Il se servit aussi de toutes les histoires de fantômes que sa mère lui racontait, toutes ces légendes norvégiennes qui le terrifiaient. Il fit apparaître dans son histoire un mystérieux cheval blanc qui offrait au lecteur de monter sur son dos, si le lecteur acceptait, une mort atroce survenait presque aussitôt. Dans une autre fin, le lecteur devenait un fantôme prisonnier d'une feuille, trop mauvais pour aller au paradis, trop bon pour aller en enfer.

Il tapa les pages de son livre sur la vieille machine à écrire de sa mère, laissa de la place pour les illustrations, qu'il dessina au crayon et au stylo. Il relia le livre avec un rectangle de carton et du tissu bleu, et écrivit, en s'appuyant sur une règle pour écrire bien droit, *Le Château sans retour* sur la couverture.

Et peut-être était-ce à cause des illustrations ? Ou bien à cause de la magnifique reliure bleue ? Ou peut-être encore — et il gardait dans un coin de son esprit l'idée que c'était possible — était-ce l'écriture elle-même, la créativité des morts, la vision unique, le fait d'utiliser, plutôt que le mot « Prologue », le mot « Prolégomènes » qu'il avait déniché dans un dictionnaire des synonymes et qu'il trouvait absolument génial. Il n'était pas absolument sûr de ce qui avait convaincu Mlle Bowles, mais elle était conquise. Il gagna. *Le Château sans retour* fut lu devant toute la classe tandis que, assis derrière son bureau, il s'efforçait de ne pas exploser.

Il n'avait jamais rien fait d'aussi génial de toute sa vie.

Lorsqu'un matin sa mère, venant le réveiller dans sa chambre, lui demanda de manière étrange : « Qu'est-ce que tu veux faire quand tu seras grand ? », encore tout irradié de sa victoire littéraire, il répondit, assez sûr de lui : « Romancier. »

La lumière au-dehors était d'un bleu pâle. Ses yeux étaient encore lourds et brumeux.

« Romancier ? » dit-elle avec un sourire.

Il opina. Oui, romancier. Il avait pris cette décision durant la nuit, en se remémorant son instant de gloire. Ce moment où un murmure de satisfaction avait parcouru la classe quand la princesse avait été sauvée. Leur gratitude, leur amour. À les regarder naviguer à l'intérieur de son histoire — surpris là où il avait ménagé des surprises, pris aux pièges qu'il avait tendus —, il s'était senti tel un dieu omniscient, possédant toutes les réponses aux grandes questions des pauvres mortels. Ce sentiment-là avait le pouvoir de le faire exister, de le combler. Romancier, décida-t-il, il serait aimé.

« Bien, dit sa mère. Alors il faut que tu deviennes romancier.

— D'accord », dit-il, les yeux mi-clos, à moitié endormi, ne saisissant toujours pas la profonde étrangeté de cette question, de sa mère tout habillée, une valise à la main, déboulant dans sa chambre à l'aube pour l'interroger sur ses projets, son avenir, alors qu'elle n'avait jamais posé la question auparavant. Mais Samuel se laissa porter comme on se laisse porter par le début d'un rêve étrange dont l'étrangeté ne s'éclaircit qu'une fois le rêve achevé.

« Tu écris tes livres, dit-elle. Je les lirai.

— D'accord. » Il voulait montrer *Le Château sans retour* à sa mère. Il lui montrerait son dessin du cheval blanc. Et le coup du précipice sans fond dont il était si fier.

« J'ai quelque chose à te dire », commença-t-elle. Elle paraissait exagérément formelle tout à coup, comme si elle avait répété cette phrase plusieurs fois. « Je vais m'en aller pendant quelque temps, et je veux que tu sois bien sage en mon absence.

— Tu vas où ?

— Il faut que je retrouve quelqu'un, dit-elle. Quelqu'un que j'ai connu il y a très longtemps.

— Un ami ?

— J'imagine », répondit-elle. Elle posa une paume de main froide sur sa joue. « Mais il ne faut pas que tu t'inquiètes pour ça. Ni pour rien d'autre d'ailleurs. Tu ne dois plus avoir peur. C'est ça que je voulais te dire. N'aie pas peur. Tu peux faire ça pour moi ?

— Ton ami a disparu ?

— Pas vraiment. C'est juste qu'on ne s'est pas vus depuis longtemps.

— Pourquoi ?

— Parfois », dit-elle, puis elle s'interrompit, détourna le regard et son visage se chiffonna.

« Maman ?

— Parfois, on se trompe de chemin, dit-elle. Parfois, on se perd. »

Samuel se mit à pleurer. Sans savoir pourquoi. Il essaya de s'arrêter.

Elle le prit dans ses bras, « Tu es tellement sensible », et le berça un moment. Il se blottit contre sa peau douce jusqu'à ce que les sanglots cessent et qu'il s'essuie le nez.

« Pourquoi tu dois partir *maintenant* ? demanda Samuel.

— C'est le moment, c'est tout, mon chéri.

— Mais pourquoi ?

— Je ne sais pas comment expliquer », dit-elle. Elle fixa le plafond de cet air désespéré, puis sembla rassembler ses esprits. « Est-ce que je t'ai déjà parlé du fantôme qui a l'air d'une pierre ?

— Non.

— Mon père m'a raconté cette histoire. Il disait

qu'on en voyait parfois sur la plage chez lui. Qu'ils avaient l'air de rochers normaux, des pierres couvertes de mousse verte.

— Et comment on sait que c'est un fantôme ?

— C'est impossible, à moins de l'emporter sur l'océan. Si on l'emporte en mer, plus on s'éloigne du rivage, plus il devient lourd. Et si on dérive vraiment loin, le fantôme fait couler le bateau. Cela s'appelle *une pierre de noyé*.

— Pourquoi noyer les gens ?

— Je ne sais pas. Peut-être que c'est un fantôme en colère. Peut-être que quelque chose de terrible lui est arrivé. Ce qu'il y a, c'est qu'il devient trop lourd à porter. Et plus on s'acharne à vouloir le porter, plus il grossit et grandit. Parfois il pénètre même les gens et grossit en eux jusqu'à ce qu'on ne puisse plus le contenir. Inutile de lutter. On... coule. » Elle se leva. « Tu comprends ?

— Je crois, dit-il en hochant la tête.

— Tu comprendras, dit-elle. Je sais que tu comprendras. Souviens-toi de ce que je t'ai dit.

— De ne plus avoir peur.

— C'est ça. » Elle se pencha et l'embrassa sur le front, le tint serré contre elle, comme si elle le respirait. « Maintenant rendors-toi, dit-elle. Tout ira bien. Mais souviens-toi : n'aie pas peur. »

Il entendit ses pas disparaître au bout du couloir. L'entendit descendre l'escalier en transportant sa valise. Il entendit le moteur démarrer, la porte du garage s'ouvrir et se refermer. La voiture s'éloigner.

Samuel s'efforça d'obéir à sa mère. S'efforça de se rendormir et de ne pas avoir peur. Mais il y avait ce sentiment de panique insoutenable qui montait en lui, alors il sortit de son lit, courut jusqu'à la chambre de ses parents et trouva son père endormi, roulé en boule, dos à la pièce.

« Papa, dit Samuel en le secouant. Réveille-toi. »

Henry loucha vers son fils. « Qu'est-ce que tu veux ? marmonna-t-il d'une voix ensommeillée. Quelle heure il est ?

— Maman est partie », dit Samuel.

Henry leva sa tête encore lourde. « Hein ?

— Maman est partie. »

Son père regarda le côté vide du lit. « Où est-ce qu'elle est allée ?

— Je ne sais pas. Elle a pris la voiture et elle est partie.

— Elle a *pris la voiture* ? »

Samuel hocha la tête.

« D'accord, dit Henry en se frottant les yeux. Descends. J'arrive dans une minute.

— Elle est partie, dit Samuel.

— J'ai compris. Descends, je te dis. »

Samuel alla donc attendre son père dans la cuisine jusqu'à ce qu'il entende quelque chose tomber dans la chambre de ses parents. Il monta l'escalier quatre à quatre et ouvrit la porte à toute volée, son père était debout, figé, raide, le visage cramoisi comme jamais. La porte du placard de Faye était ouverte, certains de ses vêtements éparpillés au sol.

Mais ce ne serait pas des vêtements que Samuel garderait le souvenir le plus net, ni du bruit de chute, ni des éclats d'un petit vase qui avait été jeté contre le mur de manière manifestement violente. Ce dont il se souviendrait le plus clairement, même des décennies plus tard, ce serait ce rouge sur le visage de son père : profond et vif, et qui descendait jusqu'au cou, jusqu'au torse même. La couleur du danger.

« Elle est partie, dit-il. Avec toutes ses affaires. Comment elle a pu emporter toutes ses affaires ?

— Je l'ai vue partir avec une valise, dit Samuel.

— Va à l'école, reprit son père sans le regarder.

— Mais…

— Ne discute pas.

— Mais…

— *Vas-y !* »

Samuel ne savait pas ce que cela signifiait, que sa mère soit « partie ».

Partie où ? Partie loin ? Pour revenir quand ?

Sur le chemin de l'école, Samuel se sentait à des lieues de son environnement, comme s'il regardait le monde à travers des jumelles tenues à l'envers — debout à l'arrêt de bus, montant dedans, assis, regardant par la fenêtre, entendant sans vraiment les comprendre les autres enfants autour de lui, fixant une tache d'eau sur la vitre, le paysage défilant au-dehors dans un brouillard indistinct. L'effroi montait en lui, et en se concentrant sur une toute petite chose, comme une tache d'eau, il avait l'impression de le tenir à distance. Il fallait qu'il arrive à l'école. Qu'il parle à Bishop, qu'il dise à Bishop ce qui s'était passé. Bishop allait l'aider à rester à flot, il en était sûr. Bishop saurait quoi faire.

Mais Bishop n'était pas à l'école. Ni devant son casier. Ni derrière sa table.

Parti.

Bishop était parti.

Ce mot, encore : qu'est-ce que cela voulait dire, d'être parti ? Tout le monde disparaissait. Assis sur sa chaise, Samuel étudiait le bois de son bureau et ne réagit même pas quand Mlle Bowles appela son nom, le rappela, une troisième fois, ne releva même pas les rires de la classe autour de lui, ni même Mlle Bowles s'avançant dans la rangée d'un pas lent jusqu'à sa table, et pas davantage lorsqu'elle se planta juste devant lui et attendit pendant que les autres bavardaient en arrière-plan. Ce n'est que lorsqu'elle le toucha, lorsqu'il eut un contact physique avec elle, sa main sur son épaule, qu'il tressaillit et s'arracha à l'étude du grain du bois de sa table dans laquelle il était entièrement absorbé. Et quand Mlle Bowles s'écria : « Trop aimable de te joindre à nous », sur son ton moqueur et que la classe éclata de rire, il ne fut même pas mortifié. Même pas embarrassé. Son malheur semblait submerger tout le reste — tous ses soucis habituels, enfouis. Partis.

Par exemple : à la récréation, il s'en alla. Il se contenta de s'éloigner. Il marcha vers la balançoire la plus lointaine, puis continua. Sans s'arrêter. Cela ne lui était jamais venu à l'esprit qu'il pouvait juste ne pas s'arrêter. Tout le monde s'arrêtait. Mais sa mère partie, toutes les règles normales qui régissaient le monde s'effondraient. Si elle pouvait s'en aller, pourquoi pas lui ? Alors il le fit. Il s'en alla, surpris que ce soit si facile. Il marcha le long du trottoir, n'essaya même pas de courir ou de se cacher. Il marchait au vu et au su de tous, et personne ne tenta de l'arrêter. Personne ne dit un seul mot. Il dériva simplement. C'était une réalité nouvelle. Peut-être sa mère s'était-elle fait cette même réflexion. Si facile de partir. Qu'est-ce qui retenait les gens dans leur orbite quotidienne ? Rien, comprenait-il à présent, pour la première fois. Il n'y avait rien qui empêche qui que ce soit de décider, un jour, de disparaître.

Il poursuivit son chemin. Durant des heures, les yeux fixés au sol, songeant à la comptine *Un pas en avant, trois pas en arrière*, se la répétant jusqu'au moment où il atteignit finalement les grilles du Village Vénitien, se glissa entre les barreaux sans même accorder un regard à la vitre du vigile, avançant droit devant lui, et si le vigile le vit, il ne réagit pas, au point que Samuel se demanda si, au milieu de tout cela, il n'était pas bel et bien devenu invisible, tant l'absence de réaction du monde autour de lui était étrange, alors qu'il en enfreignait toutes les règles. Et tandis qu'il arpentait l'asphalte lisse de la Via Veneto, il songeait à tout cela, jusqu'à ce que, parvenu au sommet de la petite colline, il voie, au fond du cul-de-sac, en face de la maison de Bishop, deux voitures de police.

Samuel cessa de marcher. Immédiatement il eut peur que ce soit *lui* que la police était venue chercher. En un sens, il en était soulagé. Et réconforté. Car cela signifiait qu'il ne pouvait pas disparaître comme cela. Il se joua la scène mentalement : l'appel de l'école à son père, son père fou d'inquiétude, appelant la police, la police demandant où Samuel aurait pu aller, son père leur répondant *Chez Bishop !* parce que son père était au courant de l'existence de Bishop, il l'avait déposé ici, il s'en serait souvenu, c'était un bon père, un père aimant et attentif, à qui il ne viendrait jamais à l'esprit de s'en aller.

Samuel était dévasté. Qu'avait-il fait à son père ? Dans quelles affres l'avait-il plongé ? Il se figurait son père, attendant à la maison, seul, sa femme et son fils, tous les deux, disparus *le même jour*. Samuel s'avança alors vers la maison de Bishop, marchant d'un bon pas : pour se livrer, pour qu'on le raccompagne et qu'il retrouve son père, qui devait être malade d'inquiétude. C'était la seule chose à faire, il le savait.

Et ce n'est qu'en arrivant au niveau de la maison du proviseur qu'il remarqua quelque chose d'autre, quelque chose qui l'arrêta. Autour du petit poteau où reposait auparavant le bloc de sel empoisonné était tendu un ruban jaune brillant. Fixé à quatre piquets dans le sol, formant un carré, le poteau vide à l'intérieur. Le ruban portait une inscription qui, même emberlificotée, était toujours lisible : POLICE ACCÈS INTERDIT.

Samuel jeta un œil au jacuzzi du proviseur et vit d'autres rubans là-bas, tout autour de la piscine et du jacuzzi. La scène dans sa tête changea du tout au tout : la police le recherchait, mais ce n'était pas parce qu'il avait quitté l'école.

Il se mit à courir. Vers la forêt. La rivière. Il atterrit en s'éclaboussant sur la rive, reprit son souffle au milieu des feuilles pourries, des graviers humides, ses pieds sautant de flaque en flaque. Le soleil ne parvenait pas à transpercer la canopée au-dessus de lui, les arbres se coloraient de cette brume bleutée de la mi-journée. Et c'est là qu'il vit Bishop, exactement là où il s'attendait à le trouver : dans le grand chêne près de l'étang, perché sur la première branche robuste, caché par la pénombre qui ne laissait paraître que ses pieds, que Samuel ne vit que parce qu'il les guettait. Bishop descendit de l'arbre et atterrit au sol en faisant pleuvoir quelques feuilles au moment même où Samuel arrivait.

« Hé, Bish, dit-il.

— Hé. »

Ils s'examinèrent du coin de l'œil un moment, sans savoir quoi dire.

« Tu devrais pas être à l'école ? demanda Bishop.

— Je suis parti. »

Bishop hocha la tête.

« J'arrive de chez toi, dit Samuel. La police était là.

— Je sais.

— Qu'est-ce qu'ils veulent ?

— Aucune idée.

— C'est à propos du proviseur ?

— Peut-être.

— Du jacuzzi ?

— Possible.

— Qu'est-ce qu'ils vont nous faire ? »

Bishop sourit. « Trop de questions, dit-il. Allez, à l'eau. »

Il ôta ses chaussures sans défaire les lacets, enleva ses chaussettes, les jeta en boule par terre. La boucle de sa ceinture cliqueta, puis il baissa son jean, retira sa chemise et fila vers l'eau en faisant de son mieux pour éviter les cailloux pointus, les branches, tout en jambes et bras maigres, dans son caleçon camouflage deux tailles trop grand pour lui. Quand il atteignit l'étang, il escalada une souche et fit une bombe dans l'eau, atterrit avec un grand cri, puis reparut à la surface en lançant : « En avant, soldat ! »

Samuel le suivit, prudemment : il défit ses chaussures, les posa à un endroit où elles resteraient au sec. Tira sur ses chaussettes, qu'il fourra dans ses chaussures. Ôta son jean, sa chemise, les plia et les déposa sur ses chaussures. Il agissait de manière réfléchie avec ses affaires. Comme à son habitude. Quand il atteignit l'étang, au lieu de sauter, il fendit la surface, grimaçant tandis que le froid lui saisissait les chevilles, puis les genoux et la taille, et que l'eau gagnait peu à peu ses sous-vêtements et lui glaçait la peau.

« C'est plus facile en sautant d'un seul coup, dit Bishop.

— Je sais, dit Samuel, mais je ne peux pas. »

Lorsque enfin il eut de l'eau jusqu'au cou, la douleur cessa, et Bishop enchaîna : « Bien. D'accord. Alors maintenant voilà le topo. » Et il brossa à grands traits les règles du jeu auquel ils allaient jouer. Année : 1836. Lieu : la frontière avec le Mexique. Époque : la Révolution texane. Ils seraient des éclaireurs dans l'armée de Davy Crockett, coincés derrière les lignes mexicaines où ils étaient venus espionner l'ennemi. En possession d'informations cruciales sur l'armée de Santa Anna, qu'il leur fallait à présent rapporter à Crockett. Le sort d'Alamo était entre leurs mains.

« Mais les ennemis sont partout, dit Bishop, et nous n'avons plus grand-chose à manger. »

Ses connaissances en matière de guerres américaines étaient très complètes, impressionnantes, inquiétantes. Quand il jouait à la guerre, il jouait à fond. Combien de fois s'étaient-ils entre-tués autour de cet étang ? Des centaines de morts, des milliers de balles tirées, projetées en même temps que les postillons qui s'échappaient de leur bouche mimant le fracas des tirs, le *ta-ta-ta-ta* de la mitraillette. Planqués derrière les arbres, criant « Je t'ai eu ! ». L'étang était devenu un lieu sacré, une terre vénérable, une eau bénite. Ils s'y paraient d'une sorte de solennité, comme quand on entre dans un cimetière, sauf qu'ici c'était celui où ils étaient morts de mille morts imaginaires.

« Quelqu'un arrive, dit Bishop, le doigt pointé devant lui. Des troupes mexicaines. Si jamais ils nous prennent, ils nous tortureront pour nous soutirer des informations.

— Mais on ne dira rien, rebondit Samuel.

— Non, on ne dira rien.
— Car on s'est entraînés.
— C'est exact. » C'était un aspect qui lui tenait à cœur : d'après Bishop, les militaires de l'armée américaine subissaient un entraînement aussi intense que mystérieux qui leur permettait de résister, entre autres choses, à la douleur, à la peur, aux pièges et à la noyade. Samuel s'était d'ailleurs interrogé : comment pouvait-on s'entraîner à ne pas se noyer ? Bishop avait répondu que c'était confidentiel.

« Cache-toi », dit Bishop, avant de plonger sous l'eau. Samuel, la tête dépassant à la surface, regarda dans la direction qu'il avait pointée, mais ne vit rien. Il tenta d'imaginer les troupes ennemies avançant sur leur position, tenta de convoquer la peur qu'il ressentait d'habitude pendant ces jeux, tenta de se représenter les méchants, ce qui, jusqu'ici, avait toujours été très facile. Ces méchants, quels qu'ils soient ce jour-là — espions soviétiques, Viêt-cong, tuniques rouges, stormtroopers —, il leur suffisait de prononcer leurs noms pour les voir apparaître devant eux. Leur imagination se confondait avec le monde réel. D'habitude, c'était si simple qu'il n'avait même jamais eu à y penser, jusqu'à ce moment, où cela avait cessé de fonctionner. Il ne voyait rien, ne ressentait rien.

Bishop sortit la tête de l'eau et vit Samuel les yeux fixés dans le vide, sur les arbres.

« Hé ho ? Soldat ? appela-t-il. On veut se faire prendre ?
— Ça ne marche pas, dit Samuel.
— Qu'est-ce qui ne marche pas ?
— Mon cerveau.
— Qu'est-ce qui ne va pas ? » demanda Bishop.

L'esprit de Samuel était submergé. Il ne voyait qu'une chose : sa mère, ou plutôt son absence. Elle agissait comme un brouillard, obstruant tout le reste. Il n'arrivait même pas à faire semblant.

« Ma mère est partie », dit-il, et alors même qu'il prononçait ces mots, il sentit les larmes monter, cette sensation familière de gorge serrée, le menton qui se crispait et formait une boule dure, comme une pomme pourrie. Parfois il se détestait tellement.

« Comment ça, partie ? répliqua Bishop.

— Je ne sais pas.

— Elle s'en est allée ? »

Samuel hocha la tête.

« Elle va revenir ? »

Il haussa les épaules. Il n'avait pas envie de parler. Un mot de plus, et il se mettrait à pleurer.

« Alors il y a une chance qu'*elle ne revienne pas* ? » demanda Bishop.

Samuel hocha de nouveau la tête.

« Tu sais quoi ? Tu as *de la chance*. C'est vrai. Si seulement *mes* parents pouvaient s'en aller. Tu ne le vois peut-être pas encore, mais ta mère t'a rendu service. »

Samuel lui jeta un regard impuissant. « Comment ça ? » Sa gorge ressemblait à un tuyau enroulé sur lui-même.

« Maintenant tu vas pouvoir devenir un homme, dit Bishop. Tu es libre. »

Samuel ne réagit pas. Il se contenta de baisser la tête. Il enfonçait et sortait ses orteils de la boue sous l'eau. Cela l'aidait, apparemment.

« Tu n'as pas besoin de tes parents, dit Bishop. Tu ne t'en rends peut-être pas compte, mais tu n'as besoin de personne. C'est une opportunité. C'est ta chance de devenir une autre personne, une nouvelle personne, meilleure. »

Samuel trouva une petite pierre lisse au fond de l'étang. Il la ramassa avec ses orteils, puis la relâcha.

« C'est comme si tu étais soumis à un entraînement, poursuivit Bishop. Un entraînement difficile qui finira par te rendre plus fort.

— Je ne suis pas un soldat, dit Samuel. Et ce n'est pas un jeu.

— Bien sûr que si, dit Bishop. Tout est un jeu. Et il faut que tu décides si tu vas gagner ou perdre.

— C'est stupide. » Samuel sortit de l'étang et revint à l'arbre où il avait rangé ses vêtements. Il s'assit par terre, replia ses genoux contre sa poitrine et se balança un peu, d'avant en arrière. Les pleurs avaient commencé sans qu'il s'en rende compte. Son nez s'était mis à couler, son visage à se friper, ses poumons à se soulever.

Bishop le rejoignit au bord. « Pour le moment, je dirais que tu es plutôt en train de perdre.

— La ferme.

— Pour le moment, tu es plutôt du genre loser. »

Bishop était planté devant lui, son caleçon trempé lui pendait ridiculement entre les jambes. Il le remonta.

« Tu sais ce qu'il faut que tu fasses, dit-il. Il faut que tu la remplaces.

— C'est impossible.

— Pas par une autre mère. Par une autre *femme*.

— Peu importe.

— Il faut que tu trouves une femme.

— Pour quoi faire ?

— Pour quoi faire, rit Bishop. Une femme dont,

tu sais, tu pourrais profiter. Avec qui tu pourrais t'amuser un peu.

— Je n'en ai aucune envie.

— Il y en a des tas qui te laisseront faire.

— Ça ne servira à rien.

— Mais si. » Il fit un pas de plus, se pencha vers lui et posa la main sur sa joue. Sa paume était froide et humide, mais aussi tendre, et douce. « Tu n'as jamais été avec une fille, hein ? »

Samuel leva la tête vers lui, toujours cramponné à ses jambes. Il commençait à frissonner. « Et toi ? » demanda-t-il.

Bishop rit à nouveau. « Moi, j'ai fait toutes sortes de choses.

— Comme quoi ? »

Bishop resta silencieux un moment, puis il retira sa main. Il marcha jusqu'à l'arbre et s'appuya contre le tronc, remontant son caleçon détrempé. « Il y a des tas de filles à l'école. Tu devrais en inviter une à sortir.

— Ça ne servira à rien.

— Il y a forcément quelqu'un, hein ? De qui es-tu amoureux ?

— De personne.

— Ce n'est pas vrai. Dis-le-moi. Il y a quelqu'un. Je sais déjà qui c'est.

— Non.

— Si, je suis au courant. Autant que tu le dises. »

Bishop fit quelques pas vers Samuel, puis il posa les mains sur les hanches, une jambe en avant, posant en conquérant. « C'est Bethany, hein ? Tu es amoureux de ma sœur.

— Non, c'est faux ! » se récria Samuel, tout en sachant qu'il n'était pas convaincant. C'était trop précipité, trop fort, trop violent comme dénégation. Il n'était pas bon menteur.

« Tu es amoureux d'elle, dit Bishop. Tu as envie de te la faire. Je devine ce genre de trucs.

— Tu te trompes.

— C'est rien. Écoute. Tu as ma bénédiction. »

Samuel se leva. « Il vaudrait mieux que je rentre chez moi.

— Sérieusement, invite-la à sortir.

— Mon père est sans doute en train de se demander où je suis.

— Ne t'en va pas », dit Bishop. Il se cramponna aux épaules de Samuel pour l'arrêter. « S'il te plaît, reste.

— Pourquoi ?

— Il faut que je te montre quelque chose.

— Je ferais mieux d'y aller.

— Ça ne prendra qu'une seconde.

— C'est quoi ?

— Ferme les yeux.

— Et comment tu vas me montrer quoi que ce soit si j'ai les yeux fermés ?

— Fais-moi confiance. »

Samuel laissa échapper un long soupir chargé d'impatience. Il ferma les yeux. Sentit les mains de Bishop lui glisser des épaules. Perçut les bruits de Bishop se déplaçant pour lui faire face, un pas, puis un autre, quelque chose de mouillé tombant au sol.

« Quand tu ouvriras les yeux, dit Bishop, ouvre-les juste d'un cran. À peine une fente.

— Bien.

— Pas plus qu'une fente. D'accord ? Vas-y. »

Il ouvrit les yeux, à peine. Au début il ne vit que d'indistinctes taches de lumière, la luminosité abstraite du jour. Une image brouillée de Bishop devant lui, rien qu'un halo rose. Samuel ouvrit les yeux un peu plus grand. Bishop se tenait debout à quelques mètres de lui. Il était, constatait-il à présent, nu. Son caleçon mouillé à ses pieds. Le regard de Samuel dériva sur son entrejambe. Involontairement. Cela arrivait tout le temps, dans les vestiaires, les urinoirs — chaque fois qu'une opportunité de comparer son propre corps à celui des autres se présentait : qui en avait une plus grande ? Une plus petite ? Ces questions semblaient démesurément importantes. Il regarda donc. Mais à l'endroit où il aurait dû y avoir la queue de Bishop, Samuel ne vit rien. Bishop, penché en avant, incliné à la taille. Ses jambes légèrement pliées dans une sorte de salut, de révérence. Il avait caché sa queue, comprit Samuel. Il l'avait coincée entre ses jambes de sorte que tout ce que Samuel voyait était un vide soyeux.

« Voilà de quoi elle a l'air, dit Bishop. Ma sœur.

— Qu'est-ce que tu fais ?

— On est jumeaux. C'est à ça qu'elle ressemble. »

Samuel resta médusé devant Bishop, son torse maigrelet, ses côtes saillantes, son corps raide, tendu et robuste. À fixer ce triangle de peau entre ses jambes.

« Tu n'as qu'à faire comme si j'étais elle », dit Bishop. Il s'avança vers Samuel, pressa la joue contre sa joue et murmura à son oreille : « Fais semblant. » Samuel sentit alors les mains de Bishop sur sa taille, puis il les sentit lentement baisser son caleçon, sentit le tissu mouillé atterrir sur ses pieds, sentit le léger tremblement de sa propre queue, ratatinée par le froid.

« Fais comme si j'étais Bethany. »

Puis Bishop se retourna et Samuel ne vit plus que la courbe pâle de ses épaules et de son dos. Bishop prit les deux mains de Samuel et les guida jusqu'à ses hanches. Il se pencha, pressa son corps contre celui de Samuel, qui de nouveau éprouvait ce sentiment de détachement, de distance, comme à l'arrêt de bus ce matin-là, comme s'il voyait tout de très loin. Cela paraissait absurde. Ce n'était même pas lui, pensa-t-il. Rien que l'étrange combinaison des pièces d'un puzzle qui n'avaient jamais été assemblées auparavant.

« Est-ce que tu fais semblant ? dit Bishop. Est-ce que ça marche ? »

Samuel ne répondit pas. Il était à des kilomètres de là. Bishop se pressa plus fort contre lui, s'écarta, recommença, sur un rythme lent. Samuel avait l'impression d'être une statue, incapable de faire le moindre mouvement.

« Fais comme si j'étais elle, dit Bishop. Fais comme si c'était réel, dans ton esprit. »

Bishop se pressa contre lui et Samuel sentit ce gonflement qui lui arrivait si fréquemment en classe, derrière son bureau, cette cascade de tension nerveuse, cette explosion de chaleur, puis il baissa les yeux et se vit monter et enfler, sachant qu'il ne devrait pas être en train de monter et d'enfler, mais il le faisait pourtant, sans pouvoir s'arrêter, et combien c'était éclairant, quelle réponse cruciale cela apportait — sur lui, sur ce qui lui était arrivé ce jour-là —, et la certitude absolue et soudaine que tout le monde savait ce qu'il était en train de faire en ce moment. Sa mère et son père, ses professeurs, Bethany, la police. Samuel était sûr que tout le monde le savait, et cette certitude ne le quitterait pas avant des années, les deux événements demeureraient enfermés ensemble dans son esprit, le départ de sa mère et ce moment dans les bois avec Bishop, entrelacés, pulsant l'un contre l'autre, Samuel n'y prenant pas plaisir mais ne détestant pas non plus, et ne cessant de songer que sa mère savait exactement ce qu'il faisait et qu'elle le désapprouvait.

Et c'était, décida-t-il, la raison de son départ.

TROISIÈME PARTIE

ENNEMI, OBSTACLE, ÉNIGME, PIÈGE

Fin de l'été 2011

1

Sur le seuil de l'appartement de sa mère, la main posée sur la porte d'entrée entrouverte, Samuel s'apprêtait à l'ouvrir sans vraiment s'y résoudre. « N'aie pas peur », avait dit sa mère. Ces mots qu'elle lui avait adressés plus de vingt ans auparavant, et depuis ce dernier matin, elle n'avait cessé de le hanter, flottant sans cesse autour de lui, l'épiant à distance. À tout moment, il cherchait son visage, derrière chaque fenêtre, dans chaque foule. Il menait sa vie en se demandant de quoi il avait l'air vu de l'extérieur, pour sa mère, qui peut-être l'observait.

Mais elle n'était jamais là. Et il avait fallu du temps à Samuel pour la chasser de ses pensées.

Elle n'avait plus été, jusqu'à ce moment, qu'un souvenir endormi et silencieux, il tentait donc de se calmer, de se rassembler, se répétant les conseils qu'il avait lus la veille au soir sur ces sites Internet : Prenez un nouveau départ. Ne vous insultez pas. Établissez des limites claires. Allez-y doucement. Reposez-vous sur votre entourage. Et, avant tout et surtout, le premier commandement : Préparez-vous à ce que votre parent soit radicalement différent de la personne dont vous vous souvenez.

Et c'était vrai. Elle *était* différente. Samuel entra enfin dans son appartement et la trouva assise à une grande table en bois près de la cuisine, on aurait dit une réceptionniste, qui l'attendait. Sur la table il y avait trois verres d'eau. Et une mallette. Trois chaises. Elle était assise, elle le regardait — sans sourire, sans manifester la moindre réaction à sa présence, patientant simplement, les mains sur les genoux. Sa longue crinière brune avait été remplacée par une coupe courte, d'une sévérité militaire, et avait viré au gris ; on aurait cru un bonnet de bain argenté. Sa peau avait ridé comme elle ride chez les gens qui perdent du poids — sous les bras, autour de la bouche, des yeux. Il n'avait pas anticipé ces rides, et il se rendit compte qu'il n'avait pas imaginé que sa mère ait pu vieillir. Il dut se rappeler à lui-même qu'elle avait désormais soixante et un ans. Elle portait un débardeur noir tout simple qui découvrait les os noueux de ses épaules et ses bras fins. Il fut inquiet soudain à l'idée qu'elle n'ait pas mangé à sa faim, puis il fut surpris d'être inquiet.

« Entre », dit-elle.

Il n'y avait pas un bruit. L'appartement de sa mère était plongé dans un silence épais, rare en ville. Elle le dévisageait. Il la dévisageait. Il resta debout. Être trop près d'elle si tôt avait quelque chose d'insupportable. Elle ouvrit la bouche comme si elle allait parler mais se ravisa finalement. Son esprit à lui était vide.

Un bruit leur parvint alors d'une autre pièce : une chasse d'eau, un robinet qu'on ouvre et referme. Puis la porte de la salle de bains s'ouvrit et un homme en sortit, en chemise blanche, cravate brune et pantalon d'un brun légèrement différent. Quand il vit Samuel, il dit « Professeur Anderson ! » et lui tendit une main mouillée. « Je suis Simon Rogers, dit l'homme, de Rogers & Rogers ? L'avocat de votre mère ? Nous nous sommes parlé au téléphone. »

Samuel le regarda pendant un moment, désorienté. L'avocat lui adressa un sourire agréable. C'était un homme fin et petit, avec des épaules inhabituellement larges. Ses cheveux bruns étaient coupés court, implantés en *M*, cette forme disgracieuse et inévitable propre aux hommes à la calvitie précoce. Samuel demanda : « Nous avons besoin d'un avocat pour ça ?

— J'ai bien peur que ce n'ait été mon idée, dit Rogers. J'insiste pour être présent quand mon client fait une déposition. Cela fait partie de mes attributions.

— Ceci n'est pas une déposition.

— Pas de *votre* point de vue. Mais ce n'est pas vous qui faites la déposition. »

L'avocat tapa dans ses mains et alla tranquillement s'asseoir. Il ouvrit sa mallette et en sortit un petit micro qu'il posa au milieu de la table. Avec cette chemise ajustée sur ses larges épaules mais flottant sur le reste de son corps, il avait l'air d'un gamin qui aurait enfilé celle de son père, songea Samuel.

« Mon rôle ici, dit l'avocat, est de protéger les intérêts de ma cliente — légaux, fiduciaires et émotionnels.

— C'est vous qui m'avez demandé de venir, dit Samuel.

— Effectivement, monsieur ! Et la chose la plus importante dont nous devons nous souvenir c'est que nous sommes tous dans la même équipe. Vous avez accepté de rédiger une lettre à l'intention du juge pour lui expliquer en quoi votre mère mérite sa clémence. Mon travail est de vous aider dans la rédaction de cette lettre et de m'assurer que vous n'êtes pas ici, disons, sous de faux prétextes ?

— Incroyable », dit Samuel, sans être sûr de savoir ce qui était le plus incroyable : que l'avocat le soupçonne de le tromper ou qu'il soit dans le vrai. Car Samuel n'avait absolument aucune intention d'écrire cette lettre au juge. La seule raison pour laquelle il était venu aujourd'hui, c'était pour honorer son contrat avec Periwinkle, rassembler de quoi salir sa mère afin de la diffamer en public, tout ça pour de l'argent.

« Le but de notre interrogation aujourd'hui, poursuivit l'avocat, est en premier lieu de comprendre les actes de votre mère dans le cadre de sa protestation courageuse contre l'ancien gouverneur du Wyoming. En second lieu, il s'agit d'expliciter les qualités qui font d'elle une personnalité exemplaire. Tout le reste, monsieur, se situe strictement hors de notre perspective. Voulez-vous un verre d'eau ? De jus d'orange ? »

Faye demeurait assise en silence, sans participer aucunement à la conversation, elle occupait pourtant toute la place dans l'esprit de Samuel. Il se méfiait d'elle comme d'une mine dont il était conscient de se rapprocher, sans savoir exactement où elle était enterrée.

« Asseyons-nous, je vous prie », dit l'avocat, et ils rejoignirent Faye autour de la table, une table rectangulaire composée de planches de bois érodé sans doute utilisées comme clôture ou grange dans une autre vie. Trois verres d'eau dégouttaient sur leur dessous-de-verre. L'avocat s'installa, ajusta sa cravate couleur acajou sur son pantalon couleur cacao. Il posa les deux mains sur sa mallette et sourit. Faye gardait les yeux fixes, l'attitude neutre, détachée, indifférente. Elle avait l'air aussi austère, sobre et morose que son appartement — un grand espace tout en longueur avec une volée de fenêtres donnant sur le nord et les gratte-ciel du centre-ville de Chicago. Des murs blancs, nus. Pas de télévision. Pas d'ordinateur. Un aménagement simple et spartiate. Samuel remarqua l'absence totale d'appareils électriques. On aurait dit qu'elle avait chassé tout ce qui n'était pas indispensable de son existence.

Assis en face d'elle, Samuel hocha la tête comme il aurait hoché la tête face à une inconnue croisée dans la rue : un très léger mouvement du menton.

« Merci d'être venu », dit-elle.

Nouveau hochement de tête.

« Comment vas-tu ? » demanda-t-elle.

Il ne répondit pas immédiatement, à la place il lui lança un regard qu'il espérait chargé d'une détermination froide et lointaine. « Bien, lâcha-t-il finalement. Très bien.

— Tant mieux, dit-elle. Et ton père ?

— *Super*.

— Bien, c'est entendu, donc ! conclut l'avocat. Maintenant que nous avons clarifié cet aspect des choses », il eut un rire nerveux, « je vous propose d'avancer et de nous y mettre ? » De petites gouttes de sueur perlaient sur le front de l'avocat. Dans un geste involontaire, il tira sur sa chemise, qui n'était plus vraiment blanche mais avait cette espèce de couleur grisâtre délavée, avec deux auréoles jaunes aux aisselles.

« Voyons, professeur Anderson, le moment me semble idéal pour poser votre question concernant le sujet qui nous réunit aujourd'hui. » L'avocat tendit la main sur la table et mit en marche le micro qu'il avait posé entre Samuel et sa mère. Une petite diode bleu pâle s'alluma sur la base.

« Quelle question exactement ?

— À propos de la lutte héroïque de votre mère contre la tyrannie, monsieur.

— En effet. » Samuel la regarda. De si près, c'était encore plus compliqué de réconcilier les deux images qu'il avait d'elle, celle d'aujourd'hui et celle de son passé. Elle semblait avoir perdu toute la douceur qu'elle possédait autrefois — ses longs cheveux doux, ses bras doux, sa peau douce. Un nouveau corps, plus dur, avait remplacé l'ancien. Samuel distinguait le dessin des muscles sous la peau de sa mâchoire. L'ondulation de ses clavicules sur sa poitrine. Le renflement de ses biceps sur ses bras aussi noueux que des cordes de marin.

« D'accord, bon, commença Samuel. Pourquoi l'as-tu fait ? Pourquoi as-tu jeté des pierres sur le gouverneur Packer ? »

Sa mère se tourna vers l'avocat, qui ouvrit sa mallette et en sortit une simple feuille de papier, imprimée d'un côté, qu'il tendit à Faye et qu'elle lut in extenso.

« Concernant mes agissements à l'encontre du candidat républicain à l'élection présidentielle et ancien gouverneur du Wyoming Sheldon Packer, ci-après dénommé "le Gouverneur", commença-t-elle avant de s'éclaircir la gorge, j'atteste, maintiens, jure, certifie et affirme solennellement, par la présente, que mon intention dans l'acte de lancer des gravillons en direction du Gouverneur ne saurait en aucun cas être interprétée comme une intention de faire mal, agresser, blesser, battre, mutiler, handicaper, déformer, estropier ou créer les conditions raisonnables d'un contact nuisible ou offensif, d'une manière ou d'une autre, avec le Gouverneur ou quiconque aurait été physiquement exposé par inadvertance aux gravillons, mon intention n'était pas non plus d'infliger un quelconque tourment émotionnel, ni douleur, souffrance, malheur, angoisse ou autre traumatisme à d'éventuels témoins proches ou lointains de mes agissements purement et symboliquement politiques. Mes agissements étaient une réaction nécessaire, essentielle et viscérale à la politique fasciste du Gouverneur, conséquences d'une absence d'alternative, dont attestent l'heure, le lieu et la forme de ma réaction, non préméditée, et la rhétorique d'extrême droite, pro-armes à feu, pro-guerre et ultra violente du Gouverneur, pouvant être qualifiée de contrainte inhabituelle et substantielle sur ma personne, voire raisonnablement considérée comme une agression physique sur ma personne. J'ai cru, de plus, que l'infatigable et fétichiste posture guerrière et justicière du Gouverneur *valait consentement* à un comportement belliqueux, de même que les personnes qui s'adonnent au sadomasochisme pour recevoir des gratifications sexuelles consentent à être frappées sans engager de responsabilité au civil ou au pénal. Si j'ai choisi des gravillons comme véhicules de ma protestation symbolique, c'est en lien avec mon passé non sportif et vierge de tout crime, n'ayant jamais reçu le moindre entraînement dans aucun sport de lancer de ballon, le danger représenté par mon lancer de minuscules cailloux était un danger a minima, de même que les gravillons ne constituaient en aucun cas une arme dangereuse, mortelle ou aggravée que j'aurais utilisée intentionnellement, consciemment, négligemment, imprudemment, dans le but de menacer ou par indifférence à la valeur de la vie humaine, pour causer une blessure physique. Mon intention était au contraire uniquement, entièrement, pleinement et à tous égards de nature politique, afin de faire passer un message politique sans induire d'incitation, de provocation, d'agression ou même de danger évident, c'était un message symbolique semblable aux messages de protestation légale, dans l'exercice de la liberté d'expression, comme profaner le drapeau ou détruire l'ordre d'incorporation, etc. »

Faye reposa le papier sur la table, précautionneusement et posément, comme si c'était une chose fragile.

« Parfait ! » s'écria l'avocat. Son visage s'était légèrement empourpré, le changement par rapport à sa pâleur jaunâtre de poupon était subtil mais remarquable. Les gouttes de sueur s'accrochaient à son front à présent, on aurait dit des cloques de peinture sur un mur extérieur un jour de grosse chaleur. « Maintenant que nous sommes tous d'accord sur ce point, faisons une pause. » L'avocat éteignit le micro. « Si vous voulez bien m'excuser », dit-il avant de se retirer dans la salle de bains.

« Il fait ça tout le temps, dit Faye. Manifestement, il a besoin d'aller aux toilettes toutes les cinq ou dix minutes. C'est comme ça.

— C'était quoi tout ce charabia ? demanda Samuel.

— Je suppose qu'il va aux toilettes pour essuyer

toute sa sueur. Il est du genre moite. Mais il y a forcément autre chose étant donné le papier toilette qu'il consomme, j'en suis sûre.

— Sérieusement, reprit Samuel, s'emparant de la feuille et l'examinant, je n'ai aucune idée de ce que ce truc signifie.

— Et ses pieds, tu as vu ses pieds ? Ce sont les plus petits pieds que j'aie jamais vus.

— Faye, *écoute* », dit-il, et ils tressaillirent tous deux lorsqu'il l'appela par son prénom. C'était la première fois qu'il le faisait. « Qu'est-ce qui se passe ?

— Bon, si tu insistes. Voilà ce que je comprends. Mon cas est particulièrement compliqué. De nombreux chefs d'accusation pour violences, plusieurs autres pour coups et blessures. Avec circonstances aggravantes. Au premier degré. J'imagine que j'ai dû faire peur à pas mal de monde dans le parc — ce sont les violences — mais les pierres n'ont réellement atteint que peu d'entre eux — ce sont les coups et blessures. En plus, attends que je regarde... » Elle compta sur ses doigts : « Troubles à l'ordre public, comportement délictueux, résistance à l'autorité. Le procureur se montre d'une agressivité inhabituelle, sur ordre du juge, pensons-nous.

— Le juge Charles Brown.

— C'est lui ! Au passage, la peine encourue pour violences aggravées peut aller de trois cents heures de travaux d'intérêt général à vingt-cinq ans de prison.

— Sacré grand écart.

— Le juge dispose d'une énorme marge de manœuvre dans la sentence. Cette lettre que tu vas lui écrire, tu sais ?

— Ouais.

— Elle a intérêt à être sacrément bonne. »

Un grand bruit de plomberie résonna, la porte de la salle de bains s'ouvrit et l'avocat les rejoignit, souriant, s'essuyant les mains sur son pantalon. Faye avait raison : jamais Samuel n'avait vu un adulte avec d'aussi petits pieds.

« Merveilleux ! dit-il. Tout se déroule à merveille. » Comment parvenait-il à tenir debout avec ses épaules gigantesques et ses pieds minuscules ? On aurait dit une pyramide à l'envers.

L'avocat s'assit et tapota sa mallette du bout des doigts. « Deuxième partie ! annonça-t-il en remettant le micro en marche. Notre nouveau sujet, monsieur, est d'étayer les raisons pour lesquelles votre mère est un être humain de premier ordre qui, par conséquent, ne devrait en aucun cas se retrouver en prison pour une vingtaine d'années.

— Ce n'est pas vraiment une possibilité, si ?

— Je ne crois pas, monsieur, mais je préfère évidemment couvrir nos arrières. Souhaitez-vous que je vous informe des actions caritatives que mène votre mère ?

— Je suis plus intéressé par ce qu'elle a fait ces vingt dernières années.

— Les écoles publiques, monsieur. Elle mène des actions de grande qualité dans des écoles publiques. Et de la poésie ! Un chantre de la défense des arts, si vous voulez mon avis.

— Cette partie va être un peu compliquée pour moi, dit Samuel. Tout ce qui concerne "un être humain de premier ordre", sans vouloir être désagréable.

— Et pourquoi cela, monsieur ?

— Eh bien, que voulez-vous que je dise au juge ? Que c'est une personne exceptionnelle ? Une mère merveilleuse ? »

L'avocat sourit. « Exactement. C'est tout à fait cela.

— Je ne crois pas pouvoir l'affirmer en toute sincérité.

— Et pourquoi pas ? »

Samuel regarda l'avocat, puis sa mère, puis l'avocat de nouveau. « Sérieusement ? »

L'avocat opina, toujours tout sourire.

« Ma mère m'a abandonné quand j'avais onze ans !

— Certes, monsieur, et comme vous l'imaginez certainement, il vaut mieux que cette information sur cette partie de sa vie demeure ignorée du public.

— Elle m'a abandonné du jour au lendemain.

— Sans doute, monsieur, dans l'intérêt de tous, feriez-vous mieux de ne pas penser à votre mère en termes d'abandon. Peut-être qu'à la place vous pourriez considérer qu'elle vous a confié pour l'adoption un peu plus tard que la normale. »

L'avocat ouvrit sa mallette et en sortit une brochure. « En fait, votre mère a beaucoup plus œuvré que la plupart des mères biologiques, qui ne s'impliquent pas dans le choix d'une famille pour leur enfant, qui ne s'assurent pas qu'il évolue dans un environnement positif. Vu sous un certain angle, je dirais qu'elle a été bien plus que diligente en la matière. »

Il tendit la brochure à Samuel. La couverture, rose brillant, était illustrée de photos de familles multiculturelles souriantes et portait en haut l'inscription *Adopté, et alors ?* en caractères de BD.

« Je n'ai pas été adopté, dit Samuel.

— Pas *au sens strict*, monsieur. »

L'avocat s'était remis à transpirer, il y avait un film moite luisant sur sa peau, comme une couche de rosée sur l'asphalte. Un filet de sueur était également apparu sous son aisselle, qui lui coulait le long de la manche. On aurait dit que sa chemise était peu à peu colonisée par une méduse.

Samuel regarda sa mère, qui le gratifia d'un haussement d'épaules, *Qu'est-ce que tu veux ?* Derrière elle, derrière l'enfilade de fenêtres donnant sur le nord, se dressait la façade grise et majestueuse de la Sears Tower plongée dans la brume au loin. Autrefois c'était l'immeuble le plus haut du monde. Aujourd'hui, elle n'était même plus dans le top cinq. D'ailleurs, elle ne s'appelait même plus la Sears Tower.

« C'est calme ici », dit Samuel.

Sa mère fronça les sourcils. « Quoi ?

— On n'entend pas une voiture, personne. C'est très retiré.

— Oh. En fait, ils étaient en pleine rénovation au moment où le marché immobilier s'est effondré, expliqua-t-elle. Ils n'avaient terminé que deux ou trois appartements quand ils ont tout laissé en plan.

— Donc tu es toute seule dans l'immeuble ?

— Il y a un couple marié deux étages au-dessus. Le genre artistes bohèmes. Généralement, on s'ignore.

— Assez solitaire, comme vie. »

Elle observa son visage quelques instants. « Ça me convient.

— Tu sais, j'avais presque réussi à t'oublier, dit Samuel. Jusqu'à ces récents événements.

— C'est vrai ?

— Ouais. En fait, je t'avais plus ou moins oubliée jusqu'à cette semaine. »

Elle sourit et baissa les yeux sur la table — cette

sorte de sourire intérieur, suggérant une pensée qui lui venait tout à coup à l'esprit. Elle passa la main sur la table, comme si elle la nettoyait.

« Ce que nous appelons *oublier* n'est pas vraiment de l'oubli, dit-elle. Pas littéralement. On n'*oublie* jamais vraiment. On se contente de ne plus voir la route qui mène au passé.

— De quoi tu parles ?

— J'ai lu ça récemment, répondit-elle. Une étude sur le fonctionnement de la mémoire. Toute une équipe de physiologistes, biologistes moléculaires, neurologues, ils ont essayé de localiser l'emplacement des souvenirs dans notre cerveau. Je crois que c'était dans *Nature*. Ou dans *Neurones*. Ou dans *Le Quotidien du médecin*.

— Une petite lecture divertissante ?

— J'ai de nombreux centres d'intérêt. Enfin, peu importe. Ils ont découvert que nos souvenirs sont des choses tangibles, physiques. Chaque souvenir est rangé dans sa propre cellule. Au début, il y a une cellule totalement vierge. Puis cette cellule reçoit un choc électrique, elle est déformée, mutilée. Et c'est cette mutilation qui constitue le souvenir. Et qui ne s'efface donc jamais vraiment.

— Fascinant, dit Samuel.

— Maintenant que j'y pense, je suis presque sûre que c'était dans *Nature*.

— Sérieusement ? reprit Samuel. Je viens jusqu'ici, je mets mon âme à nu, et toi tu me parles d'une étude que tu as lue ?

— J'ai bien aimé la métaphore, dit Faye. Par ailleurs, tu n'as pas mis ton âme à nu, loin de là. »

L'avocat s'éclaircit la gorge : « Peut-être ferions-nous mieux de revenir à notre sujet ? Professeur,

Anderson ? Si vous voulez bien procéder à votre interrogatoire… »

Samuel se leva. Il fit quelques pas dans un sens, puis dans l'autre. Il y avait une petite bibliothèque contre un mur, c'est vers elle qu'il se dirigea. Tout en observant le contenu des étagères, il sentait le regard de sa mère dans son dos : de la poésie, essentiellement, de nombreux titres d'Allen Ginsberg. Samuel comprit alors ce qu'il était en train de chercher : un exemplaire du magazine dans lequel sa nouvelle avait été publiée. La déception de ne pas l'y trouver lui fit comprendre que c'était ce qu'il cherchait.

Il pivota sur lui-même. « Voilà ce que je voudrais savoir.

— Monsieur ? l'interrompit l'avocat. Vous êtes hors de portée du micro.

— Je voudrais savoir ce que tu as fait ces vingt dernières années. Et où tu es allée quand tu nous as quittés.

— J'ai bien peur, monsieur, que nous soyons là hors du cadre qui nous concerne en l'occurrence.

— Et toutes ces histoires sur toi et les années soixante. L'arrestation. Ce qu'ils racontent sur toi à la télévision…

— Tu voudrais savoir si c'est vrai.

— Oui.

— Si j'étais radicalisée ? Si je faisais partie du mouvement de contestation ?

— Oui.

— Si j'ai été arrêtée pour prostitution ?

— Oui. Il y a un blanc d'un mois pendant l'année 1968. J'avais toujours pensé que tu étais en Iowa, chez toi, avec Papy Frank, à attendre que Papa rentre de l'armée. Mais ce n'était pas vrai.

— Non.
— Tu étais à Chicago.
— Durant très peu de temps, oui. Jusqu'à ce que je parte.
— Je veux savoir ce qui s'est passé.
— Hah-hah ! lança l'avocat, en mimant un roulement de tambour du bout des doigts sur sa mallette. J'ai l'impression qu'on est remontés un peu trop loin en arrière, là ? Peut-être que maintenant on pourrait revenir à ce qui nous intéresse ?
— Mais tu as d'autres questions, n'est-ce pas ? demanda Faye. De plus grandes questions ?
— On y viendra plus tard, si tu veux bien, dit Samuel.
— Pourquoi pas maintenant ? Autant tout mettre sur la table maintenant. Pose tes questions. Même s'il n'y en a qu'une, au fond.
— Pour commencer, il y a cette photo. Celle où on te voit à la manifestation, en 1968.
— Ce n'est pas pour ça que tu es là. Pose-moi la vraie question. Celle qui t'a amené jusqu'ici.
— Ce qui m'a amené jusqu'ici, c'est la lettre qu'il faut que j'écrive pour le juge.
— C'est faux. Vas-y. Pose ta question.
— C'est hors sujet.
— Je t'écoute. Vas-y.
— Ce n'est pas important. Ce n'est rien…
— Je suis d'accord ! interrompit l'avocat. C'est insignifiant.
— La ferme, Simon », dit Faye, puis elle reporta les yeux sur Samuel. « Cette question est la seule qui compte. C'est la seule raison de ta venue. Maintenant tu vas arrêter de mentir et me la poser.

— D'accord. OK. Je veux savoir. Pourquoi m'as-tu abandonné ? »

Samuel sentit les larmes monter au moment même où il prononçait ces mots : *Pourquoi m'as-tu abandonné ?* Cette question qui avait hanté son adolescence. Il racontait aux gens qu'elle était morte. Quand on lui posait des questions sur sa mère, il trouvait que c'était plus facile de dire qu'elle était morte. S'il disait la vérité, la question suivante était toujours pourquoi, et où, et il n'en savait rien. Alors ils le regardaient bizarrement, comme si c'était sa faute. Pourquoi l'avait-elle abandonné ? La question l'avait empêché de dormir nuit après nuit, jusqu'au jour où il avait réussi à l'avaler, à nier son existence. Mais de la poser maintenant faisait tout remonter à la surface — la honte, la solitude, l'auto-apitoiement, tout cela refluait si violemment qu'il arriva à peine à prononcer le dernier mot avant que sa gorge se serre et qu'il se sente au bord des larmes.

Ils se dévisagèrent un moment, Samuel et sa mère, jusqu'à ce que l'avocat se penche en avant pour chuchoter quelque chose à l'oreille de Faye. Après quoi ses épaules s'affaissèrent et elle baissa les yeux.

« Si nous revenions à notre sujet ? enchaîna-t-il.

— Je crois que je mérite des réponses, dit Samuel.

— Peut-être pourrions-nous revenir au sujet de votre lettre, monsieur ?

— Je ne m'attends pas à ce que nous devenions les meilleurs amis du monde, poursuivit Samuel. Mais répondre à quelques questions, est-ce trop demander ? »

Faye croisa les bras et sembla se replier en elle-même. L'avocat garda les yeux rivés sur Samuel, dans l'attente. Sur son front, les gouttes de sueur avaient épaissi, globuleuses. À tout moment, l'averse menaçait de lui tomber sur les yeux.

« Cet article dans *Nature* ? reprit Faye. Celui à propos de la mémoire ? Le plus frappant pour moi, c'est de penser que les souvenirs sont comme cousus dans la chair de notre cerveau. Tout ce que nous savons sur notre passé est littéralement *gravé en nous*.

— Certes, dit Samuel. Et alors ? »

Elle ferma les yeux et se frotta les tempes, dans un geste d'impatience et d'irritation dont Samuel se souvint et qui lui rappela son enfance.

« Eh bien, ce n'est pas évident ? Chaque souvenir est en fait une cicatrice. »

L'avocat frappa sa mallette du plat de sa main : « Bien ! Je crois qu'on a fini !

— Tu n'as répondu à aucune de mes questions, dit Samuel. Pourquoi m'as-tu abandonné ? Que t'est-il arrivé à Chicago ? Pourquoi as-tu gardé cela secret ? Qu'as-tu fait pendant toutes ces années ? »

Faye le regarda alors et toute la rigidité de son corps s'évanouit. Elle lui lança ce même regard que le matin de sa disparition, son visage plein de chagrin.

— Je suis désolée, dit-elle. Je ne peux pas.

— J'en ai besoin, dit Samuel. Tu n'as pas l'air de comprendre à quel point. *J'ai besoin* de savoir.

— Je t'ai donné tout ce que je pouvais te donner.

— Mais tu ne m'as *rien* dit. Je t'en prie, réponds, pourquoi es-tu partie ?

— Je ne peux pas, répéta-t-elle. C'est privé.

— Privé ? Sérieusement ? »

Faye hocha la tête et la baissa vers la table. « C'est privé », répéta-t-elle.

Samuel croisa les bras. « Tu me pousses à te poser cette question et après tu me réponds que c'est privé ? Va te faire foutre. »

L'avocat commença à rassembler ses affaires, éteignit le micro, la sueur lui coulait autour du col. « Merci beaucoup, professeur Anderson, pour tous vos efforts. »

« Je ne pensais pas que tu pouvais tomber plus bas, Faye, *toutes mes félicitations*, déclara Samuel en se levant. Vraiment, à ce niveau, c'est du grand art. Une virtuose de l'immonde.

— Nous vous rappellerons ! » lança l'avocat. Il désigna la porte à Samuel d'un geste, le poussa d'une main moite et chaude. « Restons en contact pour voir quelle suite nous pouvons donner à cet entretien. » Il ouvrit la porte et accompagna Samuel de l'autre côté du seuil. De l'encre liquide striait la peau de son front. Sous son aisselle, c'était à présent détrempé, on aurait cru qu'il s'était renversé un verre entier sous le bras. « Nous avons hâte de lire votre lettre pour le juge Brown, dit-il. Et bonne journée ! »

Il referma la porte derrière Samuel, et la verrouilla.

Tout le temps qu'il passa à sortir de l'immeuble, retraverser Chicago et ses banlieues en sens inverse, Samuel avait l'impression qu'il allait s'écrouler. Il se rappelait le conseil dispensé par ces sites Internet : *Reposez-vous sur votre entourage.* Il avait besoin de parler à quelqu'un. Mais qui ? Pas son père, bien sûr. Ni personne du travail. Les seules personnes avec qui il communiquait régulièrement étaient ses amis sur *Elfscape*. Une fois arrivé à la maison, il se connecta donc. Et fut accueilli par la bordée habituelle de *Hé Dodger !* et *Content de te voir !* Puis il tapa une question pour sa guilde : *Parmi ceux de Chicago, ça dit à quelqu'un qu'on se retrouve quelque part ce soir ? J'ai envie de sortir.*

En réponse de quoi il obtint un silence assourdissant. Samuel comprit alors qu'il venait de franchir une limite. En proposant une rencontre dans la vraie vie, il entrait dans la catégorie des types louches, des harceleurs. Il s'apprêtait donc à s'excuser, à leur dire d'oublier, quand Pwnage, leur talentueux chef, le savant d'*Elfscape* de la guilde, eut finalement la grâce de lui répondre.

Volontiers. Je connais un endroit.

2

Laura Pottsdam se tenait assise dans l'intimidant bureau de la doyenne de l'université, elle lui expliquait en détail la teneur de l'échange qui avait eu lieu entre Samuel et elle : « Il m'a dit que je n'avais aucune difficulté d'apprentissage, dit Laura. Il m'a dit que je n'étais tout simplement pas très intelligente.

— Oh, mon Dieu », répliqua la doyenne, l'air choqué. Les étagères de son bureau étaient essentiellement remplies d'ouvrages sur la Peste Noire, ses murs décorés de gravures anciennes représentant des gens atteints de furoncles et autres lésions, des cadavres empilés sur des brouettes. Jusque-là Laura avait toujours pensé qu'il ne pouvait y avoir plus terrible décoration murale que le calendrier de régime de sa colocataire, mais finalement l'attrait immodéré de la doyenne pour les plaies ouvertes à travers l'histoire surpassait toute autre horreur.

« Samuel a vraiment dit, à voix haute et distincte, que vous n'étiez pas très intelligente ?

— Mon amour-propre en a pris un sacré coup.

— Oui, j'imagine.

— Je suis une excellente étudiante, avec un

dossier irréprochable. Il n'a pas le droit de me dire que je ne suis pas intelligente.

— Laura, je suis sûre que vous êtes *très* intelligente.

— Merci.

— Et sachez que je prends cette affaire très au sérieux.

— Je me sens obligée d'ajouter qu'il arrive que le professeur Anderson jure en classe. C'est assez difficile de se concentrer, du coup, et assez désagréable.

— Bien, voilà ce que nous pouvons faire, poursuivit la doyenne. Vous n'avez qu'à réécrire votre devoir sur *Hamlet* et vous aurez une nouvelle note. Pendant ce temps, moi, je vais mettre les choses à plat avec le professeur Anderson. Est-ce que cela vous irait ?

— Oui, cela m'irait parfaitement.

— Et s'il y a quoi que ce soit d'autre que je devrais savoir, je vous en prie, appelez-moi directement.

— D'accord », dit Laura, puis elle quitta le bâtiment administratif, portée par une sensation de chaleur et de lumière, cette sensation qui accompagne la victoire.

Sensation qui n'eut cependant qu'un temps et cessa à l'instant où elle s'assit par terre dans sa chambre, ouvrit son Shakespeare et parcourut d'un œil triste tous ces mots sous ses yeux, comprenant qu'elle était en fait revenue à son point de départ : essayer de se colleter avec un devoir inutile pour un cours inutile, celui d'introduction à la littérature, l'un des cinq cours où elle était inscrite ce semestre, tous plus débiles les uns que les autres. De pures pertes de temps, rien à voir avec la vraie vie, voilà ce qu'elle pensait de ces cours d'université pour le moment. Par « vraie vie », elle voulait parler des tâches qu'on lui assignerait une fois son diplôme de gestion obtenu, tâches dont elle n'avait absolument aucune idée en fait, n'ayant jusqu'à présent suivi aucun cours de communication et marketing, ni effectué aucun stage ou « vrai boulot ». À moins de compter comme tel son petit job de lycéenne au comptoir d'un cinéma de quartier, dont elle avait retiré plusieurs enseignements essentiels quant à la conduite à tenir sur un lieu de travail, et ce grâce à l'aide de son manager de trente-deux ans qui aimait rester après l'heure de fermeture pour fumer de l'herbe et jouer au strip-poker avec les jolies adolescentes qu'il recrutait toujours. Continuer à avoir accès à l'herbe sans se livrer à des actes trop dégradants impliquait un certain talent de négociatrice et permettait de surcroît de ne pas avoir honte de revenir au boulot le lendemain. Mais, même si c'était là la seule *expérience professionnelle*, à proprement parler, qu'elle avait jamais eue, elle était quand même persuadée que, dans le futur, son inévitable brillante carrière en marketing et communication ne nécessiterait jamais aucune des conneries qu'elle apprenait à l'université.

Hamlet, par exemple. Elle s'efforçait de lire *Hamlet*, de se forger une idée sur ce devoir qu'elle devait réécrire sur *Hamlet*. Mais la poignée de trombones qu'elle s'amusait à jeter en l'air pour les regarder s'éparpiller sur le linoléum de la chambre l'intéressait bien davantage. C'était beaucoup plus drôle que de lire *Hamlet*. En effet, chaque trombone avait beau avoir exactement la même forme que les autres trombones, la façon dont ils rebondissaient était chaotique, hasardeuse, impossible à reproduire à l'identique. Pourquoi rebondissaient-ils différemment chaque fois ? Pourquoi n'atterrissaient-ils pas toujours aux mêmes endroits ? De plus, ils produisaient, en s'éparpillant au sol, ce léger cliquètement délicieux à l'oreille. Quelques minutes s'étaient écoulées durant lesquelles elle avait lancé les trombones en l'air entre quinze et vingt fois — dans une manœuvre assez évidente, il fallait bien l'admettre, d'évitement de *Hamlet* — quand son téléphone émit un tintement. Un nouveau message !

Hééééééé chérie

Jason. Et, vu le nombre de *é*, c'était un de ces soirs où il se sentait d'humeur très spéciale. Rien de plus transparent qu'un garçon.

Hé ! : -D

La raison pour laquelle l'université lui paraissait si stupide, c'était qu'il fallait y apprendre des choses qui ne lui serviraient jamais de la vie. Comme la connaissance de la statuaire grecque, par exemple, qu'elle essayait d'apprendre pour son cours obligatoire d'introduction aux sciences humaines que l'université permettait aux étudiants de suivre en ligne. Une perte de temps complètement idiote : jamais, le jour de son premier entretien d'embauche, on ne lui montrerait des diapositives de statues en lui demandant à quel mythe telle ou telle statue faisait référence, questions totalement débiles auxquelles elle devait répondre chaque semaine pendant un test de deux minutes…

Son téléphone gazouilla. Une info sur iFeel, la nouvelle application à la mode sur les réseaux sociaux en vogue à l'université. Toutes les amies de Laura étaient dessus, passaient tout leur temps dessus, et l'abandonneraient dès qu'elle serait découverte par les plus lents, c'est-à-dire les vieux.

Laura regarda son téléphone. *iFeel heureuse ce soir !!!* avait posté l'une de ses amies. C'était Brittany, qui avait survécu jusqu'ici aux différents tris que Laura avait pratiqués dans sa liste d'alerte.

Le téléphone proposa : *Ignorer, Répondre ou Laisser faire ?*

Laura choisit *Laisser faire.* Et reposa le téléphone par terre, au milieu des trombones.

À quoi pensait-elle, déjà ? Ah, oui, les questions débiles des tests hebdomadaires, débiles parce que tout ce qu'elle avait à faire, c'était une capture d'écran de toutes les bonnes réponses sur Internet, puis débrancher le modem, ce que le test interprétait comme un « échec de la connexion » ou une « erreur réseau » (rien qui puisse lui être imputé en tout cas), et reprendre le test avec toutes les réponses exactes sous les yeux, après quoi elle n'avait plus besoin de penser aux statues grecques pendant une semaine.

Ensuite, il y avait le cours de biologie, et rien que d'y penser, Laura avait envie de vomir. Il suffisait d'imaginer la première semaine qu'elle passerait un jour dans son super job de marketing et communication pour mesurer à quel point il lui serait alors complètement inutile de connaître la formule de la réaction en chaîne chimique responsable de la transformation d'un photon de lumière en sucre photosynthétisé, qu'elle essayait en ce moment de mémoriser pour le cours d'introduction à la biologie, qu'on la forçait à suivre pour acquérir des bases scientifiques *alors que youhou ? elle n'avait aucune intention de devenir chercheuse !* En plus, le professeur était tellement aride et ennuyeux, et les leçons tellement insoutenables…

Son téléphone tinta à nouveau. Un message de Brittany : *Merci poulette !!* En réponse au message aléatoire qu'iFeel avait choisi d'associer à *Laisser faire*, manifestement. Et comme Laura était en train d'étudier et fournissait des efforts monstrueux pour lire *Hamlet*, elle préféra ne pas renchérir et renvoya le symbole universel signifiant la fin d'une conversation :

:)

Des leçons de biologie, donc, tellement insoutenables qu'elle avait résolu de donner vingt dollars par semaine à sa colocataire pour qu'elle s'enregistre en train de lire à voix haute les passages importants du manuel, afin que Laura puisse les écouter pendant les tests bihebdomadaires, assise près du mur, l'air de rien, à mi-hauteur dans l'amphithéâtre de trois cents personnes, avec un écouteur discrètement glissé dans l'oreille côté mur, cherchant des yeux des mots dans le test qui correspondraient à ceux qu'elle entendait sa colocataire prononcer dans son oreille. Chaque fois, elle en ressortait passablement impressionnée par sa capacité à faire plusieurs choses en même temps et à réussir ses tests sans jamais avoir à étudier.

« Tu ne t'en sers pas pour tricher, rassure-moi ? l'interrogea sa colocataire au bout de quelques semaines.

— Non, c'est juste pour pouvoir réviser pendant que je fais du sport, répondit Laura.

— Parce que c'est pas bien de tricher.

— Je sais.

— Et je ne t'ai jamais vue faire du sport.

— Mais j'en fais, pourtant.

— Je suis tout le temps fourrée au gymnase et je ne t'y ai jamais vue.

— Eh ben, crotte de rat ! » lança Laura, c'était une réplique de sa mère qu'elle utilisait pour éviter de jurer. L'autre chose qu'elle disait toujours, c'était *Ne laisse JAMAIS personne t'intimider ou te rabaisser*, et à ce moment précis, sa colocataire était bel et bien en train de la rabaisser. Au lieu de s'excuser, Laura renchérit : « Tu sais quoi, patate, la raison pour laquelle tu ne me vois pas au gymnase, c'est parce que certains d'entre nous n'ont pas besoin de passer autant de temps que toi là-bas », car sa colocataire était, il fallait bien l'avouer, objectivement atteinte d'obésité morbide (à un point quasiment fascinant). Ses jambes, on aurait dit des sacs de patates. Vraiment.

D'ailleurs, le mot « patate » était sorti dans le feu de l'action et elle n'en était pas peu fière, c'est fou comme parfois un surnom peut capturer l'essence même d'une personne.

Son téléphone tinta.

Tu fé coi ce soir ?

Jason encore, tâtant le terrain. Il n'était jamais plus transparent que quand il voulait sexter.

Mes devoirs :'(

Le seul cours que Laura avait ce semestre qui ait un quelconque lien avec son avenir était son cours de macroéconomie, des mathématiques en fait, à un niveau tellement abstrait et tellement éloigné de « l'élément humain » du monde de l'entreprise, la véritable raison pour laquelle elle avait choisi ces études-là. Car elle aimait les gens, elle était douée avec les gens, la preuve, elle réussissait à entretenir une gigantesque armée de contacts qui la bombardaient de textos et de messages, plusieurs fois par jour, sur les nombreux réseaux sociaux où elle était inscrite, faisant tinter son téléphone du matin au soir, le son évoquant le tintement d'une cuillère contre un verre en cristal, une note pure, élevée, comme autant de petites pointes de joie pavlovienne.

Et c'était la raison pour laquelle elle était étudiante en gestion.

Mais le cours de macroéconomie était tellement stupide, ennuyeux et superflu par rapport à sa future carrière qu'elle n'éprouvait absolument aucune culpabilité à l'idée de s'associer avec un garçon de son groupe d'orientation, étudiant en graphisme et expert de Photoshop, capable, par exemple, de scanner l'étiquette d'une bouteille de thé glacé Lipton, d'effacer la liste des ingrédients (une liste étonnamment longue et scientifique pour quelque chose qui était censé être juste du thé) et de la remplacer par les réponses au test — toutes les formules et les concepts qu'ils étaient censés avoir mémorisés — dans exactement la même typographie et la même couleur, de façon qu'aucun professeur, à moins de lire l'étiquette sur la bouteille de thé, ne pourrait jamais deviner qu'elle avait toutes les réponses sous les yeux. Absolument aucune chance. Ce garçon était content tant qu'elle le serrait un peu trop fort et trop près dans ses bras, tant qu'elle lui rendait ses petites visites bi-semestrielles dans sa chambre, uniquement vêtue d'une minuscule serviette de toilette, sous prétexte d'avoir oublié ses clés et de ne pas pouvoir regagner sa propre chambre.

Est-ce que Laura se sentait mal de tricher autant ? Non. À ses yeux, le fait que l'école rende toute cette tricherie si facile valait presque approbation tacite, cela signifiait même que l'école voulait qu'elle triche puisque a) elle lui fournissait toutes ces opportunités et b) elle l'obligeait à suivre tous ces cours merdiques.

Par exemple : *Hamlet*. Essayer de lire ce débile de *Hamlet*.

Son téléphone gazouilla. Une alerte iFeel. C'était Vanessa : *iFeel effrayée par l'actualité économique désastreuse !!!* Exactement le genre de message qui vous sortait directement de la liste d'alerte. Laura choisit d'ignorer. Un point contre Vanessa.

Essayer de lire *Hamlet*, donc, et identifier les « erreurs logiques » dans la conduite de Hamlet, ce qui était d'une connerie totale car elle savait avec certitude que jamais, quand elle passerait cet entretien pour devenir vice-présidente du département marketing et communication d'un grand groupe, personne ne lui parlerait de *Hamlet*. Personne ne lui parlerait d'erreurs logiques. Elle avait tenté de lire *Hamlet* mais cela finissait en bouillie dans son cerveau.

How weary, stale, flat, and unprofitable
Seem to me all the uses of this world !
Fie on't, ah fie[1] *!*

C'est quoi ce bordel ?

Qui parle comme ça ? Et qui a dit que c'était ça la grande littérature ? Parce que, d'après ce qu'elle comprenait des rares endroits où Shakespeare écrivait en anglais, Hamlet était juste stupide et déprimé, et, d'après Laura encore, quand on était triste, déprimé, lassé de quelque chose, c'était souvent votre propre faute, alors au nom de quoi devrait-elle rester là assise à l'écouter se plaindre ? En plus, son téléphone carillonnait, couinait, tintait environ dix fois par soliloque, lui donnant une impression d'embouteillage mental à devoir lire ce stupide *Hamlet* alors qu'un nouveau message l'attendait juste à côté. Elle avait programmé son téléphone pour que retentissent le chant d'une sirène pour un texto et un gazouillis d'oiseau chaque fois qu'un de ses soixante-quinze amis les plus proches envoyait un message iFeel. Au début, elle l'avait réglé pour l'alerter chaque fois que n'importe quel ami iFeel postait quelque chose, mais elle avait vite compris que c'était complètement intenable vu la liste de plus d'un millier d'amis qui faisait ressembler son téléphone à un indice boursier, avec le fond sonore d'une réserve ornithologique. Elle avait donc procédé à l'établissement d'une « liste d'alerte » de

1. « Combien pesantes, usées, plates et stériles, / Me semblent toutes les jouissances de ce monde ! / Fi de la vie ! ah ! Fi ! » *Hamlet*, acte I, scène 2, traduit de l'anglais par François-Victor Hugo.

soixante-quinze, qui fluctuait sans cesse, puisqu'elle passait environ deux heures par semaine à étudier et réévaluer la liste, éliminant des gens, les remplaçant, suivant un système analytique régressif fondé sur plusieurs unités métriques, incluant l'intérêt et la fréquence des derniers messages, le nombre de photos hilarantes récemment téléchargées et taggées, la présence de quoi que ce soit de politique dans le flux de l'ami (les messages politiques causaient régulièrement des querelles, donc ceux qui s'y livraient trop souvent étaient automatiquement éjectés du top soixante-quinze), et enfin la capacité de l'ami à trouver et poster des liens avec des vidéos Internet dignes d'intérêt, ce qui revenait pour elle à la capacité de trouver de l'or, et rendait donc essentielle la présence d'un ou deux de ces prodiges dans sa liste, pour repérer les vidéos cool avant qu'elles ne deviennent virales et entretenir son sentiment d'appartenir à une certaine culture, chaque fois qu'elle voyait l'une de ces vidéos un jour ou une semaine avant le reste du monde. Cela lui donnait l'impression d'avoir une longueur d'avance. C'était à peu près la même chose que quand elle arpentait les allées du centre commercial et constatait que tout ce qu'il y avait dans les vitrines reflétait exactement ses envies profondes. Toutes les photos, les posters, les mannequins, les affiches en quatre par trois représentaient des jeunes filles attirantes qui lui ressemblaient trait pour trait, au milieu de groupes de jeunes filles attirantes aux origines diverses qui ressemblaient trait pour trait à ses amies, en train de s'amuser dans des lieux où elle et ses amies fonceraient tout droit s'il y en avait de tels autour d'elles. Le sentiment qu'elle avait face à ces photos était celui d'être désirée. Ils voulaient tous qu'elle les aime. Ils voulaient tous lui donner tout ce qu'elle désirait. Elle ne se sentait jamais aussi sûre d'elle que dans une cabine d'essayage, décidant que tel ou tel vêtement n'était pas assez bien pour elle, se rengorgeant de l'odeur intense et gluante du centre commercial.

Son téléphone sonna. Jason, encore.

T chez toi ?

Ouais toute seule Patate est à la gym :-)

Sauf que maintenant il y avait ce prof de littérature qui semblait résolu à ne pas lui donner ce qu'elle voulait. Qui semblait même bien décidé à la recaler. Même ses difficultés d'apprentissage n'avaient pas suffi à le persuader, c'était consternant. Les documents concernant ses difficultés étaient classés au Bureau des services d'adaptabilité. C'était une affaire officielle, un plan particulièrement brillant qui avait germé dans son esprit au début de l'année, quand sa nouvelle coloc rondouillarde, traitée, elle, pour des troubles de l'attention réels et lourds, avait mentionné tous les aménagements légaux auxquels elle avait droit : une personne prenant des notes à sa place, du temps supplémentaire pour les interrogations et les tests, des délais pour les devoirs, des absences autorisées, etc. En d'autres termes, une liberté totale d'échapper à la vigilance de ses professeurs, qui plus est — et c'était encore mieux ! — juridiquement encadrée par la loi américaine sur les handicaps. Tout ce que Laura avait à faire, c'était remplir un questionnaire de manière à susciter un diagnostic particulier. Simple. Elle descendit au Bureau des services d'adaptabilité. Le questionnaire était composé de vingt-cinq affirmations avec lesquelles elle devait être d'accord ou pas d'accord. Elle avait pensé qu'elle verrait tout de suite ce sur quoi elle devrait mentir, mais une fois commencé le questionnaire, elle fut perturbée de constater qu'effectivement elle était d'accord avec la plupart de ces affirmations, comme : *J'ai des difficultés à me souvenir de choses que je viens de lire.* Mais oui ! Elle était confrontée à cela presque chaque fois qu'on lui demandait de lire un vrai livre, avec des pages. Ou bien : *Je me surprends à rêvasser quand je dois me concentrer.* Ce qui lui arrivait environ dix fois par cours… Elle commença à se sentir mal, y avait-il réellement quelque chose qui n'allait pas chez elle ? Mais elle fut rassurée en avançant dans le questionnaire :

À l'idée de faire mes devoirs, j'ai des montées de panique et de stress.
Je n'arrive pas à me faire des amis.
Le stress de l'école me donne parfois des migraines insupportables et/ou des troubles digestifs.

Rien de tout cela n'était vrai à cent pour cent, elle était donc à peu près normale, et quand le diagnostic de difficultés d'apprentissage majeures tomba, elle fut ravie, comme le jour où elle était allée passer cet entretien pour le job au cinéma et qu'elle l'avait eu immédiatement, c'était le même sentiment d'accomplissement. Et puisqu'elle avait répondu honnêtement à certaines questions, ce qui lui valait d'être handicapée à dix pour cent, elle n'éprouvait aucune culpabilité à jouer la carte des difficultés d'apprentissage, et en plus, l'inanité et la débilité des cours auxquels elle était forcée d'assister valaient bien quarante-cinq pour cent, en tant que blocage environnemental à l'apprentissage, ce qui l'amenait à un handicap de cinquante-cinq pour cent, grosso modo.

Elle jeta une poignée de trombones à environ un mètre du sol et les regarda tournoyer en s'écartant les uns des autres dans les airs. Elle songea que si elle s'entraînait suffisamment, elle finirait par parvenir à une parfaite symétrie des trombones entre eux. Elle réussirait à les projeter en l'air d'un seul bloc.

Les trombones se répandirent par terre. Et Hamlet ajouta :

> *O that this too too solid flesh would melt,*
> *Thaw, and resolve itself into a dew*[1] *!*

Quelle perte de temps.

Elle avait encore une carte dans sa manche, encore une balle dans son barillet. Elle composa le numéro de la doyenne.

« Le professeur Anderson ne crée pas les conditions idéales à mon éducation, commença-t-elle quand elle l'eut au bout du fil. Je n'ai pas le sentiment que sa salle de classe est un bon endroit pour apprendre.

— Je vois, dit la doyenne. Je vois. Pouvez-vous m'expliquer pourquoi ?

1. « Ah ! Si cette chair trop solide pouvait se fondre / se dissoudre et se perdre en rosée ! » *Hamlet*, acte I, scène 2, traduit par François-Victor Hugo.

— Je ne me sens pas libre d'exprimer mon point de vue.

— Et pourquoi cela ?

— J'ai le sentiment que le professeur Anderson n'accorde pas d'importance à ma perspective personnelle.

— Eh bien, dans ce cas, peut-être devrions-nous nous rencontrer tous les trois, non ?

— Ce n'est pas un lieu sûr.

— Je vous demande pardon ? » répliqua la doyenne. Laura eut presque l'impression de l'entendre se raidir sur sa chaise.

Lieu sûr. C'était la dernière expression en vogue sur le campus. Elle n'était même pas entièrement sûre de ce que ça voulait dire, en revanche, elle savait que cela faisait se dresser les oreilles des administrateurs de l'université.

« La classe de ce professeur n'est pas un lieu sûr, dit Laura.

— Oh mon Dieu.

— En fait, c'est un lieu violent.

— *Oh mon Dieu.*

— Je ne dis pas qu'il *est* violent, ou qu'il m'a, à proprement parler, *maltraitée,* dit Laura. Tout ce que je dis, c'est que j'ai le sentiment, dans sa classe, d'avoir peur d'être maltraitée.

— Je vois. Je vois.

— J'ai des difficultés à gérer mes émotions et cela m'empêche de rédiger ce devoir sur *Hamlet*, parce qu'il n'a pas créé un lieu sûr où je pourrais laisser s'exprimer mon moi profond.

— Mais bien sûr.

— Le fait de rédiger un devoir pour le professeur Anderson réveille des sentiments négatifs de stress et de vulnérabilité. Des sentiments oppressants. Si j'écris un devoir avec mes propres mots, je sais d'avance qu'il me donnera une mauvaise note et que je me sentirai mal dans ma peau. Pensez-vous que je devrais être obligée de me sentir mal dans ma peau pour avoir mon diplôme ?

— Non, pas nécessairement, répondit la doyenne.

— Moi non plus. Et je ne voudrais surtout pas me sentir obligée de parler de cette histoire au journal des étudiants, ajouta Laura. Ou de la poster sur mon blog. Ou à mes mille amis sur iFeel. »

Voilà, échec et mat. La doyenne déclara qu'elle allait se pencher sur le problème, quant à Laura, dans l'intervalle, elle n'avait qu'à laisser tomber ce devoir sur *Hamlet* et rester discrète jusqu'à ce qu'ils puissent arriver tous ensemble à résoudre cette situation.

Victoire. Une bonne chose de faite. Elle referma *Hamlet* et jeta le livre dans un coin. Éteignit son ordinateur. Son téléphone sonna. Jason, encore, qui demandait enfin clairement ce qu'il voulait depuis le début :

Envoie une photo, tu me manques !!!!

Coquine ou mignonne ? ;-)

Coquine !!!

Hahaha lol } :-)

Elle se déshabilla et, appareil photo au bout du bras, prit les poses lascives qu'elle avait assimilées à force d'emmagasiner l'imagerie de *Cosmopolitan*,

Victoria's Secret et le porno sur Internet. Elle prit une dizaine de photos d'elle, sous des angles et avec des moues légèrement différents : lascive-sexy, lascive-taquine, lascive-ironique, lascive-hautaine, etc.

Après quoi elle mit un temps fou à décider laquelle envoyer à Jason, elles étaient toutes tellement géniales.

3

Pwnage suggéra qu'ils se retrouvent dans un bar appelé le Jezebels.

Samuel répondit :

On dirait un nom de club de strip-tease.

Ouais c vrai, lol

C'en est un ?

Non… enfin en qq sorte

Le bar se trouvait dans une banlieue de Chicago qui avait enflé vers le milieu des années soixante, lors de la première grande migration à l'extérieur de la ville. Et qui à présent mourait d'une mort lente. En une génération, tous les gens qui avaient emménagé là avaient refait le chemin à l'envers, se bousculant vers les grandes tours du centre-ville embourgeoisé. D'une émigration blanche, la ville était passée à un remplissage blanc, de telle sorte que ces banlieues de première génération — avec leurs maisons modestes, leurs centres commerciaux désuets — avaient simplement l'air vieilles. Les gens s'en allaient, et la valeur des maisons s'effondrait dans un cercle vicieux impossible à arrêter. Les écoles fermaient. Les rideaux des magasins s'abaissaient. Les lampadaires ne marchaient plus. La chaussée se fissurait. Des grandes surfaces abandonnées ne restaient que d'énormes coquilles vides, reconnaissables seulement à leurs vieux logos encore lisibles sous les contours crasseux.

Le Jezebels était situé dans un centre commercial, entre un magasin de spiritueux et un autre de location-achat de pneus. La devanture du bar était couverte de grands panneaux de plastique noir dont les bulles d'air dessinaient des ondulations sur les vitres. À l'intérieur, l'endroit avait tous les attributs d'un club de strip-tease : une scène surélevée, une barre en métal, une lumière violette. Mais pas de strip-teaseuses. Tout ce qu'il y avait à voir, c'étaient des écrans de télévision, une bonne vingtaine, disposés de telle manière que, où que vous soyez installé, vous en aviez toujours au moins quatre en ligne de mire. Elles étaient branchées sur différentes chaînes du câble spécialisées dans les sports, les clips, les jeux télévisés ou les émissions de cuisine. Sur l'écran le plus large, suspendu au-dessus de la scène et apparemment fixé directement au poteau de strip-tease, il y avait un film de strip-tease des années quatre-vingt-dix.

L'endroit était quasiment vide. Une poignée de types, assis au bar, regardaient leur téléphone. Un petit groupe de six personnes était installé autour d'une table au fond du bar, silencieux. Samuel ne voyait personne qui ressemblât à la description de Pwnage (*Je serai le mec blond avec une chemise noire,* s'était-il décrit), il choisit donc une table où l'attendre. Au-dessus du bar, un écran diffusait une chaîne musicale, c'était une interview de Molly Miller. Ce soir-là, c'était la première de son nouveau clip : « La chanson parle du fait d'être soi-même, vous voyez, quoi, disait Molly. C'est ce que dit la chanson, en gros. "*You have got to represent.*" Sois fidèle à toi-même. Ne change pas, quoi. »

« Yo, Dodger ! » lança un homme depuis la porte. Il portait bien une chemise noire mais ses cheveux étaient moins blonds que blancs avec peut-être une nuance de jaune décoloré sur les pointes. Son visage était pâle, sa peau acnéique, il semblait être sans âge : il pouvait aussi bien avoir cinquante ans que trente avec une vie difficile derrière lui. Son jean était un peu trop court, sa chemise à manches longues trop petite de deux tailles. Des vêtements achetés à une époque où il était plus jeune et moins gros.

Ils se serrèrent la main. « Pwnage, dit-il. C'est mon nom.

— Moi c'est Samuel.

— Non, ce n'est pas ton nom, dit-il. Tu es Dodger. » Il envoya une tape dans le dos de Samuel. « J'ai l'impression de te *connaître*, mec. On est des compagnons de guerre. »

On aurait dit qu'il avait une boule de bowling sous la chemise, juste au-dessus de la ceinture. Un type mince avec un ventre de gros. Des yeux globuleux et rouges. Une peau comme de la cire froide.

Une serveuse arriva et Pwnage demanda une bière et ce qu'il appela des « Nachos Double-D, extra super épicés ».

« Original, comme endroit, dit Samuel après que la serveuse fut repartie.

— C'est le seul bar à portée de chez moi à pied, dit Pwnage. J'aime bien marcher. Ça me fait de l'exercice. Je vais commencer un nouveau régime bientôt. Le régime pléisto. T'en as entendu parler ?

— Nan.

— C'est celui où tu manges comme au pléistocène. En particulier l'époque tarentienne, dans la dernière période glaciaire.

— Comment on sait ce qu'ils mangeaient au pléistocène ?

— Grâce à la science. En fait, tu manges comme un homme des cavernes, sauf que t'as pas à t'inquiéter des mastodontes. Et en plus, c'est sans gluten. L'idée, c'est de faire croire à ton corps que t'as remonté le temps, avant l'invention de l'agriculture.

— Je ne vois pas l'intérêt.

— La théorie derrière tout ça, c'est que la civilisation est une erreur. On s'est trompés depuis le début, on a pris une mauvaise direction. Et maintenant, à cause de ça, on est gros. »

Son corps penchait notablement vers la droite. La main qui tenait la souris commandait le reste. Tandis que le bras gauche semblait traîner quelques pas derrière lui, comme endormi.

« Je suppose qu'il n'y avait pas des tonnes de nachos au pléistocène, releva Samuel.

— En fait, le plus important pour moi pour le moment, c'est de ne pas trop manger. D'économiser. T'as idée de ce que ça coûte toute cette nourriture bio ? À la station-service, le sandwich est à quatre-vingt-dix cents, au marché bio, c'est genre huit dollars. T'imagines pas le rapport prix-calorie du nacho ? Imbattable. Et je te parle même pas des

Go-Go Taquitos ou des Knacki Balls, ou de tous les autres trucs pas bio que j'ai gratuits au supermarché du coin de la rue.

— Comment tu fais pour les avoir gratuits ?

— Eh bien, quand t'es au courant que les aliments peuvent encore être cuits douze heures avant de tomber sous le coup de la réglementation de santé publique qui oblige le supermarché à les jeter, et que t'arrives juste quelques minutes avant l'heure de la mise en rayon des nouveaux produits, tu peux te remplir un sac plastique entier, non seulement de taquitos et de Knacki Balls, mais aussi de hot dogs, de saucisses, de burritos, et autres.

— Waouh, t'es super organisé.

— Évidemment, il n'y a rien de très *agréable* à manger ce genre de trucs, souvent c'est durci, roussi, sec d'avoir passé toute la journée sur un étal chauffé. Parfois, quand tu mords dans un burrito bien rempli, t'as l'impression de mâcher la corne de tes pieds.

— Ça, c'est le genre d'image qui va me rester.

— Mais c'est pas cher, alors... Et vu mes revenus actuels, franchement au ras des pâquerettes depuis que j'ai perdu mon boulot, et ça risque pas de s'arranger parce que j'arrive en fin de droits dans trois mois, à peu près au moment où je commencerai à voir les résultats de mon régime sur mon tour de taille. Et s'il faut que je me mette à manger de la mauvaise bouffe pas chère parce que je suis fauché, ça me stoppera net dans mon élan, je le sais. Donc il faut que je fasse en sorte que le régime soit viable financièrement et tenable sur le long terme, et c'est la raison pour laquelle il est important que je ne mange pas sain tout de suite, pour avoir de quoi continuer quand j'aurai commencé mon régime. Tu vois le truc ?

— Je crois, oui.

— Chaque semaine que je passe à manger des trucs de merde, comme des nachos, je peux inscrire environ soixante dollars dans la colonne "crédit" de mon registre mental, économisés pour ma nouvelle vie. Pour le moment, le plan se déroule à la perfection. »

Quelque chose semblait bizarre chez lui, il dégageait une impression de désordre, de maladie exotique. Ses traits allaient de travers mais Samuel n'arrivait pas bien à voir vers où, comme s'il souffrait d'une vieille maladie oubliée — le scorbut, peut-être.

Leurs verres arrivèrent. « Santé, dit Pwnage. Bienvenue au Jezebels.

— Cet endroit , dit Samuel. Il s'est passé des trucs ici, non ?

— C'était un club de strip-tease avant, expliqua Pwnage. Mais les strip-teaseuses ont cessé de venir quand le maire a interdit l'alcool dans les clubs de strip-tease, puis le lap dance, puis les clubs de strip-tease eux-mêmes.

— Du coup, maintenant c'est juste un bar avec une décoration de club de strip-tease.

— Exactement. C'était le genre sévère, le maire. Élu dans un ultime sursaut de colère des gens au moment où la ville commençait à se déliter.

— Tu viens ici depuis longtemps ?

— Je venais pas quand c'était un club de strip-tease, répondit Pwnage en agitant sa main avec alliance. Ma femme est pas franchement branchée club de strip-tease. C'est tous ces trucs de société patriarcale…

— C'est plus sage.

— Soi-disant que les clubs de strip-tease dégradent l'image de la femme, etc. Oh, hé, j'adore cette chanson. »

Il parlait du dernier single de Molly Miller, dont le clip venait de commencer sur environ un tiers des écrans du bar : Molly chantait dans un drive-in abandonné où des dizaines de beaux jeunes gens avaient garé leurs voitures, des vieilles américaines des années soixante ou soixante-dix — Camaro, Mustang, Challenger —, nouvel exemple de l'impression de dislocation et d'ambiguïté que Samuel éprouvait à l'égard des artifices de ce clip. Le fait que le drive-in soit abandonné indiquait une scène se déroulant de nos jours, alors que les voitures avaient quarante ans et le micro dans lequel Molly chantait était l'un de ces anciens microphones RCA en métal utilisés à la radio dans les années trente. Parallèlement, son look semblait une sorte de clin d'œil ironico-branché aux années quatre-vingt : de grandes lunettes de soleil en plastique blanc et un jean super moulant. Le tout formait une sorte de bouillie référentielle mouvante de symboles anachroniques sans connexion logique entre eux, en dehors de leur potentiel élevé de coolitude.

« Alors, pourquoi tu voulais qu'on se voie ? demanda Pwnage en se réinstallant correctement, les pieds sous sa chaise.

— Sans raison, j'avais juste envie de traîner un peu, dit Samuel.

— On aurait pu faire ça sur *Elfscape*.

— J'imagine.

— En fait, quand j'y pense, c'est la première fois

que je traîne avec quelqu'un *en dehors* d'*Elfscape* depuis très longtemps.

— Ouais », répondit Samuel, et il réfléchit un moment, déstabilisé de constater que c'était vrai pour lui aussi. « Tu crois qu'on y joue trop souvent ?

— Non. Mais bon, parfois, peut-être.

— Quand tu penses aux heures qu'on passe sur *Elfscape*, à *toutes ces heures cumulées*. Et pas juste les heures à jouer, les heures à lire des choses sur le jeu, à regarder des vidéos d'autres en train de jouer et de commenter, à élaborer des stratégies, les heures sur des forums de discussion, etc. Ça prend tellement de *temps*. Sans *Elfscape*, on aurait tous, je sais pas, une vie intéressante. Dans le monde réel. »

Les nachos furent servis, dans ce qui ressemblait à un plat à lasagnes. Un tas de chips de maïs couvert de bœuf haché, de bacon, de saucisses, de steak, d'oignons, de piments jalapeños et d'au moins une livre de fromage, de ce fromage orange épais et brillant comme du plastique.

Pwnage plongea dans le plat, puis continua, la bouche pleine, l'écume de la sauce aux lèvres : « Je trouve *Elfscape* beaucoup plus intéressant que le monde réel.

— Sérieux ?

— Absolument. Tu vois, ce que je fais dans *Elfscape*, ça compte. Les trucs que je fais affectent le système tout entier. Changent le monde. On peut pas en dire autant dans la vraie vie.

— Parfois si.

— Rarement. La plupart du temps, on ne peut pas. La plupart du temps, on ne peut rien faire pour changer le monde. Tu vois, presque tous mes amis sur *Elfscape* travaillent dans la vente dans la vraie vie. Ils vendent des télévisions, des pantalons. Ils travaillent dans un centre commercial. Mon dernier boulot c'était chez un vendeur de photocopieurs. Explique-moi en quoi ça risque d'affecter le système.

— Je ne crois pas que je puisse accepter l'idée qu'un jeu ait plus d'importance que la vraie vie.

— Quand j'ai perdu mon boulot, ils m'ont dit que c'était à cause de la crise. Qu'ils ne pouvaient plus se permettre d'avoir autant d'employés. Malgré le fait que, la même année, le patron s'était octroyé un salaire dans les huit cents fois plus élevé que le mien. Face à une situation pareille, si tu veux mon avis, se plonger dans *Elfscape*, c'est le meilleur moyen de ne pas devenir fou. De satisfaire un besoin humain psychologique basique de se sentir important, de se donner du sens. »

Pour arracher les nachos au plat, Pwnage devait les détacher des filaments orange et gluants qui les tenaient collés. Après quoi il les chargeait du maximum de fromage et de viande qu'ils pouvaient contenir. Et il se resservait ainsi avant même d'avoir fini la précédente bouchée. On aurait dit que sa bouche était un tapis roulant qui engouffrait la nourriture.

« Si seulement le monde réel fonctionnait comme *Elfscape*, dit Pwnage en mâchant. Si seulement le mariage fonctionnait comme ça. Chaque fois que je ferais un truc bien, je gagnerais des points jusqu'à ce que je devienne un mari de niveau cent, catégorie Grands Maîtres. Et quand je me serais comporté comme un crétin avec Lisa, je perdrais des points, et plus je m'approcherais de zéro, plus je m'approcherais du divorce. Et si on pouvait ajouter des signaux sonores à chaque fois, ce serait bien aussi. Tu vois, le son que ça fait quand Pac-Man se ratatine et meurt, par exemple. Ou bien au *Juste Prix*, quand les candidats visent trop haut. Le refrain de la dégringolade.

— Lisa, c'est ta femme ?

— Mm-hm, dit Pwnage. On est séparés. En fait, plus exactement, on est divorcés. Pour le moment. » Il baissa les yeux sur son alliance, puis les releva vers le clip de Molly et son flot d'images saccadées sans lien logique : Molly dans une salle de classe, Molly en supportrice à un match de football américain entre lycées, Molly dans un couloir de bowling, Molly à un bal du lycée, Molly dans un pré verdoyant pique-niquant avec un joli garçon. Les producteurs avaient manifestement décidé de cibler un public adolescent et « adulescent », et tournaient autour de leur concept comme des chiens autour d'une poubelle.

« Quand on était mariés, reprit Pwnage, je pensais que tout allait super bien. Et puis un jour, elle a décrété qu'elle n'était plus heureuse dans notre relation, et boum : je me suis retrouvé avec les papiers du divorce entre les mains. Elle est partie comme ça, du jour au lendemain. »

Pwnage n'arrêtait pas de se gratter le bras, il se grattait tellement que la manche de sa chemise était râpée à cet endroit.

« Ce genre de trucs n'arriverait jamais dans un jeu vidéo, dit-il. D'être pris par surprise comme ça. Dans un jeu, on t'envoie un message tout de suite. Dans un jeu, t'as un signal sonore, un petit bonhomme triste serait apparu pour m'alerter chaque fois que je perdais des points et glissais vers le divorce. Du coup, j'aurais pu m'excuser immédiatement et ne jamais recommencer. »

Par-dessus son épaule, Molly Miller chantait devant une foule qui dansait et l'acclamait. Sur la scène avec elle, pas de groupe, pas même des enceintes, on aurait dit qu'elle chantait a cappella. Mais les fans, eux, dansaient et sautaient dans tous les sens, de manière complètement disproportionnée pour une chanteuse a cappella, la musique venait forcément d'ailleurs, de quelque part derrière la caméra, suivant la mode antidiégétique *de rigueur** dans les clips d'aujourd'hui. On fait comme si tout était absolument normal.

Pwnage continuait : « Dans un jeu, on te dit toujours comment tu peux gagner. Pas dans la vraie vie. J'ai l'impression d'avoir perdu dans la vie, et je n'ai aucune idée de ce que j'ai fait pour.

— Ouais.

— J'ai tout foiré avec la seule fille que j'ai jamais aimée, tu vois.

— Moi aussi, dit Samuel. Elle s'appelait Bethany.

— Ouais. Et j'ai pas franchement construit de carrière non plus.

— Moi non plus. En fait, je crois qu'une de mes étudiantes est en train d'essayer de me faire virer.

— Et mon hypothèque m'a littéralement fichu sur la paille.

— Pareil.

— Et je passe le plus clair de mon temps à jouer aux jeux vidéo.

— Pareil.

— Mon pote, dit Pwnage en regardant Samuel de ses yeux globuleux injectés de sang. Toi et moi, on est des sortes de jumeaux. »

Pendant un moment, ils regardèrent le clip de Molly Miller sans un mot, Pwnage mangeait, ils écoutaient la chanson, revenue au refrain pour au moins la quatrième fois depuis le début, et donc bientôt finie normalement. Les paroles de Molly faisaient référence à quelque chose qui leur échappait, quelque chose qui échappait à toute compréhension, dans la mesure où elle utilisait un pronom personnel avec des antécédents ambigus, changeants :

Don't hurt it. You gotta serve it.
You gotta stuff it, kiss it.
I want to get it.
Push up on it. 'Cuz I'm gonna work it.
You got it ? Think about it[1].

Puis, après chaque strophe, Molly poussait un cri et toute la foule reprenait en chœur la première phrase du refrain — « *You have got to represent* ! » — en levant leurs poings en l'air, comme s'ils protestaient contre quelque chose, quoi que ce soit.

« Ma mère m'a abandonné quand j'étais gamin, dit Samuel. Elle m'a fait ce que Lisa t'a fait. Un jour, elle est partie, juste comme ça. »

Pwnage hocha la tête. « Je vois.

— Et maintenant j'ai besoin qu'elle me donne quelque chose et je ne sais pas comment l'obtenir.

— De quoi t'as besoin ?

— De son histoire. J'écris un livre sur elle, mais

1. Traduction imparfaite d'un rap aussi approximatif que Samuel le constate : « Ne lui fais pas mal. Donne-toi pour lui. / Donne tout pour lui, embrasse-le. / Je veux le choper. / Appuie-toi sur lui. Moi je vais m'en occuper. / Tu vois ce que je veux dire ? Réfléchis-y. »

elle refuse de me raconter quoi que ce soit. Tout ce que j'ai, c'est une vieille photo et quelques notes. Je ne sais rien d'elle. »

Samuel avait la photo dans sa poche — imprimée sur une feuille et pliée en quatre. Il la montra à Pwnage.

« Hmm, dit Pwnage. T'es écrivain ?

— Ouais. Et si je ne viens pas à bout de ce livre, mon éditeur va me poursuivre en justice.

— T'as un éditeur ? C'est vrai ? Moi aussi, je suis écrivain.

— Sans déconner.

— Ouais. J'ai cette idée de roman. Je l'ai commencé quand j'étais au lycée. L'histoire d'un enquêteur de police avec des dons psychiques sur la piste d'un serial killer.

— Ça a l'air génial.

— J'ai tout le plan en tête. À la fin — attention, spoiler — il y a un affrontement majeur quand la piste débouche finalement sur le petit ami de la fille de l'ex-femme de l'enquêteur. Dès que j'aurai le temps, je l'écris. »

La peau de ses cuticules, la peau autour de ses yeux et de ses lèvres, et, en fait, à chaque intersection de son corps, la peau revêtait une rougeur intense et douloureuse. Une plaie violacée marquait chaque passage d'une partie à l'autre. Samuel songea qu'il devait souffrir à chaque mouvement, à chaque clignement d'œil, à chaque respiration. Des taches roses parsemaient son cuir chevelu là où des touffes de cheveux blancs étaient tombées. L'un de ses yeux semblait plus ouvert que l'autre.

« Ma mère, c'est Calamity Packer.

— Calamity quoi ?

— La femme qui a jeté des pierres sur un politicien.

— Je ne sais absolument pas de quoi tu parles.

— Ouais, moi non plus, au début, je voyais pas. Je crois que c'est arrivé le même jour que notre raid. Celui contre le dragon.

— Une victoire épique.

— Ouais.

— *Elfscape* t'en apprend beaucoup sur la vie, en fait, dit Pwnage. Tu vois, ce problème avec ta mère ? Facile. T'as qu'à te demander quel genre de défi c'est.

— Comment ça ?

— Dans *Elfscape*, comme dans n'importe quel jeu vidéo, il y a quatre sortes de défis. Chaque épreuve est une variante de ces quatre défis. C'est ma philosophie. »

La main de Pwnage planait, en suspens, sur les décombres de nachos, en quête d'une chips encore à peu près intègre, la plupart étant maintenant toutes ramollies dans le bain d'huile et de fromage fondu qui stagnait au fond du plat.

« Ta philosophie prend racine dans les jeux vidéo ? demanda Samuel.

— Mais elle fonctionne aussi dans la vraie vie. Quel que soit le problème que tu rencontres dans la vie, il a un équivalent dans les jeux vidéo, et c'est un de ces quatre-là : ennemi, obstacle, énigme ou piège. Rien d'autre. Chaque personne que tu rencontres dans la vie incarne l'une de ces quatre choses.

— D'accord.

— Après, tu n'as plus qu'à savoir de quel genre de défi il s'agit.

— Et comment tu fais ça ?

— Ça dépend. Disons que c'est un ennemi. La seule manière de vaincre un ennemi, c'est de le tuer. Si tu tuais ta mère, est-ce que ça réglerait ton problème ?

— Sûr que non.

— Donc ce n'est pas un ennemi. Bonne nouvelle ! Un obstacle alors ? Les obstacles, ce sont les choses que tu dois contourner pour avancer. Si tu évitais ta mère, est-ce que ça réglerait ton problème ?

— Non. Elle a quelque chose dont j'ai besoin.

— C'est-à-dire ?

— L'histoire de sa vie. J'ai besoin de savoir ce qui lui est arrivé, dans le passé.

— D'accord. Et tu n'as aucun autre moyen de le savoir ?

— Je ne crois pas.

— Aucune source documentaire ? demanda Pwnage. Aucune famille ? Personne que tu pourrais aller voir ? C'est ce que les écrivains font, non ? Des recherches ?

— Il y a bien mon grand-père maternel. Il est toujours en vie.

— Eh ben tu vois.

— Je ne lui ai pas parlé depuis des années. Il est dans une maison de retraite. Dans l'Iowa.

— Mm-hm. » Pwnage raclait le bourbier de nachos à l'aide d'une cuillère.

« Toi, tu penses que je devrais aller parler avec mon grand-père, poursuivit Samuel. Aller dans l'Iowa l'interroger sur ma mère.

— Oui. Pour comprendre ce qui s'est passé. Rassembler les pièces du puzzle. C'est la seule manière de régler ton problème, si c'est bien un obstacle dont il s'agit et pas une énigme ou un piège.

— Et comment on peut savoir ?

— On ne peut pas immédiatement. » Il reposa la cuillère. Il ne restait presque plus de nachos. Il ramassa un morceau de fromage du bout des doigts et se les lécha.

« Il faut être très prudent, dit Pwnage, avec les gens qui sont des énigmes ou des pièges. Une énigme, tu peux toujours t'en sortir, pas un piège. Le coup classique, c'est de prendre quelqu'un pour une énigme et de se rendre compte à la fin que c'était un piège. Et là c'est trop tard. C'est ça, le piège. »

4

Un souvenir : c'est l'été, Samuel est à l'arrière de la voiture qui roule vers la ville natale de ses parents dans l'Iowa. Maman et Papa sont à l'avant, il est assis du côté où il n'y a pas de soleil et il fixe le paysage qui défile par la vitre, la circulation épouvantable de Chicago, les tours de brique et d'acier de la ville s'effaçant peu à peu, au profit d'une marée de prairies à la prévisibilité plus reposante. L'Oasis de Dekalb, dernier îlot de civilisation, cède la place à des terres agricoles. Un ciel gigantesque, plus gigantesque encore de n'être jamais interrompu : ni montagnes, ni collines, nul accident topographique pour venir lézarder cette infinie palette de verts.

La traversée du Mississippi : Samuel essayant de retenir sa respiration sur toute la longueur du grand pont en béton, regardant en bas, les péniches naviguant vers le sud, remorqueurs, bateaux pontons, vedettes tirant des chambres à air sur lesquelles des gens — de vagues taches roses vu d'en haut — rebondissent. En sortant de l'État, la voiture tourne vers le nord et suit la rivière jusqu'à la maison, là où, lui a-t-on raconté, ses parents ont grandi et sont tombés amoureux au lycée. Sur l'autoroute 67, le fleuve à sa droite, les stations essence avec de la pub pour des appâts vivants, les drapeaux américains flottant sur les centres pour vétérans, les parkings publics, les terrains de golf, les églises et les bateaux, de temps en temps un gros tracteur John Deere à cheval sur le bas-côté, des motards en Harley levant la main gauche pour saluer leurs congénères qui passent dans l'autre sens, la carrière où le gravier orange vole sous les pneus, les panneaux de limitation de vitesse strictement contrôlée et d'autres panneaux parfois tordus à coups de chevrotine — CERFS SUR TROIS KILOMÈTRES, ATTENTION ENTRÉE D'USINE, AUTOROUTE ADOPTÉE PAR LE CLUB KIWANIS. Puis les cheminées rouge et blanc de l'usine d'azote apparaissent, suivies des gigantesques cuves de propane de l'est de l'Iowa, l'installation géante de l'usine ChemStar, qui répand régulièrement une odeur de flocons d'avoine brûlés sur toute la ville, le silo-élévateur et les petits commerces de la ville : le Garage de Léon, l'Armurerie de Bruce, les Antiquités Rares de Pete le Malin, la pharmacie Schwingle. Des cabanes en aluminium au fond des jardins. Des garages supplémentaires couverts de matériau isolant. Trois, quatre ou cinq véhicules opérationnels, parfois extrêmement bien entretenus, par maison. Des jeunes gens sur des vélomoteurs, avec des fanions orange voletant au vent au-dessus de leur tête. Des gamins en quad et moto tout-terrain fonçant à travers champs. Des camions remorquant des bateaux. Tout le monde utilisant ses clignotants.

Si le souvenir semblait si précis, c'est que très peu de choses avaient changé. Samuel, de retour sur cette route, vers ce grand-père qu'il n'avait pas vu depuis des décennies, constatait avec étonnement la permanence de ces lieux. La vallée du Mississippi, bien qu'étant l'une des plus contaminées par les produits chimiques du pays, avait toujours l'air aussi verte et luxuriante. Sur presque chaque façade de chaque maison des villes qui longeaient la rivière, flottait un drapeau. L'ancestral patriotisme n'avait pas été diminué par deux cruelles décennies de délocalisation des emplois et d'effondrement industriel. Certes, le centre de gravité de la ville avait dérivé du quartier pittoresque d'origine vers le nouveau grand Walmart, mais personne n'avait l'air de s'en offusquer. Le parking du Walmart, en constante effervescence, ne désemplissait jamais.

Il constata tout cela en chemin. Ainsi que le lui avait suggéré Pwnage, il était parti en voyage de recherches. Il s'efforçait donc de s'imprégner de la ville, d'imaginer ce que cela avait dû être de grandir ici. Sa mère n'en parlait jamais et ils ne venaient que rarement. Un été sur deux, généralement, quand il était petit.

Quelques indices lui étaient néanmoins parvenus sur cette ville d'origine, et Samuel savait que son grand-père vivait ici, peu à peu rongé par la démence et Parkinson dans une maison de retraite appelée la Vallée du Saule, où Samuel avait pris rendez-vous pour plus tard dans la journée. D'ici là, il avait prévu d'explorer, observer, faire des recherches.

En premier, il alla voir l'ancienne maison de son père, une ferme sur les rives du Mississippi. Puis celle de sa mère, un charmant petit bungalow avec une grande baie vitrée dans une des chambres de l'étage. Il trouva son lycée, qui avait l'air de n'importe quel autre lycée n'importe où. Prit quelques photos. Alla au terrain de jeux près de chez sa mère — le classique combiné balançoire-toboggan-cage à barreaux. Prit de nouvelles photos. Il alla même à l'usine ChemStar où son grand-père avait été employé pendant de nombreuses années, le bâtiment était tellement grand qu'il était impossible de le voir en entier, d'où qu'on le regarde. Construit le long de la rivière, encerclé par des rails de chemin de fer et des fils électriques, on aurait dit un porte-avions échoué sur le rivage. Un amas de métal et de tuyaux qui n'en finissait pas, sur des kilomètres, des fourneaux, des cheminées, des bâtiments en béton comme des bunkers, des citernes en acier, des cuves rondes, des canalisations qui semblaient toutes reliées à un dôme en cuivre à l'extrémité nord de l'usine, où, quand la lumière était bonne, on aurait dit un second soleil, sortant du sol. Autour de l'usine, l'atmosphère, surchauffée, sentait le soufre, les gaz d'échappement, le charbon brûlé, l'air était comprimé, difficile à respirer, comme s'il n'y en avait pas assez. Samuel photographia tout. Les citernes, les tuyaux courbés, les cheminées de brique crachant des nuages blancs qui se diluaient dans le ciel. Impossible de saisir l'ensemble de l'usine dans le cadre, il la longea donc, la photographiant pan par pan. Dans l'espoir que les photos lui délivreraient quelque chose d'important, dans l'espoir de voir apparaître une connexion entre la brutalité de l'usine ChemStar et la famille de sa mère, si longtemps attachée à ces bâtiments par le cordon. Il prit des dizaines de photos, avant de quitter les lieux pour se rendre à son rendez-vous.

Il était en route pour la maison de retraite quand Periwinkle appela.

« Salut, mon pote, dit son éditeur, la voix pleine d'écho. Je venais aux nouvelles.

— Tu as l'air loin. Où es-tu ?

— À New York, dans mon bureau. Tu es sur haut-parleur. Il y a des manifestants en bas de mon immeuble. Ils crient tant qu'ils peuvent. Tu les entends ?

— Non, dit Samuel.

— Moi si, dit Periwinkle. Ils sont vingt étages plus bas, mais je les entends.

— Qu'est-ce qu'ils crient ?

— En fait, je ne les entends pas *vraiment*. Pas leurs mots, pas leurs discours. Ce que j'entends surtout, ce sont les percussions. Il y en a toute une bande là en bas. Un cercle de gens qui tapent en rythme. Ils se réunissent tous les jours et font un vacarme d'enfer. Sans que je comprenne pourquoi.

— Ça doit te sembler étrange, d'être contesté.

— Ce n'est pas *moi* qu'ils contestent, *per se*. Pas mon entreprise en particulier. C'est davantage le monde qui a donné naissance à mon entreprise. Multinational. Global. Capitaliste. Les quatre-vingt-dix-neuf pour cent, c'est leur slogan, je crois.

— *Occupy Wall Street*.

— Oui, c'est ça. Grandiose, si tu veux mon avis. Ils n'occupent pas tant Wall Street qu'un petit rectangle de béton à environ trois cents mètres de Wall Street.

— Je crois que le nom est symbolique.

— Ils se révoltent contre des choses qu'ils ne comprennent pas. C'est comme si nos ancêtres hominidés avaient organisé une manifestation à chaque vague de sécheresse. Tu imagines ?

— Alors, d'après toi, c'est un genre de danse de la pluie ?

— C'est une réponse tribale primitive contre le pouvoir divin, oui.

— Ils sont combien ?

— Un peu plus chaque jour. Ils ont commencé à douze à peine. Maintenant il y en a des dizaines. Ils essaient de nous embobiner sur le chemin du travail.

— Tu devrais essayer de leur parler.

— Je l'ai fait une fois. Ce gamin, il avait dans les vingt-cinq ans peut-être ? Il se tenait en retrait du cercle de percussions, il jonglait. Il avait des dreadlocks de petit Blanc. Il commençait chacune de ses phrases par le mot "Bon". Un tic. Mais qu'il prononçait plutôt *boo*. Je n'ai pas entendu un seul autre mot de ce qu'il racontait.

— On ne peut pas vraiment parler d'un dialogue, du coup.

— Tu as déjà manifesté contre quoi que ce soit ?

— Une fois.

— C'était comment ?

— Vain.

— Un cercle de percussions. Des jongleurs. Ils sont un non-sens vivant, palpitant au milieu du quartier de la Bourse. Mais ce qu'ils ne comprennent pas, c'est qu'il n'y a rien que le capitalisme aime autant que le non-sens. C'est ce qu'il va falloir qu'ils apprennent. Le capitalisme ne fait qu'une bouchée du non-sens.

— Et par non-sens, tu veux dire quoi ?

— Tu sais, la mode. La tendance. Toutes les tendances commencent par une erreur.

— C'est peut-être ça l'explication au nouveau clip de Molly Miller.

— Tu l'as vu ?

— Hyper accrocheur, dit Samuel. "*You have got to represent*". Mais qu'est-ce que ça veut dire ?

— Tu sais, avant, on faisait une différence entre la vraie musique et les tubes. Je veux dire, quand j'étais jeune, dans les années soixante ? À l'époque, on savait que les tubes, c'était fabriqué, sans âme, et on voulait être du côté des artistes. Aujourd'hui ? Le tube est le nouveau gage d'authenticité. Quand Molly dit "Je suis juste franche", ce qu'elle veut dire, c'est que tout le monde cherche la même chose, l'argent, la célébrité, et que les artistes qui prétendent le contraire sont des menteurs. La seule vérité fondamentale, c'est la cupidité, et la seule question, c'est qui aura le cran de l'avouer. C'est la *nouvelle authenticité*. Molly Miller ne pourra jamais être accusée de faire des tubes parce que ça a toujours été son but.

— Toute sa chanson pourrait se résumer à *Sois riche et éclate-toi*.

— Elle s'adresse à la cupidité latente de son public et elle lui dit qu'il a le droit d'être avide. Janis Joplin essayait de faire de toi une meilleure personne, de t'inspirer. Molly Miller te dit que tu as le droit d'être l'affreux personnage que tu es déjà. Ce n'est pas un jugement de ma part. C'est juste mon job de le savoir.

— Mais le jongleur alors ? demanda Samuel. Le mec à côté du cercle de percussions ? Lui, il n'est pas là pour faire de l'argent.

— Il reproduit l'idée qu'il se fait d'une manifestation qu'il a vue à la télévision il y a des années de cela. Il s'est vendu lui aussi, la seule différence, ce sont les symboles auxquels il s'est vendu.

— Mais il ne s'est pas vendu pour de l'argent, c'est ça que je veux dire.

— Est-ce que tu es assez vieux pour te souvenir de Stormin' Norman Schwarzkopf ? Et des missiles Scud ? Des rubans jaunes, de la "Ligne dans le sable" et d'Arsenio Hall qui faisait faire *woof-woof-woof* au public pour les troupes[1] ?

— Oui.

— Il n'y a rien que le capitalisme ne puisse pas engloutir. Le non-sens, c'est sa langue d'origine. C'est toi qui m'as appelé ou bien c'est moi ?

— C'est toi.

— C'est vrai. Je m'en souviens maintenant. Tu as parlé avec ta mère, c'est ça ?

— Je l'ai vue, oui. Je suis allé chez elle.

— Tu t'es retrouvé dans la même pièce qu'elle. Alors, qu'est-ce qu'elle a dit ?

— Pas grand-chose.

— Tu t'es retrouvé dans la même pièce qu'elle, tu as vaillamment surmonté des années de ressentiment et elle s'est ouverte à toi comme elle ne l'avait jamais fait avec personne avant, elle a déversé le drame de sa vie, qui, au terme de deux cent cinquante pages faciles à lire, se termine par un happy end idéal. C'est bien ça ?

1. Norman Schwarzkopf : général de l'armée américaine qui dirigea les forces de la coalition lors de la guerre du Golfe en 1991. Rubans jaunes : utilisés par la population américaine pour manifester son soutien aux troupes pendant la guerre du Vietnam puis celle du Golfe. « Ligne dans le sable » : émission de télévision de soutien aux troupes pendant la guerre du Golfe, portée par Peter Jennings, reporter mort sur le terrain. Arsenio Hall : animateur de talk-show télévisé du début des années 1990.

— Pas exactement.

— Je sais que je te demande de sauter beaucoup d'étapes psychologiques. Mais c'est une course contre la montre.

— Elle ne m'a pas donné l'impression de vouloir dire quoi que ce soit. Mais j'y travaille. Je fais des recherches. Ça risque juste de prendre un peu de temps.

— Un peu de temps. OK. Tu te souviens de ce pétrolier qui a dégazé dans le golfe du Mexique l'année dernière ?

— Oui.

— Les gens s'y sont intéressés pendant à peu près trente-six jours. Il y a des études.

— Qu'est-ce que tu veux dire par "intéressés" ?

— Le premier mois, les gens répondaient aux événements par l'indignation, la colère même. Au bout de cinq semaines, quand on évoquait les faits, la réaction lambda était "Oh, oui, c'est vrai, j'avais *oublié* cette histoire".

— Tu veux dire que notre fenêtre de tir, c'est maintenant ?

— C'est une toute petite fenêtre, qui rétrécit de jour en jour. Je te parle du plus grand désastre écologique que l'Amérique du Nord ait jamais connu. Comparé à ça, une bonne femme qui balance des cailloux sur un type que la plupart des gens voient comme un abruti fini, ça ne pèse pas très lourd, tu saisis ?

— Et je fais quoi ? J'ai quoi comme alternative ?

— La banqueroute. Jakarta. On ne va pas revenir là-dessus.

— Je vais travailler vite. Je suis en Iowa, là, en train de rassembler des informations.

— L'Iowa. Je ne vois même pas à quoi ça ressemble.

— Pense friches industrielles. Fermes vendues aux enchères. Champs de maïs hérissés de pancartes Monsanto. Je suis justement en train d'en dépasser un.

— Charmant.

— Péniches sur le Mississippi. Troupeaux de porcs. Supermarchés.

— Je ne t'écoute plus, en fait.

— J'ai rendez-vous avec mon grand-père aujourd'hui, je vais l'interroger. Peut-être qu'il pourra me dire ce qui est réellement arrivé à ma mère.

— Comment je peux dire ça délicatement ? On s'en fiche totalement de ce qui est réellement arrivé à ta mère. Ce qu'on veut, c'est que tous les gens qui deviennent dingues à l'approche des élections présidentielles ouvrent leurs portefeuilles.

— Je suis arrivé à la maison de retraite. Faut que j'y aille. »

L'endroit était un bâtiment anonyme qui, de l'extérieur, avait l'air d'un immeuble d'habitation : revêtement en plastique, rideaux aux fenêtres, et ce nom ambigu, la Vallée du Saule. Samuel franchit les portes d'entrée et respira l'odeur agressive et l'air confiné de la médecine institutionnalisée : javel, savon, nettoyant moquette, et l'odeur piquante sous-jacente et omniprésente de l'urine. À la réception, il y avait un formulaire que devait remplir chaque visiteur avec son identité et les raisons de sa visite. À côté de son nom, Samuel écrivit « Recherches ». Il s'était dit qu'il parlerait avec son grand-père jusqu'à ce qu'il lui fournisse des réponses. Avec un peu de chance, son grand-père accepterait de parler un peu. Frank Andresen avait toujours été du genre taiseux. Il avait une attitude fermée, détachée, parlait avec un accent mystérieux, sentait souvent l'essence, et semblait vaguement inaccessible. Chacun savait qu'il avait émigré depuis la Norvège mais il n'avait jamais dit à personne pourquoi. « Pour une vie meilleure », c'était le maximum qu'il exprimait. La seule chose qu'il avait vraiment racontée de sa vie là-bas, c'était que la ferme familiale était un véritable objet de contemplation : une grande maison en brique rouge avec vue sur la mer, dans la ville la plus au nord du monde. Les seuls moments où il semblait heureux, c'était quand il évoquait cette maison.

Une infirmière guida Samuel jusqu'à une table dans la cafétéria déserte. Elle l'avertit : lorsque Frank parlait, la plupart du temps, ce qu'il disait n'avait aucun sens.

« Le médicament qu'il prend pour la maladie de Parkinson le rend confus, expliqua-t-elle, et ceux qu'il prend pour la dépression le rendent somnolent, léthargique. Entre ça et la démence sénile, vous risquez de ne pas en tirer grand-chose.

— Il est dépressif ? » demanda Samuel.

L'infirmière fronça les sourcils et leva les mains au ciel. « Regardez autour de vous. »

Samuel s'assit. Sortit son téléphone pour enregistrer leur conversation, et vit qu'il avait quelque chose comme vingt-cinq nouveaux emails — de la doyenne, du directeur des Affaires étudiantes, du directeur des Relations extérieures de l'Université, mais aussi du Bureau des Services d'adaptation, du Bureau de la Solidarité, de la Santé des étudiants, de l'Orientation académique, des Services psychologiques aux étudiants, du recteur et du médiateur. Tous avaient le même objet : *Problème Étudiant — Urgent.*

Samuel s'enfonça dans sa chaise et fit glisser l'écran du téléphone pour ne plus voir les emails. Il s'occuperait de ça plus tard.

Quand l'infirmière poussa la chaise roulante de son grand-père jusqu'à la table, la première impression de Samuel fut qu'il avait l'air petit. Bien plus petit que dans son souvenir. Il n'était pas rasé, sa barbe était mouchetée de noir, blanc et roux, sa bouche béait, ses lèvres étaient mouchetées elles aussi, de dépôt blanchâtre. Il était mince. Il portait une robe de chambre légère couleur pudding à la pistache. Les cheveux gris encore en bataille, comme s'il sortait du lit, dressés sur sa tête comme du gazon. Il regardait Samuel, il attendait.

« Content de te revoir, dit Samuel. Tu te souviens de moi ? »

5

Les souvenirs les plus précis de Frank étaient les plus anciens. Ceux du bateau en particulier. De la pêche à l'arrière du bateau durant les mois où l'Arctique le permettait. Ce souvenir-là était encore net et vivace : les gars dans la cabine embuée mangeant et buvant une fois la tâche accomplie, les filets relevés, et le soleil qui refusait de se coucher et rasait l'horizon à minuit en plein été.

Un crépuscule rouge orangé qui durait tout un mois.

Une lumière qui rendait tout plus spectaculaire — l'eau, les vagues, le rivage de falaises au loin.

Il s'appelait Fridtjof à l'époque, pas Frank.

Il était encore adolescent.

Combien il aimait tout cela, la Norvège, l'Arctique, l'eau si froide qu'elle vous arrêtait le cœur.

En fin de journée, il pêchait encore, pour le sport, pas pour l'argent. Ce qu'il aimait, c'était la lutte. Il n'y a pas de lutte quand on remonte de grands filets gorgés de poissons noirs, pas la lutte qu'on mène seul à seul avec le poisson au bout d'une ligne.

La vie était simple à l'époque.

Voilà ce qu'il aimait : cette torsion du poignet

quand il lançait l'hameçon ; la sensation d'être tiré vers le fond par le poisson, tout en puissance, en muscle et en mystère ; la canne calée sur sa hanche et tirant si fort qu'il en gardait une trace ; le poisson qui demeurait invisible jusqu'à ce qu'il frétille à la surface ; puis ce moment où il finissait par émerger.

La façon dont le monde semblait alors tout entier changé.

La vie ressemblait à cela à l'époque.

À un poisson sorti d'une eau noire comme de l'encre.

Les visages surgissaient de nulle part à présent. Il ouvrit les yeux et il y avait quelqu'un de nouveau. Juste là, un jeune homme, sourire hypocrite collé au visage, de la peur autour des yeux. Un visage qui espérait être reconnu.

Frank ne reconnaissait pas toujours les visages, mais il savait très bien reconnaître leurs attentes.

Le jeune homme parlait, posait des questions. Comme les docteurs. Qui ne cessaient de défiler devant lui. De nouveaux docteurs, de nouvelles infirmières.

Selon la même procédure.

Une procédure pour chaque blessure. Une procédure pour chaque lit mouillé. Même pour sa confusion, il y avait toujours une procédure. Des tests cognitifs, des problèmes à résoudre, des questions de sécurité. Ils mesuraient sa mobilité physique, son équilibre, son endurance à la douleur, l'état de sa peau, sa compréhension de mots isolés, de phrases entières, de consignes. Tout était évalué sur une échelle allant de un à cinq. Ils lui demandaient de rouler sur lui-même, de se redresser, puis de se rallonger, d'aller aux toilettes.

Ils vérifiaient les toilettes ensuite pour être sûrs qu'il avait bien visé.

Ils mesuraient sa déglutition. Il y avait toute une procédure pour la déglutition. Sur une échelle de un à cinq, ils mesuraient sa mastication, la façon dont la nourriture circulait dans sa bouche, la façon dont son réflexe de déglutition s'actionnait, s'il bavait, s'il salivait. Ils lui posaient des questions pour voir s'il arrivait à parler en mangeant. Ils vérifiaient qu'il ne restait pas de nourriture dans ses joues à la fin.

En insérant leurs doigts à l'intérieur pour s'en assurer.

Comme s'ils l'hameçonnaient. Comme si c'était lui le poisson à présent. Lui qui plongeait dans les eaux noires.

« Content de te revoir, dit le jeune homme en face de lui. Tu te souviens de moi ? »

Son visage rappelait à Frank quelque chose d'important. Il avait l'air d'un désastre, l'air qu'on a quand on porte un terrible secret, de ces douleurs tapies sous la peau et qui la tordent du dessous.

Frank se dégradait dans la plupart des domaines, mais s'améliorait dans certains autres. Et en la matière, il était assurément meilleur : il savait de mieux en mieux lire les gens. C'était une chose dont il était incapable auparavant. Toute sa vie, les gens lui avaient été un mystère. Sa femme, sa famille. Même Faye, sa propre fille. Mais aujourd'hui ? On aurait dit que quelque chose avait mué en lui, de même que les yeux des rennes changent selon la saison : bleus en été, dorés en hiver.

C'était l'impression qu'il avait.

Comme si désormais il percevait un nouveau spectre.

Que voyait-il chez ce jeune homme ? La même expression que sur le visage de Clyde Thompson au début de l'année 1965.

Il travaillait avec Clyde à l'usine ChemStar. La fille de Clyde avait des cheveux blonds épais, dorés, qui lui arrivaient jusqu'au bas du dos, raides et longs, comme cela se faisait à l'époque. Elle se plaignait qu'ils soient trop lourds mais Clyde les aimait tellement qu'il refusait qu'elle les coupe.

Jusqu'à ce jour de 1965, où ses cheveux furent pris dans une scie à ruban à l'école et où elle mourut. La machine lui avait littéralement arraché tout le cuir chevelu.

Clyde avait demandé deux jours de congé, puis il était revenu au travail comme si de rien n'était.

En bon soldat.

De cela Frank se souvenait très bien.

Tout le monde louait son courage. Ils étaient tous d'accord. Plus Clyde parvenait à contourner le malheur, plus il semblait héroïque aux yeux de tous.

Le meilleur moyen pour vivre une vie de secrets.

Frank le savait bien à présent. Les gens passaient leur temps à se cacher. C'était une maladie, pire sans doute que Parkinson.

Frank renfermait tellement de secrets, tellement de choses qu'il n'avait jamais dites à personne.

L'expression sur le visage de Clyde, sur celui de ce jeune homme, c'était la même. Ce froncement de sourcils qui semblait comme imprimé sur le front.

Même chose pour Johnny Carlton, dont le fils était tombé d'un tracteur qui lui avait roulé dessus et l'avait écrasé sous ses pneus. Et le fils de Denny Wisor, tué au Vietnam. Et la fille et la petite-fille d'Elmer Mason, mortes toutes les deux pendant l'accouchement. Et le fils de Pete Olsen, dont la motocyclette avait versé sur le gravier et qui s'était retrouvé coincé dessous, une hanche cassée, un poumon perforé, bientôt rempli et noyé dans son propre sang, là, sur la route, comme dans un ruisseau gargouillant en plein été.

Aucun d'entre eux n'en reparlait jamais.

Ils avaient dû mourir en hommes malheureux, ratatinés.

« Je voudrais te parler de ma mère, dit l'homme. Ta fille ? »

Et voilà que Frank est Fridtjof à nouveau, de retour à la ferme de Hammerfest, une maison rouge saumon surplombant l'océan, derrière un grand sapin, avec un pré où paissent des moutons et un cheval, et un feu qui brûle tout le long de la longue nuit de l'hiver arctique : il est de retour chez lui.

On est en 1940, il a dix-huit ans. À six mètres au-dessus de l'eau, depuis la vigie, c'est lui qui a la meilleure vue sur le navire. Tout en haut du plus grand mât, il guette le poisson et indique aux gars dans les canots de quel côté jeter leurs filets.

Des bancs entiers ondulent dans la baie, qu'il intercepte.

Mais il ne s'agit pas tant du souvenir où il cherche des poissons que de celui où il cherche sa maison. Cette maison rouge saumon avec ce pâturage, ce jardin, ce petit chemin qui descend vers le quai.

C'est la dernière fois qu'il l'a vue.

Les yeux qui piquent dans le vent, il observe, depuis le nid-de-pie qui l'emporte loin de Hammerfest, la maison rouge saumon qui rapetisse jusqu'à n'être plus qu'une tache de couleur sur le rivage, puis jusqu'à ce que le rivage lui-même ne soit plus qu'un point sur toute cette eau, puis plus rien du tout — rien d'autre que le bleu d'encre solitaire et froid de l'océan tout autour d'eux pour toujours, et la maison rouge saumon n'existe plus que dans son esprit où elle grossit, de plus en plus monstrueuse, à mesure que le bateau s'éloigne.

« J'ai besoin de savoir ce qui est arrivé à Faye, dit le jeune homme, surgissant de l'obscurité en face de lui. Quand elle est allée à l'université ? À Chicago ? »

Il regardait Frank avec cette expression qu'avaient les gens quand ils ne comprenaient pas de quoi il parlait. Cette expression qui se donnait des airs de patience mais évoquait davantage quelqu'un qui essaie de chier des pommes de pin.

Frank avait dû dire quelque chose.

Ces jours-ci, quand il parlait, il avait l'impression que ses mots s'échappaient dans un rêve. Parfois sa langue lui semblait trop grosse pour les mots. Ou bien il avait oublié l'anglais et les mots sortaient dans un enchevêtrement de sonorités norvégiennes déconnectées. Parfois aussi il débitait des phrases entières sans pouvoir s'arrêter. Ou bien il tenait des conversations entières sans même le savoir.

Cela avait sans doute quelque chose à voir avec les médicaments qu'il prenait.

Un type, dans la maison, avait un jour décidé d'arrêter de prendre ses médicaments. Il avait simplement cessé de les avaler. Un refus catégorique. Le genre de suicide bien lent. Ils tentèrent de le contraindre, de le forcer à avaler, mais il résista.

Frank admirait sa persévérance.

Pas les infirmières.

Les infirmières de la Vallée du Saule n'essayaient pas d'empêcher la mort. Elles s'efforçaient de vous guider dans la mort *pour que vous mouriez de la bonne manière.* Car si jamais il advenait que vous mouriez d'une autre cause que celle qui était censée vous emporter, les familles commençaient à poser des questions.

Les infirmières étaient gentilles. Animées des meilleures intentions. Tout du moins au début, quand elles venaient d'arriver. Le problème, c'était l'institution. Toutes ses règles. Les infirmières étaient humaines, pas les règles.

Ces documentaires animaliers sur la chaîne PBS diffusés en boucle dans la salle commune ne cessaient de démontrer que le but de la vie était la reproduction.

Tandis qu'à la Vallée du Saule, le but de la vie était d'éviter les procès.

Tout était consigné dans un tableau. Si une infirmière lui donnait son repas mais oubliait de le noter dans le tableau, face à un tribunal, c'était comme si elle ne lui avait rien donné.

Elles entraient donc toujours dans les chambres armées d'une pile de paperasses. Et passaient plus de temps le nez sur leurs papiers que sur leurs patients.

Une fois, il se cogna la tête et se fit un œil au beurre noir. En entrant dans sa chambre, l'infirmière dégaina son tableau et demanda à Frank : « Lequel de vos yeux est blessé ? »

Un regard vers lui aurait suffi à lui fournir la réponse. Mais elle était plongée dans son tableau. Plus soucieuse de consigner la blessure que de la soigner.

Tout était enregistré. Rapports de progrès physiques. Rapports diététiques. Tableaux de perte de poids. Bilan infirmier mensuel. Fichier des repas.

Feuillets d'alimentation par intraveineuse. Dossiers médicaux.

Photographies.

Ils le faisaient poser debout, nu, tremblant de froid, pour faire des photos. Environ une fois par semaine.

Pour vérifier qu'il n'y avait pas de traces de chute. Ou d'escarres. De plaies, quelles qu'elles soient. De preuves de maltraitance, d'infections, de déshydratation, de malnutrition.

Pour monter un dossier juridique, au cas où, pour leur défense.

« Tu veux que je leur demande d'arrêter de prendre des photos ? » dit le jeune homme.

De quoi étaient-ils en train de parler ? Il avait de nouveau perdu le fil. Il regarda autour de lui : la cafétéria. Vide. Le jeune homme lui adressa ce sourire forcé. Sourit comme ces lycéens qui venaient leur rendre visite une ou deux fois par an.

Et cette fille, Frank avait oublié son nom, Taylor peut-être ? ou Tyler ? à qui il avait posé la question : « Pourquoi votre lycée vous envoie ici ? » Et elle avait répondu : « C'est pour l'université, c'est bien vu d'avoir fait un peu d'humanitaire. »

Ils étaient venus deux fois, peut-être trois, et puis ils avaient disparu.

Il avait demandé à cette Taylor ou Tyler pourquoi les élèves venaient deux fois, puis plus jamais ensuite, elle avait répondu : « Parce que deux fois, ça suffit pour pouvoir le mettre dans votre dossier de candidature à l'université. »

Elle n'éprouvait aucune honte. En bonne petite, ne s'acquittant que du strict minimum pour obtenir ce qu'elle voulait.

Elle lui posa des questions sur sa vie. Il répondit qu'il n'y avait pas grand-chose à raconter. Elle voulut savoir quel était son métier. Il répondit qu'il travaillait à l'usine ChemStar. Elle demanda ce que l'usine fabriquait. Il répondit qu'elle fabriquait un composé chimique qui, une fois gélifié et au contact du feu, avait fait fondre la peau de centaines de milliers d'hommes, de femmes et d'enfants vietnamiens. C'est là qu'elle comprit qu'elle avait commis une énorme erreur en lui posant cette question.

« Je voulais te parler de Faye, dit le jeune homme. Ta fille Faye. Tu te souviens d'elle ? »

Faye était une travailleuse, rien à voir avec ces petits merdeux de lycéens. Faye travaillait dur, elle avait un but. Quelque chose en elle la poussait à se dépasser. Quelque chose de grand, d'implacable, de terriblement sérieux.

« Faye ne m'avait jamais dit qu'elle était allée à Chicago. Pourquoi est-elle allée à Chicago ? »

Le voilà en 1968, debout dans la lumière crue de la cuisine avec Faye, qu'il est en train de mettre à la porte de la maison.

Il est tellement en colère.

Il a fait tellement d'efforts pour ne pas se faire remarquer et vivre tranquille ici. Maintenant, à cause d'elle, c'est impossible.

Pars et ne reviens jamais, voilà ce qu'il lui dit.

« Qu'est-ce qu'elle a fait ? »

Elle s'est fait mettre en cloque. Au lycée. Elle a laissé ce gamin, Henry, la mettre en cloque. Sans même être mariée. Et tout le monde était au courant.

C'était cela qui le mettait le plus en rage, que tout le monde le sache. Tout d'un coup. Comme si elle avait fait paraître une annonce dans le journal local.

Comment c'est arrivé, il n'a jamais compris. Mais que tout le monde le sache, c'était pire que le fait même d'être enceinte.

Mais ça, c'était avant qu'il sombre dans la démence et cesse de se soucier de ce genre de choses.

Après cela, elle était obligée d'aller à l'université. Elle était devenue une paria. Alors elle est partie pour Chicago.

« Mais elle n'est pas restée longtemps, hein ? À Chicago ? »

Elle est revenue au bout d'un mois. Quelque chose lui est arrivé là-bas, elle n'a jamais dit quoi. Frank n'a pas su. Elle racontait aux gens que l'université était trop dure pour elle. Mais il savait qu'elle mentait.

Faye est rentrée et a épousé Henry. Ils ont déménagé. Quitté la ville.

Elle ne l'a jamais vraiment aimé, Henry. Pauvre gars. Il n'a jamais compris ce qui lui était tombé dessus. Il y a un mot en norvégien pour ça : *gift*, qui peut vouloir dire « mariage » ou « poison », ce qui devait sembler fort à propos pour Henry.

Après le départ de Faye, Frank était devenu exactement comme Clyde Thompson après la mort de sa fille : visage impassible en public, jamais une question sur Faye de quiconque, jusqu'au jour où ce fut comme si elle n'avait jamais existé.

Rien pour la lui rappeler, à part quelques cartons à la cave.

Des devoirs de l'école. Des journaux intimes. Des lettres. Ces rapports du conseiller d'orientation. À propos des *problèmes* de Faye. Ses crises de panique. De nerfs. Ces histoires qu'elle inventait pour attirer l'attention sur elle. Il existait des traces de tout cela.

Ici, à la Vallée du Saule. Au sous-sol. Des années entières, archivées. Frank gardait tout.

Il ne l'avait pas vue depuis des années maintenant. Elle avait disparu, ce que bien sûr Frank avait plus que mérité.

Très bientôt, espérait-il, il n'aurait plus aucun souvenir d'elle.

Sa tête le lâchait.

Bientôt, par bonheur, il redeviendrait Fridtjof, uniquement Fridtjof. Il ne se souviendrait que de la Norvège. Et de sa jeunesse au grand air dans la ville la plus au nord du monde. Des feux qu'ils entretenaient tout le long des longs hivers. Le ciel d'été, gris à minuit. Les volutes vertes des lueurs boréales. Les bancs de poissons éclaboussant la surface de l'eau à des kilomètres de la rive. Et peut-être, avec un peu de chance, les murs de sa mémoire se refermeraient-ils sur ce moment-là, où, pêchant à l'arrière du bateau, il remontait une créature énorme des profondeurs.

Avec un peu de chance.

Ou bien, il resterait coincé avec l'autre souvenir. Le souvenir affreux. À se revoir les yeux fixés sur cette maison rouge saumon. Qui rapetissait dans le lointain. Tandis qu'il se sentait vieillir à mesure qu'elle s'effaçait. Il la revivrait encore et encore, son affreuse erreur, sa disgrâce. Ce serait là son châtiment, le cauchemar qui ne cesserait de le réveiller : d'avoir vogué loin de chez lui, de s'être enfoncé dans la nuit et le jugement.

6

Samuel n'avait jamais entendu Papy Frank aussi disert. Un monologue diffus et ahurissant, traversé de moments de clarté, de moments où Samuel parvenait à saisir quelques détails intéressants : que sa mère était tombée enceinte et partie pour Chicago couverte de honte, que tous les documents relatifs à l'enfance de Faye se trouvaient ici, dans des cartons, à la Vallée du Saule.

Pour les cartons, Samuel s'adressa à l'infirmière, qui le conduisit à la cave, le long d'un sinueux couloir en béton ponctué de cages grillagées. Un zoo d'objets oubliés. Samuel découvrit son héritage familial sous une épaisse couche de poussière : de vieilles tables et chaises, des éléments de service en porcelaine, de vieilles pendules arrêtées, des cartons empilés en une pyramide branlante, nageant dans une flaque noire sur le sol sale et nu, le tout plongé dans une lumière verte et brumeuse de néons collés au plafond et une odeur moisie de carton mouillé. Et au milieu de tout cela, il trouva plusieurs cartons où était écrit « Faye », tous remplis de papiers : des exposés, des notes de ses enseignants, des dossiers médicaux, des journaux intimes, de vieilles photos, des lettres d'amour de Henry. Tandis qu'il avançait à travers l'écume de ces années, une nouvelle version de sa mère émergeait — différente de la femme distante de son enfance : une fille timide et pleine d'espoir. Cette vraie personne qu'il avait toujours voulu connaître.

Il chargea les cartons dans son coffre et appela son père.

« C'est le jour idéal pour manger surgelé, déclara son père. Henry Anderson à l'appareil, que puis-je faire pour vous ?

— C'est moi, dit Samuel. Il faut qu'on parle.

— Soit, je serais ravi que nous nous rencontrions pour une conversation de vive voix, dit-il avec cette intonation polie et haut perchée qu'il empruntait quand il était au travail. Je serais ravi que nous en discutions à l'heure qui vous conviendra.

— Arrête de parler comme ça.

— Est-ce que j'ai mentionné notre nouveau webinaire ?

— Est-ce que ton patron est juste derrière toi ?

— Tout à fait.

— OK, alors contente-toi de m'écouter. Je veux que tu saches que j'ai découvert quelque chose à propos de Maman.

— Je crois bien que ceci est hors de ma zone d'expertise, malheureusement, mais je serais ravi de vous aiguiller sur un de mes collègues qui pourra vous aider.

— S'il te plaît, arrête de parler comme ça.

— Bien, je comprends. Et je vous remercie infiniment d'avoir soulevé la question.

— Je sais que Maman est allée à Chicago. Et je sais pourquoi.

— Je crois que nous ferions mieux d'en parler face à face. Pourquoi ne pas prendre rendez-vous ?

— Elle a quitté l'Iowa parce que tu l'as mise enceinte. Et que son père l'a fichue dehors. Elle était obligée de quitter la ville. Je suis au courant maintenant. »

Il y eut un silence à l'autre bout du fil. Samuel patienta. « Papa ? dit-il.

— Ce n'est pas vrai, dit son père, désormais bien plus calme, et de sa voix normale.

— C'est la vérité. Je viens de parler avec Papy Frank. Il m'a tout raconté.

— *Il* t'a tout raconté ?

— Oui.

— Où es-tu ?

— Dans l'Iowa.

— Cet homme ne m'a pas adressé plus de dix mots depuis que ta mère est partie.

— Il est malade. Il prend un traitement de cheval. L'un des effets secondaires est qu'il a complètement perdu le sens de la réserve. Je ne suis pas sûr qu'il soit conscient de ce qu'il raconte.

— Dieu du ciel.

— Il faut que tu me dises la vérité. Maintenant.

— D'abord, Frank se trompe. C'était juste un énorme malentendu. Ta mère n'était pas enceinte. Pas avant de l'être de toi.

— Mais Frank a dit…

— Je crois savoir pourquoi c'est ce qu'il pense. Et ce qu'il tient pour la vérité. Mais moi je te dis que ce n'est pas ce qui s'est passé.

— Alors qu'est-ce qui s'est passé ?

— Tu es sûr d'avoir envie de le savoir ?

— J'en ai besoin.

— Il y a des choses que peut-être tu préférerais ne pas savoir. Les enfants ne sont pas obligés de *tout* savoir sur leurs parents.

— C'est important.

— Rentre à la maison, s'il te plaît.

— Et tu me raconteras ?

— Oui.

— Plus de mensonges ? Toute la vérité ?

— Entendu.

— Même si ça doit te mettre très mal à l'aise ?

— Oui. Rentre juste à la maison. »

Sur le chemin, Samuel tenta de se mettre à la place de sa mère, durant ce premier voyage vers Chicago, en route vers l'université, vers un avenir précaire et plein de mystères. Il avait l'impression de faire le chemin avec elle. Un nouveau monde s'ouvrait à lui. Tout était sur le point de changer. Il avait presque la sensation qu'elle était là, à côté de lui.

Étrangement, il ne s'était jamais senti plus proche d'elle qu'en ce moment précis.

QUATRIÈME PARTIE

L'ESPRIT DOMESTIQUE

Printemps 1968

1

Faye entend le métal se fendre et sait que le travail est à l'œuvre. Les pièces manipulées, jetées, martelées, courbées, le chant du métal heurtant le métal. De là où elle est, elle ne voit pas l'usine ChemStar mais son rayonnement parvient jusqu'à elle, ce rayonnement cuivré, au-delà du chêne au fond du jardin. Parfois elle imagine que ce n'est pas une usine, là-bas derrière, mais une armée d'antan — la lueur des torches, le bruit d'armes lourdes sur la forge. C'est à cela que ressemble la guerre pour elle.

Elle pensait que peut-être ce soir — à cause de ce qui s'est passé, de ce qui tourne en boucle à la télévision en ce moment même —, elle pensait que peut-être ce soir le travail s'interromprait. Mais non ; la ChemStar continue de rugir, même ce soir. Assise dans le jardin, elle écoute, les yeux fixés sur l'épaisse obscurité. Son père est là-bas, il est de nuit aujourd'hui. Elle espère qu'il n'a pas vu les informations, elle espère qu'il arrive à rester concentré sur son travail. Car la ChemStar est un lieu dangereux. Elle a visité l'usine une fois, terrifiée par les masques, les gants, et toutes les démonstrations de sécurité, la fontaine d'urgence pour se laver les yeux, sa respiration qui semblait coupée, son cuir chevelu qui s'était mis à gratter. Elle a entendu toutes sortes d'histoires d'hommes hospitalisés des mois durant à cause d'une stupide erreur à la ChemStar. Chaque fois qu'elle passe devant l'usine, elle voit ce logo, un *C* et un *S* entrelacés, et le panneau : CHEMSTAR — FAIRE DE NOS RÊVES DES RÉALITÉS. Même ses oncles ne veulent pas travailler ici. Ils préfèrent les aciéries, l'usine d'azote, l'usine d'engrais, l'usine de maïs, ou bien encore traverser le Mississippi pour aller dans l'Illinois prendre des quarts à la fabrication de ruban adhésif. Pas le ruban en lui-même d'ailleurs, mais la colle qui le rend adhésif. Dans de grandes citernes de mousse laiteuse, remuée et transportée dans des barils de pétrole. Comment ce liquide se retrouve-t-il sur le ruban sous forme d'adhésif, c'est un mystère. Comment ces rouleaux de scotch se retrouvent-ils dans les rayons des supermarchés américains joliment emballés — c'est le travail d'une autre usine encore, d'un autre groupe d'hommes solides et mobiles. Pas étonnant que ses oncles ne parlent jamais de ce qu'ils *font*. Ainsi va le commerce. Ainsi va la vie dans cette étrange petite ville au bord du Mississippi. De cette manière qui lui échappe toujours un peu. Elle distingue les pièces du puzzle, jamais le puzzle en entier.

C'est le mois d'avril, encore quatre mois avant son premier cours à l'université, elle est assise dans son jardin, dans la maison la télévision mugit la nouvelle : Martin Luther King a été tué à Memphis. Chicago est à feu et à sang — émeutes, pillages, incendies. Pareil à Pittsburgh. À Detroit et Newark.

Chaos à San Francisco. Incendies à trois rues de la Maison Blanche.

Faye est restée devant l'écran jusqu'à ce qu'elle ne puisse plus en supporter davantage, puis elle est sortie, s'est retrouvée dans le jardin, dans la nuit étoilée et les rugissements, les sifflements lointains des grues et des vilebrequins de la ChemStar, d'où un train se propulse dans un déferlement métallique, poursuivant sa route, le commerce continuant coûte que coûte, même ce soir. Tous ces hommes qui n'entendront pas un mot sur les émeutes, pourquoi continuent-ils cependant à travailler ? Qui a encore besoin de tous ces produits chimiques ? Une usine est une chose terrifiante, implacable.

Elle entend la porte du patio s'ouvrir, des pas — la mère de Faye, arrivant avec d'autres nouvelles.

« C'est l'anarchie », dit-elle, exaspérée. Elle n'a pas quitté Cronkite[1] des yeux de toute la soirée. « Ils démolissent *leur propre quartier.* »

Apparemment, la police de Chicago a bouclé le ghetto. On lance des cocktails Molotov dans des vitrines de magasins d'alcool. Il y a des snipers sur les toits des immeubles. Des voitures explosées dans la rue. Des feux de signalisation arrachés et tordus comme des branches. Des briques balancées à travers les vitres.

« À quoi bon tout ça ? dit sa mère. Tout ce carnage ? Et tout le monde qui regarde ça à la télévision ? Ils croient vraiment que ça va donner envie à qui que ce soit de prendre fait et cause pour eux ? »

1. Figure légendaire de la télévision d'information américaine, Walter Cronkite a été le présentateur du journal du soir sur la chaîne CBS pendant dix-neuf ans.

Martin Luther King a été abattu d'une balle dans le cou, il était debout au balcon de son hôtel — à la télévision, chaque reporter, chaque présentateur décrit la scène exactement de la même manière, avec exactement les mêmes mots. Des mots auxquels personne n'avait jamais pensé sont passés tout à coup dans le langage courant et devenus des incantations. *Lorraine Motel*, *fusil Remington*, *Mulberry Street*. (Comment un coup pareil a-t-il pu être tiré depuis une rue au nom aussi merveilleux que Mulberry Street[1] ?) La police est en alerte. Une chasse à l'homme géante. La petite trentaine, mince. Race blanche. L'homme de la chambre cinq.

« Si tu veux mon avis, ils sont juste contents d'avoir une excuse pour faire n'importe quoi, dit sa mère. Pour courir dans tous les sens torse nu, en pillant les magasins, je les imagine bien, tiens : Hé, on n'a qu'à en profiter pour s'offrir une nouvelle chaîne stéréo gratuite. »

Faye sait que l'intérêt de sa mère pour les émeutiers est secondaire. Ce qu'elle veut surtout en l'occurrence, c'est convaincre Faye de ne pas aller faire ses études à Chicago. Les émeutes sont juste une nouvelle, et inespérée, opportunité d'aborder la question. Ce qu'elle veut, c'est que Faye reste à la maison et aille dans l'école de la ville d'à côté faire deux ans d'études supérieures. Depuis qu'elle a été acceptée au Cercle il y a quelques mois, sa mère ne manque jamais une occasion de le rappeler à Faye.

« Tu vois, reprend-elle, je suis pour les droits civiques, bien entendu, mais ce n'est pas une raison

1. Rue des Mûriers.

pour se transformer en animaux et démolir les propriétés privées de gens innocents. »

Le Cercle, c'est le nom accrocheur de la toute nouvelle université du centre-ville de Chicago : l'Université de l'Illinois au sein du Cercle de Chicago. Les brochures promotionnelles qui sont arrivées en même temps que la lettre d'admission de Faye parlaient du Cercle comme de *l'UCLA*[1] *du Midwest*. Le premier *campus entièrement moderne* du monde, renchérissait la brochure, à la pointe du progrès, au concept révolutionnaire, différent de tous les autres campus : vaste système unique, s'appuyant sur les principes les plus en vogue de l'architecture et de l'ingénierie sociales, à partir de matériaux indestructibles ; avec une passerelle permettant de passer d'un bâtiment à l'autre en jouissant d'une vue aérienne sur l'ensemble, sorte de *passage piéton dans le ciel* ; le campus était le fruit d'une architecture innovante fondée sur la théorie du champ mathématique, qui, d'après ce qu'en savait Faye, consistait en une superposition de cubes avec une légère rotation d'un étage à l'autre créant un bâtiment multifacettes, qui, vu d'en haut, ressemblait à un nid d'abeilles. Une avancée au moins aussi importante que les arcs-boutants du dôme géodésique, clamait la brochure, et tout cela faisait partie de la mission essentielle de l'école : construire *le Campus du Futur*.

Faye avait présenté sa candidature en cachette.

« Si ces gens n'étaient pas aussi destructeurs et en colère, dit sa mère, je suis sûre que les gens

1. University of California, Los Angeles : université la plus réputée et la mieux cotée de la côte Est.

normaux les soutiendraient davantage. Au lieu de tout ce carnage, ils n'ont qu'à se bouger pour organiser une campagne. Proposer des solutions au lieu de tout casser. »

Faye regarde au loin les lueurs de la ChemStar. Son père travaille, il ignore sans doute ce qui est en train de se passer dans le monde autour de lui. La seule fois où il s'est appesanti sur la question du Cercle, c'est le jour où Faye lui a montré sa lettre d'admission et la brochure. C'est à lui qu'elle l'a dit en premier. Après avoir fêté la nouvelle, toute seule dans sa chambre, elle est allée le trouver dans le salon, où il était en train de lire le journal dans un fauteuil. Elle lui a tendu la lettre. Il l'a regardée, puis il a reporté son attention sur la documentation qui l'accompagnait. Il a lu, entièrement, silencieusement, assimilant lentement la nouvelle. Faye était au bord de l'explosion. Elle s'attendait à ce qu'il la félicite d'avoir réussi une chose aussi extraordinaire. Mais, lorsqu'il a eu fini de lire, il lui a rendu les papiers avec un simple : « Ne sois pas ridicule, Faye. » Puis il a rouvert son journal, l'a fait claquer pour le défroisser et a ajouté : « Et n'en parle à personne. On pourrait penser que tu frimes. »

« C'est le chaos dans les rues ! » lance sa mère. Elle a l'air de plus en plus secouée. Ces derniers temps, on dirait parfois que ce qu'elle fait le mieux, c'est monter dans les tours toute seule. « Je ne sais même pas pourquoi ils se battent ! Ces gens, là. Qu'est-ce qu'ils veulent ?

— Probablement qu'on arrête de les assassiner, pour commencer, répond Faye. Ce n'est qu'une hypothèse, bien sûr. »

Sa mère lui adresse un long regard appuyé. « Quand

John Kennedy a été assassiné, *nous*, on n'a pas fait une émeute. »

Faye éclate de rire. « T'as raison, c'est exactement la même chose.

— Qu'est-ce qui te *prend*, ce soir ?

— Rien, Maman. Désolée.

— Je m'inquiète pour toi.

— Ne t'en fais pas.

— Je m'inquiète que tu ailles à Chicago, dit-elle, finissant par arrêter de tourner autour du pot. C'est juste que… c'est tellement loin. Et tellement grand. Et il y a tous ces, tu sais, ces *éléments urbains*. »

Ce qui veut dire, dans sa bouche, ces nègres.

« Je ne veux pas t'effrayer, dit-elle. Mais réfléchis-y. Tous les soirs en rentrant chez toi, tu prends le risque qu'ils t'attrapent, t'attirent dans une petite rue sombre et te violent, avec le canon d'un revolver enfoncé dans la bouche si loin que même prier tu ne peux plus.

— D'accord ! lance Faye en se levant. Merci, Maman. J'ai été ravie de discuter avec toi.

— Et si jamais tu as une crise alors que tu es loin de la maison ? Qu'est-ce que tu feras si je ne suis pas à côté pour m'occuper de toi ?

— J'y vais.

— Où ça ?

— Dehors.

— Faye.

— Nulle part, Maman. J'ai juste besoin d'aller faire un tour. Pour me vider la tête. »

Mensonge, bien sûr. Elle va chez Henry. Le bon et gentil Henry. Elle ira chez lui ce soir, avant que sa mère ne la terrifie définitivement avec ses histoires de violence et de viol. Elle prend la voiture et sort de son quartier, une parcelle de petits bungalows baptisée Collines Vista (mais comme on est dans l'Iowa, ce nom l'a toujours laissée perplexe, le panneau des Collines Vista montre un panorama de montagnes qui bien entendu n'existent nulle part dans tout l'État). Puis elle continue sur le grand boulevard, dépasse la cafétéria, l'hypermarché discount, la pharmacie. Puis la station-service avec son supermarché, et la rue du lavage automatique de voitures, le château d'eau gris que certains anciens appellent encore le *château vert* parce que c'était sa couleur à l'origine, avant que les années et le soleil ne le décolorent — faut-il avoir pitié de ceux qui vivent à ce point cloîtrés dans l'étroitesse de leurs souvenirs ? se demande Faye. Enfin, elle passe devant le centre de vétérans et le restaurant qui s'appelle « Restaurant », dont le panneau ne change jamais : SANDRE FRAIS À VOLONTÉ. VENDREDI, SAMEDI ET MERCREDI.

Elle prend l'autoroute et aperçoit au loin, dans une trouée entre les arbres, ce qu'elle s'amuse à appeler le *phare* : en fait, c'est une tour au milieu de l'usine d'azote où le gaz est évacué et brûlé et où, la nuit, l'on peut voir une flamme bleue. Ce qui fait que cela ressemble bel et bien à un phare, même si du point de vue géographique c'est plutôt comique, quand on sait qu'il n'y a pas une goutte d'eau de mer à des centaines de kilomètres à la ronde. C'est la route pour aller chez Henry. Elle traverse les rues désertes, cette nuit semblable à toutes les autres, sauf à la télévision. Le spectacle de la catastrophe sur tous les écrans détourne l'attention, personne ne la verra passer — personne sur son porche, personne dans son garage pour dire :

Tiens, voilà Faye, où est-ce qu'elle peut bien aller ? Faye sait qu'ils surveillent, que les voisins sont curieux, que la ville tout entière jette sur elle son œil intransigeant, depuis que tout le monde a appris pour le Cercle, les choses ont changé. Les gens à l'église, qui auparavant remarquaient à peine la présence de Faye, se sont mis à tenir des propos hostiles, passifs-agressifs : « J'imagine que tu vas tous nous oublier quand tu seras à la grande ville », ou bien, « Je suppose que tu ne reviendras pas dans notre petite ville ennuyeuse », ou encore, « Quand tu seras devenue quelqu'un d'important, tu n'auras plus de temps pour tes vieux amis », etc. Des méchancetés déguisant le fond de leurs pensées : *Tu crois que tu vaux mieux que nous ?*

La réponse étant, en fait, *oui*.

Sur son bureau, à la maison, il y a une lettre du Cercle — d'apparence si officielle, ce papier épais avec ce logo — au sujet de sa bourse. La première fille de son lycée à obtenir une bourse. La *toute* première fille. Comment pourrait-elle se sentir autrement que mieux que les autres ? Être mieux que les autres, ça a toujours été le but !

Faye sait que ce n'est pas bien de penser ce genre de choses, que c'est un manque d'humilité ; c'est arrogant, vaniteux, plein d'orgueil, qui est le pire des péchés. *Celui qui a le cœur fier est une abomination*, a dit le pasteur dimanche dernier, et sur son banc, Faye avait les larmes aux yeux parce qu'elle ne savait pas comment faire pour bien se comporter. Cela semblait si difficile d'être quelqu'un de bien, et les châtiments pour celui qui ne l'était pas étaient si nombreux, si variés. « Si vous êtes un pécheur, a dit le pasteur, vous serez puni, vos enfants seront punis, et les enfants de vos enfants seront punis, jusqu'à la troisième et la quatrième génération. »

Elle espère que le pasteur n'apprendra jamais qu'elle est allée voir Henry sans avoir la permission.

Ou qu'elle l'a fait de façon si sournoise. Tous phares éteints à l'approche de la ferme de sa famille. En garant sa voiture à l'écart pour faire le reste du chemin à pied. Accroupie sur la route de gravier, laissant le temps à ses yeux de s'habituer à l'obscurité, guettant les chiens, épiant la maison, manœuvrant en douce pour attirer son attention sans éveiller celle de ses parents, en lançant des petits cailloux sur sa fenêtre. Des trucs d'adolescents.

Toute la ville est au courant pour eux deux, bien entendu. Toute la ville est au courant pour *tout le monde*. Et ils approuvent. Quand ils la croisent, ils font des clins d'œil à Faye, lui posent des questions sur le mariage. « C'est pour bientôt, maintenant », disent-ils. Manifestement, ils préféreraient la voir se marier plutôt qu'aller à l'université.

Henry est un garçon gentil, bien élevé. La ferme de sa famille est grande et bien tenue, respectable. C'est un bon luthérien, un travailleur courageux, son corps est en béton armé. Quand elle le touche, elle sent ses muscles saillir sous ses vêtements, toute cette tension nerveuse qui monte en lui et lui fait perdre ses moyens. Elle ne l'aime pas, ou plutôt elle ne *sait* pas si elle l'aime, ou bien peut-être qu'elle *l'aime* mais qu'elle n'est pas *amoureuse* de lui. C'est le genre de distinctions, de pinailleries lexicales qu'elle déteste et qui malheureusement comptent énormément. « Allons nous promener », dit Henry. La ferme de sa famille est bordée d'un côté par l'usine d'azote, de l'autre par le Mississippi. Ils avancent dans cette direction, vers le bord de la rivière. Il n'a pas l'air surpris de la voir. Lui prend la main.

« Tu as regardé les informations ? demande-t-il.

— Oui. »

Sa main est rêche, rugueuse, la paume en particulier, juste au-dessus de la première phalange, le point de contact de Henry avec tous les outils de la ferme : pelle, bêche, binette, balai, le long et compliqué levier de vitesse du tracteur John Deere. Mais une simple batte de base-ball laisse le même genre d'empreinte quand on s'en sert comme il se sert des outils pour tuer les nuées de moineaux qui viennent nicher dans le grenier à maïs. C'est trop petit pour y aller à la chevrotine, lui a-t-il un jour expliqué. Les balles pourraient ricocher. On pourrait y perdre un œil. Alors il faut y aller à la batte de base-ball pour chasser les oiseaux. Elle lui a demandé de ne plus jamais lui parler de ça.

« Est-ce que tu veux toujours aller à Chicago ? demande-t-il.

— Je ne sais pas », dit-elle.

Plus ils approchent de la rivière, plus le sol devient spongieux. Elle perçoit le flux et le reflux de chaque vaguelette à la surface. Derrière eux, le phare brûle d'un bleu azuréen comme un éclat de jour en pleine nuit.

« Je ne veux pas que tu y ailles, dit Henry.

— Je ne veux pas en parler. »

Quand ils se tiennent la main, souvent, il frotte ses doigts sur la peau douce entre son pouce et son index, ou sur la peau encore plus douce de son poignet. Faye se demande s'il ne le fait pas pour réussir à avoir des sensations. À sentir quelque chose à travers toutes ces épaisses couches de peau morte. En frottant ses doigts sur sa peau, il a la confirmation qu'ils sont bien au bout de ses mains, et Faye se demande ce qui se passera quand il voudra les poser ailleurs. Elle s'y attend — c'est inévitable —, elle guette la main qu'il essaiera de glisser sous ses vêtements. Est-ce qu'elles lui feront mal, ces mains rudes, ces mains insensibilisées ?

« Si tu vas à Chicago, dit Henry, je ne sais pas ce que je ferai.

— Tout ira bien.

— Non », dit-il, et il lui serre la main si fort, il s'immobilise et se tourne vers elle de manière si théâtrale — sérieusement, intensément — comme s'il avait quelque chose de la plus haute importance à lui dire. Henry a toujours été un peu mélodramatique. Les adolescents sont comme ça parfois, leurs émotions semblent complètement disproportionnées.

« Faye, commence-t-il, j'ai pris une décision.

— D'accord.

— J'ai décidé... » Il s'interrompt, s'assure qu'elle l'écoute attentivement, et une fois certain que c'est le cas, continue : « Si tu vas à Chicago, je m'engage dans l'armée. »

Elle rit — juste un gloussement qu'elle essaie de retenir en vain.

« Je suis sérieux ! proteste-t-il.

— Henry, je t'en prie.

— C'est décidé.

— Ne sois pas stupide.

— L'armée est un choix tout à fait honorable, dit-il. C'est une chose tout à fait *honorable*.

— Mais pourquoi donc voudrais-tu faire une chose pareille ?

— Si je ne le fais pas, je serai seul et triste. C'est le seul moyen pour moi de t'oublier.

— M'oublier ? Henry, il s'agit juste d'aller à l'université. Je ne vais pas mourir. Je reviendrai.

— Tu seras tellement loin.

— Tu pourrais venir me voir.

— Et tu rencontreras d'autres garçons.

— D'autres garçons. C'est de ça qu'il s'agit ?

— Si tu vas à Chicago, je m'engage dans l'armée.

— Mais je ne *veux* pas, moi, que tu t'engages dans l'armée.

— Et moi je ne veux pas que tu ailles à Chicago. » Il croise les bras. « J'ai pris ma décision.

— Ils pourraient t'envoyer au Vietnam.

— Ouais.

— Henry, tu pourrais mourir.

— Alors je suppose que ce serait ta faute.

— Ce n'est pas juste.

— Reste ici, avec moi, dit-il.

— Ce n'est *pas* juste.

— Reste ici, en sécurité. »

Elle ressent une telle injustice, elle est en colère, mais elle ressent également une sorte de soulagement étrange. Les émeutes, les pillages, toutes ces choses horribles à la télévision ce soir, sa mère, la ville tout entière : si elle restait ici avec Henry, plus rien de tout cela ne pourrait lui faire peur. Les choses seraient tellement plus faciles si elle restait, tellement plus nettes.

Pourquoi est-elle venue ? Elle regrette maintenant. Elle regrette d'avoir voulu voir Henry dans la lueur bleue du phare. Elle ne lui a pas dit mais il y a une autre raison pour laquelle elle l'appelle le phare. C'est parce qu'un phare a deux facettes, et c'est ainsi qu'elle se sent chaque fois qu'elle vient le voir. Un phare est à la fois une invitation et une mise en garde. Un phare dit *Bienvenue chez vous*. Et juste après, il dit aussi *Danger*.

2

C'est un samedi soir d'avril 1968, tard dans la nuit — la nuit du bal de promotion de Faye. Henry passe la prendre à dix-huit heures avec une rose et une boutonnière. Ses mains tremblent en lui épinglant la boutonnière à la robe. Il tire le tissu au niveau de sa poitrine dans un numéro de pantomime adolescente hésitante et maladroite, juste devant ses parents. Ce qui n'empêche pas sa mère de prendre des photos, *Souriez, les enfants.* Pendant que Faye songe que tout ce truc de boutonnière a été inventé par les parents — des parents ultra protecteurs désireux de s'assurer que le prétendant de leur fille n'est pas trop à l'aise avec les seins des femmes. Plus c'est maladroit, mieux c'est — la meilleure garantie contre le risque de bâtards. Et Henry est totalement largué côté fleurs. Incapable d'épingler la boutonnière correctement. L'aiguille dérape sur sa peau et laisse une fine griffure rouge sur son sternum. Qui lui fait penser à la barre horizontale d'un *A*.

« Marquée au fer rouge ! dit-elle en riant.

— Quoi ? dit Henry.

— À l'aiguille rouge, d'ailleurs. »

Tout est plus facile quand ils dansent. Elle se lance sur la piste et danse le twist. Le madison. Le mashed potato, le jerk et le watusi. L'adolescence de Faye est marquée par un renouvellement effréné des danses à la mode. Toutes les deux ou trois semaines, une nouvelle danse fait son entrée au Top 40. Le monkey. Le dog. Le locomotion. Des chansons, et les danses qui vont avec, en circuit fermé — la chanson vous dit tout ce que vous devez savoir sur la danse, et vice versa. Quand Marvin Gaye chante « Hitch Hike », elle sait exactement quoi faire. Quand Jackie Lee chante « The Duck », Faye sait le danser avant même de l'avoir vu à la télévision.

La voilà, donc, les yeux rivés au sol, dans un duck endiablé, avec sa robe de bal en charmeuse bleue — elle lève la jambe gauche, puis la droite, puis tape dans les mains, et recommence. Danser revient à cela aujourd'hui. Dans tous les bals, toutes les réceptions, toutes les Saint-Valentin, c'est ainsi qu'on danse, le DJ met une chanson qui vous dit précisément quoi faire. La grande nouveauté cette année, c'est Archie Bell & The Drells et leur « Tighten Up » — glisse vers la gauche, glisse vers la droite. « *Tighten it up now, everything will be outta sight*[1]. » Henry est dans les parages, pas loin d'elle, mais Faye ne le remarque pas. Ces enchaînements sont censés se danser seul. Quand on danse le freddie, le chicken, le twist, même au milieu d'une foule compacte, on le fait tout seul. Ils n'ont pas le droit de se toucher, alors ils dansent seuls. Ainsi, ils

1. « Serre-les fort l'une contre l'autre / Comme ça on ne voit plus rien. »

font exactement ce que leurs chaperons attendent d'eux. On leur dit comment ils doivent danser et ils obéissent comme une armée de bons petits employés, pense Faye en les regardant. Tous ses camarades, avec leurs parents pro-guerre et leurs télévisions couleur, ils sont tous là, ravis, comblés, bientôt diplômés, soumis de bon gré à l'autorité. Quand Chubby Checker dit « *Take me by my little hand and go like this*[1] », il dit à ceux de sa génération comment réagir à tout ce qui leur arrive — la guerre, la conscription, les interdits sexuels —, il leur dit d'obéir.

Mais, à la fin de la soirée, quand le DJ annonce qu'il a encore le temps pour une dernière chanson — « Cette chanson-là n'est pas comme les autres » —, Faye, Henry et les autres s'avancent sur la piste à pas lents, les pieds lourds d'avoir tant glissé et twisté, et alors il met un nouveau disque, Faye entend l'aiguille grésiller sur le vinyle puis descendre dans le sillon, et enfin *cette chanson.*

Au début, cela ne ressemble même pas à de la musique, cela tient plus du hurlement primitif, d'un bruit strident et dense de cordes jouant toutes ensemble, embrouillées — un violon peut-être, une guitare bizarre tremblant toujours sur la même corde —, le battement lent et monotone d'une grosse caisse, la réverb insistante, le chanteur qui ne chante pas vraiment mais scande plutôt. Faye ne distingue aucun mot, ne parvient pas à situer le refrain, ni même un rythme sur lequel se caler. Un effroyable gémissement sexuel, voilà ce que c'est. Des paroles tout à coup : « *Whiplash girlchild in the*

1. « Prends-moi la main, suis-moi. »

dark[1]. » Qu'est-ce que cela peut bien vouloir dire ? Tout autour d'elle, les élèves bougent en rythme, avec des mouvements aussi lents et languides que la musique elle-même, ils oscillent les uns vers les autres, s'attrapent par la taille, se serrent les uns contre les autres. C'est la danse la plus lente que Faye a jamais vue. Elle se tourne vers Henry, qui est planté là, inquiet et impuissant, tandis qu'autour de lui les autres dansent en remuant comme des vers de terre. Comment savent-ils ce qu'ils sont censés faire ? La chanson ne donne aucune indication. Faye adore. Elle attrape Henry par la nuque et l'attire contre elle. Leurs corps s'entrechoquent. Il reste planté là, sidéré, tandis que Faye lève les bras au-dessus de sa tête, ferme les yeux, bascule la tête en arrière, visage tourné vers le plafond, en se balançant.

Pendant ce temps, les chaperons hésitent, méfiants. Ils ne sont pas sûrs de ce qui est en train de se passer, mais ce dont ils sont sûrs, c'est que c'est *mal*. Ils obligent le DJ à arrêter la chanson, les danseurs râlent. Et retournent à leurs tables.

« Qu'est-ce que tu étais en train de faire ? demande Henry.

— Je dansais, dit Faye.

— C'est quoi cette danse ? Comment ça s'appelle ?

— Rien. Ce n'est pas un style de danse, c'est juste *danser*. »

Après cela, Henry l'emmène au parc, un square de quartier tranquille près de chez elle, sans éclairage, à l'abri des regards, l'un des rares endroits de cette petite ville où l'on peut s'isoler. Elle s'attend à cela.

1. « La fille au coup de fouet dans la nuit. »

Henry est le genre de garçon qui croit au romantisme. Il donne dans le dîner aux chandelles et les boîtes de chocolats en forme de cœur. Il se présente devant chez elle, souriant comme une citrouille de Halloween, avec de grandes gerbes de lys et d'iris. Il laisse des roses dans sa voiture. (Des roses qui fanent et se dessèchent au soleil, mais ça, elle ne le lui a jamais dit.) Henry ne connaît pas la signification des fleurs, la différence entre les roses rouges et blanches, entre un lys et un iris. Il ne parle pas cette langue-là. Il n'a aucune idée de ce que pourrait être une cour inventive et personnelle, alors il fait ce que tout le monde fait au lycée : bougies, chocolats et fleurs. Il voit l'amour comme un ballon de baudruche, ce n'est qu'une question d'accumulation, il suffit de rajouter de l'air. Et donc des fleurs les unes derrière les autres. Des dîners aux chandelles. Des poèmes d'amour qui apparaissent dans son casier de temps en temps, imprimés, pas signés…

Je t'aime de tout mon amour
Plus que les étoiles de la fin du jour

« Tu as trouvé mon poème ? » demande-t-il, et elle répond : « Oui, merci », avec un sourire, yeux baissés, jambes croisées, en espérant qu'il ne demande pas si elle l'a aimé. Parce que ce n'est jamais le cas. Comment pourrait-il en être autrement alors qu'à ses heures perdues elle est plongée dans Walt Whitman, Robert Frost ou Allen Ginsberg ? Comparé à Allen Ginsberg, Henry est tellement laid ! Tellement stupide et niais, gauche, provincial. Elle sait très bien que c'est pour lui en mettre plein la vue, pour la courtiser, mais plus elle lit ses poèmes, plus elle a l'impression d'être sous tranquillisants, comme si son esprit s'ensevelissait dans des sables mouvants.

Quand tu es loin
Je ne suis plus rien
Quand je ne peux pas te sentir
Je suis triste à en mourir

Impossible de se résoudre à formuler des critiques. Alors elle se contente de hocher la tête et de dire : « J'ai eu le poème, merci », et Henry a cette expression sur son visage — cette satisfaction béate, cet air triomphal, ce visage bouffi de stupidité — qui la rend si furieuse qu'elle a envie d'être cruelle et de lui dire :

Que ce serait un meilleur poème si au moins les vers étaient réguliers.

Ou bien s'il s'achetait un dictionnaire.

Ou s'il connaissait quelques mots de plus de deux syllabes.

(Et le simple fait de *penser* ces choses-là est déjà tellement affreux !)

Non, c'est un gentil garçon, un bon garçon. Il a bon cœur, il est généreux. Doux. Prévenant. Tout le monde dit qu'elle devrait l'épouser.

« Faye, dit-il tandis qu'ils prennent place sur le manège, je crois que nous avons déjà fait un sacré bout de chemin ensemble. » Elle hoche la tête, même si elle ne voit pas bien de quoi il parle. Parce qu'il lui a bien donné des tas de fleurs, de poèmes, de dîners aux chandelles et de chocolats, mais il ne lui a jamais avoué le moindre secret. Elle a l'impression de ne rien savoir de lui, rien de plus que ce que tout le monde sait déjà : Henry, dont la famille possède la ferme juste à côté de l'usine d'azote, veut devenir vétérinaire, il occupe la place d'ailier dans l'équipe de football américain où il ne fait guère d'étincelles, celle de remplaçant du troisième receveur dans l'équipe de base-ball et de second remplaçant ailier dans l'équipe de basket, le week-end il pêche dans le Mississippi et joue avec ses chiens, c'est un élève attentif en classe qui a néanmoins besoin de son aide en algèbre — Faye connaît son CV par cœur mais ses secrets, non. Il ne lui dit jamais rien d'important. Il ne lui a jamais expliqué, par exemple, pourquoi quand il l'embrasse il ne se comporte pas comme les autres garçons, n'essaie pas de faire les choses que les autres garçons essaient de faire. Elle a entendu les histoires — célèbres au lycée — de garçons capables de *n'importe quoi* tant qu'on les laisse faire. Capables d'aller *jusqu'au bout*. Et n'importe où ! À l'arrière des voitures, sur le terrain de base-ball la nuit, par terre, sur l'herbe, dans la boue, le premier endroit qui leur tombe sous la main quand ils la mettent enfin sur une fille qui ne dit pas non. Quant aux filles qui les laissent faire, qui les provoquent, qui sortent du rang, leur réputation est littéralement massacrée en deux petites syllabes murmurées d'une oreille à l'autre : *salope*. Le mot le plus rapide du monde. Qui contamine tout le lycée comme la peste. Il faut se méfier.

Elle s'attend donc à ce que Henry essaie quelque chose — qu'il lui tripote la ceinture, qu'il colle ses mains dans un endroit intime — pour pouvoir protester, brandir sa chasteté, et qu'il réessaie la fois d'après, qu'il essaie d'aller plus loin et mieux, et qu'elle puisse protester encore jusqu'à ce qu'enfin elle ait suffisamment protesté, suffisamment dit non, suffisamment démontré sa vertu, sa pureté, sa valeur — qu'on ne puisse pas dire qu'elle est une fille facile, une salope. Alors seulement, elle pourra dire oui. Elle attend que le rituel s'accomplisse, mais au lieu de cela Henry se contente de l'embrasser, il écrase sa face contre la sienne puis s'arrête. Immuable. Ils s'asseyent côte à côte, dans la nuit, au bord de la rivière, dans le parc, ils écoutent les moteurs des motos au loin, la balançoire qui couine, et Faye gratte la rouille du manège et attend. Mais rien, jamais, ne se passe. Jusqu'à ce soir, rien ne s'est jamais passé, ce soir après le bal de promotion, où Henry est si solennel qu'elle se demande s'il n'a pas appris son texte par cœur.

« Faye, je crois que nous avons déjà fait un sacré bout de chemin ensemble. Tu comptes beaucoup pour moi, tu n'es pas comme les autres. Et je serais très honoré et très heureux, vraiment très heureux… » Il bredouille, s'interrompt, nerveux, elle penche la tête et pose le bout de ses doigts sur son avant-bras.

« Enfin, dit-il, je serais honoré et heureux, je serais un sacré *chanceux* si tu voulais bien, à l'école, désormais, enfin », il s'interrompt à nouveau, rassemble son courage, « si tu peux, s'il te plaît, porter ma veste. Et la bague de ma classe. »

Il lâche un énorme soupir, vidé par l'effort, soulagé. Pour le moment, il n'arrive même pas à la regarder, ses yeux restent collés à ses pieds et il entortille les lacets de ses chaussures autour de ses doigts.

En un sens elle le trouve absolument adorable, tout cet embarras, toute cette peur, et tout ce pouvoir qu'elle a sur lui. Elle accepte. Bien sûr qu'elle accepte. Et quand ils se relèvent, ils s'embrassent.

D'un baiser différent des autres, plus grand, plus puissant, plus *chargé*. Ils sont tous les deux conscients qu'ils viennent de franchir une étape : la bague de classe, c'est un signe qui ne trompe pas, tout le monde le sait. La première étape vers la bague de fiançailles, le genre de symbole qui rend leur couple officiel, consacré, reconnu et valable. Quoi qu'une fille fasse à l'arrière d'une voiture, si elle le fait en portant les insignes du garçon, elle est protégée. Ces choses la mettent à l'abri. Elle est immunisée contre les insultes. Une fille qui porte un anneau ne peut pas être une salope.

Et Henry doit le sentir lui aussi, qu'à présent ils sont autorisés à faire ce qu'ils veulent, car il serre Faye contre lui, l'embrasse plus fougueusement, presse son corps contre elle. Alors elle sent quelque chose, quelque chose de franc et rigide contre son ventre. C'est lui, bien sûr, Henry. Qui pousse derrière son pantalon gris en fine flanelle. Il tremble un peu, l'embrasse, dur comme du bois. Elle est étonnée qu'un garçon puisse être si dur. On dirait un manche à balai ! Elle n'arrive pas à penser à autre chose. Elle sait qu'elle est encore en train de l'embrasser, mais elle le fait de manière automatique — toute son attention est focalisée sur ces quelques centimètres de pression obscène. Elle a même l'impression de sentir son pouls battre *par là*, elle commence à transpirer, se cramponne à lui, veut lui dire que tout va bien. Il lui caresse le dos, émet quelques couinements ; il est fébrile, agité, il attend. C'est à elle maintenant de faire quelque chose. En se collant à elle si explicitement, il s'est chargé de la phase d'approche. Ceci est une négociation. Et à présent c'est à elle d'avancer un argument.

Elle décide de se montrer audacieuse, de faire ce qu'elle voulait signifier par cette danse à la fin du bal de promotion. D'une main, elle tire sur la ceinture de son pantalon, tire assez fort pour pouvoir glisser son autre main. Henry se contracte, son corps est tendu à l'extrême et, l'espace d'une seconde, il se fige complètement. Puis tout se passe très vite. Elle descend sa main tandis que lui bondit en arrière. Elle a tout juste le temps de le saisir du bout des doigts — elle l'a senti une fraction de seconde, elle sait qu'il est chaud, dur, mais aussi doux et tendre — et de comprendre ce qu'elle a entre les mains quand il recule et se détourne légèrement d'elle en criant : « Qu'est-ce que tu *fais* ?

— Je… je ne sais pas, je…

— Tu ne peux pas faire *un truc pareil* !

— Je suis désolée, Henry, je…

— *Bon Dieu*, Faye ! » Il lui tourne le dos, rajuste son pantalon, fourre les mains dans ses poches et s'éloigne. Il fait les cent pas le long de la balançoire. Elle l'observe. Elle a du mal à croire que son visage puisse se glacer à ce point en si peu de temps.

« Henry ? » dit-elle. Elle voudrait qu'il la regarde, mais il ne veut pas. « Henry, je suis désolée.

— Oublie ça », dit-il. Il enfonce ses pieds dans le sable, les remue jusqu'à ce qu'ils disparaissent, puis recommence, salissant au passage ses belles chaussures de costume.

« Reviens, dit-elle.

— Je ne veux pas en parler, Faye. »

C'est un garçon calme, mesuré et modeste ; il a dû se faire peur lui-même, en réagissant comme il a réagi. Et maintenant il essaie d'évacuer, d'effacer ce qui vient de se passer. Assise sur le manège, Faye dit : « Ce n'est rien, Henry.

— Non, ce n'est pas rien », dit-il, le dos toujours tourné, les mains dans les poches, les épaules courbées. Il est comme un poing fermé, tout tendu et replié sur lui-même. « C'est juste que… Tu ne peux pas *faire ça*.

— D'accord.

— Ce n'est pas bien », déclare-t-il.

Elle réfléchit. Gratte des écailles rouges de rouille et écoute ses pieds crisser sur le sable tandis qu'il fait les cent pas et qu'elle fixe son dos. Elle finit par lâcher : « Pourquoi ?

— Tu ne devrais pas avoir envie de faire ça. Une fille comme toi n'est pas censée faire ce genre de choses.

— Une fille comme moi ?

— Peu importe.

— Qu'est-ce que ça veut dire ?

— Rien.

— Dis-moi.

— Oublie ça. »

Sur quoi, Henry se ferme complètement. Il s'assied sur le manège, il n'est plus qu'une masse froide et silencieuse. Il croise les bras, son regard se perd dans la nuit. Il la punit. Et cela la met en rage, elle en tremble. La nausée lui monte dans la gorge, des palpitations dans la poitrine — son cœur bat à tout rompre, le duvet se hérisse sur sa nuque. Quelque chose se soulève en elle, une vague de sueur et de vertige familière. Tout à coup elle se sent étourdie, elle a des bouffées de chaleur, des picotements, la sensation d'être hors d'elle, comme si elle flottait au-dessus du manège, comme si elle se voyait d'en haut, comme si elle voyait son propre corps bourdonner. Est-ce que Henry a vu ? La boule de démolition est lancée — les sanglots, l'asphyxie, les tremblements. Ce n'est pas la première fois.

« Ramène-moi à la maison », murmure-t-elle entre ses dents serrées.

Qui sait, peut-être qu'il comprend ce qui est en train de se passer, en tout cas il la regarde et semble s'adoucir. « Écoute, Faye…

— Ramène-moi maintenant.

— Je suis désolé, Faye. Je n'aurais pas dû…

— *Maintenant*, Henry. »

Il la ramène donc, et durant tout le terrible trajet, ils n'échangent pas un mot. Faye enfonce ses doigts dans le siège en cuir, s'efforce de lutter contre le sentiment qu'elle a d'être en train de mourir. Lorsqu'il s'arrête devant sa maison, elle a l'impression de n'être plus qu'un fantôme, qui s'éloigne de lui en flottant, sans un bruit.

La mère de Faye comprend tout de suite. « Tu es en train de faire une crise », dit-elle, et Faye acquiesce, les yeux écarquillés par la panique. Sa mère l'accompagne dans sa chambre, la déshabille, la met au lit, lui donne quelque chose à boire, pose un linge mouillé sur son front et répète : « Tout va bien, tout va bien », de sa voix la plus calme, la plus douce et la plus maternelle. Faye serre ses genoux contre sa poitrine, sanglote, cherche de l'air tandis que sa mère lui passe les doigts dans les cheveux en murmurant : « Tu n'es pas en train de mourir, tu ne vas pas mourir », ainsi qu'elle l'a toujours fait depuis que Faye est toute petite. Le temps qu'il faut, jusqu'à ce que la crise s'estompe. Faye se calme. Elle recommence à respirer.

« Ne dis rien à Papa », demande-t-elle.

Sa mère opine. « Et si jamais ça t'arrive à Chicago, Faye ? Qu'est-ce que tu feras ? »

Sa mère serre sa main, puis quitte la pièce pour aller chercher un autre linge mouillé. Alors Faye pense à Henry. Elle pense, presque contente : *Maintenant, nous avons un secret.*

3

Faye n'avait pas toujours autant souffert. Elle avait été autrefois une petite fille normale, sociable. Jusqu'au jour où il s'était produit quelque chose qui avait tout changé.

Le jour où elle avait appris pour l'esprit domestique.

C'était en 1958, à un barbecue de fin d'été, la lumière s'empourprait à l'ouest, le ciel se chargeait de moustiques et de lucioles, les enfants jouaient à chat ou observaient, fascinés, l'ouvrage inquiétant du piège à insectes électrique, les hommes et les femmes fumaient et buvaient dans le jardin, appuyés à la clôture ou les uns contre les autres, et le père de Faye faisait griller de la nourriture pour quelques voisins, quelques gars de l'usine.

Tout cela, c'était une idée de sa femme.

Car Frank Andresen traînait derrière lui une réputation : celle d'un type intimidant et froid. D'abord, il y avait son accent, et le fait qu'il soit un étranger. Mais surtout il y avait son caractère — mélancolique, stoïque, renfermé. Quand les voisins apercevaient Frank dans le jardin et demandaient comment il allait, il ne leur répondait pas, il esquissait juste un geste de la main avec cette grimace sur son visage comme s'il avait une côte cassée. Au bout d'un moment, ils avaient simplement cessé de demander.

Sa femme avait insisté : Nous allons inviter des gens à la maison, ils apprendront à te connaître, ce sera la fête.

Ils étaient donc là, tous ces voisins dans son jardin, à parler d'équipes de sport dont Frank n'avait jamais entendu parler. Tout ce qu'il pouvait faire, c'était écouter en restant en retrait de la conversation, même après dix-huit ans aux États-Unis, il y avait encore des mots qui lui échappaient, dont la plupart avaient trait au sport justement. Il écoutait, s'efforçait d'avoir les bonnes réactions aux bons moments, et, comme il était distrait, il oublia les hot dogs sur le feu.

Il fit un geste en direction de Faye, qui jouait à chat avec deux petits voisins, et quand elle s'approcha, il lui dit : « Va chercher des hot dogs à l'intérieur. » Puis il se pencha sur elle et murmura : « En bas. »

Ce qui voulait dire, dans l'abri antiatomique.

L'immaculé, rutilant et rigoureusement approvisionné abri antiatomique qu'il avait passé les trois précédents étés à construire. Il avait fait les travaux de nuit — uniquement de nuit, pour que les voisins n'en voient rien. Il faisait des allées et venues avec un camion rempli de matériel. Une nuit, deux mille clous. Une autre, onze sacs de ciment. Il avait acheté ce kit qui fournissait le mode d'emploi. Il coulait le béton dans des moules en plastique que Faye adorait toucher pendant que le béton durcissait car alors il était chaud. La mère de Faye ne s'était risquée à lui en parler qu'une seule fois, au début, elle voulut savoir pourquoi diable il avait besoin de construire un abri antiatomique dans leur cave. Pour toute réponse, il l'avait fixée de ses horribles yeux caves et de cet air de dire *Ne me force pas à le dire tout haut.* Avant de retourner à son camion.

Faye dit oui, elle allait chercher les hot dogs, mais dès que son père eut le dos tourné, elle courut rejoindre les petits voisins, et comme elle avait huit ans et terriblement envie qu'on l'aime, elle leur dit : « Vous voulez voir un truc ? » Ce à quoi, bien entendu, ils répondirent *oui.* Faye entra donc dans la maison avec les deux garçons et les emmena en bas. Son père avait creusé la dalle du sous-sol, l'abri avait donc l'air d'une espèce de sous-marin affleurant à la surface. C'était une boîte rectangulaire en acier trempé, capable de supporter l'effondrement de leur maison entière. Il y avait une petite trappe avec un cadenas — dont le code était la date de naissance de Faye — que Faye ouvrit pour descendre les quatre marches à l'intérieur et allumer les lumières. Ce qui fit aux enfants l'impression qu'un rayon du supermarché venait d'apparaître comme par magie sous la maison : les néons blancs brillaient, fluorescents, les boîtes de conserve s'alignaient le long des murs. Les garçons en étaient bouche bée.

« C'est quoi ça ? demanda l'un.

— Notre abri antiatomique.

— Waouh. »

Les étagères étaient remplies à ras bord de boîtes en carton, de cageots en bois, de bocaux et de boîtes en fer tous parfaitement alignés, étiquettes apparentes : tomates, haricots, lait en poudre. Des bidons d'eau de quarante litres, par dizaines, stockés sous forme de pyramide près de la porte. Radios, lits superposés, bouteilles d'oxygène, piles, boîtes de corn flakes empilées dans un coin, une télévision dont le fil électrique disparaissait dans le mur. Une manivelle fixée au mur, sur laquelle était écrit RÉSERVE D'AIR. Les garçons roulaient des yeux éberlués autour d'eux. Ils désignèrent du doigt un placard en bois fermé par une vitre en verre dépoli, et demandèrent ce qu'il y avait à l'intérieur.

« Des armes, dit Faye.

— T'as la clé ?

— Non.

— Dommage. »

En remontant, les garçons étaient hystériques. Incapables de contenir leur excitation.

« Papa ! lancèrent-ils en détalant dans le jardin. Papa ! Tu sais ce qu'ils ont dans leur cave ? Un abri antiatomique ! »

Frank Andresen jeta alors à Faye un regard si dur qu'elle ne put supporter de le soutenir.

« Un abri antiatomique ? s'écria l'un des pères. Sans rire ?

— Pas vraiment, dit Frank. Juste un garde-manger, comme une cave à vin.

— Non, dit l'un des garçons. C'est gigantesque ! C'est tout en béton et il y a des tas de trucs à manger, et des armes.

— C'est vrai ?

— On peut en faire un nous aussi ? demanda l'autre garçon.

— Tu as acheté un kit, c'est ça ? dit le père. Ou bien tu l'as fait toi-même ? »

Frank Andresen sembla considérer un moment la

possibilité de répondre ou non à cette question, puis il se radoucit un peu et baissa les yeux.

« J'ai acheté les plans, répondit-il. Et je l'ai construit moi-même.

— C'est grand ?

— Neuf mètres par trois.

— Donc tu peux mettre combien de personnes dedans ?

— Six.

— Génial ! Si les Russes lâchent la bombe, on saura où aller !

— Très drôle », dit Frank, qui avait tourné le dos. Il mettait les hot dogs sur le gril, les manipulait avec de grandes pinces en métal.

« J'apporterai la bière, dit le père. Vous entendez ça, les garçons ? On est tous sauvés !

— Pardon, dit Frank, mais non.

— On campera en bas quelques semaines. Ce sera comme quand on était au service militaire.

— Non, impossible.

— Allez, quoi. Qu'est-ce que tu vas faire, nous envoyer promener ?

— C'est déjà plein.

— C'est prévu pour six. Tu l'as dit toi-même. Et vous n'êtes que trois.

— On n'a aucune idée du temps qu'il faudra rester en bas.

— T'es sérieux ?

— Oui.

— Tu me fais marcher. Hein que tu nous ouvrirais ? Je veux dire, s'il y avait vraiment une bombe. Tu nous laisserais entrer.

— Écoute-moi bien », dit Frank. Il posa les pinces, fit demi-tour et planta les mains sur ses hanches.

« Le premier qui s'approche de cette porte, je le tue. Compris ? Je lui mets une balle dans la tête. »

Silence général. Faye n'entendait plus rien d'autre que l'air qui sifflait sous la viande.

« OK. Seigneur Dieu, je plaisantais, Frank, c'est tout. Calme-toi », reprit le père.

Sur quoi, il prit sa bière et rentra dans la maison. Et Faye rentra dans la maison elle aussi. Tout le monde suivit, laissant Frank seul dehors. Faye l'observa ce soir-là depuis une fenêtre à l'étage, dans le noir, il était debout devant le barbecue, il regardait la viande noircir et brûler à nouveau.

Ce souvenir de son père perdurerait longtemps, cette image capturait quelque chose de fondamental chez lui : seul, en colère, cramponné à la table comme s'il priait dessus.

Il passa le reste de la soirée dehors. Faye alla au lit. Sa mère lui donna un bain, la borda et remplit son verre d'eau. Le verre était toujours là, à côté d'elle, au cas où elle se réveillerait en pleine nuit et aurait soif. Un petit verre droit, avec une base plus épaisse, un verre d'adulte. Les soirs d'été, dans la chaleur, elle le tenait entre ses mains, appréciait sa rigidité, son poids. Elle le pressait contre sa joue, goûtait le contact froid, lisse et cristallin du verre. C'était justement ce qu'elle était en train de faire quand, après avoir frappé un coup bref, puis poussé doucement la porte, son père apparut dans la chambre.

« J'ai quelque chose pour toi », dit-il. Il fourra la main dans sa poche et en sortit une petite figurine en verre : un vieil homme, avec une barbe blanche, assis, les jambes enroulées autour d'un grand bol de porridge, une cuillère en bois à la main, son visage ridé pétri de satisfaction.

« C'est très ancien », dit-il.

Il la passa à Faye, qui l'examina, la caressa. La statuette était creuse, fine, fragile, jaunie, grande comme une tasse à thé. Le personnage avait l'air d'un père Noël rapetissé et aminci, mais son attitude était complètement différente : là où le père Noël semblait toujours enthousiaste et joyeux, ce bonhomme-là avait l'air méchant. Ce devait être cette vilaine grimace sur son visage qui donnait cette impression, et la façon dont il tenait son bol serré, tel un chien protégeant sa gamelle.

« Qu'est-ce que c'est ? » demanda Faye, et son père lui dit que c'était un esprit domestique, un fantôme qui vivait dans les caves, à l'époque de la vieille Norvège, à une époque plus enchantée qu'aujourd'hui, époque à laquelle, se disait Faye, le paranormal semblait être la norme : les esprits du vent, de la mer, des collines, de la nature, de la maison. Une époque où, où qu'on soit, se cachait un fantôme. Tout, autour de soi, était une chose en apparence et sans doute une autre en secret. Une feuille, un cheval, une pierre. Rien dans le monde ne pouvait être pris au pied de la lettre. La vérité profonde était toujours enfouie sous une première couche de vérité.

« Tu en avais un dans ta cave ? demanda Faye. À la ferme ? »

Le visage de son père s'éclaircit à l'idée de la ferme. Penser à sa vieille maison illuminait toujours son expression. C'était un homme sérieux, qui ne manifestait d'enthousiasme que lorsqu'il parlait de cet endroit : une grande maison à deux étages en bois rouge saumon, en lisière de la ville, avec une vue sur l'océan à l'arrière et un long quai où il passait les après-midi tranquilles à pêcher, un pré à l'avant bordé de sapins, un enclos pour les quelques moutons et chèvres qu'ils possédaient, et un cheval. Une maison au sommet du monde, disait-il, à Hammerfest, en Norvège. Quand il en parlait, il semblait reprendre des couleurs.

« Oui, dit-il. Même cette maison-là était hantée.

— Tu voudrais vivre encore là-bas ?

— Oui, parfois, dit-il. Elle était hantée, mais ce n'était pas désagréable. »

Il lui expliqua que les esprits domestiques n'étaient pas des esprits maléfiques. Parfois même, ils étaient bienveillants, protégeant la ferme, favorisant les récoltes, brossant le poil du cheval. Simplement, ils se repliaient sur eux et se mettaient en colère si on ne leur apportait pas leur porridge à la crème le jeudi soir. Avec beaucoup de beurre. Ce n'étaient pas de gentils fantômes, mais ils n'étaient pas non plus cruels. Ils faisaient ce qui leur plaisait. Ils étaient égoïstes.

« Et c'est à cela qu'ils ressemblaient ? demanda Faye, en faisant rouler la figurine dans sa main.

— La plupart du temps, ils sont invisibles, dit Frank. On ne les voit que s'ils ont envie qu'on les voie. Donc on ne les voit pas très souvent.

— C'est quoi leur vrai nom ?

— Les *nisses* », dit-il, et elle opina. Elle aimait les noms étranges que son père donnait à ses fantômes : *nisse*, *nix*, *gangferd*, *draug*. Elle comprenait que c'étaient là des mots anciens, des mots de la vieille Europe. Son père utilisait ces mots de temps en temps, sans faire exprès, quand il était nerveux ou en colère. Une fois, il lui avait montré un livre plein de ces mots, incompréhensibles. Une Bible, avait-il expliqué, sur la première page de laquelle il y avait un arbre généalogique. Avec son nom dessus : *Faye.* Et les noms de ses parents, et d'autres noms encore, au-dessus des leurs, des noms qu'elle entendait pour la première fois, des noms étranges aux accents étranges. Le papier était fin, fragile, jaune, l'encre noire délavée, tournée au bleu lavande. Tous ces gens, lui avait-on raconté, étaient restés là-bas, tandis que Fridtjof Andresen changeait son prénom en Frank et s'embarquait courageusement pour l'Amérique.

« Tu crois qu'on a un *nisse* ici ? demanda Faye.

— On ne sait jamais, dit son père. Parfois, ils nous suivent toute notre vie.

— Ils sont gentils ?

— Ça dépend. Ils ont leurs humeurs. Tu ne dois *jamais* les insulter.

— Je ne les insulterai jamais, promit-elle.

— Tu pourrais le faire sans le vouloir.

— Comment ?

— Quand tu prends ton bain, est-ce que ça t'arrive d'éclabousser le sol ? »

Elle considéra la question et admit que oui, cela lui arrivait.

« Si tu renverses de l'eau, il faut vite l'essuyer. Pour que l'eau ne s'infiltre pas jusque dans la cave où elle coulerait sur la tête de ton *nisse.* Ce serait une terrible insulte.

— Et qu'est-ce qui se passerait ?

— Il se mettrait en colère.

— Et qu'est-ce qu'il ferait ?

— Je vais te raconter une histoire », dit-il. Et voici ce qu'il lui raconta :

Dans une ferme près de Hammerfest, à des années et des années de là, il y avait une magnifique petite fille appelée Freya (et Faye sourit en entendant ce prénom si proche du sien). Un jeudi soir, le père de Freya lui dit d'aller apporter le porridge à la crème au *nisse*. La petite fille avait prévu d'obéir à son père, mais sur le chemin de la cave, elle eut soudain très faim. Sa mère avait préparé un porridge spécial ce soir-là, avec du sucre roux, de la cannelle, des raisins secs, et même des lamelles de gigot sur le dessus. Freya songea qu'il était quand même dommage de laisser toutes ces bonnes choses à un fantôme. Une fois dans la cave, donc, à l'abri des regards, elle le mangea. Elle lécha le bol jusqu'à la dernière goutte. Et elle avait presque fini de s'essuyer le menton quand le *nisse* surgit, l'attrapa par les bras et l'entraîna dans une gigue endiablée. Elle essaya de se dégager de son étreinte, mais le *nisse* la tenait serrée. Il l'écrasa contre lui en chantant : « Tu as volé au *nisse* ! Alors danse jusqu'à ce que tu t'étourdisses ! », elle criait et criait encore, mais le *nisse* lui enfonçait le visage dans sa barbe déployée, de sorte que personne ne l'entendait. Il la faisait tournoyer en galopant d'un bout à l'autre de la cave. Il était trop rapide. Elle n'arrivait pas à suivre. Elle trébuchait, tombait, mais le *nisse* la relevait, tirait sur ses bras, déchirait ses vêtements, et il continua jusqu'à ce qu'elle termine allongée par terre, en haillons et en sang, hors d'haleine. Le matin, quand ils la trouvèrent, elle était pâle et malade, presque morte. Elle garda le lit des mois durant, et même après qu'elle fut suffisamment remise pour pouvoir marcher, jamais plus son père ne lui demanda de descendre à manger au *nisse*.

« Je suis désolée d'avoir emmené ces garçons à la cave, dit Faye, une fois l'histoire achevée.

— Dors, dit son père.

— Un jour, j'aimerais bien voir ta maison, dit Faye. La ferme à Hammerfest, avec la maison rouge saumon. Je voudrais aller voir.

— Non », dit-il, et quand il releva les yeux vers elle, il avait l'air épuisé, les épaules basses comme quand il était dehors, au-dessus des braises finissantes, tout seul. « Jamais tu ne verras cette maison. »

Cette nuit-là, elle ne trouva pas le sommeil. Tenue en éveil par tous les petits bruits — le moindre craquement, le plus petit souffle de vent lui faisaient penser que quelqu'un ou quelque chose était entré dans la maison. Dehors, les lumières brillaient à travers les feuilles dans les arbres, dessinaient des formes affreuses sur les murs : cambrioleurs, loups, diable. Elle avait chaud, elle se sentait fiévreuse, elle tentait de se rafraîchir avec le verre d'eau sur sa table de nuit, l'appliquait sur son front, sa poitrine. Elle buvait une gorgée d'eau, songeait à l'histoire que lui avait racontée son père, à propos de l'esprit domestique : *Parfois, ils nous suivent toute notre vie.* Rien que d'y penser, c'était horrible, cette bête en bas, qui les surveillait, baragouinant dans sa langue.

Elle regarda le sol comme si elle pouvait voir à travers, jusque dans la cave où rôdait le fantôme, guettant avec avidité. Elle inclina le verre et renversa l'eau. Elle sentit un afflux de panique en se voyant faire, en voyant l'eau former une flaque, une tache marron foncé sur la moquette marron clair. Elle imagina l'eau se frayant un chemin à travers le sol, coulant goutte à goutte entre les fissures du parquet, les étais en métal, les clous, la colle, s'enfonçant sous elle, ramassant la poussière et la saleté sur son passage, jusqu'à atterrir, au sous-sol, sur quelque créature furieuse tapie dans l'ombre.

À un moment de la nuit — c'est la vérité — ils retrouvèrent Faye dans la cave.

Durant ces heures creuses du petit jour, ils entendirent un hurlement. Elle était en bas. Elle tremblait, frissonnait, sa tête rebondissait sur le sol. Ses parents ne savaient pas comment elle était arrivée là. Elle ne pouvait plus parler, ne voyait plus rien, les yeux révulsés. À l'hôpital, elle finit par revenir à elle et les médecins expliquèrent à ses parents qu'elle avait eu un accès de fièvre nerveuse, qu'elle avait une prédisposition à la nervosité, que c'était un cas d'hystérie, en fait ils n'avaient absolument aucun diagnostic pour ce qu'elle avait eu. Qu'elle garde le lit, dirent-ils. Qu'elle boive du lait. Qu'elle évite de s'agiter.

Faye ne se souvenait de rien, mais elle savait très bien ce qui lui était arrivé. Elle avait insulté le fantôme et le fantôme était venu la chercher. Le fantôme avait suivi son père depuis le vieux pays, et maintenant il la hantait à son tour. Son enfance serait à jamais divisée en deux, avant et après ce moment, qui la mettrait sur des rails et conditionnerait tout le reste — les crises, le désastre à Chicago, son échec en tant que mère et épouse, tout —, dès lors, il n'y aurait plus d'échappatoire.

Il y a ce genre de moment dans toute vie, un traumatisme qui vous fait voler en éclats, et vous transforme à jamais. Celui-là était le sien.

4

La salle de classe la plus rose bonbon du lycée de Faye. La plus coquette et froufroutante, une vraie maison de poupées. La plus propre, la plus rutilante. La plus équipée aussi : fours, machines à coudre, réfrigérateurs, batteries de casseroles, de marmites. De loin la plus aromatique, cette atmosphère chaude et chocolatée qui se diffuse dans le couloir pendant les deux semaines de la session pâtisserie. La salle du cours d'économie domestique — électrique, lumineuse, pleine de produits nettoyants brillants et chimiques, de couteaux aiguisés, de soupières et poêles en aluminium argenté, tout l'équipement moderne de l'ère nucléaire. Faye n'a jamais vu la tête d'un garçon dans cette salle, même pas passée furtivement à la porte pour glaner quelque cupcake ou gaufre. Les garçons se tiennent éloignés, pour des raisons cruelles : « *Jamais de la vie* je ne mangerais un truc que *vous* auriez fait ! » lancent-ils aux filles en faisant mine de s'étouffer, se serrant le cou des deux mains, sifflant et mourant sous les fous rires. La vérité, c'est que les affiches aux murs leur font peur.

La rumeur est arrivée jusqu'à eux.

Punaisées aux murs roses, des affiches de femmes à l'air solitaire et honteux, vantant les mérites de produits dont les garçons préfèrent ignorer l'existence — douches vaginales, serviettes hygiéniques, talc super absorbant, spray de désinfectant. Assise dans son siège molletonné, bras croisés, épaules voûtées, Faye lit les affiches, silencieusement horrifiée.

Malheureusement, les problèmes d'odeur les plus délicats ne se situent pas sous vos jolies petites aisselles, mesdemoiselles, annonce une affiche pour un tube de quelque chose qui s'appelle Pristeen. *Le problème d'odeur que les hommes n'ont pas*, clame une autre pour les serviettes Bidette. Une femme, assise toute seule dans sa chambre, sous un gros titre en caractères gras : *Il existe une chose que chaque mari attend de sa femme.* Ou encore cette mère s'adressant à sa fille : *Maintenant que tu es mariée, je peux te le dire. Il y a pire pour une femme que la mauvaise haleine ou la transpiration*, et la fille — belle, jeune, le visage amène et joyeux, comme si elles étaient en train de parler de cinéma ou de souvenirs, et pas de germicides antiseptiques — lui répond : *C'est tellement plus facile de l'entendre de ta bouche, Maman !*

Quelle horreur, ce monde des femmes mariées. Faye pense à cette odeur rance qui flotte au-dessus de l'évier quand l'eau y croupit depuis trop longtemps, aux torchons froissés et humides, qui empestent quelque chose comme l'essence. La vie conjugale, ce secret empoisonné — nu, moite et cru — dissimulant les puanteurs. Ces femmes désespérées que leurs maris se carapatent hors de la maison. *Pourquoi passe-t-elle ses soirées toute seule ? Sa maison est immaculée, aussi jolie que possible, mais elle néglige cette chose essentielle... son hygiène intime féminine.* Celle-là, c'est une publicité pour la marque de désinfectant Lysol, et en l'occurrence, la mère de Faye n'a jamais *rien* mentionné de tout cela. Rien qu'à l'idée de ce qu'elle pourrait y trouver, Faye a peur de regarder dans la salle de bains de sa mère. Tous ces flacons rose et blanc, toutes ces boîtes aux noms dégoûtants, on dirait les produits que les garçons étudient en cours de chimie : Zonite, Koromex, Sterizol, Kotex. Des termes aux accents vaguement scientifiques, savants et modernes, mais qui n'existent pas vraiment. Faye le sait. Elle a vérifié. Il n'y a pas d'entrée à Koromex dans le dictionnaire, ni à aucun des autres. Tous ces mots sont des baudruches, des *K*, des *X* et des *Z* avec rien dedans.

Une affiche de la section esthétique des laboratoires Kinney sur le contrôle de la transpiration. Une affiche du magazine *Cover Girl* sur les trucs pour camoufler les taches. Une autre avec des gaines et des soutiens-gorge rembourrés. Pas étonnant que les garçons aient peur. Les filles ont peur. *Un déodorant si complet que vous êtes sûre d'être la femme dont votre mari rêve.* Leur professeur d'économie domestique mène une croisade pour éradiquer toutes formes de bactéries et d'impuretés, préparer les filles à devenir des femmes ordonnées, parfumées, les empêcher de tomber dans des travers de « gens sales et pas soignés ». Elle a rebaptisé le cours d'économie domestique en cours « cotillon », en référence aux jupons des filles.

Leur professeur, Mme Olga Schwingle, la femme du pharmacien, s'efforce d'apprendre les bonnes manières et l'étiquette aux jeunes filles de cette petite ville. Elle leur montre comment devenir des dames, comment adopter les us nécessaires à l'accession à un monde plus sophistiqué. Cent coups de brosse dans les cheveux chaque soir. Cinquante passages de brosse à dents en haut et en bas. Mâcher chaque bouchée au moins trente-quatre fois avant de l'avaler. Se tenir droite, ne pas se pencher en avant, ne pas se tenir voûtée, ne pas regarder dans les yeux, sourire quand on s'adresse à vous. Elle prononce le mot « cotillon » en affectant un accent français.

« Nous devons vous débarrasser des odeurs de ferme ! dit Mme Schwingle, même aux filles qui ne vivent pas dans des fermes. Ce qu'il nous faut, c'est de l'élégance. » Alors elle met un disque — de la musique de chambre, une valse — et s'écrie : « Vous avez de la chance de m'avoir, mesdemoiselles. »

Elle leur apprend des choses que leurs mères ignorent totalement. La différence entre les verres à vin et les verres à whisky. Entre une fourchette à salade et une fourchette à poisson. Où placer chaque couvert à table. Dans quel sens positionner le tranchant du couteau. Ne jamais mettre les coudes sur la table. Comment y prendre place, comment la quitter. De quelle manière accepter un compliment. Comment se tenir lorsqu'un homme tire une chaise devant vous. La préparation du café. Le service. L'empilement de morceaux de sucre en ravissantes petites pyramides sur de fragiles soucoupes en porcelaine telles que Faye n'en a jamais vu chez elle.

Mme Schwingle leur apprend à être une parfaite hôtesse, préparer un dîner, faire la conversation avec les invités, élaborer les plats sophistiqués en vogue chez les épouses de la côte Est, dont les recettes incluent presque toutes de la gélatine, de la laitue finement ciselée, des plats servis dans leur garniture comme dans une sorte de vaisselle comestible. Salade de crevettes dans son demi-avocat. Ananas dans son citron en gelée avec fromage frais. Chou en suspension dans son bouillon gélifié. Moitiés de pêche garnies de mûres. Poires au sirop et râpé de fromage. Soucoupes d'ananas remplies de sauce cocktail. Mousse de piment d'olive. Blancs de poulet moulés en forme d'ogives blanches. Cubes de thon. Tours de saumon. Boules de cantaloup enrobées de jambon.

Tels sont les nouveaux fabuleux plats que les femmes du monde servent un peu partout. L'Amérique raffole de ces plats modernes, exaltants, artificiels.

Mme Schwingle est allée à New York. Elle est allée dans le quartier de Gold Coast à Chicago. Elle va jusqu'à Dubuque pour se faire coiffer, et quand elle n'est pas en train de commander des vêtements dans les magasins de la côte Est, elle fréquente les boutiques de Des Moines, Joliet ou Peoria. Les jours de beau temps, elle s'écrie : « Quelle merveilleuse journée ! », et ouvre les volets de la classe avec un geste si théâtral que Faye s'attend presque à ce que des volées d'oiseaux s'engouffrent dans la salle en pépiant de joie. Elle leur recommande de profiter de la brise et du parfum des lilas, car « ils sont en fleur, jeunes filles ». Alors elles descendent en cueillir et les disposent dans de petits vases un peu partout dans la salle. « La maison d'une dame doit toujours avoir ce genre de coquetteries. »

Aujourd'hui, elle commence son cours avec son habituelle exhortation concernant le mariage.

« Quand j'étais à l'université, où j'étudiais pour devenir secrétaire certifiée », dit-elle, droite comme un piquet, les mains serrées devant elle, « j'ai décidé de m'inscrire à des cours de biologie et de chimie. Tous mes professeurs se sont demandé pourquoi. Pourquoi me compliquer la vie ? Pourquoi ne pas m'en tenir à la sténo ? »

Elle rit et secoue la tête, avec cet air d'infinie tolérance face à la sottise.

« J'avais tout prévu, poursuit-elle. Depuis toute petite, je savais que je voulais épouser *quelqu'un qui travaillerait dans le domaine médical.* Je savais qu'il me fallait élargir mon horizon pour pouvoir attirer quelqu'un qui travaillerait dans le domaine médical. Si je n'étais pas capable de parler d'autre chose que de machine à écrire et de dossiers à classer, qui, dans le domaine médical, pourrait bien s'intéresser à moi ? »

Sur quoi, elle lance aux jeunes filles un regard solennel et profond comme si elle leur délivrait là une terrible vérité sur le monde des adultes.

« Personne, déclare Mme Schwingle. La réponse est *personne.* Et lorsque j'ai rencontré Harold, j'ai su que mes cours de sciences facultatifs m'avaient vraiment servi. »

Elle lisse le tissu de sa robe.

« Ce que j'essaie de vous dire, jeunes filles, c'est de vous fixer de grands objectifs. Vous installer avec un plombier ou un fermier n'est pas une fatalité. Vous n'arriverez peut-être pas à épouser quelqu'un dans le domaine médical, comme moi, mais ne vous interdisez pas d'envisager quelqu'un dans la comptabilité. Ou bien dans les affaires, la banque ou la finance. Trouvez avec quel genre d'homme vous voulez vous marier, et organisez-vous pour que cela se produise. »

Elle demande alors aux élèves de réfléchir au genre de mari qu'elles désirent. Les réponses fusent. Je voudrais un homme qui pourrait m'emmener en voyage à Acapulco. Je voudrais un homme qui pourrait m'acheter une décapotable. Je voudrais un homme qui serait le patron, comme ça je n'aurais jamais à me soucier de devoir impressionner le patron puisque je serais mariée avec lui ! C'est dans ces termes que Mme Schwingle s'efforce de leur apprendre à rêver. À penser qu'une vie de croisières en Méditerranée est envisageable alors il n'y a pas de raison de se contenter d'une vie à pêcher le bar dans le Mississippi.

« À vous de choisir, jeunes filles. Mais si vous voulez une vie meilleure, il faut vous y mettre. Vous croyez que votre mari aura envie de parler sténographie toute la journée ? » D'une seule tête, la salle dit non.

« Faye, ceci est particulièrement important pour toi, dit-elle. Chicago est rempli d'hommes sophistiqués. »

Faye sent tous les regards se braquer sur elle et elle s'enfonce dans sa chaise.

Puis elles entament la leçon de base du jour : les toilettes. Plus précisément : où se cachent les microbes ? (Partout.) Et comment les nettoyer ? (À fond, avec de la javel et de l'ammoniac, à quatre pattes.) Elles passent à l'application pratique, par groupes de cinq, et récurent les toilettes. Faye attend son tour avec les autres, le nez collé à la vitre, regardant les garçons en cours de sport dehors.

Aujourd'hui, c'est base-ball, les garçons s'entraînent à attraper les balles au sol à l'arrêt-court — le bruit sourd de la batte, la balle qui rebondit tandis que les garçons foncent pour la ramasser et la lancer à la première base avec ce claquement gratifiant. C'est un spectacle agréable. Les garçons — toujours si distants et nonchalants dans la vraie vie, toujours à essayer d'avoir l'air cool en classe, affalés sur leur chaise, dans une pose de défi —, sur le terrain de base-ball, sont remontés comme des chiens fous, avec des gestes exagérés, avides : foncer. S'arrêter. Attraper. Pivoter. Lancer.

Henry est dehors avec eux. Il n'est pas assez rapide pour être arrêt-court, un peu lourdaud, mais il paie néanmoins de sa personne. Il tape le poing dans son gant, encourage ses camarades en criant. Les garçons savent que les filles les regardent pendant l'entraînement. Ils le savent et ils adorent ça.

Faye est assise sur un tabouret devant une des cuisinières, les coudes posés sur les plaques métalliques. Sous ses bras, toute une production de désastres culinaires couve — sauces tomates brûlées, pâtes à crêpes brûlées, œufs et puddings grillés, le tout désormais fossilisé sur les feux, noir, carbonisé. Une couche de brûlé dont même les potions les plus décapantes de sa prof ne viendront pas à bout. Faye la touche du bout des doigts, en sent toutes les aspérités. Elle observe les garçons. Observe les filles qui regardent les garçons. Observe par exemple Margaret Schwingle — la fille de la prof, avec son visage clair, légèrement dodu, son pull en laine luxueux, ses bas en nylon, ses chaussures vernies noires, ses extravagantes boucles blondes —, elle observe Margaret et la nuée agrégée autour d'elle, ses disciples, qui portent toutes la même bague argentée, l'aident à arranger sa coiffure le matin, vont lui chercher des Coca et des bonbons à la cafétéria, et répandent des rumeurs haineuses sur ses ennemies. Faye et Margaret ne se parlent pas, pas depuis l'école élémentaire. Elles ne sont pas désagréables l'une avec l'autre, Faye a simplement disparu de son champ de vision. Elle a toujours été intimidée par Margaret, et la plupart du temps elle fait en sorte d'éviter de croiser son regard. Elle sait que les Schwingle sont riches, que leur maison se trouve sur une falaise surplombant le Mississippi et qu'elle est immense. Margaret porte l'anneau de la classe d'un garçon en pendentif, et un autre à la main droite. Ainsi qu'un anneau de promesse doré à la main gauche. (Le tout sur une fille qui passe la discussion du cours de littérature sur le *symbolisme* à bâiller.) Le quasi-fiancé de Margaret — son régulier depuis la première année de lycée — est l'un de ces garçons improbables, insupportables, qui sont les meilleurs en tout : base-ball, football américain, athlétisme. Il épingle ses médailles à sa veste d'uniforme, puis donne sa veste à Margaret, qui se promène dans l'école en tintant comme un carillon à vent. Il s'appelle Jules, et Margaret a obtenu de lui toutes les preuves symboliques imaginables. Elle déborde de fierté à son égard. Elle est d'ailleurs en train de l'observer tandis qu'il attend son tour sur le terrain de base-ball. Elle met ce temps à profit pour se moquer des autres garçons, les maladroits, tous ceux qui ne sont pas Jules. « Oups ! » s'écrie-t-elle quand une balle glisse sous un gant et sort du terrain. « Tu as oublié un truc ! » Ses amies autour d'elle rient. « Derrière toi, petit ! » Elle parle assez fort pour que les autres filles l'entendent mais assez bas pour qu'elles se sentent exclues de la conversation. Le genre de pose typique chez Margaret : extravertie et exclusive à la fois.

« Un peu plus vite la prochaine fois, mon gros ! » lance-t-elle quand le pauvre John Novotny — en surpoids, avec des chevilles épaisses, tel un hippopotame empoté au milieu des autres garçons — n'arrive pas à rattraper une balle au sol sur sa droite. « C'est à se demander ce qu'il fait là, d'ailleurs. » Ou bien quand c'est le tour de Pauly Mellick — le petit Pauly Mellick, qui ne doit pas faire plus d'un mètre cinquante et quarante-cinq kilos —, elle se met à crier : « Nouille ! Vas-y, la Nouille ! » à cause de ses bras. Elle s'en prend aux gros, aux maigres, aux petits. Elle s'en prend aux faibles. *C'est une carnivore*, pense Faye. *Un louveteau tous crocs dehors*.

Vient le tour de Henry. Toutes les filles attendent, observent, Margaret observe, elles le regardent toutes : Henry tapant dans son gant et s'accroupissant vaguement dans une pose de receveur. Tout à coup, Faye se sent des envies de le protéger. Dans la classe il flotte comme une attente, le public en redemande, encore du fiel cruel de Margaret, elles semblent presque *encourager* Henry à l'échec. Faye n'a pas d'autre choix que de regarder et d'espérer. Et lorsqu'elle tourne la tête vers Margaret, celle-ci a *les yeux braqués sur elle*, et son estomac se noue, elle rougit, sent ses yeux s'écarquiller, comprend que, quelle que soit l'épreuve en cours, elle l'a déjà perdue, et le regard examinateur et froid de Margaret établit clairement le rapport de force : Margaret a le droit de dire ce qu'elle veut maintenant, Faye ne peut pas l'en empêcher.

Elles ont donc toutes les yeux rivés sur Henry au moment où l'entraîneur frappe la balle. Qui rebondit sur le terrain. Henry saute sur sa gauche pour la rattraper, et Faye sent la colère monter.

Pas contre Margaret, mais contre *Henry*. En colère contre l'échec public imminent, en colère qu'il la mette dans cette position, dans cette stupide rivalité avec *Margaret Schwingle*. En colère de se sentir responsable de lui et de ses faiblesses, comme s'il s'agissait des siennes. Il se dandine tel un enfant qui apprend à marcher, et à ce moment précis, Faye le *déteste*. Elle a assisté à suffisamment de mariages pour connaître cette phrase de la liturgie par cœur : *Et les deux deviendront une seule et même chair*. Tout le monde a l'air de penser que c'est incroyablement romantique, mais Faye a toujours été dégoûtée par l'idée. Et elle en a là l'illustration parfaite. C'est comme si on multipliait tous ses défauts par deux.

Mais c'est à Henry de jouer maintenant. Il court vers la balle.

Et contre toute attente, il exécute le mouvement à la perfection. Attrape la balle, plante ses pieds dans le sol et lance directement, précisément et à toute vitesse au première base. Parfait. Un modèle du genre. L'entraîneur applaudit, tous les garçons applaudissent et Margaret Schwingle n'a absolument rien à dire.

C'est bientôt leur tour aux toilettes, et Faye s'assied sur le carrelage, vidée. Il a beau ne s'être produit aucun incident, Faye s'était *préparée* à affronter Margaret, et son corps est encore sous tension. Elle a l'impression d'être un bloc de nerfs à vif, à l'intérieur elle continue à crier. Elle était tellement prête à en découdre que c'est comme si elle l'avait *réellement* affrontée. Et ça n'arrange rien que Margaret soit là avec elle, dans les toilettes, assise dans le cabinet d'à côté. Sa présence fait à Faye l'effet d'un four.

Devant elle, les toilettes sont immaculées,

blanches, rutilantes, elles dégagent une odeur de javel puissante — c'est l'œuvre des élèves précédentes. La prof passe derrière elles, égrenant les horreurs des toilettes sales : gale, salmonelle, gonorrhée, et autres micro-organismes en tout genre.

« Des toilettes trop propres, cela n'existe pas », déclare-t-elle. Elle leur donne de nouvelles brosses. Elles s'accroupissent — certaines s'asseyent — et elles lavent la cuvette, remuent l'eau, la font mousser. Elles frottent, nettoient et rincent.

« Pensez à la lunette, dit Mme Schwingle. La lunette, c'est peut-être ce qu'il y a de plus sale. »

La prof leur montre quelle quantité de javel utiliser, comment se contorsionner pour nettoyer intégralement la cuvette. Elle explique aux élèves comment garder leurs inévitables futurs enfants en bonne santé, comment empêcher les maladies de proliférer dans leurs maisons en nettoyant leurs salles de bains.

« Les microbes, dit-elle, peuvent se répandre dans l'air quand vous tirez la chasse. Quand vous tirez la chasse, donc, abaissez le couvercle et faites un pas en arrière. »

Faye frotte, quand, depuis le cabinet d'à côté, la voix de Margaret résonne : « Il était mignon tout à l'heure », dit-elle.

Faye ne sait pas à qui elle s'adresse, il y a peu de chances que ce soit à elle, alors elle continue à frotter.

« Ouh ouh ? dit Margaret en donnant un petit coup dans le mur. Il y a quelqu'un ?

— Quoi ? Oui ? dit Faye.

— Ouh ouh ?

— C'est à moi que tu parles ?

— Euh, ouais ? » Le visage de Margaret apparaît alors sous la paroi de la cabine — elle est penchée en avant, presque la tête en bas, ses énormes boucles blondes pendent sous son visage, c'en est quasiment comique.

« Je te disais, reprend-elle, qu'il était mignon tout à l'heure.

— Qui ?

— *Ben*, Henry.

— Oh, oui, c'est vrai, pardon.

— Je t'ai vue le regarder. C'est ce que tu te disais, hein, qu'il était mignon ?

— Bien sûr, dit Faye. Oui. C'est ce que je pensais. »

Margaret regarde la chaîne de Faye, avec l'anneau de Henry en pendentif. Son gros anneau avec une opale. Et elle ajoute : « Tu vas mettre cet anneau à ta main gauche ?

— Je ne sais pas.

— Si c'était vraiment sérieux entre vous, tu le porterais à la main gauche. Ou bien il pourrait t'en trouver un autre. Et tu en aurais un au cou et un à la main gauche. C'est ce que Jules a fait.

— Oui, c'est vrai.

— Jules et moi, c'est *très* sérieux. »

Faye hoche la tête.

« On va se marier bientôt. Il a des tas de projets. »

Nouveau hochement de tête de Faye.

« *Des tas.* »

La prof remarque leur bavardage et s'approche, mains sur les hanches : « Margaret, pourquoi n'es-tu pas en train de nettoyer ? », et Margaret lance ce regard à Faye — un regard de conspirateur, genre *On est dans le même bateau toi et moi* — et disparaît derrière le mur.

« Je nettoie mentalement, Maman, répond Margaret. Je visualise. Je m'en souviendrai mieux comme ça.

— Peut-être que si tu étais aussi concentrée que Faye, toi aussi tu aurais ton ticket pour la grande ville.

— Pardon, Maman. »

« Votre mari », dit Mme Schwingle, plus fort à présent, s'adressant au groupe tout entier et non plus à Margaret seule, « attendra de vous un certain niveau de propreté domestique », et Faye songe aux affiches sur les murs de la classe, à ces maris si exigeants, ces maris en chapeau et manteau quittant la maison en claquant la porte quand leurs femmes ne sont pas à la hauteur des impératifs féminins de base, ces hommes dans les publicités à la télévision ou dans les magazines — pour le café, préparez le meilleur qui soit à son patron ; pour les cigarettes, montrez-vous classe et sophistiquée ; pour le soutien-gorge rembourré, montrez-vous sous votre jour le plus féminin —, et Faye se dit que *le mari* est la créature la plus particulière et la plus exigeante qui soit dans l'histoire de l'humanité. D'où vient-il ? Comment les garçons du terrain de baseball — benêts, comiques, maladroits, peu sûrs d'eux, idiots en amour —, comment se transforment-ils un jour en *maris* ?

Les élèves sont relevées de leur exercice. Elles retournent en classe et le prochain groupe entre dans les toilettes. Elles se rasseyent à leur bureau et regardent dehors avec ennui. Les garçons sont toujours là — certains plus sales qu'avant, d'avoir dû plonger ou glisser au sol. Et Jules est là, tel un gladiateur, avec son visage de bonhomme tout lisse.

Margaret lance : « Vas-y, chéri ! Vas-y, mon cœur ! », bien qu'il ne puisse pas l'entendre. Son enthousiasme s'adresse aux filles de la classe, pour qu'elles regardent. La balle se dirige vers Jules, il s'avance vers elle, avec des gestes si fluides, si faciles, des pas si rapides et si assurés, sans glisser dans la boue comme les autres garçons, à croire que le terrain n'est pas le même sous ses pieds à lui. Il se plante face à la balle, atteint le lieu exact où elle arrive avec une telle avance, une telle aisance et une telle décontraction. La balle rebondit vers son gant et — peut-être heurte-t-elle un caillou, ou bien une bosse du terrain, qui sait — elle jaillit soudain tout droit, vers le haut, de manière inattendue et incroyable, si vite, et elle frappe Jules en plein sur la gorge.

Il se jette par terre, en donnant un coup de pied.

Et toutes les filles du cours d'économie domestique éclatent de rire. Elles gloussent, hilares, jusqu'à ce que Margaret se tourne vers elles et crie : « La ferme ! » Elle a l'air tellement vexée. Tellement honteuse. Elle ressemble à ces femmes sur les affiches, abandonnées par leurs maris : apeurées, abîmées, rejetées. Ce sentiment d'un regard injuste et cruel sur elles. Margaret a cet air-là, exactement, et Faye voudrait pouvoir enfermer dans un flacon ce moment de vulnérabilité et de gêne de Margaret, comme du déodorant. Des flacons de spray germicide. À distribuer à toutes les épouses du monde. À vaporiser sur les jeunes mariés le jour des noces. À larguer comme des bombes, comme du napalm, depuis le toit, sur le terrain de base-ball.

Pour que les garçons, eux aussi, sachent ce que cela fait.

5

Faye est assise toute seule dehors, les cours sont terminés, elle a un livre sur les genoux, le dos appuyé au mur rude et chaud à l'arrière de l'école, elle écoute les musiciens jouer distraitement : un trompettiste fait des gammes, de la note la plus grave à la plus aiguë ; les lames les plus courtes d'un xylophone tintent ; un trombone émet ce son de flatulence sec que seuls émettent les trombones. Manifestement, les élèves de l'orchestre de l'école sont en pause, ils gambadent d'une note à l'autre, alors Faye patiente en lisant. Un mince recueil de poèmes d'Allen Ginsberg, dans lequel elle est en train de relire celui sur les tournesols[1], pour peut-être la centième fois, et chaque fois elle est un peu plus convaincue qu'il a été écrit pour elle. Pas *vraiment*, bien sûr. Elle sait qu'en réalité le poème parle de Ginsberg, assis dans les collines de Berkeley, les yeux fixés sur la mer au loin, déprimé. Mais plus elle le lit, plus elle se voit en lui. Quand Ginsberg

1. Toutes les citations du « Soutra du Tournesol » sont tirées d'une traduction de Robert Cordier et Jean-Jacques Lebel, parue chez Christian Bourgois en 1977.

parle des « racines d'acier noueuses des arbres de machinerie », il pourrait aussi bien être en train de décrire l'usine ChemStar. « L'eau huileuse sur la rivière » pourrait être le Mississippi. Et le champ de tournesols qu'il décrit pourrait encore être ce champ de maïs de l'Iowa en face d'elle, séparé de l'école par une simple clôture, un champ récemment labouré et semé, telle une couverture noire ourlée de terre humide et poisseuse. D'ici à la rentrée d'automne, le champ sera couvert de plants qui lui arriveront à l'épaule, leurs tiges bien droites, armés d'épis et finalement prêts à être taillés, à céder à la faux qui leur fera plier les genoux. Assise là, Faye attend que l'orchestre reprenne et songe à cela — la moisson — et à la tristesse que cela lui cause toujours, ces champs de maïs qui ont l'air de champs de bataille en novembre, les plants taillés blanchis, leurs tiges tels des fémurs à moitié enterrés, hérissées hors du sol. Juste après viennent les premiers frimas d'un nouvel hiver dans l'Iowa — les neiges fines de la fin de l'automne, le premier gel de novembre, la toundra désolée de janvier. Faye imagine l'hiver à Chicago, et dans ses rêves, c'est mieux, plus chaud, réchauffé par la circulation des voitures, l'agitation, le béton, l'électricité, toute cette chaleur humaine démultipliée.

À travers le mur, elle entend un instrument à anche grincer, et elle sourit, le souvenir de ce bruit la fait sourire. Elle a été musicienne autrefois — le hautbois, et elle aussi faisait grincer l'anche. C'est l'une des choses qu'elle a abandonnées quand les crises de panique ont commencé.

C'est ainsi que les médecins les appellent — *des crises de panique* —, ce qui ne semble pas tout à fait exact à Faye. Elle n'a pas eu l'impression de paniquer, cela ressemblait davantage à une chose qui la désactiverait de force, méthodiquement. Comme un mur de télévisions qu'on éteindrait une à une — sur chaque écran, l'image d'abord réduite à une tête d'épingle, disparaissant ensuite, purement et simplement. Voilà à quoi cela ressemblait, la vue qui rétrécissait, puis cette capacité de concentration réduite à une toute petite zone, rien qu'un minuscule point dans son champ de vision, ses chaussures la plupart du temps.

Au début, cela ne semblait lui arriver que lorsqu'elle contrariait son père, quand elle faisait quelque chose — comme quand elle avait montré l'abri antiatomique à ces garçons — qui le mettait en colère. Mais par la suite, les crises se sont mises à la frapper dans des moments où elle pensait que *peut-être* elle était en train de le contrarier, ou bien quand elle avait *une chance* de faillir devant lui, même si elle n'avait encore rien à se reprocher.

Par exemple : le concert.

Elle avait rejoint l'orchestre de l'école après avoir écouté un enregistrement enthousiasmant de *Pierre et le loup*. Elle voulait jouer du violon, ou peut-être du violoncelle, mais il n'y avait plus de place que dans la section des bois. On lui avait donné un hautbois — noir, dont la couleur était effacée par endroits, les clés autrefois argentées désormais d'un brun éteint, une longue et profonde griffure courant sur toute la longueur de l'instrument. En matière de couacs, de grincements et de fausses notes, l'apprentissage du hautbois était une calamité. Avant d'arriver à bouger indépendamment du reste de sa main, ses petits doigts roses dérapaient constamment sur les clés. Et pourtant elle adorait cela. Elle aimait que ce fût le hautbois qui donne le *la* au début de chaque répétition. Elle aimait cette constance, le *la* solide, tangible, qu'elle délivrait, et auquel le groupe tout entier s'ancrait. Elle aimait la posture rigide qu'il fallait adopter pour jouer, assise bien droite, tenant l'instrument face à elle, les coudes à l'équerre. Même les répétitions étaient un moment agréable pour elle. La camaraderie. Le fait que chacun œuvre pour un but commun. Le sentiment général de pratiquer un art élevé. Le son magnifique qu'à eux tous ils produisaient.

Pour leur premier concert, chaque musicien avait son propre solo. Un tout petit morceau, qu'elle travailla durant des mois, jusqu'à sentir les notes en elle, jusqu'à pouvoir jouer son solo à la perfection sans jamais regarder la partition. Le soir du concert, dans ses plus beaux habits, elle scruta le public et aperçut sa mère, qui lui fit signe, et son père, qui lisait le programme. Et quelque chose dans sa concentration, dans cette façon sérieuse qu'il avait d'étudier le programme, de le passer au crible, terrifia littéralement Faye.

Soudain, une pensée lui traversa l'esprit : *Et si je me trompe ?*

Elle ne l'avait jamais envisagé auparavant. Et voilà que la magie qu'elle parvenait à créer en s'exerçant lui échappait. Elle était incapable de s'éclaircir les idées, incapable de se libérer comme aux répétitions. Ses paumes étaient moites, le bout de ses doigts glacé. À l'entracte, elle avait mal à la tête, mal au ventre, deux auréoles se dessinaient sous ses aisselles. Elle avait une envie urgente de faire pipi, mais une fois dans les toilettes, elle s'en trouva incapable.

Puis, durant la deuxième partie du concert, elle commença à ressentir un étourdissement, sa poitrine se serra. Et lorsque le chef d'orchestre pointa sa baguette vers elle pour lui signaler le début de son solo, Faye ne pouvait plus jouer. L'air était bloqué dans sa gorge. La seule chose qui en sortit fut un petit cri, un râle bref et impuissant. Toutes les têtes se tournèrent vers elle. Tout le monde la regardait. Elle entendit de la musique qui venait d'ailleurs, mais le son était lointain, comme si elle était sous l'eau. Dans l'auditorium, la lumière sembla faiblir. Elle fixa ses chaussures. Dégringola de sa chaise. Et perdit connaissance.

Les médecins dirent qu'elle n'avait rien.

« Du point de vue médical », s'empressèrent-ils d'ajouter. Ils la firent respirer dans un sac en papier brun et posèrent un diagnostic d'« état nerveux chronique ». Son père la fixait d'un air dévasté, mortifié. « Qu'est-ce qui t'a pris de faire une chose pareille ? lança-t-il. Toute la ville te regardait ! » Ce qui lui mit les nerfs à vif, bien entendu, sous l'effet combiné de la déception qu'elle avait causée à son père en faisant une crise de panique et l'angoisse à l'idée d'en faire une nouvelle juste sous ses yeux.

Après cela, les crises se succédèrent même quand son père n'était pas là, même dans des moments apparemment innocents, banals et calmes. Elle avait une conversation normale et soudain, sans raison apparente, cette pensée toxique s'insinuait en elle : *Et si je me trompe ?*

Et quels que soient les mots insignifiants qu'elle avait pu prononcer la seconde d'avant, Faye basculait tout à coup dans le catastrophisme : était-elle stupide, insensible, gourde, ennuyeuse ? Le dialogue se transformait immédiatement en un test horrible, qu'elle pouvait rater à tout moment. En plus des réflexes de lutte physique — maux de tête, frissons, rougeurs, transpiration, hyperventilation, cheveux dressés sur la tête — elle avait le sentiment d'être condamnée, d'être jugée, ce qui aggravait encore la situation car la seule chose plus terrible qu'une crise de panique, c'était une crise de panique devant témoin.

Ces moments où elle se trompait en public, ou bien où elle avait l'impression que *potentiellement* elle pourrait se tromper en public — cela pouvait suffire à déclencher une crise. Pas systématiquement, mais souvent. Suffisamment souvent pour qu'elle décide d'adopter une attitude de défense préventive : en devenant quelqu'un qui ne se trompait jamais.

Quelqu'un *d'infaillible*.

C'était facile : plus Faye tremblait intérieurement, plus elle paraissait parfaite extérieurement. Au-dessus de tout soupçon ou reproche, elle coupait court à toute critique possible. Demeurait dans les bonnes grâces de chacun en étant exactement ce que chacun attendait d'elle. Réussissait tous les tests. Remportait toutes les récompenses académiques délivrées par l'école. Quand l'enseignant leur demandait de lire un chapitre d'un livre, Faye lisait le livre en entier. Puis tous les livres du même auteur disponibles à la bibliothèque de la ville. Il n'y avait pas un sujet où elle n'excellait pas. Élève modèle, citoyenne modèle, assidue à l'église, bénévole. Tous s'accordaient à dire qu'elle avait la tête sur les épaules. Elle était aimable, à l'écoute, n'exigeait jamais rien de personne, ne critiquait jamais personne. Toujours souriante, positive, toujours agréable. Il aurait été difficile de ne pas l'aimer car rien n'était désagréable chez elle — elle était arrangeante, docile, effacée, accommodante, accessible. Vu de l'extérieur, les contours de sa personnalité n'étaient que courbes et douceur. Le sentiment général était celui d'une fille *absolument adorable*. Pour ses enseignants, Faye était douée, un petit génie silencieux au fond de la classe. Dans les réunions pédagogiques, ils s'extasiaient sur ses performances, soulignaient sa discipline et sa motivation.

Faye savait qu'il s'agissait là d'un numéro de manipulation mentale. Au plus profond d'elle-même, elle savait qu'elle était une imposture, une fille banale, normale. La seule raison pour laquelle elle semblait avoir des capacités hors du commun, c'était parce qu'elle travaillait plus, pensait-elle, et il suffirait d'une fois, d'*un seul échec* pour que chacun se rende compte de qui était vraiment Faye. Donc elle n'échouait jamais. Et l'écart entre la *vraie* Faye et la *fausse* Faye ne cessait de grandir dans son esprit, tel un bateau quittant le quai et perdant peu à peu la rive de vue.

Tout cela avait un prix.

Le revers de la médaille, quand on n'échoue jamais dans rien, c'est qu'on ne fait jamais rien qu'on pourrait rater. Jamais rien de risqué. Par essence, il y a un manque de *courage* chez les gens qui sont bons dans tout. Faye, par exemple, commença par abandonner le hautbois. Elle ne pratiquait, cela va sans dire, aucun sport. Le théâtre était bien entendu hors de question. Elle déclinait presque toutes les invitations aux fêtes, rassemblements quelconques, rencontres entre jeunes gens, après-midi au bord du Mississippi, soirées à boire autour d'un feu dans le jardin d'un camarade. Le résultat, il faut bien l'admettre, était qu'elle n'avait pas vraiment d'amis proches.

Aussi loin qu'elle se souvienne, déposer son dossier d'inscription au Cercle était la première chose un peu risquée qu'elle avait faite. Ensuite il y avait eu la manière dont elle avait dansé au bal de promotion. Et dont elle s'était jetée sur Henry au terrain de jeux. Très risqué. À présent, elle avait l'impression d'être punie. La ville entière lui en voulait, Henry la condamnait — c'était le prix à payer pour s'affirmer.

Qu'est-ce qui avait changé ? D'où lui venait cette nouvelle audace ? D'un vers de ce poème, celui de Ginsberg sur les tournesols, un vers qui semblait avoir été écrit juste pour elle, comme un verrou qui avait sauté et l'avait tirée de son sommeil. C'était le résumé parfait de ce qu'elle ressentait par rapport à sa vie avant même qu'elle ait eu le temps de se le formuler :

Pauvre fleur morte. Quand oublias-tu que tu étais une fleur ?

Quand avait-elle oublié qu'elle était capable d'audace ? Quand avait-elle oublié toute cette audace qui sommeillait en elle ? Elle retourne le livre et regarde à nouveau la photo de l'auteur. Le voilà, ce jeune homme fringant, au visage juvénile, aux cheveux légèrement ébouriffés, rasé de frais, dans sa chemise blanche, large, rentrée dans son pantalon, derrière ses lunettes rondes en écaille exactement comme celles de Faye. Il est debout sur un toit-terrasse, quelque part à New York — on distingue les antennes de la ville derrière lui, et plus loin, les silhouettes brumeuses des gratte-ciel.

Lorsque Faye a découvert que Ginsberg serait un des professeurs invités du Cercle l'année suivante, elle a immédiatement déposé un dossier d'inscription.

Elle s'appuie contre le mur en brique. Quel effet cela fait-il de se retrouver dans la même pièce que lui, que cet homme si foisonnant ? Elle songe avec inquiétude à la façon dont elle réagira quand elle se retrouvera dans sa classe : nul doute qu'elle se mettra à paniquer. Fera une crise sur-le-champ. Se transformera en ce narrateur navré du poème du tournesol : cette *pauvre chose impie*.

Mais voilà que l'orchestre se réinstalle.

Les musiciens se regroupent, Faye les entend s'échauffer. Elle écoute la cacophonie. La sent vibrer contre sa colonne vertébrale à travers le mur derrière elle. Alors qu'elle tourne la tête pour coller sa joue contre la brique, elle distingue un mouvement à l'extrémité du bâtiment : *quelqu'un vient de tourner au coin*. Une fille. Un pull en coton bleu clair, des cheveux blonds très coiffés. C'est elle, constate peu à peu Faye, Margaret Schwingle. Elle fouille dans son sac, en sort une cigarette, l'allume, crache la fumée de la première bouffée, la bouche en *O*. Elle n'a pas encore remarqué Faye mais cela ne saurait tarder maintenant, et Faye ne veut pas qu'elle la surprenne à faire ce qu'elle est en train de faire. Lentement, de manière à ne pas agiter les buissons autour d'elle, Faye tend la main vers son sac, y glisse le livre de Ginsberg et en sort le premier livre qu'elle sent sous ses doigts : *Naissance de la nation américaine*, leur manuel d'histoire. Sur la couverture, il y a une statue en bronze de Thomas Jefferson sur une lumineuse toile de fond bleu sarcelle. Ainsi, quand Margaret finit par remarquer sa présence, ce qui se produit assez vite, qu'elle s'avance vers elle et lui demande : « Qu'est-ce que tu fais ? », Faye répond : « Mes devoirs.

— Oh », dit Margaret, et cela semble logique pour elle, car chacun sait que Faye est une fille studieuse, travailleuse, une « tête », qui a réussi à avoir une bourse. Faye n'a donc pas besoin de se lancer dans des explications sur ses motivations profondes, sur cette poésie douteuse qu'elle est en train de lire, en faisant semblant d'être encore une joueuse de hautbois.

« Quels devoirs ? reprend Margaret.

— L'histoire.

— Bon sang, Faye. Ce que c'est *chiant*.

— Ouais, ça c'est bien vrai, répond Faye, bien qu'elle n'en pense pas un mot.

— C'est tellement chiant tout ça, répète Margaret. L'école.

— Horrible », renchérit Faye, mais elle a un peu peur que son manque de sincérité ne s'entende. Car, bien sûr, elle adore l'école. Ou peut-être, plus précisément, elle adore être bonne à l'école.

« J'ai tellement hâte que ce soit fini, dit Margaret. Je voudrais être quitte.

— Ouais, dit Faye. Il n'y en a plus pour longtemps. » En l'occurrence, ces derniers temps, l'idée que le semestre soit bientôt terminé la remplit de terreur. Ce qu'elle adore dans l'école, c'est la clarté absolue qu'elle jette sur tout le reste : un objectif simple, des attentes évidentes, cette façon qu'ont les gens de vous juger au travail et aux bonnes notes que vous obtenez. Si seulement le reste de la vie pouvait être mesuré de cette manière.

« Tu viens souvent lire ici ? demande Margaret en s'asseyant. Derrière l'école ?

— De temps en temps. »

Margaret regarde le champ de maïs tout noir devant elles et semble considérer la question. Elle tire vaguement sur sa cigarette. Faye suit son regard, perd le sien dans le vide en essayant d'avoir l'air cool.

« Tu sais, dit Margaret, j'ai toujours su que j'étais une enfant hors du commun. J'ai toujours su que je possédais certains talents. Que tout le monde m'aimait. »

Faye hoche la tête, par assentiment, ou du moins pour manifester quelque intérêt.

« Et je savais qu'en grandissant je deviendrais une femme hors du commun. Je l'ai toujours su, c'est tout.

— Mmh-mmh.

— J'étais une enfant hors du commun et je serai une adulte hors du commun.

— C'est sûr, dit Faye.

— Merci. Je serai cette femme hors du commun qui épousera un homme hors du commun et ensemble nous aurons ces enfants géniaux. Tu sais ? J'ai toujours pensé que ça se passerait comme ça. Que c'était mon destin. Que la vie serait facile. Et géniale.

— Ce sera le cas, dit Faye. Tout ça va arriver.

— Ouais, j'imagine », dit Margaret. Elle écrase son mégot par terre. « Mais je ne sais pas ce que je veux faire. De ma vie.

— Moi non plus, dit Faye.

— C'est vrai ? Toi ?

— Ouais. Aucune idée.

— Je croyais que tu voulais aller à l'université ?

— Peut-être. Enfin probablement pas. Ma mère ne veut pas que j'y aille. Et Henry non plus.

— Oh, dit Margaret. Oh, je vois.

— Je vais peut-être repousser d'un an ou deux. Le temps que les choses se calment.

— Ce serait pas bête.

— Je vais peut-être rester ici encore un peu.

— Je ne sais pas ce que je veux, continue Margaret. Jules, je suppose ?

— Bien sûr.

— Jules est génial, je suppose. Je veux dire, il est vraiment vraiment génial.

— Il est *tellement* génial.

— C'est vrai, hein ?

— Mais oui !

— D'accord, dit-elle. D'accord, merci. » Sur ce, elle se lève, s'époussette et regarde Faye. « Ouais, bon, désolée, c'était un peu bizarre, cette conversation.

— Pas de problème, dit Faye.

— N'en parle à personne, s'il te plaît.

— Promis.

— Ce qu'il y a, c'est que je ne suis pas sûre que les autres comprendraient.

— Je n'en parlerai à personne. »

Margaret opine et commence à s'éloigner, puis elle s'immobilise et se retourne vers Faye : « Est-ce que tu voudrais venir ce week-end ?

— Venir où ?

— Chez moi, andouille. Viens pour le dîner.

— Chez toi ?

— Samedi soir. C'est l'anniversaire de mon père. On lui fait une petite fête. Je veux que tu viennes !

— Moi ?

— Ouais. Si tu restes en ville après l'école, ce serait bien qu'on soit amies, non ?

— Oh, d'accord, bien sûr, dit Faye. Ce serait chouette.

— Génial ! lance Margaret. N'en parle à personne. C'est une surprise. » Elle sourit et part à grandes enjambées, tourne au coin et disparaît.

Faye retombe contre le mur et se rend compte que l'orchestre bat son plein. Elle n'avait pas remarqué. Un son massif, qui va crescendo. Elle est submergée par l'invitation de Margaret. Quelle victoire. Quelle *stupeur*. Elle écoute l'orchestre, elle a l'impression d'enfler. Il lui semble que le caractère physique de la musique lui apparaît davantage quand le son est étouffé, comme si, ne pouvant entendre chaque son, elle en sentait mieux encore les vibrations, telles des vagues. Un bourdonnement. Le mur contre lequel elle appuie sa joue modifie l'expérience qu'elle en fait. Ce n'est plus de la musique, c'est un point de rencontre de tous les sens. La conscience aiguisée, elle perçoit chacune des frictions nécessaires à la production de la musique, les cordes qu'on frappe et caresse, le bois, le cuir. Vers la fin du morceau, en particulier. Quand le son monte, elle arrive à *sentir* les notes les plus hautes. Cela n'a rien d'abstrait, c'est un tremblement, comme une main sur sa peau. La sensation descend le long de sa gorge, c'est une grande pulsation sonore à présent, un tambour intérieur. Qui vibre en elle.

Plus que tout, c'est cela qu'elle aime : la vitesse à laquelle elle est atteinte par les choses — la musique, les gens, la vie —, la vitesse à laquelle elle est surprise, frappée, d'un coup, en pleine figure.

6

Parfois le printemps semble surgir du jour au lendemain. Les arbres fleurissent, le vert jaillit des champs de maïs boueux, tout renaît, recommence, et pour certains dans sa classe de terminale, c'est un moment d'espoir et d'optimisme : la remise des diplômes approche et les filles — celles qui ont un petit ami régulier, celles qui rêvent de mariage, de jardins et de bambins dedans — commencent à parler âmes sœurs, à parler de leur sentiment profond, de leur foi dans leur destinée, de l'irrésistible destin qui les attend, *elles savent*. Avec leurs yeux doux, pleins d'adoration, ce tremblement dans leur voix — Faye oscille entre la pitié qu'elles lui inspirent et celle qu'elle s'inspire à elle-même. Apparemment, sa vie à elle est dépourvue du *romantisme* de base. C'est si arbitraire à ses yeux, l'amour. Tout ce hasard. Cette interchangeabilité de tout, des hommes.

Il suffit de voir Henry.

Pourquoi Henry plutôt que n'importe quel autre ?

Un soir, ils sont assis tous les deux au bord du Mississippi, ils jettent des cailloux dans la rivière, fourragent dans le sable, tentant vainement de faire de l'esprit, ou même juste la conversation, et pendant tout ce temps, elle pense : Pourquoi je suis là, *avec lui* ?

Facile. À cause d'une rumeur débile que Peggy Watson a lancée l'automne dernier.

Peggy était arrivée, hors d'haleine, devant Faye juste après le cours d'économie domestique, en pleine ébullition. « J'ai un secret », dit-elle, puis elle passa le reste de la journée à taquiner Faye et lui glissa un petit mot en cours de trigonométrie : *Je sais quelque chose que tu ignores.*

« C'est du costaud, renchérit-elle à l'heure du déjeuner. Du ragot de première classe. Tu n'en reviendrais pas.

— Dis-moi.

— Il vaut mieux que tu attendes encore un peu, dit-elle. Après l'école. Pour que tu puisses encaisser le choc. »

Peggy Watson était une de ses camarades depuis le primaire, elle habitait en bas de sa rue, prenait le même bus qu'elle, dans l'entourage de Faye, elle était ce qui ressemblait le plus à une « meilleure amie ». Quand elles étaient enfants, elles jouaient à sortir tous les crayons et toutes les feuilles qu'elles avaient pour écrire « Je t'aime » de toutes les couleurs, toutes les manières et toutes les tailles possibles. C'était une idée de Peggy. Elle y jouait tout le temps. Sans jamais se lasser. Ce qu'elle préférait, c'était écrire les mots en rond autour d'un gros cœur. « Un cercle, sans début ni fin, déclarait-elle. Tu comprends ? Ça ne s'arrête jamais ! Pour toujours ! »

Après l'école, ce jour-là, Peggy était en extase, euphorique, débordante de grandes rumeurs et de nouvelles fracassantes : « Il y a un garçon à qui tu plais !

— Non, dit Faye.

— Je t'assure. Je le sais de source sûre.

— Qui te l'a dit ?

— Motus et bouche cousue, dit Peggy. J'ai promis de tenir ma langue.

— Et c'est qui, ce garçon ?

— C'est un garçon de notre classe.

— Lequel ?

— Devine !

— Je ne vais pas deviner.

— Allez ! Devine !

— Dis-moi. »

En réalité, Faye ne voulait pas vraiment savoir. Elle ne voulait pas d'histoires. Elle était seule, réservée et parfaitement heureuse de cet état. Pourquoi ne pouvait-on la laisser tranquille ?

« D'accord, dit Peggy. Tu as gagné. Pas de devinettes. Pas de petits jeux. Je vais tout te dire. J'espère que tu es prête.

— Je le suis », dit Faye. Elle attendit, Peggy attendait elle aussi, elle prenait son temps, savourait le spectacle d'un air espiègle, et Faye endura cette longue pause théâtrale jusqu'à ce que cela devienne insupportable. « Bon sang, Peggy !

— D'accord, d'accord, dit-elle. C'est Henry ! Henry Anderson ! Tu lui plais ! »

Henry. Faye ne savait pas vraiment à quoi elle s'attendait, mais pas à cela. Henry ? Elle ne l'avait même jamais remarqué auparavant. Il existait à peine pour elle.

« Henry, lâcha Faye.

— Oui, confirma Peggy. Henry. C'est le destin. Vous êtes *destinés* l'un à l'autre. Tu n'auras même pas à changer de nom de famille !

— Bien sûr que si ! Andresen et Anderson, ce n'est pas la même chose.

— Enfin, quand même, dit Peggy, il est plutôt mignon. »

Faye rentra chez elle et s'enferma dans sa chambre. Où elle examina sérieusement la question du petit ami, pour la première fois. Assise sur son lit. Elle ne réussit pas à dormir longtemps. Pleura un peu. Et se réveilla le lendemain en ayant décidé, étrangement, qu'en fait Henry l'intéressait énormément. Convaincue qu'elle l'avait toujours trouvé beau. Son physique vigoureux de défenseur. Son calme. Au fond, peut-être qu'il lui avait toujours plu. À l'école, il lui semblait désormais différent, plus présent, plus vivant, plus beau. Ce qu'elle ignorait, c'est que Peggy avait fait la même chose avec lui. L'avait poursuivi toute la journée en lui disant qu'il y avait une fille à qui il plaisait. Pour finalement lui révéler qu'il s'agissait de Faye. Alors, quand il était arrivé à l'école ce jour-là et qu'il avait vu Faye, il s'était demandé comment il avait pu ne jamais remarquer à quel point elle était belle. Élégante et simple. Ce regard sauvage caché derrière ces grandes lunettes rondes.

Ils avaient commencé à sortir ensemble peu de temps après.

C'est cela l'amour, pense Faye maintenant. Nous aimons les gens parce qu'ils nous aiment. C'est du narcissisme. Mieux vaut être parfaitement clair sur ce sujet et ne pas laisser des abstractions comme le *destin* ou le *sort* semer la confusion. Après tout, Peggy aurait pu choisir n'importe quel garçon de l'école.

Voilà ce qui lui passe par la tête ce soir-là sur la

rive, où Henry l'a emmenée pour pouvoir, pense-t-elle, s'excuser. Depuis cette nuit au terrain de jeux, il est sur la réserve. Depuis l'incident après le bal de promotion. Ils en parlent, tournent autour du pot. Sans rien dire de précis : « Je suis désolé pour… tu sais », dit-il, et elle se sent mal pour lui, à voir la façon dont il s'empêtre dans ses excuses. Sa contrition, son air pénitent sont irritants. La façon dont il lui porte ses livres, dont il marche un pas derrière elle, tête baissée, en lui achetant encore plus de fleurs et de bonbons. Parfois, dans ses accès d'auto-apitoiement, il dit des choses comme : « Bon Dieu, je suis tellement stupide ! » Ou bien il lui propose d'aller au cinéma, et avant même qu'elle ait eu le temps de répondre, il dit quelque chose comme : « Si tu veux toujours être ma copine, bien sûr. »

Tout cela est complètement arbitraire. Si Faye était allée dans une autre école. Si ses parents avaient déménagé. Si Peggy Watson avait été malade ce jour-là. Si elle avait choisi un autre garçon. Etc. Un millier de combinaisons, un million de possibilités, et presque toutes auraient empêché Faye de se retrouver assise dans le sable avec Henry.

Ce soir, c'est une véritable boule de nerfs, il se tripote les mains, ramasse de la terre, lance des cailloux dans l'eau. Elle sirote un Coca-Cola à même la bouteille, elle attend. Jusqu'ici, il avait tout prévu, amener Faye à cet endroit, au bord de l'eau, seule. Mais pour la suite, il est perdu. Il oscille sur ses jambes, chasse un moucheron ou autre chose de devant ses yeux, s'assied lourdement, tendu comme un cheval nerveux. Tous ces tourments l'irritent. Elle continue à boire son Coca.

La rivière sent le poisson ce soir — elle dégage une

pestilence humide, on dirait du lait caillé mélangé à de l'ammoniac — et Faye repense à ce jour où elle était avec son père sur son bateau. Il lui apprenait à pêcher. C'était important pour lui. Il avait grandi en pêcheur. Enfant, c'était son gagne-pain. Mais elle détestait cela. Rien que d'accrocher le ver à l'hameçon, elle avait les larmes aux yeux — cette façon qu'il avait de s'enrouler autour de son doigt et cette pâte visqueuse brune qui s'en échappait quand elle lui transperçait la peau.

C'est à ce ver de terre que Henry lui fait penser en ce moment : prêt à éclater.

Ils fixent le Mississippi, la flamme bleue de l'usine d'azote, la lune, la lumière qui se reflète et se réfracte à la surface de l'eau. Une bouteille émerge à quelques mètres d'eux. Une mouche passe devant ses yeux. Les vagues lèchent le rivage régulièrement, et plus ils restent là, plus Faye a l'impression que la rivière respire — se contracte, puis s'épanche, roule en avant puis en arrière, l'eau caressant les rochers en se retirant.

Enfin, Henry se tourne vers elle et lâche : « Bon, écoute, j'ai quelque chose à te demander.

— D'accord.

— Mais… je ne sais pas si je peux, poursuit-il. Si j'ai le droit de te demander ça.

— Pourquoi pas ? » Et elle le regarde à présent, elle le voit et se rend compte qu'elle ne l'a pas vraiment fait — le *regarder*, vraiment — depuis combien de temps ? Toute la soirée ? Elle a passé toute la soirée à éviter son regard, gênée pour lui, le détestant vaguement, et voilà qu'elle le regarde et qu'elle le trouve sinistre, avec un rictus menaçant.

« Je voudrais… », dit-il, mais il s'interrompt. Et ne

termine jamais sa phrase. À la place, il se penche brusquement vers Faye et l'embrasse.

L'embrasse *de toutes ses forces*.

Comme l'autre nuit, au terrain de jeux, et elle est surprise — le goût de ses lèvres, sa chaleur tout contre la sienne, l'odeur d'huile de ses mains agrippées à ses joucs. La façon dont il s'impose à elle est choquante, dont il presse sa bouche contre la sienne, forçant le passage de ses lèvres avec sa langue. Cette façon qu'il a de l'embrasser, on dirait un *combat*. Elle tombe en arrière dans le sable et il s'aplatit sur elle, la plaque au sol, tenant toujours son visage entre ses mains, l'embrassant fougueusement. Il n'est pas rude, pas exactement. Juste autoritaire. Son premier réflexe est de reculer. Il la serre, écrase son corps contre le sien. Leurs dents s'entrechoquent mais il continue. Elle n'a jamais senti chez Henry autant de force et de *mâle* sauvagerie. Prisonnière sous son poids, elle est incapable de bouger et elle ressent maintenant d'autres besoins physiques impérieux — sa peau est froide, son ventre plein de Coca, elle a envie de roter. De se tortiller et de s'enfuir.

Et c'est exactement le moment qu'il choisit pour reculer de quelques centimètres et la regarder. Henry, constate-t-elle alors, est à l'agonie. Ses traits sont dévastés, noués. Il la dévisage de ses grands yeux suppliants. Attend qu'elle proteste. Attend qu'elle dise *Non*. Et elle s'apprête à le faire mais se reprend. Et c'est ce moment-là, plus tard dans la soirée, une fois que tout sera terminé, que Henry l'aura raccompagnée chez elle, et qu'elle aura passé le reste de la nuit à y penser, ce moment précis qui la perturbera le plus : ce moment où elle a eu l'occasion de s'enfuir, mais ne l'a pas fait.

Elle ne dit pas *Non*. Elle ne dit rien du tout. Elle se contente de croiser le regard de Henry. Peut-être — quoiqu'elle n'en soit pas absolument certaine —, peut-être même qu'elle opine et dit : *Oui*.

Du coup, Henry repart de plus belle, revigoré. Il l'embrasse, fourre sa langue dans son oreille, lui mord le cou. Il glisse sa main vers le bas, entre eux, et elle entend plusieurs mécanismes se défaire — ceinture, boucle, braguette.

« Ferme les yeux, dit-il.

— Henry.

— Je t'en prie. Ferme les yeux. Fais comme si tu dormais. »

Elle le regarde à nouveau, son visage à quelques centimètres, les yeux fermés. Il est comme consumé par un besoin indicible. « Je t'en prie », dit-il, puis il lui prend la main et la guide vers le bas. Faye résiste un peu, vaguement, jusqu'à ce qu'il répète « Je t'en prie » et tire un peu plus fort, et elle lui abandonne sa main, le laisse faire ce qu'il veut. Il s'extirpe de son pantalon et guide sa main jusqu'en bas, entre les plis de son pantalon, sous son caleçon. Quand elle le touche enfin, il sursaute.

« Garde les yeux fermés », dit-il.

Elle obéit. Elle le sent s'agiter contre elle, glisser entre ses doigts. C'est une sensation abstraite, loin du monde réel. Il enfonce son visage dans son cou, remue les hanches et, réalise-t-elle, il pleure, de petits sanglots, doux, des larmes chaudes qui coulent dans son cou.

« Je suis désolé », dit-il.

Faye a l'impression qu'elle devrait se sentir mortifiée mais elle ressent surtout de la pitié. Elle a de la peine pour Henry, son affliction, sa culpabilité, les besoins primitifs qui le dévastent, le désespoir avec lequel il a voulu les assouvir ce soir. Alors elle l'attire plus près, le serre plus fort, et soudain, dans un tremblement gigantesque et une explosion de chaleur, tout est fini.

Henry s'effondre, râle, s'écroule sur elle et se met à pleurer.

« Je suis désolé », répète-t-il.

Son corps est lové contre elle, et elle sent dans sa main qu'il se ratatine. « Je suis tellement désolé », dit-il. Elle le rassure. Lui caresse vaguement les cheveux, le garde dans ses bras, tout secoué de sanglots.

Impossible, ce ne peut pas être cela le *destin*, le *romantisme*, le *sort*. Non, ces choses ne sont que des déguisements, décide Faye, de la décoration, camouflant ce fait brutal : ce soir, Henry n'était pas guidé par l'amour, mais par un besoin cathartique, un élan primal, animal.

Il gémit contre sa poitrine. Elle a la main poisseuse, froide. *Le véritable amour*, pense-t-elle. Et elle manque éclater de rire.

7

Il y a deux conditions nécessaires, énonce Margaret, pour assister à ce dîner chez les Schwingle. D'abord, aller chercher un paquet à la pharmacie. Ensuite, n'en parler à personne.

« Qu'y a-t-il dans le paquet ? demande Faye.

— Des sucreries, répond Margaret. Des chocolats, des choses comme ça. Des bonbons. Mon père ne veut pas que je consomme ce genre de nourriture. Il dit qu'il faut que je fasse attention à mon poids.

— Tu n'as pas besoin de faire attention à ton poids.

— C'est exactement ce que je lui ai dit ! Tu ne trouves pas que c'est injuste ?

— C'est *absolument* injuste.

— Merci », dit-elle. Elle défroisse sa jupe, dans un geste directement hérité de sa mère. « Quand tu passeras le récupérer, tu pourras dire que c'est pour toi ?

— Bien sûr. Pas de problème.

— Merci. C'est déjà payé. J'ai mis la commande à ton nom, pour ne pas me faire gronder.

— Je comprends, dit Faye.

— C'est un dîner surprise pour mon père. Quand tu le verras, dis-lui que tu as un rendez-vous le soir. Avec Henry. Pour brouiller les pistes.

— Entendu.

— D'ailleurs, c'est encore mieux si tu dis à *tout le monde* que tu as un rendez-vous ce soir-là.

— Tout le monde ?

— Ouais. Ne dis à personne que tu viens chez moi.

— D'accord.

— Si on apprend que tu dois venir, mon père risque de le découvrir et il soupçonnera quelque chose. Et tu ne voudrais pas tout gâcher, j'en suis sûre.

— Bien sûr que non.

— Si tu le dis, ça finira forcément par arriver aux oreilles de mon père. Il connaît vraiment *beaucoup de monde*. Tu es sûre que tu n'en as parlé à personne pour le moment ?

— Sûre.

— D'accord. Parfait. N'oublie pas. Tu récupères le paquet à la pharmacie. Et tu dis que tu as un rendez-vous avec Henry. »

La fête serait inoubliable. Margaret avait promis ballons, banderoles et serpentins, le fameux saumon en gelée de sa mère, une pièce montée à trois étages, de la glace vanille maison, peut-être même qu'après ils prendraient la décapotable et iraient faire un tour sur les bords du Mississippi. Faye est tellement flattée d'avoir été choisie pour l'occasion.

« Merci de m'avoir invitée », dit-elle à Margaret, ce à quoi Margaret répond en lui posant la main sur l'épaule : « Je ne vois même pas comment j'aurais pu faire autrement. »

Le soir de la fête, dans sa chambre, Faye est en plein dilemme, incapable de choisir entre deux versions de la même jolie petite robe d'été — l'une est verte, l'autre jaune. Toutes deux achetées pour des occasions spéciales dont Faye ne se souvient plus. Sans doute quelque chose à voir avec l'église. Face au miroir, elle les met devant elle, l'une puis l'autre.

Étalé sur son lit, par-dessus les couvertures et les oreillers, il y a le dossier du Cercle. Des documents et des formulaires qui, une fois envoyés, lui vaudront une place définitive au sein de la promotion 1968 de première année. Pour être dans les délais, il faut qu'elle les poste d'ici à une semaine. Elle les a déjà remplis, à l'encre, de sa plus belle écriture. Chaque soir, elle étale toute la documentation de cette manière, dépliants, brochures, dans l'espoir que l'un d'entre eux lui fasse un signe, que quelque chose finisse par la convaincre d'y aller ou de rester.

Chaque fois qu'elle a l'impression d'être arrivée à une décision, il y a toujours une inquiétude ou une autre pour la pousser dans la direction opposée. Elle relit un poème de Ginsberg et se dit, *Je vais à Chicago.* Puis elle regarde les brochures du Cercle, vantant les mérites d'un campus ultramoderne, et elle s'imagine dans un endroit plein d'étudiants brillants et sérieux qui ne la regarderont pas bizarrement chaque fois qu'elle fait un sans-faute à un test d'algèbre, et elle pense, *C'est décidé, je vais à Chicago.* Mais juste après, elle songe à la manière dont tout le monde réagira en ville si elle y va, ou, pire, si elle en revient, ce qui serait le plus mortifiant, si jamais elle ne s'en sort pas au Cercle et qu'elle est obligée de revenir, alors toute la ville ne bruissera plus que de cette rumeur, en fera des gorges chaudes. Et tandis qu'elle pense à cela, elle se ravise, *Je reste dans l'Iowa.*

Et ainsi de suite, sans que jamais cette affreuse balance ne penche totalement d'un côté ou de l'autre.

En revanche, il y a une décision qui est dans ses cordes : la robe jaune. Jaune c'est davantage une couleur de fête, se dit-elle, une couleur d'anniversaire.

En bas, elle tombe sur sa mère devant les informations. Il est question de manifestations étudiantes, une fois de plus. Chaque soir, une nouvelle université est envahie. Les étudiants s'entassent dans les couloirs et refusent de bouger. Ils occupent les bureaux du président, du principal. Dorment là, là où les gens travaillent normalement.

La mère de Faye regarde la télévision, bouche bée devant tous les événements étranges qui agitent le monde. Depuis le canapé, tous les soirs, elle écoute religieusement Walter Cronkite. Ces derniers temps, les événements semblent parvenir d'un autre monde — sit-in, émeutes, assassinats.

« L'immense majorité des étudiants ne sont pas des militants », explique le reporter, et il interroge une fille avec de jolis cheveux et un pull en laine douce, qui lui dit à quel point les autres étudiants sont en désaccord avec les extrémistes. « Tout ce qu'on veut, c'est aller en cours, avoir de bonnes notes et soutenir nos soldats », dit-elle en souriant.

Suit l'image d'un couloir rempli d'étudiants : barbus, chevelus, débraillés, criant des slogans et jouant de la musique.

« Dieu du ciel, dit la mère de Faye. Regarde-les, on dirait des vagabonds.

— Je sors, annonce Faye.

— C'étaient sans doute de gentils garçons avant, poursuit sa mère. Il suffit qu'ils aient croisé les mauvaises personnes.

— J'ai un rendez-vous ce soir. »

Sa mère la regarde enfin. « Eh bien. Tu es très jolie.

— Je serai de retour à dix heures. »

Elle traverse la cuisine où son père est en train de dévisser le bouchon du percolateur. Il se prépare du café et un sandwich, il est de service à la ChemStar ce soir.

« Au revoir, Papa », dit-elle, et il répond d'un vague geste de la main. Il porte son uniforme, une combinaison grise avec le logo de la ChemStar dessus, le *C* et le *S* entrelacés sur la poitrine. Il y avait cette plaisanterie entre eux deux avant, si on ôtait le *C*, il aurait l'air d'être Superman, lui disait-elle. Mais cela fait bien longtemps qu'ils n'ont pas plaisanté ainsi.

Elle a déjà ouvert la porte quand il la retient : « Faye.

— Oui ?

— Les gars de l'usine demandent de tes nouvelles. »

Faye s'immobilise sur le seuil, un pied dedans, un pied dehors. Elle regarde son père. « Ah bon ? Pourquoi ?

— Ils veulent savoir où tu en es, poursuit-il tandis que le bouchon du percolateur claque. Quand est-ce que tu pars à l'université.

— Oh.

— Je croyais qu'on s'était mis d'accord pour n'en parler à personne. »

Ils restent ainsi figés quelques instants, son père

versant des cuillères rases de grains de café, Faye la main sur la poignée.

« Il n'y a pas de quoi avoir honte, dit-elle. Que je sois admise à l'université, que j'aie obtenu une bourse. Ce n'est pas — comment tu appelles ça, déjà ? De la frime ? »

Il cesse alors de s'occuper du percolateur, la regarde et lui adresse son sourire crispé. Fourre ses mains dans ses poches.

« Faye, reprend-il.

— C'est juste que… je ne sais pas, d'ailleurs. *Que j'ai bien travaillé.* Ce n'est pas de la frime.

— Tu as bien travaillé. Et est-ce que tout le monde obtient cette bourse ?

— Non, bien sûr que non.

— Donc tu es spéciale. Tu sors du lot.

— J'ai dû travailler dur pour avoir de bonnes notes.

— Pour être meilleure que les autres.

— C'est ça.

— C'est de l'orgueil, Faye. Personne n'est meilleur que les autres. Personne n'est spécial.

— Ce n'est pas de l'orgueil, c'est… la réalité. *J'ai* eu les meilleures notes, *j'ai* eu les meilleures appréciations. Moi. C'est un fait objectif.

— Tu te souviens de cette histoire que je t'ai racontée sur l'esprit domestique ? Le *nisse* ?

— Oui.

— Et la petite fille qui mangeait le repas du *nisse* ?

— Je m'en souviens.

— Elle n'était pas punie pour avoir volé son repas, Faye. Elle était punie pour avoir pensé qu'elle le méritait.

— Tu crois que je ne mérite pas d'aller à l'université ? »

Il émet un petit gloussement, lève les yeux au plafond et secoue la tête. « Tu sais, pour la plupart des pères, les choses sont simples. Ils se contentent d'apprendre à leurs filles la valeur du travail et de l'argent durement gagné. Ils éloignent les mauvais garçons et achètent une encyclopédie. Avec toi… Tu te plains quand un livre est *mal traduit*.

— Qu'est-ce que tu veux dire ?

— Tout le monde sait déjà que tu es une tête. Tu n'as pas besoin d'aller à Chicago pour le prouver.

— Ce n'est pas pour ça que je veux y aller.

— Fais-moi confiance, Faye. Quitter la maison, c'est une mauvaise idée. On devrait toujours rester là où on est né.

— Toi, tu l'as bien fait. Tu as quitté la Norvège et tu es venu ici.

— C'est différent.

— Tu crois que c'était une erreur ? Tu crois que tu aurais dû rester là-bas ?

— Tu ne sais pas de quoi tu parles.

— J'ai *gagné* ce que j'ai.

— Et tu crois qu'il va se passer quoi, Faye ? Tu crois vraiment que, sous prétexte que tu travailles dur, le monde va se montrer clément avec toi ? Tu crois que le monde a une dette envers toi ? Tu peux toujours attendre, le monde ne te donnera rien du tout. » Il se retourne pour s'occuper de son café. « Peu importe le nombre de bonnes notes que tu as, ou l'université où tu vas. Le monde est cruel. »

Sur le chemin de la pharmacie, Faye ne décolère pas. Le cynisme de son père la met hors d'elle. Voilà que ce qui lui a toujours attiré le plus de félicitations — être une bonne élève — la désigne à présent comme une cible. Elle se sent trahie, abusée par une promesse implicite qu'on lui a faite il y a très longtemps.

Et elle songe que, sûrement, c'est un signe du destin que justement ce soir elle doive voir Mme Schwingle. Car, s'il y a une seule personne dans toute cette ville qui ne puisse pas accuser Faye d'être prétentieuse, c'est bien Mme Schwingle, elle qui passe son temps à se vanter de ses voyages autour du monde, qui voue une adoration à toutes les modes importées des maisons chics de la côte Est. Mme Schwingle est sans doute une des personnes les mieux placées pour la comprendre.

Arrivée à la pharmacie, Faye s'avance vers le comptoir, où se tient Harold Schwingle, debout avec un bloc-notes, comptant des boîtes d'aspirine.

« Bonjour, docteur Schwingle », dit-elle.

Durant un moment étrangement long, il la toise d'un regard froid et sévère. Il est grand et large, ses cheveux sont coupés court, en brosse, avec une précision militaire.

« Je suis venue récupérer mon paquet, annonce Faye.

— Oui, j'imagine bien. » Il tourne les talons et s'attarde quelque part dans l'arrière-boutique pendant un nouveau long moment. À travers les enceintes métalliques, un orchestre de cuivres joue une valse. Le désodorisant automatique lâche un petit *piou* et, quelques secondes plus tard, l'air est saturé de l'odeur écœurante de lilas synthétisé. Il n'y a personne d'autre dans la pharmacie. Au-dessus de sa tête, le néon clignote, bourdonne. Sur le comptoir, des badges pour la campagne de Richard Nixon la dévisagent d'un air raide.

Quand le Dr Schwingle revient, il porte un petit

paquet marron, fermé avec deux agrafes. Il le lâche au-dessus du comptoir — d'un geste assez brusque — de son côté, trop loin pour que Faye puisse s'en saisir.

« C'est pour toi ? demande-t-il.

— Oui, monsieur.

— Tu me le jures, Faye ? Tu n'es pas en train d'acheter cela pour quelqu'un d'autre, n'est-ce pas ?

— Oh non, monsieur, c'est pour moi.

— Tu peux me le dire si c'est pour quelqu'un d'autre. Sois franche.

— Promis, juré, docteur Schwingle. C'est à moi. »

Il lâche alors un soupir exagéré, exaspéré peut-être, ou bien déçu.

« Tu es une bonne petite, Faye. Que s'est-il passé ?

— Je vous demande pardon ?

— Faye, je sais ce que c'est. Et je crois que tu devrais y réfléchir à deux fois.

— Y réfléchir à deux fois ?

— Oui. Je vais te le vendre, c'est mon devoir de le faire. Mais c'est aussi mon devoir, mon devoir moral, de te dire que je pense que c'est une erreur.

— C'est très gentil à vous mais…

— Une *énorme* erreur. »

Elle n'avait pas anticipé une conversation aussi pesante. « Je suis désolée, dit-elle, même si elle ne sait pas pourquoi elle s'excuse.

— J'ai toujours pensé que tu étais une fille sérieuse, responsable, dit-il. Est-ce que Henry est au courant ?

— Bien sûr, dit-elle. Je le vois ce soir.

— Vraiment ?

— Oui, poursuit-elle. Nous avons rendez-vous ce soir.

— Est-ce qu'il t'a demandée en mariage ?

— Quoi ?

— Si c'était un garçon respectable, il t'aurait déjà demandée en mariage. »

Faye est sur la défensive à présent. Et sa défense sonne creux.

« Chaque chose en son temps, non ?

— Il faut vraiment que tu réfléchisses à ce que tu es en train de faire, Faye.

— D'accord. Merci beaucoup », dit-elle en se penchant par-dessus le comptoir pour attraper le sachet en papier brun, qui se froisse bruyamment quand elle met la main dessus. Elle n'a aucune idée de ce qui est en train de se passer, mais elle veut que cela s'arrête. « Au revoir. »

Elle roule à toute vitesse vers la maison des Schwingle, un bâtiment majestueux surplombant le Mississippi, perché sur une des rares hauteurs de la prairie peu vallonnée. Faye continue à travers les arbres jusqu'à la maison, qu'elle trouve bizarrement obscure. Toutes les lumières sont éteintes, il n'y a pas un bruit. Faye panique. Est-ce qu'elle s'est trompée de jour ? Est-ce qu'elles devaient se retrouver ailleurs d'abord ? Elle envisage de rentrer chez elle pour appeler Margaret quand la porte d'entrée s'ouvre et Margaret Schwingle sort, en pantalon de jogging et grand tee-shirt, échevelée comme Faye ne l'a jamais vue auparavant, comme si elle sortait du lit.

« Tu as le paquet ? demande-t-elle.

— Oui. » Faye lui tend le sachet brun froissé.

« Merci.

— Margaret ? Tout va bien ?

— Je suis désolée. Pour le dîner de ce soir, ce n'est pas possible.

— D'accord.

— Tu dois rentrer chez toi, maintenant.

— Tu es sûre que tout va bien ? »

Margaret a les yeux baissés, elle évite son regard. « Je suis vraiment désolée. Pour tout.

— Je ne comprends pas.

— Écoute », dit-elle en la regardant enfin. Elle se redresse, menton en avant, essaie de se donner l'air sévère. « Personne ne t'a vue venir ici ce soir.

— Je sais.

— Souviens-toi. Tu ne peux pas prouver que tu es venue ici. »

Puis Margaret lui adresse un signe de tête, tourne les talons et rentre, en fermant la porte à clé derrière elle.

8

En 1968, dans la petite ville de l'Iowa où habitait Faye, le long du Mississippi, toutes les filles de terminale connaissaient au moins — même si elles n'en parlaient jamais — une dizaine de manières de se débarrasser de bébés non prévus, non désirés et pas encore nés. Certaines de ces méthodes échouaient presque toujours ; certaines n'étaient rien de plus que des contes de bonnes femmes ; certaines impliquaient une expertise médicale ; d'autres encore étaient trop affreuses pour être évoquées.

Celles qui avaient le plus de succès étaient bien sûr les moins invasives, qui ne nécessitaient aucun produit chimique spécial ni aucun ustensile médical. Faire du vélo à haute dose. Sauter de très haut. Alterner les bains chauds et froids. Se poser une bougie sur l'abdomen et la laisser se consumer jusqu'au bout. Faire le poirier. Tomber dans les escaliers. Se frapper le ventre à coups de poing.

Lorsque ces méthodes échouaient — ce qui était presque toujours le cas — les filles changeaient de technique, choisissaient des remèdes qui n'éveilleraient pas les soupçons. Des choses simples, qu'on trouvait dans le commerce. S'injecter du Coca-Cola dans le vagin, par exemple. Ou bien du Lysol. Ou de l'iodure. Ingérer des quantités énormes de vitamine C. Ou des plaquettes entières de fer. Se remplir l'utérus de solution saline, ou bien d'un mélange d'eau et de savon Kirkman. Ingérer des stimulants utérins comme le julep. Ou bien de l'essence, du mercure, du séné, de la rhubarbe, du sulfate de magnésium. Des herbes censées déclencher ou augmenter le flux menstruel, comme le persil. Ou la camomille, le gingembre.

La quinine pouvait aussi être efficace, d'après bon nombre de grands-mères.

Et la levure de bière. L'armoise. L'huile de ricin. La soude caustique.

Après quoi, il y avait les autres méthodes. Celles que seules les plus désespérées envisageaient. La pompe à vélo. L'aspirateur. L'aiguille à tricoter. La baleine de parapluie. La plume d'oie. La sonde. La térébenthine. Le kérosène. La javel.

Seules les plus désespérées, les plus isolées, les moins bien renseignées, celles qui n'avaient aucune connexion avec le milieu médical susceptible de leur fournir des produits chimiques sous le manteau. Tels que Methergin, œstrogènes de synthèse, extrait pituitaire, préparation d'ergot abortif, strychnine, suppositoires connus dans certains quartiers sous le nom de « beautés noires ». Glycérine injectée par cathéter. Ergotrate, qui raidit et contracte l'utérus. Certains médicaments utilisés par les éleveurs bovins pour réguler les cycles animaux — difficiles à trouver et polysyllabiques : dinoprostone, misoprostol, géméprost, méthotrexate.

Que contenait ce sac en papier ? Certainement pas des sucreries, se dit Faye en roulant vers chez elle, en tournant au coin des Collines Vista, regrettant de ne pas l'avoir ouvert. Pourquoi ne l'a-t-elle pas ouvert ?

Parce qu'il était *agrafé*, pense-t-elle.

Parce que tu es une *lâche*, songe-t-elle en même temps.

Tout à coup, elle a comme une sensation de panique, d'angoisse. Le comportement très étrange de Margaret ce soir. Celui du Dr Schwingle. Le sentiment que quelque chose lui échappe, quelque chose d'essentiel qu'elle redoute de découvrir. Il flotte une brume dans l'air, une humidité qui n'est pas tant de la pluie qu'une sorte de condensation, comme quand les filles font bouillir de l'eau en cours d'économie domestique. Une fois, une des filles a oublié sa casserole sur le feu, elle y est restée toute la journée, l'eau s'est évaporée, le fond de la casserole a viré au rouge, puis au noir, et la poignée a fondu avant de finalement prendre feu. Toutes les alarmes incendie se sont déclenchées.

Elle a la même impression ce soir. L'impression que quelque chose de dangereux couve, tout proche, que Faye n'a pas encore identifié.

Arrivée à la maison, elle en a acquis la certitude. Il n'y a plus qu'une seule lumière allumée — celle de la cuisine. Et cette lumière solitaire a quelque chose d'anormal. De l'extérieur, elle semble presque verte, ce vert profond, au cœur du chou.

Ses parents sont là, dans la cuisine, ils l'attendent. Sa mère n'arrive même pas à la regarder en face. Son père l'interroge : « Qu'est-ce que tu as *fait* ?

— Comment ça ? »

Il lui explique qu'ils ont reçu un appel de Harold Schwingle, qui leur a raconté que Faye était venue ce soir chercher un paquet. Quel genre de paquet ? *Eh bien, laissez-moi vous dire*, a répondu le Dr Schwingle, *que je fais ce métier depuis suffisamment longtemps pour savoir qu'il n'y a pas trente-six raisons pour lesquelles une jeune fille achète le genre de choses que Faye a acheté ce soir.*

« Quoi ? demande Faye.

— Pourquoi tu ne nous en as pas parlé ? dit sa mère.

— Parlé *de quoi* ?

— Du fait que tu es en cloque, répond son père.

— Quoi ?

— Je n'arrive pas à croire que tu aies laissé ce débile de fermier t'humilier de cette manière, poursuit-il. Et *nous avec*, Faye.

— Mais c'est faux ! C'est une erreur ! »

Le téléphone avait sonné toute la soirée. Les Peterson. Les Watson. Les Carlton. Les Wisor. Les Kroll. Toutes les conversations commençaient de la même manière, *Frank, il faut que je te dise ce qu'on vient de me raconter à propos de ta fille.*

Comment était-il possible que tout le monde soit au courant ? Comment la ville entière pouvait-elle être déjà au courant ?

« Mais ce n'est *pas vrai* », insista Faye.

Elle voudrait tout leur raconter : la fête d'anniversaire qui n'a jamais eu lieu, le comportement étrange de Margaret ce soir. Leur expliquer ce qu'elle vient de comprendre d'un seul coup : Margaret est enceinte, elle a eu besoin de se procurer certains médicaments sans que son père le sache et elle s'est servie de Faye pour y parvenir. Elle voudrait pouvoir dire tout ça, mais c'est impossible à présent, son père est dans un tel état de rage aveugle, il vocifère, *elle a ruiné sa réputation, elle ne pourra plus jamais se montrer dans cette ville, Dieu se chargera de la punir* pour ce qu'elle a l'intention de faire *à son propre enfant* — c'est plus de mots qu'il ne lui en a adressés dans l'année écoulée — et surtout elle sent monter une crise. De plus en plus fort : elle ne peut bientôt plus respirer, elle transpire, son champ de vision rétrécit. D'ici peu, elle aura cette impression de voir le monde à travers le chas d'une aiguille. Et elle tente de chasser l'idée que, cette fois, c'est la bonne, la vraie grosse crise qui finira par la tuer, elle tente de chasser l'impression que l'air qu'elle arrive encore à aspirer est celui de son dernier souffle.

« Aidez-moi », essaie-t-elle de dire, mais c'est à peine un murmure, qui ne couvre absolument pas les cris de son père, qui est en train de décompter les années qu'il a passées à travailler pour se bâtir une réputation honorable dans cette ville, alors qu'il ne lui a fallu qu'une soirée pour ruiner tous ses efforts, et qu'il ne lui pardonnera jamais ce qu'elle vient de lui faire.

Le mal qu'elle vient de lui faire.

Et soudain, elle pense : Une minute.

Du mal à *lui* ?

Parce qu'elle a beau ne pas être enceinte, si elle l'était, ne serait-ce pas *elle* qu'il faudrait réconforter ? Ne serait-ce pas d'*elle* que les voisins auraient passé la soirée à dire du mal ? À quel moment s'agit-il de *lui* ? Et tout à coup, elle se fiche de se défendre, cela ne l'intéresse plus, non, elle a envie de le défier. Alors quand il arrive au bout de sa diatribe et lance : « Qu'as-tu à dire pour ta défense ? », elle se lève, aussi droite et aussi fière qu'elle le peut, et déclare : « Je m'en vais. »

Sa mère la regarde pour la première fois depuis qu'elle est rentrée.

« Je vais à Chicago », dit Faye.

Son père la toise d'un regard noir durant quelques secondes. On dirait qu'il est vrillé sur lui-même, il a cette même expression que lorsqu'il fabriquait l'abri antiatomique dans la cave, cette même détermination horrible.

Elle se souvient d'un soir où il était remonté du sous-sol, les vêtements couverts de poussière grise. Faye sortait du bain et, en le voyant, elle avait été tellement heureuse qu'elle s'était dégagée des serviettes-éponges dans lesquelles sa mère était en train de la sécher et avait jailli vers lui, hors de la salle de bains, bondissant comme une balle en caoutchouc. Son petit corps mince, vigoureux, sortant du bain, toute nue, du haut de ses huit ans. Son père se tenait là, dans cette même cuisine, et elle avait foncé vers lui en faisant la roue tellement elle était heureuse. La *roue*, Seigneur, rien que d'y penser maintenant, de l'imaginer figée en pleine roue, les jambes écartées, le corps écartelé comme quelque plante tropicale. La vue qu'elle avait offerte à son père. Il avait froncé les sourcils et déclaré : « Je ne crois pas que ce soit une attitude très correcte. Tu ferais mieux d'aller enfiler des vêtements. » Elle était retournée dans sa chambre en courant, sans vraiment savoir ce qu'elle avait fait de mal. Pas correcte *pour qui*, s'était-elle demandé, debout, toute nue, en regardant le voisinage par la baie vitrée. Elle ne savait pas pourquoi son père l'avait envoyée dans sa chambre, pourquoi elle n'était pas correcte, elle regardait par la fenêtre et pour la première fois peut-être elle avait pensé à son corps. Ou plutôt, pour la première fois, elle avait pensé à son corps comme une entité *distincte d'elle*. Elle s'était imaginé un garçon entrant dans sa chambre et la voyant, et alors ? Elle avait continué de se figurer cette scène sans trop savoir pourquoi, et alors ? À partir de ce moment-là, la seule et unique fonction de cette baie vitrée dans sa chambre avait été d'imaginer de quoi elle avait l'air à travers.

C'était il y a longtemps. Faye et son père n'ont jamais parlé de tout cela. Si le temps guérit tant de choses, c'est qu'il nous dévie en des lieux où le passé semble impossible.

Et voilà que Faye se retrouve dans cette cuisine à attendre que son père dise quelque chose, et le fossé qui s'est ouvert entre eux ce jour-là est devenu un gouffre. Leurs corps gravitent dans l'orbite l'un de l'autre, ils ne sont plus reliés que par un fil ténu. À présent, soit ils seront ramenés l'un vers l'autre pour de bon, soit ils seront projetés sur deux planètes séparées pour toujours.

« Tu m'as entendue ? demande Faye. J'ai dit que je partais à Chicago. »

Frank Andresen parle enfin, sa voix émet un son creux, vide de toute émotion, de tout sentiment. À partir de ce moment, il n'est plus là.

« Tu as foutrement raison, dit-il en lui tournant le dos. Pars et ne reviens jamais. »

CINQUIÈME PARTIE

UN CORPS POUR CHACUN D'ENTRE NOUS

Été 2011

1

« Allô ? Allô ?

— Oui ? Allô ?

— Allô ? Samuel ? Tu m'entends ?

— À peine. Où es-tu ?

— C'est moi, Periwinkle ! Tu es là ?

— C'est quoi tout ce bruit ?

— Je suis dans une parade !

— Pourquoi tu m'appelles depuis une parade ?

— Je ne suis pas vraiment dans la parade ! Je marche juste derrière, c'est tout ! Je t'appelle à propos du message que tu m'as laissé ! Ton email, je l'ai lu !

— C'est un trombone que j'entends juste à côté de ta tête ?

— Quoi ?

— Ce bruit, là !

— Je voulais juste t'appeler pour te dire que j'ai lu… » La ligne est coupée tout à coup, on entend une espèce de charabia digital, la connexion faiblit puis revient, émet un gargouillis robotique, un son comprimé, comme un radar. Puis : « … ce à quoi nous nous attendions, plus ou moins. Tu peux faire ça pour moi ?

— Je n'ai littéralement rien entendu de tout ce que tu as dit.

— Quoi ?

— Je ne t'entends pas !

— C'est Periwinkle, bon Dieu !

— Ça je sais. Où es-tu ?

— Disney World !

— J'ai l'impression que tu marches au milieu d'une fanfare.

— Une seconde ! »

Bruits de coquillages ballottés par les vagues, frictions, on dirait qu'un pouce ou le vent vient frôler l'émetteur, un instrument hurle, puis s'éteint, et soudain c'est comme si Periwinkle était confiné dans une boîte épaisse.

« Et là ? Tu m'entends ?

— Oui, merci.

— Le réseau est mauvais, apparemment. Trop de trafic, je suppose.

— Qu'est-ce que tu fabriques à Disney World ?

— C'est pour Molly Miller. On fait la promotion de son nouveau clip, en partenariat avec le lancement d'une nouvelle édition d'un classique de Disney, remastérisé et digitalisé en 3D. *Bambi*, je crois ? Tous les parents sont sur leurs téléphones, en train de filmer la parade et d'envoyer des textos. Les antennes réseau doivent être saturées. Tu es déjà allé à Disney World ?

— Non.

— Je n'ai jamais vu un endroit aussi totalement dévolu aux technologies anciennes, il y a des animatroniques *partout*. Des automates, avec leurs membres en bois qui claquent les uns contre les autres. C'est censé être pittoresque, je suppose ?

— La parade est finie ?

— Non, je me suis juste glissé dans un magasin. Sodas d'autrefois, dit la pancarte. Au milieu d'une espèce de fac-similé de Grand-Rue USA. Cette charmante petite rue que les multinationales comme Disney ont contribué à éradiquer de la surface de la terre. Mais personne ici ne semble s'offusquer de l'ironie.

— J'ai du mal à t'imaginer dans une grande roue, ou avec des enfants.

— Chaque manège est la répétition du même concept : une sorte de bateau horriblement lent plongé dans un monde merveilleux entièrement robotisé. Ce manège, là, It's a Small World, ce n'est rien d'autre qu'un défilé de marionnettes sous narcotiques répétant les mêmes tâches rituelles à l'infini, et mimant à la perfection, quoique involontairement de la part de Disney j'en suis sûr, une vision aiguisée et prémonitoire du travail à la chaîne dans les pays du tiers-monde.

— Je crois que ce manège est censé évoquer l'unité entre les peuples et la paix dans le monde.

— Mouais. Dans le Manège des Glaces, on a l'impression de voguer sur un tract grandeur nature pour l'industrie du gaz et du pétrole. Ah, et il y a cet autre aussi, le Carrousel du Progrès, tu en as entendu parler ?

— Non.

— À l'origine, il a été conçu pour la Foire internationale de 1964. Un théâtre d'animation. Cela représente un gars et sa famille. Le premier acte se passe en 1904, le gars s'émerveille devant les nouvelles inventions : lampes à gaz, fers à repasser, machine à laver à manivelle. L'incroyable stéréoscope. L'époustouflant gramophone. Tu vois le genre ? La mère dit que c'est merveilleux parce que maintenant elle peut faire la lessive en seulement cinq heures. Et tout le monde rit.

— Ils croient qu'ils se la coulent douce, mais ils n'ont aucune idée de ce qu'ils racontent.

— Exactement. Entre chaque acte, ils chantent cette affreuse chanson qui te reste dans la tête, comme seules les chansons Disney savent le faire.

— Chante-la.

— Pas question. Mais le refrain, c'est quelque chose dans le genre "Quel grand et beau lende-maaaaaiiiiiinnnn".

— OK, ne la chante pas.

— Une chanson sur le progrès éternel. Elle me tourne dans la tête depuis que je l'ai entendue, au point où j'en suis je crois que je serais prêt à me faire lobotomiser pour me l'enlever de là. Mais passons, le deuxième acte continue dans les années vingt. L'ère de l'électricité. Des machines à coudre. Des grille-pain. Des gaufriers. Des glacières. Des ventilateurs. La radio. Le troisième acte, ce sont les années quarante. Avec l'arrivée du lave-vaisselle. Et d'un grand réfrigérateur. Tu vois vers où on se dirige.

— La technologie n'en finit pas de faciliter la vie de tout le monde. L'inéluctable mouvement en avant.

— Ouaip. On reconnaît bien là les charmants mythes des années soixante, n'est-ce pas ? Le mythe du *progrès perpétuel*. Ah… Je te jure, faut pas me lâcher en plein Disney World, c'est comme si tu larguais Darwin au milieu des Galápagos. Ah, et j'oubliais, depuis que j'ai passé la porte de cette boutique, les employés de la fontaine de soda me regardent en souriant comme des maniaques. Il doit y avoir une règle, une loi du sourire-client. Même si je suis au téléphone et... » — *il crie à présent* — « MANIFESTEMENT PAS DU TOUT INTÉRESSÉ PAR UN SODA !

— Tu disais que tu avais lu mon message ? Je n'ai pas entendu la suite.

— Tu devrais voir ça, ces gamins, on dirait qu'ils sont ivres. Des gnomes sous ecstasy. Il doit falloir mobiliser d'énormes réserves de volonté pour faire ça tous les jours. Et oui, j'ai bien lu ton email, ton synopsis du chapitre sur ta mère au lycée. Je l'ai lu dans l'avion.

— Et ?

— Je n'ai pas pu m'empêcher de remarquer qu'il n'y avait pas grand-chose sur le fait qu'elle avait lancé des pierres sur ce putain de gouverneur Packer.

— Je vais y venir.

— Zéro allusion, en fait. Absolument rien du tout, d'après mes estimations.

— C'est pour plus tard. Il faut que je prépare le terrain.

— Que tu prépares le terrain. Et tu penses que ça va te prendre combien de centaines de pages exactement ?

— Il faut que j'aille à la source de l'histoire.

— Tu as signé pour nous livrer l'histoire de ta mère en la réduisant en miettes au passage, d'un point de vue rhétorique, s'entend.

— Je sais.

— Je m'inquiète pour la partie "réduite en miettes" de l'affaire. La version *Le fils de Calamity Packer défend sa maman* ne manque certes pas complètement de charme mais c'est beaucoup moins sexy que *Calamity Packer se fait laminer par la chair de sa chair.*

— Je m'efforce juste de dire la vérité.

— En plus, il y a un petit côté roman d'initiation…

— Tu n'as pas tellement aimé, donc.

— On tombe un peu dans certains clichés du roman d'initiation, c'est tout ce que je dis. Et puis, quel est le message ? La leçon de vie à en tirer ?

— Comment ça ?

— La plupart des témoignages sont en fait des livres de développement personnel déguisés. En quoi ton livre va-t-il aider les gens ? Quel est son enseignement ?

— Je n'ai pas pensé à cela une seule seconde.

— Que dirais-tu de : *Votez républicain.*

— Non. Cela n'a absolument rien à voir avec ce que je suis en train d'écrire. On est carrément sur une autre planète.

— Le numéro de l'artiste incompris, maintenant. Sur le marché actuel, la plupart des lecteurs veulent des livres à la narration accessible, linéaire, qui repose sur de grands concepts généraux et des leçons de vie simplistes. Les leçons de vie, en ce qui concerne celle de ta mère, sont assez, pour le dire gentiment, *diffuses.*

— Et c'est quoi la grande leçon de vie du livre de Molly Miller ?

— Simple : *La vie, c'est génial !*

— Forcément, c'est facile à dire pour elle. Née avec une cuillère d'argent dans la bouche. Élève dans les écoles de l'Upper East Side. Millionnaire à vingt-deux ans.

— Tu serais étonné du nombre de choses que les gens sont capables de mettre de côté quand ils ont envie d'y croire, de se dire que la vie est vraiment géniale.

— Il n'y a pas grand-chose de génial dans la vie.

— Et c'est exactement pour ça qu'on a besoin de Molly Miller. Le pays tombe en ruine autour de nous. Même les masses indifférentes s'en rendent compte, même ceux qui n'ont pas accès à l'information, ne savent pas pour qui voter, voient bien que tout va mal. Que tout se casse la figure sous leurs yeux. Les gens perdent leurs emplois, leurs fonds de pension partent en fumée du jour au lendemain, tous les jours ils apprennent par le courrier que leurs retraites ont encore perdu dix pour cent de leur valeur pour la sixième fois de l'année, que leurs maisons valent deux fois moins que ce qu'ils l'ont payée, leurs patrons n'obtiennent pas le prêt nécessaire au paiement de leurs salaires, et ils voient bien que Washington est un vrai cirque, et ils sont là, dans leurs maisons, avec toute cette technologie fascinante autour d'eux, à regarder leurs smartphones et à se demander comment un monde qui produit des choses aussi incroyables peut être un monde aussi merdique. Ce sont les questions qu'ils se posent. Il y a des études sur le sujet. Je te parlais de quoi, déjà ?

— De Molly Miller, du fait que la vie est géniale.

— Tu veux un exemple du besoin désespéré qu'ont les gens d'entendre de bonnes nouvelles ? *Rolling Stone* a envoyé une demande d'interview pour Molly. Mais comme leur angle était de parler davantage de son livre que de sa musique, ils voulaient faire quelque chose de plus "réel". Une interview plus réelle, plus en adéquation avec la réalité de son témoignage, enfin, je suppose. Si l'on ne tient pas compte, bien entendu, du fait que son livre a été construit pour répondre à l'attente des consommateurs et qu'elle ne l'a pas écrit. Et que l'interview "plus réelle" de *Rolling Stone* serait entièrement montée. Ce qu'ils voulaient, ce n'était pas de la réalité *per se*, mais un simulacre qui ait davantage l'air réel que leurs simulacres habituels. Enfin, passons. On a réfléchi, lancé des pistes, et l'un de nos jeunes publicistes, tout frais diplômé de Yale, qui a toujours des idées incroyables, en a encore eu une éblouissante. Si on les invitait à venir la regarder préparer des pâtes chez elle. Excellent, non ?

— J'imagine qu'il y a une raison particulière pour les pâtes ?

— Plus populaire que la viande dans les enquêtes d'opinion. Moins clivant que le steak ou le poulet. Élevage extensif ou intensif ? Avec ou sans antibiotiques ? Avec ou sans cruauté animale ? Bio ? Casher ? Le fermier a-t-il enfilé des gants de soie pour caresser le pelage de la bête tous les soirs avant qu'elle s'endorme en lui chantant de jolies berceuses ? Aujourd'hui, commander un hamburger, c'est affirmer un choix politique. Alors que les pâtes, c'est encore à peu près neutre, pas polémique. Et, bien entendu, il ne nous viendrait jamais à l'idée de montrer à qui que ce soit ce qu'elle mange en réalité.

— Pourquoi ? Qu'est-ce qu'elle mange ?

— Du chou à la vapeur et des champignons bouillis, principalement. Si un journaliste voyait ça, on aurait droit à une tout autre version. La pauvre idole des ados qui s'affame pour rester au top. Et on se retrouverait empêtrés dans le vieux débat sur l'image du corps, ce qui n'a jamais apporté de crédit à quiconque, quel que soit le côté où on se place.

— Je ne suis pas sûr d'avoir envie de lire un reportage sur Molly Miller qui fait des pâtes.

— Face aux calamités d'envergure nationale et à l'anéantissement manifeste de leurs perspectives personnelles, les gens ont généralement deux options. Il y a toute une littérature sur ce sujet. Soit ils deviennent des parangons de moralité, perpétuellement indignés et surinformés, auquel cas ils se mettent alors à poster de longs laïus libertaires sur iFeel ou autre, soit ils sombrent dans une sorte d'ignorance confortable, auquel cas le spectacle de Molly Miller faisant réchauffer une sauce marinara *dans une casserole* constitue le summum du divertissement.

— À t'écouter, on dirait une mission d'intérêt général.

— Il n'y a pas plus arrogante créature qu'un libertaire moralisateur sur le web, n'est-ce pas ? Ces types-là sont juste *intolérables*. Et oui, c'est une mission d'intérêt général. Tu veux que je te dise mon secret espoir pour ton livre ?

— Et comment.

— J'espère qu'il va prendre la place de celui de Molly dans la liste des best-sellers. Et tu sais pourquoi ?

— Cela me semble hautement improbable.

— Parce qu'il y a très très peu de produits susceptibles d'attirer ces deux groupes de personnes : les furieux *et* les ignares. C'est le genre de grand écart très très rare.

— Mais l'histoire de ma mère…

— On a étudié son cas. Ta mère a un *pouvoir d'attraction transcatégorielle énorme*. C'est rare et la plupart du temps complètement imprévisible, ces choses qui tout à coup émergent de la culture et deviennent universelles. Chacun voit en ta mère ce qu'il a envie de voir, chacun se sent offensé pour elle à sa manière. "Quelle honte", voilà ce que l'histoire de ta mère permet aux gens, quel que soit leur bord politique, de se dire, et c'est le genre de choses qui fait du bien. Le passe-temps favori des Américains, ce n'est plus le base-ball. C'est la morale.

— Je tâcherai d'y penser.

— Souviens-toi : moins d'empathie, plus de carnage. Crois-moi. Oh, et j'oubliais, les nègres qui ont écrit le bouquin de Molly ? Ils sont libres, si tu veux. Je les ai sous le coude, au cas où t'aurais besoin d'un coup de main.

— Non merci.

— Ils sont très sérieux, professionnels et discrets.

— Je peux écrire ce livre tout seul.

— Je suis persuadé que tu *voudrais* écrire ce livre tout seul, mais tu n'es pas exactement une référence en matière de remise de manuscrit complet.

— Cette fois, c'est différent.

— Je ne te juge pas. Je ne fais que pointer du doigt des faits avérés. Et d'ailleurs, depuis toutes ces années, je ne t'ai pas demandé : pourquoi n'as-tu pas pu finir ton premier livre ?

— Ce n'est pas que je n'aie pas *pu* le finir…

— Je suis curieux. Qu'est-ce qui s'est passé ? Est-ce que c'est moi qui ne t'ai pas envoyé suffisamment de lettres d'encouragement et d'admiration ? Est-ce que tu as perdu l'inspiration ? Est-ce que ton ambition a été écrasée sous le poids des attentes ? Est-ce que tu as eu — comment on appelle ça, déjà — *un blocage* ?

— Rien de tout cela, juste une succession de mauvaises décisions.

— Une succession de mauvaises décisions, hein. C'est ce que les gens disent pour justifier une gueule de bois.

— J'ai fait les mauvais choix.

— Voilà une manière plutôt nonchalante d'expliquer ton échec total à devenir un écrivain célèbre.

— Tu sais, j'ai toujours voulu devenir un écrivain célèbre. Je pensais que le fait d'être un écrivain célèbre m'aiderait à résoudre certains de mes problèmes. Et puis, tout à coup, j'en étais un, et aucun de mes problèmes n'était réglé pour autant.

— Quels problèmes ?

— Disons qu'il s'agissait d'une fille.

— Mon Dieu, je regrette déjà d'avoir posé la question.

— Une fille que j'avais vraiment envie d'impressionner.

— Laisse-moi deviner. Tu es devenu écrivain pour impressionner une fille. Et la fille ne t'est pas tombée dans les bras pour autant.

— Exactement.

— Rien d'étonnant, ça arrive tout le temps.

— Je continue à me dire que j'aurais pu réussir. J'aurais pu repartir avec la fille. Si seulement j'avais fait les choses différemment. Il aurait juste fallu que je fasse de meilleurs choix. »

TU PEUX SORTIR AVEC CETTE FILLE !

Une histoire dont vous êtes le héros

Cette histoire n'est pas une histoire ordinaire. Dans cette histoire, le dénouement dépend des décisions que tu prends. Réfléchis bien aux choix que tu fais, ils affecteront le déroulement de l'histoire.

Tu es un jeune homme timide, réservé et désespéré, qui, étrangement, veut devenir romancier.

Un très grand romancier. Une star. Primé, même. Et tu es persuadé que le meilleur moyen de résoudre l'équation de ta vie est de devenir cet auteur célèbre. Mais comment ?

En fait, il n'y a rien de plus facile. Tu ne le savais pas encore mais tu as déjà en toi toutes les qualités nécessaires. Tout est déjà en place.

D'abord, et c'est essentiel : *tu es désespérément et irrémédiablement mal-aimé.*

Tu te sens abandonné et sous-estimé par les gens qui t'entourent.

En particulier les femmes.

En particulier ta mère.

Ta mère, et une fille qui t'obsède depuis l'enfance, une fille qui te rend tout à la fois étourdi, fébrile, confus et abattu. Elle s'appelle Bethany, et elle te fait grosso modo le même effet que le feu au bois.

Sa famille a déménagé sur la côte Est peu de temps

après que ta mère t'a abandonné. Les deux événements n'ont rien à voir, mais ils sont bizarrement connectés dans ton cerveau, comme étant le double pivot de ta vie, ce mois de début d'automne contre lequel ton enfance s'est fracassée. En partant, Bethany promet qu'elle écrira, et elle écrit : chaque année, une fois par an, pour ton anniversaire, tu reçois une lettre de Bethany. Tu la lis, et tu t'attelles immédiatement à ta réponse, grattant le papier comme un fou jusqu'à trois heures du matin, jetant les brouillons les uns après les autres pour tenter d'approcher la lettre parfaite à lui renvoyer. Puis, durant le mois qui suit, tu vérifies la boîte aux lettres de manière compulsive et obsessionnelle. Mais rien ne vient, pendant toute une autre année, rien ne vient, jusqu'au prochain anniversaire, où arrive une nouvelle lettre de Bethany, pleine de nouvelles. Elle vit à Washington désormais. Elle joue toujours du violon. Suit les cours des plus grands violonistes. Elle est considérée comme un prodige. Son frère est pensionnaire dans une école militaire. Il adore ça. Son père passe le plus clair de son temps dans leur appartement de Manhattan. Les arbres sont en fleurs. Bishop te passe le bonjour. L'école est chouette.

Et le ton neutre et froid de la lettre te déprime au plus haut point jusqu'à ce que tu arrives à la fin, où elle a signé :

Bethany,
Qui t'aime

Elle n'a pas signé « Avec toute mon affection », ou « Affectueusement », ou aucune de ces choses qu'on peut écrire sans vraiment les penser. Elle a écrit « Bethany, Qui t'aime », et ces quelques mots suffisent à te tenir en haleine une année entière. Pourquoi écrirait-elle « Qui t'aime » si elle ne t'aimait pas pour de vrai ? Pourquoi ne pas choisir l'une de ces formules que tout le monde utilise ? *Je t'embrasse. Prends soin de toi. Bien à toi.*

Non, elle dit « Bethany, Qui t'aime ».

Mais bien sûr, cela n'enlève rien au problème de la lettre on ne peut plus impersonnelle, prudente, inoffensive et dénuée de tout romantisme ou amour. Comment expliquer ce décalage ?

Tu en conclus que ses parents doivent lire son courrier.

Ils espionnent les lettres que vous échangez. Car, même si tu n'as jamais été formellement impliqué, tu étais le meilleur ami du frère de Bethany au moment où Bishop faisait les pires saloperies au proviseur de son école. Du coup, ses parents ne voient certainement pas d'un très bon œil que leur fille reste en contact avec toi, encore moins qu'elle ait des sentiments pour toi. Par conséquent, le seul endroit où elle peut glisser ce message tout en évitant la censure est dans cet adieu, cet envoi crucial : « Qui t'aime ».

En répondant, tu pars du principe que ta lettre sera lue. Tu racontes donc les détails les plus anecdotiques de ta vie tout en essayant de semer des indices sur ton immense amour pour elle. Tu te dis qu'elle pourra sentir ton amour affleurer sous les mots, planer tel un fantôme sur la lettre alors que ses parents ne parviendront pas à le déceler. Et bien sûr, à la fin, tu signes « Samuel, Qui t'aime aussi » pour bien lui montrer que tu as reçu le message — le *vrai* message — de sa lettre. Et c'est ainsi que vous communiquez tous les deux, comme des espions en temps de guerre, noyant une unique information intéressante au milieu d'un brouillard de banalités.

Puis tu attends la lettre suivante durant toute l'année.

Et dans l'intervalle, tu comptes les jours qui vous séparent elle et toi de la fin du lycée, de la fac, qui vous libérera de la surveillance de ses parents, et lui permettra enfin d'exprimer ses sentiments réels et profonds. Pendant ce temps, tu imagines que tu pourrais aller dans la même université qu'elle et devenir son petit ami, tu imagines les fêtes où tu irais avec Bethany à ton bras, la crédibilité instantanée que te vaudrait d'être le gars qui sort avec la prodige du violon, la jolie prodige du violon (sublime, d'ailleurs, *époustouflante*, tu le sais parce que, de temps à autre, elle glisse dans sa lettre annuelle une photo récente d'elle et de son frère, derrière laquelle elle écrit « Tu nous manques ! B & B », tu poses cette photo sur ta table de nuit, et la première semaine où elle se trouve juste là sous ton nez, tu parviens à peine à trouver le sommeil, tu es réveillé sans cesse par ces étranges cauchemars où la photo s'envole dans le vent, se désintègre, ou bien quelqu'un se glisse dans ta chambre pour te la voler). Tu y crois dur comme fer, vous irez à la même fac, jusqu'au jour où Bethany est prise à Juilliard, tu annonces donc à ton père que tu veux aller à Juilliard et il hausse un sourcil en disant « C'est ça, super » d'une manière tellement condescendante que tu restes interdit jusqu'à ce que tu tombes sur une brochure de Juilliard au bureau d'orientation de ton lycée et comprennes que c'est une université destinée aux musiciens, comédiens et danseurs. Dont en plus les frais de scolarité sont à peu près dix fois plus élevés que le budget prévu par ton père.

Merde.

Tu revois tes projets et annonces à ton père que finalement tu n'iras pas à Juilliard mais quelque part ailleurs à New York.

« Peut-être Columbia », ajoutes-tu, parce que c'est l'université la plus proche de Juilliard sur la carte de

New York que tu as trouvée à la bibliothèque du lycée. « Ou bien l'Université de New York ? »

Henry, qui est en train de tester un nouveau concept de « quiche » surgelée en mâchant consciencieusement, et notant, sur une échelle de un à quinze, la garniture à base d'œufs, s'interrompt un moment, déglutit, te regarde et déclare : « Trop dangereux.

— Oh, je t'en prie.

— New York est la capitale mondiale du meurtre. Hors de question.

— Ce n'est pas dangereux. Ou du moins, si c'est le cas, le campus en lui-même ne l'est pas. Et je resterai sur le campus.

— Écoute. Comment t'expliquer ? Tu habites dans une allée. Il n'y a pas d'allée à New York. Rien qui y ressemble de près ou de loin. Tu vas te faire bouffer tout cru.

— Il y a des allées à New York, réponds-tu. Tout ira bien pour moi.

— Tu ne comprends pas la métaphore. Tu vois ? C'est exactement ça que je veux dire. Il y a deux catégories de personnes, les gens qui habitent dans des *rues*, et, à l'opposé du spectre, ceux qui habitent dans des *allées*. Les gens comme nous.

— Arrête, Papa.

— D'autre part, dit-il en retournant à sa quiche, c'est beaucoup trop cher. On a les moyens pour une université d'État, publique. Pas plus. »

Et c'est donc là que tu atterris, là que tu découvres cette chose appelée email, que tous les étudiants utilisent aujourd'hui. Dans la lettre suivante de Bethany, elle te donne son adresse email, alors tu lui en envoies un, et cela marque le point final des lettres manuscrites. Le bon côté, c'est que Bethany et toi vous écrivez plus souvent, une fois par semaine, même. Tout est tellement immédiat avec les emails. Cela paraît génial jusqu'à ce que, au bout d'un mois, tu mesures combien la dématérialisation est terrible, tu n'as plus aucun objet physique à toucher, plus rien entre les mains qui soit passé par celles de Bethany. Ses lettres t'ont tellement apaisé durant l'adolescence, ce papier épais, cette écriture soignée — Bethany avait beau être à des centaines de kilomètres, cette présence compensait son absence. En fermant les yeux, la lettre tout contre toi, tu pouvais presque sentir le papier, ses doigts parcourant chaque page, sa langue léchant l'enveloppe. Par la force de l'imagination, de la foi, par une sorte de transsubstantiation christique, l'espace d'un instant, dans ton esprit, cette chose prenait chair. C'est ainsi que les emails, si fréquents soient-ils, te procurent désormais un sentiment de solitude bien plus fort. Son incarnation physique a disparu.

Et, avec elle, le « Qui t'aime ».

À la fac, à Juilliard, les « Qui t'aime » à la fin des lettres se transforment rapidement en « Qui t'adore », ce qui craint. « Qui t'adore », c'est le genre de choses qui arrivent quand le vrai amour se retrouve amputé de toute solennité et dignité.

L'autre problème, c'est que, même maintenant que ses parents ne surveillent plus rien de ce qu'elle fait, les lettres de Bethany n'ont pas franchement changé. L'adjectif exact pour les décrire serait *informatives*. Un guide touristique. Alors qu'elle est enfin libre d'écrire tout ce qu'elle veut et d'exprimer tous ses sentiments, les lettres de Bethany demeurent tristement familières : les dernières nouvelles, factuelles. Après neuf ans de ce genre de lettres, c'est comme si c'était devenu une routine. Comme si c'était devenu sa seule façon de faire la conversation. Et peu importe la quantité d'informations qu'elle délivre — que certains cours sont faciles (celui de Formation auditive), d'autres difficiles (celui d'Harmonie diatonique), que le violoncelliste de son groupe de musique de chambre est vraiment très doué, que la nourriture de la cafétéria est trop mauvaise, que sa coloc est une percussionniste de Californie à qui le bruit des cymbales donne des migraines — il y manque toujours une touche de chaleur ou d'humanité. D'intimité. Et il n'y a absolument aucun romantisme.

Et c'est alors que Bethany se met à te parler de garçons. De garçons qui lui plaisent. De ces garçons audacieux qui la font rire tellement fort qu'elle en renverse son verre. Des garçons joueurs de cuivres, de trombone, qui l'invitent à sortir le soir. Et elle dit oui, en plus. Et les rendez-vous sont *super*. Sous ta peau, c'est un vrai volcan, à l'idée que tout à coup ces gars, ces inconnus réussissent en une seule soirée à intéresser cette fille que tu désires si ardemment depuis neuf ans, davantage que toi en une vie entière. C'est injuste. Tu mérites mieux, après tout ce que tu as traversé. C'est à peu près à ce moment-là que les « Qui t'aime » deviennent des « Qui t'adore », puis des « Bisous », puis carrément des « Bises », et tu comprends alors que quelque chose de fondamental a changé dans la nature de votre relation. Quelque part en chemin, tu as laissé passer ta chance.

Au passage, cela marque une étape décisive dans ton projet de devenir un écrivain célèbre. Cet échec. Il t'enrichit intérieurement, te nourrit de fantasmes sur ce que tu aurais pu faire différemment pour ne pas te planter, et tout ce que tu pourrais faire pour reconquérir Bethany. En haut de la liste : faire mieux que les mecs à trombone. Méthode : produire une œuvre littéraire profonde, pseudo-intellectuelle et artistique à fort potentiel. Puisque tu n'es pas le genre de gars susceptible d'amuser Bethany au point qu'elle en renverse son verre. Impossible de battre les mecs à trombone sur ce terrain-là. Toi, il suffit que tu penses à elle ou que tu lui écrives pour devenir mortellement sérieux et formel. Cette attitude solennelle et officielle face à ce qui pourrait te réduire à néant, c'est presque religieux comme réaction. Dès qu'il s'agit de Bethany, tu perds tout sens de l'humour.

Tu t'attelles donc à la rédaction de nouvelles sur les Grandes Questions de Société, et tu t'en félicites en pensant à ces rigolos avec leur trombone qui ne s'aventureraient jamais à moins d'un mètre des Grandes Questions de Société (« un mètre », songes-tu de toute ta hauteur d'écrivain réfléchissant au sens des mots avec pertinence et originalité, c'est précisément la longueur de leur trombone, celle qui les sépare de toute démarche intellectuelle). Tout l'intérêt d'être écrivain, tu en es convaincu, est de montrer à Bethany combien tu es unique et spécial, au-dessus de la masse qui pense et agit uniformément. Devenir écrivain, pour toi, c'est comme d'être celui qui, à Halloween, a le déguisement le plus inventif et le plus intéressant. Quand tu décides de devenir écrivain — tu viens d'avoir vingt ans et d'accomplir ce premier acte majeur en t'inscrivant à un cours d' « Écriture créative » à la fac —, tu adoptes d'emblée tout un style de vie : tu vas à des lectures conceptuelles, tu traînes dans les cafés, tu t'habilles en noir, tu te constitues une garde-robe sombre et mélancolique que l'on pourrait qualifier de post-apocalyptique/post-holocauste, tu bois de l'alcool, souvent tard dans la nuit, tu achètes des carnets reliés de cuir, des stylos métalliques, lourds, jamais de Bic, jamais de quatre couleurs, et des cigarettes, d'abord des normales, celles que tout le monde achète à la station-service du coin, puis une marque européenne raffinée qui se présente sous forme de longues boîtes fines et ne se trouve que dans des boutiques pour fumeurs. Fumer te donne une contenance en public, quand tu te sens observé, jaugé, jugé. D'ici une quinzaine d'années, le téléphone portable aura remplacé la cigarette : c'est une sorte de bouclier social, un objet qu'il suffit de sortir de sa poche et de tripoter pour se sentir moins gauche. Ce qui est ton cas la majeure partie du temps, à cause de ta mère.

Tu n'écris jamais sur ce sujet, bien sûr. Tu évites soigneusement toute forme d'introspection. Il y a des choses en toi que tu préfères ignorer. Un magma d'angoisse et d'apitoiement tapi au tréfonds de ton âme, que tu t'emploies à étouffer au maximum en faisant comme s'il n'existait pas. Quand tu écris, ce n'est jamais sur toi. À la place, tu écris des histoires sombres et violentes, peu à peu ta réputation se colore de la même aura et on se met à croire que tu dissimules des secrets. Une chose potentiellement horrible t'est arrivée. Une de tes nouvelles parle d'un chirurgien alcoolique qui se saoule chaque soir et viole sa fille adolescente de mille façons incroyablement cruelles, l'horreur dure des années jusqu'au jour où la fille élabore un plan pour tuer son père : elle glisse d'énormes quantités de toxine botulique, volée dans son armoire à Botox, dans sa bouteille de cerises au marasquin, ainsi, après plusieurs cocktails, le père est totalement paralysé, et c'est là que la fille invite ce psychopathe gay qu'elle a rencontré dans des circonstances obscures à violer son père alors qu'il est incapable de se défendre mais pleinement conscient, après quoi, la fille le tue en lui sectionnant les parties génitales et en le regardant se vider de son sang pendant sept jours à la cave, là où personne ne peut l'entendre hurler.

En d'autres termes, tu écris des nouvelles qui *n'ont*

absolument rien à voir avec ta vie, ou avec quoi que ce soit que tu connaisses.

Et tandis que tu écris ces nouvelles, la seule chose qui compte vraiment pour toi, c'est ce que Bethany en pensera quand elle les lira. Toutes ces pages ne sont qu'une démonstration perpétuelle, poursuivant un but unique : inspirer des sentiments à Bethany. Qu'elle croie en ton talent, ta fibre artistique, ton génie, ta profondeur. Qu'elle t'aime à nouveau.

Le paradoxe là-dedans, c'est que tu ne lui fais jamais lire aucune de ces nouvelles.

Car tu as beau traîner avec des écrivains, suivre des cours d'écriture, t'habiller comme un écrivain, fumer comme un écrivain, tu es bien obligé de reconnaître que tu n'écris *pas très bien*. L'accueil des autres étudiants est assez tiède et les retours des professeurs peu enthousiastes, et tu as déjà reçu des tonnes de lettres de refus anonymes des éditeurs auxquels tu as envoyé ces nouvelles. Le pire, c'est quand un professeur te demande : « Pourquoi voulez-vous devenir écrivain ? »

Sous-entendu, bien sûr, peut-être feriez-vous mieux de vous abstenir ?

« J'ai toujours voulu devenir écrivain », réagis-tu du tac au tac. Ce qui n'est pas tout à fait vrai. Tu n'as pas *toujours* voulu devenir écrivain, tu veux devenir écrivain depuis que ta mère t'a abandonné, à l'âge de onze ans, et puisque la vie d'avant te semble être la vie d'une tout autre personne, c'est aussi simple de dire que c'est ce que tu as *toujours* voulu faire. En réalité, ce jour-là a été celui de ta deuxième naissance.

Tu ne donnes pas cette clé à ton professeur. Tu vas et viens avec en toi cette cavité pleine de vérités, tournée vers l'intérieur, de telle sorte qu'à l'extérieur rien de vrai ne transparaît jamais. Ce matin où ta mère a disparu, en particulier, est enfoui profondément en toi, ce moment où elle t'a demandé ce que tu voulais faire quand tu serais grand. Où tu as dit que tu voulais devenir romancier, et où elle a souri, t'a embrassé sur le front et dit qu'elle lirait tout ce que tu écrirais. Ainsi le seul moyen de communiquer avec ta mère était désormais d'écrire, une communication à sens unique, comme une prière. Et tu as pensé alors que si tu écrivais quelque chose de vraiment extraordinaire et qu'elle le lisait, cela lui prouverait, par quelque étrange démonstration, qu'elle n'aurait jamais dû s'en aller.

Le problème, c'est que tu es incapable d'écrire quoi que ce soit qui approche ce niveau de qualité. Même de loin. Tu as beau travailler, l'essentiel te demeure insaisissable.

« La vérité », suggère ton professeur lors de votre rendez-vous de fin d'année, il te reste une nouvelle à rendre avant le diplôme, ton professeur tente donc, dans une ultime manœuvre, de te convaincre d'« écrire quelque chose de vrai ».

« Mais j'écris de la fiction, protestes-tu.

— Je me fiche de l'étiquette que vous lui collez, dit le professeur. Contentez-vous d'écrire quelque chose de vrai. »

Tu écris donc l'une des rares choses vraies qui te soit jamais arrivée. La nouvelle raconte la vie de jumeaux habitant la banlieue de Chicago. La sœur est un prodige du violon. Le frère, un nid à problèmes. Ils sont assis à la table de la salle à manger, face à leur trader de père, dans une atmosphère de tension palpable, puis ils sont lâchés dans la nuit où ils vivent des aventures, parmi lesquelles l'empoisonnement progressif de l'eau du jacuzzi de leur voisin, le proviseur de leur école privée. La méthode d'empoisonnement est simple : overdose de pesticides. Mais l'explication ? Pourquoi le frère veut-il empoisonner le proviseur ? Qu'a fait le proviseur pour mériter cela ?

La réponse est facile à trouver, mais difficile à formuler.

Tout s'est éclairé il y a quelques années. Tout à coup, tu as fini par mettre en place les pièces du puzzle qu'à onze ans tu avais été incapable de reconstituer. Pourquoi Bishop semblait savoir des choses qui n'étaient pas de son âge. Des choses sexuelles. Comme ce dernier après-midi, à l'étang, quand il s'était pressé contre toi exactement au bon endroit — comment pouvait-il savoir cela ? Comment savait-il le faire ? Comment avait-il su par quelle ruse détourner le battoir du principal ? Où avait-il trouvé toutes ces photos pornographiques, tous ces polaroids sinistres ? Pourquoi se donner ainsi en spectacle ? Se transformer en brute ? Se faire exclure de l'école ? S'en prendre à de petits animaux ? Empoisonner le proviseur ?

Au moment où tu as soudain assemblé toutes ces pièces et compris ce qui s'était passé, tu étais au lycée, tu allais en cours un matin, et tu n'étais même pas en train de penser à Bishop ou au proviseur ou à quoi que ce soit qui les concerne, quand tout à coup tu as été frappé de plein fouet, comme par une vision, comme si ton esprit avait passé tout ce temps à œuvrer et que soudain la vérité émergeait : Bishop avait été abusé. Violé. Évidemment. Par le proviseur.

Tu étais resté interdit, foudroyé par une vague énorme de culpabilité. Tu étais resté là, assis sur la pelouse d'une maison, frappé de stupeur et de vertige, sidéré, et tu avais manqué les trois premières heures de cours. Avec le sentiment d'avoir été éventré sur cette pelouse.

Pourquoi n'avais-tu rien vu ? Tu étais si préoccupé par tes petits drames personnels — ton coup de cœur pour Bethany, le cadeau que tu lui avais acheté au centre commercial, et qui te semblait à l'époque le plus grand dilemme qui soit —, si préoccupé que tu n'avais même pas vu la tragédie qui se déroulait sous tes yeux. Un manque de lucidité et d'empathie cruel.

Raison pour laquelle, sans doute, tu as fini par décider d'écrire là-dessus. Dans la nouvelle sur les jumeaux, tu décris les viols dont le frère est victime. Tu ne tournes pas autour du pot, tu ne prends pas de gants. Tu l'écris tel que tu penses que c'est arrivé. Tu l'écris vraiment.

Ainsi que c'était prévisible, les autres étudiants trouvent ta nouvelle ennuyeuse. Ils en ont marre de toi et de ton sujet de prédilection. Encore une histoire d'enfant abusé, disent-ils. On a compris, maintenant. Change de disque. Mais ton professeur, lui, est bien plus enthousiaste que d'habitude. À ses yeux, cette nouvelle n'est pas comme les autres, il s'y trouve une dose d'humanité, de générosité, de chaleur et de *sentiment* qui manquait cruellement à tes précédentes tentatives. Puis, durant une autre conversation privée, le professeur t'annonce qu'un ponte de l'édition new-yorkaise, un dénommé Periwinkle, est venu le voir, en quête de nouveaux talents, et qu'il aimerait bien lui envoyer ta nouvelle, si tu le lui permets ?

C'est la dernière étape pour devenir un écrivain célèbre. La dernière étape pour accomplir cette ambition que tu nourris depuis que ta mère est partie ce matin-là : l'impressionner à distance, gagner son approbation, son admiration. Et c'est également la dernière chose à faire pour que Bethany te remarque à nouveau, pour qu'elle voie ces qualités très spéciales que tu possèdes et que les types au trombone ne pourront jamais égaler, pour qu'elle t'aime comme tu penses que tu devrais être aimé.

Tout ce que tu as à faire, c'est dire oui.

Pour dire oui, tourne la page…

Tu dis oui. Tu ne réfléchis même pas aux conséquences à long terme. Tu ne réfléchis pas à ce que Bethany ou Bishop éprouveront en voyant leur vie privée ainsi étalée. Tu es tellement aveuglé par ton désir de briller, d'éblouir, d'imposer le respect à ceux qui t'ont quitté que tu dis oui. Oui, absolument.

Le professeur envoie donc ta nouvelle à Periwinkle, et à partir de là, les choses s'enchaînent assez vite. Le lendemain, Periwinkle appelle. Il te dit que tu es une nouvelle voix qui compte dans la littérature américaine, et qu'il te veut pour le lancement de sa nouvelle collection, qui ne publiera que les jeunes génies.

« Nous n'avons pas encore le nom de la collection, mais nous avons pensé à La Voix de Demain, annonce Periwinkle, ou bien juste Demain, ou même Citron, dont bizarrement les consultants ont l'air dingues. »

Periwinkle recrute quelques nègres pour travailler la fluidité du style — « Rien de plus normal, explique-t-il, tout le monde le fait » —, puis il s'arrange pour placer cette nouvelle dans l'un des magazines les plus prescripteurs du moment, où tu es désigné comme l'un des cinq meilleurs écrivains américains de moins de vingt-cinq ans. Puis Periwinkle monte cette publicité en épingle afin de conclure avec toi un contrat exorbitant pour un livre que tu n'as même pas encore écrit. Cela fait les gros titres avec toutes les autres bonnes nouvelles du début de l'année 2001 : l'autoroute de l'information, la Nouvelle Économie, le moteur de la nation tournant à plein régime.

Félicitations.

Ça y est, tu es un écrivain célèbre.

Cependant, deux choses t'empêchent d'en profiter pleinement. La première : pas un mot de ta mère. Rien qu'un silence assourdissant. Et aucune preuve qu'elle a lu cette nouvelle.

La seconde : Bethany — qui a *forcément* vu ta

nouvelle — ne t'écrit plus. Ni email, ni lettre, ni explication. Tu lui écris, lui demandes si quelque chose ne va pas. Puis tu conclus que quelque chose ne va pas et tu lui dis que tu voudrais bien en parler. Puis tu déduis que ce qui ne va pas, c'est que tu as purement et simplement volé l'histoire de son frère et que tu en as tiré un immense profit, tu tentes donc de te justifier en invoquant ta liberté créatrice tout en t'excusant de ne pas lui en avoir parlé plus tôt. Aucun de ces messages ne te vaut de réponse, et tu finis par comprendre que la nouvelle dont tu espérais qu'elle te permettrait de reconquérir Bethany a, de façon perverse, tué dans l'œuf toutes les chances que tu pouvais avoir avec elle.

Pendant des années, tu n'entends plus parler de Bethany et tu es incapable d'écrire une seule ligne malgré les coups de téléphone d'encouragement mensuels de Periwinkle, qui brûle de voir ton manuscrit. Mais tu n'as pas de manuscrit à lui montrer. Tous les matins, tu te lèves avec la ferme intention d'écrire et, finalement, tu n'écris pas. Impossible de dire ce que tu fais exactement de tes journées, mais une chose est sûre, tu n'écris pas. Les mois se succèdent, sans un mot sur le papier. Avec l'argent de l'à-valoir, tu t'achètes une grande maison neuve, et dedans tu n'écris pas. Tu te sers de ta petite célébrité pour arracher un poste de professeur dans une université locale, où tu enseignes la littérature aux étudiants, mais toi, tu n'en fais pas. Tu n'es pas « bloqué », pas vraiment. C'est juste que la raison pour laquelle tu écrivais, ta motivation première, est partie en fumée.

Bethany finit par t'envoyer un email. L'après-midi du 11 septembre 2001. Tu es en copie d'un email qu'elle envoie à une bonne centaine de personnes et qui dit juste : « Je suis en sécurité. »

Puis, au début du printemps 2004, un jour que rien

ne distingue des autres par ailleurs, tu trouves dans ta boîte de réception un message de Bethany Fall, tu lis le premier paragraphe où elle explique qu'elle a quelque chose à te dire, et ton cœur transperce ta poitrine, car ce qu'elle veut t'avouer, tu en es sûr, c'est qu'elle t'aime profondément depuis toujours.

Mais ce n'est pas du tout cela. Et tu le comprends dès que tu atteins le deuxième paragraphe, qui commence par une phrase qui de nouveau t'ouvre en deux : « Bishop, écrit-elle, est mort. »

C'est arrivé en octobre dernier. En Irak. Il se tenait à côté d'une bombe au moment où elle a explosé. Elle est désolée de ne pas t'en avoir parlé plus tôt.

Tu lui réponds en la suppliant de t'en dire davantage. Et il s'avère qu'après être sorti de l'école militaire préparatoire, Bishop a poursuivi ses études à l'Institut militaire de Virginie, et une fois son diplôme en poche, il s'est engagé dans l'armée comme simple soldat. Personne ne pouvait imaginer une chose pareille. Sa formation, son niveau d'instruction, tout le désignait pour un poste de commandement en tant qu'officier, mais il a refusé. Avec une sorte de plaisir à emprunter le chemin le plus difficile, le moins glorieux. À ce moment-là, Bethany et lui ne se parlaient plus vraiment. Ils avaient pris leurs distances depuis un certain temps. Cela faisait plusieurs années qu'ils ne se voyaient plus que rarement, pour les fêtes. Il s'est enrôlé en 1999 et a passé deux années tranquilles en Allemagne avant le 11-Septembre, après quoi il a fait partie des forces déployées en Afghanistan, puis en Irak. Ils n'avaient de ses nouvelles qu'une ou deux fois par an, par le biais d'emails très courts, pareils à des mémos professionnels. Bethany, de son côté, devenait une violoniste soliste très réputée, et dans ses lettres elle racontait à Bishop toutes les choses qui lui arrivaient — toutes les salles où elle jouait, tous les chefs d'orchestre qui la dirigeaient — mais il ne répondait jamais. Passaient six autres mois, suivis d'un nouvel email impersonnel contenant ses nouvelles coordonnées et sa signature automatique on ne peut plus formelle : *Mes respects, Première classe Bishop Fall, US Army.*

Et puis il était mort.

Durant un long moment, tu te sens très malheureux — comme si ta brève amitié avec Bishop était un test où tu avais échoué. Il y avait là quelqu'un qui avait besoin d'aide, et tu ne l'avais pas aidé, et maintenant c'était trop tard. Alors tu écris à Bethany parce qu'elle est la seule personne au monde qui puisse comprendre ce que tu ressens et c'est probablement la seule lettre que tu lui écris où ne figure aucune ruse, aucun subterfuge, aucune intention déguisée, la première fois que tu n'es pas en train d'essayer d'attirer son affection, qu'à la place tu exprimes une émotion sincère, en l'occurrence une authentique tristesse. Il s'avère que cette lettre marque le dégel de vos relations. Elle répond en disant qu'elle aussi est triste. Et c'est une chose que vous avez en commun, cette tristesse, vous faites votre deuil ensemble, au fil des mois, vos lettres abordent peu à peu d'autres sujets, et le chagrin semble s'alléger jusqu'au jour où — pour la première fois depuis des années —, à la fin de sa lettre, Bethany ajoute après son nom : « Qui t'aime ». Ce qui réactive immédiatement toutes tes ruses et toutes tes obsessions. Tu penses : *J'ai peut-être encore une chance !* Tout ton amour, tout ton besoin refont surface, en particulier lorsqu'elle t'écrit un jour, la première semaine d'août 2004, pour *t'inviter à New York*. Elle te propose de venir à la fin du mois. Il va y avoir une manifestation, dit-elle, dans les rues de Manhattan. Une marche silencieuse en hommage aux soldats tombés en Irak.

Elle aura lieu pendant la Convention républicaine, qui se déroulera au Madison Square Garden. Voudrais-tu venir à la marche avec elle ? Tu pourras passer la nuit chez elle.

Soudain, tu ne dors plus la nuit, incapable de tenir en place, imaginant ce que ce sera de revoir Bethany, terrifié à l'idée de tout faire capoter alors que c'est manifestement ta toute dernière chance de la reconquérir. Tu as l'impression d'être dans une des Histoires dont vous êtes le héros de ton enfance, et tout repose désormais sur les choix que tu feras. Jusqu'au jour de ton départ, c'est la seule chose qui occupe tes pensées : À New York, si tu fais tout ce qu'il faut, si tu fais les bons choix, tu peux repartir avec la fille.

Pour aller à New York, tourne la page…

Sur le trajet entre Chicago et New York, tu t'arrêtes une fois, pour prendre de l'essence, dans l'Ohio, puis une autre, dans un hôtel miteux de Pennsylvanie où, de toute façon, tu es beaucoup trop agité pour fermer l'œil. Le lendemain, bien avant l'aube, tu reprends la route jusqu'à un parking dans le Queens où tu abandonnes ta voiture pour t'engouffrer dans le métro et gagner la ville. Tu montes les marches d'une station de métro et déboules dans la lumière et la foule du matin à Manhattan. Bethany habite un appartement en étage élevé au 55 Liberty Street, à quelques pâtés de maisons du site du World Trade Center, où tu te trouves en ce moment, en 2004. Là où se tenaient les tours et où ne demeure qu'un trou béant et vide.

Tu fais le tour, passes devant les stands de fallafels, de cacahuètes grillées, les vendeurs à la sauvette avec leurs sacs et leurs montres étalés sur des couvertures, les conspirationnistes distribuent des tracts où le 11-Septembre apparaît comme un coup monté et le visage de Satan surgit dans la fumée de la Tour Deux, les touristes sur la pointe des pieds allongent le cou derrière les grillages, brandissent leurs appareils par-dessus la clôture, regardent le résultat, recommencent. Tu passes devant tout cela, devant le grand magasin de l'autre côté de la rue où les touristes européens profitent de la faiblesse du dollar et de la force de l'euro pour remplir leurs sacs de jeans et de vestes, devant un café avec un écriteau TOILETTES RÉSERVÉES AUX CLIENTS, tu tournes dans Liberty Street où une mère traîne ses deux enfants en demandant son chemin : « C'est par où le 11-Septembre ? », jusqu'à ce que tu arrives à l'angle de Liberty et Nassau, à l'adresse de Bethany.

Tu sais tout ce qu'il y a à savoir sur cet immeuble. Tu t'es renseigné avant de venir. Il a été construit en

1909, vanté comme « le plus grand petit immeuble au monde » (à cause de l'étroitesse de la parcelle), avec des fondations descendant sur cinq étages, inutilement profondes pour un immeuble de cette taille, mais les architectes de 1909 ne maîtrisaient pas encore complètement la construction des gratte-ciel, ils avaient calculé large. Il a été érigé à côté de la Chambre de commerce de New York, qui depuis héberge les bureaux new-yorkais de la Banque centrale de Chine. Juste en face de Nassau Street, à l'arrière de la Réserve fédérale. Parmi les premiers locataires des lieux, figurait le cabinet d'avocats de Teddy Roosevelt.

Tu franchis la porte d'entrée, la grille en fer forgé, pénètres dans le hall doré, où les murs et le sol sont couverts de dalles blanches collées si serré les unes aux autres qu'on ne voit même pas les joints entre elles. L'air semble comprimé. Tu t'approches de la réception et annonces à l'homme assis derrière son comptoir que tu viens voir Bethany Fall.

« Votre nom ? » demande-t-il. Tu le lui donnes. Il décroche un téléphone, tape un numéro, te dévisage en attendant que quelqu'un réponde. Sur ses yeux, ses paupières tombent, de sommeil ou d'ennui. Cela prend manifestement longtemps avant que quelqu'un décroche, assez longtemps pour que le regard du réceptionniste devienne gênant et que tu éprouves le besoin de faire semblant de regarder le hall autour de toi, d'admirer son austère immobilité. Tu remarques alors l'absence totale de néons, effectivement toutes les sources de lumière ont été habilement dissimulées dans des renfoncements ou des alcôves, ainsi les lieux paraissent-ils moins éclairés que rayonnants.

« Mademoiselle Fall ? finit par dire le réceptionniste. Un certain Samuel Anderson désire vous voir. »

Le réceptionniste continue de le dévisager. Sans trahir la moindre expression.

« D'accord. » Il raccroche, farfouille sous son bureau — tourne une clé dans une serrure, appuie sur un interrupteur — pour déclencher l'ouverture des portes de l'ascenseur.

« Merci », dis-tu, mais le réceptionniste a déjà tourné les yeux vers son ordinateur et t'ignore.

Pour monter dans l'appartement de Bethany, tourne la page…

Pendant que l'ascenseur monte à l'appartement de Bethany, tu te demandes combien de temps tu peux raisonnablement passer dans le couloir avant qu'elle se dise que tu t'es perdu. Parce qu'il va te falloir au moins une minute pour rassembler tes esprits, tu le sens bien. Pour te débarrasser de cette sensation nerveuse d'être vidé, comme si tout ton sang était tombé dans tes pieds. Tu tentes de te convaincre que c'est ridicule de te mettre dans cet état, ridicule de te sentir si nerveux à l'idée de voir Bethany. Alors que tu ne l'as vraiment côtoyée que durant trois mois. *Quand tu avais onze ans.* Stupide. Comique presque. Comment quelqu'un a-t-il pu avoir un tel pouvoir sur toi ? De tous les gens que tu as rencontrés dans ta vie, pourquoi cette personne est-elle si importante ? C'est à cela que tu réfléchis, ce qui ne t'aide pas vraiment à apaiser le chaos qui règne dans ton ventre.

L'ascenseur s'immobilise. Les portes s'ouvrent. Tu t'attendais à un couloir, à un long corridor, comme dans un hôtel, au lieu de cela, l'ascenseur s'ouvre directement dans un appartement inondé de soleil.

Bien sûr. Elle possède tout l'étage.

Et la personne qui s'avance vers toi n'est certainement pas Bethany. C'est un homme, ton âge environ — une petite trentaine d'années. Chemise blanche repassée de frais. Fine cravate noire. Maintien parfait, morgue aristocratique. Montre luxueuse au poignet. Vous vous dévisagez pendant un moment, et alors que tu t'apprêtes à t'excuser de t'être trompé d'appartement, il dit : « Vous devez être l'écrivain. » Et la façon dont il prononce le mot *écrivain* contient une pointe d'ironie, écrivain ne peut manifestement pas être considéré comme une profession à ses yeux, il pourrait aussi bien dire : « Vous devez être le diseur de bonne aventure. »

« Oui, c'est moi, dis-tu. Je suis désolé, je cherchais… »

Et c'est là, à ce moment précis, que, juste derrière son épaule, elle apparaît.

« Bethany. »

L'espace d'un instant, c'est comme si tu avais oublié de quoi elle avait l'air, comme si toutes ces photos qu'elle glissait dans ses lettres n'avaient jamais existé, comme si tu n'avais jamais écumé Internet pour regarder tous les portraits d'elle qui paraissaient dans la presse, des photos de concert, des instantanés où elle apparaissait dans les bras de riches mécènes venus la féliciter, souriante — comme si le seul souvenir qui te restait d'elle était celui de cette jeune fille travaillant son violon dans sa chambre, se croyant seule alors que, jeune garçon amoureux, tu l'épiais derrière le coin du mur. Sur le seuil de son appartement, aujourd'hui, elle ressemble tellement à cette vision, elle porte sur elle cette même confiance, cette indépendance, cette maîtrise, cette aisance — si formelle, même maintenant, alors qu'elle s'avance à grands pas vers toi, te gratifie d'une étreinte platonique, un baiser sur chaque joue, ainsi qu'elle l'a déjà fait avec des milliers d'amis, admirateurs, supporters — moins un baiser que la suggestion d'un baiser d'ailleurs, quelque part autour de ton oreille —, et fait les présentations : « Samuel, je voudrais te présenter Peter Atchison, mon fiancé », comme si c'était la chose la plus naturelle du monde. *Son fiancé ?*

Peter te serre la main. « Enchanté », dit-il.

À l'intérieur, pendant que Bethany te fait visiter, ton cœur dégringole dans ta poitrine, tu dois être l'homme le plus stupide de la terre. Tu fais de ton mieux pour écouter, pour avoir l'air de t'intéresser à son appartement, tout en baies vitrées, derrière lesquelles se dressent les échafaudages autour du site du World Trade Center à l'ouest et Wall Street au sud.

« C'est l'appartement de mon père, dit-elle, mais il ne vient plus. Depuis qu'il a pris sa retraite. »

Elle pivote sur ses talons, te jette un regard.

« Tu savais que Teddy Roosevelt avait travaillé dans cet immeuble ? »

Tu fais semblant de l'ignorer.

« Il était banquier, au début de sa carrière, dit-elle. Comme Peter.

— Ah ! s'écrie Peter en te donnant une tape dans le dos. Tu parles de grandes espérances, hein ?

— Peter travaillait avec mon père, poursuit Bethany.

— *Pour* ton père », rectifie-t-il.

Bethany balaie ses protestations d'un signe de la main.

« Peter est vraiment un as de la finance.

— Mais non.

— Mais si ! renchérit-elle. Il a découvert un nombre, une formule, un algorithme, quelque chose — enfin, il y avait ce truc que les gens utilisaient comme référence, et Peter en a découvert la faille. Explique-lui, mon chéri.

— Je ne veux pas ennuyer notre invité.

— Mais c'est passionnant.

— Ça t'intéresse vraiment ? »

Cela ne t'intéresse absolument pas. Tu acquiesces.

« Bon, je vais t'épargner les détails, commence-t-il, il s'agit du ratio C. Tu en as entendu parler ? »

Tu es en train de te demander comment tu écrirais « ratiocée ». Tu dis : « Rafraîchis-moi la mémoire.

— Pour simplifier, c'est un nombre que les investisseurs utilisent pour prévoir la volatilité des marchés des métaux précieux.

— Et Peter en a trouvé la faille.

— Dans certaines circonstances. Dans des circonstances très spécifiques, le ratio C n'est plus d'aucune utilité. Il est à la traîne par rapport au marché. C'est un peu... comment expliquer ? C'est un peu comme de penser que la température est dictée par le thermomètre.

— C'est génial, non ? s'écrie Bethany.

— Du coup, alors que tout le monde pariait sur le ratio C, moi j'ai parié contre. Tu imagines aisément la suite.

— C'est *trop génial*, non ? »

À présent, ils te regardent tous les deux, te guettent.

« Génial », reprends-tu.

Bethany sourit à son fiancé. Le mot exact pour décrire le diamant qui orne son annulaire serait *proéminent*. L'anneau doré sur lequel il est monté ressemble aux deux bras d'un fan de base-ball attrapant au vol la balle de son équipe préférée.

Tout au long de ce badinage, tu regardes à peine Bethany. À la place, c'est Peter que tu scrutes, comme cela tu es sûr qu'il ne te surprendra pas en train de regarder Bethany. Le fixer lui et l'ignorer elle, c'est le seul moyen que tu as trouvé de lui signifier que tu n'es pas là pour lui voler sa femme et tu ne te rends compte que tu le fais qu'après l'avoir fait durant plusieurs minutes. En plus, chaque fois que tu t'attardes sur Bethany, tu es sidéré qu'aucune de ces photos ne t'ait préparé à la voir en vrai. De même qu'il manque toujours aux reproductions des peintures célèbres cette beauté essentielle, qui vous frappe quand vous les croisez en vrai.

Et Bethany est vraiment, terriblement belle. Les traits félins de son enfance ont gagné en netteté. Ses sourcils, deux encoches. Pommettes hautes et cou gracile. Yeux verts et froids. Robe noire, à la fois sage et décolletée dans le dos. Collier, boucles d'oreilles et souliers assortis *à la perfection*.

« Trop tôt pour boire un verre ? propose Peter.
— Non, volontiers ! » lances-tu avec peut-être un peu trop d'enthousiasme. Et tu comprends que plus la fiancée de cet homme t'attire, plus tu te montres affable avec lui. « Merci ! »

Il te prépare quelque chose de spécial, explique-t-il — « Ce n'est pas tous les jours qu'on a un *vieil ami épistolaire* à la maison ! » s'exclame-t-il —, c'est un whisky qu'ils ont rapporté d'un récent voyage en Écosse, une bouteille médaillée de je ne sais quoi, qui a obtenu la meilleure note dans je ne sais quel magazine, qui ne peut s'acheter nulle part ailleurs que directement à la distillerie qui le fabrique et qui conserve jalousement sa technique et sa recette uniques depuis dix générations — tout au long de son explication, Bethany lui sourit béatement avec une fierté de parent dans les yeux —, puis il te tend un verre à whisky où flotte un fond de liquide ambré, tout en continuant d'expliquer quelque chose sur la façon dont le liquide s'accroche aux parois du verre, les courbes qu'il décrit quand il tournoie à l'intérieur, autant d'indices qui permettent d'évaluer la qualité d'un scotch, quelque chose à propos de l'opacité également, il te fait lever ton verre pour observer la manière dont la lumière traverse le liquide, et ce que tu vois, à travers la distorsion incurvée de l'alcool, ce sont les lignes vacillantes des grues au-dessus du site du World Trade Center.

« C'est beau, non ? demande Peter.
— Magnifique.
— Bois. Dis-moi quel goût ça a.
— Pardon ?
— Je voudrais bien entendre un écrivain décrire ce goût, ajoute-t-il. Tu es tellement doué avec les mots. »

Est-il sarcastique ? Impossible à savoir. Tu goûtes le scotch. Et que dire ? Cela a le goût de scotch. Les qualités d'un scotch. Tu fouilles dans ta mémoire en quête de mots pour décrire le scotch. Tu dégotes *tourbeux*, dont tu n'es même pas sûr de la définition. Le seul mot juste et défendable qui te vienne à l'esprit est *fort*.

« C'est fort », dis-tu, et Peter éclate de rire.

« Fort ? » dit-il, et il rit de plus belle. Il regarde Bethany et dit : « Tu entends ça ? Fort ! Ah ! Je rêve. Fort. »

Le reste de la matinée continue sur le même mode. Bethany te régalant de menues anecdotes, Peter trouvant des prétextes pour se répandre sur toutes les choses merveilleuses qu'ils achètent : leur café, par exemple, le plus rare au monde, prédigéré et recraché par une sorte de mammifère de Sumatra proche du félin, capable de sélectionner les meilleurs grains de café et dont la digestion enrichit la saveur, insiste Peter. Ou bien ses chaussettes, cousues main par la couturière italienne qui confectionne les chaussettes du pape. Ou encore les draps sur le lit de la chambre d'ami, fruit du tissage de milliers de fils, d'une douceur telle que le coton égyptien, à côté, on dirait du papier de verre.

« La plupart des gens traversent l'existence sans prêter attention aux petits détails », dit Peter, le bras autour des épaules de Bethany, les pieds sur la table basse, tandis que vous êtes assis tous les trois sur le canapé en cuir modulable posé au milieu de l'appartement inondé de soleil. « Moi, je serais incapable de vivre de cette manière. Tu vois ce que je veux dire ? C'est comme de ne pas voir la différence entre un violoniste lambda et Bethany ? Tout est une question de détails. Je crois que c'est pour cela que nous nous entendons si bien, elle et moi. »

Il la serre un peu plus fort contre lui.

« C'est vrai ! dit-elle en lui souriant.

— Il y a tellement de gens qui vivent leur vie à toute allure, sans jamais prendre le temps de se réjouir de ce qu'ils ont et de remercier le ciel. Tu sais ce que je crois ? Je crois que nous devrions suivre le rythme des saisons. Nous enivrer de l'air qu'on respire. Boire de l'eau. Cueillir les fruits sur l'arbre. Tu sais qui a dit ça ? Thoreau. Quand j'étais à la fac, j'ai lu *Walden*. Et j'ai compris, tu vois, la vie doit être vécue. Il faut être au monde. Bref, c'est pas tout ça, mais » — il regarde sa montre — « il faut que j'y aille. On m'attend à Washington, puis à Londres. Allez, les hippies, amusez-vous bien à votre manifestation. Ne profitez pas de mon absence pour renverser le gouvernement. »

Ils échangent de vifs baisers, puis Peter Atchison enfile sa veste de costume, sort de l'appartement et Bethany se retourne vers toi. Et soudain vous êtes seuls tous les deux. Avant que tu aies le temps de demander *Ami épistolaire ?* elle s'écrie : « Je crois que nous ferions mieux de filer ! J'appelle le chauffeur ! », avec une fébrilité qui coupe court à toute idée de conversation. Alors tu te dis que peut-être tu auras droit à un vrai face-à-face, à cœur ouvert, avec elle, quand vous serez dans la voiture, en route pour la manifestation. Mais une fois à l'arrière de la Cadillac Escalade, Bethany passe presque tout son temps à bavarder avec le chauffeur, un homme très ridé prénommé Tony, grec, apprends-tu, et dont les trois filles et huit petits-enfants vont très bien, merci, répond-il à Bethany qui demande des nouvelles de chacun et chacune, un par un : où ils se trouvent en ce moment, ce qu'ils font, comment ils vont, etc. Cela vous occupe jusqu'à la 34e Rue où, Tony étant à court de progéniture, la conversation se tarit. Le silence retombe alors durant un bref instant avant que Bethany mette en route la télévision de la Cadillac. Les chaînes d'informations tournent en boucle sur la Convention républicaine et les manifestations qui ont lieu en marge de la Convention, « Tu entends ce qu'ils osent dire sur nous ? » embraie-t-elle, et elle passe le reste du trajet à se plaindre ou à taper des messages sur son téléphone.

Les informations sont en effet assez consternantes. Les reporters racontent que toi et tes semblables êtes tous des marginaux contestataires sortis de nulle part. Des râleurs. Des provocateurs. Ils montrent des nuages de marijuana. Des vidéos de Chicago en 1968 : un gamin balançant une brique à travers une vitrine d'hôtel. Spéculent sur l'influence de ces manifestations sur le vote des indécis. Et leur opinion est claire à ce sujet : les indécis vont détester. « L'électeur moyen de l'Ohio ne risque pas d'apprécier », déclare un type qui n'est ni le présentateur ni le reporter, juste un échantillon : le type avec une opinion. « Surtout si ça tourne à l'émeute, continue-t-il. Si ce qui s'est passé à Chicago en 68 se reproduit ici, on peut être sûrs qu'une fois de plus cela servira les Républicains. »

Pendant tout ce temps, Bethany tripote son téléphone de ses doigts fins de violoniste, cela fait un bruit de claquettes étouffé, et elle est tellement absorbée qu'elle ne te remarque pas en train de la dévisager — ou bien *ne veut pas montrer* qu'elle a vu que tu la regardais —, en train de détailler son profil, le nœud à sa gorge là où repose le violon quand elle joue, une sorte de callosité en forme de chou-fleur, mouchetée de taches brunes sur ses tissus pâlis, la seule partie de sa peau qui ne soit pas douce comme la soie, défigurée par ce minuscule appendice de laideur, cicatrice d'une vie entière de musicienne. Tu te souviens alors d'une chose que ta mère t'a dite, très peu de temps avant son départ. *Les choses que tu aimes le plus sont celles qui un jour te feront le plus de mal.* Et tandis que vous atteignez votre destination — la prairie au milieu de Central Park, qui sert de point de rassemblement à la marche d'aujourd'hui — et que Bethany jette son BlackBerry dans son sac et saute de la voiture, tandis que tu te rends compte que le moment d'intimité que tu attendais n'aura jamais lieu et que ton cœur sombre dans l'abîme, que tu n'as plus qu'une seule envie, quitter New York et rester caché dans ton coin une bonne dizaine d'années, tu comprends que ta mère avait raison : ce sont les choses que nous aimons le plus qui nous ravagent le plus. Car leurs ravages sont proportionnels à l'amour que nous leur portons.

Pour suivre Bethany dans le parc, tourne la page…

Les cercueils sont fin prêts, ils n'attendent plus que vous.

Ils sont là, au milieu du grand cercle de pelouse, il y en a au moins un millier, disposés en damier sur l'herbe verte et drue.

« Qu'est-ce que c'est que ça ? » demandes-tu, face au spectacle étonnant de ces centaines de cercueils recouverts du drapeau américain, de ces gens marchant entre les cercueils, appareils photo ou téléphone à la main, jouant à la balle.

« Notre manifestation, dit Bethany, comme si c'était la chose la plus normale qui soit.

— Je ne m'attendais pas à ça. »

Elle hausse les épaules. Puis elle te plante là, s'enfonce dans la foule, le parc, vers les cercueils.

L'autre bizarrerie, ce sont tous ces gens qui continuent à faire ce qu'ils sont venus faire dans le parc, autour des cercueils. Cet homme qui promène ses chiens, par exemple, semble totalement décalé — les chiens tirent sur la laisse pour aller renifler un cercueil et ceux qui les ont remarqués sont horrifiés, *il ne va quand même pas les laisser pisser dessus ?* Mais non, en fait. Les chiens se désintéressent du cercueil et partent faire leurs besoins ailleurs. Une femme pourvue d'un mégaphone et d'un rôle d'organisation quelconque rappelle à tout le monde que ce ne sont pas uniquement des cercueils, ce sont des corps. Qu'il faut voir en chacun un corps. Le corps d'un vrai soldat, mort pour de vrai en Irak, et qui mérite le respect. On murmure que ce message moyennement subtil s'adresse à ceux qui sont venus déguisés : un petit groupe en habits coloniaux des pères fondateurs avec des têtes en plâtre gigantesques, une bande de femmes tout de rouge-blanc-bleu vêtues, affublées de godemichés géants en forme de missiles, et un tas de masques de Halloween représentant George Bush avec des moustaches de Hitler. Tous les cercueils sont recouverts de drapeaux américains, de sorte qu'ils ressemblent à ceux qui sortent de l'arrière des avions à la télévision, ramenant les soldats morts sur cette base militaire du Delaware. La femme au mégaphone dit que chacun peut prendre un corps, mais de venir la voir si on en veut un en particulier, elle a un tableau de répartition. Les gens étaient censés venir habillés en noir, la majorité d'entre eux a suivi les instructions. Quelqu'un joue du djembé dans un coin. Des camions de télévision aux logos criards sont garés le long de la Huitième Avenue, leurs antennes hérissées vers le ciel ressemblent à une forêt de pins tordus. Les pancartes du jour clament STOP BUSH, HALTE À BUSH, et tout un assortiment de jeux de mots avec Bush, qui évoquent le jardinage ou les parties génitales[1]. Deux filles qui prennent le soleil en bikini semblent moyennement motivées par la cause. Plusieurs types arpentent la foule en vendant des bouteilles d'eau, des badges antirépublicains, des autocollants pour pare-chocs, des tee-shirts, des mugs, des bodies pour bébés, des casquettes, des visières et des albums pour enfants où les monstres cachés sous les lits sont des Républicains. Quelqu'un est en train ou vient de fumer un joint dans les parages. TRUCIDEZ BUSH CAR IL EST UNE ABOMINATION POUR LA PLANÈTE, proclame une pancarte au milieu d'étranges symboles évangéliques qui mettent mal à l'aise les gens dans cette zone-là. Un homme habillé en Oncle Sam est juché sur des échasses, sans raison particulière. La partie de balle se termine. On entend quelqu'un crier *Libérez Leonard Peltier*[2].

1. En anglais, le mot « *bush* » signifie buisson mais fait aussi référence à la toison pubienne.

2. Leonard Peltier est un activiste d'origine indienne, emprisonné à perpétuité pour l'assassinat de deux agents du FBI pendant un conflit autour d'une réserve indienne en 1975.

« Il y a un corps pour chacun d'entre nous ! » crie la femme dans son mégaphone, et les gens se dirigent donc vers leurs corps, et soulèvent les cercueils. Il y a un corps pour le gars déguisé en Castro, un pour le gars déguisé en Che, et un pour le gars avec la pancarte LENNON EST ÉTERNEL ! Un corps pour la délégation LGBTQ et leurs tee-shirts « Lèche Bush ». Un corps pour chaque passager d'un bus de jeunes Démocrates du Grand Philadelphie. Un corps pour chaque membre du collectif Les Juifs pour la Paix. Un corps pour les plombiers du syndicat local. Un corps pour les membres de l'Association des étudiants musulmans de l'Université de New York. Pour les quelques femmes qui sont venues en robe de bal rose, il y a des questions (« Pourquoi ? ») et il y a un corps aussi. Un corps pour le gamin avec son skate. Un corps pour le rasta. Pour le prêtre. Pour la veuve du 11-Septembre, pour elle surtout. Pour le vétéran en tenue de camouflage auquel il manque un bras : une place au premier rang, et un corps. Et pour toi et Bethany, d'après le tableau de répartition de la femme, un corps au trentième rang où vous trouvez un cercueil avec un autocollant sur le côté portant l'inscription « Bishop Fall ». Bethany ne semble pas accuser le coup, elle se contente de l'effleurer du bout des doigts, comme un fétiche. En même temps, elle te regarde et t'adresse un petit sourire triste. C'est sans doute le premier moment sincère que vous partagez depuis que tu es arrivé.

Il passe en un éclair. Maintenant, tout le monde soulève son cercueil. Par groupes de deux ou trois ou quatre. Sous le soleil éclatant, sur l'herbe verte, au milieu des pâquerettes en fleur, le gigantesque pré est couvert de taches noires. D'un millier de cercueils noirs en bois rectangulaires.

Ils sont hissés sur vos épaules. Vous commencez à marcher. Tous porteurs de cercueil.

Dans Central Park, les cercueils se mettent en branle vers la Convention républicaine, à une trentaine de rues de là. Commencent les incantations. La femme au mégaphone balance des instructions. Les marcheurs affluent tel un magma, traversent les terrains de base-ball, amorcent la montée de l'avenue, dépassent le gratte-ciel au globe argenté. Vêtus de noir, cuisant au soleil, mais exaltés, ils crient en chœur. Déferlent hors de Central Park, dans Columbus Circle, et sont vite arrêtés. La police se tient prête, les attend — barrières, matériel antiémeute, gaz poivre, lacrymogène —, une démonstration de force pour tuer dans l'œuf la vigueur des contestataires. La foule s'arrête, regarde le canal de la Huitième Avenue, la perspective géométriquement parfaite, les murs des buildings s'ouvrant comme la mer vers le centre de l'île. La police a réduit les quatre voies de la rue à deux. La foule patiente. Elle lève la tête vers l'obélisque qui se dresse au milieu de Columbus Circle, la statue de Christophe Colomb au sommet, dans sa robe à volants comme une jeune bachelière. La circulation vers le nord est bouclée aujourd'hui, les seules pancartes que les manifestants affrontent disent NE PAS ENTRER et SENS INTERDIT. Pour nombre d'entre eux, c'est un symbole très important.

Si les flics attaquent, ne résistez pas, tel est le message officiel des organisateurs de la marche, que la femme au mégaphone claironne depuis le premier rang. Si un flic veut vous menotter, laissez-le faire. S'il veut vous embarquer dans une voiture de police, une ambulance, un panier à salade — n'opposez pas de résistance, quoi qu'il arrive. Si les flics s'approchent de vous avec des matraques, des pistolets paralysants, ne résistez pas, ne paniquez pas, ne vous battez pas, ne vous enfuyez pas.

Il ne faut pas que cela tourne à l'émeute. Notre message est un message de paix, de pondération, n'oubliez jamais que vous êtes filmés. Ceci est une marche, pas un cirque. Ils ont des balles de caoutchouc qui font un mal de chien. Pensez Gandhi, paix et amour, zen et calme. Ne vous faites pas asperger de poivre. Ne vous déshabillez pas. Souvenez-vous : vous portez le deuil. Ce sont des cercueils sur nos épaules, bon sang. C'est ça notre message. Ne l'oubliez pas.

Tu tiens le cercueil au niveau des pieds. Devant toi, Bethany tient la tête symbolique du corps. Tu t'efforces de ne pas réfléchir en ces termes : pieds, tête. C'est un cercueil en contreplaqué : vide, creux. Devant toi, l'assemblée gigantesque se répand vers le sud comme une hémorragie, lentement. Te voilà au milieu du marasme, les cercueils se balançant au-dessus d'une marée de bras tendus. Tu te débats dans tes propres contradictions, tes instincts contraires. Porter le cercueil de Bishop est une chose atroce. Qui réveille ton abominable culpabilité, ta culpabilité de n'avoir pas sauvé Bishop quand vous étiez jeunes. Ta culpabilité d'être là, à vouloir te servir de ce qui est pour elle la cérémonie funéraire de son frère pour courtiser Bethany. *Oh mon Dieu, tu n'es qu'un trou du cul*. Tu as presque l'impression d'éprouver physiquement la retraite, puis la mort de ton propre désir. Jusqu'à ce que, bien sûr, tu la regardes à nouveau, son dos nu, la sueur sur ses épaules, les mèches de cheveux collées à son cou, les angles et les nœuds de ses muscles et ses os, la vulnérabilité de sa colonne vertébrale. Elle lit l'autocollant sur le cercueil : *Première classe Bishop Fall, tué en Irak le 22 octobre 2003. Diplômé de l'Institut militaire de Virginie. Il avait grandi à Streamwood, dans l'Illinois.*

« C'est un peu court comme résumé », dit-elle, mais elle ne s'adresse pas à toi, elle ne s'adresse à personne en particulier. C'est comme si elle avait accidentellement prononcé une pensée à haute voix.

Et cependant, tu lui réponds : « Oui, c'est un peu court.

— Oui.

— Il aurait fallu dire qu'il était le meilleur à *Missile Command.* »

Un petit rire, peut-être, de Bethany ? Difficile à dire ; elle a toujours le dos tourné. Tu ajoutes : « Et que tous les gamins de l'école l'adoraient, l'admiraient et le craignaient. Comme les profs, d'ailleurs. Qu'il finissait toujours par obtenir ce qu'il voulait. Qu'il était toujours au centre de l'attention, sans même le chercher. Qu'on aurait fait n'importe quoi pour lui. Pour lui plaire, sans même savoir pourquoi. C'était juste sa personnalité. Si énorme. »

Bethany hoche la tête. Elle regarde le sol.

« Certaines personnes, dis-tu, traversent la vie comme un caillou tombe au fond d'un étang. En éclaboussant à peine la surface. Bishop fendait l'existence en deux. Autour de lui, nous ne faisions qu'avancer dans son sillage. »

Bethany ne se retourne pas mais elle dit « C'est vrai », puis elle se redresse un peu. Tu supposes qu'elle ne veut pas te regarder parce qu'elle est en train de pleurer et qu'elle ne veut pas que tu le voies.

La procession repart, les cercueils s'ébranlent, les manifestants scandent leurs slogans. Les premiers, dans les mégaphones, et les milliers qui suivent, chantant, élevant la voix et le poing à l'unisson : *Hey ! Hey ! Ah ! Ah !*

La foule hésite, incertaine de la suite des paroles, puis les voix se rassemblent sur la dernière phrase : *Ça suffit comme ça !*

Qu'est-ce qu'ils racontent ? C'est la cacophonie. Tu entends des tonnes de choses dans tous les sens. Certains crient *Républicains*. D'autres, *guerre*. D'autres encore, *George Bush. Dick Cheney. Halliburton. Racisme, sexisme, homophobie*. Certains semblent venir d'autres manifestations, ils protestent contre Israël (et l'oppression des Palestiniens), contre la Chine (et l'oppression du Falun Gong), la main-d'œuvre du tiers-monde, la Banque mondiale, le NAFTA ou le GATT.

Hey ! Hey ! Ah ! Ah !

(baragouinage incompréhensible)

Ça suffit comme ça !

Aujourd'hui plus personne ne trouve les mots. Chacun porte sa propre rage.

Du moins jusqu'à ce qu'ils atteignent un endroit près de la 50e Rue, où une contre-manifestation s'est postée sur leur parcours avec des intentions très claires. Ils beuglent leurs slogans en agitant leurs pancartes bricolées. Qui balaient tout le spectre habituel, de la simple sincérité (VOTEZ BUSH) à l'ironie maligne (LES COMMUNISTES AVEC KERRY !), en passant par la véhémence (LA GUERRE N'A JAMAIS RIEN RÉSOLU — NON, ELLE A JUSTE MIS FIN À L'ESCLAVAGE, AU NAZISME, AU FASCISME ET À L'HOLOCAUSTE) et l'économie de mots (une image aérienne de New York submergé par un champignon atomique), l'invocation patriotique (SOUTENEZ NOS TROUPES), religieuse (DIEU VOTE RÉPUBLICAIN). Comme par hasard, c'est également l'endroit que les chaînes d'informations ont choisi pour placer leurs caméras, ainsi l'événement — la marche de Central Park au Madison Square Garden — apparaîtra ce soir dans tous les journaux télévisés sous la forme d'un bref reportage où l'écran sera divisé en deux parties, une pour la manifestation et une pour la contre-manifestation, tous aussi déchaînés les uns que les autres. Ils se crient dessus, un côté traitant l'autre de « Traîtres ! », l'autre côté répliquant « Qui Jésus choisirait-il de bombarder ? ». Le tout aura l'air absolument affreux.

Ce sera là le moment le plus intense de la manifestation. L'attaque de la police que tout le monde redoute depuis le début n'aura jamais lieu. Les manifestants ne déborderont pas la Zone de Libre Expression qui leur est allouée. Sous le regard déconcerté des flics.

Bizarrement, quand il devient à peu près clair que cela ne va pas mal tourner, la manifestation semble perdre un peu de sa vigueur. Tandis que la marche reflue lentement, tu commences à voir des cercueils abandonnés sur le bitume — comme autant de soldats tombés sur le champ de bataille pour la seconde fois. Sans doute qu'il fait juste trop chaud. Ou simplement que c'est juste trop dur de porter ces boîtes pendant si longtemps. Bethany, elle, poursuit sa procession silencieuse, rue après rue. Désormais tu connais par cœur les contours de son dos, le dessin de ses omoplates, le petit rond de taches de rousseur à la naissance de sa nuque. Ses longs cheveux auburn légèrement ondulés, juste une boucle sur les pointes. Elle porte des ballerines, sur ses talons on distingue les cicatrices d'ampoules laissées par d'autres chaussures. Elle ne parle pas, ne scande pas de slogans — elle se contente d'avancer de cette démarche extraordinairement digne et droite. Sans même changer de main pour porter le cercueil, alors que tu en changes tous les deux ou trois pâtés de maisons, quand ta main, tout engourdie, devient douloureuse. Elle ne semble pas physiquement affectée par le fardeau du cercueil — ni par les arêtes tranchantes du contreplaqué, ni par le poids en lui-même, qui ne paraissait pas insurmontable au début, mais commence à peser terriblement au bout de quelques heures. Les tendons de ta main sont coincés, les muscles de tes avant-bras sont brûlants, il se forme un nœud sous la chair de ta cage thoracique

— tout ça pour ça, pour cette longue boîte vide. Rien de vraiment lourd en soi, mais en matière de poids, tout est une question de temps.

Enfin, vous y êtes. La fin de la marche. Ceux qui ont porté leur cercueil jusque-là le déposent à présent au pied de Madison Square Garden, où la Convention républicaine s'est réunie. Un symbole évident : si les Républicains sont responsables de la guerre, ils devraient donc aussi endosser la responsabilité des morts. Et l'empilement de ces cercueils a quelque chose d'angoissant. La première centaine couvre la largeur de l'avenue. La deuxième centaine se dresse comme un mur. Puis la montagne de cercueils devient trop grande et les manifestants se mettent à hisser les cercueils jusqu'à des hauteurs qu'eux-mêmes ne parviennent pas à atteindre. Cela donne alors l'impression d'un tas de cubes, de jouets, brinquebalant les uns sur les autres, dans un équilibre précaire, glissant de la pile, atterrissant de guingois. Le tout se met à ressembler à une sorte de barricade impromptue que tu associes mentalement aux *Misérables*. En arrivant au cinq centième cercueil, même pour les plus belliqueux, la scène a des allures dérangeantes de charnier. Les manifestants déposent leurs cercueils sur la pile puis ils adressent quelques mots bien sentis aux Républicains, agitant le poing et criant en direction de la gigantesque arène ovale située derrière la ligne de démarcation de leur marche, ligne récemment fixée par la mairie et reconnaissable au déploiement de sécurité — barrières en acier, véhicules blindés, policiers antiémeute au coude-à-coude — au cas où vous oublieriez où s'arrête votre Zone de Libre Expression.

Quand c'est votre tour d'ajouter votre cercueil à la pile, Bethany et toi vous montrez délicats. Ni poing levé, ni slogans criés. Vous le déposez au sol, puis vous écoutez un moment le chaos autour de vous, les milliers de gens qui sont venus aujourd'hui et qui ont fait de cette manifestation une réussite. Et cependant, ce n'est rien par rapport au nombre de gens qui vous regardent derrière leur télévision, sur une chaîne du câble qui diffuse les images de la fin de cette marche dans une petite fenêtre sur la gauche de l'écran, à côté d'autres petites fenêtres où des commentateurs débattent pour déterminer si la marche d'aujourd'hui va se retourner contre vous ou bien juste s'avérer à peu près inutile, si tu es un traître ou si tu as seulement conforté l'ennemi dans ses crimes, et sous l'image de la marche, un gros titre jaune clame : LES LIBÉRAUX UTILISENT LES SOLDATS MORTS À DES FINS POLITIQUES. La manifestation est un jour de gloire pour cette chaîne d'informations, qui réalise ce jour-là son score d'audience le plus élevé depuis le 11-Septembre, culminant à 1,6 million de téléspectateurs. Ce qui n'est rien par rapport aux 18 millions de foyers qui allumeront leur poste ce soir pour regarder le dernier télé-crochet à la mode, mais néanmoins un bon score pour une chaîne du câble, qui lui permettra d'augmenter les tarifs de ses pages publicitaires de dix pour cent au prochain trimestre.

Pendant ce temps, pour la première fois depuis des heures, Bethany te regarde enfin. Et dit : « Allez, on rentre à la maison. »

Pour rentrer à la maison avec Bethany, tourne la page…

Cela ne ressemble peut-être pas tout à fait à une Histoire dont vous êtes le héros, puisqu'en pratique tu n'as pas encore fait le moindre choix.

Tu as passé une journée entière avec Bethany — tu as subi la conversation de son insupportable fiancé, tu es monté dans sa voiture, tu l'as accompagnée à la manifestation, tu l'as suivie dans le parc, puis dans tout Manhattan, et tu la suis encore maintenant, alors qu'elle hèle un taxi, tu la suis dans le taxi qui vous ramène à son extravagant appartement, sans un mot, sans avoir pris la moindre vraie décision de toute la journée. Tu n'es pas le héros de cette histoire, c'est l'histoire qui décide pour toi. Même quand tu as choisi de venir à New York, ce n'était pas tant une décision qu'une impulsion, un *oui* irréfléchi. Comment pourrait-on parler de décision quand tu n'as jamais envisagé de dire non ? Le oui était déjà là, qui t'attendait, inévitable, résultat d'années et d'années de désir ardent, d'espoir, d'obsession. Tu n'as même jamais décidé que ta vie ressemblerait à cela — elle est juste devenue ainsi. Ce qui t'est arrivé t'a forgé. Tout comme le canyon ne choisit pas comment la rivière le sculpte. Il laisse l'eau dessiner ses contours.

Mais peut-être y a-t-il *un* choix qui t'appartient, celui, tacite, de te comporter, minute après minute, plus ou moins normalement, de ne pas craquer et te mettre à hurler : « C'est quoi ton problème, putain ? », ou « Tu ne vas quand même pas épouser Peter Atchison ! », ou bien « Je t'aime toujours ! ». Sans doute qu'un homme plus audacieux, plus romantique ferait quelque chose dans ce genre, à toi, cela semble impossible. Ce n'est pas dans ta nature. Tu n'as jamais été capable de t'affirmer avec autant de force. Ton plus grand rêve a toujours été de pouvoir disparaître, de devenir invisible. Tu as appris il y a très longtemps à étouffer tes plus grandes émotions parce que ce sont elles qui provoquent les larmes, et qu'il n'y a rien de pire que les larmes, les sanglots en public, devant les gens.

Tu t'abstiens donc de sortir Bethany de l'état de stupeur silencieuse et distante dans lequel elle est plongée et qui te fait enrager, tu tais ton amour, et tu ne te rends même pas compte que c'est un choix. Tu es comme ce peintre préhistorique dans sa caverne dessinant des animaux en deux dimensions avant l'invention de la troisième : incapable de briser le carcan dans lequel tu évolues.

Tu finiras par être obligé de faire un choix. Tu n'en as jamais été aussi proche, tu n'as cessé de t'en rapprocher depuis que Bethany a posé la main sur le cercueil portant le nom de son frère et que tu as vu la jeune femme névrosée qu'elle était depuis ton arrivée devenir silencieuse, renfermée et très très lointaine. Si lointaine qu'une fois de retour à son appartement somptueux, lorsqu'elle disparaît dans sa chambre, tu penses un moment qu'elle est partie se coucher. Au lieu de quoi elle réapparaît quelques minutes plus tard, ayant changé de robe, remplacé la noire par une jolie robe légère et jaune. Elle tient une enveloppe à la main, qu'elle pose sur le comptoir de la cuisine. Elle allume quelques lumières, sort une bouteille de vin du réfrigérateur et propose : « Un verre ? »

Tu acceptes. Dehors, le quartier de la Bourse scintille dans la nuit, des gratte-ciel entiers de bureaux vides et illuminés.

« Peter travaille dans un immeuble là-bas », dit Bethany en les désignant. Tu hoches la tête. Tu n'as rien à ajouter sur le sujet.

« Il est vraiment très estimé, dit-elle. Mon père ne tarit pas d'éloges sur lui. »

Elle s'interrompt. Baisse les yeux sur son verre. Tu

sirotes le tien. « Je suis désolée de ne pas t'avoir dit que j'étais fiancée, reprend-elle.

— Ce ne sont pas vraiment mes affaires, réponds-tu.

— C'est aussi ce que je me suis dit. » Elle relève les yeux vers toi, ces yeux verts qu'elle a. « Mais ce n'est pas complètement vrai. Toi et moi, c'est... compliqué.

— Je ne sais pas ce que c'est, toi et moi », dis-tu.

Elle sourit, s'appuie contre le comptoir de la cuisine et prend une grande et ostensible inspiration.

« Il paraît que quand un jumeau meurt l'autre peut le sentir.

— J'ai entendu ça, oui.

— Ce n'est pas vrai », dit-elle, et elle avale une grande gorgée de vin. « Je n'ai rien senti. Il était mort depuis plusieurs jours quand nous l'avons appris et je n'avais absolument rien senti. Même après, longtemps après, même à l'enterrement, je n'ai pas ressenti ce que tout le monde pensait que je ressentirais. Je ne sais pas. Je suppose que nous nous étions éloignés.

— J'ai toujours voulu lui écrire, mais je ne l'ai jamais fait.

— Il avait changé. Il est parti à l'école militaire et il est devenu une tout autre personne. Il a cessé d'appeler, cessé d'écrire, cessé de rentrer pour les vacances. Il a disparu. Il était en Irak depuis plus de trois mois quand nous avons appris qu'il était là-bas.

— Il était sans doute ravi de fuir ton père. Mais je suis étonné qu'il ait voulu te fuir, toi.

— Nous avons disparu l'un pour l'autre. Je ne sais pas lequel de nous deux a commencé, mais il y a eu une période où c'était juste plus facile pour nous de faire comme si l'autre n'existait pas. J'ai toujours détesté la façon dont il se servait des gens, la façon dont il se tirait de toutes les situations. Et lui a toujours détesté mon talent et la façon dont les adultes s'en rengorgeaient. Pour tout le monde, j'étais l'élue et lui le raté. La dernière fois qu'on s'est vus, c'était à sa remise de diplôme. On s'est serré la main.

— Mais il t'adorait. En tout cas, moi je m'en souviens.

— Quelque chose s'est mis entre nous.

— Quoi ? »

Bethany regarde le plafond, pince les lèvres et cherche ses mots.

« Il a été, enfin, tu sais. Il a été abusé.

— Oh. »

Elle s'avance vers une des grandes baies vitrées et regarde dehors, en te tournant le dos. Au-delà de sa silhouette, Manhattan irradie dans le calme de la nuit, un lit de braises refroidissant une fois le feu éteint.

« C'était le proviseur ? » demandes-tu.

Bethany hoche la tête. « Bishop ne comprenait pas pourquoi il avait été pris pour cible et pas moi. Alors il s'est mis à m'en vouloir, il s'est montré cruel avec moi. Comme si je m'en *réjouissais*. Comme si c'était une compétition entre nous et que j'avais gagné. Chaque fois que je réussissais quelque chose, il fallait qu'il me rappelle combien c'était facile pour moi puisque je n'avais pas eu à affronter les mêmes épreuves que lui. Ce qui était vrai, bien sûr, mais il s'en servait pour me rabaisser. » Elle se retourne pour te regarder en face. « Est-ce que tu me comprends ? Je dois te sembler horriblement égoïste.

— Ce n'est pas égoïste.

— C'est égoïste. Et j'ai peu ou prou réussi à oublier tout cela. Il est parti à l'école militaire, on s'est éloignés et je me suis sentie soulagée. Pendant des années, j'ai fait comme si ça n'avait jamais existé. Comme s'il ne s'était jamais rien passé. Jusqu'au jour où… »

Elle penche la tête, t'adresse ce regard, et soudain tu saisis.

« Jusqu'au jour où ma nouvelle a été publiée.

— Oui.

— Je suis désolé.

— Quand j'ai lu ta nouvelle, j'ai su que le cauchemar terrible que j'avais fait n'était pas un cauchemar.

— Je suis vraiment désolé. J'aurais dû vous demander avant de le faire.

— Et je me suis dit, mon Dieu, tu ne nous as connus que durant quelques mois. Si *toi* tu as compris si clairement ce qui se passait, quel monstre suis-je donc ? D'avoir fermé les yeux ?

— Je ne l'ai compris que des années plus tard. Je ne le savais pas à l'époque.

— Mais *moi* oui. Et je n'ai rien fait. Je n'en ai parlé à personne. Et j'étais furieuse contre toi de remuer toute cette boue.

— C'est compréhensible.

— C'était plus facile d'être furieuse contre toi que de me sentir coupable, alors j'ai été en colère contre toi pendant des années.

— Et ensuite ?

— Ensuite Bishop est mort. Et je me suis sentie complètement sonnée. » Elle baisse les yeux sur son verre de vin, en effleure les contours du bout des doigts. « Comme une anesthésie chez le dentiste : tu ne sens rien mais tu as la certitude que la douleur est tapie en toi. Elle ne monte plus jusqu'au cerveau, voilà tout. C'est ainsi que la vie me semble.

— Depuis tout ce temps ?

— Oui. Et cela rend la musique étrange. Après les concerts, les gens viennent me voir pour me dire combien ils ont été émus en m'écoutant jouer. Mais pour moi, ce ne sont que des notes. Quelle que soit l'émotion qu'ils perçoivent, elle vient de la musique, pas de moi. Je ne fais qu'appliquer une recette. C'est ce que j'éprouve.

— Et Peter, alors ? »

Bethany éclate de rire et lance sa main devant elle, de telle sorte que vous avez tous deux une vue imprenable sur l'énorme diamant qui orne son annulaire, où scintillent les spots de la cuisine et des millions de minuscules arcs-en-ciel.

« C'est joli, hein ?

— C'est gros, réponds-tu.

— Quand il m'a demandée en mariage, je n'ai pas éprouvé de joie. Ni de tristesse. J'imagine que si je devais décrire comment je me suis sentie, je dirais qu'il a piqué ma curiosité. Sa demande était *vraiment intéressante*.

— Il y a plus poétique.

— Je crois qu'il m'a demandée en mariage pour me sortir de ma torpeur. Mais cela a eu l'effet inverse. Et j'ai été d'autant plus terrifiée par mon état de déprime que rien ne semblait pouvoir m'en arracher. Peter en a pris son parti désormais, il fait comme si cela n'existait pas, et passe le plus clair de son temps en voyage. D'où Londres. »

Bethany se ressert un verre. Dehors, la lune est venue se suspendre au-dessus de l'horizon dentelé de Brooklyn. Des lumières clignotantes descendent en file indienne dans le ciel vers JFK. Dans la cuisine de Bethany, il y a une très petite esquisse de taureau encadrée, qui pourrait bien être un Picasso.

« Tu es toujours en colère contre moi ? demandes-tu.

— Non, je ne suis pas en colère contre toi, dit-elle. Je n'éprouve rien vis-à-vis de toi.

— D'accord.

— Est-ce que tu savais que Bishop n'a même jamais lu ta nouvelle ? Je ne lui en ai jamais parlé. J'étais furieuse pour deux, même s'il ne l'avait pas lue. C'est drôle, non ? »

Tu es soulagé. Que Bishop n'ait jamais su que son secret n'en était pas un pour toi. Qu'au moins il soit resté privé, jusqu'à la fin.

Bethany attrape la bouteille par le goulot et arpente le salon avant de s'effondrer sur le canapé, elle ne prend même pas la peine d'allumer une lampe, elle s'effondre simplement dans la demi-obscurité, de sorte que tu l'entends plus que tu ne la vois s'effondrer en faisant craquer le cuir luxueux (de l'alligator, songes-tu). Tu t'assieds en face d'elle, dans ce même canapé où plus tôt dans l'après-midi tu étais assis face à Peter et Bethany simulant une relation épanouie. L'appartement n'est éclairé que par les deux spots restés allumés dans la cuisine, et la lueur des gratte-ciel derrière les fenêtres — trop loin pour qu'on y voie. Quand Bethany se remet à parler, sa voix semble comme jaillie du vide. Elle te demande comment est Chicago. Ton travail. En quoi il consiste. Si tu en es content. Où tu vis. À quoi ressemble ta maison. Ce que tu fais de ton temps libre. Tu consens à ce bavardage, et pendant que tu réponds à toutes ses questions, elle se ressert un verre, et puis un autre, avalant de grandes gorgées de vin avec un bruit de déglutition de temps en temps, tout en émettant une vague approbation pour relancer la conversation quand ton monologue marque le pas. Tu lui racontes que ton boulot est sympa, à part les étudiants qui ne sont pas du tout motivés, et l'administration, qui est un monde impitoyable, et l'endroit, une obscure banlieue, en fait, à bien y réfléchir, tu n'aimes pas du tout ton boulot, lui dis-tu. Tu lui racontes que tu habites dans une maison avec un jardin dont tu ne profites jamais et que tu paies quelqu'un pour tondre la pelouse. Parfois des gamins traversent ton jardin en courant pendant un jeu, et ça ne te dérange pas, tu te dis que c'est ta contribution à la vie en communauté.

D'ailleurs, c'est ton seul contact avec tes voisins. Tu essaies d'écrire un livre pour lequel on t'a déjà payé, ce qui n'aide pas à se motiver. Quand elle te demande de quoi parle le livre, tu lui réponds : « Je ne sais pas. La famille ? »

En voyant Bethany déboucher une seconde bouteille, tu crois commencer à comprendre qu'elle essaie de se donner du courage, que c'est sa façon de se préparer. Elle se met à parler du bon vieux temps, à faire remonter des souvenirs, de l'époque où vous étiez gamins : les jeux vidéo, les jeux dans les bois.

« Tu te souviens de la dernière fois que tu es venu chez moi ? » dit-elle. Et bien entendu, tu t'en souviens. C'est le soir où tu l'as embrassée. Le dernier moment de vraie joie avant le départ de ta mère. Mais tu t'abstiens de le dire à Bethany. Tu t'en tiens à « Oui ».

« C'était mon premier baiser, dit-elle.

— Le mien aussi.

— La pièce était sombre, comme ce soir, dit-elle. Je te voyais à peine. Mais je te sentais si près de moi. Tu te souviens ?

— Je me souviens », dis-tu.

Bethany se lève — le bruit du canapé la trahit, le cuir couine, avec un bruit de succion —, elle vient vers toi et s'assied à côté de toi, elle te prend le verre des mains, le pose par terre, elle est si près à présent, un de ses genoux pressé contre le tien, et tu commences à comprendre les lumières, le vin…

« Comme ça ? dit-elle, en approchant son visage du tien, souriante.

— Il faisait plus noir.

— On n'a qu'à fermer les yeux.

— C'est vrai », dis-tu. Mais tu n'en fais rien.

« Tu étais à peu près à cette distance-là », dit-elle, et vos joues se frôlent presque. Tu sens sa chaleur, l'odeur de lavande dans ses cheveux. « Je ne savais pas quoi faire, dit-elle. J'ai posé mes lèvres sur les tiennes en espérant que ce serait bien.

— C'était bien, dis-tu.

— Tant mieux », dit-elle, et elle s'attarde encore un moment, et tu as peur de dire ou faire quoi que ce soit, de bouger, de respirer, cet instant est comme un nuage que le moindre souffle pourrait dissiper. Tes lèvres ne sont qu'à quelques centimètres des siennes, mais tu ne te penches pas. C'est à elle d'effacer le vide qui vous sépare. Alors elle lâche : « Je ne veux pas épouser Peter.

— Tu n'es pas obligée.

— Est-ce que tu peux m'aider à ne pas épouser Peter ? »

Pour l'aider à ne pas épouser Peter, tourne la page…

Tu l'embrasses, enfin tu l'embrasses, et du plus profond de toi déferle une cascade libératrice, charriant dans sa fureur obsessions, désirs, angoisses et regrets, tous les spectres à l'effigie de cette femme qui te hantent depuis toujours, la torture et la rancœur d'avoir échoué à lui inspirer de l'amour, tout cela vient se fracasser sur le sol. Comme si tout ce temps tu avais tenu en équilibre un mur de verre et que tu comprenais seulement maintenant que tu as le droit de le lâcher. Et la chute est palpable, tu en entends presque résonner les éclats et les brisures autour de toi — tu t'efforces de ne pas tressaillir face à Bethany qui t'embrasse, qui t'attire à elle de ses mains, qui convoque ce souvenir sensoriel d'un baiser d'enfants, de ta surprise alors de constater que ses lèvres étaient sèches, de cette sensation nouvelle, plaquant ton visage contre le sien sans savoir quoi faire ensuite, à cette époque où le baiser était, non une étape, mais l'ultime destination. Maintenant que vous avez grandi tous les deux, que vous avez eu chacun des expériences, que chacun sait exactement quoi faire face à un autre corps — que chacun sait qu'un baiser n'est parfois que le début d'une communication, d'un message, et que le message, en l'occurrence, est que vous avez tous les deux envie de *beaucoup plus.* Alors tu te colles à elle, tu glisses tes mains autour de sa taille, tu t'agrippes au tissu délicat de sa robe, elle te tire plus près par le cou et vous continuez de vous embrasser — profondément, fougueusement, d'un baiser dévorant —, et tu as une conscience aiguë de ce qui est en train de se passer, concentré sur tout à la fois, sur chaque sensation : tes mains et sa peau, ta bouche et sa bouche, ses doigts, son souffle, son corps qui répond au tien — ce ne sont pas des sensations distinctes les unes des autres, mais plutôt les strates successives d'une sensation dominante, cet emballement de la conscience qui se produit parfois dans l'étreinte, cette impression d'évidence, comme si chacun connaissait l'autre à la perfection, comme si les émotions passaient d'un corps à l'autre, se transmettaient par le frisson, démultipliées, comme si les contours de vos corps s'étaient momentanément effacés et que vous n'aviez plus de frontières l'un pour l'autre.

Telle est la sensation que te procure ce déferlement, et le choc n'en est que plus violent lorsque Bethany bondit en arrière en te saisissant les mains pour les arrêter dans leur élan : « Attends.

— Quoi ? dis-tu. Qu'est-ce qui ne va pas ?

— Je… je suis désolée. » Et elle s'éloigne de toi pour de bon et se roule en boule à l'autre bout du canapé.

« Qu'est-ce qu'il y a ? »

Bethany secoue la tête et te regarde de ces yeux tristes et terribles.

« Je ne peux pas », dit-elle, et quelque chose *dégringole* alors en toi.

« On peut y aller plus lentement, dis-tu. On n'a qu'à ralentir un peu. Ce n'est pas un problème.

— Ce n'est pas juste vis-à-vis de toi.

— Je m'en fiche », dis-tu en espérant ne pas être en train de trahir tout le désespoir qui s'amoncelle en toi, car tu sais que si tu échoues maintenant avec cette fille après être arrivé si près du but, tu ne t'en remettras jamais. Tu auras atteint un point de non-retour. « On n'est pas obligés de coucher ensemble, poursuis-tu. On peut aussi, je ne sais pas, y aller en douceur ?

— Ce n'est pas de coucher avec toi qui me dérange, dit-elle en riant. Le sexe. Je sais faire. J'en ai *envie*. Mais je ne sais pas si toi tu en as envie. Ou si tu en auras envie.

— J'en ai envie.

— Mais il y a une chose que tu ignores. »

Bethany se lève, défroisse le tissu de sa robe, dans un geste signifiant une dignité calme et mesurée, en contraste total avec la scène qui vient d'avoir lieu sur le canapé.

« Il y a une lettre pour toi, dit-elle. Sur le comptoir de la cuisine. Elle est de Bishop.

— Il m'a écrit une lettre ? À moi ?

— L'armée nous l'a remise, quelques mois après sa mort. Il l'avait écrite au cas où quelque chose arriverait.

— Il t'en avait écrit une aussi ?

— Non. Il n'a laissé qu'une seule lettre, pour toi. »

Bethany pivote alors et marche lentement vers sa chambre. Elle évolue de nouveau avec cette allure bien à elle — parfaitement droite et directe, chaque mouvement réfléchi et pesé. Elle ouvre la porte de sa chambre et te jette un regard par-dessus son épaule.

« Écoute, dit-elle. J'ai regardé la lettre, je suis désolée, mais je l'ai fait. Je ne sais pas ce que cela signifie, et tu n'es pas obligé de me le dire, mais je veux que tu saches que je l'ai lue.

— D'accord.

— Je serai là, dit-elle en désignant sa chambre de la tête. Une fois que tu l'auras lue, si tu veux venir, je t'attendrai. Mais si tu veux t'en aller » — elle marque une pause, se retourne, baisse la tête, les yeux au sol — « je comprendrai. »

Puis elle se retire dans le noir, et la porte se referme sur elle avec un clic délicat.

Pour lire la lettre, tourne la page…

Le première classe Bishop Fall est assis dans le ventre d'un blindé Bradley, le menton sur la poitrine, endormi. Il se trouve dans le deuxième véhicule d'un petit convoi — trois Bradley, trois Humvee, un camion de provisions —, avançant en file indienne vers un village dont ils ne connaissent pas le nom. Tout ce qu'ils savent, c'est que, dernièrement, des insurgés ont kidnappé le maire de ce village et ont diffusé une vidéo d'eux en train de le décapiter. Ce qui frappe les soldats de ce convoi, c'est l'étrangeté de ces exécutions télévisées, et le mode opératoire aussi : la *décapitation*. Cela leur semble une mort d'un autre âge, un mal venu du fond des temps.

Trois Bradley et trois Humvee, cela fait à peu près une quarantaine de soldats. Le camion de provisions en compte deux de plus, avec l'eau, l'essence, les munitions et des centaines de boîtes de RCIR. Chaque RCIR — ration de combat individuelle réchauffable — contient une importante liste d'ingrédients désignés par des acronymes, les soldats prétendent d'ailleurs que juste après la décapitation et les bombes artisanales, les RCIR représentent la menace la plus grave pour leur intégrité physique. L'un de leurs jeux préférés consiste à prendre un produit chimique au hasard et essayer de deviner s'il entre dans la composition d'une bombe ou dans celle d'un RCIR. Sorbate de potassium ? RCIR. Pyrophosphate de sodium ? RCIR. Nitrate d'ammonium ? Bombe. Nitrate de potassium ? Les deux. C'est le genre de jeux auxquels ils jouent pendant les repas, avec une sorte de cynisme compliqué, mais pas quand ils sont dans le Bradley, en route vers un village à une heure de la base. Quand ils sont ainsi sur la route, ils passent le plus clair de leur temps à dormir. Lorsqu'on enchaîne les gardes de vingt heures d'affilée comme ils le font ces derniers temps, une heure dans le ventre en ferraille d'un blindé Bradley, c'est ce qui se rapproche le plus du paradis. C'est même un cocon très agréable : le noir y est total, en dehors du camp il n'y a pas d'endroit plus sûr, et — dans la mesure où un Bradley lancé à pleine vitesse fait à peu près le même bruit qu'un wagon en bois traversant le mur du son sur des montagnes russes — ils ont tous des bouchons d'oreille. Tous adorent. Tous sauf ce gars, Chucky, dont personne ne se souvient du vrai nom parce qu'on le surnomme Chucky depuis bien trop longtemps à cause des nausées qui le secouent chaque fois qu'il monte à bord d'un blindé. Il a le mal des transports. Du coup, les gars l'ont surnommé « Up Chuck », qui est vite devenu « Chuck », qui s'est inévitablement transformé en « Chucky »[1].

Chucky a dix-neuf ans, les cheveux courts, des muscles fins, depuis qu'il a quitté la maison, il a perdu huit kilos, il oublie souvent de se brosser les dents. Il vient d'une région rurale sans réputation particulière (le Nevada peut-être ? ou le Nebraska ?). Il a certaines convictions profondes, qui ne s'embarrassent ni des faits ni de l'histoire. Par exemple : une fois, il a entendu quelqu'un appeler leur intervention dans le Golfe la « guerre de George W. Bush », alors Chucky est monté sur ses grands chevaux en disant que Bush faisait juste de son mieux pour réparer les dégâts causés par Bill Clinton. Après quoi il y a eu un débat parmi eux sur qui avait vraiment déclaré la guerre, qui avait eu l'idée d'envahir l'Irak, et tout le monde a essayé de convaincre Chucky que Bill Clinton n'avait jamais commencé la guerre, mais tout ce que Chucky faisait c'était secouer la tête en disant : « Les gars, vous vous

1. « *To chuck* » signifie « vomir » en anglais, et Chucky est aussi le nom d'une poupée meurtrière créée par Stephen King.

trompez, c'est moi qui vous le dis », comme s'il était désolé pour eux. Bishop l'a poussé dans ses retranchements en lui disant que, peu importait qu'il soit pro-Bush ou pro-Clinton ou quoi que ce soit d'autre, qui avait commencé la guerre était simplement un fait neutre et objectif. Chucky a alors dit qu'il pensait que Bishop ferait mieux de « soutenir notre C & C ». Bishop a cligné des yeux et demandé : « C'est quoi, un C & C ? », et Chucky a dit : « Commandant et chef. » Ce qui a déclenché une autre discussion car Bishop lui a expliqué qu'on ne disait pas commandant *et* chef, mais commandant *en* chef, et Chucky a persisté à le regarder l'air de dire que Bishop aurait beau essayer de lui tendre un piège, il ne tomberait pas dedans.

De toute façon, ils ne parlent pas beaucoup politique. Aucun d'entre eux. C'est en quelque sorte hors sujet.

Une fois, Chucky a essayé de leur faire ouvrir l'écoutille du Bradley pour qu'il puisse regarder la route pendant qu'ils avançaient et ne pas être désorienté, ce qui, d'après lui, l'aiderait à ne pas se sentir étourdi et nauséeux. Mais la discussion a tourné court : ouvrir l'écoutille, c'était se priver de l'obscurité et empêcher tout le monde de dormir, de plus l'écoutille ouverte réduisait la surface blindée du Bradley et, vu le nombre de mines et de bombes qu'ils avaient déjà croisées sur la route, personne ne voulait prendre le risque de sacrifier le moindre mètre carré de blindage. Chucky leur a fait remarquer que les Bradley étaient spécifiquement équipés de fusils d'assaut M231 conçus pour se glisser dans l'écoutille (en réalité, ce sont des M16 sans le viseur, trop encombrant pour passer dans l'écoutille, et avec un chargeur plus petit pour rentrer à l'intérieur d'un Bradley exigu), alors à quoi servait d'avoir des M231 si c'était pour rouler l'écoutille fermée sans pouvoir tirer en cas de besoin ? Bishop s'est dit impressionné par la logique à toute épreuve de Chucky, même si elle était purement égoïste. De toute façon, le commandant du Bradley, qui d'ailleurs s'appelle Bradley mais que tout le monde surnomme « Baby-Daddy » à cause de toutes les familles qu'il a au pays et qu'il a voulu fuir en s'engageant dans l'armée, a décidé qu'on ne toucherait pas au blindage. Il a ajouté : « Il faudrait être fou pour avoir un moyen de se protéger et ne pas s'en servir », ce qui, venant de lui, était assez drôle.

On serait tenté de penser qu'entre le vomi, les notions plus qu'approximatives des choses de ce monde et les réclamations permanentes pour ouvrir l'écoutille, Chucky ferait le candidat idéal au statut de paria. Vu le nombre de voyages qu'ils ont à faire dans le Bradley, personne ne devrait aimer Chucky. Mais ce n'est pas comme ça que ça marche. Depuis que, en plein raid nocturne dans une enceinte ennemie, il a cassé ses lunettes infrarouges et, au lieu de battre en retraite comme n'importe lequel d'entre eux l'aurait fait, il a continué à ouvrir les portes et à sécuriser les pièces les unes après les autres avec une foutue lampe de poche, tout le monde aime Chucky. Dans une opération pareille, cela revenait à se promener avec les mots *Tuez-moi !* écrits en lettres-néons sur le front. Sans rire, ce gamin a un courage hors du commun. Une fois, il a dit à Bishop que la seule chose pire que d'être touché c'est quand ceux qui ont tiré s'enfuient. Et Bishop a vraiment eu l'impression que Chucky préférerait que l'ennemi reste et essaie de le tuer plutôt que de ne pas essayer de le tuer du tout. Tout le monde aime Chucky. Et le fait qu'ils continuent à l'appeler Chucky en est bien la preuve, car même si, vu de l'extérieur, ce surnom peut sembler cruel, puisqu'il a l'air de souligner son principal défaut, c'est en fait une façon de montrer qu'ils l'acceptent tel qu'il est, au contraire, et qu'ils l'aiment *malgré* ce défaut. Une manière très virile d'exprimer de l'amour inconditionnel. Le tout sans jamais y faire la moindre allusion, bien sûr.

Et puis il y a cette fille. Le sujet de conversation principal de Chucky : Julie Winterberry. Tout le monde adore l'entendre parler d'elle. Sans conteste la plus belle fille du lycée de Chucky, celle qui gagne tous les trophées qu'une fille comme elle peut gagner, première de la classe quatre années d'affilée, avec un visage à provoquer mille érections, une fille dont la beauté, au lieu de déclencher les petits rires nerveux des adolescents, crée une douleur presque physique, le genre qui fait se mordre l'intérieur de la joue pour s'en débarrasser. Les garçons qu'elle ne regarde pas sont désespérés, ceux qu'elle regarde se décomposent. Chucky a une photo d'elle sur lui, une photo de lycée, qu'il fait passer, et ils sont tous bien obligés de reconnaître qu'il n'exagère pas. *Julie Winterberry*. Il prononce son nom avec une déférence presque religieuse. Ce qu'il y a avec Julie Winterberry, c'est que Chucky a toujours été si intimidé par sa beauté qu'il ne lui a jamais adressé la parole. Elle ne savait même pas qui il était. Puis ils ont eu leur bac, lui s'est engagé et, dans le camp d'entraînement où il a été, il a eu le sergent instructeur le plus sévère de toute l'histoire des forces armées américaines, après cela, il s'est dit que s'il avait survécu à ce trou du cul, il pouvait bien adresser la parole à Julie Winterberry. Après l'entraînement, cela ne semblait plus si terrifiant. Alors, durant les quelques semaines qu'il a passées à la maison avant d'être envoyé au front, il l'a invitée à sortir. Elle a dit oui. Et maintenant ils sont amoureux. Elle lui envoie même des photos cochonnes d'elle, que tout le monde le supplie de montrer et qu'il refuse de sortir. Les gars supplient, littéralement, ils se mettent à genoux.

La partie que tout le monde préfère dans cette histoire, c'est le moment où il se décide finalement à l'inviter. À la façon qu'il a de le raconter, on ne dirait pas qu'il a dû *rassembler son courage* pour le faire. Non, c'est comme si cela ne lui demandait plus aucun courage. Ou comme s'il avait découvert qu'il en avait largement le courage depuis le début, que c'était en lui, qu'il n'y avait qu'à se pencher, et tout le monde adore imaginer cela. Tous espèrent secrètement que la même chose sommeille en eux, car il leur arrive de temps à autre d'éprouver une telle terreur ici, et ils espèrent que, le moment venu, ils sauront se montrer courageux eux aussi. Alors c'est réconfortant d'imaginer qu'il y a cette réserve de courage en eux, susceptible de les sortir de n'importe quelle situation.

Si un gamin comme Chucky a réussi à sortir avec une fille comme Julie Winterberry, ce n'est pas une fichue guerre qui va les arrêter.

Ils ont pris l'habitude de lui réclamer cette histoire en particulier quand ils se retrouvent à nettoyer, l'une des missions les plus injustes de cette guerre, quand les soldats doivent nettoyer les restes des attentats suicides. Imaginez fureter partout pour retrouver des membres manquants et les ajouter aux autres suintant et débordant comme de la pulpe de citrouille d'un sac en toile de jute. Avec le soleil qui tape si fort que les morceaux de chair *cuisent* plus qu'ils ne gisent sur le sol. Cette odeur : sang, viande, cordite. Quand ils en sont là, ils demandent à Chucky de leur raconter l'histoire de Julie Winterberry. Cela fait passer le temps.

Baby-Daddy a fini par permettre à Chucky de voyager debout à côté de l'artilleur. Bien entendu, c'est complètement interdit par le règlement, une personne debout à cet endroit entrave le passage du M242. Mais Baby-Daddy a préféré enfreindre le règlement sur ce coup-là, cela vaut mieux que de baigner dans l'odeur de vomi. Chucky voyage donc en hauteur, de là-haut il surveille l'horizon, ce qui lui évite d'avoir le mal des transports, et il est tacitement admis entre eux qu'en cas de pépin il redescend fissa dans la zone de cargaison. Cela ne lui pose aucun problème : personne n'a envie d'être près du M242 quand il se met à tirer. Ce truc peut pulvériser un quatre-quatre comme si c'était du papier de soie. Les balles font la taille des avant-bras de Chucky.

On leur a annoncé un trajet d'une heure jusqu'au village dont le maire a été assassiné récemment. Bishop est assis à l'arrière du Bradley, le casque rabattu sur les yeux, les bouchons poussés dans ses oreilles jusqu'au cerveau. Silence béni. Soixante merveilleuses minutes de rien. Bishop ne rêve même pas. Une des surprises de la guerre, c'est de l'avoir transformé en expert du sommeil. Si on lui annonce qu'il a vingt minutes pour dormir, il n'en perd pas une seconde. Il est capable de faire la différence entre deux heures et deux heures et demie de sommeil. Ici les contours de la conscience lui semblent beaucoup plus nets qu'au pays. Au pays, vivre c'était comme rouler à cent kilomètres par heure sur une route dont chaque bosse, chaque creux disparaît dans un bourdonnement diffus. La guerre vous immobilise sur la route, tout à coup vous la sentez sous vos doigts. La conscience en expansion. La guerre ralentit le présent. Dans cette durée déformée, Bishop éprouve son cerveau et son corps avec une acuité qu'il ne pensait pas possible.

C'est ainsi qu'il se réveille en sachant parfaitement que le Bradley s'est arrêté et qu'ils ne sont pas encore arrivés à destination : la sieste n'a duré que trente minutes. Il a cette sensation dans les yeux, dans l'interstice derrière ses yeux, une sorte de pression.

« On a roulé combien de temps ? demande-t-il à Chucky.

— À ton avis ? » répond-il. C'est une sorte de jeu entre eux.

« Une demi-heure ?

— Trente-deux minutes. »

Bishop sourit. Il monte vers l'écoutille, cligne des yeux dans l'aveuglante lumière du désert, observe les alentours.

« Objet suspect sur la route, dit Chucky. Droit devant. Possibilité engin explosif. Il faut que tu voies ça. Tu ne vas pas en croire tes yeux. »

Il passe les jumelles à Bishop qui scrute l'asphalte poussiéreux et craquelé devant eux. Puis il la repère : une boîte de soupe au milieu de la route. Debout bien droite. L'étiquette tournée face au convoi. Avec son logo rouge familier.

« Est-ce que c'est… ?

— Ouaip, dit Chucky.

— Une boîte de soupe Campbell ?

— Affirmatif.

— De la soupe de tomate Campbell ?

— Qui a fait tout le chemin jusqu'ici. Sans déconner.

— Ce n'est pas une bombe, dit Bishop. C'est de l'art moderne. »

Chucky le regarde bizarrement.

« C'est un Warhol, explique Bishop. On dirait un Warhol.

— C'est quoi un *war hall*[1], putain ?

— Rien, oublie. »

Quand ils croisent quelque chose qui pourrait être un engin explosif, ils sont obligés d'appeler les services

1. « *War hall* » sonne exactement comme « Warhol » en anglais et signifie « couloir de guerre ».

techniques de déminage et d'attendre, en se réjouissant de ne pas avoir à faire ce boulot-là eux-mêmes. Bien entendu, les services en question sont à au moins trente minutes de là, tout le monde est un peu nerveux pendant ce temps, ils fument, patientent, Chucky surveille les alentours, soudain, il dit à Bishop : « Je te parie que j'arrive à toucher ce chameau avec ton fusil. »

Tout le monde se tourne alors pour voir de quel chameau il parle et voit cette créature épuisée et solitaire au loin, au milieu de nulle part, un traîne-savates faiblard tout seul dans le désert, à quelque cinq cents mètres de là, son image ondulant dans la chaleur irradiée par le sable. Bishop est intrigué : Chucky n'est pas spécialement connu pour être un bon tireur. « Qu'est-ce qu'on parie ? dit-il.

— Celui qui perd », dit Chucky, qui y a manifestement déjà réfléchi parce que sa réponse est toute prête, « devra rester une heure dans le Sanitec. »

Ceux qui ont écouté leur conversation laissent échapper des exclamations dégoûtées. C'est un sacré pari. Le seul truc plus brûlant que le soleil dans le désert, c'est un Sanitec sous le soleil du désert. On dirait que toute la chaleur du désert réussit à s'engouffrer à travers les murs en plastique épais et à faire entrer en ébullition ou presque l'ensemble des excréments de toute la compagnie. On pourrait y faire griller des côtelettes de porc, même si personne n'en aurait l'idée. La plupart du temps, ils entrent en retenant leur respiration et sortent aussi vite que possible. Il paraît que certains ont souffert de déshydratation juste parce qu'ils étaient restés trop longtemps dedans.

C'est à cela que Bishop songe en répondant : « Une heure ? T'as des tas de trucs à faire, Chucky, je voudrais pas t'empêcher de te branler pendant toute une heure. Qu'est-ce que tu dirais de cinq minutes ? »

Mais Chucky ne se laisse pas avoir, tout le monde sait que Bishop a reçu une formation de sniper, et qu'une des choses qu'on y apprend, c'est à retenir sa respiration très longtemps, peut-être même cinq minutes entières. C'est ce qu'on dit en tout cas.

« Une heure, dit Chucky. À prendre ou à laisser. »

Bishop fait mine d'y réfléchir mais personne n'est dupe, chacun sait qu'il va relever le défi. Impossible de laisser passer un tel pari. Il finit donc par accepter, « OK », salué par les gars qui applaudissent. Il passe le M24 à Chucky en disant : « Qu'est-ce que ça peut faire. Tu l'auras jamais, de toute façon. » Chucky prend cette position à genoux, exactement celle des petits soldats en plastique vert foncé avec lesquels les gamins jouent — une position qui n'est absolument pas celle recommandée pour tirer avec un M24 et fait sourire et secouer la tête à Bishop —, et les spectateurs — c'est-à-dire tout l'équipage du Bradley et maintenant même les gars du camion de provisions derrière eux — se mettent à brailler, lançant des conseils plus ou moins moqueurs et utiles.

« À ton avis, Chucky ? Il est à quoi ? Quatre cents mètres ? »

— Je dirais trois cent quatre-vingt-dix.

— Plutôt trois cent soixante-quinze.

— Vent de quoi ? Cinq nœuds ?

— Dix nœuds !

— Y a pas de vent, bande de connards.

— Prends bien en compte la chaleur qui vient du sol !

— Ouais, ça fait monter la balle.

— C'est vrai ?

— C'est pas vrai.

— Arrêtez de l'embrouiller.

— Tire, Chucky ! Tu vas l'avoir ! »

Et ainsi de suite, tandis que Chucky se contente de les ignorer. Il se met en position, retient sa respiration, tout le monde est suspendu à son tir — même Baby-Daddy, qui, en tant que chef d'unité, serait supposé être au-dessus de tout ça, mais se réjouit en secret à l'idée que le culot de Chucky le fasse atterrir une heure vissé dans un Sanitec (Baby-Daddy s'est retrouvé au milieu de cette guerre à cause de ses combines, il n'aime rien tant que voir les autres récolter ce qu'ils méritent à leur tour). Les secondes passent, le silence se fait, Chucky se prépare, plus personne ne sait qui regarder, du chameau ou de Chucky, qui remue encore un peu, expire, inspire, et Bishop éclate de rire : « Plus tu y penses, plus tu vas le rater de beaucoup !

— La ferme ! » dit Chucky, et juste après — franchement, tellement vite après que personne ne s'y attendait — Chucky tire. Toutes les têtes se tournent alors vers le chameau, juste à temps pour voir jaillir une petite brume de sang là où la balle a heurté sa patte arrière gauche.

« Oui ! lance Chucky en levant les bras au ciel. Je l'ai eu ! »

Tout le monde applaudit, se tourne vers Bishop, désormais condamné à passer soixante minutes impitoyables et diaboliques dans le four à merde. Sauf que Bishop secoue la tête en disant : « Non, non, non. Tu ne l'as pas eu.

— Comment ça ? dit Chucky. Je l'ai touché.

— Regarde », dit Bishop en montrant le chameau du doigt, qui, naturellement, est surpris, perdu, confus, et se met à courir, terrifié, sans comprendre ce qui vient de se passer, droit vers le convoi. Bishop poursuit : « Ce n'est pas la tête d'un chameau mort, pour moi.

— Le pari, ce n'était pas de *tuer* le chameau, dit Chucky. C'était de le toucher.

— Et ça veut dire quoi pour toi, *toucher* ? demande Bishop.

— Je l'ai eu, la balle l'a atteint. C'est ça que ça veut dire, fin de l'histoire.

— Tu sais où je serais si tous mes tirs se terminaient par une égratignure au cul ? Rétrogradé, voilà où je serais.

— T'essaies juste de pas perdre la face.

— J'ai rien perdu du tout, dit Bishop. Si tu dis à un sniper que tu vas toucher une cible, la cible a intérêt à être morte. Autrement, c'est que tu ne l'as pas touchée. »

Pendant ce temps, le chameau charge, de plus en plus proche du convoi, et quelques-uns des spectateurs qui assistent à la scène rient du ridicule de la situation, de ce chameau qui court vers l'arme qui lui a tiré dessus. Tout le contraire d'un insurgé, lâche l'un d'entre eux. Sale bête débile. Tandis que Bishop et Chucky continuent de débattre pour savoir qui a gagné le pari, chacun défendant son interprétation du verbe « toucher » — Chucky avançant une interprétation strictement littérale face à Bishop qui en a une approche plus contextuelle —, le chameau, qui n'est plus qu'à quelque cinquante mètres d'eux, dévie tout à coup et se dirige droit vers la boîte de soupe Campbell.

C'est Baby-Daddy qui s'en rend compte le premier.

« Hé ! dit-il, en le pointant du doigt. Waouh ! Arrêtez-le ! Tuez-le ! Tuez-le maintenant !

— Tuer quoi ?

— Ce putain de chameau !

— Pourquoi ?

— Regardez ! »

C'est alors qu'ils voient le chameau foncer sur la boîte de soupe, vers laquelle s'avancent aussi au même moment les hommes de l'équipe de déminage, dans leur armure massive presque ridicule d'énormité, et les soldats, comprenant ce qui est en train de se passer, saisissent leurs armes et tirent sur le chameau. Ils constatent ainsi que leurs balles frappent la bête sans la blesser, arrachant juste un peu de fourrure et de peau. Tous leurs tirs n'ont pour effet que de la terrifier encore davantage, la faire redoubler de vitesse et cavaler les yeux exorbités, l'écume aux lèvres, tandis que les gars se mettent à crier « À terre ! » ou « Arrière ! » aux démineurs, qui n'ont aucune idée de ce qui est en train de se passer, débarquant en plein milieu de cette histoire de chameau. Et le chameau continue à avancer et fonce résolument vers la boîte de soupe, à présent, chacun se met à couvert de son mieux, ferme les yeux, se protège la tête et attend.

Il leur faut un petit moment pour comprendre que rien ne se passe.

Les premiers soldats qui relèvent la tête voient le chameau détaler dos à eux, la boîte de soupe brinquebalant derrière lui, roulant dans tous les sens, inoffensive.

Ils contemplent la chevauchée boiteuse du chameau vers l'horizon immense du désert, sa silhouette disparaître dans les miroitements du sable. Les démineurs ont ôté leurs casques et marchent vers la compagnie, jurant tant qu'ils peuvent. Debout à côté de Chucky, Bishop regarde le chameau s'en aller au loin.

« Putain, mec, dit Chucky.

— Tout va bien.

— C'était moins une.

— Ce n'était pas ta faute. Tu n'as pas fait exprès.

— On aurait dit que tout s'était ralenti. Comme… *ffffft* », dit-il, et il place ses deux paumes de part et d'autre de ses yeux, mimant une vision en tunnel étroit. « Enfin, j'y étais, tu vois.

— Où ça ?

— Dans le *war hall*, dit Chucky. Je pige, maintenant. C'était ça. »

L'histoire s'arrête là, pensent-ils — une drôle d'anecdote à raconter quand ils seront de retour au pays, un de ces moments surréalistes typiques de la guerre. Mais, alors que chacun reprend sa place à son poste, que le convoi se remet en branle, après peut-être trente secondes, Bishop ressent soudain une secousse et une vague de chaleur, et il entend le bruit d'une explosion devant eux. C'est ce bruit — dans le désert, ils le perçoivent à des kilomètres de distance —, le pire bruit de la guerre, ce bruit qui les fera tressaillir pour le reste de leur vie, même des années après leur retour, chaque fois qu'un ballon de baudruche ou un feu d'artifice explosera, car pour eux ce sera le bruit d'une mine, d'un engin explosif, le bruit de la mort violente frappant au hasard, horrible.

La panique s'empare d'eux à présent, les hurlements résonnent, Bishop se fraie un chemin jusqu'à la tourelle, debout à côté de Chucky, et aperçoit le Bradley en feu devant eux, la fumée noire et épaisse qui s'en échappe avec les soldats qui se hissent à l'extérieur un à un, en sang et hagards. L'avant du Bradley semble avoir été fendu en deux juste à l'endroit où se trouvait le pilote. Un soldat est transporté par deux autres, sa jambe ne tient plus à son genou que par quelques lambeaux de peau, elle oscille comme un poisson au bout d'une ligne. Baby-Daddy s'est précipité sur le téléphone, il appelle des hélicoptères.

« La boîte de soupe, dit Bishop. C'était un leurre. On a baissé la garde. » Il se tourne alors vers Chucky et il sait à la seconde, à son regard terrorisé et paniqué, que quelque chose ne va pas. Chucky a les deux mains sur le ventre, il presse sur la blessure. Bishop lui écarte les mains mais ne voit rien.

« Il n'y a rien, Chuck.

— Je l'ai senti. J'ai senti quelque chose rentrer. » Il pâlit à vue d'œil. Bishop l'installe dans la cuvette du Bradley, ouvre sa veste, dessous il n'y a que son gilet pare-balles, il ne voit toujours rien.

« Regarde, tu as toujours ton équipement. Tout va bien.

— Crois-moi. C'est dedans. »

Il lui ôte alors le gilet, Chucky gémit tandis qu'il le manipule, lui enlève son maillot de corps, et c'est bien là, juste à l'endroit où il a dit que c'était, quelques centimètres au-dessus de son nombril, une tache de sang grande comme une pièce de monnaie. Bishop l'essuie et voit la petite entaille — de la taille d'une écharde peut-être —, il éclate de rire.

« Bon sang, Chucky, c'est *ça* qui te met dans cet état ?

— C'est grave ?

— Putain de demeuré.

— Ce n'est pas grave ?

— C'est minuscule. Tout va bien. T'es un trou du cul.

— Je sais pas, mec. Y a quelque chose qui va pas.

— Tout va bien. Ferme-la, putain.

— J'ai l'impression que quelque chose déconne complètement là en bas. »

Bishop reste ainsi un moment avec lui à essayer de le convaincre que tout va bien et qu'il ferait mieux d'arrêter de jouer les chochottes tandis que Chucky insiste en disant que quelque chose ne va pas, et cela dure jusqu'à ce qu'ils entendent le vrombissement des hélicoptères, et alors Chucky dit à Bishop : « Hé, Bishop, écoute, il y a quelque chose que je dois te dire.

— D'accord.

— Tu sais, ma copine ? Julie Winterberry ?

— Ouais.

— C'est pas ma copine. J'ai tout inventé. Elle sait même pas qui je suis. Je lui ai parlé qu'une fois. Pour lui demander sa photo. C'était le dernier jour d'école. Tout le monde échangeait des photos.

— Mon gars, tu vas regretter de m'avoir dit ça.

— Écoute, si j'ai inventé ça, c'est parce que j'y pense tous les jours, au fait de ne pas lui avoir parlé.

— Intéressant. On devrait pouvoir te trouver un nouveau surnom avec ça.

— Je regrette tellement. De ne pas lui avoir parlé.

— Sérieusement, t'as pas fini de te faire charrier, c'est moi qui te le dis.

— Écoute. Si je ne m'en sors pas…

— Tu vas le payer pour le restant de tes jours, putain.

— Si je ne m'en sors pas, je veux que tu retrouves Julie et que tu lui dises ce que je ressentais vraiment. Je veux qu'elle sache.

— Sérieusement, pour le restant de tes jours. Quand t'auras quatre-vingts ans, je continuerai à t'appeler pour te parler de Julie Winterberry.

— Promets-le-moi.

— D'accord. Je te le promets. »

Chucky acquiesce et ferme les yeux jusqu'à ce que l'équipe médicale vienne le chercher et l'emmène sur un brancard dans l'hélicoptère, qui disparaît dans le ciel cuivré. Puis le reste du convoi poursuit sa route dans le vacarme et la lenteur.

Cette nuit-là, Chucky meurt.

Un éclat de shrapnel d'à peine un centimètre de long et aussi fin qu'une paille dans une brique de jus de fruits a sectionné l'artère qui irriguait son foie, et le temps que les médecins le comprennent, il avait perdu trop de sang et était en insuffisance hépatique généralisée. C'est Baby-Daddy qui le leur annonce le lendemain, juste avant qu'ils se mettent en route.

« Maintenant, vous n'y pensez plus, enchaîne-t-il quand il comprend que la nouvelle va altérer leur concentration sur la prochaine patrouille. Si l'armée voulait que nous éprouvions des émotions, on nous en aurait expédié. »

C'est une soirée silencieuse, morose, il ne se passe rien, et tout ce temps, Bishop ne décolère pas. Il est en colère contre la mort insensée de Chucky, contre les salauds qui ont mis cette bombe-là, en colère aussi contre Chucky, contre la lâcheté de Chucky, qui n'aurait jamais l'occasion de dire ce qu'il avait besoin de dire à Julie Winterberry, en colère qu'un homme capable de foncer, dans le noir, dans une pièce remplie d'hommes armés jusqu'aux dents prêts à le tuer ait été incapable de parler à une fille. Ces deux formes de courage semblent si différentes qu'elles mériteraient de s'appeler de deux noms différents.

Cette nuit-là, impossible de dormir. Il broie du noir. Sa colère a vrillé, il n'est plus en colère contre Chucky, il est en colère contre lui-même. Car Chucky et lui ne sont pas différents. Car Bishop a des choses terribles enfouies en lui qu'il n'arrive à dire à personne. Le grand, l'abominable secret de sa vie — parfois, il lui paraît si énorme qu'il aurait besoin d'un nouvel organe interne pour le contenir. Le secret est là, tapi en lui, qui le dévore. Dévore le temps, s'endurcit au fil du temps, de sorte qu'en y repensant aujourd'hui il est incapable de séparer l'événement de l'horreur qu'il lui a inspirée ensuite.

Ce qui s'est passé avec le proviseur.

Cet homme que tous révéraient et adoraient. Le proviseur. Bishop l'aimait lui aussi, et lorsqu'en CM1 il l'avait choisi pour lui donner des cours particuliers le week-end, et lui avait dit de surtout garder le secret de ces leçons sans quoi les autres garçons seraient jaloux, du haut de ses dix ans, le petit Bishop s'était senti si privilégié et si spécial. Élu entre tous. Admiré et aimé. Il frissonne à cette idée à présent, des années plus tard, à l'idée d'avoir été si facilement dupé, de n'avoir jamais remis en question le proviseur, pas même quand il avait dit à Bishop que leurs leçons porteraient sur *ce qu'il faut faire avec les filles,* car tous les garçons étaient terrifiés par les filles, démunis face à elles. Bishop avait pensé qu'il avait beaucoup de chance que quelqu'un veuille bien lui montrer. Cela commença avec des photos dans des magazines, d'hommes, de femmes, ensemble, séparément, nus. Puis des polaroids, puis le proviseur suggéra qu'ils prennent des photos l'un de l'autre. Bishop ne se souvient que de fragments, d'images, de moments fugitifs. Le proviseur aidant Bishop à se dévêtir, délicatement, Bishop n'y voyant toujours rien de mal. Se laissant faire, volontiers. Laissant le proviseur le toucher, avec ses mains d'abord, puis avec sa bouche, le proviseur lui disant ensuite comme il était merveilleux, magnifique, spécial. Et après quelques mois, lui disant : *À ton tour d'essayer sur moi maintenant.* Le proviseur se déshabillant. La première fois que Bishop le vit, rouge, turgescent, puissant et décidé. Bishop s'efforçant de faire au proviseur ce que le proviseur avait fait sur lui, et se sentant si maladroit, si gauche. Le proviseur, frustré, fâché pour la première fois quand les dents de Bishop dérapèrent accidentellement, l'empoignant par les cheveux, le poussant vers l'avant en disant *Non, comme ça,* et s'excusant quand le réflexe de suffocation déclencha les larmes de Bishop. Bishop se sentant coupable. Se disant qu'il s'entraînerait et ferait mieux la prochaine fois. Puis ne réussissant à s'améliorer ni la fois d'après ni la suivante. Un jour, le proviseur l'arrêta en plein milieu, le retourna, se pencha au-dessus de lui et lui dit : *Nous allons le faire comme des adultes maintenant. Tu es un adulte, n'est-ce pas ?* Et Bishop hocha la tête car il ne voulait plus échouer, car il ne voulait plus que le proviseur soit fâché contre lui, alors quand le proviseur se positionna derrière Bishop et poussa pour entrer en lui, Bishop supporta sans protester.

L'horreur de ces images qui lui reviennent en rafales — quinze ans plus tard et quinze mille kilomètres plus loin, en plein désert, en pleine guerre. Bishop songeant que ce secret-là en cache un autre, une nappe souterraine, plus dévastatrice encore, qui a achevé de le convaincre qu'il était mauvais, brisé : pendant que le proviseur faisait ce qu'il faisait, Bishop y prenait du plaisir.

Il avait hâte que cela recommence.

Il en avait *envie*.

Pas uniquement parce que cela lui donnait l'impression d'être désiré, spécial, unique, élu, mais aussi parce que ce que le proviseur lui faisait, au début surtout, *lui faisait du bien*. Le plongeait dans une transe que rien d'autre ne provoquait. Une transe qu'il adorait tant qu'elle durait, qui lui manquait quand elle s'arrêtait, qui lui manqua quand le proviseur annula leurs leçons du jour au lendemain au printemps. Bishop se sentit rejeté, abandonné, lorsque au mois d'avril il comprit tout à coup que le proviseur avait choisi un nouveau garçon — Bishop le devinait aux regards qu'ils échangeaient dans le couloir, à la manière dont le nouveau garçon était récemment devenu maussade et silencieux. Bishop était furieux. Il commença à être turbulent à l'école, à répondre aux bonnes sœurs, à se bagarrer. Quand finalement il fut expulsé, assis dans le bureau du proviseur avec ses parents, à l'écouter leur dire *Je suis vraiment désolé que cela finisse ainsi*, il y avait dans ces mots tellement de sous-entendus que Bishop éclata de rire.

Il commença à empoisonner le jacuzzi du proviseur la semaine suivante.

Et c'est la partie de l'histoire qui lui fait le plus horreur aujourd'hui. Comment il avait tenté de reconquérir le proviseur comme une petite amie qui vient de se faire plaquer. Cette certitude qu'il aurait immédiatement cessé de mal se comporter si seulement le proviseur avait bien voulu le reprendre, l'avait invité chez lui à nouveau. Ce qui est horrifiant, c'est qu'il ne parvient toujours pas à se dire qu'il n'était qu'une innocente victime. Il se sent davantage comme un complice de sa propre perversion. Ce qui est arrivé était mal — et il en avait *envie*.

Il ne perçut l'impact des événements que plus tard, à l'adolescence, à l'école militaire, où le pire que vous pouviez être était une pédale, une tante, où chaque fois qu'un garçon se faisait traiter de pédale, de tante, de gay ou d'homo, Bishop serrait les poings, et cela arrivait souvent car la seule façon que les garçons connaissaient de montrer qu'ils n'en étaient pas était de se moquer des autres, de surenchérir en les traitant d'énormes pédales, de grosses tantes, en le disant bien fort pour que tout le monde entende. Cela devint la spécialité de Bishop. Il se montra particulièrement impitoyable avec son camarade de chambrée de deuxième année, un garçon vaguement efféminé nommé Brandon. Chaque fois que Brandon mettait un pied dans les douches communes, Bishop lançait quelque chose du genre : « Attention, les gars, accrochez-vous à vos savonnettes. » Ou bien, avant d'aller au lit, il demandait : « Faut que je me mette du scotch sur le trou du cul ce soir ou bien tu vas réussir à te retenir ? » Ce genre de choses, le cas typique de harcèlement bien viril de la fin des années quatre-vingt. Des surnoms comme « Pirate-du-Cul » ou « Daisy » : « Regarde devant toi, Daisy », lui disait-il quand ils étaient côte à côte devant les urinoirs. Brandon finit par quitter l'école, ce qui fut un soulagement pour Bishop, le désir qu'il nourrissait à son égard était devenu presque douloureux. Il ne pouvait pas s'empêcher de regarder Brandon se déshabiller, de le regarder penché sur ses notes, concentré, mâchonnant son crayon.

Mais c'était il y a longtemps, et durant tout ce temps il n'en a jamais parlé à personne. Et soudain, brusquement, cela le tire de son lit, le jour de la mort de Chucky, et il décide d'écrire une lettre. Chucky est mort avec tellement de secrets encore enfouis en lui que sa dernière volonté a été de les révéler, et Bishop ne veut pas éprouver la même chose quand son heure sonnera. Il veut avoir plus de courage.

Il décide qu'il écrira à tous les gens qui font partie de sa vie. Il écrira à sa sœur, pour s'excuser de s'être montré si distant, il lui expliquera que s'il s'est détaché d'elle, c'est parce qu'il était blessé — le proviseur avait éteint quelque chose en lui, à présent il éprouvait une telle rage, envers le proviseur pour lui avoir fait subir cela, envers lui-même pour avoir été si affreux, si pervers, si déviant, si irrémédiablement brisé. Il voulait juste la protéger, dirait-il à Bethany ; il ne voulait pas la briser, elle aussi.

Il écrirait à ses parents également, et à Brandon. Il le retrouverait et lui demanderait pardon. Il écrirait même à cet affreux Andy Berg, qu'il n'a jamais revu après avoir piégé ce pauvre gamin dans cet escalier et lui avoir pissé dessus. Même le Berg a besoin d'une lettre. Il en écrirait une chaque soir jusqu'à épuisement de tous ses secrets. Il va chercher un bloc de papier de l'armée et s'assied dans une pièce aux murs de béton nus et craquelés, éclairée au néon vert. Il écrira à Samuel en premier. Parce qu'il sait exactement ce qu'il veut dire, ce sera court, et il est déjà très tard dans la nuit, dans quelques heures il faut qu'il soit debout. Il s'y met donc et, dans un élan d'inspiration et de concentration, il termine sa lettre en à peine cinq minutes. Puis il la plie et la glisse dans une enveloppe officielle de l'armée américaine, qu'il cachette et adresse au nom complet de Samuel, avant de la ranger dans son casier avec le reste de ses effets personnels. Cela lui fait du bien, d'avoir soulagé son cœur de ce poids, de l'avoir libéré, son nouveau projet lui fait du bien, l'idée de libérer ce qu'il garde verrouillé en lui depuis toutes ces années. Il se découvre impatient d'écrire les lettres à sa sœur, à ses parents et aux amis qu'il a laissés derrière lui, et lorsqu'il s'endort, il se sent tellement bien en pensant à ces lettres, il ignore qu'il ne pourra jamais les écrire, car demain, pendant sa patrouille, alors qu'il pensera à Julie Winterberry (à qui il faut absolument qu'il écrive une lettre), une bombe explosera dans une poubelle à quelques centimètres de lui, déclenchée à distance par un homme l'observant depuis une fenêtre au deuxième étage d'un bâtiment à l'autre bout de la rue, un homme qui ne le verra même pas distinctement, qui verra son uniforme surtout, un homme qui ne voit plus les créatures qui portent cet uniforme comme d'authentiques êtres humains, un homme qui, s'il avait pu entendre ce qui tournait dans la tête de Bishop à ce moment précis, la magnifique lettre qu'il était en train de composer, racontant à cette jolie fille l'amour fou de son ami mort au combat, n'aurait jamais fait exploser cette bombe. Mais bien sûr, ce genre de choses n'arrive jamais, on ne peut pas entendre ce qui se passe dans la tête des autres. La bombe explosera donc.

Et la force de la détonation projette Bishop dans les airs, où l'espace d'un instant tout semble silencieux, froid, et la sensation d'être pris dans le rayon de déflagration lui donne l'impression d'être entré dans l'une des boules à neige de sa mère, toutes les choses autour de lui paraissent évoluer dans l'eau, suspendues, belles en un sens, avant que la bombe n'explose en lui, le réduisant en mille morceaux, brouillant tous ses sens, le temps, l'espace dépouillés de toute signification, et le corps de Bishop — une enveloppe où rien de Bishop lui-même ne subsiste — s'écrase dans la rue des mètres plus loin, et pour la seconde fois cette semaine quelqu'un meurt en pensant à Julie Winterberry, qui, à ce moment précis, à quinze mille kilomètres de là, espère sans doute qu'enfin quelque chose d'excitant lui arrive.

L'armée rassemble ses effets personnels et les envoie à ses parents, qui trouvent la lettre adressée à Samuel Anderson-Andresen et se souviennent que c'était le nom étrange de cet ami avec lequel leur fille correspondait, ils donnent donc la lettre à Bethany, qui mettra des mois à se décider avant de te donner la lettre.

C'est ainsi, donc, que cette lettre, partant d'un village top secret en Irak, a atterri sur le comptoir de cette cuisine en plein Manhattan, éclairée comme sur une scène par l'un des spots. Tu la ramasses. Elle ne pèse presque rien — il n'y a qu'une page, tu la sors de l'enveloppe. La lettre tient en quelques paragraphes. Tu sens approcher l'heure de ta grande décision. C'est une décision qui va changer qui tu es, qui va te changer pour longtemps. Alors tu lis la lettre.

Cher Samuel,

Le corps humain est une chose si fragile. Il en faut si peu pour le démolir. Tu peux trouer la peau d'un chameau de vingt balles, il continuera à avancer vers toi, mais glisse un centimètre de shrapnel dans le corps d'un homme et ça suffit à le tuer.

Nos corps sont comme une infime lame qui nous sépare du néant. C'est l'idée que je commence à accepter.

Si tu lis cette lettre, c'est que quelque chose m'est arrivé, alors j'ai une faveur à te demander. Ce que nous avons fait toi et moi ce matin-là près de l'étang était une chose terrible. Le jour où ta mère est partie, le jour où la police est venue. Je suis sûr que tu t'en souviens. Ce que nous nous sommes fait, l'un à l'autre, ce matin-là, est terrible et impardonnable. J'étais perverti, et je t'ai perverti toi aussi. Et cette perversion, ai-je découvert depuis, ne disparaît pas. Elle reste en toi, et t'empoisonne. Elle est en toi à vie. Je suis désolé, mais c'est la vérité.

Je sais que tu aimes Bethany. Je l'aime moi aussi. Elle possède une bonté dont j'ai toujours été dépourvu. Elle n'est pas brisée comme nous le sommes tous les deux. Je te demande de la préserver ainsi.

Ceci est ma dernière volonté. La seule chose que je te demande. Pour elle, pour moi, s'il te plaît, reste loin de ma sœur.

T'y voilà donc. C'est enfin le moment pour toi de faire un choix. À ta droite, la porte de la chambre, où Bethany t'attend. À ta gauche, la porte de l'ascenseur et le grand vide du monde autour.

C'est le moment. Prends une décision. Quelle porte choisis-tu ?

SIXIÈME PARTIE

ESPÈCES INVASIVES

Fin de l'été 2011

1

Pwnage ouvrit la porte du réfrigérateur, puis la referma. Debout dans sa cuisine, il essayait de mettre le doigt sur ce qui l'avait amené là, mais impossible de s'en souvenir. Il releva ses emails. Tenta de se connecter au *Monde d'Elfscape*, en vain ; on était mardi. Il envisagea de sortir pour aller chercher le courrier dans la boîte aux lettres, mais finit par renoncer en se disant que le facteur n'était peut-être pas encore passé et qu'il n'allait quand même pas faire deux voyages. Du seuil, il observa longuement sa boîte aux lettres, comme si, à force de la fixer, il pouvait en deviner le contenu. Il ferma la porte. Il avait l'impression d'avoir quelque chose à faire dans la cuisine mais ne savait pas quoi. Il rouvrit le réfrigérateur et passa en revue chaque aliment qui s'y trouvait en espérant que l'un d'entre eux lui rappelle ce dont il était censé se souvenir à propos de la cuisine. Des bocaux de cornichons, des bouteilles en plastique compressibles de ketchup et de mayonnaise et un sachet de graines de lin acheté dans un élan d'optimisme diététique mais jamais ouvert. Il y avait aussi cinq aubergines sur l'étagère du bas, manifestement pourrissant de l'intérieur, s'effondrant lentement sur elles-mêmes tels cinq petits oreillers violets reposant sur de petites flaques de jus marron. Dans le bac à fruits et légumes, tout ce qu'il y avait de vert avait viré au brun et flétri. De même que les épis de maïs sur l'étagère du haut avaient pris une couleur beige malsaine, les grains avaient perdu leur jaune brillant et rond, tout desséchés, ils ressemblaient à des molaires cariées au fond d'une bouche. Il referma la porte du réfrigérateur.

Le mardi, les serveurs du *Monde d'Elfscape* étaient déconnectés durant une grande partie de la matinée, qui débordait parfois un peu sur l'après-midi, pour des travaux de maintenance, corrections de bugs et autres subtilités techniques de haute volée nécessaires au fonctionnement d'ordinateurs branchés vingt-quatre heures sur vingt-quatre le reste du temps et gérant simultanément dix millions de joueurs presque sans aucun décalage de réseau grâce au système de cryptage le plus sécurisé de la planète, des serveurs si rapides, si efficaces et si puissants qu'ils en ridiculisaient les machines utilisées par les programmes spatiaux, ou dans les silos à missiles nucléaires, ou les isoloirs de vote électronique, par exemple. Comment un pays capable de fabriquer les serveurs du *Monde d'Elfscape* pouvait-il être incapable de faire fonctionner une machine de vote électronique ? La question revenait rituellement les mardis d'élections sur les forums du *Monde d'Elfscape* tandis que la communauté des joueurs attendait patiemment que les serveurs remarchent, et parfois aussi votait elle-même.

Certains de ces mardis n'étaient pas comme les autres, ceux qu'on appelait les « Patch Days » étaient un véritable supplice : les ingénieurs ajoutaient alors des nouveautés au jeu, et, lorsqu'ils se reconnectaient, les joueurs découvraient de *nouvelles épreuves* — de nouvelles quêtes, de nouveaux monstres, de nouveaux trésors. Ces mises à jour étaient nécessaires pour que le jeu reste dans le coup, attractif, mais bien entendu, pendant ces Patch Days, le jeu était inaccessible beaucoup plus longtemps, à cause des manipulations compliquées sur les serveurs et du travail de cryptage. Il n'était pas rare que les serveurs demeurent inopérants toute la matinée et tout l'après-midi, voire, au grand dam de la communauté des joueurs, une partie de la soirée. Et justement aujourd'hui c'était le cas. Le jeu était en pleine mise à jour. C'était un Patch Day.

Et le fait de ne pas savoir exactement quand les serveurs seraient de nouveau accessibles mettait Pwnage dans un état de nerfs d'autant plus paradoxal que la raison pour laquelle Pwnage jouait à *Elfscape* était précisément que c'était la seule chose qui parvenait à calmer son stress. C'était vers *Elfscape* qu'il se tournait quand il se sentait submergé par les détails assommants de sa vie. Cela avait commencé environ un an plus tôt, juste après le départ de Lisa, un jour où le stress lui avait semblé particulièrement intense, où aucun de ses DVD ne le tentait, où il n'y avait rien à la télévision, rien non plus dans les films téléchargés sur son ordinateur, plus aucun jeu dont il ne soit pas venu à bout sur sa console, il avait alors eu cette sensation de panique étrange, comme face au menu d'un grand restaurant, quand rien sur la carte ne semble appétissant, ou au début d'un rhume, d'une grippe, quand plus rien n'a de goût, même l'eau, le genre de noirceur généralisée qui rend le monde entier ennuyeux, insipide, et donne ce sentiment de lassitude globale, il était assis là, dans son salon, dans la lueur crépusculaire d'un début de soirée plus maussade encore que les autres, juste après le passage à l'heure d'hiver, le ciel était plus gris, si tôt dans la journée que c'en était déprimant, il était assis là, voyant arriver la collision frontale avec une montagne de stress et aucune échappatoire susceptible de lui éviter une crise de nerfs entraînant des problèmes de pression artérielle et de circulation du sang, dans ces cas-là, il avait l'habitude, pour se calmer, d'aller au magasin d'électronique et d'acheter quelque chose, cette fois-là, il acheta une dizaine de jeux vidéo, parmi lesquels le *Monde d'Elfscape.* Depuis, après avoir commencé le jeu avec un Elfe nommé Pwnage, il s'était créé toute une écurie de personnages alternatifs portant des noms comme Pwnopoly, Pwnalicious, Pwner, ou EdgarAllanPwn, et il s'était bientôt bâti une réputation de valeureux gladiateur, commandant de raid surpuissant et multifonctions, à la tête d'un important groupe de joueurs lancés dans une lutte contre un ennemi informatique, bataille qu'il avait fini par considérer comme un genre de ballet symphonique et dans laquelle il avait eu tôt fait d'exceller — pour accéder à un haut niveau, il fallait faire toutes sortes de recherches, regarder des vidéos en ligne sur les différents combats, lire les forums, passer au crible tous les sites avançant des théories afin de trouver les statistiques les plus pertinentes pour chaque combat, de façon à adapter le plus finement possible la combinaison armes-équipement à chaque adversaire, et ainsi maximiser mathématiquement ses forces face à la mort, car tant qu'à faire quelque chose, autant le faire *bien*, telle était sa conviction profonde, autant se donner à *cent dix pour cent*, telle était son éthique, dont il pensait qu'elle finirait par lui être utile dans ses projets de rénovation de la cuisine, d'écriture de roman et de régime, mais qui jusqu'ici ne s'était avérée payante que dans le domaine des jeux vidéo. Il ne cessait de créer de nouveaux alias, de nouveaux comptes, qu'il contrôlait simultanément sur plusieurs ordinateurs, chaque nouveau compte requérant l'achat d'un nouvel ordinateur, d'un nouveau DVD du jeu, d'un pack réseau et d'un abonnement mensuel, ce qui signifiait que chaque fois qu'il éprouvait le besoin de créer un nouveau personnage (le plus souvent quand tous ses autres personnages étaient arrivés au plus haut niveau, au maximum de leurs capacités et qu'il en était lui-même à un stade de domination du jeu qui commençait à l'ennuyer et à faire clignoter ses voyants internes de stress, de sorte qu'il lui fallait réagir immédiatement), l'investissement de capital était si énorme qu'il se sentait absolument obligé de jouer encore plus, même s'il avait vaguement conscience de l'ironie de la chose : c'était le stress dû à sa situation financière déplorable qui engendrait chez lui ce besoin de soulager ses angoisses via des expédients électroniques, qui eux-mêmes engendraient des dépenses qui augmentaient le stress qu'ils étaient censés apaiser. Ainsi le niveau de ses distractions électroniques ne semblait-il plus suffisant, il chercha donc de nouvelles et toujours plus coûteuses distractions, redoublant encore le cercle vicieux de stress et de culpabilité, sorte de psychopiège consumériste qu'il avait souvent remarqué chez les clientes de Lisa au comptoir Lancôme, dont les achats de maquillage ne faisaient que renforcer l'illusion d'une beauté inatteignable qui les avait guidées dans leurs achats de maquillage en premier lieu, mais pour une raison mystérieuse, il était incapable de la même lucidité pour lui-même.

Un coup d'œil aux serveurs *Elfscape*. Toujours en rade.

C'était exactement comme d'attendre un avion en retard, pensait-il, cette urgence qu'on ressent dans un aéroport, sachant que les gens qui vous aiment vous attendent dans un autre aéroport et que la seule chose qui vous tient séparé d'eux, c'est une obscure faille technologique. C'était le sentiment que lui inspiraient ces Patch Days : chaque fois qu'il réussissait à se reconnecter après des heures d'attente, il avait l'impression de rentrer chez lui. Difficile d'ignorer ce sentiment en lui. Difficile de ne pas en retirer une impression mitigée. Troublante aussi était l'idée que les paysages d'*Elfscape* — la succession de collines animées, digitalisées, de forêts brumeuses et de pics enneigés — suscitaient chez lui une impression de souvenir réel. Qu'il pût nourrir vis-à-vis de ces endroits une nostalgie et une affection qu'il n'avait pas pour des endroits réels dans sa vie était difficile à admettre. Car il savait au fond de lui que le jeu n'était que mensonge et illusion, que ces endroits dont il se « souvenait » n'existaient pas vraiment autrement qu'en tant que cryptage digital stocké dans la mémoire vive de son ordinateur. Et cependant il se rappelait cette fois où il avait escaladé une montagne aux confins nord du continent occidental d'*Elfscape* et regardé la lune s'élever à l'horizon, scintiller à la surface de la neige, comme il avait pensé que c'était magnifique et songé à ce que les gens disaient à propos des œuvres d'art et de la transcendance, de l'état de fascination qu'on pouvait éprouver face à la beauté d'une toile, et conclu qu'il n'y avait pas de différence au fond entre les deux expériences. La montagne n'était pas réelle, certes, la lune non plus, mais la beauté ? Et ce souvenir qu'il en avait ? C'était *bien* réel.

Ainsi donc les Patch Days étaient affreux car il se trouvait coupé de sa source d'émerveillement, de beauté, de surprise, et forcé, parfois une journée entière, de se confronter à la banalité quotidienne de son existence. Il avait passé toute la semaine à réfléchir à la façon d'occuper ce mardi de manière à rendre plus tolérable le fossé entre le moment où il ouvrirait les yeux et celui où il pourrait se connecter. Une liste de choses à faire pour que le temps lui semble moins long. Il avait commencé une liste sur son smartphone, qu'il avait appelée « Liste pour les Patch Days », afin de pouvoir la compléter chaque fois qu'il pensait à quelque chose qui pourrait rendre cette journée plus agréable et supportable. Jusqu'ici la liste faisait trois lignes :

1. Acheter de la nourriture saine
2. Aider Dodger
3. Découvrir la grande littérature

La dernière ligne figurait sur sa liste de choses à faire depuis six mois, depuis la fois où, en passant devant une grande librairie, il avait lu cette pancarte : DÉCOUVREZ LA GRANDE LITTÉRATURE !, et il l'avait ajouté à sa liste. Il avait demandé à son téléphone de répéter la ligne en question, de la reproduire automatiquement sur chaque liste hebdomadaire, il s'était toujours rêvé en lecteur, il aimait cette image de lui passant l'après-midi confortablement installé avec un livre et une tasse de thé, c'était le cliché parfait à mettre en ligne. De plus, si jamais, dans un moment de curiosité ou d'entêtant regret quant à leur divorce, il arrivait un jour à Lisa de fouiller dans son téléphone en cachette, il était à peu près sûr qu'elle serait conquise d'y trouver « Découvrir la grande littérature » et comprendrait peut-être qu'il était réellement en train de changer et voudrait se remettre avec lui.

Cependant, en six mois, il n'avait rien découvert de la littérature, grande ou petite. Et chaque fois qu'il songeait à découvrir la grande littérature, rien qu'à l'idée de l'effort que cela requérait, il était épuisé, vidé, vaseux.

Venait ensuite le numéro un de sa liste : Acheter de la nourriture saine.

Il avait déjà essayé. La semaine précédente, après l'avoir étudié depuis la rue durant plusieurs jours, après avoir observé avec attention les gens qui y entraient et en sortaient, les avoir catalogués bobos privilégiés au mode de vie élitiste dans leurs vêtements branchés moulants et leurs voitures électriques, il avait finalement franchi le seuil du supermarché bio. Il lui avait paru nécessaire d'ériger au préalable un rempart mental avant de pénétrer dans ce supermarché bio, car plus il passait de temps devant le magasin, dans sa voiture, à juger les clients, plus il était persuadé que les clients le jugeaient eux aussi. Pas assez branché, pas assez mince, pas assez riche pour faire ses courses ici. Dans sa tête, il devenait le personnage principal de toutes les anecdotes du magasin, le centre de l'attention malveillante ; mis à nu, incongru ; dans ce magasin comme dans un panoptique de ricanements, de jugements à l'emporte-pièce. Il entretenait de longs dialogues imaginaires avec les caissiers idéalistes, gardiens du temple, entre la nourriture et les portes de sortie, leur expliquant qu'il ne faisait pas ses courses ici parce que c'était la mode mais parce que c'était pour lui une obligation strictement médicale, absolument nécessaire à la mise en application des règles de son nouveau régime radical. Et que contrairement aux autres clients, qui n'étaient là que par esprit grégaire pour suivre une mode branchée — la mode du bio, la mode de la *slow food*, la mode locavore, ou que sais-je encore —, lui était là parce qu'il en avait besoin, ce qui faisait de lui *un client plus authentique* qu'eux, même si en l'occurrence, et d'après la campagne de publicité du magasin, il n'avait pas le profil du client typique. Ainsi, après plusieurs dizaines de répétitions de ce dialogue imaginaire, il se sentit prêt et bien décidé à aller acheter les versions bio de ce qu'il achetait d'habitude au supermarché du coin de sa rue : des soupes en boîte, de la viande en boîte, du pain de mie, des barres énergétiques, des pizzas surgelées et des plats cuisinés.

Lorsqu'il se retrouva à la caisse en train de vider son caddie, il eut l'impression fugitive d'appartenir à ce monde puisque personne n'y avait remis en cause sa présence ni même réellement prêté attention à lui. Ce qui ne dura que jusqu'au moment où la caissière — une jolie fille avec des lunettes carrées à la mode, probablement une étudiante en écologie, en justice sociale ou quelque chose dans ce genre — jeta un œil à sa montagne de boîtes et de surgelés et s'exclama : « Eh ben, vous vous préparez pour le prochain ouragan ? », avec un petit rire vaguement complice comme pour lui dire que c'était une blague, avant de passer le tout sous le bip de son scanner. Il lui adressa un timide sourire et émit un petit gloussement mais fut incapable de se débarrasser de l'impression d'avoir été sévèrement jugé par la caissière, qui lui signifiait sans grande subtilité que ce qu'il avait acheté était à peine digne d'être consommé, sauf cas extrême, type apocalypse.

Il en prit bonne note. La fois suivante, il n'acheta que des produits frais. Fruits, légumes, viandes sous cellophane. Uniquement des produits périssables, qui auraient tôt fait de se gâter, et même s'il n'avait absolument aucune idée de la façon de les cuisiner, il se sentait en meilleure santé rien qu'en les achetant, rien qu'en les ayant avec lui, en se promenant avec, au vu et au su de chacun, c'était comme de sortir avec une femme extraordinairement attirante, et d'avoir envie d'aller dans des lieux publics pour être vu avec elle, il avait la même impression vis-à-vis de son panier plein d'aubergines brillantes, de maïs et de légumes verts : roquette, brocolis, bettes à carde. Magnifique. Lorsqu'il présenta son panier à la même jolie caissière à l'avant du magasin, il se sentait comme un gamin offrant à sa mère une carte de Noël qu'il a fabriquée lui-même à l'école.

« Est-ce que vous avez apporté un sac ? » demanda-t-elle.

Il la fixa, interdit. Un sac pour quoi ?

« Non, dit-il.

— Oh, dit-elle, déçue. Nous encourageons nos clients à venir avec des sacs réutilisables. Vous savez, pour économiser le papier ?

— D'accord.

— Et en plus, vous avez une réduction, ajouta-t-elle. Chaque fois que vous venez avec un sac, vous bénéficiez d'une réduction. »

Il hocha la tête. Il ne la regardait plus, il fixait l'écran de la caisse, faisait semblant d'analyser chaque prix de chaque article pour s'assurer qu'il ne payait pas plus que le juste prix. La caissière avait dû sentir son malaise et son impression de s'être fait rabrouer (une fois de plus) car elle essaya de dissiper le nuage en changeant de sujet : « Qu'est-ce que vous allez faire avec toutes ces aubergines ? »

Mais ce fut un échec total car la seule réponse dont il était capable, en l'occurrence, et qu'il lui fit donc, était : « Je ne sais pas. » Et quand il vit qu'elle semblait déçue par sa réponse, il tenta : « Une soupe, peut-être ? »

Putain, c'était absolument insupportable. Il n'était même pas foutu de faire les courses correctement.

De retour chez lui, il se mit en quête d'un site Internet qui vendait des sacs à provisions réutilisables, et trouva une petite boîte qui reversait les bénéfices de la vente de sacs à la défense des forêts tropicales je ne sais où. Surtout, le logo de cette boîte était imprimé en gros des deux côtés du sac, ainsi lorsqu'il donnerait le sac à la caissière, elle se retrouverait nez à nez avec le logo et serait forcément impressionnée, puisque, non content de faire de lui un défenseur de l'environnement, son sac réutilisable était en lui-même un acte écologiste, ce qui le rendait *deux fois plus impliqué dans la protection de la nature* que n'importe lequel des clients du magasin.

Il se fit expédier les sacs pour le lendemain, par avion. Puis retourna au magasin. De nouveau, il n'acheta que des produits périssables, mais cette fois un article de chaque seulement — pas d'achat massif d'un aliment en particulier qui attirerait l'attention sur lui, genre les aubergines. Il prit place dans la queue à la caisse de la jolie fille aux lunettes carrées. Elle dit « Salut » mais c'était un salut impersonnel. Elle ne se souvenait pas de lui. Elle scanna et recompta ses provisions. Demanda : « Vous avez apporté un sac ? », à quoi il répondit nonchalamment, comme s'il n'y avait rien de plus naturel : « Oh, bien sûr, j'ai apporté un sac.

— Voulez-vous profiter de la réduction ? Ou en faire don ?

— En faire quoi ?

— Vous bénéficiez d'une réduction quand vous apportez un sac.

— Ça, je sais.

— Voulez-vous en faire don à l'une de nos quinze associations caritatives ? »

À quoi, instinctivement, il répondit « non ». Pas parce qu'il était radin et ne souhaitait pas donner sa réduction à une association caritative, non, c'était parce qu'il savait qu'il serait incapable de choisir parmi les quinze associations, dont il n'aurait probablement jamais entendu parler. Il déclina donc, car cela semblait la façon la plus facile et la moins embarrassante de procéder et d'en finir avec cette interaction sociale qui lui avait pompé une énergie mentale énorme depuis le début de la semaine, à force de se la représenter, de s'y préparer.

« Oh, releva la caissière, surprise, d'accord, pas de problème », avec une mimique de lèvres retroussées et sourcils froncés, l'air de dire : *Alors comme ça, on est d'humeur trou du cul, aujourd'hui ?*

Elle continua de passer ses articles sous le scanner,

de peser ses fruits et légumes, mécaniquement, froidement. Ses doigts pianotaient sur le clavier de la caisse, rapides et experts. Elle était tellement à l'aise, tout cela lui était tellement familier. Son mode de vie, ses opinions ne lui inspiraient pas la moindre angoisse. Elle le jugeait, le débinait avec une telle facilité. Il sentit alors quelque chose se briser en lui, quelque chose tourner à l'aigre, une fureur, une colère, jusque dans son foie. Alors il leva son sac réutilisable en tissu au-dessus de sa tête. Il le tint ainsi pendant un moment, guettant quelque commentaire sans doute. En vain. Personne ne faisait attention à lui. Ce qui lui sembla l'insulte suprême, de se retrouver ainsi, dans cette pose de défi, de révolte violente, et que tout le monde s'en fiche.

Alors il le jeta. Le sac. Il le jeta par terre, aux pieds de la caissière.

Et tout en le jetant, il poussa un cri de guerre, déchaîné — du moins c'était l'intention. Car ce qui sortit de sa bouche ressemblait davantage à un râle animal, distordu et grave. Un *grognement*.

Le sac heurta la caissière sur le côté, au niveau de la hanche, elle laissa échapper un cri de surprise et fit un bond en arrière tandis que le sac tombait par terre tout froissé. Elle le dévisagea bouche bée, il s'avança vers elle et se pencha au-dessus de la caisse, les bras grands ouverts façon condor, et beugla : « Vous savez quoi ? »

Il n'avait aucune idée de la raison pour laquelle il étendait ses bras de cette manière. Il comprit aussi qu'il n'avait absolument rien en tête, rien qui puisse suivre cette question. Soudain le magasin fut plongé dans un silence terrible, la zone des caisses habituellement saturée de bips sonores s'était figée au premier cri de la caissière. Il regarda autour de lui. Des visages atterrés — des femmes principalement — le dévisageaient, dédaigneux et scandalisés. Il recula lentement. Il aurait fallu qu'il leur dise quelque chose, qu'il leur explique quelle offense l'avait amené à réagir ainsi, qu'il justifie ce coup de colère, qu'il prouve son innocence, son bon droit, sa vertu.

Et tout ce qui sortit fut : « *You have got to represent !* »

Pourquoi dit-il cela ? Aucune idée. Il se souvenait avoir entendu ces paroles dans un tube pop récemment. Cette chanson de Molly Miller. Il avait aimé ce refrain, en l'entendant. Il s'était dit que c'était cool, branché. Mais aussitôt qu'il l'eut prononcé, il réalisa qu'il ne savait absolument pas ce que cela voulait dire. Et prit la tangente. Fourra ses mains dans ses poches et se précipita hors du magasin. En se jurant de ne jamais y retourner. Ce magasin, cette caissière — personne n'était assez bien pour eux. Personne ne pouvait les contenter.

Donc, numéro un — Acheter de la nourriture saine — égale faux départ.

Il restait une chose sur sa liste de Patch Day qu'il pouvait encore cocher : Aider Dodger. Et, pour être honnête, c'était l'option la plus séduisante de toute façon, aider son camarade de guilde, son tout nouvel ami, son « *irlfriend* », comme disaient les joueurs d'*Elfscape*, IRL étant le sigle populaire pour « *in real life* » (dans la vraie vie), un lieu qu'ils évoquaient comme un autre pays, lointain. Et il voulait croire que la raison principale de son penchant pour cette cause était le pur altruisme, le besoin d'*aider un ami dans le besoin*. Cette impulsion, sans doute, était là, quelque part, au milieu du reste, mais la vraie raison c'était que son nouvel ami était un écrivain. Dodger avait signé un contrat d'édition, il avait un éditeur, il avait accès à ce mystérieux monde du livre dont Pwnage avait besoin car Pwnage était un écrivain lui aussi. Et durant cette soirée à discuter avec son nouvel ami au Jezebels, à partir du moment où il avait découvert qu'il était écrivain, il avait eu du mal à se concentrer sur la conversation, car son esprit ne cessait de revenir à son roman psycho-policier avec serial killer qui, il en était sûr, valait au moins un million de dollars. Il avait commencé à écrire cette histoire à l'époque du lycée, en atelier d'écriture. Les cinq premières pages lui étaient venues la veille de la remise des copies. Le professeur avait noté « excellent travail » sur son devoir, et ajouté qu'il avait « réussi à rendre la voix du détective à la perfection », et plus loin dans la marge, à côté d'une scène où le détective avait une vision du tueur en train d'enfoncer un couteau dans le cœur d'une fille, le professeur avait écrit « Effrayant ! », confirmant par là que Pwnage n'était pas comme les autres. Il était capable de provoquer des réactions émotionnelles très fortes en quelques lignes rédigées à la hâte au milieu de la nuit. C'était un don. Vous l'aviez ou vous ne l'aviez pas.

En aidant son nouvel *irlfriend*, décida-t-il, il trouverait la motivation nécessaire pour faire tout le reste, car Dodger lui serait redevable, et il pourrait lui demander de lui trouver un éditeur, qui lui enverrait son *énorme contrat d'édition*, ce qui non seulement le sortirait de l'abîme hypothécaire où il se trouvait, lui donnerait les moyens d'acheter toute la nourriture bio qu'il voudrait, de faire les travaux dans sa cuisine, mais en plus achèverait de convaincre Lisa de revenir, sachant que le principal reproche qu'elle lui faisait était son « manque d'initiative et de but », formulation qu'il avait découverte noir sur blanc dans le paragraphe sur les Différences Irréconciliables des papiers qui rendaient leur divorce officiel.

Ainsi, Dodger avait besoin d'informations sur sa mère, et sa mère refusait de parler. Il avait besoin d'informations sur son passé, mais tout ce qu'ils avaient de concret, c'était un rapport de police laconique et une photo de sa mère à une manifestation prise en 1968. Il y avait une fille assise à côté d'elle, peut-être quelqu'un de sa bande, Pwnage se demanda si elle était toujours vivante. Peut-être bien, peut-être même qu'elle vivait toujours à Chicago — tout ce dont il avait besoin, c'étaient des noms. Il envoya la photo par MMS à Axman, un guerrier elfe de niveau quatre-vingt-dix de la guilde qui, dans la vraie vie, était un élève de terminale aussi brillant en programmation que nul en sport (et malheureusement c'était la seule chose qui intéressait son père). La spécialité d'Axman en matière de programmation était ce qu'il avait baptisé « bombardement social » et qui lui permettait de faire apparaître un message presque simultanément sur tous les blogs, commentaires, pages Wikipedia, réseaux sociaux et messageries possibles. Ce qui valait sans doute beaucoup d'argent, mais pour le moment Axman s'en était surtout servi pour se payer de petites vengeances contre les sportifs de l'école qui le chahutaient : il utilisait Photoshop pour coller leurs visages sur des scènes de pornos gay largement explicites qu'il envoyait ensuite à un demi-milliard de personnes. C'en était au stade bêta, disait Axman de son application. Il lui fallait encore trouver le moyen de la monétiser. Pwnage, lui, pensait plutôt que tout ce qu'il attendait, c'était d'avoir dix-huit ans pour pouvoir quitter la maison et ne pas avoir à partager ses millions avec son trou du cul de père.

Quoi qu'il en soit, Pwnage envoya la photo à Axman, accompagnée d'une note : « Vise les postes de Chicago. Je veux savoir qui est cette femme. »

Pwnage se renfonça alors dans son siège, tout content de lui. Et bien que cela ne lui ait pris qu'une ou deux minutes maximum, l'effort mental l'avait épuisé : élaborer le plan, exécuter le plan. Il était vidé, il avait tout donné. Il essaya de se connecter à *Elfscape* mais les serveurs étaient toujours en rade.

Il regarda par la fenêtre, la boîte aux lettres. Il s'assit sur une chaise le temps de décider comment enchaîner, puis il se leva et changea de chaise parce que l'autre était un peu inconfortable. Il se releva, s'avança vers le centre de la pièce et inventa un petit jeu mental dont le but était d'essayer de se tenir pile au centre de la pièce, à équidistance parfaite de chaque mur. Arrivé au point où il était tenté de sortir le mètre pour mesurer la distance depuis chaque mur, il abandonna. Il songea à regarder un film, mais il les avait déjà tous vus, tous les DVD qu'il possédait, plusieurs fois. Il songea à acheter et télécharger de nouveaux films, mais rien qu'à l'idée de chercher lesquels, il était fatigué. Il alla à l'arrière de la maison, puis à l'avant, espérant que quelque chose lui suggérerait une activité. Il y avait quelque chose dans la cuisine qu'il devait faire, il en était sûr. Le souvenir dansait à la lisière de sa mémoire sans qu'il parvienne à mettre la main dessus. Il ouvrit le four, le referma. Ouvrit le lave-vaisselle, le referma. Ouvrit le réfrigérateur, persuadé que quelque chose à l'intérieur finirait par lui rappeler ce dont il était censé se souvenir à propos de cette satanée cuisine.

2

Ce qu'il y a ? C'est que Laura Pottsdam avait l'impression d'éprouver une émotion inédite. Quelque chose qu'elle n'avait jamais ressenti auparavant. Quelque chose de carrément bizarre ! Assise toute seule dans sa chambre, à farfouiller sur son appli iFeel, elle attendait Larry quand elle fut assaillie par cette chose inconnue : *le doute.*

Le doute sur tellement de choses.

Le doute sur l'appli iFeel elle-même, où le doute n'avait absolument pas sa place, puisqu'il ne figurait nulle part dans les cinquante émotions standard disponibles sur iFeel. L'appli la laissait tomber. Pour la toute première fois, iFeel ne savait pas ce qu'elle ressentait.

iFeel affreusement mal, écrivit-elle, avant de se raviser. Ce n'était pas exactement cela. « Affreusement mal », c'était ce qu'elle ressentait chaque fois qu'elle faisait de la peine à sa mère, ou après chaque repas. Elle ne se sentait pas « affreusement mal » maintenant. Elle l'effaça.

iFeel perdue, écrivit-elle, mais cela lui sembla stupide, niais, ce n'était vraiment pas son genre de dire des choses pareilles. Les gens qui étaient « perdus » étaient des gens qui n'avaient pas de but dans la vie, Laura si, Laura avait un but dans la vie : réussir comme future vice-présidente de la communication et du marketing, réussir son master en gestion, exceller dans ses études. Elle effaça « perdue ».

iFeel contrariée, faux aussi, trop léger. Effacé.

Le truc avec iFeel, c'était qu'elle pouvait diffuser ses états d'âme à son énorme réseau d'amis chaque fois que cela lui chantait, et les applis de ses amis pouvaient renvoyer une réponse automatique adaptée à ses émotions du moment. D'habitude, Laura adorait, elle adorait poster *iFeel triste* et quelques secondes plus tard voir son téléphone bourdonner de messages d'encouragement, de soutien pour lui remonter le moral, c'était sacrément efficace. Il lui suffisait de sélectionner une émotion parmi les cinquante émotions standard, de l'associer à une photo, un petit mot ou les deux, et de guetter l'afflux de messages de soutien.

Mais voilà que, pour la première fois, les cinquante émotions standard lui semblaient limitées. Pour la première fois, ce qu'éprouvait Laura ne pouvait pas se résumer à l'une de ces émotions standard, et cela lui paraissait d'autant plus étonnant qu'elle avait toujours pensé que cinquante possibilités lui donnaient l'embarras du choix. Et en effet, il y en avait qu'elle n'avait jamais eu l'occasion d'utiliser. Elle n'avait jamais écrit *iFeel impuissante*, bien qu'« impuissante » figure dans la liste des cinquante émotions standard. Elle n'avait jamais écrit non plus *iFeel coupable* ou *iFeel honteuse*. Elle n'avait jamais écrit *iFeel vieille*, pour des raisons évidentes. Elle n'était pas vraiment « triste » ni « malheureuse ». Ce qu'elle éprouvait était une sorte de doute, elle n'était pas sûre que ce qu'elle pensait, sentait et faisait soit absolument juste. Le plus gênant dans l'histoire, c'était que cela venait contredire le principe de base de son existence — que tout ce qu'elle faisait était juste, louable, et qu'elle devrait avoir tout ce qu'elle désirait parce qu'elle le méritait, c'était ce que lui répétait en permanence sa mère, qu'elle avait appelée après son rendez-vous avec le professeur d'introduction à la littérature : « Il pense que j'ai triché ! Il pense que j'ai recopié mon devoir !

— Et tu l'as fait ? demanda sa mère.

— Non ! » répondit Laura. Puis, après une longue interruption : « En fait, si. J'ai triché.

— Eh bien, je suis sûre que tu avais une bonne raison de le faire.

— J'avais une *excellente* raison », dit-elle. Sa mère avait toujours fait cela : lui fournir de bonnes excuses. Une fois, alors qu'elle avait quinze ans, elle était rentrée à la maison à trois heures du matin, manifestement ivre et peut-être même un peu défoncée, déposée par trois garçons tapageurs et beaucoup plus vieux qu'elle — ils avaient récemment terminé ou quitté le lycée —, avec les cheveux en bataille d'avoir été vigoureusement frottés contre la banquette arrière d'une voiture, dans un état si proche du coma que lorsque sa mère lui avait lancé : « Où étais-tu ? », elle n'avait pas réussi à aligner deux mots et était restée plantée là, vacillante, ahurie, *même cette fois-là* sa mère lui avait trouvé des excuses.

« Tu es malade ? » avait-elle demandé à Laura, qui avait saisi la balle au bond et acquiescé. « Tu es malade, c'est ça. Tu couves quelque chose en tout cas. Tu as voulu te reposer et tu n'as pas vu l'heure passer, c'est ça ?

— Oui, avait dit Laura. Je ne me sens pas très bien. » Ce qui, bien sûr, impliquait qu'elle donnât le change le lendemain en restant au lit, sous prétexte d'une affection grippale insupportable, et cela ne lui demanda pas trop d'efforts vu la gueule de bois avec laquelle elle se réveilla le lendemain.

Le plus étrange dans ces dialogues, c'était à quel point sa mère semblait y croire.

Il ne s'agissait pas juste de couvrir sa fille, elle paraissait s'autosuggérer des hallucinations à son sujet. « Tu es une femme forte et je suis fière de toi », disait-elle à Laura. Ou bien : « Tu peux avoir tout ce que tu désires. » Ou : « Ne laisse personne se mettre en travers de ton chemin. » Ou : « J'ai laissé tomber ma carrière pour toi, par conséquent *ta réussite est ce qu'il y a de plus important au monde à mes yeux.* » Etc.

Mais à présent, Laura était en proie au doute, et le doute ne faisait pas partie des cinquante émotions permises par iFeel, raison pour laquelle elle doutait que ce fût bien du doute qu'elle éprouvait, et elle se prenait ainsi les pieds dans un paradoxe cérébral auquel elle s'efforçait de ne pas trop penser tant il était inextricable.

Ce dont elle était sûre, c'était qu'elle ne pouvait pas se permettre de ne pas valider le cours d'introduction à la littérature. Il y avait trop d'enjeux — stages, jobs d'été, points accumulés pour son diplôme, dossier entaché pour toujours. Non, c'était impossible, elle se sentait malmenée, maltraitée par son professeur, qui voulait *lui voler son avenir* à cause d'un stupide devoir, ce qui lui semblait complètement disproportionné par rapport au délit qu'elle avait commis.

Et cependant, même *de cela* elle doutait, car si ce

n'était pas grave qu'elle triche pour un devoir, alors dans ce cas pourquoi ne pourrait-elle pas tricher pour *tous* les devoirs. Ce qui était un peu embêtant car l'accord qu'elle avait passé avec elle-même au lycée quand elle avait commencé à tricher, c'était qu'elle avait le droit de tricher autant qu'elle voulait maintenant à condition que plus tard, quand les devoirs deviendraient vraiment importants, elle se mette à travailler pour de vrai. Ce moment n'était pas encore arrivé. En quatre ans de lycée et une année d'université, elle n'avait rien étudié qu'elle puisse qualifier de vraiment *important*. Donc elle continuait à tricher. Dans toutes les matières. Et à mentir. Tout le temps. Sans le moindre sentiment de culpabilité.

Jusqu'à aujourd'hui. Une pensée la torturait aujourd'hui : que se passerait-il si elle traversait toutes ces années d'université sans jamais vraiment travailler ? Le jour où elle aurait son premier gros poste en marketing et publicité, saurait-elle quoi faire ? Tout à coup, elle comprenait qu'elle n'avait même pas une vision très claire des implications pratiques du mot « marketing », malgré une vague capacité à en reconnaître une mise en œuvre réussie.

Mais chaque fois qu'il lui prenait l'envie d'écouter en classe et de faire le travail elle-même, de vraiment réviser ses cours, rédiger ses devoirs, elle était tétanisée : et si elle en était incapable ? Et si elle n'était pas assez bonne ? Pas assez intelligente ? Si elle échouait ? Elle craignait qu'une Laura dépourvue de ses manigances et doubles jeux ne soit pas l'étudiante excellente qu'elle et sa mère pensaient qu'elle était.

Si sa mère apprenait une chose pareille, la nouvelle

la dévasterait. Sa mère — qui, depuis son divorce, signait tous les emails qu'elle lui envoyait par *Tu es ma seule joie* — ne survivrait pas à son échec. Ce serait l'anéantissement du projet de sa vie entière.

Il fallait que Laura continue, qu'elle persiste dans son plan, malgré les risques, pour le bien de sa mère. Pour leur bien à toutes les deux. Il n'y avait pas de place pour le doute.

Car ce qu'il y avait, c'est que désormais les enjeux étaient démultipliés. Son coup de fil à la doyenne lui avait certes permis de s'épargner toute souffrance supplémentaire sur *Hamlet*, mais il avait provoqué une réaction inattendue, à présent la doyenne semblait prête à toutes les extrémités pour montrer à Laura combien l'université était sensible à son ressenti. Elle s'était lancée dans l'organisation d'une Conférence sur la Résolution des Conflits, qui consistait, d'après ce que Laura en avait compris, en un sommet de deux jours où, assise face à face avec le professeur Anderson, elle verrait défiler une série de médiateurs qui les aideraient à *s'impliquer, gérer, mettre à plat et résoudre efficacement leurs différends dans un environnement sûr et respectueux*.

C'était juste la pire chose qui puisse arriver.

Laura savait qu'elle aurait beaucoup de mal à maintenir debout l'échafaudage de ses mensonges deux jours durant sous l'œil inquisiteur d'observateurs attentifs. Il fallait à tout prix qu'elle empêche cette rencontre de se produire, mais elle éprouvait quelque doute, voire un peu de culpabilité et de remords vis-à-vis de la seule solution qu'elle avait trouvée pour y échapper.

On frappa à la porte. Ce devait être Larry, enfin !

« Une seconde ! » cria-t-elle.

Elle retira son short, son débardeur, dégrafa son soutien-gorge, enleva sa culotte et attrapa une serviette dans son placard. La plus petite et la plus fine qu'elle avait. Sans doute pas une vraie serviette de bain d'ailleurs puisqu'elle ne faisait même pas le tour de son buste, laissant apparaître une grande bande de peau sur le côté. Probablement pas de largeur standard non plus puisqu'elle s'arrêtait à cette zone chatouilleuse où les jambes rejoignent le tronc. Au moindre mouvement brusque, elle se retrouverait donc toute nue. La serviette était blanche, élimée par les lavages successifs, presque transparente à certains endroits. Elle l'avait lavée et relavée jusqu'à obtenir cette apparence. Elle s'en servait comme un magicien de son pendule : pour hypnotiser.

Elle ouvrit la porte.

« Hé », lança-t-elle, et les yeux de Larry plongèrent droit vers le sud dès qu'il les vit, les eut saisies dans son ensemble, elle et sa fantastique petite serviette. « Je ne suis pas habillée, désolée, dit-elle. J'allais justement prendre ma douche. »

Il entra et referma la porte derrière lui. Larry Broxton, dans sa tenue habituelle : short de basket argenté, tee-shirt noir, tongs géantes. Non pas que Larry n'ait pas d'autres vêtements dans son placard — il en avait, elle les avait vus, toutes ces chemises que sa mère lui avait sans aucun doute achetées. C'était juste la tenue qu'il choisissait systématiquement, qu'il ramassait par terre tous les matins, reniflait et réenfilait. Elle se demandait combien de temps il lui faudrait pour se lasser de cette tenue, mais cela faisait déjà un mois et elle ne l'avait toujours pas vu habillé autrement. Les garçons pouvaient se montrer obsessionnels, avait-elle découvert. Quand ils aimaient quelque chose, ils avaient tendance à le recommencer encore et encore et encore.

« Tu avais besoin de quelque chose ? » demanda Larry. Les garçons étaient toujours d'accord pour répondre à ses moindres désirs, en particulier quand elle portait la Serviette. Larry était assis sur son lit. Comme elle était debout devant lui, il était pile à la bonne hauteur pour observer son corps. Il suffirait qu'elle décale la serviette de quelques centimètres pour qu'il ait une vue directe sur son épilation pubienne.

« Juste une petite faveur », dit-elle.

Elle avait rencontré Larry en cours d'introduction à la littérature. Elle l'avait tout de suite remarqué, elle s'était demandé s'il se faisait pousser la barbe ou s'il se contentait d'oublier de se raser. Elle l'avait vu sur le campus. Elle savait qu'il portait toujours la même tenue et roulait dans un énorme quatre-quatre noir. Il ne parlait jamais à personne jusqu'au jour où, à la fin du cours, il lui avait proposé de venir à une fête qui avait lieu dans sa fraternité. Une soirée déguisée. Ils faisaient rôtir un cochon sur une broche. Faisaient griller des hamburgers qu'ils appelaient les Brontosaurus Burgers. Préparaient un Jus Rassic. Ils l'avaient baptisée la Fête des Salopes des Cavernes.

Ce qui relevait de l'insulte totale ! Enfin quoi, c'était la fête d'une fraternité. *Évidemment* qu'elle s'habillerait en salope. Pas la peine de le lui dire. Il la prenait pour une imbécile ou quoi ?

Malgré tout, elle y était allée. Avec une toge en cuir et rien dessous, elle avait bu du Jus Rassic jusqu'à trouver ça bon, bavardé avec Larry, il avait utilisé le mot *circonspect* dans une phrase, ce qui l'avait beaucoup impressionnée. Ils n'avaient pas réussi à se mettre d'accord sur ce qui était le pire à l'université, pour Laura, c'étaient « les cours », pour Larry, « les places de parking trop petites ». Et Laura avait éprouvé ce besoin urgent, submergeant, irrésistible et familier de serrer son corps tout contre le sien. Mais elle n'était pas assez ivre pour le faire devant tout le monde. Alors elle avait invité Larry dans sa chambre, et là elle lui avait fait une fellation et il avait joui dans sa bouche *sans lui demander*, ce qu'elle avait trouvé malpoli, mais bon.

Elle ne savait pas ce que voulait dire *circonspect*, peu importe, lui le savait sûrement. Et c'était un sacré mot.

« Est-ce que tu as toujours ton travail ? » demanda Laura, faisant allusion à son job d'étudiant au centre de soutien informatique du campus, où Larry passait l'essentiel des trois heures de son service à regarder des vidéos sur Internet, donnant un coup de main de temps à autre à un pauvre professeur incapable de connecter une imprimante à un ordinateur.

« Oui, dit-il.

— Génial », dit-elle en se rapprochant de lui, sa jambe frôlant la sienne.

La chose la plus bizarre qui s'était produite quand elle avait conclu avec Larry cette fois-là dans sa chambre, c'était qu'au moment où il avait joui elle avait senti un truc étrange entrer dans sa bouche, quelque chose de mou mais d'absolument, d'étonnamment solide. Elle cracha dans sa main et vit ce qui ressemblait à un morceau partiellement digéré de Brontosaurus Burger. Dont elle se dit qu'il venait forcément de Larry, et elle conclut qu'il devait avoir la capacité unique d'éjaculer son dîner par son pénis, ce qui était répugnant. Après cela, elle lui avait demandé de se soulager ailleurs.

« Et donc, à ton travail, dit Laura, tu peux te connecter à distance avec n'importe quel ordinateur sur le campus ?

— Ouais.

— *Parfait.* Il y a un ordinateur qu'il faudrait aller fouiller. »

Larry fronça les sourcils. « Quel ordinateur ?

— Celui du professeur Anderson.

— Waouh, merde. Vraiment ? »

Elle passa la main dans ses cheveux couleur de foin. « Absolument. Il cache quelque chose. Quelque chose de *grave.* »

Il y avait une autre possibilité que Laura n'avait pas envisagée : en réalité, aucun homme n'avait la capacité biologique d'éjaculer le contenu de son estomac, et le morceau de Brontosaurus Burger venait de la bouche de Laura, il était là depuis le début, avant même qu'elle commence à le sucer, coincé derrière une dent de sagesse, le jaillissement orgasmique de Larry l'avait simplement délogé. En d'autres termes, c'était une coïncidence, certes malheureuse. Après, elle dit à Larry qu'elle ne voulait plus qu'il décharge dans sa bouche, il suggéra alors d'autres endroits où il avait bien envie de le faire. Son visage, ses seins, ses fesses, des classiques. Classiques pour des gamins qui avaient tous les deux ingurgité des heures de porno sur Internet et qui ne faisaient que reproduire des scènes devenues normales pour eux, banales même. Pour deux jeunes gens biberonnés aux éjaculations typiques des pornos, le fait que

Larry ait envie de terminer chaque rapport sexuel en déchargeant sur une partie de son corps semblait une façon tout à fait ordinaire de clore l'acte sexuel. Mais par la suite, Larry étendit le champ de ses cibles : il voulait jouir sur ses pieds, son dos, dans ses cheveux, sur l'arête de son nez, il voulait qu'elle mette des lunettes pour pouvoir décharger sur ses lunettes, sur ses coudes, les attaches de ses poignets. Il était si précis ! De son côté, elle n'en pensait pas grand-chose, elle n'avait pas vraiment d'opinion sur le fait que Larry tienne à jour la liste des parties de son corps sur lesquelles il voulait éjaculer. Aucune opinion si ce n'est que de temps en temps elle avait l'impression d'être l'équivalent sexuel d'une carte de bingo.

« Qu'est-ce qu'il cache, le professeur Anderson ? demanda Larry. Y a quoi sur son ordinateur ?

— Quelque chose de très embarrassant. Peut-être même de criminel.

— Sérieusement ?

— Absolument », affirma Laura, et à ce moment-là, elle en était sûre à presque quatre-vingts pour cent. Après tout, qui pouvait se vanter de ne rien avoir d'embarrassant dans son ordinateur ? Une image suspecte téléchargée, un historique de navigation pas irréprochable. Elle avait de grandes chances de ne pas se tromper.

« Je suis censé me connecter aux ordinateurs des gens qui me demandent de les aider, dit Larry. Je ne peux pas farfouiller.

— Tu pourras toujours dire que c'était pour faire de la maintenance. »

Elle fit un pas de plus vers lui de façon à dévoiler un peu plus de peau sous la serviette. Elle était tellement concentrée sur Larry qu'elle ne savait pas exactement quelle surface était à nu, mais d'après l'expression sur son visage — cette fascination — elle conclut qu'il ne devait plus rester grand-chose de couvert sous sa taille.

« Réfléchis, dit Laura. Si tu trouves quelque chose qui prouve qu'il ne devrait pas avoir le droit d'enseigner, tu seras un héros. *Mon* héros. »

Larry la fixait.

« Tu voudrais bien faire ça pour moi ?

— Je vais avoir des ennuis, dit-il.

— Non, je te promets que non », dit-elle, attirant d'une main sa tête vers elle et retirant de l'autre la serviette, qui tomba mollement au sol.

Elle avait toujours adoré ce moment, le changement qui s'opérait chez les hommes quand ils se rendaient compte de ce qui était en train de se produire, la vitesse à laquelle ils passaient à un degré supérieur d'intensité et de concentration. Larry la serrait déjà contre lui.

« D'accord, dit-il. Je vais le faire. »

Elle sourit. À ce moment-là, il aurait accepté n'importe quoi.

Ce n'était jamais ce moment qui posait problème à Laura, le temps de la séduction. Le problème, c'était *après*. Les hommes avaient tendance à prendre leurs distances avec elle après quelques semaines. Elle ne pouvait jamais compter sur eux très longtemps. Par exemple, elle avait eu trois copains, le genre copains-et-plus-si-affinités, qui, peu de temps après leur aventure avec elle, s'étaient déclarés bi-a-sexuels, c'est-à-dire, selon eux, qu'ils n'étaient plus attirés ni par les femmes ni par les hommes.

Trois fois, ce qui lui semblait quand même énorme comme hasard.

Après que Larry eut terminé et quitté sa chambre, après qu'elle eut fini d'essuyer les traces qu'il avait laissées sur ses clavicules (une première), elle retourna à iFeel en se disant que peut-être elle aurait plus d'inspiration cette fois, que peut-être elle arriverait à savoir quoi dire, quoi ressentir. Mais rien. Ses émotions lui étaient plus étrangères que jamais.

Elle décida d'activer la fonction autocorrection d'iFeel, une option vraiment géniale, qui, à partir des émotions que vous retranscriviez, les comparait aux millions d'entrées de la base de données iFeel, et réussissait, par un procédé de recherche de fourmi, de fouille de données gigantesque, à extrapoler pour définir laquelle des cinquante émotions était la vôtre à l'instant *T*. Laura cliqua sur un lien, une zone de texte s'ouvrit, et elle commença à taper :

iFeel q je mérite pas de pas valider un crs juste pce q j'ai triché à un devoir débile ms je sais aussi q je devrais probablemt pas tricher autant ds ts les crs pce q un jour il faudra bien q je me tve un job & q je sache qq trucs ~(´•︵•`)~ ms là je suis OBLIGÉE de tricher pce q j'ai tellmt triché avt q j'ai aucune idée de ce qui se passe ds la plupart de mes crs (⊙﹏◎) et si j'arrête de tricher mtnt je risque d'avoir des très mvses notes & mm peut-ê de me faire renvoyer. Du cp, je crois que si ds les 2 cas je risque de me planter autant q je continue à tricher, à avoir les bonnes notes pr devenir la femme d'affaires q ma mère veut tellmnt q je devienne. Il faut dc q j'empêche cette renc/ ac le prof de se produire & j'y ai bcp réfléchi & j'en ai conclu q l'univté ne pourra pas obliger ce prof à venir à cette renc/ si ce prof N'EST PLUS UN EMPLOYÉ

DE L'UNIVERSITÉ \(^.^)/ alors peut-ê q le seul moyen de m'en sortir c de discréditer totalt ce prof & de le faire renvoyer & de détruire sa vie, ce qui ft q je me sens 1 peu coupable & aussi en colère q la fac me force à agir de cette manière & m'oblige à faire qq ch q je regretterai sûrmt + tard tt ça pce q j'ai recopié un stupide devoir ¯_(⊙_⊙)_/¯

Elle tapa sur Entrée et l'appli iFeel traita ces informations durant un moment avant de lui fournir la réponse suivante :

Voulez-vous dire « Mal » ?

C'est ça, c'est forcément ça qu'elle veut dire. Elle le posta immédiatement : *iFeel mal.* Et au bout de quelques secondes, les messages affluèrent.

allez meuf ! :)

te sens pas mal, t géniale !!

bisous !

t la meilleure !

Et ainsi de suite, par dizaines, des amis, des admirateurs, des petits copains, des amants, des camarades de classe, de vagues connaissances. Et même s'ils ne savaient pas du tout pourquoi elle se sentait mal, il lui était étonnamment facile de faire comme s'ils le savaient, comme s'ils étaient au courant de ses projets, de sorte que chaque message avait pour effet de la renforcer dans sa décision. Il fallait qu'elle le fasse. Elle pensait à son avenir, à sa mère, à tout ce qui était en jeu. Et elle savait qu'elle avait raison. Elle irait au bout de son plan. Tout cela, c'était la faute du prof. Il l'avait cherché. Il allait comprendre sa douleur.

3

Ils se retrouvèrent dans un restaurant de chaîne près du parking du bureau de Henry en banlieue, le genre d'endroit sorti de terre juste à côté de l'autoroute sur une bretelle d'accès terriblement encombrée. Ici, l'enchevêtrement de lacets avait tendance à perdre les GPS, à défier les cartes routières, tant il fallait de tours et demi-tours illogiques pour naviguer à travers les viaducs, les sens uniques, les croisements rendus nécessaires par les quatorze axes alentour.

À l'intérieur, musique de Top 50, moquette industrielle, enfants dans leurs chaises hautes constellées de taches de nourriture, traînées de lait, traces de feutre et résidus de serviettes en papier mouillées. Des familles dans l'entrée attendant leur table, tenant dans leurs mains le morceau de plastique rond donné par l'hôtesse à leur arrivée et censé clignoter quand leur table serait prête.

Assis dans un box, Henry et Samuel étudiaient le menu — des feuilles plastifiées, pleines de couleurs vives et de subdivisions complexes, grandes comme les tables des Dix Commandements dans ce film sur les Dix Commandements. En guise de nourriture, l'habituel mélange des classiques des chaînes de restaurants : burgers, steaks, sandwichs, salades, une liste d'entrées aux noms affublés d'adjectifs fantasques comme *grésillant*. Ce qui était censé différencier ce restaurant des autres consistait en une façon bizarre de cuisiner l'oignon — coupé en deux, puis frit de telle manière que l'oignon se recourbait sur lui-même et ressemblait, sur l'assiette, à une sorte de patte griffue et desséchée. Il y avait même un système de points, il fallait s'inscrire à un club et chaque fois qu'on mangeait un de ces trucs, on gagnait des points.

Leur table était couverte d'entrées que Henry avait commandées dès leur arrivée sur le compte de sa société. Ils étaient en pleine séance de « recherches sur le terrain », comme les appelait Henry. Ils épluchaient le menu et discutaient du potentiel de chaque plat en tant que surgelé : bouchées de cheddar frit, oui ; thon ahi poêlé, probablement pas.

Henry prenait des notes sur son ordinateur portable. Ils picoraient une assiette de brochettes de poulet glacé au miso quand Henry finit par aborder le sujet dont il mourait d'envie de discuter mais auquel il s'efforçait de paraître indifférent.

« Ah, au fait, comment ça se passe avec ta mère ? demanda-t-il d'un air désinvolte tout en essayant de couper un morceau de poulet avec sa fourchette.

— Pas terrible, dit Samuel. Aujourd'hui, j'ai passé l'après-midi entier à la bibliothèque de l'Université de Chicago, à consulter les archives, à regarder tout ce qu'il pouvait y avoir là-bas sur l'année 1968. Les annuaires des anciens élèves, les journaux. Je pensais que je trouverais peut-être quelque chose sur Maman.

— Et ?

— Que dalle.

— Pas étonnant vu le peu de temps qu'elle a passé à la fac, dit Henry. Un mois, peut-être ? Je ne suis pas surpris que tu ne trouves rien.

— Je ne sais plus dans quel sens chercher.

— Quand tu l'as vue, chez elle, est-ce qu'elle t'a paru, je ne sais pas, heureuse ?

— Pas vraiment. Plutôt sur ses gardes, silencieuse. Avec une sorte de résignation désespérée.

— Ça me rappelle des souvenirs.

— Peut-être que je devrais retourner la voir, dit Samuel. Passer à un moment où son avocat n'est pas là.

— C'est une très mauvaise idée, dit Henry.

— Pourquoi ?

— Pour commencer ? Parce qu'elle ne le mérite pas. Tout ce qu'elle t'a apporté, ce sont des problèmes. Et ensuite ? Tu as vu le taux de criminalité ? C'est beaucoup trop dangereux.

— Oh, arrête.

— Sans rire ! C'est quoi l'adresse, déjà ? »

Samuel la lui donna et le regarda taper l'adresse sur son ordinateur. « Voilà, c'est écrit ici, dit Henry, les yeux rivés à son écran. Il y a eu soixante et un crimes dans son quartier.

— Papa…

— Soixante et un ! Rien que le mois dernier. Agression simple, coups et blessures, effraction, vandalisme, vol de voiture, cambriolage, une autre agression, violation de propriété, vol, encore une agression. Dans la rue, pour l'amour de Dieu.

— J'y suis déjà allé. Il n'y a pas de problème.

— Dans la rue, *au milieu de la journée*. En pleine

lumière ! Un type déboule, te balance un coup de pied-de-biche, te pique ton portefeuille et te laisse pour mort.

— Je suis sûr que ça n'arrivera pas.

— *C'est arrivé*. C'est arrivé hier.

— Je veux dire que ça ne m'arrivera pas à moi.

— Tentative de vol, et là port d'armes illégal, disparition, si tu veux mon avis, ça, ça sent le kidnapping à plein nez.

— Papa, écoute…

— Agression dans le bus, coups et blessures aggravés.

— D'accord, entendu, je serai prudent. Comme tu voudras.

— Comme je voudrai ? Super. N'y va pas. Ne mets pas les pieds là-bas. Reste chez toi.

— Papa.

— Qu'elle se débrouille toute seule. Qu'elle crève.

— Mais j'ai besoin d'elle.

— Non.

— Je ne te parle pas de passer Noël avec elle. J'ai juste besoin qu'elle me raconte son histoire. Sinon, mon éditeur va m'attaquer en justice.

— C'est une très mauvaise idée.

— Tu sais ce que c'est, mon alternative ? Me mettre en faillite et déménager à Jakarta. C'est mon seul choix.

— Pourquoi Jakarta ?

— C'est juste un exemple. Ce que je veux dire, c'est que j'ai besoin que Maman me parle. »

Henry haussa les épaules, mâcha son poulet et prit des notes sur son ordinateur. « Tu as vu le match des Cubs hier soir ? dit-il sans quitter son écran des yeux.

— J'ai été pas mal occupé ces derniers temps, dit Samuel.

— Hum, acquiesça Henry. Beau match. »

C'était leur mode habituel — ils communiquaient par le sport. C'était le sujet vers lequel, invariablement, ils déviaient la conversation quand ils étaient dans une impasse ou que cela devenait trop personnel ou trop triste. Après le départ de Faye, Samuel et son père parlaient rarement d'elle. Ils faisaient leur deuil chacun de leur côté. Ils parlaient surtout des Cubs. Après son départ, ils se découvrirent tous les deux une passion soudaine et étonnamment dévorante pour les Chicago Cubs. Aux oubliettes, les reproductions sous verre d'œuvres d'art contemporain obscures et les extraits de poésie absconse accrochés aux murs de sa chambre par sa mère, aussitôt remplacés par des posters de Ryne Sandberg et Andre Dawson, et des fanions des Cubs. La télévision était branchée sur la chaîne des sports tous les après-midi, et Samuel priait littéralement Dieu — à genoux sur le canapé, les yeux tournés vers le plafond —, il croisait les doigts en concluant des marchés avec Dieu en échange d'un home run, d'un retournement de fin de match, d'une saison victorieuse.

De temps à autre, ils allaient à Chicago assister à un match — toujours pendant la journée, toujours après que Henry avait rituellement rempli la voiture de provisions au cas où ils se retrouveraient coincés dans une catastrophe routière. Des litres d'eau pour boire ou pour le radiateur. Une roue de secours, parfois deux. Des fusées de détresse, une radio CB à manivelle. Des cartes de Wrigleyville annotées d'après ses voyages précédents : les parkings qu'il avait trouvés, les endroits où il avait croisé des mendiants, des dealers. Les quartiers particulièrement inquiétants qu'il avait carrément évités. Il emportait un faux portefeuille en cas d'agression.

Lorsqu'ils entraient dans Chicago et se retrouvaient coincés dans la circulation dans des quartiers louches, il lançait : « Portes verrouillées ? », et Samuel actionnait la poignée en disant : « OK !

— Yeux ouverts ?

— OK ! »

Et tous les deux se tenaient en état de vigilance et de qui-vive permanents jusqu'à leur retour à la maison.

Henry ne s'était jamais inquiété ainsi auparavant. Cela datait de la disparition de Faye, il avait commencé à penser aux catastrophes, aux agressions. Le fait de perdre sa femme avait introduit en lui l'idée qu'il risquait de perdre plus encore, très vite, très bientôt.

« Je me demande ce qui lui est arrivé, dit Samuel, à Chicago, à la fac. Qu'est-ce qui l'a fait fuir si soudainement ?

— Aucune idée. Elle n'en parlait jamais.

— Et tu n'as pas demandé ?

— J'étais si heureux qu'elle soit revenue, j'avais peur que ça nous porte la poisse. À cheval donné, on ne regarde pas la bouche, n'est-ce pas ? J'ai laissé tomber. Je me disais que ça faisait de moi un homme très moderne et très tolérant.

— Il faut que je découvre ce qui lui est arrivé.

— Hé, j'aurais besoin de ton avis, on lance une nouvelle ligne. Quel logo tu préfères ? »

Henry glissa deux feuilles de papier glacé sur la table devant lui. L'un annonçait *LES SURGELÉS*

FRAIS DE LA FERME, l'autre *LES GIVRÉS FRAIS DE LA FERME*.

« Je me réjouis que tu t'intéresses autant au bien-être de ton fils, dit Samuel.

— Sérieusement. Tu préfères lequel ?

— Je me réjouis que la crise existentielle que je traverse soit si importante pour toi.

— Arrête le mélo. Choisis un logo. »

Samuel se pencha dessus un moment. « Plutôt *SURGELÉS* ? Quand on hésite, il vaut toujours mieux prendre les mots à la lettre.

— C'est ce que j'ai dit ! Mais les gars de la pub prétendent que *GIVRÉS* rend le produit plus sympa. C'est le mot qu'ils ont employé. *Sympa*.

— Bien entendu, le mot *SURGELÉS* n'est pas à proprement parler exact non plus, ajouta Samuel. C'est un adjectif qui aurait mis des habits de substantif.

— Mon fils le prof.

— Mais je suppose qu'il y a quelques précédents en la matière. Le *fondu* de thon. Le *grillé* de maïs.

— Les gens de la publicité font ce genre de choses tout le temps. Tu sais ce qu'ils m'ont dit ? Qu'il y a trente ans on pouvait encore s'en tirer avec une affirmation toute simple : *Un goût délicieux ! Soyez joyeux !* Mais qu'aujourd'hui les consommateurs sont bien plus exigeants, alors il faut ruser dans les formulations. *Goûtez au délicieux ! Trouvez votre joyeux !*

— J'ai une question, dit Samuel. Quel genre d'aliment est à la fois frais, de la ferme *et* surgelé ?

— Ça, c'est le genre de détails auxquels de moins en moins de personnes s'arrêtent, tu serais surpris.

— Une fois que c'est surgelé, est-ce que ça

n'implique pas, par définition, que ce n'est plus frais de la ferme ?

— C'est un mot-clé. Quand la pub s'adresse à un public branché gastronomie, il y a toujours les mots *frais de la ferme*. Ou bien *maison*. Ou bien *local*. Pour les jeunes, ils utilisent le mot *vintage*. Pour les femmes, le mot *minceur*. Et ne me lance même pas sur la "ferme" d'où ces produits sont censés venir. Je suis de l'Iowa. Je sais ce que c'est qu'une ferme. Et cet endroit n'a rien d'une ferme. »

Le téléphone de Samuel sonna. Un nouveau message. Dans un réflexe, il fit un geste vers sa poche, puis s'arrêta et croisa les mains sur la table. Henry et lui se dévisagèrent pendant un moment.

« Tu vas regarder qui c'est ? demanda Henry.

— Non, répondit Samuel. On est en train de parler.

— Très aimable à toi.

— On est en train de parler de ton travail.

— On ne *parle* pas vraiment. Tu m'écoutes me plaindre, plutôt, encore une fois.

— Combien de temps il te reste avant la retraite ?

— Oh, beaucoup trop. Mais je compte les jours. Et je peux te dire que quand je finirai par m'en aller, les plus heureux, ce seront eux, les gens de la pub. Tu aurais dû voir le foin que j'ai fait pour qu'on mette *billes de mozzarella*, et pas *balls de mozzarella*, *bâtonnets de surimi* et pas *sticks de surimi*. Hors de question de céder. »

Samuel se souvenait de la joie de son père le jour où il avait annoncé à sa famille qu'il avait trouvé ce travail et qu'ils déménageaient à Streamwood — enfin l'exode, loin des immeubles bondés, vers les maisons avec pelouse et grandes pièces d'Oakdale

Lane. Pour la première fois, ils avaient un jardin à l'avant et à l'arrière de la maison. Henry voulait un chien aussi. Ils avaient une machine à laver *dans la maison*. Fini la corvée de laverie le dimanche après-midi. Fini les courses portées à bout de bras sur cinq pâtés de maisons. Fini les voitures vandalisées au hasard des rues. Fini les voisins du dessus qui se disputaient, le bébé du dessous qui hurlait en pleine nuit. Henry était aux anges. Faye, elle, semblait un peu perdue. Peut-être s'étaient-ils affrontés sur le sujet, elle voulait vivre en ville, lui en banlieue. Qui sait comment ces conflits-là se résolvent ; ce sont des tranches de vie que les parents cachent aux enfants. Tout ce que savait Samuel, c'est que sa mère avait perdu, et qu'elle regardait avec ironie tous les symboles de sa défaite — leur grande porte de garage en tôle, leur terrasse en teck, leur barbecue en pierre, leur quartier retiré, bourdonnant des rires des bienheureuses petites familles blanches, en sécurité.

Henry avait dû se dire qu'il avait coché toutes les cases — un bon travail, une famille, une jolie maison en banlieue. C'était tout ce dont il avait toujours rêvé, et ce fut donc une blessure terrible, un profond bouleversement quand tout s'effondra, d'abord sa femme l'abandonna, puis ce fut le tour de son travail. Aux environs de 2003 — après plus de vingt ans de maison, alors que Henry était à dix-huit mois d'une retraite anticipée confortable, assez proche pour avoir déjà commencé à faire des projets de voyage, de nouveaux loisirs — sa société déposa le bilan. Et ce, malgré le mémo qu'elle avait diffusé auprès de ses employés deux jours seulement auparavant, annonçant que tout allait pour le mieux, que les rumeurs de faillite étaient exagérées, qu'ils ne devaient en aucun cas vendre leurs actions, voire qu'ils pouvaient même penser à en acquérir davantage vu leur dévaluation actuelle. Henry l'avait fait, et avait appris par la suite qu'au même moment leur PDG revendait toutes ses parts. Toute la retraite de Henry était ainsi passée dans un tas d'actions qui ne valaient plus un clou, et lorsque la société sortit de la faillite et émit de nouvelles actions, elles ne furent proposées qu'au comité exécutif et aux gros investisseurs de Wall Street. Henry se retrouva donc sans rien. Le confortable bas de laine qu'il avait mis des années à remplir s'était évaporé en un seul jour.

Ce jour-là, tandis qu'il comprenait peu à peu que sa retraite devrait être repoussée de dix, voire de quinze ans, Henry avait eu cette même expression sidérée le jour où Faye avait disparu. Une fois de plus, il était trahi par ce sur quoi il était censé pouvoir compter.

À présent, il semblait juste cynique et prudent. Le genre de personne qui ne croit plus aux promesses de quiconque.

« L'Américain moyen mange six plats surgelés par mois, déclara Henry. Mon boulot, c'est de faire passer ce chiffre à sept. C'est ce sur quoi je m'échine toute la semaine, parfois même le week-end.

— Ça n'a pas l'air de t'enchanter.

— Le problème, c'est que personne au bureau ne fait de calculs à long terme. Ils sont tous constamment tendus vers les objectifs du prochain trimestre, le prochain rapport mensuel de résultats. Ils n'ont pas vu ce que moi j'ai vu.

— C'est-à-dire ?

— Que chaque fois que nous identifions une

nouvelle niche de consommateurs, nous procédons de telle façon que nous la vidons de sa substance. C'est une sorte de ligne de conduite, de philosophie des origines. Dans les années cinquante, Swanson a constaté que les familles prenaient leurs repas ensemble et il a voulu se placer sur ce marché. C'est ainsi qu'ont été inventés les plateaux télé. Ce qui a permis aux familles de se rendre compte qu'en fait elles n'avaient pas besoin de prendre leurs repas ensemble. En vendant des plats tout prêts, ils ont éradiqué les repas familiaux. Et depuis, nous n'avons fait que continuer à pulvériser le marché. »

Le téléphone de Samuel émit une nouvelle sonnerie, un nouveau message.

« Pour l'amour du ciel, dit Henry. Vous les jeunes et vos téléphones. Regarde, va.

— Pardon », dit Samuel en lisant le message. C'était Pwnage : *PUTAIN, TROUVÉ LA FEMME DE LA PHOTO* !!!

« Désolé, une seconde », dit Samuel à son père en tapant sa réponse.

quelle femme ? quelle photo ?

celle de ta mère des années 60 !! j'ai trouvé la femme qi est dessus !!

vraiment ?

viens au jezebels tt de suite et jte raconte tt !!

« Au bureau, c'est pareil, chaque fois que j'essaie d'avoir une conversation avec un stagiaire, c'est la même chose, poursuivit Henry. Vous avez la tête à deux endroits en même temps. Du coup, vous ne faites vraiment attention à rien. Et je m'en fiche si ça me donne l'air d'être un vieux con.

— Désolé, Papa, faut que j'y aille.

— Vous ne tenez pas en place plus de dix minutes. Tout le temps débordés.

— Merci pour le dîner. Je t'appelle très vite. »

Samuel fonça vers le sud et la banlieue où vivait Pwnage, il gara sa voiture sous les lumières violettes du Jezebels et se précipita à l'intérieur, où il trouva son pote d'*Elfscape* accoudé au bar, face à une télévision, à regarder une émission populaire où les gens faisaient des concours de nourriture.

« T'as trouvé la femme de la photo ? dit Samuel en s'asseyant.

— Oui. Elle s'appelle Alice, elle vit dans l'Indiana, en pleine cambrousse. »

Il tendit une photo à Samuel — imprimée sur papier ordinaire, à partir d'un site Internet : une femme à la plage un jour de grand soleil, souriant à l'appareil, en chaussures de randonnée, pantalon treillis, grand chapeau mou vert et un tee-shirt portant l'inscription « Joyeux Campeur ».

« C'est elle, tu en es sûr ?

— Absolument. C'est elle qui est assise derrière ta mère sur cette photo de la manifestation en 1968. Elle me l'a confirmé.

— Incroyable, dit Samuel.

— Tu veux entendre la meilleure ? Elle et ta mère étaient *voisines*. De chambre, à la fac.

— Et elle serait d'accord pour me parler ?

— J'ai déjà tout arrangé. Elle t'attend demain. »

Pwnage lui passa leurs échanges de mails imprimés,

ainsi que l'adresse d'Alice et l'itinéraire pour aller chez elle.

« Comment tu l'as retrouvée ?

— J'ai eu un peu de temps pendant le Patch Day. Rien de bien compliqué. »

Il reporta les yeux sur la télévision. « Oh, regarde-moi ce truc ! Tu crois qu'il va réussir à avaler tout ça ? Moi, je pense que oui. »

Il parlait de l'invité de l'émission, un homme connu pour sa capacité à ingurgiter des monceaux de nourriture sans s'évanouir ni vomir. Il avait son nom au tableau d'honneur dans de nombreux restaurants américains où il avait battu des records mémorables : un steak de deux kilos, une pizza burger XXL, un burrito plus lourd qu'un nourrisson. Son visage était bouffi comme s'il avait un demi-centimètre de gras supplémentaire sur tout le corps par rapport à n'importe qui.

Il était en train de commenter avec force détails le gâteau de pommes de terre râpées que lui préparait le chef d'une cafétéria graisseuse sur une plaque chauffante décolorée — un monticule de pommes de terre en forme de carré de la taille d'un jeu d'échecs. Au-dessus du gâteau, le chef avait déposé deux grosses cuillerées de saucisses hachées, quatre poignées de tranches de bacon, du bœuf haché, des rondelles d'oignon et ce qui semblait être des copeaux de cheddar blanc, de mozzarella ou de gruyère très clair, en si grande quantité que la viande disparaissait totalement sous un monceau blanc fondu. Dans le coin en haut à droite de l'écran, il était écrit : *11-Septembre, n'oubliez jamais.*

« Je te dois une fière chandelle, mec, dit Samuel.

Merci beaucoup. Si tu as besoin de quoi que ce soit, tu n'as qu'à me demander.

— De rien.

— Je ne plaisante pas. Tu es sûr qu'il n'y a rien que je puisse faire pour toi ?

— Non. Ça va.

— Eh bien, si jamais tu trouves, n'hésite pas. »

Le chef ajouta six grosses cuillerées de crème fraîche au-dessus de la couche de fromage blanc qu'il étala généreusement sur la brique de nourriture. Il roula le tout, côté pommes de terre apparent, le coupa en deux et présenta les deux boudins debout sur une grande assiette de service. Ils se fissuraient par endroits et laissaient échapper de la vapeur et une crème liquide épaisse et grasse. Le plat avait été baptisé Pétage de Ventre façon Twin Towers. L'invité était installé à l'une des tables du restaurant, entouré de clients excités de passer à la télévision. Devant lui, les deux bûches viande-patates dorées. Il réclama un moment de silence. Tout le monde baissa la tête. Gros plan sur le Pétage de Ventre et ses traînées de gras blanc. Puis le groupe de supporters, suivant sans doute le signal de quelqu'un hors champ, se mit à crier « Mange ! Mange ! Mange ! Mange ! » tandis que l'invité s'emparait d'une fourchette et d'un couteau et commençait à découper la croûte grillée du Pétage de Ventre et enfournait une bouchée dégoulinante. Il mâcha et lança un regard plaintif à la caméra : « C'est *lourd.* » Les spectateurs éclatèrent de rire. « Les gars, je suis pas sûr que je vais *y arriver.* » Coupure pub.

« En fait, reprit Pwnage, il y a une chose que tu pourrais peut-être faire pour moi.

— Je t'écoute.

— Il y a ce livre, dit Pwnage. Enfin, c'est plus une idée de livre. Un roman policier à suspense ?

— Le polar avec le flic extralucide, je me souviens.

— Ouais. J'ai toujours voulu écrire ce livre, mais j'ai toujours été obligé de repousser parce qu'il y avait tous ces trucs que je devais faire avant de pouvoir m'y mettre — tu sais, tout le boulot de recherche que je dois à mes lecteurs, sur le travail de la police, le fonctionnement de la justice, il faudrait que je commence par suivre un vrai inspecteur, mais pour ça il faudrait d'abord que j'en trouve un, que je lui explique que je suis écrivain et que j'ai besoin de passer quelques nuits sur le terrain pour que *ça fasse vrai*, le jargon et les procédures. Ce genre de trucs.

— Bien sûr.

— De la recherche, quoi.

— Oui.

— Mais bon, si j'envoie une lettre à un inspecteur en affirmant que je suis écrivain, il risque de ne pas me croire comme je n'ai jamais été publié nulle part, ce qu'il découvrira forcément parce que les inspecteurs *savent découvrir les choses*. Du coup, avant de contacter un inspecteur, il faudrait que j'aie déjà publié quelques nouvelles dans des revues littéraires, peut-être que ce serait mieux aussi si j'avais déjà remporté quelques prix littéraires pour corroborer l'image de l'écrivain, comme ça l'inspecteur sera plus facilement d'accord pour me prendre avec lui sur une enquête.

— J'imagine.

— Sans parler de tous les livres sur la sensibilité extrasensorielle et les autres phénomènes psychiques paranormaux qu'il faudrait que je lise pour que ce soit vraiment vraisemblable. En fait, il y a tellement de choses que je dois finir avant de pouvoir *commencer* à écrire que c'est difficile de se motiver.

— Est-ce que tu essaies de me demander quelque chose en particulier ?

— Si j'avais déjà un éditeur sur le coup, l'inspecteur que je contacterais me croirait automatiquement quand je lui dirais que je suis écrivain, et ça me donnerait aussi une bonne raison de *commencer à écrire*. Et puis il y aurait l'argent de l'à-valoir, bien sûr, qui me permettrait de financer la rénovation de ma cuisine.

— Donc tu veux que je montre ton livre à mon éditeur ?

— Ouais, si ça ne te dérange pas trop.

— Pas de problème. C'est comme si c'était fait. »

Pwnage sourit, donna une tape dans le dos de Samuel et se retourna pour regarder le mec à la télévision, qui en était à la moitié du Pétage de Ventre, avec une des deux tours déjà engloutie, l'autre, ayant déjà perdu sa consistance intérieure, réduite à une bouillie de pommes de terre. L'invité regarda la caméra d'un œil fatigué avec l'expression d'un boxeur hagard et épuisé qui s'efforce de ne pas s'évanouir. Pendant ce temps, le chef racontait qu'il avait créé le Pétage de Ventre Twin Towers quelques années plus tôt pour « ne jamais oublier ». L'invité attaqua la deuxième tour. Sa fourchette bougeait lentement. Elle tremblait. Un spectateur inquiet lui tendit un verre d'eau, qu'il refusa. Il avala la bouchée suivante. Il avait l'air de se détester.

Samuel fixait la photo d'Alice. Il se demandait comment la militante à l'air féroce de 1968 avait pu devenir *cette* personne, qui portait des treillis, des tee-shirts à inscription humoristique et se promenait sur des plages l'air parfaitement heureuse et bien dans sa peau. Comment la même enveloppe pouvait-elle abriter deux personnes aussi différentes ?

« Tu as parlé à Alice ? demanda Samuel.

— Ouaip.

— Comment elle était ? Quelle impression t'a-t-elle faite ?

— Elle m'a semblé particulièrement intéressée par la moutarde.

— La moutarde ?

— Ouaip.

— C'est de l'argot ?

— Non. La moutarde, la vraie, renchérit Pwnage. Elle est passionnée par la moutarde.

— Je ne comprends pas.

— Moi non plus. »

Pendant ce temps, à la télévision, l'homme atteignait les dernières bouchées. Il était dans un état désastreux, à bout de forces. Il posa le front sur la table, les bras en croix, et si sa lourde respiration et son abondante transpiration ne l'avaient trahi, on aurait aisément pu le croire mort. Les spectateurs étaient impressionnés qu'il ait presque réussi à absorber le plat en entier. Le chef ajouta que personne n'était jamais allé aussi loin. Les gens se mirent à scander : « USA ! USA ! » tandis que l'invité avalait la dernière bouchée, tremblant, sa fourchette en l'air.

4

Alice s'agenouilla sur le sol spongieux et mou de la forêt derrière sa maison. Elle saisit une petite touffe de plants de moutarde et tira — ni trop fort ni trop à la verticale, d'un geste délicat, tout en torsion, pour libérer sans les briser les racines du sol sablonneux. C'était une activité quasi quotidienne. Elle parcourait les bois des dunes de l'Indiana, en quête de plants de moutarde.

À quelques pas de là, Samuel l'observait. Il se tenait sur l'étroit chemin de gravier qui reliait la cabane d'Alice à son garage à travers les bois. Le chemin serpentait en montant et descendant une colline sur presque quatre cents mètres. Lorsqu'il avait entamé l'ascension de la colline, les chiens s'étaient mis à aboyer.

« Le problème, dit Alice, ce sont les graines. Les graines de moutarde peuvent persister des années durant. »

Cette femme menait une croisade personnelle dans les dunes le long de la rive sud du lac Michigan. La graine de moutarde qu'elle pourchassait venait d'Europe, jusque dans les forêts de l'Indiana, pour tuer les fleurs, les arbustes et les arbres locaux.

Sans elle pour la faire reculer, en quelques étés à peine, la graine aurait tout infesté.

La veille, elle lisait l'un des forums dont elle était modératrice, sur les espèces invasives dans la région de Chicago, sa mission consistait à réorienter les gens lorsqu'ils intervenaient au mauvais endroit. Elle s'en acquittait avec application et soin ; procédait par élagage, une sorte de version digitale de ce qu'elle accomplissait tous les jours dans les bois en arrachant ce qui n'était pas à sa place. Et comme la plupart des sites Internet étaient littéralement bombardés de spams — principalement des pubs pour des stimulants sexuels masculins, de la pornographie, ou Dieu sait quoi qu'elle ne pouvait pas déchiffrer —, même le plus confidentiel et le plus spécialisé des sites avait besoin de modérateurs pour surveiller les forums et effacer les messages indésirables, pubs, spams ou tout autre genre de données incongrues. Le temps qu'Alice ne passait pas dans les bois, avec ses chiens, ou avec sa compagne, elle le passait sur ce site, à contrer l'inéluctable chaos, à tenter d'établir un ordre éclairé face à la folie du XXIe siècle.

Elle était devant son ordinateur, à surveiller le forum sur les espèces invasives, quand elle avait vu qu'un dénommé Axman avait posté une photo avec la question suivante : « Connaissez-vous la femme SUR CETTE PHOTO ? » Avec toutes ces lettres majuscules, ce ne pouvait être qu'un spam, et cela n'avait certainement aucun rapport avec la discussion en cours à ce moment-là dont le sujet précis était : « Chèvrefeuille (de Chine, de Morrow, Bell, standishii et de Tartarie) ». Elle s'apprêtait donc à renvoyer la publication vers le forum des objets trouvés et à tancer Axman pour son erreur lorsqu'elle cliqua sur l'image et découvrit, chose extraordinaire, *son propre visage.*

Une photo prise en 1968, à la grande manifestation de Chicago. Elle était là, derrière ses vieilles lunettes de soleil, dans son treillis, fixant l'objectif. *Bon sang*, une vraie dure à cuire. Elle était dans le parc, au milieu des festivités de la foule étudiante. Des milliers de manifestants. Derrière elle flottaient une marée de drapeaux, de pancartes, et la ligne d'horizon des immeubles du vieux Chicago. Faye était assise devant elle. Elle n'en croyait pas ses yeux.

Elle contacta Axman, qui la mit en relation avec un type étrange, un dénommé Pwnage, qui la renvoya vers Samuel, qui vint lui rendre visite le lendemain.

Debout à quelques mètres d'elle, il restait à bonne distance de ce petit coin de gadoue arborée qui, pour l'œil du novice, n'avait rien de particulier, mais était en fait un nid à moutarde. Chaque brindille de moutarde renfermait des dizaines de graines, qui se nichaient sous les semelles, dans les chaussettes, dans les revers des jeans, puis se dispersaient dès qu'on se mettait à marcher. Samuel était prié de ne pas s'approcher. Alice portait des bottes en plastique qui lui montaient jusqu'aux genoux, le genre qu'on porte dans les marais, les tourbières. Elle se promenait avec de petits sacs en plastique noirs qu'elle enroulait méticuleusement autour de chaque plant pour ne laisser échapper aucune graine au moment où elle les déracinait. Chaque plant contenait des centaines de graines, il ne fallait en laisser échapper aucune. Elle avait une façon de tenir ces petits sacs pleins de graines — à quelques centimètres d'elle, très prudemment —, on aurait dit qu'elle transportait le corps d'un chat mort.

« Comment vous êtes-vous intéressée à ce sujet ? demanda Samuel. La moutarde, je veux dire.

— Quand j'ai emménagé ici, répondit-elle, j'ai constaté qu'elle était en train de tuer toutes les plantes locales. »

La cabane d'Alice avait une vue imprenable sur une petite dune au bord du lac Michigan, c'était ce qui s'approchait le plus d'une maison de plage dans l'Indiana. Elle avait acheté la maison pour trois fois rien en 1986, une année record pour le niveau du lac. L'eau n'était qu'à quelques mètres de sa porte. Si le lac avait continué sa crue, la maison aurait été emportée.

« C'était un pari risqué, dit Alice, mais je savais ce que je faisais.

— Comment le saviez-vous ?

— À cause du changement climatique, dit-elle. Des étés de plus en plus chauds, de plus en plus secs. Plus de sécheresse, moins de pluie. Moins de gel en hiver, plus d'évaporation. Si les climatologues voyaient juste, le lac allait forcément reculer. Je me suis retrouvée à appeler de mes vœux le réchauffement climatique.

— Cela a dû vous sembler, disons, compliqué ?

— Chaque fois que j'étais coincée dans les bouchons, j'imaginais le gaz carbonique sortant de toutes ces voitures, envahissant l'air, et sauvant ma maison. C'était très pervers. »

Finalement, le lac avait bel et bien reculé. Là où l'eau se trouvait auparavant, elle avait désormais une grande et belle plage devant chez elle. Elle avait payé la maison dix mille dollars. À présent elle valait quelques millions.

« Je suis venue m'installer ici avec ma compagne, dit-elle. Dans les années quatre-vingt. Nous en avions marre de mentir sur notre relation. Marre de raconter à nos voisins que nous étions *colocataires*, que nous étions *de très bonnes amies*. Nous voulions être tranquilles.

— Où est votre compagne en ce moment ?

— Elle est en voyage d'affaires pour la semaine. Il n'y a que moi, et mes chiens. J'en ai trois, ils avaient été abandonnés. Ils n'ont pas le droit d'aller dans les bois, leurs pattes répandraient les graines de moutarde partout.

— Bien sûr. »

Les cheveux blancs d'Alice étaient attachés en queue-de-cheval. Sous ses cuissardes en caoutchouc, elle portait un jean. Un tee-shirt blanc tout simple. Elle appartenait à cette catégorie de gens qui vivent au contact de la nature et se fichent de leur apparence, totalement indifférents aux cosmétiques, aux soins divers, ce n'était pas de l'apathie, plutôt une sorte de transcendance.

« Comment va votre mère ? demanda Alice.

— Elle est inculpée.

— Mais à part ça ?

— À part ça, je n'en ai aucune idée, elle refuse de me parler. »

Alice songea à cette jeune fille secrète qu'elle avait connue autrefois, quel dommage que Faye n'ait jamais réussi à surmonter ce qui la torturait. Ainsi étaient les gens — amoureux de tout ce qui les rendait malheureux. Elle l'avait si souvent constaté chez ses compagnons d'armes, quand le mouvement avait éclaté et était devenu dangereux et mesquin. Ils étaient malheureux et ils semblaient se nourrir de leur malheur, y puiser leur force. Pas du malheur lui-même d'ailleurs, mais de sa présence familière et constante.

« Je voudrais bien vous aider, dit Alice, mais j'ai peur de ne pas pouvoir vous être très utile.

— J'essaie de comprendre ce qu'il s'est passé, dit Samuel. Ma mère a gardé secret tout ce qui s'est passé à Chicago. Vous êtes la première personne que je rencontre qui l'ait connue à cette époque.

— Je me demande pourquoi elle n'en a jamais parlé.

— J'espérais que vous pourriez me le dire. Quelque chose lui est arrivé là-bas. Quelque chose de fondamental. »

Bien sûr, il avait raison. Mais Alice ne lui en dirait rien.

« Qu'y a-t-il à dire ? tenta-t-elle d'éluder. Elle est allée à la fac pendant un mois, puis elle est partie. Ce n'était pas fait pour elle. C'est une histoire banale.

— Alors pourquoi la garder secrète ?

— Peut-être qu'elle était gênée.

— Non, il y a autre chose.

— Elle était tourmentée quand je l'ai rencontrée, ajouta Alice. Une provinciale. Intelligente, mais qui ne connaissait pas grand-chose de la vie. Discrète. Elle lisait beaucoup. Elle était ambitieuse, décidée à réussir, comme le sont les gens qui ont un problème avec leur père.

— Que voulez-vous dire ?

— Je mettrais ma main à couper qu'elle décevait toujours son père. L'angoisse qui en résultait s'est transformée en volonté d'impressionner le reste du monde. Les psychanalystes appellent cela le *déplacement*. L'enfant apprend ce qu'on attend de lui. Je me trompe ?

— Je ne sais pas.

— En tout cas, elle a quitté Chicago juste après les manifestations. Je n'ai même jamais pu lui dire au revoir. Tout à coup, elle avait disparu.

— Ouais, elle est douée pour ça.

— Où avez-vous trouvé cette photo ?

— Elle est passée aux infos.

— Je ne regarde pas les infos.

— Vous vous souvenez de la personne qui l'a prise ? demanda-t-il.

— Toute cette semaine est comme un grand brouillard. Tout se mélange. Je n'arrive plus à distinguer les journées les unes des autres. Enfin, non, je ne me souviens pas de qui l'a prise.

— Sur la photo, on dirait qu'elle est appuyée sur quelqu'un.

— Ce devait être Sebastian.

— Qui est Sebastian ?

— Il était le rédacteur en chef d'un journal underground. Le *Chicago Free Voice*. Votre mère était très attirée par lui, quant à lui, il était attiré par tous ceux qui lui prêtaient attention. Pas le genre de couple qui marche.

— Qu'est-il devenu ?

— Aucune idée. C'était il y a très longtemps. J'ai quitté le mouvement en 1968, juste après cette manifestation. Après quoi, je n'ai plus pris de nouvelles de personne. »

Les plants de moutarde qu'Alice arrachait mesuraient dans les trente centimètres, ils avaient des feuilles vertes en forme de cœur et de petites fleurs blanches. Pour un œil non exercé, ils ressemblaient à n'importe quel autre arbuste, tout à fait ordinaires. Le problème, c'était leur vitesse de croissance : ils poussaient si vite qu'ils volaient la lumière du soleil aux autres plantes et même aux jeunes arbres. De plus, ils n'intéressaient aucun prédateur naturel — la population locale de cervidés mangeait de tout, sauf la moutarde, lui laissant le champ totalement libre. Et puis, la moutarde produisait une substance chimique qui tuait les bactéries présentes dans le sol et dont les autres plantes avaient besoin pour prospérer. Une sorte de terroriste botanique, en d'autres termes.

« Ma mère faisait-elle partie du mouvement ? demanda Samuel. Était-elle une hippie, une radicale, quelque chose dans ce goût-là ?

— Moi, j'en étais une, dit Alice. Mais pas votre mère, ça c'est sûr. C'était une gamine normale. Elle s'était laissé entraîner malgré elle. »

Alice se souvenait de sa jeunesse idéaliste, de son refus de posséder quoi que ce soit, de verrouiller la porte de chez elle, de se promener avec de l'argent sur elle, de ce comportement complètement dingue qu'elle n'envisagerait pas une seconde aujourd'hui. Ce qu'elle craignait dans sa jeunesse, c'était d'avoir la moindre attache, le moindre fil à la patte — les frontières, les soucis, les pertes potentielles, les couleurs que revêtait le monde aux yeux des possédants : celles d'un monde où la menace d'être dépossédé planait en permanence. Et oui, Alice avait acquis cette maison dans les dunes de l'Indiana, elle y avait mis toutes ses affaires, avait installé des verrous sur toutes les portes, érigé un mur en sacs de sable pour contenir la crue du lac, elle avait nettoyé, poncé, peint, fait venir des dératiseurs, des entrepreneurs, abattu des murs, en avait construit de nouveaux, ainsi, peu à peu, cette maison était sortie de terre, comme Vénus surgie de la mer. Et oui, c'était vrai, toute la belle énergie de son engagement d'autrefois était désormais consacrée à des choses futiles comme le choix d'une lampe, la découpe d'un plan de travail pour la cuisine, la construction de bibliothèques intégrées, la sélection d'une couleur apaisante pour les murs de la chambre à coucher, idéalement le même bleu que le lac certains matins d'hiver, lorsque la surface de l'eau était comme de la glace pilée, scintillante, et se traduisait en peinture — selon l'échantillon qu'elle utilisait — par « bleu glacier », « bleu d'eau », « jacinthe » ou un adorable gris-bleu baptisé « envolée ». Et oui, de temps à autre, elle éprouvait une pointe de culpabilité et de regret à l'idée que ses préoccupations soient celles-ci désormais et non plus la paix, la justice, le combat pour l'égalité, auxquels elle avait juré de consacrer sa vie quand elle avait vingt ans.

Elle en avait conclu que quatre-vingts pour cent des convictions que nous avons à vingt ans se révèlent erronées. Le problème étant qu'on ne sait pas à quoi correspondent les vingt pour cent restants avant un très long moment.

« Qui l'a entraînée ? demanda Samuel.

— Personne, dit Alice. Tout le monde. L'époque. Elle a été emportée. C'était galvanisant, vous savez. »

Pour Alice, les vingt pour cent de vérité, c'était qu'elle voulait quelque chose qui mérite qu'elle y croie, qu'elle s'y consacre. Plus jeune, elle avait en horreur ces familles qui vivaient repliées sur elles-mêmes, ignorantes des problèmes du vaste monde : rouages bourgeois d'une grande machine, masses idiotes et grégaires, salauds égoïstes incapables de voir plus loin que le bout de leur jardin. Leurs âmes, pensait-elle, devaient ressembler à de petites choses rabougries.

Mais ensuite, elle était devenue une adulte, elle avait acheté une maison, rencontré quelqu'un, eu des chiens, entretenu ses terres et rempli sa maison d'autant d'amour et de vie que possible, et elle avait compris son erreur : toutes ces choses ne vous diminuaient pas. En réalité, à travers elles, elle avait l'impression de grandir. En choisissant de s'intéresser à quelques domaines d'ordre privé, en se donnant à fond, elle s'était sentie plus grande que jamais. Paradoxalement, le fait de réduire le champ de son action l'avait rendue beaucoup plus apte à l'amour, la générosité, l'empathie, et oui, à la paix et à la justice également. C'était toute la différence entre l'amour qu'on donnait par devoir — pour suivre un mouvement politique — et l'amour qu'on donnait par sentiment. L'amour — le vrai, authentique et gratuit — engendrait toujours plus d'amour. L'amour, donné librement, se dédoublait, se démultipliait sans cesse.

Et cependant, elle ne pouvait s'empêcher d'accuser le coup quand ses anciens camarades du mouvement l'accusaient d'avoir « vendu son âme ». C'était la pire des accusations, car, bien sûr, c'était la vérité. Mais comment pouvait-elle leur expliquer qu'il y avait plusieurs façons de vendre son âme ? Qu'elle ne s'était pas vendue à l'argent ? Que parfois, une fois son âme vendue, on éprouvait une compassion demeurée inconnue durant toutes ces années à faire la révolution ? Impossible, ils ne l'entendraient pas. Ils étaient vissés à leurs vieux principes : drogue, sexe, résistance. Même lorsque la drogue avait commencé à les faire tomber un à un, même lorsque le sexe était devenu dangereux, ils avaient persisté à croire en cette trinité et à se tourner vers elle pour obtenir des réponses. Ils n'avaient pas perçu le moment où leur résistance avait tourné au ridicule. La façon dont les gens s'étaient mis à applaudir quand les flics les rouaient de coups. Ils pensaient qu'ils étaient en train de changer le monde alors qu'ils aidaient Nixon à se faire élire. À leurs yeux, le Vietnam était intolérable, mais ils avaient répliqué en devenant eux-mêmes intolérables.

La seule chose moins populaire que la guerre dans ces années-là, c'était le mouvement contre la guerre.

C'était une vérité évidente, mais qu'aucun d'entre eux ne percevait, convaincus qu'ils étaient d'avoir raison.

Elle avait réussi à ne pas y penser trop souvent, à ne plus trop sentir ces ligatures qui la reliaient au passé. La plupart du temps, elle pensait à ses chiens, à la moutarde. Sauf quand quelque chose surgissait tout à coup qui lui rappelait sa vie d'avant, comme le fils de Faye Andresen, par exemple, traversant les dunes pour venir lui poser des questions.

« Vous étiez proches ? demanda-t-il. Avec ma mère ? Étiez-vous amies ?

— Je suppose, dit-elle. On ne se connaissait pas très bien. »

Il hocha la tête. Il avait l'air déçu. Il espérait plus. Mais que pouvait ajouter Alice ? Qu'elle n'avait jamais cessé de penser à Faye durant toutes ces années ? Que le souvenir de Faye était une compagnie discrète mais douloureuse et constante ? C'était pourtant la vérité. Elle avait promis de prendre soin de Faye, mais les choses lui avaient échappé, elle avait échoué. Elle n'avait jamais su ce qui lui était arrivé. Elle ne l'avait jamais revue.

Il n'y a pas plus grande douleur que celle-ci : la culpabilité le disputant au regret. Elle avait tenté d'enfouir en elle ces sentiments, avec ses autres erreurs de jeunesse, ici, dans ces dunes. Hors de question de déterrer ces histoires maintenant, même pour cet homme qui semblait en avoir si clairement besoin. Sa mère paraissait plantée en lui comme une écharde impossible à enlever. Elle attrapa une petite gerbe de moutarde et l'arracha — sans tirer trop fort, avec une légère torsion. Une technique éprouvée depuis longtemps. Il y eut un long silence, durant lequel on n'entendit que le bruit des plants de moutarde arrachés de la terre, le reflux du lac à côté, et le chant d'un oiseau qui faisait *han-han, han-han, han-han.*

« Même si vous arriviez à comprendre ce qui s'est passé, demanda Alice, à quoi cela servirait-il ?

— Comment ça ?

— Même si vous découvriez l'histoire de votre mère, cela ne changerait rien. Le passé est le passé.

— J'imagine que j'espère trouver une explication. Comprendre ce qu'elle a fait. Et puis, elle a des ennuis et je pourrais peut-être l'aider. Il y a ce juge qui a l'air fermement décidé à l'envoyer en prison. Apparemment, il est revenu de retraite juste pour la tourmenter. L'*Honorable* Charlie Brown de mon cul. »

Alice sursauta, leva les yeux de son herbe. Elle posa son sac à moitié plein sur le sol. Ôta ses gants, des gants en caoutchouc choisis pour que les graines n'y adhèrent pas. S'avança vers Samuel à pas maladroits, dans ses grandes cuissardes.

« C'est son nom ? dit-elle. Charlie Brown ?

— Tordant, non ?

— Oh, mon Dieu, dit-elle en tombant assise par terre. Oh non.

— Quoi ? demanda Samuel. Qu'est-ce qu'il y a ?

— Écoutez-moi, dit Alice. Il faut que vous sortiez votre mère de là.

— Que voulez-vous dire ?

— Il faut qu'elle parte.

— Cette fois, je suis sûr qu'il y a quelque chose que vous ne me dites pas.

— Je l'ai connu, dit-elle. Le juge.

— D'accord. Et alors ?

— Nous étions étroitement liés, en quelque sorte — à Chicago, à la fac —, le juge, votre mère et moi.

— Vous auriez pu commencer par là.

— Il faut que vous fassiez quitter la ville à votre mère, immédiatement.

— Dites-moi pourquoi.

— Peut-être même que vous lui fassiez quitter le pays.

— Que j'aide ma mère à quitter le pays. C'est ce que vous me conseillez.

— Je n'ai pas été parfaitement honnête sur les raisons qui m'ont fait venir ici, dans l'Indiana. La vraie raison, c'était lui. Quand j'ai appris qu'il était de retour à Chicago, je suis partie. J'avais peur de lui. »

Samuel s'assit dans l'herbe à côté d'elle et ils se dévisagèrent un moment, sous le choc.

« Que vous a-t-il fait ?

— Votre mère a de sérieux ennuis, dit Alice. Le

juge ne cédera jamais. Il est impitoyable et dangereux. Il faut que vous la tiriez de là. Vous m'entendez ?

— Je ne comprends pas. Pourquoi lui en veut-il ? »

Elle soupira et baissa les yeux. « C'est la pire espèce d'Américain qui existe : mâle hétérosexuel blanc qui n'a pas obtenu ce qu'il voulait.

— Il va falloir que vous me racontiez ce qui s'est passé *exactement* », dit Samuel.

À un mètre environ de son genou gauche, elle repéra une zone de plants de moutarde qu'elle n'avait pas vue — de jeunes pousses, dissimulées sous le trèfle. Elles ne donneraient pas de graines avant l'été prochain, mais alors elles sortiraient d'un coup et tueraient toutes les plantes alentour.

« Je n'ai jamais raconté cette histoire, dit-elle. À personne.

— Que s'est-il passé en 1968 ? demanda Samuel. Je vous en prie, dites-le-moi. »

Alice hocha la tête. Elle passa les mains sur l'herbe autour d'elle, les petites lames vertes lui chatouillèrent les paumes. Elle se dit qu'il faudrait qu'elle pense à revenir ici le lendemain. Le problème avec la moutarde, c'est qu'il ne suffit pas de la couper. Les graines peuvent survivre des années. Elle revient toujours. Il faut l'arracher. À la racine.

SEPTIÈME PARTIE

CERCLE

Fin de l'été 1968

1

Sa propre chambre. Sa clé à elle, sa boîte aux lettres. Ses livres. Tout était à elle, sauf la salle de bains. Faye n'y avait pas pensé. La salle de bains commune du dortoir : air vicié, eau croupie, sols crasseux, lavabos bouchés par les cheveux, poubelles débordant de mouchoirs, tampons et serviettes en papier brun roulées en boule. Une odeur de moisissure lente qui lui rappelait la forêt. Lui laissait imaginer, pullulant sous le sol, vers de terre et champignons. La salle de bains portait les stigmates d'un traitement épouvantables — les restes de savon incrustés dans les supports, fossilisés, la seule et unique cuvette de toilette constamment bouchée, le dépôt visqueux sur les murs telle une membrane recelant la mémoire des lavages féminins successifs. Si on les regardait à la loupe, ces carreaux roses révéleraient l'histoire du monde entier : bactéries, champignons, nématodes, trilobites. En soi, un dortoir était une idée effarante. Qui avait un jour pu penser une chose pareille : deux cents filles enfermées dans un bloc de béton ? Des chambres étroites, des sanitaires collectifs, une cantine gigantesque — la comparaison avec la prison était inévitable. Ce dortoir était un bunker glauque et obscur. De l'extérieur, le squelette du bâtiment faisait penser à un torse écorché de martyr — dont on ne voyait plus que les côtes. Tous les bâtiments du campus du Cercle avaient cette même apparence : à nu, à vif. Parfois, en allant en cours, elle laissait ses doigts courir sur les murs de béton grêlés d'acné, et se sentait gênée pour eux, gênée que quelque architecte excentrique ait ainsi mis leurs tripes au jour. La métaphore parfaite, songea-t-elle, pour décrire la vie d'un dortoir.

Il suffit de regarder cette salle de bains, où toutes les sécrétions intimes des filles se mélangent. Les grandes douches communes où croupissent des flaques d'eau gélatineuse et grise. Une odeur de légumes. Faye portait des claquettes. Si ses voisines avaient été réveillées, elles auraient pu la reconnaître au *clap-clap-clap* de son passage dans le couloir. Mais personne n'était réveillé. Il était six heures du matin. Faye avait la salle de bains pour elle toute seule. Elle pouvait se doucher tranquille. Elle préférait.

Elle n'avait pas envie de partager la salle de bains avec les autres filles, ses voisines qui se réunissaient le soir par petits groupes dans une chambre ou l'autre, et gloussaient, fumaient des joints, parlaient du mouvement de protestation, de la police, et la pipe à eau qu'elles se passaient, les pilules qu'elles prenaient pour élargir leur esprit, les chansons électriques qu'elles hurlaient : « *Looks like everybody in this whole round world/They're down on me*[1] *!* », criant en chœur avec le tourne-disque comme si elles

1. « On dirait que le monde entier me tombe dessus / Ils me tombent tous dessus ! », paroles d'une chanson de Janis Joplin, *Down on Me*.

saignaient ces paroles par tous les pores. Faye les entendait gémir de l'autre côté du mur, une litanie à un dieu terrible. Il lui semblait inacceptable que ces filles puissent réellement être ses voisines. Ces beatniks bizarroïdes, ces révolutionnaires psychédéliques qui auraient mieux fait d'apprendre à nettoyer leurs saletés derrière elles, d'après Faye, absorbée dans la contemplation d'une boule de mouchoirs sales presque entièrement liquéfiée. Elle ôta sa robe de chambre, tourna le robinet et attendit que l'eau chauffe.

Tous les soirs, les filles riaient et Faye les écoutait. En se demandant ce qui les rendait ainsi capables de chanter à tue-tête sans réfléchir. Faye ne leur parlait pas, quand elle les croisait, elle baissait les yeux. En classe, elles mâchonnaient leurs crayons, se plaignaient des professeurs qui se contentaient de leur enseigner les *vieux classiques merdiques*, Platon, râlaient-elles, Ovide, Dante — des trous du cul morts insignifiants pour la jeunesse d'aujourd'hui.

C'était l'expression consacrée — *la jeunesse d'aujourd'hui* — comme si les étudiants étaient devenus une nouvelle espèce à part totalement déconnectée du passé et de la culture qui l'avait engendrée. Et manifestement, le reste du monde, et de la culture en question, avait l'air plutôt d'accord. Sur CBS, les adultes n'en finissaient pas de se plaindre de cette jeunesse dans les débats quotidiens sur « le fossé des générations ».

Faye fit un pas sous l'eau chaude et se laissa tremper. L'un des trous du pommeau était bouché et le jet qui en sortait était à la fois plus fin et plus vif — comme une lame de rasoir sur sa poitrine.

Durant ces premiers jours à l'université, Faye ne

parla à presque personne. Chaque soir, seule dans sa chambre, elle faisait ses devoirs, soulignait les passages importants dans ses notes, ses lectures, ajoutant des annotations dans la marge, tout en écoutant ces filles rigoler de l'autre côté du mur. Les brochures de l'université n'avaient jamais rien mentionné de tel — la réputation du Cercle était supposée reposer sur l'excellence, la rigueur académique, la modernité du campus. Rien de tout cela n'était totalement vrai. Le campus, en particulier, était une horreur absolue, un tas de béton inhumain : bâtiments en béton, allées en béton, murs en béton, les lieux étaient aussi confortables et hospitaliers qu'un parking. Pas la moindre trace de pelouse alentour. Des édifices de béton craquelé et strié, pour évoquer l'apparence du velours peut-être, ou bien les entrailles d'une baleine. Le béton rongé par endroits, laissant apparaître une armature brute rouillée. Le même schéma architectural se répétant à l'infini en quadrillage anonyme. Pas une fenêtre de plus de quelques centimètres de large. Des bâtiments massifs, qui semblaient se refermer sur les étudiants telles des plantes carnivores.

Le genre d'endroits, rares, qui survivent aux bombes atomiques.

Impossible de s'orienter sur le campus, tous les immeubles se ressemblaient, les points de repère étaient confus, vains. La passerelle piétonne surélevée qui paraissait si géniale dans les brochures — *un passage piéton dans le ciel* — s'avérait peut-être la pire verrue du Cercle. Vantée comme le lieu de rencontre des étudiants, un outil de lien communautaire et amical, alors qu'en fait la plupart du temps, quand vous étiez sur cette passerelle et que vous aperceviez un ami en bas, il fallait crier pour lui faire signe et vous n'aviez aucun moyen d'échanger ou de vous rejoindre. Faye assistait à de telles scènes quotidiennement : des amis se faisaient signe puis se quittaient à contrecœur sans avoir pu se parler. De plus, cette passerelle n'était jamais le chemin le plus court pour aller d'un endroit à un autre, et les rampes d'accès étaient situées de telle manière que pour l'emprunter vous deviez marcher deux fois plus longtemps. Ajoutez à cela que sur les coups de midi, en plein mois d'août, le soleil avait tendance à chauffer la structure au point qu'on avait l'impression de griller. Par conséquent, la plupart des étudiants utilisaient les allées en bas, et l'effectif complet jouait des coudes dans les couloirs étroits, où l'impression de claustrophobie était renforcée par les énormes piliers de la passerelle et l'ombre qu'elle projetait.

Une rumeur prétendait que l'architecture du Cercle avait été conçue par le Pentagone pour semer la terreur et l'angoisse parmi les étudiants, ce qui n'était pas exclu.

Faye avait cru à la promesse d'un campus en phase avec le progrès, et trouvé un endroit où chaque façade de bâtiment évoquait les routes de sa ville natale. Elle avait cru à la promesse d'un corps étudiant laborieux et studieux, et trouvé ces voisines moins intéressées par leurs cours que par les moyens de se procurer de la drogue, d'entrer dans les bars, de se faire payer des verres, de baiser, et qui passaient leur vie à parler de sexe, l'autre sujet favori étant le mouvement de protestation. Il ne restait plus que quelques semaines avant la manifestation contre la Convention nationale démocrate. Ce serait une grande bataille en plein Chicago, l'apothéose d'une année de lutte, tout le monde en était sûr maintenant. La fébrilité des filles ne retombait plus, elles évoquaient sans cesse leurs projets : une grande marche exclusivement féminine sur Lake Shore Drive, la protestation par la musique et l'amour, quatre jours de révolution, des orgies dans le parc, la voix humaine cristalline perchant ses notes parfaites au-dessus de la foule, ainsi, nous toucherons tous ces petits Blancs, les projecteurs se braqueront sur nous et nous transpercerons l'œil de l'Amérique de notre glaive, les rues nous appartiendront, et tous ces gens derrière leurs écrans, nous leur montrerons qu'ils doivent combattre la nation, mec. *Avec toute cette énergie en nous, nous arrêterons la guerre.*

Faye se sentait loin de ces préoccupations. Elle se savonnait, la poitrine, les bras, les jambes, abondamment. Avec la mousse sur sa peau, elle avait l'impression d'être un fantôme, une momie, ou quelque autre chose blanche et terrifiante. L'eau de Chicago n'était pas la même que l'eau de chez elle, elle avait beau rincer, le savon ne partait jamais complètement. Un film recouvrait sa peau. Ses mains glissaient sur ses hanches, ses jambes, ses cuisses. Elle ferma les yeux. Pensa à Henry.

À ses mains sur son corps près du Mississippi cette dernière nuit dans l'Iowa. Ces mains froides et rudes, se frayant un chemin sous son corsage, se pressant contre son ventre, pareilles à des pierres du lit de la rivière. Elle avait tressailli. Il avait arrêté. Elle ne voulait pas qu'il arrête, mais impossible de le lui dire sous peine d'avoir l'air légère. Et il détestait qu'elle ait l'air légère. Ce soir-là, il lui avait donné une enveloppe en lui faisant promettre de ne l'ouvrir qu'une fois arrivée à l'université. À l'intérieur il y avait une lettre. Pas un poème, comme elle le craignait, rien que deux lignes, qui l'avaient sidérée : *reviens/épouse-moi.* Entre-temps, il s'était engagé dans l'armée, comme il l'avait dit. Il avait promis d'aller au Vietnam mais n'était pas allé plus loin que le Nebraska. Où il s'entraînait à des exercices antiémeute en prévision des désordres civils qui ne manqueraient pas de se produire. Il apprenait à manier la baïonnette sur des mannequins bourrés de sable et attifés comme des hippies. Il apprenait à se servir du gaz lacrymogène. À se regrouper en phalanges. Ils se reverraient à Thanksgiving, et Faye le redoutait. Parce qu'elle n'avait aucune réponse à lui fournir. Elle avait lu sa lettre et l'avait ensuite planquée comme un produit de contrebande. Mais elle était impatiente de se retrouver au bord du Mississippi, seule avec lui, pour qu'il recommence. Elle s'était rendu compte qu'elle y pensait, seule sous cette douche lugubre, au petit jour. En faisant semblant que ses mains étaient à quelqu'un d'autre. Peut-être à Henry. Peut-être plutôt à quelque abstraction masculine — elle ne parvenait pas à se le représenter, elle le sentait plus qu'elle ne le voyait, une chaleur mâle et robuste se pressant contre elle. Elle y songeait en laissant le savon et l'eau glisser sur sa peau, en humant l'odeur du shampooing dans ses cheveux. Elle se retourna pour se rincer, ouvrit les yeux et vit, de l'autre côté de la pièce, debout devant le lavabo, une fille qui l'observait.

« *Excuse-moi !* » glapit Faye, c'était l'une d'elles, une de *ces filles* — une dénommée Alice. La voisine de Faye. Cheveux longs, air féroce, lunettes cerclées d'argent posées au bout de son nez, à travers lesquelles elle la dévisageait à présent, droit dans les yeux, curieuse et terrifiante.

« Que je t'excuse pour quoi ? » demanda Alice.

Faye ferma le robinet et s'emmitoufla dans sa robe de chambre.

« Eh ben, dit Alice en souriant, t'es un sacré numéro. »

C'était la plus folle de toutes, cette Alice. Veste de camouflage kaki, bottes noires, le genre brune sauvage assise en tailleur façon Bouddha sur une table de la cafétéria à psalmodier des foutaises. Faye avait entendu toutes sortes d'histoires sur Alice — qu'elle faisait de l'auto-stop jusqu'à Hyde Park le samedi soir, qu'elle y retrouvait des garçons, qu'elle prenait des drogues, qu'elle atterrissait dans les chambres d'étrangers et en ressortait dans des états encore plus étranges.

« Tu ne dis jamais rien, dit Alice. Tu restes toute seule dans ta chambre. Tu fais quoi là-dedans ?

— Je ne sais pas. Je lis.

— Tu lis. Tu lis quoi ?

— Des tas de choses.

— Tes devoirs ?

— Je suppose.

— Tu lis ce que les professeurs te disent de lire. Pour avoir des bonnes notes. »

Faye la regardait de plus près à présent, ses yeux injectés de sang, ses cheveux emmêlés, ses vêtements froissés et sales, empestant ce mélange suffocant de tabac et de transpiration. Faye comprit alors qu'Alice n'avait pas dormi de la nuit. Il était six heures du matin, elle rentrait d'une de ses odyssées nocturnes d'amour libre qu'elles pratiquaient toutes.

« Je lis de la poésie, dit Faye.

— Ah ouais ? Quel genre ?

— Tous les genres.

— D'accord. Dis-moi un poème alors.

— Comment ça?

— Dis-moi un poème. Récites-en un. Ça devrait être facile si tu lis autant que ça. Allez. »

Elle avait une tache sur la joue que Faye n'avait jamais remarquée auparavant — une trace rouge et violette juste sous la peau. Un coup.

« Tu vas bien ? demanda Faye. Ton visage.

— Je vais bien. Super. Qu'est-ce que ça peut te faire ?

— Est-ce que quelqu'un t'a frappée ?

— Et si tu te mêlais de tes affaires ?

— Pas de problème, dit Faye. Il faut que j'y aille, de toute façon.

— T'es pas très sympa, dit Alice. Est-ce que t'as prévu de nous tomber dessus ou quelque chose comme ça ? »

Ces paroles, de nouveau, « tomber dessus ». La même satanée chanson, tous les soirs. « *Everybody in this whole round world !* » Elles la chantaient quatre ou cinq fois d'affilée. « *They're down on me !* » Comme si les filles avaient besoin de ça — de tous ces gens dans le monde —, qu'on leur tombe dessus pour leur donner une bonne raison de chanter.

« Non, je ne vais pas vous tomber dessus, dit Faye. Je vais juste me contenter de ne pas m'excuser.

— T'excuser de quoi ?

— De faire mes devoirs. D'être bonne en cours. J'en ai marre de culpabiliser. Bonne journée. »

Faye sortit de la salle de bains, fit claquer ses claquettes jusqu'à sa chambre, s'habilla, et se sentit si pleine de fiel, de colère qu'elle s'assit sur son lit, serrant les genoux contre sa poitrine et se balançant d'avant en arrière. Elle avait une migraine. Elle attacha ses cheveux, chaussa ses lunettes rondes qui tout à coup lui parurent ressembler à un masque vénitien ridicule. Elle se regarda dans le miroir, fronça les sourcils. Quand Alice frappa à la porte, elle était en train de rassembler ses livres dans son sac à dos.

« Je suis désolée, dit Alice. Ce n'était pas très amical comme attitude. Je te fais toutes mes excuses.

— Ce n'est rien, dit Faye.

— Pour me faire pardonner, je t'emmène ce soir. Il y a une réunion. Il faut que tu viennes.

— Je ne crois pas, non.

— C'est une réunion secrète. Ne le dis à personne.

— Vraiment, ce n'est pas la peine.

— Je passe te prendre à huit heures, dit Alice. On se voit à ce moment-là. »

Faye ferma la porte et s'assit sur son lit. Elle se demanda ce qu'Alice l'avait vue faire, là-bas sous la douche, quand elle était en train de penser à Henry : à ses mains sur elle. Le corps pouvait être si traître, afficher si clairement ce que le cœur s'efforçait de dissimuler.

La lettre de Henry était cachée dans le tiroir de sa table de chevet, tout au fond, glissée dans un livre. *Le Paradis perdu*.

2

Elles se réunissaient dans le bureau du *Chicago Free Voice*, une petite feuille de chou aux publications irrégulières qui s'était autoproclamée « le journal de la rue ». Au fond d'une ruelle sombre, derrière une porte anonyme, en haut d'une volée de marches étroites, Alice conduisit Faye jusqu'à une pièce à la porte de laquelle était accrochée une pancarte : CE SOIR ! SEXUALITÉ FÉMININE ET AUTODÉFENSE.

Alice tapota la pancarte et lança : « Les deux côtés de la médaille, n'est-ce pas ? »

Elle n'avait absolument rien fait pour dissimuler le bleu sur sa joue.

Lorsqu'elles arrivèrent, la réunion avait déjà commencé. La pièce, bondée, renfermait une bonne vingtaine de femmes, sentait le goudron et l'essence, le vieux papier et la poussière. Un mélange tiède d'encre, de colle et d'alcool flottait dans l'air comme une nappe de brume. Les odeurs se succédaient sous son nez — cirage, huile de lin, térébenthine. Le parfum de solvants et d'huile rappelait à Faye les garages et les établis d'Iowa, où ses oncles passaient de longs après-midi le nez sous le capot de voitures que personne n'avait conduites depuis des décennies — de petits bolides achetés une bouchée de pain dans des ventes aux enchères et patiemment restaurés, pièce par pièce, année après année, chaque fois que ses oncles avaient un moment et du courage pour le faire. Mais contrairement aux garages de ses oncles, placardés de logos de sport et de photos de pin-up, ce bureau-là arborait un drapeau viêt-cong sur le plus grand mur, les plus petits recoins étant recouverts de unes du *Free Voice* : CHICAGO EST UN CAMP DE CONCENTRATION, proclamait l'une d'entre elles ; C'EST L'ANNÉE DE L'ÉTUDIANT, déclarait une autre ; COMBATTEZ LES COCHONS DANS LA RUE, etc. Les murs et le sol étaient enduits d'une sorte de suie, un film de carbone qui altérait la lumière de la pièce, plongée dans un brouillard gris-vert. La peau de Faye lui semblait poisseuse, granuleuse. Ses baskets furent vite tachées.

Les femmes étaient assises en cercle — certaines sur des chaises pliantes, certaines appuyées au mur. Des Blanches, des Noires, portant toutes lunettes de soleil, vestes militaires et rangers. Faye s'assit derrière Alice et écouta la femme qui était en train de parler.

« Giflez, disait-elle, le doigt pointé en l'air, mordez, criez aussi fort que possible, et criez *au feu*. Pétez-lui les rotules. Mettez-lui des coups de poing dans les oreilles pour lui briser les tympans, transformez vos doigts en griffes et arrachez-lui les yeux. *Soyez créatives*. Enfoncez-lui le nez dans le cerveau. Vos clés, vos aiguilles à tricoter peuvent devenir des armes si vous les tenez fermement. Trouvez une pierre et fracassez-lui la tête avec. Si vous savez faire du kung-fu, servez-vous-en. Les coups de genou dans le bas-ventre sont bien entendu recommandés » — les femmes acquiesçaient à chaque mot, applaudissaient, encourageaient l'oratrice avec des *ouais*, des *elle a raison* —, « donnez-lui un coup de genou dans le bas-ventre en criant : *T'es pas un homme !* Faites-le plier. Les hommes vous attaquent parce qu'ils pensent qu'ils en ont le droit. Donnez-lui un coup de genou dans le bas-ventre et criez : *T'as pas le droit de faire ça !* Ne comptez pas sur les autres hommes pour vous aider. Au fond d'eux, tous les hommes veulent que vous vous fassiez violer. *Pour avoir la confirmation que vous avez besoin de leur protection.* Des violeurs en fauteuil, voilà comment ça s'appelle. » Sur quoi Alice cria : « Ça c'est bien vrai ! », acclamée par les autres femmes, sauf Faye qui ne savait plus où se mettre. Elle se sentait raide, nerveuse, elle regardait les femmes autour d'elle, tentait de singer leur posture naturellement offensive tandis que l'oratrice concluait : « Le viol apporte aux hommes la confirmation indirecte de leur puissance et de leur supériorité masculines, ils ne feront donc jamais rien pour que ça s'arrête. *À moins que nous les y forcions.* Voilà ce que je propose : chiche. Plus de maris. Plus de mariages. Plus d'enfants. Plus rien de tout cela tant que le viol n'aura pas disparu. Une bonne fois pour toutes. *Boycott total de la reproduction !* Nous ferons barrage à la civilisation. » Tonnerre d'applaudissements, toutes les femmes debout, venant taper dans le dos de l'oratrice, et Faye s'apprêtait à se joindre à elles lorsque d'un coin obscur de la pièce retentit un grincement métallique sonore. Toutes les têtes se tournèrent, et ce fut la première fois que Faye le vit.

Il s'appelait Sebastian. Il portait un tablier blanc

couvert de taches et de traînées grises sur lequel il s'essuyait les mains, ses cheveux au bol, hirsutes, lui tombaient sur les yeux, il les regarda, confus et timide, et lança : « Désolé ! » Debout derrière une machine bâtie comme une locomotive — fonte noire, huilée, broches argentées et mécanismes dentés. La machine vrombissait, tremblait, de temps à autre un *tac* métallique sanctionnait la chute de quelque matériau dans ses entrailles, comme des pièces tombant sur une table. L'homme — jeune, la peau mate, un air de chien battu — tira une feuille de papier de la machine et Faye comprit alors qu'il s'agissait d'une presse, et que la feuille était un exemplaire du *Free Voice.* Alice l'appela : « Hé, Sebastian ! Qu'est-ce que tu nous prépares ?

— L'édition de demain, dit-il en souriant et en plaçant la feuille sous la lumière.

— Il y a quoi dedans ?

— Le courrier des lecteurs. J'ai une pile entière de lettres.

— Elles sont bonnes ?

— Elles vont vous épater, dit-il en rechargeant la machine en papier. Désolé. Faites comme si je n'étais pas là. »

Tout le monde se retourna et la réunion reprit, mais Faye continua à observer Sebastian. À le regarder manipuler boutons et manivelles, baisser la tête de la machine pour que l'encre coule sur le papier, les lèvres serrées dans une mimique concentrée, le col de sa chemise blanche taché de vert foncé. Il avait l'air d'un savant fou débraillé, et elle se sentait proche de lui comme on se sent des affinités quand on est deux à ne pas faire partie d'un groupe. Tout à coup, elle fut tirée de sa contemplation par le mot *orgasme.* Faye se retourna pour voir qui l'avait prononcé — une femme grande, blonde, les cheveux tombant en cascade dans le dos, un collier de perles autour du cou, une chemise rouge écarlate avec une encolure profonde. Penchée en avant, elle posait des questions sur l'orgasme. Peut-on en avoir dans une seule position ? Faye n'en croyait pas ses oreilles : comment osait-elle aborder un sujet pareil en présence d'un garçon ? Avec sa machine, juste derrière elles, qui perforait du papier, battait le rythme comme des battements de cœur. Quelqu'un intervint pour parler de deux et peut-être trois positions pouvant mener à l'orgasme. Quelqu'un d'autre déclara que l'orgasme était une fiction. Inventée par les médecins pour nous faire honte. Honte de quoi ? De n'être pas capable d'éprouver ce qu'éprouvent les hommes. Tout le monde acquiesça. Elles poursuivirent le débat.

Il fut question d'orgasme sous marijuana, sous acide, mais presque jamais sous héroïne. Quelqu'un dit qu'il n'y avait rien de mieux que le naturel. Un petit ami d'une des filles ne pouvait pas faire l'amour tant qu'il n'était pas ivre. Un autre avait récemment demandé à l'une d'entre elles de prendre une douche vaginale. Un autre passait, après chaque rapport, une heure entière à nettoyer la chambre avec une shampouineuse et à l'asperger de germicide. Un autre avait surnommé sa queue la « pompe à croupe ». Un autre encore ne voulait pas entendre parler d'autre chose que de fellations avant le mariage.

« Amour libre ! » cria l'une d'entre elles, et tout le monde éclata de rire.

Car, malgré ce que les journaux racontaient, l'époque n'était pas du tout à l'amour libre. On *écrivait* l'amour libre, pourtant partout il était condamné, nulle part ou presque pratiqué, mais vanté de manière sensationnelle. Des photos de femmes seins nus dansant sur le campus de Berkeley circulaient sous le feu roulant des critiques. Le scandale du sexe oral à Yale était parvenu à chaque chambre du pays. Tout le monde avait entendu parler de la fille de Barnard College qui vivait avec un garçon avec qui elle n'était même pas mariée. L'imagination se focalisait sur le pelvis des étudiantes — on racontait des histoires de filles chastes devenues déviantes en à peine un semestre. Des articles de magazines condamnaient la masturbation, le FBI mettait en garde contre l'orgasme clitoridien, le Congrès enquêtait sur les dangers de la fellation. Les autorités n'avaient jamais été aussi *explicites*. On apprenait aux mères à détecter les signes d'une addiction au sexe, on déconseillait aux jeunes gens les plaisirs criminels qui détruisaient l'esprit. La police surveillait les plages en hélicoptère pour arrêter les femmes qui se promenaient seins nus. *Life* affirmait que les filles faciles enviaient aux hommes leur pénis et les transformaient en tantes. Le *New York Times* prétendait que la fornication excessive pouvait rendre les jeunes filles psychotiques. De bons petits gars de la classe moyenne tournaient pédales, accros à l'herbe, marginaux, beatniks. C'était vrai. Puisque Cronkite le disait. Les politiciens promettaient la plus grande sévérité. Ils rejetaient la faute sur la pilule, les parents trop libéraux, le taux de divorce galopant, les films cochons, les clubs de strip-tease, l'athéisme. Les gens secouaient la tête, épouvantés par la jeunesse qui courait à sa perte, et se remettaient en quête de nouvelles histoires sordides dont il ne leur échappait pas une miette.

Le baromètre de la santé du pays semblait réglé sur l'opinion des hommes d'âge mûr quant au comportement des étudiantes.

Mais pour les filles, ce n'était pas l'époque de l'amour libre. C'était l'époque de l'amour maladroit, embarrassé, nerveux, et ignorant. Ce dont personne ne parlait, ces réunions obscures de filles censées vivre l'amour libre et qui en fait *s'inquiétaient.* Elles avaient lu toutes ces histoires, elles y croyaient, et pensaient donc qu'elles faisaient quelque chose de mal. « Je veux être dans le coup, mais je veux pas que mon copain couche avec toutes ces filles », disaient-elles, nombreuses à se rendre compte que le concept d'amour libre butait sur tous les vieux arguments — jalousie, envie, pouvoir. C'était un leurre sexuel, cette histoire d'amour libre n'était pas à la hauteur de ses promesses avant-gardistes.

« Si je ne veux pas coucher avec quelqu'un, est-ce que ça veut dire que je suis prude ? demanda l'une des femmes à la réunion.

— Et si je ne veux pas ôter mes vêtements dans une manif', est-ce que je suis prude ? demanda une autre.

— Quand tu tombes le haut dans les manif', les hommes trouvent que t'es une sacrée gonzesse.

— Comme toutes ces filles à Berkeley, avec leurs fleurs et les seins nus.

— Elles font vendre des tas de journaux, en tout cas.

— En posant avec leurs seins tout peinturlurés.

— C'est vraiment ça, la liberté ?

— Elles ne le font que pour être populaires.

— Elles ne sont pas libres.
— Elles le font pour les hommes.
— Pourquoi, sinon ?
— Il n'y a pas d'autre raison.
— Peut-être qu'elles aiment ça ? » lança une nouvelle voix. Tout le monde se retourna pour voir qui avait parlé : c'était la fille avec les lunettes rondes, qui ne disait tellement rien depuis le début que c'en était bizarre. Faye rougit jusqu'aux oreilles et baissa les yeux.

Alice se retourna et la fixa. « Et qu'est-ce qu'elles aiment, au juste ? » demanda-t-elle.

Faye haussa les épaules. Elle s'était choquée elle-même d'avoir osé prendre la parole, alors pour dire *ça*. Elle aurait voulu se raviser, reprendre ses mots et les remettre dans sa stupide bouche. *Peut-être qu'elles aiment ça*, oh mon Dieu, mon Dieu, les filles la regardaient, attendaient. Elle se sentait comme un oiseau blessé dans une pièce pleine de chats.

Alice pencha la tête et dit : « Tu aimes ça, *toi* ?
— Parfois. Je ne sais pas. Non. »

Elle s'était oubliée. Elle s'était laissé emporter par la fièvre du moment — toute cette conversation sur le sexe, toutes ces filles survoltées, elle s'était vue chez elle face à la grande baie vitrée en train d'imaginer qu'un mystérieux inconnu la voyait, et tout à coup cela lui avait échappé, c'était sorti tout seul. *Peut-être qu'elles aiment ça.*

« Tu aimes ça, toi, te donner en spectacle devant des hommes ? demanda Alice. Montrer tes tétons pour qu'ils s'intéressent à toi ?
— Ce n'est pas ce que je voulais dire.
— Comment tu t'appelles ? demanda quelqu'un.
— Faye », répondit-elle, et les filles attendirent.

Elles l'observaient. Elle ne rêvait que d'une chose, partir en courant, mais cela ne ferait qu'attirer encore plus l'attention sur elle. Elle se recroquevilla, tenta de trouver quelque chose à dire, et c'est à ce moment-là que Sebastian sortit de l'ombre et vint à son secours.

« Désolé de vous interrompre, dit-il, mais j'ai une annonce à faire. »

Et pendant qu'il parlait, le groupe oublia enfin Faye. Assise là, elle bouillonnait et écoutait Sebastian — il parlait de la manifestation à venir, que la ville n'avait pas voulu leur donner l'autorisation d'occuper le parc mais qu'ils le feraient de toute façon. « Prévenez bien tous vos amis, dit-il. Venez aussi nombreux que possible. Nous serons plus de cent mille. Nous allons changer le monde. Nous allons mettre fin à la guerre. Personne n'ira travailler. Personne n'ira à l'école. Nous allons paralyser la ville. Musique et danse à tous les feux rouges. Les flics ne nous arrêteront pas. »

En entendant qu'on parlait d'eux, les flics éclatèrent de rire.

Car ils les écoutaient.

Entassés dans un petit bureau appelé « la cellule de guerre » situé au sous-sol de l'Amphithéâtre International, à quelques kilomètres au sud, ils écoutaient les exhortations de Sebastian, le bavardage inepte des filles. Ils prenaient des notes sur des blocs, commentant au passage la stupidité de ces gamines étudiantes, si naïves. Le bureau du *Chicago Free Voice* était sur écoute depuis combien de temps maintenant ? Depuis combien de mois ? Et ces gamines ne se doutaient absolument de rien.

À l'extérieur de l'amphithéâtre, il y avait les

abattoirs — les fameux entrepôts de Chicago, qui faisaient résonner aux oreilles des policiers les hurlements des animaux, les ultimes gémissements du bétail et des porcs. Certains flics, curieux, regardaient à travers les clôtures et voyaient des carcasses arrachées au sol et transportées au bout de crochets dans des chariots, écartelées, démembrées, répandant leurs entrailles et leurs excréments par terre, et des hommes tailladant pattes et gorges sans relâche — cela semblait si cohérent. Les couteaux de boucher fournissaient à la police une forme d'évidence, de pureté d'intention qui les guidait comme une métaphore muette dans l'exercice de leurs fonctions.

Ils écoutaient, notaient tout, la moindre menace voilée, le moindre appel à la violence, à l'agitation publique, toute propagande communiste, et ce soir-là ils récoltèrent une information spéciale — un nom, jamais mentionné auparavant, une nouvelle : *Faye*.

Ils échangèrent des regards, firent signe au nouveau, debout dans un coin avec son bloc-notes, récemment passé de la police de patrouille à l'Escadron Rouge : l'agent Charlie Brown. Il acquiesça. Prit note.

L'Escadron Rouge était l'unité de renseignements antiterroriste de la police de Chicago, créée dans les années vingt pour espionner les syndicats, étendue dans les années quarante à l'espionnage des communistes et désormais concentrée sur les menaces à l'ordre public émanant des gauchistes radicaux, essentiellement les étudiants et les Noirs. Ce n'était pas donné à tout le monde, et Brown était tout à fait conscient que certains parmi les autres agents, les plus âgés, étaient sceptiques à son égard et à l'égard de sa promotion : il était jeune, un chien fou à la carrière trop brève et sans décoration à son actif — pour le moment, il avait surtout cassé du hippie défoncé pour de petites infractions. Des peccadilles. Des gamins qui traînaient dehors passé le couvre-feu. Des attitudes vaguement obscènes. Comme flic de patrouille, il s'était fixé pour objectif de ne pas lâcher d'une semelle les hippies jusqu'à ce qu'ils finissent par changer de quartier, ou mieux encore, par changer de ville. Alors Chicago n'aurait plus eu besoin de s'occuper de ce que tout le monde s'accordait à décrire comme la pire génération de tous les temps. Et de loin. Même si c'était également la sienne. Il était à peine plus âgé que les gamins qu'il chopait. Mais l'uniforme lui donnait une *impression* de maturité, l'uniforme, les cheveux coupés en brosse, sa femme, son enfant, *son salaire*, son goût pour les choses calmes comme les bars sans trop de musique où la seule chose qu'on entendait c'était le murmure des conversations et le claquement occasionnel des boules de billard. L'église aussi. Aller à l'église, y voir les autres flics : une fraternité. Tous catholiques, tous voisins. À se taper dans le dos quand ils se croisaient. De bons gars, qui buvaient mais pas trop, étaient de bons maris, bricolaient dans leurs maisons, construisaient des trucs, jouaient au poker, payaient leurs mensualités. Leurs femmes se connaissaient, leurs enfants jouaient ensemble. Ils vivaient dans le même pâté de maisons depuis toujours. Comme leurs pères et leurs grands-pères avant eux. Ils venaient d'Irlande, de Pologne, d'Allemagne, de Tchécoslovaquie, de Suède, mais aujourd'hui ils étaient viscéralement *de Chicago*. La ville leur versait des salaires qui faisaient d'eux de bons partis pour les femmes du quartier désireuses de s'installer en ménage. Ils s'aimaient, ils aimaient leur ville, ils aimaient l'Amérique, et cela n'avait rien d'abstrait, rien à voir avec les gamins qui prêtent allégeance la main sur le cœur en chantant l'hymne dans la cour de l'école, eux avaient leur pays dans le sang — ils étaient *heureux* de le servir, d'y vivre, d'y réussir, d'y travailler dur, d'y élever leurs enfants, de les envoyer à l'école. Ils avaient vu leurs pères les élever et, comme la plupart des fils, tentaient d'être à la hauteur à leur tour. Et s'ils y arrivaient, c'était grâce à Dieu et à l'Amérique, et à la ville de Chicago. Ils ne demandaient pas grand-chose, mais ce qu'ils avaient demandé à cette ville, ils l'avaient obtenu.

Difficile de ne pas prendre les choses à cœur. Quand un élément nuisible s'introduisait dans leur environnement, ils avaient du mal à ne pas prendre les choses à cœur. *Il y avait de quoi.* Le grand-père de l'agent Brown s'était installé dans ce quartier quand il n'était encore qu'un tout jeune homme. Il s'appelait Czeslaw Bronikowski jusqu'à Ellis Island, où on l'avait rebaptisé Charles Brown, nom qui s'était ensuite transmis au fils aîné de chaque génération. Et même si ce nom lui avait apporté son lot de taquineries le jour où les gamins de l'école s'étaient mis à lire cette satanée bande dessinée, au CP à peu près, il l'aimait — c'était un nom bien, un nom américain, le ciment qui reliait le passé de sa famille à son avenir.

C'était un nom bien intégré.

Alors quand il voyait arriver en ville un camé quelconque, un beatnik minable, un hurluberlu hippie à cheveux longs assis sur le trottoir en faisant de l'ombre et des frayeurs aux vieilles dames, oui, il le prenait à cœur. Ne pouvaient-ils pas faire l'effort de s'intégrer eux aussi ? Pour les nègres, c'était différent, au moins c'était rationnel. Que les Noirs n'apprécient pas particulièrement l'Amérique, ça, il pouvait éventuellement le comprendre. Mais ces gamins-là, ces petits Blancs de la classe moyenne avec leurs slogans antiaméricains — de quel droit ?

Son boulot était donc simple : cibler et persécuter les mauvais éléments de la ville dans les limites permises par la loi. Sans mettre en péril son salaire ou la réputation de la ville ou du maire. Certes, de temps en temps, on en voyait un se montrer à la télévision, un de ces idiots de la côte Est qui n'avaient aucune idée de ce dont ils parlaient, pour dire que les flics de Chicago étaient des brutes épaisses qui bafouaient le Premier Amendement de la Constitution. Mais personne n'y prêtait vraiment attention. Il y avait un proverbe pour ça : les problèmes de Chicago, les solutions de Chicago.

Par exemple, si un beatnik s'avisait de traverser son secteur à deux heures du matin, ce n'était pas compliqué de le coffrer pour violation du couvre-feu. On savait bien que la plupart de ces types n'avaient pas de papiers sur eux, alors le gars pouvait toujours protester : « Le couvre-feu ne s'applique pas à moi, poulet », il suffisait de dire : « Prouve-le » pour le coincer. Facile. Et il passait les heures suivantes dans une taule insalubre à laisser infuser le message : Tu n'es pas le bienvenu ici.

Cela avait été un bon boulot pour l'agent Brown — il était tout à fait conscient de ses compétences et de ses limites, il n'était pas particulièrement ambitieux. Il s'en était contenté jusqu'à ce que, presque par hasard, il croise la route et gagne la confiance d'un leader hippie, alors, quand il annonça à sa hiérarchie qu'il avait « établi un contact avec un leader du mouvement étudiant », qu'il avait désormais « accès au saint des saints » et désirait intégrer l'Escadron Rouge — plus précisément la division chargée d'enquêter sur les activités antiaméricaines au Cercle de Chicago —, ils avaient bien été obligés d'accepter. (Personne d'autre dans la police n'avait réussi à infiltrer le Cercle — les étudiants les voyaient venir *à des kilomètres*.)

L'Escadron Rouge plaçait ses micros partout, chambres, téléphones. Ils prenaient des photos. Ils s'efforçaient de perturber la frange des militants antiguerre autant que possible. L'agent Brown voyait cela comme une simple amplification de ce qu'il faisait dans la rue — persécuter et coffrer des hippies — sauf qu'à présent il agissait en secret, utilisant des méthodes qui repoussaient les limites de ce qui était apparemment légal. Par exemple, ils avaient fait une descente dans le Bureau des étudiants pour une société démocratique, ils avaient volé des dossiers, cassé des machines à écrire et peint à la bombe « Black Power » sur les murs pour induire ces gamins en erreur. C'était peut-être un peu limite, mais à part la méthode, pour lui il n'y avait aucune différence entre son boulot précédent et l'actuel. L'arrangement moral, pour lui, était le même.

Les problèmes de Chicago, les solutions de Chicago.

Et voilà qu'on lui offrait sur un plateau un nouveau nom, un nouvel élément de la frange, fraîchement débarqué au Cercle. Il inscrivit le nom sur son bloc-notes. Dessina une étoile à côté. Très bientôt, il apprendrait à la connaître. Faye.

3

Faye était dehors, assise dans l'herbe, le dos appuyé contre un mur, à l'ombre d'un petit arbre, face au journal posé sur ses genoux. Elle lissa le papier sous ses doigts. Déplia les coins qui commençaient à se corner. Le papier n'avait pas le même aspect que les journaux habituels — plus raide, plus épais, presque cireux. L'encre bavait sur la page et sur les doigts. Elle s'essuya les mains dans l'herbe. S'arrêta sur le cartouche en une — *Rédacteur en chef : Sebastian* — et sourit. Il y avait quelque chose d'effronté et de triomphant à la fois dans le fait de ne signer que par son prénom. Sebastian était suffisamment connu pour n'avoir besoin que d'un seul nom, comme Platon, Voltaire, Stendhal ou Twiggy.

Elle ouvrit le journal. C'était l'édition que Sebastian était en train d'imprimer l'autre soir, celle du courrier des lecteurs. Elle commença à lire.

Cher Chicago Free Voice,

Est-ce que tu aimes te cacher des flics et de tous ceux qui nous dévisagent et nous jugent ? À cause de nos vêtements et de nos cheveux ? Moi, j'aimais ça, mais maintenant je ne veux plus, je veux leur parler. Je veux qu'ils m'aiment, qu'ils deviennent mes amis, je veux leur dire que je fume de l'herbe. Et s'ils nous aiment, peut-être qu'ils viendront fumer avec nous et nous écouteront. Et ainsi tu les auras aidés à nous rejoindre, à rejoindre la moitié des États-Unis qui fume déjà de l'herbe et qui ne cesse d'augmenter et la brigade des stupéfiants nous prendra tous pour des dégénérés, ha ha ha.

Il faisait chaud, clair, l'air grouillait de moucherons qui lui bouchaient la vue, dessinaient plein de petites taches noires entre le journal et elle, on aurait dit que les signes de ponctuation volaient sur la page. Elle les chassait de la main. Elle était seule, tranquille, dans la partie nord-est du campus, un coin de verdure séparé de l'allée par une petite haie, à l'arrière du tout nouveau Bâtiment des Sciences du Comportement, bâtiment le plus détesté de tout le Cercle. Celui dont toutes les brochures parlaient, conçu selon les principes géométriques de la théorie des champs unifiés, une nouvelle architecture destinée à briser la « tyrannie du carré » de la vieille architecture, si l'on en croyait les brochures. Une architecture moderne délaissant le carré au profit d'une matrice d'octogones imbriqués inscrits dans des cercles.

En quoi c'était mieux, sur le plan philosophique, que le carré, il n'y avait aucune explication à ce sujet dans les brochures. Mais Faye avait son idée sur la question : le carré, c'était vieux, traditionnel, ancien, et donc forcément mauvais. Manifestement, la pire chose sur ce campus, en matière d'étudiants comme de bâtiments, c'était d'être *carré*.

Le Bâtiment des Sciences du Comportement était

donc un édifice moderne, multi-angulaire, ce qui, en pratique, le rendait impraticable. Comme il était conçu comme un nid d'abeilles interconnecté, la circulation y était tout sauf intuitive, les couloirs morcelés serpentaient de telle manière qu'on ne pouvait pas faire trois mètres sans être confronté à quelque dilemme directionnel. C'était là qu'avait lieu le cours de poésie de Faye et le simple fait de trouver la salle de classe était une épreuve qui sollicitait toute sa patience et tout son sens de l'orientation à la fois. Certains escaliers étaient littéralement des culs-de-sac, débouchaient sur un mur ou sur une porte fermée, d'autres escaliers donnaient sur de minuscules paliers où plusieurs autres cages d'escalier se croisaient, toutes identiques. Ce qui ressemblait à une impasse ouvrait en fait sur un tout nouvel espace qu'elle n'aurait jamais imaginé se trouver là. Le deuxième étage se voyait depuis le premier, mais impossible en revanche de savoir comment y accéder. Sa conception en cercles et angles obliques garantissait que quiconque pénétrait dans l'édifice s'y égarerait, et d'ailleurs tous ceux qui en faisaient l'expérience pour la première fois avaient le même air déconcerté, à tenter de se repérer dans un espace où les notions de « gauche » et de « droite » n'avaient plus vraiment de sens.

Les étudiants étaient censés y étudier les sciences du comportement, mais on aurait davantage imaginé des spécialistes du comportement observant les étudiants pour voir combien de temps ils tenaient dans cet environnement insensé avant de devenir fous furieux.

La plupart du temps, les étudiants se contentaient donc d'éviter le bâtiment autant que possible, ce qui en faisait l'endroit idéal pour Faye pour s'isoler et lire au calme.

Vous vous croyez dingues, hein ? Vous appartenez à cette moitié-là de la population, hein ? Vous fumez tous de l'herbe, non ? Moi oui. Et je travaille aussi dur que n'importe qui à la poste. Et tous mes collègues sont au courant que je fume, sinon pourquoi ils me demanderaient si l'un de ces paquets de thé qui circulent sans cesse sent l'herbe. Aujourd'hui j'en ai trouvé un et tout le monde voulait sentir. Puis on l'a remballé et expédié. Celui à qui on l'a envoyé doit l'avoir reçu maintenant. Il doit être en train d'en profiter. Et peut-être de lire ma petite bafouille. Salut mon pote.

Elle perçut un mouvement, et elle leva les yeux, inquiète. Car, si jamais l'un de ses professeurs la surprenait en train de lire le *Chicago Free Voice*, si jamais quelqu'un de l'administration la voyait lire le « journal de la rue » pro-drogue, pro-Viêt-cong et antisystème… eh bien, il en tirerait des conclusions fâcheuses à son sujet.

Elle tourna donc la tête lorsqu'une silhouette entra dans son champ de vision et s'approcha, marchant dans l'allée de l'autre côté de la haie. En un coup d'œil, elle vit qu'il ne s'agissait pas d'un professeur, ni de quiconque de l'administration. Trop de cheveux. *Une tignasse*, c'était le mot en vogue, mais ses cheveux à lui avaient dépassé le stade de la tignasse, c'était une sorte d'efflorescence, de floraison sauvage. Elle le regarda s'approcher, la tête penchée sur le journal pour ne pas avoir l'air de le fixer, vit ses traits se préciser peu à peu et comprit que c'était lui. Le garçon de l'autre soir. De la réunion. Sebastian.

Elle repoussa ses cheveux en arrière, essuya la sueur sur son front. Elle leva le journal en l'air pour se cacher derrière. Appuya le dos contre le mur, et remercia le ciel que le bâtiment soit si tortueux et biscornu. Il passerait peut-être son chemin.

Moi je préférerais fumer un joint avec un flic plutôt que de continuer à m'enfuir quand j'en croise un, pas vous ? Vous préféreriez pas si tout le monde fumait ? Ni combats, ni guerres ! Rien qu'une bande de gens heureux. Dément, non ?

Sa tête s'enfonça dans le journal — elle voyait bien que c'était pathétique, la technique de l'autruche. Elle percevait les pas de Sebastian dans l'herbe à présent. Elle avait l'impression d'avoir le visage en feu. La sueur lui coulait sur les tempes, elle l'essuya avec ses doigts. Elle pressa le journal contre elle.

Ne voudriez-vous pas, vous, les amis, mes amis, vous retrouver tous ensemble ? Au moins dix millions, bon, peut-être neuf. J'adorerais vous serrer la main à vous tous. Tout ce qu'il nous faut, c'est un immense Festival d'Allumés pour leur montrer combien on est vraiment !

Les pas s'arrêtèrent. Puis reprirent et se rapprochèrent encore. Il marchait droit vers elle maintenant, Faye respira, s'épongea le front, guetta. Il s'approcha — plus que trois mètres, peut-être deux. Le journal lui cachait la vue mais elle pouvait sentir sa présence. Prétendre le contraire aurait été absurde. Elle abaissa le journal et il était là, souriant.

« Bonjour, Faye ! » dit-il. D'un bond, il vint s'asseoir à côté d'elle.

« Sebastian », dit-elle en hochant la tête avec un sourire, son sourire le plus authentique.

Il était magnifique. Presque professionnel dans sa beauté. Il semblait ravi qu'elle se souvienne de son prénom. Sa blouse de savant fou avait disparu. À la place il avait une veste — d'un beige neutre, en velours côtelé — et une chemise blanche, une cravate bleu marine fine, des chaussures marron. À part les cheveux — trop longs, trop ébouriffés, trop épais — il avait l'air bien sous tous rapports, le genre bon garçon, le genre même, sous cet aspect-là, qu'on présente aux parents.

« Ton journal est pas mal du tout », dit Faye, qui s'efforçait de se montrer le plus aimable possible, de s'attirer ses bonnes grâces : en l'assurant de son soutien, de son admiration. « Tu sais, cette lettre de l'homme qui travaille à la poste ? C'est vraiment intéressant, ce qu'il dit.

— Oh mon Dieu, tu imagines ce gars-là organiser un festival ? Dix millions de personnes ? Tu parles.

— Je ne crois pas qu'il ait vraiment l'intention d'organiser un festival, dit Faye. Je crois qu'il a seulement besoin qu'on lui dise qu'il n'est pas tout seul. Moi, j'ai juste l'impression qu'il se sent seul. »

Sebastian la regarda d'un air exagérément surpris — tête penchée, sourcils levés, sourire.

« Moi, je me suis dit qu'il était dingue.

— Non, il cherche des gens avec qui il pourrait être lui-même. Comme nous tous, non ?

— Hmm, fit Sebastian en la dévisageant un instant. Tu n'es pas comme tout le monde, toi.

— Je ne vois pas ce que tu veux dire. » Elle essuya la sueur sur son front.

« Tu es sincère, dit Sebastian.

— Ah bon ?

— Silencieuse mais sincère. Tu ne dis pas grand-chose, mais ce que tu dis, tu le penses. La plupart des gens que je connais passent leur temps à parler sans jamais rien dire de vrai.

— Euh, merci ?

— Par ailleurs, tu as de l'encre plein la figure.

— Quoi ?

— De l'encre, dit-il. Tu en as partout. »

Elle regarda le bout de ses doigts, noirs d'encre à cause du journal, et fit le rapprochement. « Oh non », dit-elle. Elle fouilla dans son sac à dos, sortit son miroir de poche, l'ouvrit et vit l'étendue du désastre : de grandes traînées noires sur le front, les joues, les tempes, partout où elle avait essuyé la sueur. Le genre de moment qui pouvait lui gâcher la journée entière, le genre de moment qui d'habitude provoquait la raideur, la panique : avoir l'air ridicule devant un inconnu.

Mais il se produisit autre chose, quelque chose de surprenant. Faye n'eut pas de crise. À la place, elle éclata de rire.

« J'ai l'air d'un dalmatien ! » s'écria-t-elle *en riant*. Elle n'avait aucune idée de ce qui la faisait rire.

« C'est ma faute », dit Sebastian. Il lui tendit un mouchoir. « Je devrais changer d'encre. »

Elle gomma les traces. « Ça c'est vrai. C'est ta faute.

— Marche un peu avec moi », dit-il. Il l'aida à

se relever et ils émergèrent de l'ombre de l'arbre, le visage de Faye à présent propre et enjoué. « T'es marrante », dit-il.

Elle se sentait légère, joyeuse, sexy même. C'était la première fois de sa vie que quelqu'un disait d'elle qu'elle était *marrante*. Elle dit : « Vous avez bonne mémoire, monsieur.

— Ah bon ?

— Tu t'es souvenu de mon nom, dit-elle.

— C'est-à-dire que tu as fait forte impression la dernière fois. Ce truc que tu as dit à la réunion.

— Je n'ai pas réfléchi. C'est sorti tout seul.

— Mais tu avais raison, pourtant. Et c'était important de le dire.

— Non.

— Tu sous-entendais que les désirs sexuels des gens sont parfois contradictoires avec leurs désirs politiques, ce qui a mis tout le monde mal à l'aise. De toute façon, ce groupe a tendance à sauter sur les gens timides. J'ai eu l'impression que tu allais avoir des ennuis.

— Je ne suis pas timide, dit-elle, c'est juste que… » Elle s'interrompit pour trouver le mot juste, la manière exacte et compréhensible de le dire, puis elle laissa tomber. « Merci d'être intervenu, dit-elle. C'est sympa.

— Pas de problème, dit Sebastian. J'ai vu ton *maarr*.

— Mon quoi ?

— Ton *maarr*.

— C'est quoi un *maarr* ?

— J'ai appris ça au Tibet, dit-il, dans cette secte de moines, l'un des groupes de bouddhistes les plus anciens au monde, je les ai rencontrés pendant que j'étais à l'étranger. Je voulais les rencontrer parce qu'ils ont résolu le problème de l'empathie humaine.

— Je ne savais pas que c'était un problème qu'il fallait résoudre.

— Bien sûr que si. Le problème, c'est qu'on ne peut jamais vraiment l'éprouver. L'empathie. La plupart des gens pensent que l'empathie c'est de comprendre les autres, d'entrer en relation avec eux. Mais c'est plus que ça. La vraie empathie, c'est la *sensation corporelle* des émotions de quelqu'un d'autre, l'expérience non seulement dans le cerveau mais dans le corps, un corps vibrant comme un diapason à la tristesse et à la souffrance de l'autre, comme lorsque, par exemple, on pleure aux enterrements de gens qu'on n'a même jamais connus, qu'on a faim à la vue d'un enfant affamé, ou bien le vertige en regardant un acrobate. Etc. »

Sebastian jeta un regard en coin à Faye pour être sûr qu'elle l'écoutait. « Continue, dit-elle.

— D'accord. Eh bien, si on poursuit ce raisonnement jusqu'au bout, alors l'empathie devient une sorte d'envoûtement, condition impossible car nous avons tous un ego distinct, nous avons atteint un certain niveau d'individuation, nous ne pouvons pas *être* quelqu'un d'autre, et c'est là tout le problème de l'empathie : nous pouvons nous en approcher mais nous ne pouvons pas l'accomplir.

— Comme la vitesse de la lumière.

— Exactement ! La nature a certaines limites — l'empathie humaine accomplie étant l'une d'entre elles — qui demeureront toujours hors de notre portée. Mais ces moines ont trouvé la solution : le *maarr.* »

Faye écoutait, fascinée. Qu'un garçon puisse

raconter ce genre de choses. À elle. Personne ne lui avait jamais parlé ainsi. Elle avait envie de le prendre dans ses bras et de pleurer.

« Considère le *maarr* comme le siège des émotions, dit Sebastian, contenues au plus profond de ton corps, quelque part près de l'estomac — tous les désirs, toutes les ardeurs, tous les sentiments d'amour, de compassion, de convoitise, toutes les envies, tous les besoins secrets sont enfermés dans le *maarr*. »

Faye posa la paume sur son ventre.

« Ouais, dit Sebastian en souriant. Juste là. "Voir" le *maarr* de quelqu'un signifie que l'on identifie ses désirs — sans que rien ne soit demandé, ni dit — et qu'on agit en conséquence. Cette dernière partie est essentielle : "voir" ne suffit pas *tant qu'on n'en fait rien*. Un homme ne "voit" les désirs d'une femme que s'il les comble sans qu'on le lui demande. Une femme "voit" le *maarr* d'un homme affamé quand, sans être sollicitée, elle le nourrit.

— D'accord, dit Faye. Je vois.

— C'est ce sens *actif* de l'empathie que j'aime tant, l'idée qu'il faille faire plus que juste entrer en contact avec un autre être humain. Il faut aussi *faire advenir quelque chose*.

— L'empathie ne s'accomplit que dans l'action, résuma Faye.

— Oui. Et donc, à la réunion, quand j'ai vu que le groupe commençait à te critiquer, j'ai détourné leur attention, et en ce sens j'ai vu ton *maarr*. »

Faye s'apprêtait à le remercier lorsqu'ils arrivèrent à une clairière et qu'elle vit des gens devant elle, entendit des voix qui criaient. Il y avait bien eu un vague fond sonore derrière leur conversation, tandis qu'ils se baladaient, tournant dans le sens inverse des aiguilles d'une montre autour du Bâtiment des Sciences du Comportement, empruntant les circonvolutions d'un campus où il n'y avait jamais aucune route directe pour aller d'un point A à un point B. Le volume sonore avait augmenté à mesure que Sebastian racontait son histoire d'empathie et de moines et de voir son *maarr*.

« C'est quoi ce bruit ? dit-elle.

— Oh, ça, c'est la manifestation.

— Quelle manifestation ?

— T'es pas au courant ? Il y a des affiches partout.

— J'ai pas remarqué.

— C'est la manifestation contre la ChemStar », dit-il, et ils arrivèrent dans la cour du monolithique University Hall, de loin le bâtiment le plus grand et le plus intimidant du campus. Là où la plupart des bâtiments du Cercle étaient des édifices trapus à deux étages, le University Hall était un monstre de trente étages. On le voyait de partout, dominant les arbres, plus large en haut qu'en bas — anonyme, carré, tyrannique. On aurait dit un exosquelette de béton beige recouvrant un édifice plus petit, plus foncé. Comme partout sur le campus, ses fenêtres étaient des meurtrières, trop étroites pour laisser passer un corps humain. Sauf au dernier étage. Les seules fenêtres de tout le campus qui paraissaient assez grandes pour pouvoir sauter à travers avaient justement été placées, telle une invitation douteuse, au point culminant du campus — le dernier étage du University Hall — et cela frappait les étudiants les plus cyniques qui y voyaient un acte de malveillance sournoise.

Des dizaines d'étudiants participaient à la marche : barbus, chevelus, en colère, ils criaient sur le bâtiment, sur les gens à l'intérieur — le personnel administratif, les bureaucrates, le président de l'université —, brandissant des pancartes avec le logo de la ChemStar dégoulinant de sang, ce logo que Faye connaissait si bien. Brodé sur l'uniforme de son père, juste là, sur le torse, le *C* et le *S* entrelacés.

« C'est quoi le problème avec la ChemStar ? demanda-t-elle.

— Ils fabriquent du napalm, dit Sebastian. Ils tuent des femmes et des enfants.

— C'est faux !

— C'est vrai, dit Sebastian. Et l'Université achète leurs produits de nettoyage, c'est pour ça qu'on manifeste.

— Ils fabriquent du napalm ? » dit-elle. Son père n'en avait jamais parlé. En fait, il n'évoquait jamais son travail, ne racontait jamais ce qu'il faisait là-bas.

« C'est un composé de benzène et de polystyrène, expliqua Sebastian, qui, une fois gélifié et mélangé à de l'essence, devient un sirop gluant, collant et hautement inflammable qu'on utilise pour brûler vifs les Viêt-cong.

— Je sais ce qu'est le napalm, dit Faye. Je ne savais pas que la ChemStar en fabriquait, c'est tout. »

Que l'enfance et l'éducation de Faye aient été financées par les salaires de la ChemStar serait impossible à avouer à Sebastian maintenant, ni jamais.

Sebastian, lui, observait la foule. Il ne semblait pas avoir remarqué son anxiété. (Il avait cessé de voir son *maarr*.) Ou plutôt il observait les deux journalistes qui gravitaient autour de la foule — un reporter et un photographe. Le reporter n'était pas en train d'écrire et le photographe n'était pas en train de prendre des photos.

« Il n'y a pas assez de monde, dit-il. Les journaux n'en parleront pas. »

L'attroupement devait compter dans les trente-cinq personnes, marchant en cercle furieusement en scandant : « Assassins, assassins ! »

« Il y a quelques années, dit Sebastian, un sit-in avec une dizaine de personnes te valait un entrefilet en page six. Mais aujourd'hui, il y a eu tellement de manifestations, la donne a changé. Chaque nouvelle manifestation rend la suivante plus banale. C'est le grand défaut du journalisme : plus la fréquence d'un événement est importante, moins l'événement est important. Il faut que nous suivions la même trajectoire que la Bourse — une croissance nourrie et permanente. »

Faye hocha la tête. Elle était en train de penser au panneau de la ChemStar, chez elle, dans l'Iowa : FAIRE DE NOS RÊVES DES RÉALITÉS.

« Je suppose qu'il y a quand même un moyen de se retrouver dans les journaux, dit Sebastian.

— Et lequel ?

— Il faut que quelqu'un se fasse arrêter. Ça marche à tous les coups. » Il se tourna vers elle. « C'était très sympa de discuter avec toi, Faye, dit-il.

— Merci », dit-elle sans réfléchir, toujours absorbée dans ses pensées sur son père, cette odeur quand il rentrait du travail : de l'essence mélangée à quelque chose d'autre, une odeur lourde, suffocante, comme des gaz d'échappement, de l'asphalte chaud.

« J'espère qu'on se recroisera bientôt », dit Sebastian. Et puis il partit en courant vers la foule.

Surprise, Faye cria : « Attends ! », mais il poursuivit, fonçant droit sur une voiture de police garée aux abords de la manifestation. Il bondit sur le capot, sauta sur le toit, et leva les deux poings en l'air. Les étudiants l'acclamèrent. Le photographe commença à prendre des photos. Sebastian sautait sur place, cabossant le toit de la voiture, puis il se retourna et regarda Faye. Il lui sourit et soutint son regard jusqu'à ce que la police s'empare de lui, ce qui ne tarda pas, le plaque contre la voiture, lui passe les menottes et l'embarque.

4

Quand Sebastian se fit plaquer contre la voiture, ce fut sans ménagement. La tête la première. La police n'y allait pas de main morte. Faye l'imaginait, sans doute en prison à présent, avec une bosse ou un hématome. Il aurait fallu qu'on lui pose de la glace, qu'on lui fasse un bandage, qu'on lui masse le dos. Faye se demandait s'il avait quelqu'un dans son entourage qui s'occupait de lui ainsi, quelqu'un de spécial. Elle se rendit compte qu'elle espérait que ce n'était pas le cas.

Son travail était étalé sur son lit. Elle était en train de lire Platon. *La République*. Les dialogues. Elle avait terminé les lectures imposées, avalé tout le corpus critique sur l'allégorie de la caverne, les personnages allégoriques qui vivaient dans cette caverne allégorique et ne voyaient du monde réel que des ombres qu'ils *prenaient* pour le monde réel. Le propos de base de Platon étant que l'idée que nous nous faisons de la réalité et la réalité elle-même ne concordent pas toujours.

Elle avait fini ses devoirs et lisait le seul chapitre du livre que le professeur ne leur avait pas demandé de lire, ce qui paraissait curieux. Arrivée à mi-chemin du chapitre en question, Faye avait compris pourquoi. C'était celui où Socrate explique à une bande de vieux comment attirer de jeunes garçons dans leurs filets. Pour coucher avec eux.

Que leur conseillait-il ? Ne louez jamais les qualités du garçon, disait Socrate. Ne soyez pas romantique, ne tombez pas amoureux. Si vous louez les qualités d'un garçon, disait-il, alors le garçon aura une si haute idée de lui-même qu'il deviendra plus difficile à conquérir. Cela ferait de vous un piètre chasseur, repoussant sa proie. Celui qui dit à quelqu'un de beau qu'il est beau ne se rend que plus laid à ses yeux. Mieux vaut ne jamais le louer. Mieux vaut, même, être un peu méchant.

Faye se demandait si c'était vrai. Ce qu'elle savait, c'est que chaque fois que Henry lui disait qu'elle était belle, elle le trouvait un peu plus pathétique. Elle se détestait de ressentir ça, mais peut-être que Socrate avait raison. Peut-être qu'il valait mieux taire son désir. Elle ne savait pas. Parfois Faye aurait voulu vivre une autre vie, une vie parallèle, la même mais avec d'autres choix que ceux qu'elle avait faits. Dans cette autre vie, elle n'aurait jamais à s'inquiéter autant. Elle pourrait dire et faire tout ce qui lui chantait, embrasser des garçons sans s'inquiéter pour sa réputation, regarder des films sans réfléchir, cesser de ne penser qu'aux examens et aux devoirs, prendre sa douche avec les autres filles, porter des fringues extravagantes, s'asseoir à la même table que les hippies et s'amuser elle aussi. Dans cette autre vie plus intéressante, Faye serait insouciante, cela semblait beau et charmant, mais en y pensant objectivement plus de dix secondes, cela semblait ridicule aussi. Totalement hors de sa portée.

Et c'était précisément la raison pour laquelle la grande réussite du jour — ce moment de gêne agréable et sincère avec Sebastian — était un énorme pas en avant. Elle s'était mise dans l'embarras face à un garçon et avait réussi à en rire. Elle s'était barbouillé le visage d'encre et n'avait pas été horrifiée, ne l'était toujours pas d'ailleurs, n'était pas obsédée par l'événement, ni dégoûtée, ne se rejouait pas la scène, ne la revivait pas encore et encore. Il fallait qu'elle en apprenne davantage sur Sebastian, c'était décidé. Comment aborder la question, aucune idée, mais elle allait demander. Et elle savait à qui.

Alice habitait la porte à côté, dans une chambre d'angle près de la sortie de secours, l'endroit était devenu le repaire des étudiants dans le coup, essentiellement des femmes, le genre que Faye avait rencontré à la réunion, qui veillait tard le soir à hurler des chansons en écoutant le tourne-disque et à fumer de l'herbe. Lorsque Faye passa la tête par la porte (qui était presque toujours ouverte), plusieurs visages pivotèrent dans sa direction, aucun n'était celui d'Alice. Elles lui indiquèrent qu'elle la trouverait peut-être à la Loi du Peuple, où Alice tenait les comptes bénévolement.

« C'est quoi, la Loi du Peuple ? » demanda Faye, et les filles échangèrent regards et grimaces. Faye comprit alors qu'elle s'était trahie, qu'en posant la question elle avait révélé qu'elle était coincée. Cela lui arrivait tout le temps.

« C'est là qu'on aide les gens qui se font arrêter dans les manifestations, expliqua l'une des filles.

— Qu'on les aide à sortir de prison, ajouta une autre.

— Oh, dit Faye. Vous croyez qu'ils arriveraient à faire sortir Sebastian ? »

Nouveaux sourires. Mêmes regards. Conspirateurs. Encore un autre aspect du monde qui lui échappait.

« Non, dit l'une des filles. Lui, il se débrouille tout seul. Faut pas t'inquiéter pour lui. Quand Sebastian se fait arrêter, il est sorti au bout d'une heure. Personne ne sait comment il fait.

— C'est un magicien », ajouta une des filles.

Elles lui donnèrent l'adresse de la Loi du Peuple, qui était en fait une quincaillerie nichée au rez-de-chaussée d'un immeuble vieillot et étouffant qui ne comptait qu'un seul autre étage et devait avoir été autrefois une splendide demeure victorienne avant d'être découpé en un puzzle habitations/commerce. Faye cherchait des yeux un panneau ou une porte, mais elle ne trouva que des étagères bourrées d'articles de quincaillerie classiques : clous, marteaux, tuyaux. Elle se demanda même si les filles ne lui avaient pas donné une mauvaise adresse pour se moquer d'elle. Le plancher grinçait, il s'affaissait sous les étagères les plus chargées. Elle s'apprêtait à partir quand le propriétaire, un homme grand et mince aux cheveux blancs, lui demanda si elle avait besoin d'aide.

« Je cherche la Loi du Peuple ? » hasarda-t-elle.

Il l'observa un moment, comme s'il l'inspectait.

« Vous ? lâcha-t-il enfin.

— Oui. C'est ici ? »

Il lui dit que c'était au sous-sol, qu'on y accédait par une porte à l'arrière du bâtiment, en suivant l'allée. Et c'est ainsi que Faye frappa à une porte où étaient peintes les initiales « LP », dans une allée où il n'y avait rien à part une demi-douzaine de bennes à ordures qui cuisaient au soleil.

La femme qui lui répondit — qui ne devait pas être beaucoup plus âgée que Faye elle-même — déclara qu'elle n'avait pas vu Alice mais suggéra à Faye d'aller voir à la Maison de la Liberté. Ce qui obligea Faye à endurer la même scène : admettre qu'elle ne savait pas ce qu'était la Maison de la Liberté, supporter le regard de travers, la gêne de ne pas savoir ce que tout le monde savait, écouter l'explication de la fille sur la Maison de la Liberté qui était un refuge pour les filles qui avaient fugué, et dont Faye avait interdiction *absolue* de révéler l'adresse à aucun homme.

C'est ainsi donc que Faye trouva Alice dans un immeuble en brique tout à fait banal, au dernier étage, derrière une porte sans aucune indication qui ne s'ouvrait que pour ceux qui connaissaient le code secret (SOS en morse), dans un salon spartiate, manifestement meublé avec du mobilier dépareillé, récupéré ou donné, et que quelques couvertures en crochet et tricot rendaient plus chaleureux. Alice était assise sur un canapé, les pieds sur la table basse, elle lisait *Playboy.*

« Pourquoi tu lis *Playboy* ? » demanda Faye.

Alice lui lança ce regard impatient et cinglant qui signifiait clairement son indifférence à ce genre de questions stupides.

« Pour les articles », dit-elle.

Ce qui rendait Alice si intimidante, c'est qu'elle semblait se moquer d'être appréciée ou non. Elle ne dépensait aucune énergie mentale à mettre les gens à l'aise, à prendre en compte leurs envies, leurs attentes, leurs désirs, leurs besoins élémentaires de décorum, de bonnes manières, d'étiquette. Faye, elle, croyait aux bienfaits du désir d'être aimé — pas par vanité, mais parce que cela faisait office de liant social. Dans un monde sans dieu vengeur, le désir d'être aimé, songeait-elle, était le seul garde-fou du comportement humain, et si elle n'était pas sûre de croire à ce dieu vengeur, elle savait en revanche qu'Alice et ses semblables étaient athées jusqu'au bout des ongles. Ils pouvaient donc tout se permettre sans craindre de retour de bâton dans l'au-delà. C'était désarmant. Comme de se retrouver dans une grande pièce avec un gros chien imprévisible — et cette peur au ventre constante et latente.

Alice poussa un énorme soupir, la conversation semblait s'annoncer mentalement épuisante pour elle. À croire qu'elle *s'attendait* à ce que Faye lui fasse perdre son temps, elle n'avait plus qu'à lui prouver le contraire.

« Regarde cette femme », dit Alice. Elle fit claquer ses pieds par terre et posa le magazine sur la table basse, ouvert au milieu. La photo, verticale, s'étalait sur trois pages. Et une fois passé le choc initial, une réaction de sursaut dans son ventre à l'idée d'être en train de regarder quelque chose qu'elle n'avait pas le droit de voir, la première chose que pensa Faye, penchant la tête pour mieux voir, c'était que la jeune femme sur la photo semblait avoir froid. Debout dans une piscine, le dos légèrement tourné vers l'objectif au niveau de la taille, de telle sorte que son torse apparaissait de profil. Debout dans une eau parfaitement turquoise, elle tenait un jouet de bain gonflable — en forme de cygne —, elle serrait son long cou, le pressait contre sa joue comme s'il y avait là quelque réconfort à trouver. Bien entendu, elle était nue. La peau de ses fesses et du bas de son dos semblait rugueuse, épaisse, une peau de crocodile à cause de la chair de poule. Des perles d'eau dégoulinaient de ses fesses et de ses cuisses.

« Qu'est-ce que je suis censée regarder ? demanda Faye.

— De la pornographie.

— Oui, mais pourquoi ?

— Je trouve qu'elle est vraiment jolie, celle-là. »

La fille du cahier central. Miss Août, était-il écrit dans le coin. Son corps rose légèrement marbré de rouge par endroits, là où elle avait froid, là où le sang affleurait sous la peau. L'eau coulait sur son dos, quelques gouttes s'accrochaient à son bras, pas assez pour qu'on puisse penser qu'elle avait nagé — peut-être le photographe l'avait-il aspergée pour obtenir cet effet.

« Elle a une aisance, dit Alice, un charme discret. Je suis sûre qu'elle est dégourdie, peut-être même très forte. Le problème, c'est qu'elle n'a absolument aucune idée de ce dont elle est capable.

— Mais tu la trouves jolie.

— Elle est belle.

— J'ai lu quelque part qu'il vaut mieux ne pas complimenter les gens sur leur physique, dit Faye. C'est réducteur. »

Alice fronça les sourcils. « Et d'après qui ?

— Socrate. Via Platon.

— Tu sais, dit Alice, parfois, t'es vraiment bizarre.

— Désolée.

— Tu n'as pas à t'excuser pour ça. »

Miss Août ne souriait pas vraiment. Elle avait plutôt ce sourire mécanique forcé de quelqu'un qui a froid et à qui on demande de sourire. Elle avait des taches de rousseur dues au soleil. Deux gouttes d'eau pendaient à son sein droit. En tombant, elles atterriraient sur son ventre nu. Faye le sentait, ce frisson.

« Le porno entrave tout projet d'éducation des masses, déclara Alice. Si des hommes, par ailleurs rationnels, instruits, cultivés, moraux et éthiques, éprouvent le besoin de regarder ce genre d'images, alors notre progrès sera toujours limité. Les conservateurs veulent se débarrasser de la pornographie en l'interdisant. Les libéraux aussi veulent s'en débarrasser, mais en éclairant les masses de telle manière qu'elles rejettent la pornographie. Répression *versus* éducation. Flic contre prof. Les deux poursuivant le même objectif — la pudibonderie — mais pas avec les mêmes armes.

— Tous mes oncles sont abonnés, dit Faye en désignant le magazine. Ils le laissent traîner n'importe où. Sur la table basse.

— En fait, la révolution sexuelle n'a finalement pas grand-chose à voir avec le sexe, la vraie question, c'est la honte.

— Cette fille, là, elle n'a pas l'air d'avoir honte, dit Faye.

— Elle n'a pas l'air d'avoir grand-chose, cette fille. Ce n'est pas de sa honte qu'il s'agit, mais de la nôtre.

— Tu as honte, toi ?

— Par *la nôtre*, j'entends le *nous* collectif, le *nous* abstrait.

— Oh.

— Le Spectateur dans l'absolu. Pas nous en particulier, pas toi et moi.

— *Moi*, j'ai honte, dit Faye. Enfin, un peu. Je ne préférerais pas, mais c'est le cas.

— Et pourquoi ça ?

— Si jamais quelqu'un apprenait que j'ai regardé une telle image, on pourrait penser que je suis bizarre.

— Et tu entends quoi par "bizarre" ?

— Le fait que je regarde des filles. On pourrait penser que j'aime les filles.

— Et ça t'inquiète, ce qu'on pourrait penser ?

— Bien sûr que oui.

— Ce n'est pas vraiment de la honte. Tu crois que c'est de la honte, mais ça n'en est pas.

— C'est quoi alors ?

— De la peur.

— D'accord.

— De la haine de soi. De l'aliénation. De la solitude.

— Tout ça, ce ne sont que des mots. »

Cette présence physique, ce magazine, posé là entre elles deux, l'objet lui-même, était étrange. Les pliures sur la photo, les ondulations des pages, le papier glacé qui reflétait le soleil, l'humidité qui se glissait entre les pages. L'une des agrafes de la reliure sortait du bras de Miss Août, comme un éclat d'obus. Les fenêtres de l'appartement étaient ouvertes, un petit ventilateur électrique bourdonnait dans un coin, et les pages du cahier central voletaient et miroitaient dans l'air, comme animées — on aurait dit que Miss Août prenait vie, s'agitait, incapable de rester immobile dans l'eau froide.

« Les hommes du mouvement disent ce genre de conneries tout le temps, dit Alice. Si tu refuses de coucher avec eux, ils s'étonnent que tu sois si prude. Si tu refuses d'ôter ta chemise, ils te demandent pourquoi tu as honte de ton corps. Comme si le fait de les laisser te toucher les seins te rendait légitime dans le mouvement.

— Est-ce que Sebastian fait ça ? »

Alice s'interrompit et loucha vers elle. « Pourquoi tu t'intéresses à Sebastian ?

— Sans raison particulière. Je suis curieuse, c'est tout.

— Curieuse.

— Il a l'air, tu sais, enfin, il a l'air intéressant.

— Intéressant, hein ? Dans quel sens ?

— On a passé un moment agréable ensemble. Aujourd'hui. Sur la pelouse.

— Oh mon Dieu.

— Quoi ?

— Il te plaît.

— Non.

— Tu penses à lui.

— Il a l'air intéressant. C'est tout.

— Tu veux te le faire ?

— Je ne le dirais pas comme ça.

— T'as envie de coucher avec lui. Mais avant, tu veux vérifier qu'il en vaut la peine. C'est pour ça que tu es venue ici. Pour me poser des questions sur Sebastian.

— On a juste eu une conversation agréable, et puis il s'est fait arrêter à la manifestation contre la ChemStar et du coup je m'inquiète pour lui. Je m'inquiète pour mon ami. »

Alice se pencha en avant, coudes sur les genoux. « Tu n'as pas déjà un petit ami chez toi ?

— Je ne vois pas le rapport.

— Mais tu en as un, non ? Les filles comme toi, elles ont toujours un petit ami. Il est où en ce moment ? Il t'attend ?

— Il est à l'armée.

— Oh, waouh ! dit Alice en tapant dans ses mains. Ça c'est la meilleure ! Ton petit ami part au Vietnam et toi tu veux te taper un militant antiguerre.

— Laisse tomber.

— Et pas n'importe lequel. *Le* militant antiguerre. » Alice applaudit, ironique.

« Arrête, dit Faye.

— Sebastian a un drapeau viêt-cong *sur le mur de sa chambre.* Il donne de l'argent au Front de libération nationale. Tu es au courant, bien sûr ?

— Ça ne te regarde pas.

— Ton petit ami va se faire buter. Et ce sera avec une balle fournie par Sebastian. Voilà le choix que tu fais. »

Faye se leva. « J'y vais.

— Autant tirer toi-même, finalement, dit Alice. C'est minable. »

Faye tourna le dos à Alice et sortit de l'appartement, les poings serrés, les bras tendus, rigides.

« Cette fois, tu y es, lança Alice derrière elle. La honte. La *vraie.* C'est à ça que ça ressemble, petite. »

La dernière chose que Faye vit avant de claquer la porte, c'était Alice qui remettait les pieds sur la table basse en feuilletant *Playboy.*

5

Pas d'argent pour le taxi, pas de tickets de métro. Alice croyait en la liberté, liberté de mouvement, liberté de circulation — ici même, à cinq heures du matin, marchant dans la lumière violette, fraîche et humide de Chicago. Le soleil commençait à poindre au-dessus du lac Michigan et les façades scintillaient d'un rose discret. Certaines épiceries ouvraient, les commerçants arrosaient les trottoirs, où atterrissaient, tels des sacs de graines, des ballots de journaux jetés depuis les camions des livreurs. Elle regarda l'un de ces journaux, lut le gros titre — NIXON CHOISI PAR LE PARTI RÉPUBLICAIN — et cracha. Elle respira l'odeur de la ville au petit matin, son haleine au réveil, asphalte et essence. Les commerçants l'ignoraient. Il leur suffisait de voir ses vêtements — sa grande veste militaire, ses bottes en cuir, son jean moulant déchiré —, ses cheveux noirs ébouriffés, ses yeux blasés derrière ses lunettes cerclées d'argent, pour deviner que ce n'était pas le genre de clientèle qui payait. Elle n'avait rien dans les poches. Pas la peine de lui faire des amabilités. Elle appréciait cette transparence, l'absence de baratin entre le monde et elle.

Elle ne portait jamais de sac parce que avec un sac elle serait tentée de prendre des clés, et si elle avait des clés, elle aurait peut-être envie de fermer sa porte, et si elle commençait à fermer sa porte, elle aurait peut-être envie d'acheter des choses qu'il faudrait garder derrière une porte fermée à clé : des vêtements achetés dans des magasins plutôt que volés ou cousus main — ça commencerait par là — puis des chaussures, des robes, des bijoux, des tas de trucs qui se collectionnent, et puis d'autres choses encore, une télévision, petite d'abord, puis plus grande, puis une autre, puis une dans chaque pièce, des magazines, des livres de cuisine, des casseroles, des poêles, des photos encadrées sur les murs, un aspirateur, un fer à repasser, des vêtements à repasser, des tapis à aspirer, des étagères, des tonnes d'étagères, un endroit plus grand, un appartement, une maison, un garage, une voiture, des verrous aux portières de la voiture, des verrous aux portes de la maison, des verrous *et* des barreaux aux fenêtres, et au bout du compte la maison aurait davantage l'air d'une prison que d'une maison. Ce serait un changement fondamental dans son attitude par rapport au monde : au lieu de l'inviter à entrer, elle le tiendrait à distance.

Et cette nuit-là avait été une de ces nuits qui n'auraient jamais eu lieu si elle avait eu un sac à main, ou des clés, ou de l'argent, ou la moindre réticence à l'égard des caresses d'inconnus divers et variés. Elle était sortie faire la fête sans un sou, elle avait trouvé de la compagnie sans problème : deux hommes en ville l'avaient invitée dans leur appartement crasseux, ils avaient bu du whisky, écouté des disques de Sun Ra, elle avait dansé avec eux, ondulé des hanches en rythme, et une fois l'un des deux effondré sur le canapé, avait gentiment embrassé l'autre jusqu'à ce qu'il n'y ait plus d'herbe. Ce n'était pas le genre de musique qu'on fredonne, ni même qui se danse, mais c'était parfait pour s'embrasser. Elle s'était bien amusée jusqu'à ce que le gars défasse sa braguette et lui dise : « Tu voudrais bien venir mettre ta bouche là en bas ? » Qu'il ne soit même pas fichu de lui demander correctement, même pas fichu de prononcer le mot, lui avait semblé le comble du pathétique. Il avait eu l'air surpris quand elle avait dit non. « Je croyais que tu étais *libérée* », avait-il dit, ce qui signifiait qu'elle était censée lui accorder toutes les faveurs qu'il voulait et aimer ça.

La Nouvelle Gauche avait ces idées-là.

Elle sentait encore les effets de l'herbe dans son corps, dans ses jambes, qui lui semblaient comme des échasses, plus dures, plus minces et plus longues que ses jambes sobres. Pas après pas, traversant le centre-ville vers l'ouest pour rentrer au Cercle, Alice adoptait cette démarche comique, elle n'en aimait son corps que davantage, car elle en éprouvait tous les rouages, chaque merveilleuse partie de son corps en marche.

Elle testait ses jambes lorsque le flic la vit. Elle sautait à cloche-pied devant la ruelle où il avait planqué sa voiture quand il l'appela : « Hé, chérie ! Où tu vas ? »

Elle s'immobilisa. Se tourna vers la voix. C'était lui. Le flic au nom ridicule : agent Charlie Brown.

« Qu'est-ce que tu as fichu, chérie, dit-il, pour te retrouver dehors si tard ? »

Il était gros comme une avalanche, avec un visage épais, en forme de citrouille, d'agent de police minable, appliquant des lois minables — mendicité, détritus jetés sur la voie publique, traverser en dehors des clous, couvre-feu. Ces derniers temps, les flics s'étaient mis à les arrêter pour des infractions mineures, ils les arrêtaient, les fouillaient, cherchaient des articles de contrebande, n'importe quoi d'illégal. La plupart des flics étaient des idiots, mais celui-là était différent. Celui-là était intéressant.

« Viens par ici », dit-il. Il était appuyé au capot de sa voiture de patrouille. Une main sur sa matraque. Il faisait sombre. La ruelle était une grotte.

« Je t'ai posé une question, dit-il. Qu'est-ce que tu trafiques ? »

Elle s'avança vers lui et s'arrêta juste hors de sa portée, leva les yeux sur lui, montagne imposante dressée devant elle. Son uniforme bleu clair, presque bleu layette, avec sa chemise à manches courtes, était trop petit pour lui. Son torse en forme de baril luttait contre la pression des boutons. Il avait une petite moustache blonde, qu'on ne voyait pas à moins de se rapprocher vraiment. Son badge, une étoile en argent à cinq branches, était accroché sur son cœur.

« Rien, dit-elle. Je rentre chez moi, c'est tout.

— Chez toi ?

— Oui.

— À cinq heures du matin ? Tu rentres chez toi ? Et tu ne fais rien d'illégal ? »

Alice sourit. Il suivait à la lettre le scénario qu'elle lui avait donné. Une des choses qu'elle admirait chez l'agent Brown, c'était sa persévérance.

« Va te faire foutre, poulet », dit-elle.

Alors il fondit sur elle, l'attrapa par le cou et l'attira à lui, tout contre son visage, fourra son nez dans ses cheveux, respira profondément au-dessus de son oreille.

« Tu sens l'herbe, dit-il.

— Et alors ?

— Alors il va falloir que je te fouille, maintenant. »

« Il te faut un mandat pour ça », dit-elle, et il éclata de rire, d'un rire forcé, mais qu'elle apprécia néanmoins, saluant l'effort. Il la retourna, lui tordit un bras dans le dos et la poussa au fond de la ruelle, puis la plaqua contre le coffre de sa voiture. Ils avaient déjà été jusque-là, deux nuits à peine plus tôt, jusqu'au moment où elle était plaquée sur la voiture, et c'était là que Brown était sorti de son rôle. Il l'avait poussée un peu trop fort contre la voiture — pour être tout à fait honnête, elle l'avait laissé faire, au moment où il avait poussé, elle n'avait pas résisté — et lorsque sa joue avait atterri sur la carrosserie, elle avait été sonnée, et c'était exactement ce qu'elle voulait, s'échapper un peu.

Mais il avait eu peur en voyant son visage heurter la voiture de cette manière. Un bleu était apparu presque immédiatement. « Petit poulet ! » avait-il gémi, et elle l'avait réprimandé, c'était leur mot de passe, il lui était réservé à elle, et elle devait être *la seule* à s'en servir. Il avait haussé les épaules et l'avait regardée d'un air coupable en promettant de faire mieux la prochaine fois.

Les instructions d'Alice à l'agent Brown étaient les suivantes : elle voulait qu'il lui tombe dessus une nuit au hasard, quand elle ne s'y attendrait pas, et qu'il se comporte comme s'il ne la connaissait pas, comme s'ils n'avaient pas une liaison depuis le début de l'été, comme si elle était juste une énième hippie et lui un flic brutal, et qu'il l'emmène dans une ruelle sombre, la plie en deux sur le capot de sa voiture, lui arrache ses vêtements et fasse ce qu'il voulait d'elle. C'était ce qu'elle voulait.

L'agent Brown avait été profondément perturbé par sa requête. Il se demandait pourquoi elle pouvait bien avoir envie d'une chose pareille. Pourquoi ne pas baiser normalement sur la banquette arrière ? Et elle lui avait fait la seule réponse qui vaille : parce qu'elle avait déjà baisé sur la banquette arrière d'une voiture, mais que ça, elle n'avait jamais essayé.

À présent elle avait le visage contre la carrosserie et la main de Brown tenait fermement sa nuque — apparemment, cette fois il irait jusqu'au bout, elle n'y prenait pas encore de plaisir mais espérait que cela allait venir, s'il continuait.

Pendant ce temps, l'agent Brown était terrifié.

Terrifié à l'idée de lui faire mal, mais aussi terrifié à l'idée de ne pas lui faire mal, ou du moins pas comme il fallait, à l'idée de ne pas être à la hauteur, de ne pas arriver à faire ces trucs tordus qu'elle voulait qu'il fasse et qu'elle décide de le planter. C'était sa plus grande terreur, qu'Alice se lasse et s'en aille.

C'était ce qu'il éprouvait, chaque fois. Plus ces rencontres se multipliaient, plus l'agent Brown était effrayé et paranoïaque, et pensait qu'il allait la perdre. Il le savait. Il le sentait, mais il ne pouvait rien faire pour l'empêcher. Après chaque rencontre, l'idée de ne plus la revoir devenait de plus en plus dévastatrice et insupportable.

C'était ainsi qu'il les avait baptisées, dans sa tête, en secret : des rencontres.

Le mot sonnait inoffensif et presque accidentel. On « rencontre » une inconnue dans une ruelle. On

« rencontre » un ours dans une forêt. Cela donnait des allures de hasard à ce qui était en réalité largement prémédité. Le mot *rencontre* effaçait le fait qu'il trompait sa femme activement, consciemment, ce qu'il faisait en réalité. Volontairement. Et souvent.

Quand il songeait que sa femme pourrait découvrir son secret, il était mort de honte. Rien que d'imaginer avouer à sa femme ce qu'il avait fait et comment il l'avait fomenté et dissimulé, il se sentait plein de honte et de dégoût, certes, mais aussi plein de récriminations et de colère légitime, on ne pouvait rien lui reprocher, il avait été poussé dans les bras d'Alice par une femme qui, depuis la naissance de leur fille, avait changé.

Elle avait changé drastiquement, profondément. Cela avait commencé quand elle s'était mise à l'appeler « Papa », il avait donc répondu en l'appelant « Maman » parce qu'il pensait que c'était une blague, un jeu entre eux, pour s'habituer à leurs nouveaux rôles, comme elle l'avait appelé « Mon mari » durant toute leur lune de miel. Cela lui avait semblé si formel soudain, si exotique et étrange. « Voudrais-tu venir dîner avec moi, mon cher mari ? » lui avait-elle demandé chaque soir pendant la première semaine qui avait suivi leur mariage, après quoi ils tombaient sur le lit en riant, ils étaient beaucoup trop jeunes et immatures pour s'appeler Mari et Femme. Alors quand, à l'hôpital, les jours suivant la naissance de leur fille, ils se mirent à s'appeler Maman et Papa, il se dit que c'était tout aussi drôle et temporaire.

Sauf que c'était cinq ans plus tôt et qu'elle continuait à l'appeler Papa. Et qu'il continuait à l'appeler Maman. Elle n'avait jamais explicitement demandé qu'il l'appelle Maman, elle s'était contentée de cesser, lentement, de répondre aux autres noms. Un phénomène étrange. Il appelait depuis une autre pièce : « Chérie ? » Rien. « Mon cœur ? » Rien. « Maman ? » Et elle apparaissait. À croire que c'était le seul mot qu'elle entendait encore. Le fait qu'elle ne l'évoque, lui, que comme Papa lui semblait affreux, mais cela restait dans le non-dit, à part quelques suggestions furtives ici et là : « Tu n'es pas obligée de m'appeler comme ça si tu n'en as pas envie », disait-il, à quoi elle répondait : « Mais j'en ai envie. »

Et puis il y avait la question du sexe, devenu inexistant, plus de sexe entre eux, ce qu'il attribuait aux habitudes de sommeil de la famille : leur fille dormait avec eux, entre eux, dans leur lit. Il ne se souvenait pas avoir cautionné cette décision. C'était juste arrivé. Et il doutait que cela ait quelque chose à voir avec le bien-être de sa fille, c'était plutôt Maman qui y trouvait son compte. Maman aimait dormir ainsi car le matin au réveil leur fille lui grimpait dessus et la couvrait de baisers en lui disant qu'elle était jolie. Il avait fini par comprendre que Maman n'avait pas envie de renoncer à ce petit cérémonial quotidien.

En fait, *elle avait appris à leur fille à l'exécuter*.

Pas consciemment, pas au début. Mais c'était bien Maman qui avait institué ce rituel, innocent au départ, leur fille ouvrant des yeux encore gonflés de sommeil un matin avait dit : « Jolie Maman. » C'était mignon. Maman l'avait prise dans ses bras et remerciée. C'était innocent. Puis, quelques matins plus tard, Maman avait demandé : « Tu ne me trouves plus jolie ? », et sa fille lui avait répondu : « Si ! » Ce n'était pas si bizarre qu'il faille faire une remarque — juste assez pour en prendre note, en silence, dans sa tête. Cela recommença, quelques matins plus tard, quand Maman demanda à sa fille : « Qu'est-ce qu'on dit à Maman le matin ? », sa fille hasarda un « Bonjour ? » raisonnable. Et Maman dit non et l'interrogea jusqu'à ce que la pauvre petite tombe juste : « Jolie Maman ! »

C'était bizarre, quand même.

Plus bizarre encore lorsque, la semaine suivante, Maman se mit à la punir quand elle oubliait de lui dire qu'elle était jolie, la privant des pancakes et dessins animés traditionnels du samedi matin et l'envoyant ranger sa chambre à la place. Et lorsque la petite, perdue, demanda entre deux sanglots pourquoi elle était punie, et que Maman lui répondit : « Tu ne m'as pas dit que j'étais jolie ce matin », alors il se dit que c'était vraiment bizarre.

(Nul besoin de préciser que si lui s'aventurait à la complimenter, elle levait les yeux au ciel et désignait un endroit ou un autre de son corps qui avait récemment grossi ou s'était ridé.)

Il commença à prendre les services de nuit. Juste pour éviter le déluge de baisers et de compliments creux qui était devenu la routine du matin. Il dormait pendant la journée, étalé sur le lit, tout seul. La nuit, il patrouillait, et c'était ainsi qu'il avait rencontré Alice.

Au début, elle était exactement comme les autres, la seule chose notable était qu'elle portait des lunettes de soleil en pleine nuit. Il tomba sur elle qui marchait dans la rue et lui demanda ses papiers. Bien entendu, elle fut incapable de les lui donner. Il la menotta donc, la plaqua contre la voiture et la fouilla, à la recherche de drogue, un tiers de ces hippies se promenant bêtement avec la dope dans leurs poches.

Mais elle n'avait rien sur elle — ni drogue, ni argent, ni maquillage, ni clés. Une sans-abri, se dit-il. Il la conduisit en cellule, l'y laissa et l'oublia.

La nuit suivante, il retomba sur elle, exactement au même endroit.

Exactement à la même heure. Habillée exactement pareil : veste militaire kaki, lunettes de soleil au bout du nez. Elle ne marchait pas cette fois, elle était juste debout sur le trottoir, comme si elle l'attendait.

Il se gara et lui demanda : « Qu'est-ce que tu fais ?

— J'enfreins le couvre-feu, dit-elle, le regard furieux, le corps raide, dans une posture de colère et de résistance.

— Tu veux y retourner ?

— Fais ce que t'as à faire, poulet. »

Alors il la menotta de nouveau, la plaqua contre la voiture. La fouilla, en vain. Et durant tout le chemin jusqu'à la cellule, elle ne le quitta pas des yeux. La plupart d'entre eux s'affalaient contre la portière, vaincus, l'air de se cacher presque. Pas cette fille. Et son regard fixe le rendait nerveux.

La nuit suivante, elle était encore là, au même endroit, à la même heure. Debout contre un mur de brique, un genou remonté, les mains dans les poches.

« Salut, toi, dit-il.

— Salut, poulet.

— Encore à enfreindre le couvre-feu ?

— Entre autres. »

Elle lui faisait un peu peur. Il n'avait pas l'habitude de ce genre de réactions. Les drogués et les hippies étaient une plaie, bien sûr, mais une plaie rationnelle. Qui n'avait pas envie de se retrouver en prison. Qui ne voulait pas d'histoires. Cette fille, là, elle avait une aura de danger, un côté sulfureux et féroce qu'il trouvait étrange et imprévisible. Peut-être même excitant.

« Tu vas me passer les menottes ?

— Est-ce que tu troubles l'ordre public ?

— Je peux. S'il le faut. »

La nuit suivante, il était censé être en repos. Mais il trouva quelqu'un pour échanger. Elle était là, au même endroit. Il passa devant elle, repassa. Elle suivit des yeux sa voiture. Quand il fit le tour du pâté de maisons pour la troisième fois, elle se moquait clairement de lui.

La première fois qu'ils couchèrent, ce fut sur la banquette arrière de sa voiture de patrouille. Alice était à l'endroit habituel, à l'heure habituelle. Elle lui avait montré la ruelle du doigt et lui avait dit de se garer là. Il s'était exécuté. Il faisait noir, la voiture était quasiment invisible. Elle lui dit de passer à l'arrière. Il s'exécuta. Il n'avait pas l'habitude d'obéir à une fille, encore moins à une hippie des rues. Il eut vaguement le réflexe de résister, vite envolé lorsqu'elle grimpa avec lui, referma la portière et commença à défaire sa ceinture, qui atterrit bruyamment par terre vu qu'y étaient accrochées sa radio, sa matraque et son arme. Un bruit sourd et un cliquetis. Alice n'essaya même pas de l'embrasser. Elle n'avait pas l'air d'en avoir envie, même si lui l'embrassait — cela lui semblait galant, de l'embrasser, de lui caresser le visage, dans un geste qu'il espérait généreux, humain et affectueux, prouvant qu'il n'était pas intéressé que par ce qu'elle avait dans la culotte, sauf qu'en fait c'était ça qu'il voulait, à ce moment précis. Elle tira sur son pantalon, et toute idée d'épouse, de collègues au poste, de commandant, de maire et de risque que quelqu'un puisse les surprendre en passant par là s'évanouit en un instant.

Ils ne couchèrent pas « ensemble », ce fut davantage Alice qui le chevaucha vigoureusement tandis qu'il restait étendu là, consentant.

Après, en sortant de la voiture, elle se tourna vers lui et lui lança un sourire narquois et un « À la revoyure, poulet ». Et il passa le reste de son service à ressasser cette phrase, obsédé par ce qu'elle signifiait vraiment. *À la revoyure*. Pas « À la prochaine ». Pas « À demain ». Pas même « À plus tard ». Non, *À la revoyure*, la façon la moins précise, la plus évasive de le saluer.

Chaque rencontre suivait globalement le même schéma émotionnel : soulagement énorme qu'Alice soit revenue, puis inquiétude incessante qu'elle ne revienne jamais.

Et il avait besoin qu'elle revienne. Désespérément. Atrocement. Sa poitrine et ses tripes semblaient ne tenir qu'à un fil qu'elle pouvait couper rien qu'en décidant de ne pas venir. Quand il s'imaginait arriver à l'endroit habituel et ne pas la trouver, il avait l'impression d'exploser à l'intérieur comme une bombe à eau. Si elle le rejetait, il ne s'en remettrait pas. Il le savait. Cela l'avait conduit à faire une demande de transfert moralement douteuse mais à ses yeux totalement indispensable : il avait demandé son affectation à l'Escadron Rouge.

Après quoi il ne fit plus qu'une seule chose de son temps, *espionner Alice*, c'était l'idéal car il pouvait parfaitement la pister tout en ayant une excuse plausible si jamais quelqu'un les surprenait. Il n'avait pas une aventure ; il était *en mission d'infiltration*.

Il mit des micros dans sa chambre. Il la prenait en photo, entrant et sortant de lieux plus ou moins subversifs. Désormais il se sentait plus libre quand il couchait avec elle. Du moins, jusqu'à ce qu'elle lui demande de faire des choses vraiment étranges.

« Mets-moi les menottes et baise-moi », avait-elle dit la première fois qu'ils avaient changé de mode et troqué la banquette arrière pour quelque chose d'un peu plus spécial.

D'où lui venait ce genre d'idées ? lui avait-il demandé, et elle l'avait regardé avec cet air cinglant, écrasant et sarcastique qu'il détestait tant. « Parce que je ne l'ai jamais fait avec des menottes », avait-elle répondu.

Mais il n'avait pas trouvé que ce fût une très bonne raison. Il y avait un million de choses qu'il n'avait jamais essayées et qui ne l'intéressaient absolument pas.

« Ça te plaît de me baiser ? » demanda-t-elle.

Il s'interrompit. Il détestait ça, toute cette conversation sur lui et ses sentiments. L'un des avantages de la métamorphose de sa femme après la naissance de leur fille, c'était qu'elle avait totalement cessé de lui poser des questions personnelles. Il se rendait compte tout à coup que, depuis des années, il n'avait jamais eu à exprimer des sentiments.

Oui, avait-il admis. Il aimait lui faire l'amour. Cela la fit rire. Cette expression si désuète, « faire l'amour ». Il rougit.

« Et tu avais déjà imaginé que ça te plairait de te taper une beatnik dans mon genre ?

— Non. »

Elle haussa les épaules, l'air de dire, *Clairement, j'ai raison.* Elle leva les mains vers lui, tendit ses poignets, auxquels il passa les menottes sans conviction.

La fois d'après, elle lui réclama les menottes à nouveau.

« Et tâche d'être un peu plus brutal », dit-elle.

Il lui demanda de préciser.

« Je ne sais pas, dit-elle. Efforce-toi juste d'être moins délicat.

— Je ne suis pas complètement sûr de savoir ce que ça veut dire en pratique.

— Fracasse-moi la figure contre la voiture, quelque chose comme ça.

— *Quelque chose comme ça ?* »

Et c'était ainsi chaque fois : Alice réclamait plus, plus bizarre, des choses que Brown n'avait jamais faites auparavant et peut-être jamais envisagées, qui lui donnaient la chair de poule et l'impression qu'il n'arriverait pas à s'exécuter — ou qu'il n'arriverait pas à s'exécuter *comme elle le voulait* —, Brown avait donc résisté jusqu'à ce que sa peur de décevoir Alice ou de perdre Alice lui fasse surmonter sa honte, sa panique, et trouver la force d'accomplir l'acte sexuel qu'elle exigeait de lui, sans jamais s'abandonner, sans jamais y prendre de réel plaisir, en songeant juste que l'alternative était bien pire.

« T'as quelque chose que je devrais voir ? interrogea-t-il tout en pressant le ventre d'Alice contre la voiture et en se collant dans son dos.

— Non.

— Rien dans ton jean ? Parce qu'il vaudrait mieux avouer.

— Rien, je vous jure.

— Eh ben on va vérifier. »

Elle sentit ses mains dans ses poches, avant et arrière, les retournant, et ne trouvant que des peluches et du vieux tabac. Il lui palpa les jambes, à l'extérieur des cuisses, puis à l'intérieur.

« Vous voyez ? Il y a rien.

— La ferme.

— Laissez-moi partir.

— Ferme ta bouche.

— Vous êtes un putain de poulet. »

Il lui appuya plus fort la tête contre la carrosserie. « Répète ça, dit-il. Si t'oses.

— Putain de poulet à petite bite, dit-elle.

— Petite bite, dit-il. Je vais te montrer, tu vas voir. »

Puis il se pencha sur elle et lui murmura à l'oreille, sur un ton bien trop haut perché, plein de tendresse et d'affection. « C'est bien, là ?

— Ne sors pas de ton rôle ! le gronda-t-elle.

— D'accord, dit-il, OK. » Et elle sentit qu'il tirait sur son jean et le descendait. Elle sentit le métal de la carrosserie s'enfoncer légèrement sous sa joue. La fraîcheur matinale sur ses jambes nues, son jean tombé sur ses chevilles, ses cuisses qu'il écartait pour la pénétrer plus facilement. Puis il la pénétra, poussant jusqu'à ce qu'il trouve son chemin, et elle le sentit grandir en elle, durcir, grossir, puis pousser. Pousser en gémissant, avec de petits couinements à chaque coup de reins. Sans aucun sens du rythme. Semblable à une pulsation chaotique et spasmodique vite écourtée, une ou deux minutes à peine, et culminant dans un à-coup final catastrophique.

Aussitôt après, il se ratatina. Son corps se ramollit, ses mains s'adoucirent. Il la libéra, elle se redressa.

Il lui tendit le jean qu'il lui avait ôté. Baissa les yeux, piteux. Elle sourit et enfila son jean. Ils s'assirent côte à côte, derrière la voiture, appuyés l'un sur l'autre et sur le pare-chocs. Il finit par parler.

« Trop brutal ? demanda-t-il.

— Non, dit-elle. Ça allait.

— J'ai eu peur d'être trop brutal.

— Tu étais bien.

— Parce que la dernière fois tu as dit que tu voulais que je sois plus brutal.

— Je sais », dit-elle. Elle étira son dos, sentit la marque du coffre sur sa joue, celle de sa main sur sa nuque.

« Pourquoi est-ce que tu marches toute seule dans la rue ? dit-il. C'est dangereux.

— Ce n'est pas du tout dangereux.

— Il y a des gens dangereux dans le coin », dit-il, et il la prit dans ses bras et la serra juste là où elle avait mal.

« Aïe.

— Oh mon Dieu, dit-il en la lâchant. Quel idiot.

— C'est rien. » Elle lui donna une tape sur le bras. « Il faut que j'y aille. » Alice se releva. Son jean humide lui glaçait la peau. Elle avait envie de rentrer chez elle. Elle avait envie de prendre une douche.

« Laisse-moi te raccompagner, dit Brown.

— Non. On va nous voir.

— Je te déposerai à quelques rues de ton dortoir.

— Pas la peine, dit-elle.

— Quand est-ce que je te reverrai ?

— Bientôt. La prochaine fois, faudra qu'on essaie autre chose », dit-elle.

Son cœur bondit dans sa poitrine : *Il y aurait donc une prochaine fois !*

« La prochaine fois, je veux que tu m'étrangles. »

Les papillons dans son ventre s'envolèrent d'un coup. « Pardon ?

— Pas que tu m'étrangles *vraiment*, dit-elle. Mais tu pourrais mettre ta main là et faire semblant de m'étrangler.

— Faire semblant ?

— Si tu veux serrer un peu, ce serait pas mal aussi.

— Bon sang ! C'est *hors de question.* »

Elle fronça les sourcils. « C'est quoi, ton problème ?

— *Mon* problème ? C'est quoi, *ton* problème ? Est-ce que je t'ai bien entendue ? Tu veux que je t'étrangle ? Ça va beaucoup trop loin. Pourquoi diable je ferais une chose pareille ?

— On a déjà eu cette conversation. Parce que je n'ai jamais essayé.

— Non. Ce n'est pas une raison valable. C'est une bonne raison pour goûter du teriyaki. Ce n'est pas une raison pour *t'étrangler*, merde.

— C'est tout ce que j'ai à te proposer.

— Si tu veux que je le fasse, il va falloir que tu m'expliques pourquoi. »

C'était la première fois qu'il lui tenait tête, et il le regretta instantanément. Il craignait qu'elle se contente de hausser les épaules et de s'en aller. Comme dans la plupart des couples dysfonctionnels, il y avait un déséquilibre entre eux, ils n'avaient pas le même besoin de cette relation. Elle pouvait partir à tout moment sans en souffrir, alors que lui serait complètement dévasté. Jeté à la boue. Car il savait que *rien de semblable ne lui arriverait plus jamais*. Jamais il ne trouverait une femme comme

Alice, et une fois qu'elle l'aurait quitté, il lui faudrait retourner à cette vie qui s'était révélée si ennuyeuse et stérile.

Sa réaction face à Alice était une réaction qui prenait en compte les exigences de monogamie et de mortalité.

Alice resta un moment à réfléchir, plus posée qu'il ne l'avait jamais vue auparavant. Une partie de sa confiance en elle résidait dans sa capacité à toujours savoir quoi dire à quel moment, c'était donc un silence inhabituel et étrange. Elle rassembla ses esprits et le regarda par-dessus ses lunettes de soleil, en poussant un soupir lourd et un peu exaspéré.

« OK..., commença-t-elle. Le sexe normal avec les garçons, ça ne m'intéresse pas. Les trucs habituels. La plupart des garçons voient le sexe comme un flipper. Comme si le but, c'était d'appuyer sur les mêmes boutons encore et encore et encore. C'est pénible.

— Je n'ai jamais joué au flipper.

— Tu ne comprends pas. Bon, je vais changer de métaphore : imagine que tout le monde mange le même gâteau. Et tout le monde te dit que le gâteau est vraiment délicieux. Et quand c'est ton tour d'essayer, ça a un goût de papier, de carton. C'est immonde. Et pourtant tous tes amis adorent. Comment tu te sentirais ?

— Déçu, je suppose.

— Et dérangé. Surtout si on t'explique que *ce n'est pas la faute du gâteau*. Que le vrai problème, c'est toi. Que tu ne sais pas le manger. Je sais, je pousse un peu loin la métaphore.

— Donc, moi, je suis une nouvelle part de gâteau pour toi ?

— J'ai juste besoin qu'on me fasse ressentir quelque chose.

— Tu as parlé de moi à tes amies ?

— Ah ! *Hors de question.*

— Je t'embarrasse. Tu as honte de moi.

— Écoute, dans la vraie vie, je suis une anarchiste en guerre contre l'autoritarisme. Mais pourtant, une partie de moi a envie d'être dominée sexuellement par un flic. Je préfère faire avec et ne pas me juger. Mais je ne suis pas sûre que mes amies comprendraient.

— Tous ces trucs qu'on fait, dit-il, les menottes, la brutalité. Est-ce que, enfin, est-ce que ça marche ? »

Elle sourit. Elle lui effleura la joue, le geste le plus doux qu'elle ait jamais eu. « Tu es un homme bon, Charlie Brown.

— Ne dis pas ça. Tu sais que je déteste ça. »

Elle déposa un baiser sur le haut de sa tête. « Va combattre le crime. »

Elle sentit ses yeux qui ne la quittaient pas tandis qu'elle s'éloignait. Ses bleus au cou et à la joue. Et en marchant, elle sentit un caillot froid et épais glisser le long de sa jambe.

6

Sur le campus, la rumeur avait circulé comme un murmure, d'un étudiant exalté à un autre. Aucun cadet réserviste pro-guerre, aucun sportif de fraternité, aucune débutante en quête de mari n'était dans la confidence. Seuls les plus engagés, les plus sincères y avaient accès : certains jours, dans une certaine salle, au fond du labyrinthe des Sciences du Comportement, le temps d'une heure seulement, la guerre était officiellement finie.

Durant cette heure, dans cette classe, le Vietnam n'existait plus. Allen Ginsberg, le grand poète fraîchement arrivé de la côte, les entraînait, commençant chaque cours avec les mêmes mots : « La guerre est officiellement finie. » Les étudiants répétaient ensuite ces mots, encore, à l'unisson, et l'harmonie du chœur rendait les mots plus réels. Ginsberg leur enseignait ainsi le pouvoir du langage, le pouvoir de la pensée, que la simple libération de ces mots dans le monde pouvait entraîner une cascade performative.

« La guerre est officiellement finie, dit Ginsberg. Répétez-le jusqu'à ce que le sens disparaisse et que les mots deviennent de pures entités physiques produites par le corps de même que les noms des dieux dans un mantra sont comme les dieux eux-mêmes. C'est très important, dit-il en levant un doigt en l'air. Si vous dites "Shiva", vous n'invoquez pas Shiva, vous *provoquez* Shiva, vous êtes créateur et protecteur, destructeur et dissimulateur, la guerre est officiellement finie. »

Faye l'observait du fond de la salle, où elle était assise, comme tous les autres, à même le linoléum poussiéreux — elle observait son signe de la paix se balancer à son cou, ses yeux béatement clos derrière la monture en écaille de ses lunettes, et tous ses cheveux, cette mêlée noire et ébouriffée qui s'était déportée du haut de son crâne désormais lisse vers ses joues et ses bajoues, et formait une barbe qui épousait ses mouvements, sursautait, ondulait au rythme de ses imprécations comme une congrégation fervente dans une église, tout son corps dédié à sa parole, yeux clos, jambes croisées sur un tapis spécialement apporté pour l'occasion.

« Le corps vibre ainsi que dans les tribus des plaines d'Afrique, disait Ginsberg, qui accompagnait sa psalmodie à l'harmonium et à la cymbale. Ou dans les montagnes d'Inde, ou n'importe quel endroit où la télévision n'a pas remplacé nos vibrations humaines. Nous avons tous oublié comment les produire, à part peut-être Phil Ochs quand il chante "The War Is Over" deux heures durant, un mantra plus puissant que toutes les antennes de radiodiffusion de Columbia, plus puissant que toutes les affiches de la Convention nationale démocrate, plus puissant que dix années entières de jacasseries politiques. »

Assis en tailleur sur le sol, les étudiants se

balançaient au rythme d'un tempo intérieur. On aurait dit une pièce pleine de toupies. Les bureaux avaient été poussés contre les murs. Quelqu'un avait obstrué la vitre de la porte avec sa veste, au cas où des membres de l'administration, de la sécurité ou des professeurs un peu coincés passeraient dans le couloir.

Faye connaissait la suite, après « La guerre est officiellement finie », ils enchaînaient avec « Hare Krishna, Hare Rama », puis ils terminaient leur heure ensemble par la voyelle sacrée : « *om* ». Tous les cours s'étaient toujours déroulés de cette manière jusqu'ici, et Faye était effondrée à l'idée que ce serait là tout ce qu'elle apprendrait du grand Allen Ginsberg : se balancer en rythme, psalmodier, grommeler. Venant de l'homme qui avait écrit ces poèmes qui la consumaient, dans la classe duquel elle avait redouté le premier jour d'être frappée de mutisme quand il apparaîtrait. Et puis elle l'avait vu, et elle s'était demandé où était passé l'élégant et bel auteur de la quatrième de couverture. Oubliés la veste en tweed, les cheveux bien peignés — Ginsberg avait totalement embrassé le mouvement de la contre-culture et ses emblèmes les plus manifestes, qu'il fût si peu créatif avait été une déception pour Faye. À présent elle avait carrément basculé dans l'ennui. Elle avait envie de lever la main et de demander : « Quand est-ce que vous allez nous apprendre quelque chose sur, vous savez, la *poésie* ? » mais cela aurait paru si incongru. Aucun étudiant dans cette salle ne venait pour la poésie — ils ne s'intéressaient qu'à la guerre, à leur capacité à l'arrêter. Et pour commencer, ils s'intéressaient à la préparation de la manifestation contre la guerre pendant la prochaine Convention nationale démocrate, dans quelques jours à peine. Ce serait un événement énorme, ils étaient tous d'accord là-dessus. Tout le monde serait là.

« Si la police charge, dit Ginsberg, nous devons nous asseoir par terre et entonner un "*om*" pour lui montrer à quoi ressemble la paix. »

Les étudiants se balancèrent en fredonnant. Quelques-uns ouvrirent les yeux et échangèrent des regards, exprimant sous une forme télépathique : *Si les flics chargent, je ne m'assieds pas, je cours, putain.*

« Cela implique de rassembler tout votre courage, ajouta Ginsberg comme s'il lisait dans leurs pensées. Mais la seule réponse face à la violence, c'est le contraire de la violence. »

Les étudiants refermèrent les yeux.

« Je vous montre, dit-il. On va s'entraîner. Vous voulez bien ? Bien entendu, c'est une expérience subjective, qui est d'ailleurs le seul genre d'expérience qui vaille. Les sentiments objectifs ne génèrent pas de sensations. »

Faye se tenait droite. Comme dans tous les autres cours. En économie, en biologie — aucune question des tests hebdomadaires ne lui avait échappé pour le moment. Mais la poésie ? Ginsberg n'avait manifestement aucune intention de les noter. Et si la plupart des étudiants voyaient dans cette absence de notes une libération, l'équilibre de Faye en était ébranlé. Comment était-elle censée se comporter sans savoir sur quoi elle serait jugée ?

Elle s'efforçait donc de se donner à fond dans la méditation tout en se sentant terriblement gênée. Elle se voyait scandant, tanguant, tout entière dédiée à l'exercice, éprouvant ce que Ginsberg recommandait qu'ils éprouvent, descendant au tréfonds de son âme, libérant son esprit. Et cependant, chaque fois qu'elle plongeait dans la méditation avec tout son sérieux, une idée pointait en elle : elle était à côté de la plaque et tout le monde allait s'en rendre compte. Elle avait peur d'ouvrir les yeux et de découvrir toute la classe en train de la regarder et de se moquer d'elle. Elle tentait de chasser cette pensée de son esprit, mais plus elle méditait, plus elle était obsédée, intranquille, jusqu'au moment où elle n'arrivait même plus à tenir en place tellement elle était submergée d'angoisse et de paranoïa.

Elle ouvrait donc les yeux, comprenait qu'elle était ridicule, et repartait de zéro.

En se promettant de le faire correctement cette fois-ci. De vivre le moment sans inhibition ni peur. Comme si elle était complètement seule.

Sauf qu'elle n'était pas complètement seule.

Parmi la foule d'anonymes dans la salle, à cinq personnes à gauche et deux rangées devant, il y avait Sebastian. C'était la première fois qu'elle le revoyait depuis son arrestation l'autre jour, et elle était pleinement consciente de sa présence. Elle guettait le moment où il la remarquerait. Chaque fois qu'elle ouvrait les yeux, elle était comme aimantée dans sa direction. Il ne paraissait pas l'avoir repérée, ou bien s'il l'avait vue, alors il semblait s'en moquer.

« Comment intensifier votre âme ? interrogea Ginsberg. Éprouvez la vérité de vos sentiments, encore et encore. Psalmodiez jusqu'à ce que le chant devienne automatique et que les profondeurs affleurent à la surface. Il ne s'agit pas d'agrandir votre âme comme on ajoute une pièce à une maison.

Cette pièce a toujours été là. C'est juste la première fois que vous en poussez la porte. »

Elle imaginait ce qui se passerait si Ginsberg poussait la porte du garage de l'un de ses oncles dans l'Iowa, en arborant sa gigantesque barbe ridicule et son pendentif avec le signe de la paix. Ses oncles s'en donneraient à cœur joie.

Et cependant il réussissait à la convaincre, malgré elle. Ses exhortations à la quiétude et au calme faisaient sens. « Il y a trop de choses dans votre tête, disait-il. Trop de bruit. » C'était vrai, la concernant, il fallait bien l'admettre, tout le temps cette sensation de fourmillement inquiet.

« Quand vous chantez, ne pensez qu'au chant, qu'à votre respiration. *Éprouvez* votre respiration. »

Faye se donnait du mal, mais quand ce n'était pas l'inquiétude qui la tirait de sa transe, c'était l'envie de regarder vers Sebastian, de voir ce qu'il était en train de faire, s'il y arrivait, lui, s'il chantait, s'il prenait tout cela au sérieux. Elle ne pouvait le quitter des yeux. Au milieu de ce groupe noyé dans la laideur de rigueur de la contre-culture — barbes drues, moustaches mouillées de salive, bandeaux salis de sueur, jeans déchirés, vestes en jean, lunettes noires incongrues à l'intérieur, bérets débiles, odeur musquée de friperie et de tabac — Sebastian n'avait pas de mal à être le plus beau garçon de la salle, se disait Faye, en toute objectivité. De beaux cheveux savamment désordonnés. Rasé de frais. Ce charme enfantin. Cette tête en forme de champignon. Ces lèvres serrées de concentration. Elle recensait tous ces éléments, puis refermait les yeux et faisait une nouvelle tentative d'accomplissement de paix mentale.

« Cessez de ne vous intéresser qu'à vous-mêmes, reprit Ginsberg. Si vous ne vous intéressez qu'à *vous*, alors vous êtes coincés avec vous-mêmes, coincés avec votre propre mort. Car c'est tout ce que vous avez. »

Il ponctua ses paroles d'un coup de cymbale et d'un « *Ommmm* » que les étudiants reprirent en chœur, « *Ommmm* », fredonnèrent-ils dans un désordre discordant et mal synchronisé.

« Il n'y a pas de vous, dit Ginsberg. Il n'y a que l'univers et la beauté. Soyez la beauté de l'univers et la beauté entrera dans votre âme. Elle grandira et grandira en vous, jusqu'à prendre le pas sur vous, et à votre mort, *devenir* vous. »

Faye commençait à visualiser (suivant les instructions) la lumière vierge et immaculée de la pleine conscience, le nirvana de paix où (suivant les instructions) le corps ne produit plus aucun son, plus aucun sens, plus rien qu'une sensation de félicité parfaite, lorsqu'elle sentit la présence de quelqu'un s'asseyant à côté d'elle, envahissant son espace intime, rompant le charme, la ramenant une fois de plus à la réalité banale de son corps intranquille. Elle laissa donc échapper un long soupir passif-agressif et remua vaguement, signifiant qu'effectivement son flux mental avait été rompu. Elle réessaya : lumière blanche, paix, amour, félicité. La pièce résonnait de « *Ommmmm* » quand son nouveau voisin s'approcha encore, et elle eut l'impression de sentir une présence tout contre son oreille, et elle entendit sa voix souffler dans un murmure : « Tu as réussi à atteindre la beauté parfaite, ça y est ? »

Sebastian. Le choc lui donna la sensation fugitive d'être remplie d'hélium.

Elle déglutit avec difficulté. « À toi de me le dire »,

dit-elle, et il renifla, étouffant un petit rire. Elle le faisait rire.

« Je dirais que oui, murmura-t-il. La beauté parfaite. Tu y es. »

Le rouge lui monta aux joues. Elle sourit. « Et toi ? demanda-t-elle.

— Il n'y a pas de moi, répondit-il. Il n'y a que l'univers. » Il était en train de se moquer de Ginsberg. Elle était tellement soulagée. Oui, pensait-elle, c'était vraiment n'importe quoi.

Il se rapprocha encore, juste à côté de son oreille. Elle pouvait sentir comme une décharge d'électricité contre sa joue.

« Souviens-toi, tu es parfaitement calme et en paix, murmura-t-il.

— D'accord.

— Rien ne peut perturber ton calme absolu.

— Oui », dit-elle. Et c'est alors qu'elle le sentit, qu'elle sentit sa langue, effleurer le lobe de son oreille. Elle faillit glapir au beau milieu de la méditation.

Ginsberg poursuivait : « Pensez à un moment de parfaite immobilité instantanée », et Faye tentait de retrouver une contenance en se concentrant sur sa voix. « Peut-être une prairie dans les Catskills, continuait-il, lorsque les arbres s'animent comme dans une toile de Van Gogh. Ou bien en écoutant Wagner sur un vieux phonographe, quand la musique devient une vibration érotique, comme dans un cauchemar. Pensez à ce moment. »

Avait-elle jamais vécu quelque chose de ce genre ? Un moment de transcendance ? Un moment parfait ?

Oui, pensa-t-elle. À l'instant même.

Elle était pleinement dedans.

7

Un lundi soir banal, Alice était assise seule dans sa chambre à lire. Les filles qui se rassemblaient d'habitude, chantant à tue-tête sur un disque quelconque, fumant de l'herbe dans des pipes à eau géantes, n'étaient pas là le lundi, sans doute leur fallait-il un jour pour se remettre. Et malgré son discours officiel, le couplet classique sur les devoirs-comme-instrument-d'oppression, Alice consacrait ses lundis soir aux révisions. L'un de ses nombreux secrets était qu'en fait elle faisait ses devoirs, elle était studieuse, profitait de chaque moment de solitude pour lire, frénétiquement, vigoureusement. Et ce n'étaient pas les lectures d'une extrémiste lambda. C'étaient des manuels : comptabilité, analyse quantitative, statistiques, gestion de risques. Même la musique qu'elle écoutait n'était pas la même ces soirs-là. Rien à voir avec le rock folk grinçant du reste de la semaine. Du classique, doux, réconfortant, de petites sonates pour piano, des suites pour violoncelle, des choses apaisantes, inoffensives. Elle était cette tout autre personne, assise immobile sur son lit pendant des heures, l'atmosphère paisible perturbée uniquement par les pages qui se tournaient toutes les quarante-cinq secondes. Dans ces moments-là, elle dégageait cette sorte de sérénité qu'adorait l'agent Brown, assis dans une chambre d'hôtel, dans le noir, à deux kilomètres de là, l'œil collé au télescope surpuissant réquisitionné par les hommes de l'Escadron Rouge, la musique et le papier froissé résonnant dans sa radio branchée sur la fréquence du micro planqué dans sa chambre quelques semaines plus tôt au-dessus du plafonnier, à la place de celui qu'il avait mis sous son lit au début et dont la qualité s'était avérée inacceptable, le son trop étouffé, trop diffracté.

Il était encore débutant en la matière, en tant qu'espion.

Il la regardait lire depuis une heure environ lorsqu'il y eut un grand bruit, quelqu'un frappa à la porte violemment — Brown eut une légère hésitation, ne sachant pas si on frappait à la porte d'Alice ou à celle de sa chambre d'hôtel. Il se figea. Tendit l'oreille. Et se sentit soulagé quand Alice sauta de son lit et ouvrit la porte. « Oh, salut, dit-elle.

— Je peux entrer ? » demanda une voix inconnue. Une fille. Une voix de fille.

« Bien sûr. Merci d'être venue, dit Alice.

— J'ai eu ton mot », dit la fille. Brown la reconnut, c'était la première année de la chambre d'à côté, avec ses grosses lunettes rondes : Faye Andresen.

« Je voulais te dire que j'étais désolée, reprit Alice, de la façon dont je me suis comportée à la Maison de la Liberté.

— Ce n'est pas grave.

— Si, c'est grave. Je fais ça tout le temps avec

toi. Il faut que j'arrête. Ce n'est pas digne de l'esprit fraternel. Je n'aurais pas dû t'humilier de cette manière. Je suis vraiment désolée.

— Merci. »

C'était la première fois que l'agent Brown entendait Alice s'excuser ou sembler même exprimer le moindre regret.

« Si tu veux te taper Sebastian, continua-t-elle, c'est toi que ça regarde.

— Je n'ai pas dit que je voulais me le taper, dit Faye.

— Si tu veux te retrouver dans le lit de Sebastian, c'est toi qui décides.

— Vraiment, je ne le dirais pas comme ça.

— Si tu veux laisser Sebastian te sucer jusqu'à la moelle…

— Tu veux bien arrêter, à la fin ! »

Elles riaient de bon cœur à présent. Brown en prit note dans son journal : *Elles rient.* Même s'il ne voyait pas en quoi cela pourrait jamais s'avérer pertinent, quand, plus tard, il reviendrait à ces notes. La formation de l'Escadron Rouge en matière de surveillance était d'une brièveté et d'une imprécision telles qu'il en perdait tous ses moyens.

« Bon, et donc Sebastian, reprit Alice, vous en êtes où ? Il a tenté quelque chose, déjà ?

— Qu'est-ce que tu veux dire par là ?

— Il a fait quelque chose de particulier ? Eu une marque d'affection, un geste spécial ? »

Faye la regarda un moment, réfléchissant en silence. « Qu'est-ce que tu as fait ?

— C'est un oui, donc ?

— Tu lui as dit quelque chose ? interrogea Faye. Qu'est-ce que tu lui as dit ?

— Je me suis contentée de lui faire part de ton intérêt particulier.

— Oh mon Dieu.

— De ta singulière fascination à son endroit.

— Oh non.

— De tes sentiments secrets.

— *Secrets*, c'est le mot juste. C'était *mon secret.*

— Je n'ai fait qu'accélérer le processus. Je me suis dit que je te devais bien ça. Après m'être montrée si moralisatrice à la Maison de la Liberté. Maintenant on est quittes. De rien.

— En quoi on est quittes ? Tu crois que tu m'as fait une faveur, là ? »

Faye faisait les cent pas. Assise en tailleur sur son lit, Alice buvait du petit-lait.

« Tu aurais souffert à te languir en silence, dit Alice. Allez, admets-le. Tu ne lui aurais jamais dit.

— Tu n'en as aucune idée. Je ne me serais pas *languie*.

— Il a fait quelque chose, donc. Qu'est-ce que c'était ? »

Faye s'immobilisa et la regarda. Elle se mordait l'intérieur de la joue. « Il m'a léché l'oreille pendant un exercice de méditation.

— Sexy. »

Brown nota dans son journal : *Léché l'oreille.*

« Et maintenant, poursuivit Faye, il veut que je vienne. Chez lui. Jeudi soir.

— La veille de la manifestation.

— Oui.

— C'est tellement romantique.

— Je suppose.

— Non. C'est pire que ça, c'est *démentiellement* romantique. C'est le jour le plus important de la vie de Sebastian. Il doit aller à une manifestation dangereuse, qui risque de tourner à l'émeute. Il pourrait être blessé, tué même. Qui sait ? Et il veut passer sa dernière soirée de liberté avec toi.

— C'est vrai.

— C'est du Victor Hugo. »

Faye s'assit devant le bureau d'Alice et baissa les yeux. « J'ai bel et bien un petit ami, tu sais. Chez moi. Il s'appelle Henry. Il veut m'épouser.

— D'accord. Et toi, tu veux l'épouser ?

— Peut-être. Je ne sais pas.

— Ça, c'est le genre d'indifférence qui veut dire non.

— Ce n'est pas de l'indifférence, c'est juste que je n'arrive pas à me décider.

— Si l'épouser n'est pas ce que tu désires le plus au monde, alors la réponse est non. C'est très simple.

— Ce n'est pas simple, dit Faye. Pas simple du tout. Tu ne comprends pas.

— Alors explique-moi.

— D'accord. Imagine que tu as soif. Tu meurs littéralement de soif. Tu ne penses plus qu'à une seule chose, un grand verre d'eau. Tu vois ?

— Je vois.

— Et tu imagines ce grand verre d'eau, l'image occupe tout ton esprit, mais elle ne suffit pas à étancher ta soif.

— Parce qu'un verre imaginaire ne se boit pas.

— Exactement. Donc tu regardes autour de toi, et tu aperçois cette flaque d'eau trouble et huileuse. Ce n'est pas vraiment le grand verre d'eau dont tu rêvais mais ça a quand même l'avantage d'être humide. C'est réel, contrairement au grand verre d'eau. Alors tu choisis la flaque de boue huileuse, même si ce n'est pas exactement ce que tu aurais voulu. Voilà pourquoi je suis avec Henry.

— Mais Sebastian…

— Lui, j'ai l'impression que c'est un grand verre d'eau.

— Ça ferait une très bonne chanson de country.

— Alors je ne veux *vraiment* pas me planter avec Sebastian. Et j'ai peur qu'il ait envie de, enfin, tu vois, peut-être… » — Faye s'interrompit, cherchant ses mots — « … qu'il voudra faire quelque chose de plus intime ?

— Tu veux dire baiser.

— Oui.

— Soit. Et alors ?

— Alors je me disais que… »

Silence pesant. Faye scrutait ses mains ; Alice scrutait Faye. Assises toutes les deux sur le lit, elles étaient désormais réunies dans le cercle de la lunette télescopique de l'agent Brown.

« Tu voudrais des conseils, lâcha finalement Alice.

— Oui.

— De moi.

— Oui.

— Sur le sexe.

— Exactement.

— Et qu'est-ce qui te laisse croire que je suis une experte sur le sujet ? »

Brown esquissa un sourire. Sa petite hippie, toujours à tourmenter les autres.

« Oh, s'exclama Faye en se décomposant. Je ne voulais pas sous-entendre quoi que…

— Bon sang, *rigole un peu.*

— Je suis désolée.

— C'est ça le problème. Tu veux un conseil ? Détends-toi.

— Je ne suis pas sûre que je saurais faire. Me détendre.

— Eh bien, commence par respirer, déjà.

— Ce n'est pas aussi simple que ça. Des médecins ont essayé de m'apprendre des techniques de respiration par le passé, mais quand je suis vraiment nerveuse, je n'y arrive pas.

— Tu n'arrives pas à respirer ?

— Pas bien.

— Qu'est-ce que tu as ? Il y a quelque chose qui te tracasse ? Tu essaies de te détendre et de respirer et tu n'y arrives pas. Pourquoi ?

— C'est compliqué.

— Raconte.

— D'accord. Bon, en fait, quand j'essaie mes techniques de respiration, la première chose que je ressens, c'est de la honte. J'ai honte d'avoir à faire des exercices pour *respirer*. Tu vois, c'est comme s'il fallait que je travaille pour faire le truc le plus simple et le plus fondamental qui soit. Comme si même ça, je n'y arrivais pas.

— D'accord, dit Alice. Continue.

— Ensuite, quand je commence à respirer, je me mets à me demander si je le fais bien, je me dis que peut-être il y a quelque chose qui ne va pas avec ma respiration. Que je n'effectue pas bien l'exercice. Que ma *technique de respiration n'est pas parfaite*, et je ne sais même pas en quoi cela consisterait mais je suis sûre que cela existe et si je ne le fais pas alors cela veut dire que j'échoue. Que *ma vie entière est un échec* puisque je ne peux même pas le faire correctement. Et plus je réfléchis à la façon de respirer, plus la respiration devient difficile, jusqu'au moment où j'ai l'impression que je vais me mettre en hyperventilation, ou bien m'évanouir, ou je ne sais quoi. »

Brown écrivit dans son journal : *Hyperventilation.*

« Et alors je me mets à penser que *si je m'évanouis*, quelqu'un me trouvera, et cela fera toute une histoire et il faudra que j'explique pourquoi je me suis évanouie tout à coup sans raison, et c'est terrible de devoir expliquer ça, car les gens se prennent pour des héros quand ils te trouvent, ils sont sûrs de t'avoir sauvée d'une grave blessure, d'une détresse cardiaque ou autre, et quand ils découvrent que mon seul problème, c'est que j'ai paniqué et que je n'arrivais plus à *respirer*, eh bien, en fait, ils sont déçus. C'est écrit sur leurs visages. *Oh, c'est tout ?* Et alors, je me mets à angoisser de ne pas être la personne malade qui satisferait leurs attentes, de ne pas être atteinte d'un *mal plus grand* qui justifierait l'inquiétude qu'ils ont éprouvée et qu'ils réprouvent à présent. Et même quand rien de tout cela ne se produit, je me l'imagine, et je suis tellement angoissée à l'idée que cela aurait pu se produire que j'ai presque l'impression de l'avoir vécu, tu vois ce que je veux dire ? Comme si les choses n'avaient pas besoin de se produire pour paraître réelles. Tout cela doit te sembler complètement dément.

— Continue.

— Eh bien, en fait, même quand miraculeusement j'arrive à appliquer les techniques de respiration correctement et à atteindre un relatif sentiment de paix et de relaxation, j'en profite à peine dix secondes avant de commencer à me demander combien de temps ce sentiment d'apaisement va durer.

Et je me dis que je ne vais jamais arriver à maintenir le cap assez longtemps.

— Assez longtemps pour quoi ?

— Pour réussir. Pour le faire bien. Et chaque seconde qui passe où je me sens objectivement heureuse me rapproche de l'échec et du retour à moi-même. La métaphore qui me vient à l'esprit, c'est un acrobate marchant sur une corde sans fin ni début. Plus je reste là-haut, plus j'ai besoin d'énergie pour ne pas tomber. Et je finis par éprouver cette mélancolie, cette malédiction, car même quand on sait marcher sur une corde, on finit toujours par tomber. Ce n'est qu'une question de temps. C'est garanti. Et du coup, au lieu de profiter de ce sentiment de relaxation joyeuse tant que je le ressens, j'ai cette énorme peur que le moment vienne où je ne serai plus ni heureuse ni détendue. Ce qui bien entendu ne manque pas d'anéantir tout sentiment de bonheur.

— Dieu du ciel.

— Tout cela me tourne dans la tête plus ou moins constamment. Et donc, quand tu me dis "Commence par respirer", je pense que ça ne signifie pas la même chose pour toi que pour moi.

— Je sais ce qu'il te faut », dit Alice. Elle roula sur son lit, ouvrit le tiroir du bas de sa table de chevet et fourragea au milieu de sacs en papier jusqu'à ce qu'elle trouve le bon, le retourne et le secoue pour en sortir deux pilules rouges.

« De ma réserve personnelle », dit-elle.

L'agent Brown hésita, mais ne prit pas en note ; il ne consignait jamais quoi que ce soit qui pût lui être préjudiciable.

« Le remède Alice, annonça-t-elle.

— C'est quoi ?
— Quelque chose pour t'aider à te relaxer.
— Non, mauvaise idée.
— Ce n'est pas dangereux. Ça aide juste à faire tomber le stress et les inhibitions.
— Je n'en ai pas besoin.
— Bien sûr que si. Regarde-toi, on dirait le Mur des Inhibitions.
— Non merci. »

Qu'est-ce que c'était, se demanda Brown, ces pilules rouges. De la psilocybine peut-être, ou bien de la mescaline, des graines de liseron ? De la méthédrine, peut-être, de la DMT ou autre psychotrope, des barbituriques ?

« Écoute, dit Alice, est-ce que tu as envie de passer une bonne soirée avec Sebastian ?
— Oui, mais…
— Et est-ce que tu crois que tu y arriveras dans l'état où tu te trouves maintenant ? »

Faye réfléchit. « Je pourrais donner le change, de l'extérieur Sebastian ne se rendrait compte de rien. Il penserait que je passe un bon moment.
— Mais à l'intérieur, ce serait comment ?
— Une bouteille remplie à ras bord de peur et de panique.
— Je te garantis que tu as besoin de ces trucs. Si tu as un tant soit peu envie de passer un vrai bon moment. Pas pour lui, pour *toi*.
— Ça fait quoi ?
— Comme une journée de soleil. Comme si tu te promenais au soleil, sans le moindre souci en tête.
— Je n'ai jamais ressenti une chose pareille.
— Les effets secondaires, c'est que ça donne la bouche pâteuse. Et des rêves bizarres. Des

hallucinations, aussi, mais c'est rare. Mieux vaut les prendre en même temps que les repas. Allez, viens. »

Alice prit Faye par la main, sûrement pour l'emmener à la cafétéria, qui serait sans doute vide à cette heure de la nuit. La seule nourriture à leur disposition serait des céréales, ou bien les restes du dîner au frigo. Du pain de viande. L'angle de recherche de Brown était étroit mais exhaustif. Il connaissait les habitudes du dortoir aussi bien que celles de son propre foyer, où sa femme se réveillerait dans six heures à peine, sous un déluge de baisers et de compliments de leur enfant. Il se demandait jusqu'à quel point elle appréciait ces compliments extorqués par intimidation et chantage, en réalité. Dans les quatre-vingt-dix pour cent. Presque entièrement. Mais ces dix pour cent restants, songeait-il, devaient palpiter en elle comme une douleur permanente.

Il espérait qu'en bas, à la cafétéria, les deux filles parlaient de lui à présent. Qu'Alice lui racontait sa relation naissante avec ce flic et comment, malgré elle, elle était en train de tomber amoureuse de lui. Une des choses les plus déprimantes dans son travail de surveillance nocturne était de constater qu'elle l'évoquait à peine, pensait à peine à lui en dehors des moments où ils étaient ensemble. Jamais, en fait, pour être vraiment précis. Elle ne parlait *jamais* de lui. Même après leurs rencontres, quand elle rentrait chez elle et se douchait comme d'habitude, si elle croisait quelqu'un, elle parlait de la pluie et du beau temps : la fac, la manifestation, des trucs de filles. Ces derniers temps, le sujet de conversation principal était la marche exclusivement féminine qu'Alice organisait ce vendredi-là — elles prévoyaient de défiler sur Lake Shore Drive sans permis ni rien, d'arrêter la circulation et de marcher tranquillement. Alice ne parlait que de cela. Elle n'avait jamais mentionné son existence. Quand il n'était pas là, c'était comme s'il n'existait pas, et c'était terrible pour lui, qui pensait à elle *presque constamment*. Quand il achetait des vêtements, il se demandait quoi prendre pour impressionner Alice. Quand il assistait aux réunions hebdomadaires de l'Escadron Rouge, il guettait, à l'affût de la moindre information pouvant impliquer Alice. Quand il regardait les informations à la télévision avec sa femme, il imaginait Alice assise à sa place, à côté de lui. L'aiguille de sa boussole était sans cesse dirigée vers elle.

Il porta le regard au-delà du dortoir, vers les lumières du rivage, la vaste étendue grise du lac Michigan, un grand vide scintillant et tiède. Quelques points dans le ciel annonçaient les avions désormais remplis des équipes des sénateurs et des ambassadeurs, des présidents de conseils d'administration et autres lobbyistes industriels, instituts de sondage, juges, le vice-président, dont l'itinéraire était maintenu secret par la Maison Blanche, même pour la police.

Il s'assit sur le lit et patienta. Prit le risque d'allumer une petite lumière pour lire le journal, dont la une était entièrement consacrée à la Convention et à la manifestation autour de la Convention. Il se servit un whisky du minibar, sachant que l'hôtel lui en ferait cadeau, tout comme les *diners* fournissaient la police en cafés gratuits. Le boulot avait ses avantages.

Il avait dû s'endormir, car il se réveilla en entendant des rires. Des rires de filles. Son visage reposait sur le journal froissé, sa bouche était pâteuse. Il éteignit la liseuse et revint à sa position d'observation derrière le télescope dans un mouvement de balancier instable, les bras ballants, les pieds traînant sur la moquette. Il se redressa, secoua la tête et tenta de chasser le sommeil. Il lui fallut se frotter les yeux un bon moment avant d'y voir clair à nouveau. Son estomac vide avait des relents aigres. Le service de nuit le tuait.

Les filles étaient revenues. Assises sur le lit, face à face, elles riaient. Il avait des croûtes de sommeil dans les yeux. Bizarrement, l'image était floue, comme si les deux immeubles s'étaient éloignés l'un de l'autre pendant qu'il dormait. Il tripota les boutons. L'image des filles tressauta, bougea de telle manière qu'il eut cette sensation de nausée comme s'il essayait de lire à l'arrière d'une voiture.

« Il y a tellement de choses en toi », dit Alice, une fois sortie de son fou rire. Elle caressa les cheveux de Faye. « Tellement de bonheur. »

Faye gloussait encore vaguement. « Non, c'est faux, dit-elle en repoussant la main d'Alice. Ce n'est pas réel.

— Au contraire. C'est *plus* réel. Souviens-t'en. C'est ce que tu es vraiment.

— On ne dirait pas que c'est moi.

— Tu rencontres ta vraie personnalité pour la première fois. Forcément, ça ne peut que paraître étrange.

— Je suis fatiguée, dit Faye.

— Ce qu'il faudrait, c'est que tu te souviennes de ce sentiment et que tu arrives à le recréer quand tu es sobre. C'est comme une carte routière. Tu es tellement heureuse en ce moment. Il n'y a pas de raison que tu ne puisses pas l'être le reste du temps. »

Faye fixa le plafond. « C'est parce que je suis hantée. »

Alice rit.

« Je suis sérieuse », dit Faye. Elle se redressa et ramena ses genoux contre sa poitrine. « Il y avait un fantôme dans notre sous-sol. Un esprit domestique. Je l'ai offensé. Et maintenant je suis hantée. »

Elle se tourna pour voir la réaction d'Alice.

« Je ne l'avais jamais dit à personne, poursuivit Faye. Tu ne me crois pas, sans doute.

— Je me contente de t'écouter.

— Le fantôme est venu avec mon père, de Norvège. Avant c'était son fantôme à lui, mais maintenant c'est le mien.

— Tu devrais le ramener.

— Le ramener où ?

— Là d'où il vient. C'est le seul moyen de se débarrasser d'un fantôme. Tu le ramènes chez lui.

— Je suis vraiment, vraiment fatiguée, dit Faye.

— D'accord, viens, je vais t'aider. »

Faye s'allongea sur le lit. Alice lui ôta ses lunettes et les déposa délicatement sur la table de chevet. Elle alla au bout du lit et délaça les baskets de Faye, tira légèrement dessus et les lui enleva. Elle tira ensuite ses chaussettes et les roula en boule dans ses chaussures, qu'elle plaça bien alignées devant la porte. Elle sortit une fine couverture de sous son lit et couvrit Faye, en veillant à bien la border. Puis elle ôta ses chaussures à elle, ses chaussettes, son pantalon et s'étendit auprès de Faye, se blottit contre elle, caressant ses cheveux. Jamais il n'avait vu Alice aussi douce. Bien plus douce qu'elle n'avait jamais été avec lui. C'était un aspect de sa personnalité qui lui était complètement étranger.

« T'as un petit ami, toi ? » demanda Faye. Elle n'articulait plus du tout désormais — complètement stone, ou bien sur le point de s'endormir, ou bien les deux.

« Je n'ai pas envie de parler de garçons, dit Alice. J'ai envie de parler de toi.

— T'es trop cool pour avoir un petit ami. Tu ne ferais jamais un truc aussi ringard qu'avoir un petit ami. »

Alice rit. « J'en ai un pourtant », dit-elle, et à deux mille mètres de là, l'agent Brown laissa échapper un couinement d'excitation. « En quelque sorte. J'entretiens une sorte d'intimité régulière avec un homme, c'est ainsi que je le décrirais.

— Pourquoi ne pas juste dire *petit ami* ?

— Je préfère ne pas nommer les choses, dit Alice. Il suffit de nommer le désir, de l'expliquer, de le rationaliser, et il se perd, tu vois ce que je veux dire ? Dès que tu localises ton désir, tu lui donnes une limite. Je préfère être libre, ouverte. Agir selon mes désirs, quels qu'ils soient, sans y réfléchir, sans jugement.

— Ça a l'air sympa vu d'ici, mais c'est sûrement à cause des pilules rouges.

— Laisse-toi aller, dit Alice. C'est ce que je fais, moi. Par exemple, ce mec ? Cet homme que je vois ? Je ne ressens rien de particulier pour lui. Je ne suis engagée en rien avec lui. Je ne m'en servirai que jusqu'au jour où ça ne m'intéressera plus. C'est aussi simple que ça. »

De l'autre côté de la rue, Brown se décomposait.

« Je continue à chercher quelqu'un de plus intéressant, dit Alice. Peut-être que c'est toi, d'ailleurs ? »

Faye grommela une sorte de réponse ensommeillée : « Mmm-mmm. »

Alice passa le bras au-dessus de sa tête et éteignit la lumière. « Toutes tes angoisses, tous tes secrets, je pourrais tout faire disparaître. Tu adorerais ça. »

Le lit grinça tandis que l'une d'entre elles s'étirait dessus.

« Tu sais que tu es belle ? dit Alice dans le noir. Tellement belle, et tu ne t'en rends même pas compte. »

L'agent Brown monta le volume. Il se mit au lit et serra un oreiller dans ses bras. Concentré sur sa voix. Ces derniers temps, des idées nouvelles et terrifiantes lui traversaient l'esprit, il rêvait qu'il quittait sa femme et persuadait Alice de s'enfuir avec lui. Ils pourraient commencer une nouvelle vie à Milwaukee, par exemple, ou Cleveland, ou Tucson, où elle voudrait, en fait. Ces fantasmes lui laissaient une impression de culpabilité enivrante. Tandis que, chez lui, sa femme et sa fille partageaient le même lit. Ce qu'elles feraient encore pendant de nombreuses années.

« S'il te plaît, reste, dit Alice. Tout ira bien. »

Avant Alice, Brown n'avait même pas conscience qu'il manquât quelque chose d'essentiel à sa vie, et puis soudain il l'avait eue, cette chose essentielle. Et à présent qu'il l'avait, il était hors de question de la laisser lui échapper.

« Reste aussi longtemps que tu voudras », entendit-il Alice murmurer, et de toutes ses forces, il essaya de faire semblant qu'elle ne s'adressait pas à Faye. « Je ne vais nulle part, je reste là, juste à côté de toi. »

Il essaya de faire semblant qu'elle s'adressait à lui.

8

La veille des émeutes, le ciel changea de couleur. L'été desserra son étreinte sur Chicago, il soufflait un air de printemps agréable. On dormit mieux que depuis des semaines. À l'aube naissante, le sol se couvrit d'un film de rosée miroitante. Le monde était vivant, lubrifié. L'atmosphère saturée d'espoir, d'optimisme, en contradiction totale avec la bataille qui se préparait dans la ville, les troupes de la Garde nationale qui débarquaient par milliers à bord de camions verts, la police qui nettoyait ses masques à gaz et ses armes, tandis que les manifestants s'entraînaient aux techniques d'évasion et d'autodéfense, et fabriquaient des projectiles à lancer sur les flics. Il flottait parmi eux le sentiment qu'un conflit si terrible aurait mérité un ciel moins clément. Leur haine aurait dû enflammer l'air. Comment pouvait-on avoir envie de faire la révolution sous un soleil si doux ? La ville était pleine de désir. La veille de la plus grande, de la plus spectaculaire et de la plus violente manifestation de 1968, la ville débordait *de désir*.

La délégation démocrate était arrivée. Ses membres avaient bénéficié d'une escorte jusqu'à l'hôtel Conrad Hilton, où ils s'étaient rassemblés, fébriles, au Haymarket, le bar du rez-de-chaussée, et avaient sans doute bu plus que de raison et fait des choses qu'ils n'auraient pas faites sans ces circonstances extraordinaires. Mais le regret, en fin de compte, était un sentiment assez élastique et toujours relatif. Ceux qui, en temps normal, n'auraient jamais été tentés par l'ébriété publique ou le sexe facile, se sentaient portés vers le vice par le contexte. Chicago était au bord de l'explosion. La présidence même ne tenait plus qu'à un fil. Leur belle Amérique craquait de partout. Face à une telle calamité, quelques aventures extraconjugales semblaient à peine une toile de fond, un dommage collatéral négligeable. Les propriétaires du bar le laissèrent ouvert bien après l'heure de fermeture habituelle. Il y avait du monde, et des pourboires généreux.

Dehors, de l'autre côté de Michigan Avenue, des policiers patrouillaient à cheval dans le parc. Ils étaient ostensiblement en chasse, guettant les fauteurs de troubles, les casseurs. Mais ne trouvaient que des couples dans les buissons, sous les arbres, aux abords du lac, des jeunes gens plus ou moins débraillés glissant les uns sur les autres, si bien emboîtés les uns dans les autres qu'ils n'entendaient même pas les sabots des chevaux approcher. Ils se caressaient (ou plus), faisaient des choses indescriptibles à même la terre de Grant Park, le sable du lac Michigan. Les flics les chassaient et les regardaient filer en se dandinant pour remonter leurs pantalons. Et ils auraient pu en rire s'ils n'avaient songé que les mêmes gamins seraient là le lendemain, à crier, taper, lancer des projectiles, aller au-devant des coups. Ce soir, les corps. Demain, les morts.

Même Allen Ginsberg se réfugia un moment dans la mélancolie. Assis, nu, sur le lit du jeune et mince serveur grec qu'il s'était déniché dans l'après-midi, au restaurant où s'étaient réunis les leaders de la jeunesse pour échafauder leurs plans du lendemain. Ils n'arrivaient pas à évaluer la participation à la manifestation. Cinq mille personnes ? Dix mille ? Cinquante mille ? Alors il leur avait raconté une histoire.

« Deux hommes allèrent dans un jardin, commença-t-il. Le premier homme se mit à compter les manguiers, et le nombre de mangues sur chaque arbre, et la valeur approximative du verger tout entier. Le second cueillit un fruit et le mangea. Lequel des deux était le plus sage, d'après vous ? »

Les jeunes gens le regardèrent, l'œil uniformément vide.

« Mangez les mangues ! » lança-t-il.

Ils n'avaient pas compris. La conversation se poursuivit, la crise majeure de la journée était la décision qu'avait finalement rendue la ville de ne pas autoriser leur manifestation en centre-ville, de ne pas leur permettre de défiler dans les rues, de dormir dans le parc. Des hordes de gens allaient venir demain et leur seul point de chute pour dormir serait le parc. Ils dormiraient là de toute façon, ils manifesteraient de toute façon, mais la question, maintenant que les autorisations leur avaient été refusées, était de savoir si la police allait intervenir ou non. Et la réponse était oui. Ginsberg faisait de son mieux pour rester concentré mais il ne pouvait s'empêcher de remarquer la ressemblance frappante entre ce serveur et un marin qu'il avait croisé à Athènes une nuit, alors qu'il se promenait parmi les ruines blanches de l'Acropole, au beau milieu de nulle part, ce marin embrassant religieusement et tendrement les lèvres d'un jeune garçon prostitué, au pays de Socrate et d'Hercule, des statues aux muscles saillants lissés par les ans. Le serveur avait le même visage que ce marin, avec cette pointe de débauche dans l'attitude. Il capta son attention, obtint son prénom, le fit monter dans sa chambre, le déshabilla : mince, avec une énorme queue. Comme toujours, non ? Ensuite, enroulé dans les draps, il lui avait lu du Keats. Demain la guerre, mais ce soir Keats, la fenêtre ouverte sur une brise légère, ce garçon et la façon dont il lui tenait la main, la serrant légèrement comme s'il tâtait un fruit. C'était trop beau.

Pendant ce temps, Faye faisait des gommages. Elle avait acheté plusieurs magazines pour adolescentes et la chose sur laquelle tous ces journaux s'accordaient, la recommandation unanime à toutes les jeunes mariées, c'était, avant d'*aller jusqu'au bout*, le gommage vigoureux, scrupuleux et sans relâche, usant de toutes les techniques et de tous les instruments : chiffon doux, éponge poreuse, lime, pierre ponce. Elle dépensa l'essentiel de son budget nourriture de la semaine en produits pour rendre sa peau douce et parfumée. Pour la première fois depuis des mois, elle repensait à tous ces posters dans sa classe d'économie domestique. Même de loin, c'était toujours aussi horrifiant, surtout à présent qu'elle s'apprêtait à *aller jusqu'au bout*. Sebastian serait bientôt là, Faye était toujours en train de se gommer, devait encore s'appliquer des onguents puissants dont elle redoutait qu'ils l'irritent, des gels qui sentaient si fort la rose et le lilas qu'ils lui évoquaient en fait une chambre funéraire, où les bouquets embaumaient la pièce pour masquer l'odeur chimique de mort persistant sous la surface. Faye avait acheté des parfums, des déodorants, des douches vaginales, des sels dans lesquels elle était censée tremper, des savons avec lesquels elle était censée se gommer, des bains de bouche à la menthe, piquants, avec lesquels elle était supposée se gargariser. Elle commençait à se rendre compte qu'elle avait sous-estimé le temps qu'il lui faudrait pour se poncer, se gommer, se laver, se shampouiner, sans parler de se doucher et d'appliquer tous ses nouveaux solvants et pommades. Le sol de sa chambre était couvert d'emballages rose bonbon. Jamais elle n'aurait le temps de tout faire avant l'arrivée de Sebastian. Il fallait encore qu'elle se mette du vernis à ongles, de la laque dans les cheveux, qu'elle choisisse un ensemble de lingerie. C'était non négociable, elle ne pouvait pas faire l'impasse sur tout cela. Elle termina de s'occuper des callosités de son pied gauche. Résolut d'oublier l'autre pied. Si Sebastian remarquait de la corne sur un seul de ses pieds, il n'en ferait peut-être pas mention. Elle se promit de garder ses chaussures jusqu'au dernier moment. En espérant qu'à partir d'un certain stade il ne ferait plus attention à ses pieds. Rien que d'y *penser*, elle avait l'estomac dans les chaussettes. Elle se reconcentra sur ses nouveaux produits de beauté, cela l'aidait à maintenir à distance l'idée du sexe, dans une abstraction rassurante, un concept marketing, pas quelque chose qui la concernait physiquement. Qu'elle allait faire. Dès qu'il serait là. Ce soir.

Elle avait trois couleurs de vernis à sa disposition, différentes variantes de violet : « prune », « aubergine », et un violet plus conceptuel baptisé

« cosmos », pour lequel elle opta. Elle peignit ses ongles de pieds et fit ce truc avec les boules de coton entre chaque orteil et se déplaça en marchant sur les talons. Le fer à friser chauffait. De petits pots de poudre couleur crème, qu'elle s'appliqua à l'éponge sur le visage. Elle se nettoya les oreilles au coton-tige. Épila ses sourcils. Remplaça ses sous-vêtements blancs par des noirs. Puis remit les blancs, puis changea encore d'avis. Elle ouvrit la fenêtre et respira l'air frais de la ville, et, comme tout un chacun, se sentit ragaillardie, optimiste, ardente.

Partout dans la ville, les gens l'imitaient. Peut-être y eut-il là un moment, une opportunité, si quelqu'un l'avait saisie, de tout arrêter, d'empêcher la suite des événements. Si chacun, en prenant une grande bouffée de cet air printanier et fertile, avait compris que c'était un *signe*. Alors peut-être le bureau du maire aurait-il délivré aux manifestants les autorisations qu'ils réclamaient depuis des mois, et les manifestants auraient-ils pu se rassembler en paix sans rien lancer sur personne, sans narguer personne, et la police aurait pu les scruter de loin, et chacun se serait exprimé, puis serait rentré chez soi sans bleus, ni commotions, ni éraflures, ni cauchemars, ni cicatrices.

Peut-être y eut-il un moment, mais ensuite voici ce qui arriva.

Il venait de débarquer d'un bus qui l'avait emmené de Sioux Falls à Chicago — vingt et un ans, un vagabond sans but, probablement en ville pour la manifestation, personne ne pourrait jamais le savoir. Habillé de façon hétéroclite — vieux manteau en cuir craquelé au col, sac marin, rapiécé au gros scotch, chaussures marron élimées, jean crasseux évasé en bas ainsi que les jeunes le portaient à l'époque. Mais ce qui l'identifia en tant qu'ennemi aux yeux de la police, ce furent ses cheveux. Longs, emmêlés, descendant sous le col de son manteau en cuir. Il dégageait les mèches de ses yeux dans un geste que les plus conservateurs percevaient toujours comme très féminin. Un truc de fille, de pédé. Ce geste-là semblait déchaîner leur *rage*. Il repoussait ses cheveux, les tirait de sa moustache et de sa barbe drue où ils s'accrochaient comme du velcro. Pour les flics, ce n'était rien d'autre qu'un de ces hippies du coin. Pour eux, ses longs cheveux rendaient toute conversation impossible.

Mais il n'était pas du coin. Il n'avait pas les mêmes réactions que les gars de la contre-culture locale. On dira ce qu'on voudra des militants de gauche de Chicago, au moins n'opposaient-ils pas de résistance quand ils se faisaient arrêter. Certes ils donnaient des noms d'oiseaux aux flics, mais la plupart du temps, leur réaction aux menottes consistait à se débattre mollement et symboliquement, voire à se laisser aller tel un poisson fatigué dans un filet.

Pas ce jeune homme de Sioux Falls. Il s'était endurci, assombri en chemin. Personne ne savait pourquoi il était à Chicago. Il était seul. Peut-être avait-il entendu parler de la manifestation et voulu rejoindre un mouvement qui semblait si lointain depuis Sioux Falls. On imagine aisément la solitude qui avait été la sienne avec une telle apparence dans un endroit comme le Dakota du Sud. Sans doute avait-il été harcelé, moqué, persécuté, martyrisé. Peut-être avait-il trop souvent été obligé de se défendre seul contre la police ou les Hell's

Angels — ces défenseurs autoproclamés de la ferveur patriotique. Peut-être était-il à bout.

La vérité, c'est que personne ne savait ce qui avait pu le pousser à cacher un six-coups dans la poche de sa vieille veste en cuir. Et personne ne sut non plus pourquoi, lorsque la police l'arrêta, il tira l'arme de sa poche et fit feu.

Sûrement, il ne devait pas être au courant de la tension qui régnait dans Chicago. Qui transformait la moindre menace en attaque sérieuse et mobilisait tous les effectifs de la police, constamment sur les dents, enchaînant les services sans jamais se reposer. Les hippies avaient menacé de coller toute la ville sous acide en jetant du LSD dans les réserves d'eau potable, et même s'il aurait fallu cinq tonnes de LSD pour mettre à exécution un plan pareil, il y avait cependant désormais des flics postés à chaque station de pompage municipale. La police patrouillait dans l'hôtel Conrad Hilton avec des chiens démineurs car les hippies avaient aussi menacé de faire exploser l'hôtel du vice-président et des délégations. Il y avait des rumeurs qui racontaient que les hippies avaient prévu d'attendre les épouses des délégués à l'aéroport habillés en chauffeurs, pour pouvoir les kidnapper, les droguer et faire des choses avec elles, la police les escortait donc directement depuis le tarmac. En fait, il y avait tellement de menaces que c'était difficile de tout prévoir, de parer à tous les scénarios, toutes les possibilités. Comment pouvait-on empêcher des hippies de se raser la barbe, de se couper les cheveux, de s'habiller normalement et de contrefaire des accréditations pour pénétrer à l'intérieur de l'Amphithéâtre International et y déposer une bombe ? Comment les empêcher de se mettre à plusieurs pour retourner les voitures dans la rue comme ils l'avaient fait à Oakland ? Comment les empêcher de construire des barricades et de s'emparer de quartiers entiers de la ville comme ils l'avaient fait à Paris ? Comment les empêcher d'occuper un immeuble comme ils l'avaient fait à New York, et comment les en chasser face aux journalistes friands de violences policières pour émouvoir leurs lecteurs ? Ce qui les mettait sur les dents, c'était cette triste logique de l'antiterrorisme : la police devait parer à toutes les éventualités, les hippies, eux, n'avaient besoin que d'*un seul succès*.

Ils dressèrent donc une barrière de barbelés sur le périmètre autour de l'amphithéâtre et remplirent l'intérieur de policiers en civil guettant les fauteurs de troubles et contrôlant les accréditations de tous ceux qui n'avaient pas l'air de fervents partisans de l'administration au pouvoir. Ils bloquèrent les bouches d'égout. Firent décoller des hélicoptères. Placèrent des snipers sur les toits des immeubles. Préparèrent le gaz lacrymogène. Appelèrent la Garde nationale en renfort. Réquisitionnèrent l'artillerie lourde. Cette semaine-là, ils avaient entendu parler des tanks soviétiques roulant dans les rues de Prague, et une petite partie complexe d'eux-mêmes enviait et admirait les Russes. *Voilà, c'est comme ça qu'on fait, putain*, pensaient-ils. L'artillerie lourde.

Mais notre homme de Sioux Falls ne pouvait rien savoir de tout cela.

S'il avait su, il aurait sans doute réfléchi à deux fois avant de sortir une arme de sa poche. Quand la voiture de police le dépassa ce soir-là, marchant sous la voûte étoilée scintillant au-dessus de Michigan Avenue, qu'elle s'arrêta à son niveau et que les deux flics en sortirent dans leurs chemisettes bleu layette, s'avançant vers lui avec toute leur quincaillerie cliquetant à la ceinture, marmonnant quelque chose à propos de violation de couvre-feu et avait-il ses papiers, s'il avait su alors ce qui se passait à Chicago, peut-être aurait-il jugé préférable d'endurer quelques nuits en prison pour port d'arme sans permis. Mais il avait fait toute cette route jusqu'à Chicago, passé trente heures dans cet horrible bus, et peut-être toute sa vie à attendre cette manifestation, peut-être était-ce pour lui un tournant majeur, peut-être que l'idée de manquer cette manifestation lui était insupportable, peut-être haïssait-il la guerre à ce point, et peut-être aussi ne voulait-il pas perdre son arme, sa seule protection après une adolescence terrible dans le Dakota, où il était différent et seul. Dans sa tête, c'était clair : il sortirait le pistolet, tirerait un coup de semonce en l'air, et pendant que les flics se mettraient à couvert, il aurait le temps de s'échapper dans une ruelle sombre. Aussi simple que ça. Peut-être même l'avait-il déjà fait. Il était jeune, il avait de bonnes jambes, il avait passé sa vie à s'enfuir.

Mais les flics ne se mirent pas à couvert. Ils ne lui laissèrent pas une chance de s'échapper. Dès qu'ils virent son arme, ils dégainèrent les leurs et l'abattirent. Quatre balles dans la poitrine.

L'information se répandit à toute allure, de la police aux Services secrets, à la Garde nationale puis au FBI : les hippies étaient armés. Ils tiraient. *Cela changea radicalement les enjeux*. La veille de la manifestation, c'était de très mauvais augure.

Les étudiants demandèrent autour d'eux si quelqu'un attendait de la visite de Sioux Falls.

Qui était-il ? Que faisait-il ici ? Des bougies s'allumèrent spontanément un peu partout pour ce jeune homme qui aurait pu être leur frère. Ils chantaient « We Shall Overcome » et s'inquiétaient en leur for intérieur. Allaient-ils devoir mourir pour leur cause ? Sa protestation, songeaient-ils, était plus puissante que toutes les émeutes de cette année-là — car elle était personnelle, intime, vitale. Venir ainsi mourir à Chicago, ça leur brisa le cœur, avant même que quiconque sût son nom.

Lorsque Sebastian apprit la nouvelle, il était dans le bureau du *Chicago Free Voice* en train de donner une interview à CBS. Le téléphone avait sonné, on lui avait annoncé que quelqu'un avait été abattu, un vagabond du Dakota du Sud. Et la première réaction de Sebastian, la toute première chose qui lui vint à l'esprit malgré lui, était que le timing était *parfait*. CBS juste sous la main. C'était *de l'or en barre*. Il cria alors à l'outrage et déclara aux journalistes que « les flics avaient assassiné un manifestant de sang-froid ».

Et cela ne manqua pas de produire son petit effet.

Il peaufinait sa rhétorique à chaque nouveau récit. « L'un de nos frères a été abattu parce qu'il n'était pas d'accord avec le président », déclara-t-il au *Tribune*. « La police tue aussi aveuglément que les bombes au Vietnam », dit-il au *Washington Post*. « Chicago est en train de devenir l'avant-poste occidental de Stalingrad », ajouta-t-il pour le *New York Times*. Il organisa d'autres veillées aux bougies et convia les équipes de télévision et les photographes sur les lieux des veillées, envoyant chacun à un endroit différent de telle sorte que tous étaient convaincus de détenir un scoop. La seule chose que les journalistes aimaient plus qu'une bonne info, c'était une info en exclusivité.

C'était son rôle, faire monter la température.

C'était Sebastian qui, durant les mois précédant la manifestation, avait publié ces infos farfelues dans le *Free Voice* : on allait balancer du LSD dans les eaux de la ville, ou encore enlever les épouses des délégués, poser des bombes à l'amphithéâtre. Que ces plans n'aient jamais été envisagés n'était pas un problème. Il avait appris quelque chose d'important : à partir du moment où c'était publié, *c'était la vérité*. Il avait largement gonflé les chiffres des manifestants attendus à Chicago, et, lorsque le maire avait réquisitionné la Garde nationale, il s'était senti si fier. Son message était passé. C'était tout ce qui l'intéressait : le message, l'histoire qu'il racontait. Il se le représentait comme un œuf qu'il lui fallait tenir entre ses mains, protéger, réchauffer, choyer, nourrir, un œuf énorme, qui deviendrait un œuf de conte de fées s'il en prenait bien soin, brillant et flottant dans le ciel, tel un flambeau.

Il s'en rendait compte seulement maintenant, à la veille de la manifestation, il mesurait à présent les implications de son ouvrage. Les gamins affluaient à Chicago. Ils seraient battus, molestés par la police. Ils seraient *tués*. C'était plus ou moins inévitable. Ce qui, jusqu'ici, avait été du registre de l'illusion, du fantasme, du battage médiatique, un test grandeur nature de fabrique de l'opinion, serait une réalité dès le lendemain. Une sorte de naissance, et il tremblait à cette idée. Il se retrouvait ainsi là, seul, à faire la dernière chose que quiconque imaginerait de l'insolent, de l'arrogant, de l'audacieux Sebastian : pleurer assis sur son lit. Parce qu'il était en train de comprendre ce qui allait se passer le lendemain, de comprendre le rôle particulier qu'il y tenait, de voir que tout ce qu'il avait fait jusqu'ici était impossible à défaire, à changer, gravé dans le marbre du passé.

Ce soir, il n'était que regret. Alors il pleurait. Il fallait qu'il arrête d'y penser. Il se souvint vaguement de son rendez-vous. S'aspergea le visage d'eau. Enfila une veste. Se regarda dans une glace et se dit, *Reprends-toi*.

Exactement la même chose qu'un certain agent à l'autre bout de la ville, au même moment, assis sur le pare-chocs arrière de sa voiture de police, garée dans son habituelle ruelle obscure, à côté d'Alice qui, manifestement, était en train de rompre avec lui. *Reprends-toi*, pensa-t-il.

Comme tout le monde dans la ville ce soir-là, l'agent Brown avait espéré un peu de sexe. Mais lorsqu'il retrouva Alice, au lieu de se précipiter dans la voiture pour lui demander je ne sais quelle nouvelle fantaisie, elle s'affala sur le coffre et dit : « Je crois qu'il faudrait qu'on fasse une pause.

— Une pause de quoi ? demanda-t-il.

— De tout. Toute cette histoire. Toi et moi. Notre liaison.

— Et pourquoi, s'il te plaît ?

— J'ai envie d'essayer quelque chose d'autre. »

Brown réfléchit un moment. « Tu veux dire que tu as envie d'essayer *quelqu'un* d'autre, corrigea-t-il.

— Effectivement, oui, dit Alice. J'ai rencontré quelqu'un, peut-être. Quelqu'un d'intéressant.

— Et donc tu veux rompre avec moi pour cette autre personne.

— Techniquement, pour rompre, il faudrait que

nous ayons noué quelque chose, une sorte d'engagement, que nous n'avons pas.

— Mais…

— Il n'y a pas de mais. »

L'agent Brown hocha la tête. Il fixait un chien qui fouillait les poubelles du restaurant qui faisait l'angle, à l'autre bout de la ruelle. L'un des innombrables chiens errants de la ville, avec un faux air de berger allemand, en moins noble car c'était un bâtard. Il tira sur un sac-poubelle noir qui dépassait du conteneur rempli à ras bord et le déchira avec ses dents.

« Si je comprends bien, s'il n'y avait pas cette autre personne, tu ne romprais pas avec moi ? dit-il.

— Je ne vois pas l'intérêt de cette question puisqu'*il y a* une autre personne.

— Fais-moi plaisir. Imagine. Si cette autre personne n'existait pas, tu n'aurais aucune raison de mettre fin à notre liaison.

— D'accord. Bon. Si tu veux.

— Je tiens à te dire que je pense que c'est une erreur », dit-il.

Elle lui adressa ce regard condescendant qu'il ne supportait pas, ce regard qui signifiait clairement qu'elle était de loin la plus intéressante et la plus évoluée d'eux deux et lui un pauvre type coincé dans son modèle de bourgeois moyen sans échappatoire possible.

« Que peut bien t'apporter cette autre personne que je ne pourrais pas te donner ?

— Tu ne comprends pas.

— Je peux changer. Dis-moi ce que tu veux que je fasse différemment, je le ferai. On n'est pas obligés de se voir aussi souvent. On pourrait se voir une semaine sur deux seulement. Ou une fois par mois. Ou bien tu voudrais que je sois plus brutal ? Je peux être plus brutal si tu veux.

— Je n'ai plus envie de ça.

— On n'a qu'à faire les choses sans se poser de questions. Librement. Tu n'as qu'à être avec cette personne et moi *en même temps*, OK ?

— Ça ne marchera pas.

— Pourquoi ? Tu ne m'as donné aucune bonne raison.

— Je n'ai plus envie d'être avec toi. C'est une bonne raison, ça, non ?

— Non. Absolument pas, ni de près ni de loin. Parce que c'est injustifié. Pourquoi tu voudrais que ça s'arrête ? Qu'est-ce que j'ai fait de mal ?

— Rien. Tu n'as rien fait de mal.

— Exactement. Alors tu n'as pas le droit de me punir comme ça.

— Je n'essaie pas de te punir. J'essaie d'être honnête avec toi.

— Ce qui a pour effet de me punir. Et ce n'est pas juste. J'ai fait tout ce que tu m'as demandé. Même les trucs bizarres. J'ai *tout* fait, alors tu ne peux pas t'en aller comme ça, sans raison.

— Tu veux bien arrêter de chouiner ? » dit-elle, avant de sauter du capot et de faire quelques pas. De la voir bouger soudain fit sursauter le chien, qui se figea, la jaugea, sur ses gardes. « Tu veux bien te comporter comme un homme ? C'est fini, c'est tout.

— Toutes ces choses qu'on a faites ensemble. Toutes ces choses bizarres. C'était une promesse. Même si tu ne l'as jamais prononcée à voix haute. Et à présent tu es en train de briser cette promesse.

— Rentre chez ta femme.

— Je t'aime.

— Oh, merde.

— C'est vrai. Je t'aime. Je te le dis, je t'aime.

— Tu ne m'aimes pas. Tu as juste peur de te retrouver tout seul et de t'ennuyer.

— Je n'ai jamais rencontré quelqu'un comme toi. S'il te plaît, ne me laisse pas. Je ne sais pas ce que je ferai. Je t'ai dit que je t'aime. Ça ne signifie donc rien pour toi ?

— Tu veux bien arrêter maintenant *s'il te plaît* ? »

Alice avait l'impression qu'il allait craquer d'une manière ou d'une autre : fondre en larmes ou exploser. On ne savait jamais avec les hommes. À l'autre bout de la ruelle, le chien avait l'air d'avoir compris avec satisfaction qu'elle n'en voulait pas à sa nourriture. Il s'était attaqué aux restes de hamburgers, vieilles frites froides, coleslaw et tartare de thon, et les dévorait si vite qu'il allait sans doute tout régurgiter.

« Écoute, dit-elle. Tu veux une bonne raison ? La voilà. J'ai envie d'essayer quelque chose de nouveau. C'est la raison pour laquelle j'ai commencé à te voir. J'ai envie d'essayer quelque chose que je n'ai jamais essayé auparavant.

— C'est-à-dire ?

— Les filles.

— Oh, arrête de raconter n'importe quoi.

— J'ai envie d'essayer avec une fille. J'en ai vraiment très envie.

— Oh mon Dieu, je t'en prie, tu ne vas pas me dire que tu es tout à coup devenue une gouine. Je t'en prie, dis-moi que je n'ai pas baisé une gouine pendant tout ce temps.

— Merci beaucoup pour les bons moments passés ensemble. Je te souhaite le meilleur.

— Ce n'est pas la voisine, quand même ? C'est quoi son nom déjà, Faye, c'est ça ? »

Elle le fixa, perdue, et il éclata de rire. « Ne me dis pas que c'est elle, reprit-il.

— Comment tu connais Faye ?

— C'est celle avec qui tu as passé la nuit. Lundi soir ? Ne me dis pas que tu es tombée amoureuse d'*elle*. »

Le corps tout entier d'Alice se raidit en un instant. Le peu de douceur, le peu de gentillesse qu'elle avait pu éprouver à son égard disparurent en une fraction de seconde. Ses mâchoires se crispèrent, ses poings se serrèrent.

« Comment tu sais ça, *putain* ?

— Je t'en prie, dis-moi que tu n'es pas en train de me quitter pour Faye Andresen. C'est trop fort !

— Tu m'espionnes ? Espèce de psychopathe.

— Tu n'es pas gouine. C'est moi qui te le dis. Je le saurais.

— C'est fini. Je ne veux plus jamais te parler.

— Ça, c'est ce que tu crois.

— Tu verras.

— Si tu t'en vas, je t'arrête. Et j'arrête Faye également. Je ferai de vos vies un enfer. À toutes les deux. Je te le promets. Tu es coincée avec moi. Ce sera fini *quand je dirai que c'est fini*.

— Je raconterai à tous tes copains flics comme tu aimes me sauter. Je le dirai à ta femme aussi.

— Je pourrais te faire tuer. Sans aucun problème. » Il claqua des doigts. « Rien de plus facile.

— Au revoir. »

Elle s'éloigna de la voiture. Son dos frémissait, à l'idée que quelque chose lui fonçait dessus — lui, sa matraque, une balle. Elle ignora les signaux d'alarme qui s'allumaient en elle, lui intimant de se retourner pour regarder ce qu'il était en train de faire. Elle entendait son cœur battre jusque dans ses oreilles. Ses mains n'étaient plus que des poings serrés. Impossible de les desserrer, même si elle l'avait voulu. Il lui restait une vingtaine de pas jusqu'à la rue lorsqu'elle l'entendit derrière elle : la détonation de son pistolet.

Il avait tiré. Une arme avait tiré. Quelque chose avait été touché.

Elle se retourna, s'attendant à trouver son cadavre au sol, sa cervelle contre le mur. Mais il était là, les yeux baissés sur les poubelles derrière le restaurant. Et c'est là qu'elle comprit ce qui s'était passé. Il ne s'était pas tiré une balle dans la tête. Il avait abattu le chien.

Elle partit en courant. Aussi vite que possible. Elle était à deux pâtés de maisons de la ruelle quand il mit en route la sirène de sa voiture. Il la dépassa, accéléra vers l'ouest, dans la direction du campus du Cercle, dans la direction du dortoir, où Faye, récurée, vaporisée, embaumée, maquillée, pomponnée, attendait Sebastian. Alice lui avait donné deux autres pilules rouges, qu'elle avait prises juste avant de se faire belle. Leur chaleur et leur optimisme se diffusaient en elle à présent. Elle avait atteint un niveau d'excitation insoutenable. Solitaire depuis toujours, censée épouser un homme qu'elle n'aimait pas vraiment, et voilà qu'à présent elle attendait le prince charmant. Sebastian était la réponse à la question de sa vie entière. La nervosité passée, elle n'éprouvait plus que du ravissement. Peut-être à cause des pilules mais après tout, quelle importance ? Elle imaginait sa vie avec Sebastian, une vie d'art et de poésie, une vie à débattre des mérites de l'engagement, des écrivains — elle défendrait les œuvres de jeunesse d'Allen Ginsberg ; lui, bien sûr, préférerait ses travaux plus récents —, ils écouteraient de la musique, voyageraient, liraient au lit et feraient toutes ces choses que les filles de la classe moyenne de l'Iowa ne font jamais. Elle s'imagina déménageant à Paris avec Sebastian, puis rentrant à la maison pour montrer à Mme Schwingle ce que signifiait la vraie sophistication, pour montrer à son père qu'elle était bel et bien spéciale.

Il lui semblait vivre le début de la vie qu'elle voulait vraiment.

Elle fut donc enchantée quand son téléphone sonna et qu'on lui annonça qu'elle avait un visiteur à la réception. Elle sortit de sa chambre et survola les escaliers jusqu'au hall d'entrée, où elle découvrit que son visiteur n'était pas Sebastian. C'était la police.

Imaginez l'expression sur son visage à ce moment-là.

Lorsque ce gros flic coiffé en brosse lui passa les menottes. Et la fit sortir du dortoir sous les yeux de tout le monde et sans un mot tandis qu'elle criait : « Qu'est-ce que j'ai fait ? » Comment pouvait-il supporter de lui piétiner ainsi le cœur ? Comment pouvait-il l'envoyer valdinguer sur le siège arrière de la voiture ? La traiter de pute encore et encore, durant tout le trajet ?

« Qui êtes-vous ? » ne cessait-elle de répéter. Il avait enlevé son badge avec son nom. « C'est une erreur. Je n'ai absolument rien fait.

— T'es une pute, dit-il. T'es qu'une sale pute. »

Comment pouvait-il l'arrêter ? Comment pouvait-il la coffrer pour prostitution ? Comment pouvait-il persister ainsi dans son erreur ? Elle s'efforça de se contenir, d'avoir l'air calme, un air de défi sur la photo, mais dans sa cellule cette nuit-là, elle sentit déferler sur elle une crise si forte qu'elle se roula en boule dans un coin, respira et pria pour ne pas mourir. Elle pria pour se sortir de là. *Je vous en prie*, dit-elle à Dieu, à l'univers, à n'importe qui, en se balançant sur le sol humide et glacé, entre larmes et salive. *Je vous en prie, aidez-moi.*

HUITIÈME PARTIE

FOUILLE ET PERQUISITION

Fin de l'été 2011

1

Le juge Charles Brown se réveilla avant l'aube. Il se réveillait toujours avant l'aube. Sa femme dormait à côté de lui dans le lit. Elle dormirait encore trois bonnes heures. Cela avait toujours été ainsi, depuis l'époque où il était flic de patrouille à Chicago et travaillait de nuit. Ils se croisaient à peine, et c'était devenu une habitude — quelque chose de normal, de rituel. Il s'était surpris à y repenser récemment, pour la première fois depuis très longtemps.

Il se hissa hors du lit, s'installa dans sa chaise roulante et alla à la fenêtre. Il regarda le ciel dehors — bleu marine, se teintant peu à peu de reflets clairs. Il devait être quatre heures, quatre heures et quart au mieux. C'était le jour des poubelles, constata-t-il. Les conteneurs trônaient dans la rue. Derrière, garée le long du trottoir, juste en face de sa maison, il y avait une voiture.

Bizarre.

Personne ne se garait jamais là. Impossible que ce soit un voisin. Ses voisins étaient trop éloignés. Une des raisons pour lesquelles il avait acheté une maison ici, dans ce lotissement en particulier, c'était cette impression de vivre au milieu des bois. Un petit bosquet d'érables séparait sa maison de la rue. Les premiers voisins étaient cachés derrière deux rangées de chênes — une rangée sur son terrain, l'autre sur le leur.

Il jeta un œil aux écrans de contrôle installés à côté de son lit, un système de surveillance élaboré qui couvrait toute la maison : ni porte ouverte, ni fenêtre brisée, pas un souffle. Les retours des caméras ne montraient aucune activité inhabituelle.

Brown pensa que ce devait être des ados. Les parfaits boucs émissaires. Sans doute un garçon qui venait voir une fille habitant plus bas. Quelque part dans les alentours, cette nuit, une fille s'était vu rapidement et passionnément déflorer. Soit.

Il descendit à la cuisine par l'ascenseur. Appuya sur le bouton de la cafetière. Qui gazouilla et crachota dûment, sa femme s'étant chargée de préparer la machine la veille. Un de leurs rituels. Une des rares choses qui lui rappellaient qu'il vivait avec quelqu'un. Ils se voyaient si rarement. Quand elle se réveillait, il était déjà parti au travail, et quand il rentrait, elle était partie au sien.

Non pas qu'ils fassent exprès de s'éviter — c'était juste leur fonctionnement.

Lorsqu'il quitta la police et décida de reprendre des études de droit — il y avait une quarantaine d'années maintenant —, elle prit des gardes de nuit à l'hôpital. Ils avaient une fille à élever à l'époque ; c'était le compromis qu'ils avaient trouvé pour qu'il y ait toujours quelqu'un à la maison avec elle. Mais, même quand elle eut grandi et quitté la maison, ils ne changèrent pas leurs habitudes. C'était devenu confortable. Elle lui laissait quelque chose à manger dans une assiette. Comme elle savait qu'il détestait manipuler le filtre, le café, tous ces gestes inenvisageables à quatre heures du matin, elle s'occupait de la machine à café en rentrant la nuit. Il lui savait gré de continuer à avoir ces petites attentions à son égard. Le week-end, ils se voyaient davantage, à moins qu'il ne passe la journée dans son bureau à compulser divers documents, jurisprudence, verdicts, revues, législation… Puis ils reprenaient leurs vies indépendantes et totalement séparées l'une de l'autre, des vies parallèles. Tout en se faisant de vagues promesses sur tout ce qu'ils feraient ensemble une fois retraités.

Il roula jusqu'à son bureau, café à la main, et alluma la télévision. Un autre rituel matinal, les informations. Avant d'aller au travail, il voulait être au courant de tout ce qui se passait partout dans le monde. Il avait atteint l'âge où les gens guettent le moindre signe de déclin, la moindre manifestation de vieillissement. Il se souvenait de l'époque où il était un jeune procureur, où il voyait des juges d'un certain âge se laisser aller à l'approche de la retraite. Cesser de se tenir au courant de l'actualité, des enjeux politiques locaux, cesser d'engranger la quantité astronomique de lectures inhérente à leur poste. Et se mettre à se comporter en savants fous — devenant des mégalomanes imprévisibles, extraordinairement confiants dans leurs capacités pourtant amoindries, considérant le tribunal comme leur laboratoire personnel. Il s'était alors juré de ne jamais *dégénérer* ainsi. Il regardait les infos le matin, se faisait livrer ses journaux (même si lire des journaux sur papier était devenu un peu ringard).

Mais rien de nouveau aux informations, toujours

le même sujet : l'élection. Le jour de l'élection était encore assez lointain, mais on n'aurait jamais pu le deviner en regardant les informations, qui se gargarisaient de la course aux primaires, la douzaine de candidats désormais déclarés se succédaient sur les plateaux des chaînes câblées et dans l'Iowa, où la première session de vote aurait lieu dans trois mois environ. Parmi cette mêlée, Sheldon « le Gouverneur » Packer faisait la course en tête d'après les instituts de sondage, les études et tous les experts qui n'en finissaient plus de débattre pour savoir si sa popularité n'était qu'un soufflé de compassion suite à l'attaque qui finirait par retomber. Pour le moment, l'attaque de Faye Andresen semblait la meilleure chose qui lui soit arrivée.

La nation ne devait pas s'attendre à autre chose dans l'année à venir. Douze mois complets de discours en boucle, de bourdes, d'annonces, d'attaques et de stupidité, de stupidité atroce, à la lisière de la stupidité immorale. Comme si tous les quatre ans les informations perdaient soudain tout sens de la perspective. Des milliards de dollars seraient ensuite dépensés pour accomplir ce qui était déjà inévitable — l'élection tout entière se retrouverait entre les mains d'une poignée de grands électeurs du comté de Cuyahoga, dans l'Ohio. Le système électoral le voulait ainsi.

Démocratie ! Hourra !

Apparemment, les deux mots qui revenaient le plus souvent pour évoquer la campagne de Packer étaient « buzz » et « élan ». Dans les meetings, Packer racontait que cette atteinte à sa vie l'avait rendu plus déterminé que jamais. Il n'allait pas se laisser intimider par quelques voyous libéraux. Le refrain de la chanson « Break My Stride[1] » ouvrait tous ses meetings de campagne. Le nouveau gouverneur du Wyoming le décora de la médaille Purple Heart. Les stars des chaînes du câble le présentaient comme « continuant courageusement sa campagne malgré les énormes risques personnels qu'il courait » ou encore « traitant cette distraction mineure avec la sévérité qui s'imposait ». Entre les deux, rien du tout. La vidéo de Faye Andresen jetant des pierres sur le gouverneur tournait en boucle elle aussi. Sur une chaîne, on y voyait la preuve irréfutable d'un complot libéral à l'œuvre, désignant même sur l'image des personnes susceptibles d'avoir aidé et encouragé l'agression. Sur une autre chaîne, on trouvait que l'attitude du gouverneur, se baissant et fuyant les jets de pierre, « n'était pas très présidentielle ».

Il était ainsi devenu impossible de mentionner le gouverneur Packer sans évoquer également le procès de Faye Andresen, et ce n'était pas pour déplaire au juge Brown. Qui en concevait un sentiment d'importance et de pouvoir. Le gouverneur était « toujours en tête des sondages après l'attaque brutale dont il avait été victime à Chicago », disaient-ils. Bien entendu, les raisons en étaient évidentes — l'attaque l'avait rendu plus célèbre, et la célébrité engendrait la célébrité. De même que l'argent va à l'argent, la célébrité, étant une forme de richesse sociale, d'abondance conceptuelle, fonctionnait sur le même schéma. L'un des nombreux avantages à

1. Chanson populaire de Matthew Wilder, dont le refrain dit « *Ain't nothing gonna break my stride/Nobody's gonna slow me down, oh no/I gotta keep on movin'* » (« Rien ne brisera mon élan/Personne ne me fera ralentir, oh non/Je vais continuer à avancer »).

prendre l'affaire de Faye Andresen était que cela rendait le juge Brown célèbre lui aussi. Et l'instruction lui permettait de repousser d'autant sa retraite. D'au moins un an, d'après ses estimations.

Ce n'étaient pas les raisons principales pour lesquelles il avait pris en charge le dossier, même si elles venaient s'ajouter au tableau de sa décision. La raison principale, bien entendu, était que Faye Andresen méritait tout le malheur qui pouvait s'abattre sur elle. Un don du ciel, ce dossier. Une sorte de cadeau de départ à la retraite, une occasion en or de délivrer le châtiment, la revanche pour toutes ses souffrances.

Seigneur, *la retraite*. Qu'allaient-ils bien pouvoir faire en tête à tête, sa femme et lui, à la retraite ?

Il y avait bien sûr tous les clichés habituels : pourquoi ne pas voyager, leur avait dit leur fille. Certes, pourquoi pas, Paris, Honolulu, Bali, le Brésil. Peu importe. Tous les endroits semblaient aussi horribles les uns que les autres, car ce qu'on ne dit jamais sur les voyages à la retraite, c'est que pour en profiter il faut pouvoir supporter un minimum la personne avec qui vous voyagez. Et rien que d'imaginer tout ce temps passé ensemble — en avion, au restaurant, dans des hôtels. Sans jamais pouvoir échapper l'un à l'autre. Le côté agréable de leur arrangement actuel était qu'ils pouvaient toujours prétendre que la raison pour laquelle ils se voyaient si peu, c'était qu'ils avaient des emplois du temps chargés, pas qu'ils se détestaient cordialement.

Une simple façade pouvait si facilement devenir votre vie tout entière, la vérité de votre vie.

Il s'imaginait avec elle à Paris, essayant de trouver un sujet de conversation. Elle, récitant sa leçon sur le système de sécurité sociale du pays, lui, dissertant à son tour sur la jurisprudence française. À ce rythme-là, ils tiendraient un jour, peut-être deux. Puis ils attraperaient au vol ce qui se présenterait à leurs yeux : les charmantes rues parisiennes, la météo, les serveurs, la lumière du jour persistant jusqu'après dix heures le soir. Les musées les sauveraient en imposant le silence. Mais ensuite, ils se retrouveraient au restaurant, et elle commenterait le menu, et il commenterait le menu à son tour, et ils regarderaient les assiettes de leurs voisins, se montreraient des plats alléchants, se diraient qu'ils allaient peut-être changer d'avis finalement et commander autre chose, et tout ce débat précédant la commande, normalement intérieur, serait verbalisé, afin d'occuper l'espace sonore entre eux, de remplir le silence de bavardage insignifiant pour surtout ne pas évoquer le sujet qu'ils n'abordaient jamais mais qui les préoccupait constamment : s'ils avaient appartenu à une génération où le divorce était une chose acceptable, ils ne seraient plus ensemble depuis *très longtemps*. Cela faisait des décennies qu'ils évitaient ce sujet. Comme s'ils avaient conclu un accord — ils étaient qui ils étaient, nés là où ils étaient nés, on leur avait appris que divorcer était mal, et ils réprouvaient les couples, plus jeunes, qui divorçaient, tout en les enviant secrètement d'être capables de se séparer, de se remarier et d'être heureux à nouveau.

Où les avait donc menés leur piété ? Qui en tirait profit ?

Elle ne lui avait jamais pardonné ses années de débauche, ses erreurs de jeunesse. Elle ne lui avait jamais pardonné mais n'en avait jamais parlé non plus, pas après l'accident qui l'avait immobilisé dans cette chaise roulante et avait résolu le problème de manière radicale. Oui, c'était une punition de Dieu pour la luxure à laquelle il s'était adonné, sa femme avait ensuite été sa punition pendant des décennies, et à présent il délivrait lui-même les punitions. Le métier lui allait comme un gant. Il avait été à bonne école.

Non, il n'y aurait pas de voyages. Plus vraisemblablement, ils se trouveraient des passe-temps, chacun de son côté, et s'efforceraient de reproduire les emplois du temps de leurs vies professionnelles à la retraite. Ils feraient des rénovations dans leur maison gigantesque pour s'installer chacun à un niveau. C'était une vie inconfortable, oui, une vie pénible. Mais c'était la vie qu'ils connaissaient. Et cela la rendait moins effrayante que ce qui pourrait se passer s'ils finissaient par admettre tout leur ressentiment et toute leur haine, et se parlaient enfin.

Parfois, ce que nous essayons d'éviter est moins la douleur que le mystère.

Il en était à la moitié de la cafetière lorsqu'il entendit le camion de livraison des journaux passer dans la rue et son journal atterrir sur le trottoir. Il ouvrit la porte de la maison, se laissa descendre sur la rampe d'accès, dans l'allée, et, porté par l'élan, arriva jusqu'au trottoir où il trouva le journal dans son emballage orange étanche. La voiture, remarqua-t-il, était toujours là. Une berline quelconque, américaine ou autre, sans trait reconnaissable. Beige pâle, vaguement rayée sur le pare-chocs avant, mais par ailleurs totalement inoffensive et anonyme, l'un de ces véhicules qu'on ne remarque jamais sur la route, dont les vendeurs vantent auprès des pères de famille l'aspect « fonctionnel ». Le gamin aura emprunté la voiture de son père, se dit Brown. Ferait mieux de déguerpir avant que le reste du voisinage ne se réveille. Dans moins d'une heure, on sortirait pour un footing, promener le chien, tout le monde serait dehors, à l'affût de la présence d'étrangers, en particulier un ado errant dans la rue post-coïtum.

Mais, tandis que le juge Brown se baissait pour ramasser son journal, quelque chose attira son attention, quelque chose dans les arbres, un léger mouvement. Le ciel s'éclaircissait lentement mais le lotissement était encore plongé dans l'obscurité, les arbres derrière la voiture étaient plongés dans le noir. Il plissa les yeux : est-ce que quelque chose avait bougé là-bas ? Y avait-il quelqu'un là-bas, en train de le surveiller ? Il chercha une silhouette.

« Je vous vois », lança-t-il, alors qu'il ne voyait rien du tout.

Il roula jusqu'à la rue, et une forme émergea alors à l'orée des arbres.

Brown s'immobilisa. Il avait des ennemis. Comme n'importe quel juge. Quel genre de dealer, de maquereau, de camé l'attendait là pour se venger ? Il avait l'embarras du choix. Il pensa à son arme, son vieux revolver, inutilement rangé dans sa table de chevet. Il songea à appeler sa femme à l'aide. Se redressa le plus possible. Et afficha l'expression la plus calme, la plus intense et la plus menaçante qu'il put se composer.

« Puis-je vous aider ? » dit-il.

La silhouette approcha, apparut dans la lumière — un jeune homme, la trentaine, l'air mortifié et intimidé, une expression que Brown reconnaissait à force d'exercer dans la justice criminelle : l'air embarrassé de celui qu'on prend la main dans le sac. Cet homme-là n'avait rien du camé en quête de vengeance.

« Vous êtes Charles Brown, n'est-ce pas ? » demanda l'homme. Sa voix — jeune, vaguement criarde.

« C'est moi, répondit Brown. Est-ce que c'est votre voiture ?

— Hmm-hmm.

— Est-ce que vous vous cachiez derrière un arbre ?

— Je crois bien, oui.

— Puis-je vous demander pourquoi ?

— Je ne suis pas sûr que ma réponse vous paraisse convaincante.

— Faites de votre mieux.

— J'ai obéi à une impulsion. Je crois que je voulais vous voir, en savoir plus sur vous. Franchement, c'était beaucoup plus clair dans ma tête que ça ne l'est maintenant que j'essaie de vous l'expliquer.

— Commençons par le commencement. Pourquoi surveillez-vous ma maison ?

— Je suis ici à cause de Faye Andresen.

— Oh, dit Brown. Vous êtes journaliste ?

— Non.

— Avocat ?

— Disons que je suis directement concerné.

— Allez, mon gars, j'ai déjà mémorisé votre plaque d'immatriculation. Dès que je serai rentré, je vérifierai. Ça ne sert à rien de tourner autour du pot.

— Je voulais vous parler du dossier de Faye Andresen.

— Habituellement, ce genre de choses se fait au tribunal.

— Je me demandais si ce serait possible de, enfin, c'est-à-dire, d'abandonner les charges contre elle ? »

Brown eut un rire. « Abandonner les charges. Mais bien sûr.

— Peut-être simplement la laisser tranquille ?

— Très drôle. Vous êtes très drôle.

— Parce que le truc, c'est que Faye n'a jamais rien fait de mal, dit l'homme.

— Elle a lancé des pierres sur un candidat à la présidentielle.

— Non, je ne parle pas de ça. Je parle de 1968. Elle n'a rien fait de mal à l'époque. À vous. »

Brown en profita pour marquer une pause. Il fronça les sourcils, dévisagea l'homme. « Qu'est-ce que vous pensez savoir exactement ?

— Je sais tout ce qui s'est passé entre vous et elle, dit-il. Je sais pour Alice. »

La gorge de Brown se serra à l'évocation de son nom. « Vous connaissez Alice ? demanda-t-il.

— J'ai parlé avec elle.

— Où est-elle ?

— Ça, je ne risque pas de vous le dire. »

La mâchoire de Brown se crispa — il le sentait refluer, ce vieux tic nerveux, cette expression figée, son visage ossifié chaque fois qu'il pensait à Alice et à tous les événements de cette époque, depuis quelques années, ce tic lui valait des douleurs terribles liées à l'ATM[1]. Le souvenir d'Alice était resté vivace dans son esprit — au lieu de s'estomper, c'était devenu le réservoir de toute sa culpabilité,

1. Articulation temporo-mandibulaire.

de tous ses remords, son désir, sa colère, un puits profond de plusieurs décennies. Lorsque cette vieille photo d'elle était apparue aux informations récemment, il avait été saisi d'une telle réminiscence physique de son corps que l'espace d'un instant il avait senti jaillir en lui cette excitation des nuits où il la trouvait marchant seule dans les rues.

« Donc je suppose que vous êtes venu pour me faire chanter, je me trompe ? demanda Brown. Si j'accepte d'abandonner le cas de Faye Andresen, en échange vous ne donnez pas vos informations à la presse. C'est à peu près ça ?

— En fait, je n'avais pas pensé à ça.

— Vous voulez de l'argent aussi ?

— Ce n'est vraiment pas mon truc, je suis très gêné, dit l'homme. Vous venez de pondre en un instant un bien meilleur plan que celui que j'avais en tête. Moi, je ne suis venu que pour vous espionner.

— Mais maintenant vous envisagez de me faire chanter. N'est-ce pas ? Vous me menacez. Vous menacez un juge.

— Attendez. Une minute. Vous remarquerez que je n'ai absolument rien dit de tel. C'est vous qui mettez des termes incriminants dans ma bouche, là.

— Et qu'est-ce que vous iriez raconter à la presse ? Comment vous expliqueriez ce qui est arrivé ? J'adorerais l'entendre.

— Eh bien, la vérité, je suppose ? Que vous aviez une liaison avec Alice, et que Faye a tout gâché. Et que vous avez attendu toutes ces années pour pouvoir vous venger. Que c'est la raison pour laquelle vous avez pris en charge son dossier.

— Eh bien. Bonne chance pour le prouver.

— Si je raconte ça à tout le monde — et je ne suis pas en train de dire que je *vais* raconter ça à tout le monde, j'ai dit *si*, ce n'est qu'une hypothèse, soyons bien clairs — vous serez humilié sur la place publique. Livré en pâture à la presse qui fera votre procès. Et on vous retirera le dossier. »

Brown sourit et leva les yeux au ciel. « Écoutez, je suis juge à la cour du Cook County. Je brunche régulièrement avec le maire. J'ai été élu Homme de l'année au barreau de Chicago. Je ne sais pas d'où vous sortez, mais vu votre bagnole de merde, j'imagine que vous êtes l'Homme de l'année du trou du cul du monde.

— Et alors ?

— Si c'est ma parole contre la vôtre, je ne suis pas très inquiet.

— Mais Faye ne vous a jamais rien *fait*, elle ne devrait pas aller en prison pour quelque chose qu'elle n'a pas fait.

— Elle a gâché ma vie. Elle m'a foutu dans cette chaise roulante.

— Elle n'a même jamais su qui vous étiez.

— J'ai prévenu Faye — je lui ai dit de ne jamais retomber entre mes mains à Chicago. Je suis un homme de parole. Et maintenant vous avez le culot de venir chez moi me dire *à moi* ce que je dois faire avec elle ? Laissez-moi vous expliquer ce qui va se passer. Je vais faire tout ce qui est en mon pouvoir pour qu'elle soit accusée des crimes les plus graves. Et la regarder se balancer au bout d'une corde.

— Vous êtes fou !

— Et vous feriez mieux de ne pas essayer de m'en empêcher.

— Ou bien quoi ?

— Vous connaissez les peines encourues pour menaces sur un juge ?

— Mais je ne vous ai jamais menacé !

— Ça en a tout l'air, pourtant. Et c'est aussi ce que pense cette caméra de sécurité sur le seuil de ma maison, qui vous a filmé caché derrière les arbres — *très* suspect — jusqu'à ce que je sorte de ma maison et que vous m'approchiez de manière très menaçante.

— Vous avez une caméra de sécurité ?

— J'en ai *neuf*. »

Là-dessus, l'homme se dirigea vers sa voiture, monta et mit le contact. Le moteur ronronna. Puis, avec un bourdonnement électrique, la vitre se baissa côté conducteur.

« Alice avait raison, dit-il. Vous êtes un psychopathe.

— Restez hors de mon chemin. »

Puis la voiture démarra et Brown la regarda atteindre le bout de la rue, tourner et filer, tous phares éteints.

2

Faye était affalée sur son canapé, devant la télévision, les yeux vitreux, le visage éteint. Derrière elle, Samuel faisait les cent pas dans son appartement, allant de la cuisine au canapé, du canapé à la cuisine, en l'observant. Elle zappait, restait quatre ou cinq secondes sur chaque émission, sautait les pubs, laissant à peine plus de temps aux autres programmes, avant de zapper. La petite télévision était posée sur le manteau de l'inutile cheminée de l'appartement. Samuel aurait juré qu'elle n'y était pas la première fois qu'il était venu.

Dehors, le soleil du matin brillait sur le lac Michigan. Samuel entendait les klaxons des voitures résonner au loin par les fenêtres ouvertes. Le bourdonnement habituel de la ville. À l'ouest, l'autoroute Dan Ryan charriait son lot quotidien de circulation en accordéon. Il était venu ici juste après sa rencontre malheureuse avec le juge Brown. Samuel avait décidé qu'il devait absolument prévenir sa mère, lui dire qu'il était au courant pour le juge à présent. Il avait sonné à son interphone, encore et encore, et s'apprêtait à jeter des cailloux contre sa fenêtre au deuxième étage quand enfin la porte s'était ouverte. Il monta et trouva sa mère dans cet état : calme, distraite, un peu embrouillée.

Faye changea de chaîne, un programme de télé-réalité présentait un couple désireux de rénover sa cuisine. Cela sembla retenir son attention.

« Cette émission parle d'aménagement, dit-elle, mais en réalité, il s'agit de regarder ces deux-là essayer de balayer les cendres de leur mariage. »

C'était une succession de clips où on les suivait dans leurs mésaventures de bricolage et d'interviews où ils se plaignaient l'un de l'autre. Le mari — bien trop enthousiaste avec la masse — faisait un trou dans un mur qu'il pensait bon pour la démolition mais qui en fait ne l'était pas. Suivait une interview de sa femme qui se plaignait qu'il n'écoutait jamais rien et était viscéralement incapable de prendre des décisions. Puis le mari, contemplant les dégâts qu'il venait de faire, déclarait avec une fausse autorité : *Ça va aller, calme-toi.*

« Ces deux-là se détestent tellement, dit Faye. Ils font à leur cuisine ce que l'Amérique a fait au Vietnam.

— Cette télévision que tu regardes, dit Samuel, elle n'était pas là la première fois que je suis venu. J'en suis presque sûr. »

Faye ne réagit pas. Elle continua à regarder droit devant elle, d'un œil vide. Au moins une bonne minute. Pendant laquelle elle vit le mari défoncer un pan de mur, qui se brisa et vola à travers la pièce, tombant à plus de trois mètres des pieds de sa femme mais lui valant tout de même un cri outragé comme s'il avait failli la tuer : *Hé ? Je suis là, au cas où t'aurais pas vu !* Faye cligna alors des yeux et secoua la tête comme si elle se réveillait d'une transe, puis elle le regarda et dit : « Hein ?

— Tu as l'air à l'ouest, dit Samuel. Tu as pris quelque chose ou quoi ? »

Elle hocha la tête. « J'ai pris quelques pilules ce matin.

— Quelles pilules ?

— Propranolol pour la pression artérielle. Benzodiazépines pour la nervosité. Aspirine. Et un autre truc, destiné à empêcher l'éjaculation précoce à l'origine, mais qu'on utilise aussi pour combattre l'anxiété et l'insomnie.

— Tu fais ça souvent ?

— Pas souvent. Tu serais étonné du nombre de médicaments très efficaces qui ont été développés à l'origine pour traiter les problèmes sexuels masculins. C'est, concrètement, le moteur principal de toute l'industrie pharmaceutique. Remercions le Seigneur que les dysfonctionnements sexuels masculins existent.

— Et tu avais une bonne raison pour avoir besoin de prendre tout ça ce matin ?

— Simon a appelé. Tu te souviens de Simon ? Mon avocat ?

— Je me souviens.

— Il avait des nouvelles à me donner. Apparemment, les poursuites qui pèsent contre moi ont pris de l'ampleur. Ils ont ajouté deux nouveaux chefs d'accusation aujourd'hui. Actes de terrorisme sur le territoire national. Menaces terroristes. Ce genre de choses.

— Tu plaisantes. »

Elle tira un bloc-notes coincé entre les coussins du canapé et lut : « Agissements mettant en danger la vie humaine et causant peur, terreur, intimidation ou tentative d'influencer la politique d'un gouvernement par l'intimidation et la coercition.

— Ça semble un peu exagéré.

— C'est le juge Brown qui a convaincu le procureur d'ajouter ces nouvelles charges. J'imagine qu'il est arrivé au bureau ce matin super enthousiaste à l'idée de m'envoyer en prison pour le restant de mes jours. »

Samuel sentit ses jambes se dérober sous lui. Il savait exactement ce qui avait provoqué le sursaut de zèle du juge, mais impossible de le dire à sa mère maintenant.

« Du coup, je suis un peu secouée aujourd'hui, dit Faye. Et anxieuse. D'où les pilules.

— Je comprends.

— D'ailleurs, Simon m'a dit que je ne devrais pas parler avec toi.

— Franchement, je ne suis pas convaincu par les compétences juridiques de ce type.

— Et lui il a des doutes sur tes motivations.

— Bien, dit Samuel en regardant ses chaussures. Alors je te remercie de m'avoir laissé entrer.

— Je suis surprise que tu aies eu envie de me voir. Surtout après ta dernière visite. Le fait de tomber sur Simon, ça n'a pas dû être agréable. Je suis désolée. »

Dehors, Samuel entendait les freins d'un train crisser sur ses rails, les portes s'ouvrir, la sonnerie précédant la fermeture des portes et la voix annonçant : *Fermeture des portes.* Samuel songea alors que c'était la première fois qu'elle s'excusait pour quoi que ce soit.

« Pourquoi es-tu venu ? demanda Faye. Sans t'être annoncé, en débarquant comme ça ? »

Samuel haussa les épaules. « Je ne sais pas. »

À la télévision, le mari racontait qu'il avait envoyé sa femme dans un grand magasin de bricolage chercher un outil qui n'existait pas : un étrier de comptoir.

« Ces gens n'arriveront jamais à réparer leur relation, dit Faye. Alors ils réparent la métaphore de leur mariage.

— J'ai besoin d'air, dit Samuel. Ça te dirait d'aller marcher un peu ?

— D'accord. »

Il s'avança vers elle et lui tendit la main pour l'aider à se relever, et quand elle la lui prit, quand il sentit ses doigts fins et froids, il se rendit compte que c'était la première fois depuis des années qu'ils se touchaient. Le premier contact physique entre eux depuis ce baiser qu'elle avait déposé sur son front avant d'enfouir son visage dans ses cheveux le matin de son départ, lorsqu'il avait promis d'écrire des livres et qu'elle avait promis de les lire. En tendant la main pour l'aider, il n'avait pas anticipé le trouble que cela lui causerait de la toucher. Son cœur se serra. Il n'avait pas conscience d'en avoir à ce point besoin.

« Ouais, j'ai les mains froides, dit Faye. C'est un des effets secondaires des médicaments. » Elle se leva et se traîna jusqu'à ses chaussures.

En quittant l'appartement, elle sembla se réveiller peu à peu, et se détendre. C'était une journée douce de la fin de l'été. Les rues étaient presque désertes, calmes. Ils marchèrent vers l'est, vers le lac Michigan. Sa mère raconta le boom immobilier qu'il y avait eu dans ce quartier avant la récession. C'était le secteur des abattoirs, des bâtiments du début du

XXe siècle. À l'abandon pendant des années, jusqu'à récemment, quand les entrepôts étaient devenus des lofts branchés. Mais les rénovations avaient brutalement cessé avec l'effondrement du marché de l'immobilier. La plupart des promoteurs s'étaient retirés. Les chantiers s'étaient arrêtés d'un coup, et les immeubles étaient restés à moitié transformés. Certains des plus hauts immeubles avaient toujours leurs grues suspendues dans les airs. Faye racontait qu'elle les contemplait depuis sa fenêtre, transportant des palettes de plâtre et de béton. À une époque, chaque immeuble du quartier avait sa propre grue.

« Des pêcheurs agglutinés autour du même étang, dit-elle. C'est à cela que ça ressemblait. »

Mais la plupart des grues avaient été démontées. Celles qui restaient n'avaient pas bougé depuis au moins deux ans. Et le quartier demeurait donc désert, presque inhabité.

Elle raconta qu'elle avait emménagé ici parce que les loyers étaient bas et que cela lui évitait d'avoir à croiser du monde. Quand les promoteurs étaient arrivés, elle avait eu un choc, et elle avait vu d'un très mauvais œil les pancartes baptisant les immeubles un à un : Le Club de l'Ambassade, la Mercerie, le Gouvernail, le Monument, le Gotham. Elle les voyait venir : d'abord un nom à la mode, puis les gens qui allaient avec, insupportables. Les jeunes cadres dynamiques. Les gens qui promenaient leurs chiens. Ou leurs poussettes. Les avocats avec leurs pathétiques femmes d'avocats. Les restaurants qui imitaient le style trattoria italienne, bistrot français, bar à tapas espagnol tout en restant dans une espèce de compromis consensuel et fade. Les magasins bio, les *fromageries**, et les réparateurs de vélos. Elle voyait peu à peu son quartier se transformer en nouvelle enclave pour citadins branchés. Elle s'inquiétait pour son loyer. Les voisins auxquels il faudrait qu'elle parle. Alors, quand le marché de l'immobilier avait sombré, que les promoteurs avaient fui et que les pancartes aux noms à la mode s'étaient effondrées à la première chute de neige, elle avait applaudi des deux mains. Elle se promenait dans les rues désertes, exultant, avec cet appétit d'ermite préservant jalousement son isolement. Ce quartier abandonné était *le sien*. Et elle en tirait une grande joie.

Si le loyer augmentait, elle ne pourrait plus se le permettre, et serait obligée de changer d'activité. Elle lisait de la poésie à des enfants et des hommes d'affaires, des patients en convalescence, des prisonniers. C'était une activité bénévole et solitaire. Elle faisait cela depuis des années.

« Je croyais que je voulais être poète, dit-elle. Quand j'étais jeune. »

Ils avaient atteint un quartier un peu plus vivant : une grande artère, des passants, quelques bodegas. L'endroit n'était pas encore contaminé, mais on décelait les signes avant-coureurs de gentrification : la pancarte Wi-Fi gratuit dans la vitrine d'un café.

« Pourquoi tu ne l'as pas fait ? demanda Samuel. Pourquoi tu n'es pas devenue poète ?

— J'ai essayé, dit-elle. Mais je n'étais pas très douée. »

Elle avait abandonné l'idée d'en écrire mais elle n'avait pas abandonné la poésie elle-même. Elle avait initié cette activité bénévole pour faire entrer la poésie dans les écoles et les prisons. Elle avait décidé que si elle ne pouvait pas en écrire alors elle ferait presque aussi bien.

« Ceux qui ne peuvent pas faire, déclara-t-elle, peuvent dispenser. »

Elle vivait de petites subventions de comités artistiques, du gouvernement fédéral, ces subventions semblaient toujours en péril, constamment remises en question par les politiciens, susceptibles de disparaître à tout moment. Au plus fort de la croissance, avant la récession, plusieurs cabinets d'avocats et banques du secteur l'avaient engagée pour donner à leurs employés « l'inspiration poétique quotidienne ». Elle avait fait des interventions dans des réunions d'entreprise. Elle avait appris à parler leur langage, c'est-à-dire principalement transformer des noms débiles en verbes débiles : sensibiliser, maximiser, dialoguer, stimuler. Elle préparait des présentations PowerPoint baptisées *utiliser l'inspiration poétique pour stimuler et maximiser la communication avec le client*, ou *extérioriser le stress et réduire les facteurs de risques de violence sur le lieu de travail à travers la poésie*. Les jeunes cadres qui l'écoutaient n'avaient absolument aucune idée de ce qu'elle racontait, mais leurs patrons gobaient tout. C'était avant que la récession ne stoppe tout net, quand les grandes banques dilapidaient encore leur argent.

« Je leur facturais quinze fois le tarif que je pratiquais avec les écoles, et ils ne cillaient même pas, dit-elle. Alors j'ai encore multiplié par deux, sans aucune réaction de leur part. Cela me semblait fou parce que c'était du vent de bout en bout. J'inventais au fur et à mesure de mes interventions. Je m'attendais constamment à ce qu'ils s'en rendent compte mais ce n'est jamais arrivé. Ils continuaient à faire appel à moi. »

Enfin, jusqu'à la récession. Une fois que la situation était apparue clairement à tous — l'économie mondiale était manifestement foutue —, le rideau n'avait pas tardé à tomber sur la scène, puis sur les jeunes cadres, virés, pour la plupart, du jour au lendemain, un vendredi, par ces mêmes patrons qui, à peine un an plus tôt, leur promettaient une vie remplie de beauté et de poésie.

« Au fait, dit-elle, j'avais caché la télévision la première fois que tu es venu. Tu avais raison.

— Tu l'avais cachée. Pourquoi ?

— Une maison sans télévision, c'est une certaine attitude. Je voulais que l'atmosphère soit le plus zen et le plus ascétique possible. Je voulais que tu penses que j'étais quelqu'un de sophistiqué. *Mea culpa.* »

Ils continuaient à marcher, et revenaient peu à peu vers le quartier de sa mère, dont la frontière à l'est était un pont enjambant un nœud de voies ferrées qui traversaient la ville comme une fermeture éclair. Suffisamment de rails pour alimenter tous les vieux abattoirs en nourriture et en animaux, pour faire tourner les anciennes fonderies, et aujourd'hui pour transporter les millions de banlieusards jusqu'au centre-ville. Une très large chaussée dont les murs de soutènement avaient été recouverts de graffitis, les tags divers et variés des jeunes aventureux de Chicago, qui devaient avoir sauté du pont car le seul autre accès était une clôture en grillage épais avec du fil barbelé au sommet.

« Je suis allé voir le juge ce matin, lâcha Samuel.

— Quel juge ?

— *Ton* juge. Le juge Brown. Je suis allé chez lui. Je voulais voir de quoi il avait l'air.

— Tu as espionné un juge.

— Je suppose.

— Et ?

— Il ne peut plus marcher. Il est en chaise roulante. Cela t'évoque quelque chose ?

— Non. Pourquoi ? Ça devrait ?

— Je ne sais pas. C'est juste... c'est juste ça. Je ne m'y attendais pas. Le juge est handicapé. »

Il y avait quelque chose de romantique dans les graffitis. En particulier quand ils se trouvaient dans des endroits dangereux. Il y avait quelque chose de romantique dans la démarche de se mettre en danger pour écrire.

« Quelle a été ton impression ? demanda Faye. Sur le juge ?

— Il avait l'air en colère et petit. Le genre petit qui était grand mais qui s'est ratatiné avec le temps. Blanc. Pâle. La peau comme du papier mâché, presque translucide. »

Bien sûr, ce n'est pas comme si les graffeurs écrivaient quoi que ce soit d'important. Rien que leur propre nom, encore et encore, de plus en plus gros, de plus en plus fort, de plus en plus coloré. D'ailleurs, quand on y pense, c'était la même stratégie marketing que les chaînes de fast-food tapissant le pays entier d'affiches publicitaires. De l'autopromotion. Du bruit qui s'ajoute au bruit. Ils n'étaient pas mus par le besoin irrépressible de faire passer un message. Ils promouvaient leur marque. Et prenaient tous ces risques, se compromettaient dans cette clandestinité uniquement pour mieux recracher l'esthétique dominante. Déprimant. Même la subversion était subvertie.

« Tu lui as parlé ?

— Ce n'était pas prévu, dit Samuel. À l'origine, je voulais juste l'observer. Rassembler des informations. J'étais planqué, en fait. Mais il m'a vu.

— Et tu crois que c'est possible que cette conversation ait quelque chose à voir avec les nouvelles charges de ce matin ?

— Je crois, oui.

— Tu crois que tu as pu me faire accuser de *terrorisme*. C'est ça que tu es en train de me dire ?

— Peut-être. »

Ils étaient arrivés à son pâté de maisons. Les lieux étaient reconnaissables à cet aspect surréaliste qu'avaient les immeubles, comme atteints de distorsion temporelle — le rez-de-chaussée tourné vers le futur, les étages bloqués dans le passé. Des bâtiments troués, sans fenêtres, s'effondrant sur eux-mêmes mais reposant sur des devantures flambant neuves de boutiques aux vitrines bleu-vert, ou en plastique blanc, typiques de la nouvelle ère électronique. L'effervescence de la ville avait laissé place au silence sonore de son quartier. Un sac à provisions vide volait au milieu de la route, poussé par le vent qui remontait du lac.

« Il y a une chose qu'il faut que tu saches, à propos du juge.

— D'accord.

— C'est lui qui t'a arrêtée. En 1968.

— De quoi tu parles ?

— Le flic qui t'a arrêtée, la veille de la manifestation. C'était Charles Brown, le juge. Le même. Il t'a arrêtée alors que tu n'avais rien fait de mal.

— Oh mon Dieu, dit Faye en le regardant et en le saisissant par le bras.

— Il a dit que c'était toi qui l'avais mis dans cette

chaise roulante. Il a dit que c'était ta faute s'il était handicapé.

— C'est ridicule. Comment es-tu au courant de tout ça ?

— J'ai retrouvé Alice. Tu te souviens d'elle ? Ta voisine ? À la fac ?

— *Tu lui as parlé ?*

— Elle m'a tout raconté sur toi. À l'époque du Cercle.

— Pourquoi vas-tu parler à tous ces gens ?

— Alice pense que tu ferais mieux de quitter le pays. Maintenant. »

Ils tournèrent au coin de sa rue et ils remarquèrent du mouvement, une activité inhabituelle devant son immeuble : garé près de la voiture de Samuel, tel un ours surveillant son dîner, un grand fourgon de police avec les lettres SWAT sur le côté. La police ressortait de l'immeuble de Faye et s'engouffrait par la porte latérale du fourgon — ils étaient habillés en noir, équipés de gilets pare-balles, de casques, de lunettes, de mitraillettes sanglées autour de leur torse.

Samuel et sa mère reculèrent derrière le coin de l'immeuble.

« Qu'est-ce qui se passe ? » interrogea Faye.

Samuel haussa les épaules. « Il y a une autre entrée ? »

Elle opina et il la suivit dans une ruelle déserte jusqu'à une porte rouillée à côté des conteneurs à ordures. Ils gravirent l'escalier en silence, tendant l'oreille, écoutant les derniers policiers quitter l'immeuble. Ils attendirent encore dix minutes pour être sûrs que tout le monde était parti, puis ils sortirent de la cage d'escalier et longèrent le couloir jusqu'à la porte de son appartement, qu'ils trouvèrent explosée en mille morceaux, ne tenant plus que par un gond tordu et plié.

À l'intérieur, les meubles avaient été retournés et éventrés. Les coussins du canapé étaient en lambeaux. Le matelas n'était plus sur le lit, il avait été entaillé au milieu et vidé de son contenu, l'incision courait sur toute la longueur comme si on avait voulu l'autopsier plus que simplement le fouiller. Il y avait du rembourrage de matelas partout dans la pièce. Les livres qui étaient sur les étagères étaient éparpillés et cornés. Les placards de la cuisine béaient, tout ce qui s'y trouvait avait été jeté, brisé. La poubelle avait été retournée et vidée par terre. Des éclats de verre crissaient sous leurs pieds.

Ils se regardaient, stupéfaits, lorsque soudain un bruit leur parvint de la salle de bains — la chasse d'eau, le robinet. Puis la porte s'ouvrit, laissant apparaître, en train de s'essuyer les mains sur son pantalon, Simon Rogers.

Il les vit et sourit. « Eh bien, salut, vous deux !

— Simon, dit Faye, qu'est-ce qui s'est passé ?

— Oh, dit-il en balayant la pièce d'un geste de la main, la police est venue. »

3

Aujourd'hui, il allait arrêter *Elfscape*.

Aujourd'hui, il arrêtait de jouer pour toujours, telle était la résolution qu'avait déjà prise Pwnage la veille, mais alors qu'il s'installait devant son écran en prononçant ce vœu, il avait buté sur une série de problèmes qu'il lui fallait régler pour *laisser ses affaires en ordre* et envoyer ses flamboyants avatars aux oubliettes électroniques ; en premier lieu, il lui fallait faire ses adieux à plusieurs dizaines de ses comparses de guilde, qui, avec le temps, étaient devenus des proches, des gens qu'il appréciait et envers lesquels il se sentait une responsabilité et une affection paternalistes, un peu comme un moniteur de colonie de vacances avec les enfants dont il se serait occupé, Pwnage savait bien que s'il disparaissait sans un mot ils se sentiraient profondément et personnellement trahis, abandonnés sans explication, ébranlés dans leur vision d'un monde prévisible, compréhensible et essentiellement bon et juste (en l'occurrence, quelques-uns des membres de la guilde avaient encore l'âge des colonies de vacances, et à leur égard il se sentait un devoir particulier de ne pas les trahir ou les blesser), il avait donc décidé très tôt dans la session qu'il avait ouverte le matin précédent qu'il ne pouvait pas tout arrêter et supprimer son compte sans avoir discuté avec chacun et dit au revoir à tous les joueurs réguliers avec qui il passait douze heures par jour depuis deux ans à jouer à *Elfscape*, et cela impliquait de rédiger pour chacun un petit mot sincère et reconnaissant, expliquant pourquoi il n'aurait plus le temps pour le *Monde d'Elfscape* car il devait se concentrer sur une toute nouvelle carrière, celle d'*écrivain célèbre de romans policiers*, et il y avait un grand éditeur new-yorkais prêt à le publier dès qu'il aurait fini le premier jet de son roman, il fallait donc qu'il se consacre exclusivement à l'écriture, à cent pour cent, ce qui signifiait arrêter *Elfscape* car les heures passées sur *Elfscape* l'empêchaient d'écrire — les quêtes quotidiennes en particulier, les centaines de quêtes quotidiennes dont il s'acquittait chaque matin avec ses différents avatars, une corvée qui lui prenait cinq bonnes heures et qu'il lui faudrait cesser d'accomplir pour passer ce temps à élaborer l'enquête de son roman, ce qui, s'il écrivait deux pages par heure (une estimation raisonnable d'après les sites sur l'écriture de roman qu'il avait consultés), lui permettrait d'en obtenir dix chaque jour, ce qui, à ce rythme, signifiait qu'il aurait bouclé son roman en un mois rien qu'en utilisant le temps qu'il passait sur les quêtes quotidiennes d'*Elfscape* et ce sentiment de détermination et de résolution devait persister jusqu'au matin suivant, lorsqu'il tenta de s'atteler à son roman mais ne put s'empêcher de penser à ses quêtes quotidiennes, qui l'attendaient, disponibles ; il conclut donc un accord avec lui-même : pour se sortir ses quêtes de l'esprit et être vraiment en mesure de *se concentrer* sur l'écriture de son roman, il allait faire une pause et accomplir les quêtes de son personnage principal *uniquement*, et tant pis si ses avatars secondaires n'accédaient jamais au classement, c'était le prix à payer pour devenir un célèbre écrivain de thriller — mais ensuite, une fois achevées les vingt quêtes de son avatar principal, il avait éprouvé cette fatigue mentale étrange, comme si son cerveau avait été pétri comme de la pâte à pain, tordu, aplati, lissé et certainement pas en état de produire de la grande littérature, alors il continua et accomplit toutes les quêtes de ses autres personnages, et cinq heures plus tard, il se trouva avec ce même dégoût de lui, cette amertume de la veille, et il réitéra sa résolution de ne pas accomplir ses quêtes le lendemain, de travailler sur son roman *toute la journée*, mais ce sentiment ne semblait jamais aussi puissant après la nuit, et le cycle recommença jusqu'à ce qu'il finisse par admettre que le seul moyen pour que ce livre soit enfin écrit était d'arrêter de jouer complètement, d'effacer ses personnages dans un geste apocalyptique, sans retour possible ; mais bien entendu, il n'était pas question de le faire sans avoir dit au revoir à tous ces gens qui étaient ses amis, des gens qui, la plupart du temps, quand il leur annonçait qu'il quittait le jeu pour écrire son roman, répondaient « NOOOOOONNN !!!!!! » (ce dont, honnêtement, il se délectait), puis lui disaient qu'ils étaient sûrs que le livre serait un énorme best-seller, et même s'ils ne savaient absolument rien sur le roman et ne connaissaient même pas le vrai nom de Pwnage, c'était néanmoins très agréable d'entendre ainsi parler de son futur succès garanti, et il passa donc encore de nombreuses heures derrière son écran, guettant le moment où ses amis d'*Elfscape* se connectaient pour leur annoncer un par un la nouvelle et avoir chaque fois une version de la même conversation, réitérée une bonne vingtaine de fois ; pendant tout ce temps, il restait figé dans la même position, une jambe passée sous lui, de telle sorte que les rayures du similicuir s'étaient imprimées sur sa peau, tandis que sous sa peau se développait ce que les médecins appellent une *thrombose veineuse profonde*, en d'autres termes un caillot de sang, qui lui faisait gonfler et rougir la jambe, avec des sensations de douleur, une sensibilité, une chaleur, une souffrance, qu'il aurait peut-être été en mesure d'éprouver s'il n'avait pas dépassé depuis longtemps le stade des picotements et des fourmillements pour basculer dans un engourdissement complètement anesthésiant dû à la compression prolongée endurée pendant ces sessions d'adieux où il expliquait à ses amis son intention de supprimer définitivement son compte et en profitait souvent pour faire une toute dernière quête, prendre un dernier donjon avec les amis en question, en souvenir, comme ils disaient, « du bon vieux temps », toujours surpris par la nostalgie qu'il en concevait (il en oubliait de bouger les jambes, de se lever, de s'étirer, de réactiver la circulation du sang dans la partie inférieure de son corps, ou un quelconque membre autre que le bout de ses doigts et ses pouces, organes strictement nécessaires au jeu vidéo), de se sentir aussi nostalgique quand ses amis voulaient retourner sur les lieux de ses triomphes passés avec le même élan que d'autres se retrouvant entre anciens camarades de lycée, ainsi, avec chacun il revivait une aventure partagée des semaines ou des mois auparavant ; ce qui donna à Pwnage l'envie de revisiter *chaque endroit* qu'il avait aimé ou qui l'avait marqué dans son parcours de joueur sur la carte de l'immense *Elfscape*, une sorte de « tournée d'adieux » des paysages qu'il avait appris à connaître et à chérir, ce qui, bien entendu, lui prendrait des heures et des heures (les développeurs du jeu faisaient tout un foin de l'immensité de leur monde virtuel, déclarant que si *Elfscape* existait, elle ferait la taille de la lune au moins), il se rendit donc dans la Forêt de la Clairière d'Argent (où son avatar avait trouvé la mort pour la première fois, au niveau huit, à cause de panthères invisibles), dans les Grottes de Jedenar (où il avait frôlé la mort face à une meute de démons), au Temple d'Aellena (à cause de la musique géniale qui se mettait en route quand on pénétrait dans le temple), à la Plage du Wyrmmist (où il avait croisé son premier dragon) et aux Ruines de Gurubashy (où il avait tué son premier orque), et ainsi de suite, avec toujours plus de tendresse pour ces lieux aux noms mystérieux, il volait d'un endroit à l'autre sur son griffon ultra rapide, se remémorant les premiers temps où il découvrait le jeu et, n'ayant pas encore gagné suffisamment de points pour avoir un animal à chevaucher sur terre ou dans les airs, arpentait ce paysage à pied, profitant pleinement de la façon dont un écosystème disparaissait au profit d'un nouveau, il regrettait la simplicité et la naïveté de cette époque, alors il laissa son griffon à l'extrémité nord du plus grand continent du monde et commença à marcher vers le sud, traversant la toundra blanche et neigeuse des Glaciers du Sabre d'Hiver, escaladant les Montagnes des Arbres Gelés, dévalant les Gorges des Chardons Gelés, croisant en de rares occasions quelque bête sauvage ou ours polaire, traversant des grottes contrôlées par une race semi-sensible et plutôt amicale de yétis des glaces, continuant vers le sud, marchant en faisant de temps en temps des captures d'écran comme un touriste prendrait des photos, rencontrant des joueurs orques qui se carapataient à toute allure en le voyant car ils connaissaient son nom et sa réputation de tueur ; au même moment, les fenêtres de messagerie clignotaient partout, annonçant que le joueur le plus puissant et le plus épique du jeu se retirait, et simultanément Pwnage recevait des tonnes de messages privés lui demandant si c'était bien vrai, le suppliant de changer d'avis, messages efficaces car il était bel et bien en train de *changer d'avis*, de se rendre compte tout à coup qu'il était sans doute plus populaire, plus soutenu et plus aimé sous les traits de son avatar d'*Elfscape* qu'il ne le serait jamais dans la vraie vie en tant qu'être humain, et cela le rendait triste et un peu fébrile, et il se souvenait de l'angoisse endurée lors du dernier Patch Day, quand il n'avait pas pu se connecter durant toute une journée et avait tourné en rond dans chaque pièce de la maison, fixé la boîte aux lettres pendant des heures, et tandis qu'il marchait vers le sud à travers les terres d'*Elfscape*, il fut saisi par un stress et une peur terribles à l'idée que s'il allait au bout de sa résolution et arrêtait définitivement les jeux vidéo, alors *chaque jour* serait un nouveau Patch Day, et il fut submergé par cette perspective comme par une pluie glacée et sentit sa détermination s'éroder. La seule manière pour lui de quitter *Elfscape*, décida-t-il, c'était que ses personnages ne soient plus ces prestigieuses créatures super cool que chacun aimait et portait aux nues, et la seule manière d'arrêter cela, c'était de se débarrasser de tous les trésors qu'il avait amassés au prix d'efforts continuels, le raisonnement étant qu'il serait peut-être moins unanimement adulé et épique, et du coup plus susceptible d'arrêter, s'il n'avait plus en sa possession tous ces butins héroïques, de plus la frustration qu'il éprouverait à se retrouver tout en bas du classement après en avoir trusté les sommets pendant si longtemps, la fatigue que cela représenterait de reconstituer son pactole lui sembleraient trop pénibles et il quitterait le jeu plus facilement ; il annonça donc à ses camarades de guilde qu'il allait distribuer tous ses butins, et qu'il leur suffirait de venir à sa rencontre dans sa longue marche vers le sud pour recevoir des présents de grande valeur, très vite il fut ainsi escorté d'une horde de joueurs inférieurs défilant derrière lui — il est important de noter qu'à ce stade la thrombose profonde dans sa jambe était à l'œuvre : pile au moment où, dans une sorte d'épiphanie, il annonçait la nouvelle à sa guilde et changeait de jambe, le caillot, libéré, en profitait pour remonter le long de son système veineux, une petite boule dure de la taille d'une bille progressait ainsi à travers son corps, déclenchant de temps à autre une crampe, une pointe de douleur qui, franchement, ne dépareillait pas vraiment avec le tapage biologique habituel chez Pwnage ; en proie à un épuisement perpétuel, immobile, soumis à un régime à base de caféine et de surgelés réchauffés au micro-ondes, son corps était le siège d'une souffrance presque constante, secoué de douleurs vives de toutes parts, de telle sorte que le caillot qui circulait en lui passa inaperçu parce qu'il éprouvait cette sensation de douleur lancinante *presque tout le temps*, et que de toute façon cette sensation *se perdait* dans sa mémoire car le lobe frontal de son cerveau et son hippocampe étaient sévèrement atrophiés par le manque de sommeil, la malnutrition et un degré d'exposition aux écrans si élevé que les scientifiques n'ont même pas encore eu le temps de comprendre, ainsi, chaque fois que la douleur lancinante le transperçait, son cerveau surmené, grevé jusqu'au morbide, s'empressait de chasser l'information de sorte que lorsque cette douleur vive, lancinante, ressurgissait, il avait l'impression que c'était la première fois, alors il s'en inquiétait vaguement et se disait que si elle réapparaissait il ne manquerait pas de consulter quelque professionnel de santé dans le courant de la semaine ou du mois —, et tandis que ses amis se rassemblaient autour de lui, il commença à distribuer son or, ses innombrables pièces d'or, d'argent et de cuivre glanées sur les cadavres d'orques abattus, dans les coffres gardés par des dragons et remportées dans les ventes aux enchères organisées par le serveur, il était passé maître dans l'art de l'échange profitable des différentes monnaies, et avait ainsi augmenté sa richesse dans des proportions énormes en exerçant un quasi-monopole sur la chaîne logistique d'*Elfscape*, et il avait beau savoir que tout cet or avait une valeur réelle, que certaines personnes vendaient leur or d'*Elfscape* sur des sites d'enchères réelles à d'autres joueurs d'*Elfscape* contre de vrais dollars américains, il avait beau avoir entendu parler de cet indice de conversion inventé par un économiste de Stanford pour transformer l'or d'*Elfscape* en dollars — ce qui voulait dire, si l'indice s'avérait exact, qu'en vendant tout son or il pourrait gagner au moins autant d'argent qu'à l'époque où il travaillait dans ce magasin de photocopie —, il n'avait jamais envisagé de faire une chose pareille car *Elfscape* lui procurait du *plaisir*, ce que, aussi loin qu'il se souvienne, aucun travail ne lui avait jamais donné (sauf que s'il y réfléchissait vraiment, son expérience d'*Elfscape* ne lui avait pas apporté *que* du plaisir puisque chaque jour de jeu commençait invariablement par cinq heures de quêtes machinales répétées à l'infini jusqu'à reproduire à l'identique la monotonie typique d'un travail à la chaîne, et bien sûr ce n'était pas très amusant mais c'était le seul moyen d'obtenir les récompenses à venir, même si, le temps qu'il les obtienne, les développeurs du jeu en avaient élaboré de nouvelles qui rendaient les précédentes un tout petit peu moins intéressantes, de sorte qu'au moment même où il remportait ces récompenses, il savait qu'elles étaient déjà dévaluées par rapport aux nouvelles qui se profilaient, et s'il y réfléchissait vraiment bien il reconnaîtrait que l'ensemble de son expérience d'*Elfscape* consistait à se préparer à s'amuser sans que cela se produise jamais réellement, à part durant ces raids où, avec sa guilde, il venait à bout d'un ennemi majeur horrible et remportait un butin super cool, mais même ce genre de choses n'avait été vraiment amusant que les premières fois, après quoi c'était devenu un exercice répétitif qui n'était plus source d'aucun plaisir en soi et provoquait au contraire un afflux de stress et de rage lorsque la guilde échouait là où une semaine plus tôt elle avait réussi ; la plupart de ces nuits de raid consistaient donc moins à rechercher du plaisir qu'à éviter la colère, il en conclut que le plaisir devait se situer ailleurs, peut-être même pas à l'intérieur du jeu finalement, mais dans cet état général et abstrait qui s'emparait de lui quand il jouait, dans le sentiment profond de satisfaction, de maîtrise et d'appartenance qu'il éprouvait quand il était connecté et nulle part ailleurs dans la réalité, et c'était peut-être ce sentiment qu'il pouvait qualifier de « plaisir »), tout cela pour dire que Pwnage détenait en fait une fortune colossale, et que quand il commença à la dilapider par poignées de 1 000 pièces d'or, il y eut encore des dizaines et des dizaines de joueurs qui affluèrent avant que sa besace ne soit complètement vide, ce qui lui donna l'impression d'être Robin des Bois distribuant sa fortune aux nécessiteux de la forêt, et une fois la fortune épuisée, il commença à se délester de son équipement, cliquant au hasard sur les personnages dans la foule auxquels il donnait ses armes, épées, glaives, hachoirs, estocs, poignards, sabres, serpes, cimeterres, haches, matraques, machettes, marteaux, tomahawks, masses, pics, gourdins, massues, brochets, lances, hallebardes, et une arme mystérieuse qu'il ne se souvenait même pas avoir un jour remportée, un *flammard*, puis, quand il eut épuisé les armes, il céda son armure, les diverses plaques et cottes de mailles qu'il avait gagnées et pillées, ses redoutables épaulettes hérissées de pics, ses jambières couvertes de barbelé, son incroyable casque à cornes de taureau qui lui donnait des airs de Minotaure (sa générosité était déjà en train de devenir légendaire, plusieurs joueurs prenaient des vidéos de la longue marche de Pwnage vers le sud et les postaient en ligne sous le titre « JOUEUR ÉPIQUE ABANDONNANT TOUS SES

TRÉSORS ! »), au début, Pwnage était assailli par de grandes vagues de regret car il *aimait tous ces trucs*, car il savait le temps et les efforts qu'il lui avait fallu pour les accumuler (rien que pour le casque à cornes de taureau, il lui avait fallu deux mois), mais ce sentiment céda bientôt la place à une impression inattendue de détermination calme, de bonté spirituelle, de générosité et même de chaleur et de paix (mais c'était peut-être l'épuisement qui parlait, car il en était à trente heures d'affilée sur *Elfscape*) tandis qu'il dispersait ses biens, suivi par une foule d'admirateurs pour qui il avait le sentiment d'être *une source d'inspiration* et à qui il devrait peut-être délivrer un message de sagesse, et il se demandait s'il n'y avait pas une histoire avec Bouddha dans le même genre, ou peut-être que c'était Gandhi, ou Jésus, une histoire de dépouillement et de marche — cela lui semblait si familier —, et Pwnage finit par considérer tout cet épisode non plus comme un effort ultime et désespéré de quitter un jeu qu'il n'arrivait pas à quitter par sa seule volonté, mais plutôt comme un parcours spirituel d'altruisme, de renonciation, comme une bonne action qu'il serait en train d'accomplir, une action charitable, qui faisait de lui un modèle pour tous ces gens, et ce sentiment enfla agréablement jusqu'au moment où la foule commença à se clairsemer, ce qui se produisit quand il apparut clairement qu'il n'avait plus rien à donner, que les gens se mirent à lui envoyer des messages privés demandant : « C'est fini ? Il te reste encore des trucs ? » et qu'il comprit qu'ils n'étaient pas là pour le suivre dans son voyage métaphysique mais juste pour avoir de nouveaux jouets, alors, l'espace d'un instant, Pwnage se sentit furieux contre leur matérialisme et puis il se souvint que c'était le but de la manœuvre à l'origine, de se retrouver abandonné et donc plus du tout tenté de continuer à jouer à *Elfscape* vu la diminution drastique de sa popularité, mais maintenant que c'était la réalité, maintenant qu'il arpentait, seul et abandonné, les grands espaces, sans armes ni armure, ni or, ni amis, maintenant qu'il n'était plus qu'un elfe en pagne, pathétique et faible, il n'avait pourtant toujours pas envie d'arrêter, alors il continua à marcher vers le sud, jusqu'à l'extrémité du continent, un plateau rocheux surplombant l'océan, et il sut à ce moment-là qu'il avait atteint le bout de son voyage et qu'il était temps de se déconnecter, de supprimer son compte et de se décider à vivre dans la réalité, pour écrire son roman, devenir célèbre, reconquérir Lisa, commencer son régime et entreprendre le changement radical nécessaire pour mener la vie dont il avait envie, et bien qu'il ne fût plus en mesure de songer à la moindre excuse pour rester dans le jeu, bien qu'il n'y eût littéralement plus rien que son avatar puisse faire dans l'état de dénuement et de pauvreté où il se trouvait à présent, il était cependant incapable de se déconnecter, il restait là à contempler l'océan digital, repoussant l'idée d'abandonner le jeu pour retourner au réel car elle le terrifiait, d'une terreur plus puissante que tout ce que les adultes normalement constitués expérimentent normalement, et ce à cause de son addiction à *Elfscape*, qui avait engendré chez lui des problèmes physiologiques cérébraux nécessitant une réorganisation micro-structurelle neurologique intracrânienne, auxquels s'ajoutaient des tributs physiques évidents, comme la prise de poids, la perte musculaire, l'affaiblissement du dos, un nœud quasi permanent à la racine de sa cage thoracique apparemment lié à l'usage répétitif de sa main droite sur la souris, ainsi qu'une dégénérescence sévère des tissus de son cortex cingulaire antérieur, une zone située à l'avant du cerveau qui agit comme un recruteur sollicitant l'aide des parties plus rationnelles du cerveau dans la résolution des conflits (comme quelqu'un d'impulsif, affolé, qui appellerait à l'aide des amis plus terre à terre et leur demanderait leur avis), zone nécessaire à la maîtrise de la capacité cognitive et du contrôle des pulsions, et qui, chez Pwnage, avait commencé à s'éteindre, telle une maison se dépouillant de ses guirlandes de Noël, les débranchant, c'était le même phénomène qui se produisait dans le cerveau d'un héroïnomane face à sa dose : le cortex cingulaire antérieur se mettait hors service et ne recevait plus aucune information décisionnelle venant des parties *intelligentes* de son cerveau, qui ne lui était donc *plus d'aucun secours* pour surmonter les pulsions les plus basiques, les plus primaires et les plus autodestructrices, des pulsions que justement il ne pouvait surmonter sans l'aide de cette zone, et c'était exactement ce qui était en train d'arriver à Pwnage face à l'océan : il parvenait à mobiliser ses fonctions cérébrales pour se souvenir qu'il voulait arrêter *Elfscape*, mais plus aucune partie de son cerveau ne lui ordonnait de le faire, de plus, il avait un déficit de matière grise dans plusieurs agrégats de cellules du cortex orbitofrontal, où s'enracinent normalement la tension vers un objectif et la motivation, et qui, atrophié, résultait en un cerveau conscient de l'existence d'un objectif mais incapable de fournir les outils pour l'atteindre, fixant vainement l'objectif au loin, le scrutant comme les fermiers du Midwest scrutant le ciel (« Ouais, va y avoir d'la pluie »), c'était là un autre des pièges neurobiologiques d'*Elfscape* : plus il jouait à *Elfscape*, moins son cerveau était capable d'envisager autre chose que des objectifs à court terme, c'est-à-dire les objectifs d'*Elfscape* — le jeu était conçu pour récompenser les joueurs toutes les une ou deux heures avec un nouveau butin ou un nouveau passage de niveau, accompagné par une fanfare et des feux d'artifice —, et plus il s'habituait à ce type d'objectifs, insidieux, petits, proches, plus les objectifs à long terme, requérant un minimum d'anticipation, de discipline et de persévérance intellectuelle (comme écrire un roman ou suivre un régime), semblaient *littéralement insondables* pour le cerveau, sans parler des problèmes survenant dans les tréfonds de la capsule interne, notamment dans la partie postérieure, seule partie du cerveau de Pwnage renforcée par l'addiction massive et permanente à *Elfscape*, où le cortex moteur primaire envoyait ses axones contrôlant les mouvements des doigts — Pwnage avait d'ailleurs une agilité digitale *excellente*, sa main droite utilisait sa souris à commandes multiples tandis que sa main gauche tapait sur un clavier à 104 touches, avec une image mentale de toutes ces actions possibles qui lui permettait d'actionner n'importe lesquels de ces touches et boutons en une fraction de seconde sans même les regarder, comportement si récurrent qu'il avait modifié la structure de son cerveau et épaissi notablement les axones de la capsule interne —, le problème étant ici que des fibres de contrôle digital géantes n'avaient jamais été nécessaires en termes d'évolution (il n'existe pas d'équivalent d'une souris de jeu à quinze boutons dans l'histoire de l'humanité), l'espace dans la capsule était donc limité et peu approprié pour ce genre d'excroissance, donc l'excédent de cette substance blanche envahissait d'autres tissus à l'intérieur du cerveau de Pwnage, comme les voies de communication entre les régions frontale et sous-corticale du cerveau, responsables de la prise de décision, et qui, entre autres, permettaient d'empêcher les comportements inappropriés, ce qui expliquait peut-être la façon dont Pwnage avait agi au supermarché bio par exemple, et plus largement la façon dont il agissait depuis un an, dont il se consumait lentement derrière son écran, son manque de sommeil, son alimentation, ses délires de grandeur, de gloire littéraire, de reconquérir Lisa, les attaques microscopiques dont il n'avait même pas conscience, à cause de la privation de sommeil, des éclairs de l'écran dans ses yeux, des graves déséquilibres chimiques nutritionnels (ou probablement de la conjonction de ces trois phénomènes), qui se manifestaient physiquement par une perte de sensation dans différents membres, l'envie subite de se pincer la peau, des étincelles dans sa vision périphérique, tous symptômes que Pwnage aurait sans doute fait diagnostiquer s'il avait encore pu compter sur son cortex préfrontal dorsolatéral, siège cérébral de la prise de décision et du contrôle des émotions qui se mettait en veille durant les phases de « surcharge d'information » chez les sujets multitâches, abandonnant le contrôle aux centres des émotions, ce qui revenait à confier les clés d'un chariot élévateur à un enfant de six ans, et le cerveau de Pwnage était bel et bien surchargé, comme l'écran de son ordinateur était bourré de logiciels additionnels qui le bombardaient constamment d'informations en temps réel sur l'état de ses ennemis, les mouvements à sa disposition, le temps à attendre avant de pouvoir utiliser telle ou telle attaque, les calculs désignant celles qui causeraient le plus de dégâts une fois le temps écoulé, le statut de chacun des membres de son raid, leur résultat global en termes de dommages par seconde, une vue aérienne du combat avec un code couleurs pour distinguer les protagonistes et leurs rôles dans le combat, tout cela se produisant en même temps que le jeu lui-même toujours en cours derrière la multitude de fenêtres apparaissant en surbrillance, et Pwnage surveillait non seulement cet écran — ce qui en soi aurait suffi à rendre psychotique n'importe quel paysan du XVIIIe siècle — mais, comme en plus il jouait fréquemment sur plusieurs tableaux en même temps, suivant plusieurs personnages, il surveillait simultanément six écrans différents, de sorte qu'il assimilait en une seconde plus d'informations que tous les contrôleurs du ciel de l'aéroport d'O'Hare, et cette partie de son cerveau avait hissé le drapeau blanc avant de rendre les armes définitivement, laissant ses émotions enterrer complètement toute logique, tout raisonnement et toute discipline, bref, plus il jouait à *Elfscape*, plus il était incapable d'arrêter de jouer à *Elfscape*, et cela dépassait largement le fait de se débarrasser d'une mauvaise habitude, c'était un problème de morphologie du cerveau, de défiguration neurologique fondamentale, qui rendait Pwnage *littéralement incapable* d'arrêter *Elfscape* ; il était en train de le comprendre, debout à l'extrémité sud du continent, immobile, irrésolu, restant juste planté là, jusqu'à ce que l'une de ses alarmes lui signale un ennemi et que la caméra du jeu se braque sur un joueur orque l'épiant de très loin, son réflexe naturel dans ces cas-là aurait été de foncer sur l'orque, de le renverser avec son bouclier, de lui planter sa hache gigantesque dans le corps jusqu'à ce qu'il meure, et même s'il n'avait ni bouclier, ni hache, ni rien pour attaquer l'orque, par réflexe il voulut aller vers lui — mais c'était impossible, quelque chose l'en empêchait, il se sentait cotonneux et nauséeux, étourdi, incapable de bouger ses bras, ou, maintenant qu'il y pensait, de respirer (il est utile de mentionner ici que le caillot qui s'était formé dans sa jambe avait désormais muté en une véritable embolie pulmonaire qui bloquait l'afflux de sang à ses poumons et lui causait une vive douleur dans la poitrine à chaque inspiration associée à un besoin désespéré de respirer à fond, lui donnant l'impression d'une brusque baisse de l'intensité lumineuse, comme si le soleil s'était couché d'un coup, sans passer par la case crépuscule et plongeant directement dans l'obscurité de la nuit), et lorsque Pwnage n'attaqua pas l'orque, l'orque se rapprocha, plus confiant, pas à pas, le testant, prêt à détaler, jusqu'à ce que l'orque soit à portée de main, et Pwnage avait désespérément envie d'attaquer mais il ne pouvait pas bouger, immobilisé sous l'enclume qui pesait sur sa poitrine, et l'orque, voyant que Pwnage ne faisait pas un geste, tira un petit poignard de sa ceinture et — après un bref moment d'hésitation durant lequel il se demanda probablement si ce n'était pas une ruse du serveur qui utilisait son elfe guerrier le plus célèbre comme appât — l'orque le poignarda, encore et encore, et encore, et l'elfe en pagne de Pwnage se tenait là vacillant sous les coups, pendant que les alarmes retentissaient partout autour de lui, que sa barre de vie descendait à vue d'œil, et Pwnage assistait au spectacle, horrifié, incapable de bouger, tandis que le noir se refermait sur lui, que son champ de vision se réduisait à un couloir, qu'il perdait le contrôle de toutes ses fonctions motrices, que ses lèvres et le bout de ses doigts bleuissaient, et que son elfe guerrier finissait par succomber à ses blessures, et Pwnage regarda l'orque danser sur son cadavre et la dernière chose qu'il vit avant que toutes les lumières ne s'éteignent définitivement fut un message de l'orque disant OMG JE T PWNÉ LA FACE ROFLOLOLOLOLOL[1] *!!!!!* et Pwnage décida alors qu'il reconstituerait tout son pactole et deviendrait deux fois plus fort qu'avant pour pouvoir traquer ce putain d'orque et le tuer encore et encore, il allait s'y mettre, dès qu'il arriverait à bouger ses jambes et ses bras, à respirer, et aussi à voir quelque chose, et tandis que son système tout entier périclitait de manière catastrophique, son cerveau persistait à lui indiquer comme priorité numéro un de *tuer cet orque*, ce qu'il ne serait jamais capable de faire, car aujourd'hui il allait arrêter *Elfscape*, et puisque son esprit ne le lui permettait pas, son corps l'avait fait pour lui.

1. ROFL : « Rolling on floor laughing », l'acronyme signifie « se rouler par terre de rire » et est communément utilisé par les internautes sans traduction, comme le plus courant LOL, pour « laughing out loud ».

4

Simon Rogers arpentait l'appartement dévasté de Faye, évitant avec soin les débris jonchant le sol tout en expliquant que, oui, il y avait des lois qui autorisaient *ce genre de choses* (et sur « ce genre de choses », il ouvrit les bras, désignant la profanation et la destruction ambiantes), des lois votées après le 11-Septembre concernant la traque des personnes suspectées de terrorisme, et l'utilisation de la force militaire.

« Pour être clair, dit-il, la police peut solliciter l'intervention du SWAT quand elle le souhaite, sans que nous ayons aucun recours pour les arrêter, les empêcher d'agir, faire annuler la demande ou obtenir réparation. »

À la cuisine, Faye remuait une cuillère dans sa seule tasse à thé intacte.

« Que cherchaient-ils ? » demanda Samuel. Il buta sur les restes de la télévision, éventrée par quelque objet contondant, et qui continuait de vomir ses entrailles électroniques sur le sol.

Simon haussa les épaules. « C'est la procédure, monsieur. Votre mère est poursuivie pour terrorisme sur le territoire national, cela les autorise à intervenir. Donc ils le font.

— Elle n'est pas une terroriste.

— Certes, mais elle a été inculpée dans le cadre d'une loi visant les cellules dormantes d'al-Qaida, ils doivent donc la traiter comme telle.

— C'est complètement tordu.

— Au moment où cette loi a été rédigée, les gens se souciaient moyennement du Quatrième Amendement. Ou du Cinquième, en l'occurrence. Voire du Sixième. » Il ricana dans sa barbe. « Ou du *Huitième*.

— Et ils n'ont pas besoin de *raison* plus précise pour fouiller la maison ? demanda Samuel.

— Si, monsieur, mais c'est le secret de l'instruction.

— Ils n'ont pas besoin de mandat ?

— Si, mais il est scellé.

— Qui le leur délivre ?

— C'est confidentiel, monsieur.

— Et personne ne surveille tout cela ? Quelqu'un auprès de qui on pourrait faire appel ?

— Il y a bien une sorte de recours en habeas corpus, mais c'est classé secret défense. Pour des raisons de sécurité nationale. D'une manière générale, monsieur, nous sommes censés faire confiance au gouvernement qui est là pour veiller sur nos intérêts. J'ajouterais cependant que ce genre de fouille n'est pas obligatoire. C'est laissé à la discrétion de la cour. Ils n'étaient pas *obligés* de faire ça. Et je sais qu'ils n'ont pas agi sur demande du procureur.

— C'était le juge, donc.

— Techniquement, cette information n'a pas à être rendue publique. Mais oui. C'est le juge Brown. Nous pouvons en déduire que l'ordre émanait du juge. »

Samuel regarda sa mère, qui avait les yeux baissés

sur son thé. Elle n'avait pas l'air de le boire, plutôt de le remuer frénétiquement. La cuillère en bois qu'elle utilisait cliquetait doucement sur la tasse.

« Alors, qu'est-ce qu'on va faire ? demanda Samuel.

— Je suis prêt à opposer une défense vigoureuse contre ces nouvelles charges, monsieur. Je pense que j'arriverai à persuader un jury que votre mère n'est pas une terroriste.

— En vous fondant sur quels arguments ?

— Avant tout, sur le fait que le destinataire de ladite menace terroriste, le gouverneur Packer, n'a pas été à proprement parler *terrorisé*.

— Vous allez convoquer le gouverneur Packer à la barre.

— Oui, et je parie que jamais il n'admettra publiquement avoir été terrorisé. Par votre maman. Pas tant qu'il sera en campagne présidentielle.

— C'est tout ? C'est votre défense ?

— J'ajouterai que votre mère a à peine esquissé un *geste* menaçant, n'a formulé aucune menace terroriste ni verbalement, ni électroniquement, ni à la télévision, ni dans des écrits, ce qui, pour des raisons assez alambiquées, est un argument à double tranchant. Mais j'espère tout de même réduire ainsi sa peine de la perpétuité à dix ans en haute sécurité.

— Et ce serait une victoire, pour vous ?

— Je dois admettre que je suis plus à l'aise avec les lois sur la liberté d'expression. La défense contre des accusations de terrorisme, comment dire, ce n'est pas ma tasse de thé… Haha. »

Ils se tournèrent vers Faye qui continuait à fixer son thé sans trahir aucune réaction.

« Si vous voulez bien m'excuser », dit l'avocat, et

il gagna la salle de bains, enjambant les monticules d'oreillers éventrés, les coussins de canapé, les vêtements encore sur leurs cintres.

Samuel se fraya un chemin jusqu'à la cuisine, le verre craquait sous ses pieds à chaque pas. Sous les placards vidés par la police, le plan de travail était constellé de nourriture — grains de café, céréales, flocons d'avoine, riz. Le réfrigérateur avait été délogé, débranché, il crachait de l'eau qui s'écoulait au sol. Faye tenait sa tasse manifestement artisanale, en argile, tout contre son cœur.

« Maman ? » appela Samuel. Que pouvait-elle bien ressentir à présent, avec tout ce qu'elle avait avalé comme anxiolytiques le matin. « Hou ! Hou ! »

Pour le moment, elle semblait anesthésiée, insensible aux événements. Même la façon dont elle remuait son thé paraissait machinale, mécanique. Peut-être le raid de la police l'avait-il plongée dans une sorte d'absence.

« Maman, tu vas bien ? Tu m'entends ?

— Ce n'était pas censé arriver, lâcha-t-elle finalement. Ce n'était pas censé se passer comme ça.

— Dis-moi que tu vas bien. »

Elle remua son thé et regarda sa tasse. « J'ai été tellement stupide.

— *Tu* as été stupide ? Enfin, c'est *ma* faute, dit Samuel. En allant voir ce juge, j'ai tout fait dégénérer. Je suis vraiment désolé.

— J'ai pris des décisions tellement stupides, poursuivit Faye en secouant la tête, les unes après les autres.

— Écoute, il faut qu'on réfléchisse à un plan. Alice dit qu'on devrait quitter la ville. Peut-être même le pays.

— Ouais. Je commence à croire qu'elle a raison.

— Ce ne serait que pour un moment. Puisque Brown doit bientôt prendre sa retraite, on n'a qu'à attendre, non ? S'assurer qu'il comprenne qu'il faudra *des années* avant qu'il y ait un procès. Se débarrasser de lui, avoir un autre juge.

— Où est-ce qu'on irait ? demanda Faye.

— Je ne sais pas, au Canada, en Europe, à Jakarta ?

— En fait, non, dit-elle en posant sa tasse sur le comptoir. Nous ne pouvons pas quitter le pays. J'ai été accusée de *terrorisme*. Aucune chance qu'on me laisse monter dans un avion.

— Ah oui. C'est vrai.

— Je suppose que nous allons devoir faire confiance à Simon.

— Faire confiance à Simon ? J'espère *vraiment* que ce n'est pas notre meilleure option.

— Et quoi d'autre ?

— Alice a dit que le juge ne reculera jamais. Qu'il voudra te voir à l'ombre pour le restant de tes jours. Qu'il ne plaisante pas.

— Ça n'a pas l'air d'une plaisanterie, en effet.

— Il dit qu'il est dans une chaise roulante par ta faute. Que lui as-tu fait ?

— Rien. Je n'ai aucune idée de ce dont il parle. Honnêtement. »

Un bruit de tuyauterie s'échappa de la salle de bains, et Simon ressortit, le manteau parsemé de gouttelettes d'eau.

« Professeur Anderson, monsieur, en fait, je suis content que vous soyez là. Je voulais vous parler. Au sujet de votre lettre ? La lettre pour le juge, sur laquelle, j'imagine, vous avez travaillé d'arrache-pied depuis notre dernière rencontre ?

— Certes, oui. Et alors ?

— Eh bien, je souhaitais vous remercier personnellement pour tous vos efforts, tout le temps que vous nous avez consacré jusqu'ici. Mais il faut que vous sachiez que nous allons malheureusement devoir nous passer de vos services.

— Mes services. On dirait que vous êtes en train de me virer.

— Oui. Cette lettre que vous êtes en train d'écrire ? Ce ne sera plus nécessaire.

— Mais ma mère a pourtant de sérieux problèmes.

— Ça oui, sans le moindre doute, monsieur.

— Elle a besoin de mon aide.

— Elle a absolument besoin d'aide, monsieur. Mais pas *de la vôtre*. Plus maintenant.

— Pourquoi cela ?

— Comment dire, sans être désagréable ? Je suis arrivé à la conclusion, monsieur, que vous n'êtes pas en position de l'aider. Vous ne feriez probablement qu'aggraver les choses. Je fais bien sûr allusion au scandale.

— Quel scandale ?

— À l'université, monsieur. C'est épouvantable.

— Simon, de quoi parlez-vous, bon sang ?

— Oh, parce que vous n'êtes pas encore au courant ? Oh, mon Dieu. Je suis désolé, monsieur. Apparemment, je suis voué à ne vous apporter que des mauvaises nouvelles, n'est-ce pas ? Ahah. Vous devriez peut-être regarder vos emails ou les informations plus souvent ?

— *Simon.*

— Bien sûr, monsieur. Eh bien, apparemment, une toute nouvelle association vient d'éclore à grand bruit sur votre campus, dont la *raison d'être**, unique et manifeste, est d'obtenir votre renvoi.

— Sérieusement ?

— Ils ont même leur site Internet, que vos étudiants, anciens et actuels, partagent et font circuler avec délectation. On peut dire que vous êtes devenu la définition même de ce que les services de relations publiques appellent un personnage *toxique*. D'où notre décision de nous passer de votre soutien pour votre mère.

— Pourquoi mes étudiants veulent-ils me faire virer ?

— Peut-être vaudrait-il mieux que vous voyiez cela vous-même, non ? »

Simon sortit un ordinateur portable de sa mallette et tapa l'adresse du site : une nouvelle association étudiante baptisée SAFE — pour Students Against Faculty Extravagance[1] —, leur argument étant que les professeurs d'université gaspillaient l'argent du contribuable. Leur preuve ? Un certain Samuel Anderson, professeur de lettres, qui, d'après le site, *abusait des privilèges liés à son ordinateur professionnel* :

> *Au cours des opérations régulières de maintenance, le Centre de support informatique a découvert des connexions établissant que le professeur Anderson utilise son ordinateur pour jouer au* Monde d'Elfscape *durant un nombre d'heures par semaine franchement sidérant. Ceci est une utilisation complètement inacceptable des ressources de l'université.*

1. « *Safe* » signifie « en sécurité », et les initiales renvoient à « Les étudiants contre la prodigalité de l'université ».

La note était accompagnée d'une pétition qui avait attiré l'attention de la doyenne, de la presse et du bureau du gouverneur. L'affaire était désormais entre les mains du comité disciplinaire de l'université pour y être pleinement examinée.

« Oh, merde », lâcha Samuel à l'idée d'expliquer le concept d'*Elfscape* à une assemblée de professeurs de philosophie, de rhétorique et de théologie grisonnants et dépourvus d'humour. Aussitôt, il fut pris de sueurs froides en s'imaginant raconter à ses collègues qu'il menait une vie parallèle en tant qu'*elfe voleur*. Mon Dieu.

La présidente de SAFE était également citée, elle insistait sur le rôle indispensable des étudiants comme vigiles intraitables tenus de surveiller l'usage que faisait l'université de leurs frais de scolarité. Le nom de l'étudiante en question était, évidemment, Laura Pottsdam.

« Qu'ils aillent se faire foutre », dit Samuel en refermant l'ordinateur portable. Il marcha jusqu'à l'enfilade de fenêtres côté nord et regarda l'horizon dentelé de la ville.

Il se souvint du conseil ridicule de Periwinkle : qu'il ferait mieux de se déclarer en faillite et de partir pour Jakarta. Et cela lui semblait assez judicieux maintenant. « Je crois qu'il est temps de s'en aller, dit-il.

— Je vous demande pardon, monsieur ?

— Il est temps de monter dans un avion et de prendre le large, dit Samuel. De quitter mon boulot, ma vie et le pays tout entier. De repartir de zéro, ailleurs.

— Bien entendu, vous êtes libre de vos mouvements,

monsieur. Mais votre mère, elle, doit rester ici et se battre dans le strict cadre de la loi.

— Je sais.

— Les différents serments que j'ai prêtés m'interdisent de conseiller à quiconque accusé d'un crime de fuir le territoire.

— Peu importe, dit Samuel. Elle ne peut pas partir de toute façon. On ne la laisserait pas monter dans l'avion.

— Oh si, monsieur. Elle n'est pas encore sur la liste. »

Samuel se retourna. L'avocat était en train de ranger précautionneusement son ordinateur portable dans le soufflet prévu à cet effet de sa mallette.

« Que voulez-vous dire, Simon ?

— Eh bien, la liste des personnes interdites de vol est gérée par le Centre de filtrage terroriste, qui se trouve être une ramification de la branche de la Sécurité nationale du FBI, sous la tutelle du département de la Défense. La liste n'est pas contrôlée, comme beaucoup de gens le pensent, par l'Administration de la sécurité dans les transports, qui, elle, dépend du département de la Sécurité du territoire. Ce sont deux départements complètement différents !

— Soit. Et alors ?

— Alors, pour se retrouver sur la liste des personnes interdites de vol, un nom doit auparavant avoir été proposé par un représentant gouvernemental officiel du département de la Justice, de la Sécurité du territoire, de la Défense, de l'État, des Services postaux ou de certains entrepreneurs privés, et comme chacune de ces entités est régie par des critères, des lignes de conduite, des règles et des procédés différents, sans parler des documents et des formulaires différents et parfois incompatibles, le Centre de filtrage terroriste doit commencer par passer au crible chaque dossier et le traduire sous une forme standard commune à tous. Ce qui est infiniment plus compliqué dans la mesure où toutes ces entités utilisent des logiciels informatiques différents, par exemple le tribunal de Cook County utilise un système Windows obsolète d'au moins trois ans, alors que le FBI et la CIA utilisent le système Linux, il me semble. Et, avant de faire communiquer ces deux systèmes entre eux ? *Mamma mia.*

— Simon, pouvez-vous en revenir au fait ?

— Bien sûr, monsieur. Ce que je suis en train de vous expliquer, c'est que l'information concernant le statut de terroriste de votre mère doit d'abord passer par le tribunal du premier district municipal de Cook County, puis par le bureau régional du FBI, avant d'arriver au Centre de filtrage terroriste, où elle doit être évaluée et approuvée par le Groupe d'analyse tactique et la Branche des opérations multisources. Après quoi, l'information doit encore transiter jusqu'au département de la Sécurité du territoire, qui la transmet ensuite à l'Administration de la sécurité dans les transports, j'imagine par fax, et tout ceci avant que l'information parvienne aux personnels de sécurité des aéroports.

— Ma mère n'est donc pas sur la liste des personnes interdites de vol.

— Elle n'y est *pas encore*, non. Tout ceci prend environ quarante-huit heures, entre le début et la fin de la procédure. De plus, nous sommes vendredi.

— Donc, dans l'hypothèse où nous voudrions quitter le pays, nous pourrions le faire aujourd'hui.

— C'est exact, monsieur. Souvenez-vous que nous avons affaire à un monstre bureaucratique dont les employés sont, pour la plupart, scandaleusement sous-payés. »

Samuel lança un regard à sa mère, qui le lui renvoya et, après un moment à considérer la question, la gravité de la situation, lui adressa un petit hochement de tête.

« Simon ? dit-il. Merci beaucoup. Vous nous avez été d'une aide très précieuse. »

5

À l'aéroport international d'O'Hare, terminal 5, les gens attendaient tranquillement : ils faisaient la queue pour obtenir leur carte d'embarquement, la queue pour déposer leurs bagages, la queue pour passer les contrôles de sécurité, toutes ces queues avançant avec une lenteur et une inefficacité franchement étrangères à la mentalité américaine, et plongeant du coup le terminal tout entier dans un mélange profondément déstabilisant de mélancolie et de chaos. Au milieu des odeurs de pots d'échappement des taxis à l'extérieur et de viande grillée des vendeurs de hot dogs à l'intérieur. Entre deux annonces de sécurité, l'atmosphère sonore était composée de standards joués au saxophone. Les télévisions diffusaient des informations d'aéroport, différentes, sans que l'on sache en quoi, des informations habituelles. Samuel songea avec déception que ce devait être là la première impression d'un étranger arrivant en Amérique, celle d'un pays offrant un McDonald's (dont le principal message aux passagers entrant sur le territoire semblait être le retour du McRib à la sauce barbecue) et un magasin de gadgets à l'utilité discutable : des stylets haute définition, des chaises de massage shiatsu, des veilleuses sans fil connectées en Bluetooth, des bains de pieds chauffants, des chaussettes de contention, des ouvre-bouteilles automatiques, des brosses de nettoyage électriques pour grille de barbecue, des matelas orthopédiques pour chiens, des manteaux anti-stress pour chats, des brassards de régime, des pilules anti-cheveux gris, des packs de repas de substitution isométriques, des ampoules de boisson protéinée, des socles de téléviseur pivotants, des porte-sèche-cheveux sans fil, une serviette de toilette portant l'inscription « Visage » d'un côté et « Fesses » de l'autre.

Voilà qui nous sommes.

Des toilettes pour hommes où tout était conçu pour qu'on n'ait rien d'autre à toucher que son propre corps. Des distributeurs de savon qui déposaient de petites crottes de savon liquide rose dans vos mains. Des lavabos d'où il ne coulait jamais assez d'eau pour vous nettoyer les mains complètement. Les mêmes avertissements sur le niveau de menace diffusés *ad nauseam*. Les consignes de sécurité — videz vos poches, ôtez vos chaussures, sortez vos ordinateurs portables, placez liquides et gels dans des sacs séparés — réitérées si fréquemment que plus personne ne les écoutait. Le tout si répétitif, automatique, monotone et lent que les voyageurs étaient un peu déphasés, et jouaient sur leurs téléphones, *endurant* ce calvaire unique dans le monde moderne, qui n'est pas à proprement parler « éprouvant » mais résolument épuisant. Spirituellement débilitant. Faisant jaillir en chacun une pointe de regret qu'un peuple comme le nôtre n'ait pas mieux à offrir. Mais non. La queue pour le McRib, silencieuse et solennelle, était d'au moins vingt personnes.

« J'ai un mauvais pressentiment, dit Faye à Samuel dans la queue pour les contrôles de sécurité. Tu crois qu'ils vont vraiment nous laisser passer ? Genre, *Oh oui, madame Hors-la-Loi, je vous en prie, c'est par ici.*

— Tu veux bien te taire ?

— Les médicaments ne font plus effet. Mon angoisse revient au galop tel un chien perdu.

— Nous sommes des passagers normaux prenant des vacances normales à l'étranger.

— Des vacances normales dans un pays aux accords d'extradition extrêmement restrictifs, j'espère.

— Ne t'inquiète pas. Souviens-toi de ce qu'a dit Simon.

— J'ai l'impression de sentir la confiance que j'avais dans ce plan se désintégrer. Comme si quelqu'un le passait à la râpe à fromage. Voilà comment je me sens. »

— S'il te plaît, tais-toi et détends-toi. »

Ils avaient sauté dans un taxi pour l'aéroport et pris deux allers simples pour la première destination internationale disponible, c'est-à-dire un Chicago-Londres sans escale. Leurs cartes d'embarquement leur furent délivrées sans problème. Leurs bagages furent inspectés, sans problème là aussi. Ils patientèrent aux contrôles de sécurité. Et quand finalement ils tendirent leurs billets d'avion et leurs passeports à l'agent de l'Administration de la sécurité dans les transports, dont le boulot consistait à vérifier leurs photographies et passer leurs cartes d'embarquement au scanner en attendant que l'ordinateur émette un son agréable et l'écran une lumière verte, l'ordinateur n'émit pas de son agréable. Au lieu de cela, il fit ce bruit désagréable, comme la sonnerie à la fin d'un match de basket, un son autoritaire et définitif. Et, au cas où quiconque aurait le moindre doute au sujet du sens de ce son, la lumière devint rouge.

L'agent de sécurité se redressa, surpris par l'avis négatif émis par l'ordinateur. Un événement rare dans le tranquille terminal 5.

« Pouvez-vous patienter ici, s'il vous plaît ? » dit-il en désignant une petite zone d'attente délimitée par des bandes d'adhésif violet crasseux au sol.

Pendant qu'ils attendaient là, les autres passagers leur jetaient un coup d'œil de temps à autre, avant de reporter leur attention sur leurs téléphones. Une télévision au-dessus de leurs têtes diffusait la chaîne d'informations de l'aéroport, et, à ce moment-là, un reportage sur le gouverneur Packer.

« Ils savent qui je suis, murmura Faye à l'oreille de Samuel. Que je suis une fugitive. En cavale.

— Tu n'es rien de tout ça.

— Bien sûr qu'ils sont au courant. C'est l'époque qui veut ça. Tout le monde a accès aux mêmes données. Il y a sans doute une pièce quelque part, à Langley, ou Los Alamos, pleine d'écrans qui sont en train de nous espionner.

— Je doute que tu sois classée à un tel niveau de menace. »

Ils observaient la lente progression de la chenille qui défilait devant les contrôles de sécurité : les gens enlevaient leurs ceintures, leurs chaussures, se tenaient dans des tunnels en plastique, mettaient les mains sur la tête pendant que des bras métalliques encerclaient leurs corps pour les scanner.

« C'est le monde d'après le 11-Septembre, dit Faye. Le monde d'après la vie privée. La loi sait où je suis à tout moment. Ils ne vont pas me laisser m'envoler comme ça.

— Détends-toi. Pour l'instant on ne sait pas ce qui se passe.

— Et toi. Ils vont t'arrêter pour complicité.

— Complicité de quoi ? De départ en vacances ?

— Ils ne croiront jamais que nous partons en vacances.

— Complicité dans l'élaboration d'un week-end à l'étranger ? Criminel.

— En ce moment même, nous sommes surveillés par toute une batterie d'écrans de télévision et d'ordinateur. Probablement dans les sous-sols du Pentagone. Alimentés par des milliers de connexions dans le monde. Des grappes de câbles de fibre optique. Tout un réseau de reconnaissance faciale. Des technologies dont nous ignorons même l'existence. Ils sont certainement en train de lire sur mes lèvres en ce moment. Le FBI et la CIA travaillant main dans la main avec les autorités policières locales. Ils en parlent tout le temps aux infos.

— On n'est pas aux infos.

— Pas *encore*. »

Un homme tenant un bloc-notes échangeait des messes basses avec un agent de sécurité, il leur jetait un regard de temps à autre. Il semblait sorti d'une ère antérieure — cheveux coupés en une brosse strictement géométrique, chemisette blanche, fine cravate noire, mâchoire carrée, yeux bleu clair — comme s'il avait autrefois été un astronaute d'*Apollo* et qu'il avait dû se recycler dans ce boulot-là. Sur sa poche de chemise, son badge, examiné de plus près, était en fait une carte plastifiée représentant un badge.

« Il parle de nous, dit Faye. Il va nous arriver quelque chose.

— Contente-toi de rester calme.

— Tu te souviens de l'histoire que je t'avais racontée sur le Nix ?

— Laquelle ?

— Celle du cheval.

— Oui, je me souviens. Le cheval blanc qui prenait les enfants sur son dos pour aller les noyer.

— Celle-là.

— Excellente idée de raconter un truc pareil à un enfant de neuf ans, au fait.

— Tu te souviens de la morale ?

— Les choses que tu aimes le plus sont celles qui un jour te feront le plus de mal.

— Oui. Et que les gens peuvent être les Nix les uns des autres. Parfois sans même le savoir.

— Où veux-tu en venir ? »

L'homme au bloc-notes marchait à présent dans leur direction.

« C'est ce que j'étais pour toi, dit-elle. J'étais ton Nix. Tu n'aimais personne autant que moi, et je te faisais du mal. Tu m'as demandé une fois pourquoi je vous avais quittés, toi et ton père. C'est pour cela.

— Et tu me dis ça *maintenant* ?

— Je voulais le faire le plus tard possible. »

L'homme au bloc-notes traversa le ruban violet et s'éclaircit la gorge.

« Bien, apparemment nous avons un problème », dit-il d'un ton inhabituellement optimiste, comme ces employés du service clients qui paraissent parfois totalement surinvestis dans leur mission. Il ne les regardait pas dans les yeux, ni l'un ni l'autre, il fixait son bloc-notes. « Apparemment, en fait, vous êtes sur la liste des personnes interdites de vol que j'ai là. » Il paraissait gêné de prononcer ces paroles, comme si c'était sa faute.

« Oui, je suis désolée, répondit Faye. J'aurais dû m'en douter.

— Oh non, pas vous, dit l'homme, l'air surpris. Vous n'êtes pas sur la liste, c'est lui.

— Moi ? dit Samuel.

— Oui, monsieur. C'est ce qui est écrit, juste ici, dit-il en tapotant son bloc-notes. Samuel Andresen-Anderson. Absolument interdit de vol.

— Comment *je* me suis retrouvé sur cette liste ?

— Eh bien, dit-il, feuilletant les pages comme s'il les lisait pour la première fois. Avez-vous récemment séjourné en Iowa ?

— Oui.

— Vous êtes-vous rendu à l'usine ChemStar à l'occasion de ce séjour ?

— Je m'y suis arrêté, oui.

— Avez-vous, hum » — et il baissa la voix, comme s'il était en train de dire quelque chose d'obscène — « avez-vous *pris des photos* de l'usine ?

— Quelques-unes, oui.

— Eh bien », dit-il, et il haussa les épaules comme si la réponse était évidente. « Vous la tenez, votre raison.

— Pourquoi es-tu allé prendre des photos de la ChemStar ? demanda Faye.

— Oui, reprit l'homme au bloc-notes. *Pourquoi ?*

— Je ne sais pas. Par nostalgie.

— Vous preniez des photos nostalgiques d'une *usine* », résuma l'homme. Il fronça les sourcils.

Dubitatif. Incrédule. « Jamais entendu une chose pareille.

— Mon grand-père travaille là-bas. Enfin, il y travaillait autrefois.

— Là-dessus, il dit la vérité, commenta Faye.

— Là-dessus ? Mais tout est vrai. Je suis allé voir mon grand-père et j'ai fait un pèlerinage des lieux de mon enfance. La maison, le parc, et oui, l'usine. La vraie question ici, à mon avis, c'est pourquoi je me retrouve sur la liste des personnes interdites de vol pour avoir photographié une usine de transformation de maïs ?

— Oh, eh bien, ce genre d'installations comporte des produits chimiques hautement toxiques. Juste à côté du Mississippi. Votre présence a soulevé » — et il leva les mains en l'air pour ouvrir des guillemets — « des inquiétudes pour la sécurité du territoire.

— Je vois. »

Il feuilleta les pages de son bloc-notes. « Il est écrit ici que les caméras de sécurité vous ont repéré et que, quand leurs agents se sont approchés de vous, vous avez pris la fuite.

— Pris la fuite ? Jamais de la vie. Je suis juste *parti*. J'avais terminé de prendre des photos. Je n'ai pas vu le moindre agent de sécurité.

— C'est exactement ce que je dirais si on me surprenait en train de fuir », dit l'homme à Faye, qui acquiesça.

« Je suis d'accord, dit-elle. Vous avez tout à fait raison.

— Tu vas arrêter, oui ? dit Samuel. Alors quoi ? Je ne pourrai plus jamais prendre l'avion, c'est ça ?

— Vous ne pourrez pas prendre l'avion

aujourd'hui, ça c'est sûr. Mais il y a des démarches que vous pouvez entreprendre pour que votre nom soit retiré de la liste. Ils ont un site Internet.

— Un site Internet.

— Ou bien un numéro gratuit, si vous préférez. Ensuite, il y a une attente d'environ six à huit semaines. Pour le moment, je vais malheureusement devoir vous raccompagner hors de l'aéroport.

— Et ma mère ?

— Oh, elle est libre d'aller et venir comme cela lui chante. Elle n'est pas sur la liste.

— Je vois. Vous pouvez nous laisser une seconde ?

— Bien sûr ! » dit l'homme. Puis il fit un pas derrière le ruban violet, se tourna de trois quarts, joignit les mains devant lui et commença à se balancer d'avant en arrière comme s'il était dans une chaise à bascule.

« Laisse tomber, chuchota Faye. On n'a qu'à rentrer à la maison. Le juge peut bien faire ce qu'il voudra. Ce n'est pas comme si je ne le méritais pas. »

Et Samuel se représenta sa mère en prison, sa vie à lui revenant à la normale : viré, endetté, seul, traversant les jours dans un épais brouillard digital.

« Il faut que tu t'en ailles, dit-il. Je viendrai te retrouver dès que je le pourrai.

— Ne sois pas stupide, dit-elle. Tu as une idée de ce que le juge va te faire subir ?

— Beaucoup moins que ce qu'il te fera à toi. Il faut que tu t'en ailles. »

Elle le regarda un moment, hésitant à le contredire.

« Ne discute pas, dit-il. Va-t'en.

— Entendu, dit-elle. Mais promets-moi de ne pas céder au mélodrame sentimental de la mère et du fils qui se séparent, OK ? Tu ne vas pas pleurer, hein ?

— Je ne vais pas pleurer.

— Parce que je n'ai jamais été très douée pour gérer ce genre de choses.

— Je te souhaite un bon vol.

— Attends, dit-elle en l'attrapant par le bras. Ce doit être une vraie rupture. Si on se quitte maintenant, on ne pourra pas se contacter pendant un bon moment. Silence radio.

— Je sais.

— Alors je te le demande : est-ce que tu es prêt ? Est-ce que tu vas le supporter ?

— Tu veux ma permission ?

— Ta permission pour te quitter. Encore. Une seconde fois. Oui, c'est ce que je veux.

— Tu vas aller où ?

— Je ne sais pas, dit Faye. Je me poserai la question quand je serai à Londres. »

À la télévision, au-dessus de leurs têtes, la chaîne d'informations de l'aéroport referma sa page de publicité et revint à la campagne présidentielle de Packer. Apparemment, le gouverneur Packer était bien placé en Iowa, disaient-ils. Apparemment, l'attaque de Chicago avait vraiment élargi son champ d'électeurs.

Faye et Samuel se regardèrent.

« Comment on en est arrivés là ? demanda Samuel.

— C'est ma faute, dit-elle. Je suis désolée.

— Pars. Tu as ma permission. Tire-toi d'ici.

— Merci. » Elle ramassa son sac, dévisagea Samuel un moment, puis laissa tomber son sac au sol, se pencha vers lui, passa ses bras autour de lui, enfouit son visage sous son épaule et le serra. Samuel ne savait pas quoi faire, c'était tellement inattendu de sa part. Elle prit une grande inspiration, comme si elle s'apprêtait à plonger sous l'eau, puis le libéra d'un coup.

« Sois sage », dit-elle, en lui tapotant le torse. Elle ramassa sa valise et retourna vers l'agent de sécurité qui la laissa passer sans un mot. L'homme au bloc-notes demanda à Samuel s'il était prêt à s'en aller. Pendant ce temps, Samuel regardait sa mère partir, son étreinte l'avait laissé vaguement tremblotant. Sa main caressa l'endroit où elle avait posé sa tête.

« Monsieur ? répéta l'homme au bloc-notes. Vous êtes prêt ? »

Samuel était sur le point de dire oui, lorsqu'il entendit un nom qu'il reconnut — un nom qui émergea brutalement du fond sonore permanent et habituellement oubliable de l'aéroport. Le nom venait de la télévision au-dessus de sa tête : *Guy Periwinkle.*

Samuel leva la tête pour être sûr qu'il avait bien entendu et alors il le vit, Periwinkle, à la télévision, assis dans le studio, parlant aux présentateurs. Sous son nom, il était écrit *Conseiller de campagne de Sheldon Packer*. Ils étaient en train de l'interroger sur ce qui l'avait attiré vers ce poste.

« Parfois, le pays pense mériter une bonne fessée, parfois il veut juste qu'on lui fasse un câlin, dit Periwinkle. Quand il veut un câlin, il vote Démocrate. Je prends le pari que l'heure est à la fessée. »

« Il faut y aller maintenant, dit l'homme au bloc-notes.

— Une seconde. »

« Les conservateurs, plus que la moyenne des gens, ont tendance à croire que nous avons besoin d'une bonne fessée. Interprétez cela comme bon vous semblera », ricana Periwinkle. Et les présentateurs rirent avec lui. Il était très télégénique. « En ce moment, le pays a le sentiment d'avoir été un sale gamin, poursuivit-il. Quand les gens votent, ce qu'ils font en fait, profondément, c'est exprimer un traumatisme de l'enfance enfoui. Il y a toute une littérature sur le sujet. »

« Il faut vraiment y aller maintenant, monsieur. » L'homme au bloc-notes s'impatientait, à présent.

« D'accord, je vous suis », dit Samuel, et il se laissa escorter loin du poste de télévision, vers les portes extérieures.

Mais juste avant de sortir, il se retourna une dernière fois. Juste à temps pour voir sa mère ramasser ses affaires de l'autre côté du tapis roulant. Sans un regard pour lui, sans un signe dans sa direction. Elle se contenta de rassembler ses affaires et de partir. Ainsi donc, Samuel subit, pour la seconde fois de sa vie, la vision de sa mère s'éloignant, disparaissant, sans retour possible.

NEUVIÈME PARTIE

RÉVOLUTION

Fin de l'été 1968

1

Le bar du rez-de-chaussée du Conrad Hilton est séparé de la rue par des panneaux de verre épais à petits carreaux qui étouffent les sons les plus graves mais laissent passer les sirènes et les cris. L'entrée du Hilton est gardée par une phalange de policiers, eux-mêmes surveillés par de nombreux agents des Services secrets, s'assurant tous que ne pénètrent dans le Hilton que des personnes identifiées comme inoffensives : les délégués, leurs épouses, les équipes des candidats, les candidats eux-mêmes, Eugene McCarthy et le vice-président, ils sont tous là, de même que quelques célébrités vaguement artistiques, parmi lesquelles Arthur Miller et Norman Mailer sont les seules têtes que les policiers reconnaissent. Le bar est rempli de délégués, les lumières sont tamisées pour permettre aux manœuvres politiques de se faire. Dans les box, de petits groupes d'hommes très concentrés murmurent, échangent des promesses, des faveurs. Tout le monde a la cigarette aux lèvres, la plupart un martini à la main, le jazz résonne dans la pièce, de la musique d'orchestre — du genre de Benny Goodman, Count Basie, Tommy Dorsey — dont le volume est suffisamment élevé pour couvrir les conversations alentour mais pas assez pour forcer quiconque à crier. Au-dessus du bar, la télévision est branchée sur CBS News. Les délégués circulent autour du bar, croisent des amis, se tapent dans la main, dans le dos, ce sont toujours les mêmes qui se retrouvent dans ce genre d'événements. Au plafond, les ventilateurs tournent juste assez vite pour disperser la fumée des cigarettes.

Ceux qui n'appartiennent pas au sérail politique se plaignent parfois que les plus grandes décisions se prennent ainsi, dans des pièces sombres pleines de fumée, eh bien, ce bar est l'une de ces pièces.

Il y a deux types accoudés au bar avec qui personne ne songerait à frayer, encore moins à chercher la bagarre : lunettes miroir, costume noir, manifestement des agents des Services secrets en pause, les yeux rivés à la télévision, sirotant un liquide transparent. Le bourdonnement de la pièce faiblit momentanément quand un hippie franchit le barrage policier et court le long de Michigan Avenue pour finir par se faire plaquer au sol juste devant les parois de verre du bar, alors tous les clients — excepté les deux agents des Services secrets — se figent et observent la scène brouillée par les petits carreaux de la baie vitrée, les policiers en chemisette bleu layette fondant sur le pauvre garçon à coups de matraque sur le dos et les jambes tandis qu'à l'intérieur pas un son ne filtre, à part peut-être le vieux Cronkite sur CBS et Glenn Miller jouant « Rhapsody in Blue ».

2

Très loin au-dessus d'eux, dans la suite du dernier étage de l'hôtel Conrad Hilton, le vice-président Hubert H. Humphrey a besoin d'une autre douche.

La troisième de la journée. La deuxième depuis qu'il est revenu de l'amphithéâtre. Quand il demande à la femme de chambre de mettre l'eau en route, son équipe le regarde d'un drôle d'air.

Ils sont allés à l'amphithéâtre ce matin pour que Triple H puisse répéter son discours. Son équipe aime bien l'appeler « Triple H », les agents des Services secrets, en revanche, refusent catégoriquement et continuent de l'appeler « Monsieur le Vice-Président », ce qui ne lui déplaît pas. Ils sont allés à l'amphithéâtre pour qu'il puisse se tenir sur la tribune, imaginer la foule devant lui, visualiser le déroulement de son discours et convoquer des pensées positives ainsi que ses conseillers le lui ont indiqué, imaginer la foule remplissant cet espace gigantesque, si énorme qu'il pourrait contenir chaque habitant de sa ville natale et des milliers d'autres encore, et il prononçait mentalement son discours, savourait les salves d'applaudissements et nourrissait des pensées positives en se répétant : « Ils *veulent* que je l'emporte, ils *veulent* que je l'emporte », mais tout ce à quoi il pouvait penser, c'était cette odeur. Cette odeur d'excréments animaux, avec une pointe douceâtre de sang et de produits détergents, planant tel un nuage au-dessus des parcs à bestiaux. Quelle drôle d'idée d'organiser une convention dans un endroit pareil.

L'odeur s'accroche à ses vêtements, alors qu'il s'est déjà changé. Elle persiste dans ses cheveux, sous ses ongles. S'il n'arrive pas à se débarrasser de cette odeur, il va devenir fou. Il lui faut une autre douche, tant pis pour son équipe, qu'ils pensent ce qu'ils veulent.

3

Pendant ce temps, au sous-sol, Faye Andresen fixe les ombres qui dansent sur le mur. Cette prison, a-t-elle compris, n'est pas la prison officielle de la ville, plutôt un enclos de fortune ménagé à la hâte dans une réserve de l'hôtel Conrad Hilton. Les cellules sont délimitées non pas par des barreaux mais par du grillage. Depuis sa dernière crise de panique, qui a duré une bonne partie de la nuit, elle est restée assise par terre sans bouger. On l'a photographiée, on lui a pris les empreintes digitales, puis on l'a traînée jusqu'à cette cellule et enfermée à clé, et dans le noir, elle a continué d'implorer, c'était une terrible erreur, et de sangloter à l'idée que sa famille découvre qu'elle avait été arrêtée (pour, oh mon Dieu, pour *prostitution*), tandis que la terreur se répandait dans son corps comme une onde de choc, la réduisant à l'état de boule de nerfs, recroquevillée dans un coin, à l'écoute de ses battements de cœur pour se persuader qu'elle n'était pas en train de mourir même si elle était convaincue d'en éprouver tous les symptômes.

Mais après la troisième, voire la quatrième crise,

un calme étrange s'est emparé d'elle, une résignation étrange, peut-être le signe de l'épuisement. Elle était si fatiguée. Son corps résonnait d'une nuit entière de spasmes, étreint par l'angoisse. Allongée sur le dos, elle songeait que peut-être elle ferait mieux de dormir maintenant, mais elle restait là à fixer la pénombre jusqu'à ce que les premières lueurs de l'aube se glissent dans la pièce à travers l'unique soupirail du sous-sol. C'est une lumière gris-bleu, maladive, comme la lumière du plus profond de l'hiver, éparse, effacée, opacifiée par plusieurs couches de verre dépoli. La fenêtre elle-même, elle ne la voit pas, mais elle voit sa lumière projetée sur le mur opposé. Et les ombres qui passent devant. Quelques personnes d'abord, puis plusieurs, une foule défilant dehors.

Après quoi la porte s'ouvre et ce flic qui l'a arrêtée la veille — un type massif, cheveux en brosse, toujours aussi dépourvu de badge, d'insigne ou de quoi que ce soit qui permettrait de l'identifier — fait son entrée. Faye se lève. Le flic l'interpelle : « Tu as deux options.

— Il s'agit d'une erreur, dit Faye. D'un énorme malentendu.

— Option numéro un : tu quittes Chicago immédiatement, poursuit le flic. Option numéro deux : tu restes à Chicago et tu seras jugée pour prostitution.

— Mais je n'ai rien *fait* du tout.

— De plus, tu es défoncée. Tu es, en ce moment même, en train d'abuser de drogues illégales. Ces pilules rouges que tu as prises. Comment tu crois que ton papa va réagir quand il apprendra que tu es une traînée et une camée ?

— Qui *êtes-vous* ? Qu'est-ce que je vous ai fait ?

— Si tu quittes Chicago, toute cette histoire disparaîtra comme par magie. Je m'efforce de t'expliquer les choses de la manière la plus simple possible. Pars, et il ne t'arrivera rien. Mais si jamais je te retrouve sur mon chemin à Chicago, je te promets que tu le regretteras jusqu'à la fin de tes jours. »

Il donne un coup dans la cage pour tester sa solidité. « Je te laisse le week-end pour y réfléchir, dit-il. On se voit après la manifestation. »

Il s'en va, referme la porte à clé derrière lui, Faye se rassied, se remet à fixer les ombres. Au-dessus de sa tête, le grand défilé a commencé, du moins c'est ce qu'elle déduit des formes qui bougent sur le mur d'en face. Des ombres élancées comme des ciseaux tenus lames vers le bas, qui ne peuvent être que des jambes, songe-t-elle. Le peuple en marche. La ville a dû revenir sur sa décision et leur délivrer une autorisation en fin de compte. Puis une ombre massive et vrombissante passe devant la fenêtre et l'obstrue complètement, sans doute un pick-up, plein d'étudiants juchés sur le plateau, qu'elle imagine agitant des drapeaux de la paix. Elle se réjouit pour eux, pour Sebastian et les autres, qu'ils aient pu avoir gain de cause, que la plus grande manifestation de l'année — de la *décennie* — puisse finalement avoir lieu.

4

En réalité, ce ne sont pas les ombres d'un défilé d'étudiants. Ce sont celles des camions de la Garde nationale bourrés de soldats armés de fusils à baïonnette. Il n'y a pas de défilé. La ville n'a pas fait marche arrière. Les ombres que Faye aperçoit sont celles des flics qui se déploient pour contenir la foule de plus en plus massive de l'autre côté de la rue. Au cas où certains d'entre eux auraient quand même l'intention de défiler, les camions de la Garde sont équipés de rouleaux de fil barbelé fixés à la calandre prêts à les accueillir s'ils s'avisaient de traverser la rue.

Ils se rassemblent dans Grant Park, ils sont des milliers et des milliers, parmi eux Allen Ginsberg est assis en tailleur sur l'herbe, les paumes tournées vers le ciel et l'univers. Autour de lui, les étudiants crient des slogans révolutionnaires. Ils vomissent leurs malédictions sur la police d'État américaine, le FBI, le président, les criminels bourgeois, mesquins, matérialistes, coincés et désincarnés, et leurs milliards de tonnes de bombes larguées sur des fermiers et des enfants. *Il est temps de descendre dans la rue*, lance l'un des jeunes gens dans son porte-voix. *Nous allons boucler tout Chicago ! On emmerde la police ! Et tous ceux qui ne sont pas avec nous sont des cochons de bourgeois blancs !*

Ginsberg tremble. Il n'a aucune envie de mener ces jeunes gens à la guerre, au malheur, au désespoir, aux coups de matraque, au sang et à la mort. Rien que d'y penser, il sent son ventre enserré de barbelés. Impossible de répondre à la violence par la violence — il n'y a qu'une machine pour penser que ça peut marcher. Ou un président. Ou une religion monothéiste vengeresse. Au lieu de cela, il imagine dix mille jeunes gens nus brandissant des messages de paix :

POLICE NE NOUS FAITES PAS DE MAL
NOUS AUSSI NOUS VOUS AIMONS

Ou bien, assis en tailleur, agitant des drapeaux blancs au-dessus de leurs couronnes de fleurs, récitant des poèmes à la gloire du créateur nirvanesque sacré. C'est l'autre réaction possible à la violence — la beauté — et c'est ce que Ginsberg a envie de leur dire en ce moment. De dire à ce jeune homme au porte-voix : *Tu es le poème dont tu as besoin !* Il voudrait les apaiser. *Le chemin devant vous est comme de l'eau.* Mais il sait que ce n'est pas suffisant, que ce n'est pas assez fort pour calmer les élans déchaînés de la jeunesse. Alors Ginsberg se caresse la barbe, ferme les yeux, se recueille, et offre la seule réponse qu'il connaisse, en un grondement profond venu du ventre, la grande Syllabe, le son sacré de l'univers, la sagesse parfaite, le seul bruit qui vaille dans un moment pareil : *Ommmmm.*

Il sent le souffle chaud et sacré dans sa bouche, le souffle musical qui s'élève de ses poumons, de sa gorge, de ses tripes, de son cœur, de son estomac, de son sang écarlate, de ses reins, de sa vésicule, de ses glandes, de ses longues jambes grêles sur lesquelles il repose, la Syllabe émane de son corps tout entier. Si l'on écoute attentivement, en silence, si l'on est parfaitement calme, le cœur battant au ralenti, on entend la Syllabe partout — dans les murs, dans la rue, dans les voitures, dans l'esprit, dans le soleil — et bientôt on ne psalmodie plus. Bientôt le son s'inscrit à même la peau et l'on se contente d'écouter le bruit éternel et naturel du corps : *Ommmmmm.*

Les enfants trop éduqués ont du mal à entendre la Syllabe. Car ils ont appris à utiliser leur cerveau pour réfléchir et non leur corps. Ils pensent avec leur tête et pas avec leur âme. La Syllabe est ce qu'il reste lorsqu'on s'extrait de son cerveau, lorsqu'on s'abstrait du Grand Soi. De temps à autre, Ginsberg les met deux par deux, place ses mains au-dessus de leurs têtes et dit « Vous êtes mariés » pour les obliger à penser à ce qui se produira ensuite, à la lune de miel ; car malgré tous leurs grands discours sur l'amour libre, ils ont désespérément besoin du corps de l'autre pour se libérer. Ils ont désespérément besoin de s'extraire de leurs cerveaux. Il a envie de leur crier : *Vos âmes sont prisonnières !* Il a envie de jeter leurs cerveaux hantés dans une dévotion béate. Mais ils sont là, à tenter de murmurer la Syllabe, sans y arriver un seul instant. Car ils la traitent comme un rat de laboratoire, un poème — ils la décortiquent, la dissèquent, l'expliquent, la dépècent. Ils pensent que la Syllabe est un rituel, un symbole de Dieu, ils se trompent. Lorsqu'on flotte dans l'océan, l'eau n'est pas un *symbole d'humidité*. L'eau est juste là, elle vous porte. Telle est la Syllabe, le hurlement profond de l'univers, comme l'eau, omniprésente, infinie, parfaite, la main de Dieu en un lieu élevé, exalté, éminent, le pinacle, le zénith, le nirvana.

Ommmmm, poursuit-il.

5

Et au-dessus de leurs têtes, un hélicoptère se dirige à présent à toute allure vers le nord où on signale un attroupement illégal et impromptu sur Lake Shore Drive : une horde de filles défilant, criant, le poing levé en l'air, marchant au milieu de la rue, tapant au passage sur les portières des voitures en exhortant les conducteurs à se joindre à elles dans leur procession vers le sud, ce qu'à l'unanimité ils refusent de faire.

Arrivé à leur niveau, l'hélico pointe sa caméra dans leur direction et les gens qui regardent ces images à la télévision — des gens comme le père de Faye et ses gros costauds d'oncles, rassemblés autour du poste dans un salon de leur petite ville de l'Iowa, au bord du Mississippi, à trois cents kilomètres de Chicago et pourtant en contact direct via la télévision —, ces gens disent : *Que des filles ?*

Eh bien, oui, en effet, ce groupe de contestataires étudiants est exclusivement féminin. Du moins peut-on le supposer. Plusieurs d'entre elles cachent leurs visages derrière des mouchoirs, donc on ne peut pas être sûr. D'autres ont ces coupes de cheveux qui font dire aux oncles : *Celle-là, elle a l'air d'un homme.* Ils sont devant le poste le plus performant de la famille — un trente-trois pouces couleur de la marque Zenith gros comme un roc et qui s'allume en émettant un grand bruit —, ils veulent absolument que tous leurs amis et leurs femmes voient ce qu'ils voient en ce moment. Entendent ce qu'ils entendent. Parce que ces filles crient quelque chose. Elles crient des conneries : « Hô ! Hô ! Hô Chi Minh ! », en brandissant le poing sur chaque syllabe, sans prêter la moindre attention aux voitures qui les klaxonnent, à la circulation qu'elles entravent, plantées devant les voitures, les défiant de les dégommer comme des quilles au bowling, ce que les oncles aimeraient bien les voir faire d'ailleurs. Les voitures. Dégommer les filles.

Puis ils se reprennent et se tournent vers Frank, piteux, *Je suis sûr que Faye n'est pas là-dedans,* Frank hoche la tête et le silence tombe sur l'assemblée mal à l'aise, jusqu'à ce que l'un des oncles le brise en s'exclamant : *Vous avez vu ce qu'elle a sur le dos, celle-là ?*, et tout le monde acquiesce, avec force mimiques dégoûtées, parce que même si les oncles ne pensent pas que toutes les femmes devraient s'habiller comme des petites filles modèles, quand même… Ces filles-là donneraient à celles qui manifestaient contre Miss America des airs de Miss America justement. Tiens, par exemple, cette fille en tête de cortège, que la caméra filme en permanence parce qu'elle est en première ligne et qu'elle semble guider le mouvement général, eh bien voilà ce qu'elle porte : une veste militaire qui pour commencer est tellement grande que c'est une hérésie patriotique et par ailleurs pas du tout faite pour bien tomber sur une femme. Cette fille savait très bien qu'elle passerait à la télévision et c'est sous ce jour qu'elle a voulu se présenter ? Dans une veste d'homme ? Ce qui suggère aux oncles leur dernière remarque, que cette fille a probablement *envie* d'être un homme secrètement, au fond d'elle-même. Et là-dessus, songent-ils, pas de problème, mais alors qu'on traite cette salope comme un homme et qu'on l'envoie se battre au Vietnam, qu'elle aille rouler sa bosse dans la jungle, débusquer les pièges, les mines et les snipers, et après on verra si elle aime toujours autant Hô Chi Minh.

Je te parie qu'elle a pas pris de douche depuis des jours, dit l'un des oncles. Combien ? Ils se mettent d'accord sur six.

Les informations identifient cette fille sous le nom d'Alice, une féministe renommée sur le campus, sur quoi les oncles soupirent, reniflent, et l'un d'entre eux lâche : *Tout s'explique*, et ils acquiescent tous, sachant très bien ce qu'il veut dire par là.

6

Le bar du Conrad Hilton s'appelle le Haymarket, ce qui semble historiquement sensé pour au moins l'un des deux agents des Services secrets assis au comptoir à siroter sa boisson sans alcool.

« Tu sais, l'émeute de Haymarket Square, dit l'agent A, mais si, le massacre de Haymarket Square ? Ça ne te dit rien ? »

À quoi l'agent B, dont le menton plane au-dessus de son eau gazeuse qu'il aimerait bien voir additionnée de bourbon, fait signe que non. « Non, dit-il. Rien du tout.

— Ça s'est passé à Chicago, en 1880 et quelque ? Une grève de travailleurs à Haymarket Square ? C'est un événement historique.

— Je croyais que Haymarket Square était à Boston.

— Il y en a un ici aussi. Au nord-est, à deux pas.

— Et c'était pour quoi, leur grève ? demande B.

— La journée de huit heures.

— Bon Dieu, en ce moment, j'aimerais bien en avoir une. »

A secoue son verre, et le barman le lui remplit. Sa boisson préférée en dehors du service, c'est ce cocktail à base de sirop, jus de citron et eau de rose. Dans la plupart des endroits, on ne trouve pas toujours d'eau de rose, mais le Haymarket Bar s'avère en avoir un stock important.

« Ce qui s'est passé, raconte A, c'est que pendant la manifestation, pendant que les travailleurs défilaient, la police a surgi et les a attaqués, et puis une bombe a explosé.

— Il y a eu des victimes ?

— Beaucoup.

— Et le coupable ?

— Inconnu.

— Et tu me racontes ça maintenant parce que ?

— Parce que tu ne vois pas la coïncidence ? Que nous nous trouvions justement dans le Haymarket Bar ? Maintenant ?

— Au cœur de l'émeute, dit B en pointant son pouce dans son dos, vers les milliers de manifestants rassemblés derrière les panneaux en verre.

— C'est exactement ce que je veux dire.

— C'est un sacré remue-ménage là-dehors. »

L'agent A jette un regard de côté à son partenaire. « Un vrai tohu-bohu, n'est-ce pas ?

— Ouaip. Tout est sens dessus dessous.

— Un vrai jeu de chamboule-tout.

— Affirmatif, carrément le branle-bas de combat.

— Un pêle-mêle.

— Un méli-mélo.

— Un sacré ramdam. »

Ils se regardent en souriant, étouffent un rire, trinquent. Ils pourraient continuer ainsi toute la journée. Dehors, la foule s'agite, bouillonnante.

7

À un endroit de la foule, il y a une espèce de trou ovale où des dizaines de gens sont assis en tailleur. Ils regardent Allen Ginsberg, se joignent à son *Ommmm*, l'imitent quand il hoche la tête, frappe des mains, tourne la tête vers le ciel comme s'il recevait des messages divins. Ses incantations ont un effet anxiolytique sur la foule angoissée et terrifiée. Il y a là une monotonie, une résolution, une intention, l'équivalent verbal de l'étreinte d'une infirmière attentionnée. Ceux qui se joignent à son *Ommmm* appréhendent le monde plus sereinement. Prononcer la Syllabe sacrée les entoure d'une armure. Personne n'ira jamais frapper quelqu'un qui est assis par terre en train de chanter *Ommmm*. Personne n'ira jamais les gazer, *pas eux*.

Dans Grant Park, ce calme, cette paix se sont propagés jusqu'à ceux qui hurlaient sur les flics, arrachaient des bouts de trottoir à balancer dans la vitrine de l'hôtel Conrad Hilton en un spasme de rage déchaînée, trahissant *leur colère monstrueuse*, et ils se retournent lorsqu'on leur met la main sur l'épaule, ils voient un regard apaisant et doux, lui-même tranquillisé par un autre derrière lui, et ainsi de suite, chacun son tour, dans une longue chaîne remontant jusqu'à Ginsberg, qui insuffle à tous la puissance de son chant.

Il a suffisamment de paix en lui pour eux tous.

Son chant se déverse en eux, déverse sa beauté, qui devient la leur, qui devient leur *être*. Ils font corps avec le chant. Ils font corps avec Ginsberg. Ils font corps avec les flics, avec les politiciens. Avec les snipers sur les toits, les agents des Services secrets, le maire, les journalistes et tous les ravis de la crèche hochant la tête au rythme d'une musique qu'ils ne peuvent pas entendre dans le Haymarket Bar : ils ne sont plus qu'un seul et même corps. Traversé par la même lumière.

Ainsi donc le calme se répand sur la foule en cercles concentriques à partir du poète, comme des ondulations sur un lac, comme ce haïku de Bashō qu'il aime tant : « Paix du vieil étang. Une grenouille plonge. Bruit de l'eau. »

Des ronds dans l'eau.

8

Les filles continuent à marcher vers le sud. Blanches, Noires, métisses. On les voit en gros plan. Elles scandent, crient. D'après les oncles, il y a trois types de filles : les chevalines, les porcines, et les petits oiseaux aux yeux globuleux. Cette fille, à l'avant, cette Alice, il y a du cheval en elle, d'après eux. (Ah ah ah, *un cheval en elle*, ah ah ah.) Surtout du cheval, mais un peu d'oiseau aussi. Du moins ce qu'ils voient de son visage, ce qui ne disparaît pas sous ses lunettes de soleil ou ses cheveux en bataille. Deux tiers de cheval, un tiers d'oiseau, c'est là qu'elle se situe d'après eux.

Sauf qu'elle est armée, ce qui la place dans une tout autre catégorie. Un visage de fille est complètement métamorphosé dès lors qu'on y ajoute de la violence.

En fait, presque toutes les filles dans cette foule sont armées : de planches, certaines hérissées de clous menaçants à leur extrémité, de cailloux, de pavés, de barres de fer, de briques, de sacs au contenu mystérieux mais à leur avis ils renferment de la merde, de la pisse, du sang de menstrues. *Dégoûtant.* À la télé, on raconte que des rumeurs circulent selon lesquelles des militants auraient acheté d'énormes quantités de nettoyant pour four et d'ammoniaque, ce qui fait penser à la fabrication de bombe artisanale, même si les oncles ne sont pas absolument certains de leurs notions de chimie. Mais s'il y a quelqu'un qui se promène avec des explosifs à base de nettoyant pour four ménager, c'est forcément l'une de ces filles, car, bien entendu, les filles ont l'habitude de nettoyer les fours.

CBS a débranché le vieux Cronkite quelques instants, le reportage diffuse ces images en direct, telles quelles. Et même si la plupart des gens mettent CBS pour écouter le vieux Cronkite donner son avis, pas les oncles. C'est une bonne idée de faire une pause avec Cronkite, d'après eux. Le gars s'est un peu ramolli ces derniers temps, un peu laissé aller vers la gauche aussi, il a viré arrogant, délivrant ces sermons solennels du sommet du mont Journalisme. Autant avoir l'information à la source, sans filtre.

En l'occurrence : des filles marchant vers le sud au milieu de la route. De l'action. De l'information brute. En particulier en ce moment, alors qu'une voiture de police arrive devant la foule et qu'au lieu de se disperser les filles attaquent la voiture de police ! Explosent la sirène à coups de batte de base-ball ! Cassent les vitres avec des cailloux ! Et le pauvre flic saute hors de la voiture, regardez comme il se carapate ! Elles ont beau n'être que des filles, elles sont une centaine et elles sont déchaînées. Après quoi les filles montent sur la voiture, on dirait une armée de fourmis cernant une coccinelle, prêtes à la dévorer. Et leur meneuse à la tête de cheval lance *On la retourne !* et elles renversent la voiture ! C'est le truc le plus fou que les oncles aient jamais vu ! Les filles s'applaudissent, s'acclament, puis elles se remettent en route en scandant leurs slogans tandis que la sirène continue de hurler, mais c'est plus une complainte maintenant, un gémissement étouffé et pitoyable. On dirait un jouet électronique dont les piles seraient presque mortes.

Et voilà que des filles gueulent après le flic : « Par ici, poulet ! Cot cot ! » Les oncles n'ont rien vu de mieux à la télévision depuis au moins un mois.

9

La convention n'a pas lieu à l'hôtel Conrad Hilton. La Convention démocrate se tiendra dans l'Amphithéâtre International, sur le site des abattoirs, à quelque huit kilomètres au sud. Mais l'amphithéâtre est complètement inaccessible : une clôture de barbelés le protège, la Garde nationale patrouille dans les alentours, les bouches d'égout ont été scellées, il y a des barrages à toutes les intersections, même les avions ont interdiction de le survoler. Une fois les délégués à l'intérieur de l'amphithéâtre, ils seront impossibles à joindre. D'où la manifestation du Hilton, où tous les délégués sont logés.

Et puis il y a le problème de l'odeur.

Hubert Humphrey est incapable de penser à autre chose. Son équipe est en train de lui expliquer le déroulement du débat sur la paix, mais chaque fois qu'il tourne la tête, il a l'impression d'être de nouveau assailli par l'odeur.

Qui a eu l'idée saugrenue d'organiser une convention à côté d'un abattoir ?

Il sent leur présence, leur odeur, il les entend, ces pauvres animaux entassés et mourant à la chaîne pour nourrir une nation prospère. Amenés là comme des troupeaux d'enfants, repartant dans les mêmes camions, en morceaux. Il reconnaît l'odeur des porcs apeurés, des porcs suspendus à des crocs de boucher, éventrés, leurs entrailles cascadant dans le sang et les glaires. L'odeur de l'ammoniaque pure déversée sur les sols souillés. Ces créatures lâchant leur ultime cri face à la mort, libérant une puanteur de glandes, une terreur à la fois sonore et olfactive. L'haleine chimique d'un million de cris animaux avortés, dilués et diffus dans l'atmosphère, dans des vapeurs de viande amères.

Les effluves de l'abattage sont à la fois écœurants et fascinants. Dénotant la manière dont un corps est connecté à la mort des corps qui l'entourent.

Un tas d'excréments cuisant au soleil, disposé façon tipi dans un accès de copromanie et s'élevant au-dessus des clôtures en barbelés, à près de cinq mètres de hauteur. Tel un diable ancestral surgissant du pléistocène. Une bouillie de chair collant aux vêtements, aux cheveux, contaminant l'air.

« C'est quoi cette abomination ? » a demandé Triple H en désignant la montagne d'immondices. Ses gardes du corps ont éclaté de rire. C'étaient des fils de fermiers, il était fils de pharmacien. Il ne croisait jamais ce genre de déchets organiques avant qu'ils n'aient été transformés et anéantis. Il avait envie de fourrer son nez sous son aisselle. L'odeur était plus pesante que suffocante. On aurait dit la personnification de la morale putréfiée du monde, ici, à Chicago.

« Que quelqu'un craque une allumette ! » a lancé l'un des agents.

L'odeur lui colle encore à la peau. La femme de chambre vient l'informer que la salle de bains est prête. Merci mon Dieu. Il en est arrivé au point où la douche est davantage un analgésique qu'autre chose.

10

Faye est en prison depuis à peu près neuf heures quand le fantôme fait son apparition.

Elle est à genoux, les mains jointes, face au mur opposé où les ombres s'agitent, elle implore Dieu de l'aider. Elle dit qu'elle fera n'importe quoi, n'importe quoi. Je vous en prie, dit-elle, en se balançant d'avant en arrière, je ferai tout ce que vous voudrez. Elle continue jusqu'au moment où elle se sent chanceler, prise de vertiges, alors elle supplie son corps de lui accorder le sommeil, mais une fois les yeux fermés, elle a l'impression d'être une longue corde de guitare, tremblante et furieuse. Et c'est là, dans cet entre-deux, trop épuisée pour rester éveillée, trop agitée pour s'endormir, que le fantôme lui apparaît. Elle ouvre les yeux et sent une présence, elle regarde autour d'elle et voit, sur le mur opposé, illuminée par la morne lumière bleutée de la fenêtre, cette *créature*.

On dirait un gnome. Ou bien un petit troll. En fait, il ressemble trait pour trait à la figurine de l'esprit domestique que son père lui a donnée toutes ces années auparavant. Le *nisse*. Petit, rond, un mètre de haut peut-être, cheveux longs, barbe blanche, gros, une tête d'homme des cavernes. Appuyé contre le mur, il a les bras et les jambes croisés, les sourcils levés, il observe Faye, perplexe, comme si c'était lui qui doutait de son existence et pas elle.

Elle aurait sans doute paniqué en le voyant si son corps n'était pas si éreinté.

Je suis en train de rêver, dit-elle.

Alors réveille-toi, dit l'esprit domestique.

Elle essaie de se réveiller. Elle sait que ce qui l'arrache à ses rêves la plupart du temps, c'est de comprendre qu'elle est en train de rêver, ce qui a toujours été une source de frustration ; c'est mieux, pense-t-elle, de savoir qu'on est en train de rêver. Parce que alors on est libre d'agir sans se soucier des conséquences. C'est le seul moment de sa vie où elle n'est pas inquiète.

Eh bien ? dit le fantôme.

Tu n'es pas réel, dit-elle, même si elle est bien obligée d'admettre que tout cela ne ressemble pas à un rêve.

L'esprit domestique hausse les épaules.

Tu passes toute la nuit à prier pour qu'on vienne t'aider, et quand je viens t'aider, tu m'insultes. C'est tout toi, ça, Faye.

J'ai des hallucinations, dit Faye. À cause des pilules.

Écoute, si tu ne veux pas de moi ici, si tu crois maîtriser la situation, tant mieux pour toi. Il y a plein de gens là-dehors qui apprécieraient mon aide. Il pointe son doigt potelé vers la fenêtre, le monde extérieur. *Écoute-les*, dit-il, et à ce moment-là la pièce en sous-sol explose sous le vacarme, les voix qui s'entrechoquent, discordantes, les appels à l'aide, implorant qu'on les protège, des voix jeunes, vieilles, d'hommes, de femmes, comme si tout à coup la pièce était devenue une antenne radio captant toutes les fréquences à la fois. Faye entend les étudiants demander qu'on les protège des flics, les flics demander qu'on les protège des étudiants, les prêtres demander la paix, les candidats à la présidentielle demander de la force, les snipers espérer qu'on ne les oblige pas à tirer, les membres de la Garde nationale lorgner leurs baïonnettes en cherchant du courage, partout des gens prêts à tout donner pour être en sécurité : promettant d'aller plus souvent à l'église, d'être meilleurs, d'appeler leurs parents ou leurs enfants bientôt, d'écrire plus souvent, de faire des dons à des bonnes œuvres, d'être aimables avec les inconnus, de mettre fin à toutes leurs mauvaises actions, quelles qu'elles soient, d'arrêter de fumer, d'arrêter de boire, d'être un meilleur mari, une meilleure épouse, toute une symphonie de bonnes résolutions auxquelles ils sacrifieront s'ils réchappent de ce jour affreux.

Puis, en un éclair, les voix s'éteignent, et le silence retombe sur le sous-sol dans un dernier son, la vibration d'une voix, une incantation : *Ommmm*.

Faye est debout, elle regarde l'esprit domestique, qui examine ses ongles d'un air innocent.

Tu sais qui je suis ? demande-t-il.

Tu es l'esprit domestique de ma famille. Notre *nisse.*

C'est l'un des mots qui me définissent.

Il y en a d'autres ?

Il la regarde de ses yeux noirs et inquiétants. *Toutes ces histoires que ton père t'a racontées sur les fantômes qui apparaissent sous forme de cailloux, de chevaux, de feuilles ? Tout ça, c'est moi. Je suis le nisse, je suis le nix, sans parler de plusieurs autres esprits, créatures, démons, anges, trolls, etc.*

Je ne comprends pas.

Non, bien sûr, dit-il, et il bâille. *Vous autres, vous n'avez pas encore compris. Ce n'est pas dans vos cordes.*

11

Les filles sont passées de « Hô ! Hô ! Hô Chi Minh ! » à « Mort aux flics ! Mort aux flics ! » et les oncles sont littéralement collés au poste car les filles ont l'air tellement galvanisées par leur triomphe sur la voiture de police, apparemment elles se sentent indestructibles, elles vont jusqu'à narguer tous les flics qu'elles croisent en leur lançant des « Salut, poulet ! », des « cot cot cot » et autres délicatesses. Et la raison pour laquelle il est absolument hors de question de changer de chaîne, la raison pour laquelle les oncles s'excitent en criant *Avance, chérie, tu vas voir,* la raison pour laquelle ils ont envie d'appeler tous leurs copains pour être bien sûrs que personne ne manque la suite, c'est parce que la police et la Garde nationale *sont postées à deux rues de là, à attendre ces salopes*. C'est un piège. Elles se sont regroupées à l'ouest de leur trajectoire et les guettent pour les encercler, leur rentrer dedans, fendre la masse (ah ah ah), ce dont les filles ne se doutent absolument pas.

Les oncles le savent, eux, grâce à la caméra de l'hélicoptère.

Et ils embrasseraient la caméra de l'hélico comme leur propre mère le jour de son anniversaire, tellement ils lui sont reconnaissants. Ils voudraient qu'il existe un moyen d'enregistrer pour toujours ce qui est sur le point de se produire, pour se le repasser en boucle, le capturer, l'enfermer dans une capsule temporelle, le balancer sur un satellite dans l'espace pour que les Martiens ou je ne sais quels extraterrestres puissent profiter du spectacle. Et la première chose que diraient les Martiens en atterrissant sur le toit de la Maison Blanche à bord de leurs soucoupes volantes, ce serait quoi ? *Ces filles, là, elles ont eu que ce qu'elles méritaient.*

Une bonne centaine de flics en tenue antiémeute attendent les filles, derrière eux, un peloton de la Garde nationale avec des masques à gaz et des fusils à baïonnette, et encore derrière, un engin en métal monstrueux hérissé de buses, une sorte de surfaceuse du futur dont les gars de la télé expliquent qu'il est destiné à envoyer du gaz. Lacrymogène. Plus de dix mille litres.

Ils attendent derrière un immeuble, ils les laissent venir, et les oncles sont nerveux, c'est presque comme s'ils y étaient, avec les flics, et ils se disent — même s'ils sont à des centaines de kilomètres de là confortablement assis sur un canapé face à une boîte électronique pendant que leur repas refroidit — que c'est probablement le truc le plus génial qui leur soit jamais arrivé.

Car c'est l'avenir de la télévision qui se joue sous leurs yeux : une pure sensation de combat. Le vieux Cronkite fait de la télévision comme on fait du journalisme papier, avec toutes les limites qui vont avec.

La caméra de l'hélico, elle, donne une nouvelle perspective.

Plus rapide, plus immédiate, plus riche, plus ambiguë — pas de filtre entre l'événement et la perception de l'événement. L'information et l'opinion des oncles face à l'information, lissées dans la même temporalité.

Mais voilà que la police avance. Matraques en avant, visières baissées, ils courent, ils *sprintent*, et lorsque les filles comprennent ce qui est en train de se passer, leur grand défilé se disperse tel un rocher explosé par une balle dont les éclats volent en tous sens. Certaines, qui font marche arrière, tombent nez à nez avec un fourgon et un escadron de flics qui avaient anticipé la manœuvre. D'autres sautent la barrière de sécurité et foncent vers le lac. Pour la plupart des filles, la foule est si dense qu'elles ne peuvent même pas courir dans un sens ou un autre. Elles trébuchent donc les unes sur les autres, tombent, on dirait une portée de chiots aveugles. Et puis il y a celles qui sont devant et qui prennent les premiers coups de matraque, dans les jambes, dans les cuisses, dans le dos. Les flics fauchent ces salopes comme s'ils tondaient des herbes hautes — un coup rapide, et les filles plient et chutent. D'en haut, on dirait une page de manuel de biologie au lycée, une illustration représentant le système immunitaire éliminant un corps étranger, l'encerclant et le neutralisant sous un afflux de sang. Les flics se déversent sur la foule, se mélangent à elle. Les oncles voient bouger les bouches des filles, ils voudraient pouvoir entendre leurs cris par-dessus le bruit des hélices. Les flics les traînent par les bras jusqu'au fourgon, par les cheveux aussi, par les vêtements, ce qui émoustille un moment les oncles qui se disent que peut-être ils vont avoir droit à un bout de peau sous les frusques hippies. Certaines de ces filles ont la tête ensanglantée. D'autres sont juste étourdies, assises à même le bitume, en larmes, ou évanouies sur le trottoir.

La caméra cherche cette fille dans la foule, Alice, mais elle a filé vers le sud, vers Grant Park, pour rejoindre les autres hippies, au Conrad Hilton vraisemblablement. Quel dommage. Ç'aurait été amusant à voir. Les membres de la Garde nationale n'ont même pas eu besoin d'intervenir. Ils se contentent d'observer, fusils armés, regards impassibles. La machine à gaz géante a pris la direction du sud, tranquillement, vers les grappes de gens rassemblés dans le parc. La plupart des filles se sont dispersées maintenant. Certaines courent encore sur la rive du lac, détalent comme des lapins devant les familles et les maîtres-nageurs éberlués. Quant à la caméra de l'hélico, elle se dirige maintenant vers le sud pour suivre les événements au parc, et c'est le moment que choisit CBS pour rebasculer sur le vieux Cronkite, qui a l'air tout secoué et pâle. Manifestement, il a regardé les mêmes images que les oncles, mais en a tiré une tout autre conclusion.

« La police de Chicago, dit-il, ce n'est qu'une bande de voyous. »

Les violons maintenant ! Si c'est pas du parti pris,

ça ? L'un des oncles bondit de sa chaise et empoigne son téléphone pour appeler le standard de CBS, sans même se soucier de ce que l'appel longue distance va lui coûter parce qu'il est prêt à payer cher pour dire au vieux Cronkite où il peut se le mettre, son avis.

12

L'agent Charlie Brown arpente la foule sans badge, anonyme, en quête d'Alice, elle est forcément là, il le sait, dans cette marche des filles, il joue de la matraque, et il a l'impression, en ce moment même, alors qu'il touche un autre front hippie, d'être Ernie Banks[1].

Ernie Banks, juste après un home run, dans ce court laps de temps avant que le public se mette à l'encourager, avant qu'il fonce d'une base à l'autre, avant même qu'il quitte son poste de batteur, avant que quiconque puisse localiser la balle dans les airs, évaluer sa trajectoire et comprendre qu'elle est bonne, il doit y avoir ce moment où la seule personne dans tout le stade qui sait que c'est un home run, c'est Ernie Banks lui-même. Avant même qu'il lève les yeux vers la balle, il doit y avoir un moment où, les yeux toujours fixés sur l'endroit d'où la balle est partie une fraction de seconde plus tôt, la seule information qu'il a c'est celle qui se transmet de sa batte à ses mains, une percussion, *une vibration*

1. Ernie Banks est un joueur de base-ball légendaire de l'équipe de Chicago.

positive. Comme si la balle ne lui avait opposé aucune résistance, il l'a frappée en son centre exact avec le milieu exact de la batte. Et il y a cet instant où il détient ce secret qu'il meurt d'envie de dévoiler à tout le monde. Il vient de faire un home run ! Mais personne ne le sait encore.

C'est à cela que songe Brown tout en distribuant des coups de matraque sur la tête des hippies qu'il croise. Il fait semblant d'être Ernie Banks.

Parce que ce n'est pas facile de frapper juste et ferme chaque fois. C'est un vrai tour de force athlétique, un défi de coordination. Brown évalue à un sur quatre ses coups gagnants, ceux où la matraque vibre douloureusement. Les hippies filent dans tous les sens. Pas le genre à faire front. Elles sont imprévisibles. Essaient de se protéger derrière leurs bras, leurs mains. Se faufilent au dernier moment. De vraies anguilles.

Un sur quatre, suppose Brown. Vingt-cinq pour cent. Pas aussi bien qu'Ernie mais respectable quand même.

Mais parfois le coup est parfait. Il parvient à anticiper les mouvements de la hippie au millimètre près : la sensation de la matraque dans sa main, le son moelleux de la tête de la hippie, ce bruit de pastèque ouverte en deux, et ce moment où la hippie ne sait plus où elle est, ce qui lui arrive, n'a *aucune idée de ce qui vient de la frapper* tandis que son cerveau est ballotté là-haut, et qu'elle se met à vaciller tel un arbre déraciné, trébuche, vomit et s'évanouit, et Brown sait que c'est ce qui va se passer bientôt, ce n'est pas encore là mais il sait que ça vient, et il voudrait pouvoir vivre à l'intérieur de ce moment pour toujours. Il voudrait capturer ce moment sur une carte postale, dans une boule à neige : la hippie au bord de la chute, le flic triomphant au-dessus d'elle, la matraque continuant sur sa lancée dans un arc parfait, avec cette expression sur son visage comme celle d'Ernie Banks après un énième coup de batte gagnant : le sentiment enivrant et gratifiant du travail bien fait.

13

Faye est exténuée. Elle n'a pas dormi depuis vingt-quatre heures. Appuyée contre le mur, dos à la pièce, elle essaie de rester calme, et l'effort que cela lui demande est à pleurer.

Aide-moi, implore-t-elle.

L'esprit domestique est assis par terre à l'extérieur de sa cage métallique. Il se cure les dents avec un ongle.

Je pourrais t'aider, dit-il. *Je pourrais balayer tout cela d'un coup. Si je voulais.*

Je t'en prie, dit Faye.

D'accord. Je t'écoute. Qu'est-ce que tu me proposes en échange ? Fais-moi plaisir.

Alors Faye promet d'être une meilleure personne, d'aider les nécessiteux, d'aller à l'église, mais l'esprit domestique se contente de sourire.

Qu'est-ce que j'en ai à faire des nécessiteux ? Qu'est-ce que j'en ai à faire de l'église ?

Je donnerai de l'argent à des bonnes œuvres, dit Faye. Je ferai du bénévolat et je donnerai de l'argent aux pauvres.

Pfff, crache l'esprit domestique, la bave aux lèvres. *Va falloir que tu trouves mieux que ça. Va falloir que tu mettes tes tripes sur la table.*

Je rentrerai à la maison, dit Faye. J'irai à la fac locale pendant deux ans et ensuite, quand tout sera fini ici, je reviendrai à Chicago.

Deux ans à la fac locale ? C'est ça que tu me proposes ? Sérieusement ? Faye, ça me paraît une punition ridicule par rapport à la façon dont tu t'es comportée.

Mais qu'est-ce que j'ai fait ?

Ce n'est pas la question. Mais si tu veux savoir ? Tu as désobéi à tes parents. Tu as été orgueilleuse. Tu as convoité. Tu as eu des pensées impures. Et tu avais prévu d'avoir des relations hors mariage hier soir, n'est-ce pas ?

La tête de Faye tombe, elle confirme, inutile de mentir.

Oui, la réponse est oui. Et en plus tu es défoncée. En ce moment même tu es défoncée. Et tu as partagé le lit d'une femme. Je continue ? Tu veux en entendre davantage ? Est-ce que j'ai besoin de parler de ce qui s'est passé au bord du Mississippi avec Henry ?

J'abandonne, dit-elle.

L'esprit domestique se frotte le menton d'une main potelée.

Il vaut mieux que j'oublie tout ça, dit-elle. Que je rentre à la maison et que j'épouse Henry.

L'esprit domestique hausse un sourcil. *Continue.*

J'épouserai Henry, je ferai de lui un homme heureux, j'abandonnerai l'idée d'aller à la fac, et nous serons des gens normaux, suivant la volonté de tous.

Le fantôme sourit, d'un sourire édenté et déchiqueté, d'une bouche pleine de cailloux.

Continue, dit-il.

14

Le vieux Cronkite interviewe à présent le maire, le dictateur joufflu et fanfaron de Chicago. Cronkite l'interroge en direct, mais son esprit est ailleurs. Il lui prête à peine attention. Peu importe. Le maire est un professionnel. Il n'a pas besoin des questions d'un journaliste pour dire ce qu'il a envie de dire, et là tout de suite, il dénonce les menaces terribles subies par la police et adressées à toute la population des Américains ordinaires et *aux fondements de notre démocratie* par ces agitateurs venus d'ailleurs, ces extrémistes étrangers venus semer le trouble dans sa ville respectueuse des lois. Il insiste lourdement sur l'aspect « étrangers » de l'affaire. Sans doute pour signifier à ses électeurs que les problèmes actuels de la ville n'ont rien à voir avec eux.

Et de toute façon, même si le vieux Cronkite faisait un réel effort de concentration et posait des questions complexes, difficiles, le maire se contenterait de manœuvrer comme le politicien qu'il est pour répondre non pas à la question posée mais à celle qu'il aurait voulu qu'on lui pose. Et si le journaliste insistait pour obtenir sa réponse, c'est lui qui aurait l'air d'un abruti. Du moins est-ce ainsi que les choses se passent à la télé. Il semble harceler un homme charismatique qui pourtant s'est exprimé sur le sujet puisque l'essentiel de ce qu'il a dit est *lié* au sujet. C'est l'impression qu'ont les spectateurs, dont l'attention se porte à la fois sur Cronkite, les enfants qui courent dans la pièce et le steak qu'ils découpent devant leur télévision. S'il continue d'importuner le politicien, il aura l'air d'un importun, et l'Amérique ne regarde pas la télévision pour voir des importuns. L'idée fait froid dans le dos, quand on y pense, que les politiciens aient appris à manipuler ce medium mieux que les professionnels de ce medium eux-mêmes. La première fois que le vieux Cronkite s'en est rendu compte, il s'est surpris à imaginer le genre de personnes qui deviendraient des politiciens dans le futur. Et en a frissonné d'effroi.

Il interroge donc le maire, mais il sait que son boulot consiste juste à lui coller le micro sous le menton afin que CBS News ait l'air objectif en offrant plusieurs points de vue sur les événements, plusieurs commentaires sur les images de violence policière qu'ils diffusent depuis des heures maintenant. Il ne l'écoute pas vraiment, donc. Sans doute qu'il se contente de l'observer. D'observer la manière dont il tient sa tête en arrière, comme s'il fuyait une mauvaise odeur, faisant ressortir cette partie de son cou qu'on appelle barbillon chez le coq, qui tremblote quand il parle. Et qu'il est impossible de ne pas regarder.

Une partie de l'esprit du vieux Cronkite est fixée là-dessus, sur la face de gelée frétillante du maire. Mais il pense surtout à autre chose : il pense qu'il vole. Il imagine qu'il est un oiseau. Planant au-dessus de la ville. Si haut que tout est sombre et calme. Ce songe occupe pas loin des trois quarts de l'esprit de Walter Cronkite. Il est un oiseau. Il est un oiseau agile aux ailes déployées.

15

Dans sa cellule obscure au sous-sol, Faye serre les dents, elle sent venir une nouvelle crise de panique. L'esprit domestique est là, qui souffle sur elle son haleine chaude, cramponné au grillage, le visage écrasé contre le métal, ses yeux noirs exorbités, dictant sa volonté et ses exigences : vengeance et châtiment.

Châtiment de quoi ?

Elle voudrait que sa mère soit là pour lui passer un linge mouillé sur le front en lui disant qu'elle n'est pas en train de mourir et en la serrant dans ses bras jusqu'à ce qu'elle s'endorme, et Faye se réveillerait le lendemain matin emmitouflée dans une couverture, bien au chaud, avec sa mère à côté d'elle qui se serait endormie en la veillant.

Faye aurait bien besoin de cette tendresse en ce moment.

Certes, mais où était ton père quand tu avais besoin de lui ? dit le fantôme. *Où est-il à présent ?*

Faye ne comprend pas.

Ton père est un homme terrible, un homme mauvais. Il faut que tu le saches.

Je suppose, oui, puisqu'il m'a chassée de la maison.

Oh, alors on en revient toujours à toi, hein ? Bon sang, Faye. Tu ne serais pas un peu égoïste ?

Bien, mais alors pourquoi est-il mauvais ? Parce qu'il travaille à la ChemStar ?

Allez. Tu sais très bien de quoi je parle.

L'impression générale de Faye sur son père, c'est celle d'un silence de mort. D'un regard parfois perdu au loin. D'un homme refermé sur lui-même. Avec toujours une légère mélancolie, à part quand il lui racontait des histoires du pays, de la ferme de sa famille, le seul sujet qui semblait le réjouir.

Faye dit : Il a fait quelque chose dans son pays, c'est ça ? Avant de partir ?

Bingo, dit le fantôme. *Et maintenant il en subit les conséquences, et toi aussi. Et ta famille continuera d'en payer le prix, jusqu'à la troisième et la quatrième génération. C'est ainsi.*

Ce n'est pas très juste.

Ah ! La justice ! Qu'est-ce que la justice ? La marche du monde et ton sens de la justice sont deux choses très différentes.

C'est un homme malheureux, dit Faye. Quoi qu'il ait fait, il le regrette.

Et c'est ma faute si tout le monde ou presque sur terre paie pour les péchés commis une ou deux générations avant eux ? Non. La réponse est non. Ce n'est pas ma faute.

Faye s'était souvent demandé quelles images défilaient sous les yeux de son père lorsque son regard se perdait ainsi au loin, quand, debout au fond du jardin, il passait toute une heure à regarder le ciel. Il était toujours si vague sur sa vie d'avant l'Amérique, c'était exaspérant. Tout ce dont il parlait, c'était de cette maison, de cette belle maison rouge saumon à Hammerfest. Tout autre détail était banni.

Alice m'a dit quelque chose, dit Faye. Elle m'a dit que le seul moyen de se débarrasser d'un fantôme c'est de le ramener chez lui.

L'esprit domestique croise les bras. *C'est l'idée du siècle. Je voudrais bien voir ça.*

Peut-être devrais-je aller en Norvège. Pour te ramener là d'où tu viens.

Essaie un peu pour voir. Vas-y, essaie ! Je m'en régale à l'avance. Vas-y. Va à Hammerfest poser des questions sur Frank Andresen, qu'on rigole. Tu verras, tu vas adorer.

Pourquoi ? Qu'est-ce que je découvrirai ?

Mieux vaut que tu l'ignores.

Dis-moi.

Tout ce que je dis, c'est qu'il y a certains mystères qui sont faits pour rester des mystères.

Je t'en prie.

D'accord. Je t'aurai prévenue. Tu vas pas aimer.

Je t'écoute.

Tu découvriras que tu es aussi épouvantable que ton père, ni plus ni moins.

Ce n'est pas vrai.

Tu découvriras que vous êtes exactement pareils, tous les deux.

C'est faux.

Vas-y. Essaie. Va en Norvège. Marché conclu. Je te libère de prison tout de suite. En échange, tu vas là-bas découvrir la vérité sur ton père. Amuse-toi bien.

Et c'est à ce moment précis que la porte de la pièce s'ouvre, et les néons s'allument, et apparaît dans l'encadrement de la porte, tel un miracle, Sebastian. Avec ses cheveux en bataille et sa veste trop grande. Il la voit, vient vers elle. Il a les clés de sa cellule. Il ouvre la porte, s'accroupit et la prend dans ses bras en murmurant à son oreille : « Je vais te sortir de là. On s'en va. »

16

Le maire en est pratiquement à sermonner le vieux Cronkite, qui a l'air découragé, usé et triste. Ils ont reçu des menaces, tel est l'argument du maire. Des tentatives d'assassinat sur à peu près tous les candidats, des menaces d'attentats à la bombe, des menaces sur sa personne à lui, le maire. Le vieux Cronkite ne semble pas le regarder, on dirait qu'il fixe un point derrière lui.

« C'est vrai ? demande l'agent B. Pour les menaces ?

— Non, dit l'agent A. Rien de crédible en tout cas. »

Ils regardent la télévision du Haymarket Bar. Le maire s'est emparé du micro du vieux Cronkite, il pourrait presque faire l'interview tout seul. Il embraie : « Certaines personnes avaient prévu d'assassiner la plupart des figures dirigeantes, dont moi, avec toutes ces rumeurs d'assassinat dans notre ville, j'ai voulu éviter que ce qui s'est passé à Dallas ou en Californie se reproduise à Chicago. »

Les agents des Services secrets frissonnent à l'évocation des Kennedy. Ils sirotent lentement leurs cocktails sans alcool.

« Il ment, dit l'agent A. Personne n'a jamais voulu l'assassiner.

— Ouais, mais qu'est-ce que le vieux Cronkite peut faire ? Le traiter de menteur à la télévision ?

— Le vieux Cronkite a l'air ailleurs.

— Absent. »

L'interview du maire s'interrompt un instant pour basculer sur une vue de Michigan Avenue où déboule un tank militaire au milieu de la rue. Sur l'écran, on dirait une séquence de la Seconde Guerre mondiale, comme la Libération de Paris. Le tank passe devant le Hilton, son grondement fait trembler l'estomac des politiciens attablés au Haymarket Bar qui se massent derrière les vitres pour le regarder ébranler la rue — sauf les deux agents secrets qui restent au bar, pas surpris par l'apparition du tank (dont il a souvent été question dans les mémos confidentiels qui ont précédé cette journée) et, de toute façon, en public les agents des Services secrets sont censés garder une attitude imperturbable, une discipline de fer et des moyens intacts. Ils regardent donc le tank rouler à l'écran, blasés.

17

Faye a prié toute la nuit pour qu'on vienne à son secours, mais maintenant que son sauveur est là, elle s'entend refuser de le suivre.

« Comment ça, non ? » demande Sebastian. Accroupi par terre, il la tient par les épaules comme s'il allait la secouer.

« Je ne veux pas partir.

— De quoi tu parles ?

— Peu importe », dit-elle. Son cerveau est flou, gonflé. Elle s'efforce de se souvenir de ce que l'esprit domestique lui a dit, mais ça lui échappe déjà.

Lui reste l'impression d'avoir parlé avec le fantôme, mais elle est incapable de se rappeler sa voix.

Elle regarde Sebastian, son visage inquiet. Elle se souvient qu'ils étaient censés se voir la veille.

« Je suis désolée de t'avoir posé un lapin », dit-elle.

Sebastian rit. « Une autre fois », dit-il.

Le nœud dans sa poitrine se défait peu à peu, ses épaules retombent, la bile dans son estomac se dissout. Comme si son corps tout entier était une source après avoir explosé en geyser. Elle se détend — c'est l'effet que cela fait de se détendre.

« Qu'est-ce que je faisais quand tu es entré ? demande-t-elle.

— Je ne sais pas. Rien.

— Est-ce que je parlais à quelqu'un ? À qui est-ce que je parlais ?

— Faye, dit-il en lui caressant la joue délicatement. Tu dormais. »

18

Ernie Banks a sans doute d'autres sensations quand il frappe un home run. En plus de la maîtrise du joueur professionnel, il y a probablement cet autre sentiment, moins louable — comment l'appeler ? la revanche ? la vengeance ? Car c'est toujours l'une des raisons qui hissent les hommes au sommet, le besoin de remettre à leur place ceux qui vous ont marché dessus. Pour Ernie Banks, c'étaient les garçons plus forts, qui se moquaient de lui parce qu'il était maigre. Ou bien les petits

Blancs qui ne le laissaient pas jouer avec eux. Les filles qui le quittaient pour des types plus malins, plus grands, plus riches. Ou bien ses parents qui lui disaient de faire quelque chose de mieux de sa vie. Les professeurs qui pensaient qu'il n'arriverait jamais à rien. Les flics qui se méfiaient de lui. Et comme Ernie ne pouvait pas se défendre à l'époque, il se défend maintenant : chaque home run est une réponse, chaque sprint une course après sa revanche. Quand il balance sa batte et sent cette merveilleuse gifle dans l'air, il éprouve sans doute un sentiment puissant de satisfaction professionnelle, certes, mais aussi ce sentiment-là : *Une fois de plus, je vous ai prouvé que vous aviez tort, bande de salopards.*

C'est une part essentielle de la chose. Et c'est aussi ce qui tourne dans la tête de l'agent Brown en ce moment. En un sens, ce sont des représailles. Un juste retour des choses.

Il repense à ces nuits avec Alice, ces rencontres sur la banquette arrière de sa voiture de patrouille, à cette violence qu'elle exigeait de lui, qu'il la bouscule, qu'il la brutalise, qu'il la prenne brutalement, qu'il lui laisse des marques sur la peau. Comme il se sentait timide alors, pudique, gêné. Il n'avait pas envie. Il s'en sentait incapable, en fait. Il avait l'impression qu'il lui faudrait être un tout autre homme pour pouvoir faire des choses pareilles : quelqu'un qui ne réfléchit pas, quelqu'un de brutal.

Et cependant le voilà, balançant sa matraque sur la tête des hippies. Manifestement, il a, enfouies en lui, des réserves de brutalité inexplorées jusqu'ici.

En un sens, cela le rend heureux. Il s'avère bien plus complet et complexe qu'il ne pensait. Il imagine ce qu'il dirait à Alice s'il la croisait maintenant.

Tu croyais pas que j'en serais capable, hein ? dit-il en assommant une autre fille. *Tu voulais de la brutalité, eh ben t'es servie.*

Et il imagine que pour Ernie Banks c'est la même chose : le meilleur home run, c'est celui que les filles qui l'ont largué sont là pour voir, dans les gradins. Brown imagine Alice en train de le regarder, en ce moment même, quelque part dans la mêlée, fascinée par cette fougue, cette force, cette brutalité de mâle dominant. Impressionnée. Du moins le sera-t-elle dès qu'elle le verra, dès qu'elle verra qu'il a changé, qu'il est exactement ce dont elle a besoin maintenant : et bien sûr elle le reprendra.

Il balance un coup de matraque dans la mâchoire d'une hippie, perçoit le craquement sourd des os, les hurlements autour de lui, les hippies qui s'enfuient en courant, terrifiées, et l'un de ses collègues attrape Brown par l'épaule et lui dit : « Hé mec, calme-toi un peu », alors l'agent Brown se rend compte que ses mains tremblent. Elles sont littéralement agitées de spasmes, et il les secoue en l'air comme si elles étaient humides. Il a honte, il espère que si Alice le regarde en ce moment, elle ne s'en rend pas compte.

Il pense : *Je suis Ernie Banks, je vais d'une base à une autre — je suis l'image même du calme, du pur ravissement.*

19

C'est fou comme les choses extraordinaires deviennent vite ordinaires. À présent, les serveurs du Haymarket Bar ne se retournent même plus quand un projectile heurte les vitres en verre armé. Cailloux, morceaux de béton, boules de billard même — atterrissant contre la vitrine du bar après avoir survolé la tête des policiers alignés à l'extérieur. À l'intérieur, les gens ont cessé de s'en offusquer. Quand ils les remarquent, c'est pour les traiter par le mépris : « Voilà un lanceur que ne refuserait pas l'équipe de Chicago. »

Les flics forment un rempart relativement efficace, mais de temps à autre quelques militants réussissent à forcer le barrage et deux ou trois gamins se font tabasser juste devant le Haymarket avant d'être traînés dans un fourgon. La chose s'est produite si souvent maintenant que les gens dans le bar ont complètement cessé d'y prêter attention. Ils l'ignorent, de même qu'ils passent devant les clochards dans la rue sans les voir.

À la télévision, le maire est de nouveau à l'écran avec le vieux Cronkite, qui a l'air plus contrit que jamais.

« Je peux vous dire une chose, déclare le journaliste, une grande partie du pays vous soutient. » Sur quoi le maire opine du chef tel un empereur romain ordonnant une exécution.

« Chauvinisme primaire, décrète l'agent A. *Propagande soviétique de base.* »

À l'extérieur, un policier frappe un homme portant une barbe et le drapeau viêt-cong en guise de cape, il le frappe avec la crosse de son fusil, en plein milieu du dos, l'envoie valser en avant comme s'il plongeait sur une base, la tête la première dans le verre armé des vitrines du Haymarket, avec un bruit sourd, aussitôt avalé par le saxophone doucereux de Jimmy Dorsey.

Le vieux Cronkite enchaîne : « Je dois vous féliciter, Monsieur le Maire, pour l'attitude *bienveillante* de la police de Chicago. »

Deux flics fondent sur le barbu et le frappent à la tête.

« Ça, c'est le visage d'un vaincu, dit l'agent A en désignant Cronkite.

— Qu'on libère ce malheureux, implore l'agent B en acquiesçant.

— Tu veux savoir à quoi ça ressemble, un boxeur qui sait qu'il a perdu ? Le voilà. »

Pendant ce temps, à l'extérieur, le barbu est traîné au sol, laissant derrière lui la vitre barbouillée de son sang.

20

Une mouette, pense le vieux Cronkite. Il a récemment assisté à un match à Wrigley et vu la façon dont, à la neuvième manche, des nuées de mouettes sont arrivées du lac, dans un même élan. Les oiseaux faisaient le travail de nettoyage, débarrassant les restes de pop-corn et de cacahuètes qui traînaient sous les sièges. Cronkite a été épaté par leur timing. Comment savaient-elles que c'était la dernière manche ?

Vue de là-haut, dans les yeux d'une mouette, de quoi la ville pouvait-elle avoir l'air ? D'un endroit calme, paisible. Des familles dans leur maison, la lumière bleu-gris des télévisions dans le salon, l'ampoule dorée brillant dans la cuisine, les trottoirs déserts parfois traversés par un chat tigré, des pâtés de maisons entiers immobiles, il s'imaginait survolant ces quartiers, remontant en flèche, songeant que Chicago, en dehors du périmètre de l'hôtel Conrad Hilton, est en ce moment l'endroit le plus paisible au monde. Peut-être est-ce là le vrai sujet. Non pas que des milliers de gens manifestent mais que des millions ne manifestent pas. Peut-être que c'est de cela que CBS devrait parler pour être parfaitement neutre, peut-être qu'il faudrait envoyer une équipe filmer les quartiers polonais du nord, les quartiers grecs de l'ouest, les quartiers noirs du sud, où *il ne se passe rien*. Pour montrer combien ce mouvement est une tête d'épingle lumineuse dans un noir écrasant et gigantesque.

Est-ce que les téléspectateurs suivraient ? Est-ce qu'ils comprendraient qu'une manifestation a ce pouvoir d'attraction, d'expansion ? Il a envie de dire au public que la réalité qu'on leur montre à la télévision n'est pas la Réalité. Qu'une manifestation est une goutte d'eau. Que le mouvement qui a mené à cette manifestation est une goutte d'eau dans un seau. Et que la Réalité est ce seau d'eau dans le lac Michigan. Mais le vieux Cronkite sait que le danger de la télévision, c'est que les gens commencent à voir le monde à travers cette unique goutte d'eau. Que toutes les autres lumières s'y réfractent et occupent l'horizon tout entier. Pour beaucoup, ce qu'ils ont vu ce soir à la télévision sédimentera leur opinion sur le mouvement de protestation, la paix, les années soixante en général. Et il a le sentiment de plus en plus pressant que son travail consiste à empêcher ces opinions définitives de se forger de manière irrémédiable.

Mais comment trouver les mots ?

21

Sebastian la prend par la main et la fait sortir de cette petite cellule de fortune, ils débouchent dans un couloir en parpaing gris anonyme. Un policier bondit hors d'une pièce comme un diable et Faye a un mouvement de recul en le voyant.

« Tout va bien, la rassure Sebastian. Viens. »

Le flic passe à côté d'eux, en hochant la tête dans sa direction. Ils franchissent deux doubles portes au fond du couloir et arrivent dans un endroit luxueusement décoré : moquette rouge épaisse, appliques dorées aux murs, murs blancs ornés de moulures comme dans les palais français. Faye aperçoit un panneau sur l'une des portes et comprend qu'ils se trouvent dans le sous-sol de l'hôtel Conrad Hilton.

« Comment tu as su que j'avais été arrêtée ? »

Il se tourne vers elle et lui décoche un sourire de voyou. « La rumeur. »

Il la fait pénétrer dans les entrailles de l'hôtel, ils croisent des policiers, des journalistes, des employés de l'hôtel, tout le monde est pressé, tous les visages sont graves et sérieux. Ils arrivent devant une grande porte métallique, gardée par deux autres flics qui hochent la tête vers Sebastian et les laissent passer. D'où ils débouchent sur un quai de chargement, puis dans une ruelle, à l'air libre. Le bruit de la manifestation leur parvient alors, un cri indistinct qui semble venir de partout à la fois.

« Écoute, dit Sebastian en tendant l'oreille vers le ciel. Tout le monde est là.

— Comment tu as fait ça ? demande Faye. Nous sommes passés juste sous le nez de ces flics. Pourquoi ne nous ont-ils rien dit ? Pourquoi ne nous ont-ils pas arrêtés ?

— Il faut que tu me promettes, dit-il en la saisissant par les bras, que tu n'en parleras jamais à personne. À personne.

— Dis-moi comment tu as fait.

— Promets-le-moi, Faye. Tu ne dois rien dire à personne. Tu ne dois jamais révéler que je t'ai fait évader. C'est tout.

— Mais tu ne m'as pas fait évader. Tu avais la clé. Comment est-ce que tu as eu la clé ?

— Pas un mot. Je te fais confiance. Je t'ai fait une faveur, à ton tour de m'en faire une en gardant le secret. D'accord ? »

Faye le considère pendant un moment et percute tout à coup qu'il n'est pas l'étudiant activiste qu'elle a cru, que ce n'est pas aussi simple — il a ses zones d'ombre, ses strates. Désormais elle sait sur lui quelque chose que personne d'autre ne sait, elle a un pouvoir sur lui que personne d'autre ne peut exercer. Son cœur déborde : il est son âme sœur, pense-t-elle, cet autre dont la vie réelle est cachée, immense.

Elle hoche la tête.

Sebastian lui sourit, lui prend la main et l'entraîne au bout de la ruelle, en plein soleil, et après le coin de la rue, elle découvre la police, les militaires, le barrage, et au-delà du barrage la foule compacte rassemblée dans le parc. Oubliées les ombres projetées sur le mur, à présent elle les voit en détail, en couleurs : les uniformes de police bleu layette, les baïonnettes de la Garde nationale, les jeeps aux pare-chocs avant hérissés de rouleaux de barbelé, la foule ondulant tel un monstre, toujours plus compacte, déployant ses tentacules autour de la statue d'Ulysse S. Grant face au Conrad Hilton, engloutissant un Grant de trois mètres juché sur son cheval de trois autres mètres, gagnant les jambes en bronze, l'encolure, la croupe, la tête, un jeune homme s'aventurant même encore au-delà, à l'assaut de Grant lui-même, montant sur ses épaules immenses, vacillant un peu mais levant les bras en adressant un signe de paix de chaque main à la police qui vient de le remarquer et qui se dirige vers lui pour le faire redescendre. Cela ne se finira pas bien pour lui, mais son public l'acclame cependant, car il est le plus courageux d'entre eux, le plus grand de tout le parc.

Faye et Sebastian se faufilent dans le chaos et la foule anonyme.

22

L'agent Brown continue à dégommer des têtes autour de lui, les autres flics ont aussi ôté leur badge. Ils ont baissé la visière de leur casque sur leur visage. Anonymes. Au grand dam des informations.

La police frappe les gens en toute impunité, déclarent les journalistes sur CBS News. Ils réclament de la transparence, des comptes. Ils disent que si les policiers ont ôté leur badge et baissé leur visière, c'est parce qu'ils savent que ce qu'ils sont en train de faire est illégal. On les compare aux troupes soviétiques marchant sur Prague quelques mois plus tôt, écrasant les pauvres Tchèques. La police de Chicago fait exactement la même chose, disent les journalistes. C'est l'équivalent occidental de la Tchécoslovaquie. Un journaliste plus malin que les autres ne tarde pas à accoucher du mot *Tchécago*.

« En Amérique, c'est le gouvernement qui doit rendre des comptes au peuple, pas le contraire », explique un expert en loi constitutionnelle partisan du mouvement anti-guerre au sujet de l'anonymat de la police.

L'agent Brown prend son pied, il est de loin le plus exalté des flics, à viser les hippies dans des endroits mortels : le crâne, la poitrine, le visage même. Il a été le premier à ôter son badge, à présent tous les policiers autour de lui ont baissé leur visière et ôté le leur, mais pas pour entrer dans sa danse hystérique. C'est plutôt l'inverse. Ils ont bien vu qu'il est en train de péter les plombs et qu'il est impossible de l'arrêter, et ils ont bien vu les caméras qui tournent, attirées par les accès de violence policière, alors ils ont baissé leur visière et ôté leur badge parce que ce salopard a peut-être envie de perdre son salaire, mais pas eux.

23

Cronkite sait que c'est sa punition pour avoir donné son avis. Cette interview du maire, à qui il est censé servir la soupe. C'est le prix à payer pour avoir traité la police de Chicago de « bande de voyous », en direct, à l'écran.

Mais c'est la vérité ! Et c'est d'ailleurs ce qu'il a dit à ses producteurs, qui lui ont reproché d'avoir émis un *jugement*, d'avoir commis une erreur en ne laissant pas les téléspectateurs décider par eux-mêmes si les policiers se comportaient comme des voyous ou non. Il leur a répondu qu'il n'avait fait qu'avancer une *observation*, ce pour quoi il est payé : observer et rendre compte. Ils ont maintenu qu'il avait exprimé une opinion. À quoi il a rétorqué que parfois l'observation est indissociable de l'opinion.

Cela n'a pas suffi à les convaincre.

Pourtant la police était bel et bien là, à broyer des crânes à coups de matraque. Sans badge, dissimulés derrière leur visière : sans visage et sans comptes à rendre. Tabassant des gamins. Tabassant des journalistes, des photographes, démolissant des appareils photo, s'emparant des pellicules. Ils avaient même frappé le pauvre Dan Rather en plein dans le plexus solaire. Comment on appelle les gens qui font ce genre de choses ? Des voyous.

Ses producteurs n'étaient toujours pas convaincus. D'après Cronkite, la police s'acharnait sur des innocents. Le bureau du maire, lui, prétendait qu'elle *protégeait* les innocents. Qui fallait-il croire ? Cela lui rappelait cette vieille histoire : Un roi demanda un jour à un groupe d'aveugles de décrire un éléphant. À l'un d'entre eux, il présenta la tête de l'éléphant, à un autre, il présenta une oreille, une défense, la trompe, la queue, etc., en disant chaque fois : *Ceci est un éléphant.*

Après quoi, les aveugles furent incapables de

s'entendre sur ce à quoi ressemblait un éléphant. Ils se disputèrent et à force de *Un éléphant ressemble à ceci, un éléphant ne ressemble pas à cela !*, ils en vinrent aux mains. Et le roi, qui contemplait le spectacle, fut ravi.

Probablement aussi ravi que le maire en ce moment, se dit Cronkite en lui servant une nouvelle question mollasse sur la police de Chicago si bien formée, si héroïque et soutenue à fond par la population. La lueur qui brille dans l'œil du maire est sans doute la chose la plus intolérable que le vieux Cronkite ait jamais vue, cet éclat particulier de celui qui a mis à bas un adversaire de taille. Et Cronkite en est un, incontestablement. On imagine aisément les échanges d'amabilités, de menaces et d'arguments qu'il a pu y avoir entre la mairie et CBS News, et comment ces échanges ont débouché sur ce compromis, qui fait que le vieux Cronkite se retrouve là à chanter les louanges d'hommes qu'il a traités de voyous trois heures à peine plus tôt.

Ce qu'il ne faut pas avaler comme couleuvres pour faire ce boulot.

24

Vers la fin de la journée, juste avant le crépuscule, les troubles s'apaisent un temps. Les policiers reculent, vaguement sonnés, et honteux. Ils ont baissé leurs matraques et brandissent leurs mégaphones à la place. Ordonnant aux manifestants de quitter le parc. Les manifestants les regardent sans bouger. La ville est comme un enfant blessé. Comme un tout-petit se cognant la tête, et ne se mettant à pleurer qu'après un temps de latence durant lequel tous les signaux chaotiques se convertissent en douleur. La ville est prisonnière de ce moment, entre la blessure et les larmes, entre la cause et l'effet.

On espère ici et là que l'accalmie perdure. Allen Ginsberg l'espère, songe que lorsque la ville aura goûté à cette paix elle ne voudra plus se battre. Le calme est retombé sur Grant Park, il a cessé ses incantations et son *Ommmm*, et déambule maintenant à travers cette magnifique foule. Dans son sac, il a toujours deux choses avec lui : *Le livre tibétain de la vie et de la mort* et un appareil photo argenté Kodak Retina Reflex. Il plonge alors la main dans son sac pour sortir son Kodak, cet appareil qui lui a permis de garder des souvenirs de tous les moments de grâce de sa vie, et c'en est un, c'est certain. Tous ces manifestants rassemblés, assis, riant, chantant des chansons joyeuses et agitant des drapeaux fabriqués de leurs mains, aux couleurs de leurs slogans peints à la main. Il a envie d'écrire un poème à la gloire de ce moment. Son Kodak est un vieil appareil d'occasion, mais il est résistant. Il aime en sentir le toucher métallique dans sa main, l'étui noir ridé comme une peau de crocodile, entendre les sons mécaniques quand il fait avancer la pellicule, il en aime jusqu'à l'étiquette *Made in Germany* collée crânement sur le devant. Il prend une photo de la foule. Il marche parmi eux, les corps s'écartent pour le laisser passer, les visages s'éclairent. Lorsqu'il aperçoit un visage familier, il s'arrête et s'agenouille : un des leaders du mouvement, il s'en souvient. Le joli garçon à la peau mate. Il est assis avec une jeune fille à lunettes rondes et à l'air épuisé, elle a la tête appuyée sur son épaule.

Faye et Sebastian. Appuyés l'un contre l'autre comme deux amants. Alice est assise derrière eux. Ginsberg lève son appareil.

Le jeune homme lui adresse un sourire ironique qui manque lui briser le cœur. L'obturateur clique. Ginsberg sourit tristement. Il poursuit sa route, avalé par la foule, par le jour incandescent.

25

Le poète s'en va et Alice donne une tape sur l'épaule de Faye, lui fait un clin d'œil et lui demande : « Alors, c'était bien hier soir tous les deux ? »

Car, bien sûr, Alice n'a aucune idée de ce qui s'est passé.

Faye lui raconte donc comment ce flic mystérieux l'a arrêtée, la nuit qu'elle a passée en prison, qu'elle ne sait même pas comment s'appelle ce flic ou ce qu'elle a bien pu faire pour mériter ça, que le flic lui a ordonné de quitter Chicago immédiatement, et Alice en est malade parce qu'elle sait, à la seconde où elle l'entend lui raconter tout cela, que c'est l'agent Brown. Ça ne peut être que lui.

Mais elle ne peut pas le dire à Faye. Pas tout de suite. Comment pourrait-elle avouer, au milieu de cette foule de manifestants balançant des insultes furieuses à la police, qu'elle a eu une liaison passionnée avec l'un de ces flics ? Impossible.

Alice serre Faye très fort dans ses bras. « Je suis

désolée, dit-elle. Mais ne t'inquiète pas, tout ira bien. Tu ne vas nulle part. Je reste avec toi, quoi qu'il arrive. »

À ce moment-là, la police se regroupe aux abords du parc et annonce dans les mégaphones : *Vous avez dix minutes pour vider les lieux.*

Ce qui est presque comique puisqu'ils sont dans les dix mille.

« Ils croient vraiment qu'on va s'en aller ? demande Alice.

— Probablement pas, répond Sebastian.

— Que vont-ils faire ? s'inquiète Faye en contemplant le gigantesque bloc humain obstinément installé dans le parc. Nous dégager tous par la force ? »

En fait, c'est exactement leur intention.

Cela commence avec un léger bruit d'air compressé, une explosion toute en douceur, presque musicale : la première bombe lacrymogène lancée à travers le parc. Et pour ceux qui la voient arriver, il y a ce temps étrange suspendu entre cette vision et la compréhension de cette vision. La bombe décrit une parabole dans le ciel magnifique, elle semble planer au-dessus d'eux pendant une fraction de seconde, telle l'étoile du berger, eux qui ont les yeux rivés sur cette chose, cet objet volant étrange, qui amorce ensuite sa descente, immédiatement suivi par les cris, les hurlements dans la zone d'atterrissage de la bombe, tandis que les gens comprennent que c'est, *de facto*, la fin de leur sit-in. Aussitôt la bombe déverse son contenu, laissant derrière elle une traînée de gaz orange, telle une comète sur sa lancée. En atterrissant, elle rebondit sur l'herbe comme une balle de golf et prend feu. Elle tournoie, crachant des jets de fumée toxique, tandis que du côté de l'hôtel Conrad Hilton de nouvelles petites explosions retentissent, signalant le lancement de deux autres bombes parmi la foule, et transformant en un clin d'œil une paix relative et un ordre fragile en folie pure. La foule commence à courir, la police s'élance à sa poursuite et tout le monde dans le parc se met à pleurer. À cause du gaz. Qui agresse les yeux et la gorge. Comme si on vous versait de l'huile bouillante directement sur la pupille, les yeux gonflent, rougis, on a beau les frotter, ils restent douloureux. Et la toux, soudaine et urgente, donne l'impression de se noyer. Une toux sèche, un réflexe plus fort que la volonté. Les gens pleurent, crachent, courent, cherchent un endroit que le gaz aurait épargné, et butent sur un problème mathématique : les bombes de gaz ont été tirées — intentionnellement ou non, on l'ignore — de façon à atterrir *derrière* le gros de la foule, ce qui fait que le seul moyen d'échapper à la douleur est de fuir dans l'autre sens, vers Michigan Avenue, le Conrad Hilton et les gigantesques barrages de police, d'où le dilemme mathématique : il y a beaucoup plus de monde qui se dirige vers Michigan Avenue que de place pour contenir tout ce monde sur Michigan Avenue.

Une force inarrêtable fonce vers un objet inamovible, dix mille manifestants courent comme un seul homme droit dans la gueule de la police de Chicago.

Parmi eux, Sebastian, tirant Faye par la main. Alice les regarde et comprend alors qu'ils partent *exactement dans la mauvaise direction*, car la seule direction où ils ne tomberont pas sur la police c'est dans leur dos, vers le gaz, vers les nuages accrochés à la pelouse comme un brouillard orange. Elle leur crie d'arrêter mais sa voix — cassée et fatiguée par les slogans scandés toute la journée, et maintenant fracassée par le gaz — se perd dans la foule hurlante et mugissante, fonçant et se bousculant, dispersée dans tous les sens. Elle regarde Sebastian et Faye au milieu de la foule en déréliction, leurs silhouettes se perdent dans la masse. Elle songe à leur courir après mais quelque chose la retient. La peur, probablement. La peur de la police, de l'un d'entre eux en particulier.

Elle ira au dortoir, attendra le retour de Faye. Et si jamais Faye ne revient pas, rien ne l'arrêtera, elle la retrouvera, c'est en tout cas le mensonge qu'elle se raconte pour se tirer de cette situation dans l'immédiat. En fait, elle ne reverra jamais Faye. Elle ne le sait pas encore, mais elle le sent, et elle cesse de courir. Fait demi-tour, vers la manifestation, vers le parc. Au même moment, Faye tire sur la manche de Sebastian car elle a vu qu'Alice ne les suit plus. Faye s'arrête, se retourne. Regarde vers l'endroit où ils étaient assis. Espérant voir le visage d'Alice émerger du chaos, mais un nuage de gaz orange plane entre elles deux. Qui pourrait aussi bien être un mur en béton ou un continent.

« Il faut y aller, dit Sebastian.

— Attends », dit Faye.

Les visages défilent à toute vitesse autour d'elle, aucun n'est celui d'Alice. Les gens la bousculent, la contournent, sans s'arrêter.

Alice est passée de l'autre côté du gaz à présent. Elle aperçoit le lac. Elle court et s'asperge d'eau pour apaiser la brûlure du gaz. Puis elle se faufile vers le nord en longeant la rive et, pour éviter d'attirer l'attention sur elle, abandonne dans le sable ses lunettes de soleil préférées et sa veste militaire, plaque ses cheveux en arrière et s'efforce de ressembler à une bonne petite bourgeoise respectueuse des lois. De fait, cela marque la fin de sa carrière de militante.

« Il faut y aller, *maintenant* », insiste Sebastian.

Et Faye obéit, car Alice a disparu.

26

Sous la douche de la suite présidentielle, au dernier étage du Conrad Hilton, Hubert H. Humphrey se cure les ongles avec le savon Dove de l'hôtel, qui à force a perdu sa forme de haricot.

Les agents de sécurité ne cessent de demander : « Tout va bien là-dedans, Monsieur le Vice-Président ? »

Il comprend bien qu'il y a beaucoup à faire et peu de temps pour le faire, et qu'une douche de quatre-vingt-dix minutes n'était pas exactement inscrite au planning de sa journée de campagne. Et cependant il ne leur aurait servi à rien s'il n'avait pas réussi à se débarrasser de cette odeur.

Ses doigts sont complètement rabougris, au-delà de la sursaturation en eau, sa peau a l'air d'un voile plissé. Le miroir est opaque, il a viré gris ardoise dans l'air humide et dense.

« Oui, tout va bien », répond-il.

Sauf que c'est faux, se dit-il. Tout à coup, il éprouve comme un picotement dans la gorge, une légère sensation de démangeaison derrière sa pomme d'Adam. Il n'a pas parlé depuis une heure et demie, et soudain sa voix trahit les premiers signes de la maladie. Il teste sa gorge — sa précieuse gorge dorée, ses cordes vocales, ses poumons, ces parties de lui-même qui lui sont absolument nécessaires pour s'adresser à la nation et accepter la nomination comme président d'ici quelques jours —, il fait des vocalises, rien qu'un peu de solfège, *do ré mi*. Et il en est alors convaincu, elle est là, cette sensation douloureuse, cette brûlure, ce frottement, ce gonflement du palais mou.

Oh non.

Il referme le robinet, se sèche, s'enveloppe dans un peignoir et déboule dans la salle de réunion de la suite comme un fou en annonçant qu'il a besoin de vitamine C *tout de suite*.

Tout le monde se retourne alors vers lui, étonné, et il déclare : « Je crois que j'ai mal à la gorge », avec le même genre de gravité dans la voix qu'un médecin annonçant : *C'est une tumeur maligne*.

Les agents de sécurité se regardent, gênés. Certains toussotent. L'un d'entre eux s'avance et lui dit : « Ce n'est probablement pas un mal de gorge, monsieur.

— Comment le savez-vous ? réplique Triple H. J'ai besoin de vitamine C, j'en ai besoin immédiatement.

— Monsieur le Vice-Président, c'est probablement l'effet du gaz lacrymogène.

— De quoi parlez-vous ?

— Le gaz lacrymogène, monsieur. Une arme de dissuasion classique, monsieur, utilisée pour disperser les foules sans violence. Abrasive pour les yeux, le nez, la bouche, et oui, certainement, la gorge et les poumons.

— Le gaz lacrymogène.

— Oui, monsieur.

— Ici ?

— Oui, monsieur.

— *Dans ma suite.*

— Cela vient du parc, monsieur. La police s'en sert pour disperser les manifestants, et comme aujourd'hui c'est vent d'est…

— Soufflant à près de douze nœuds, ajoute un autre agent.

— Affirmatif, oui, merci, un vent puissant, qui a déporté le gaz vers Michigan Avenue jusqu'à l'intérieur de l'hôtel et même, effectivement, jusqu'au dernier étage. Le vôtre, monsieur. »

Triple H sent à présent ses yeux se remplir de larmes, brûler, c'est la même sensation que lorsqu'on épluche des oignons. Il s'avance vers les grandes baies vitrées de la suite et regarde le parc, plongé dans un chaos de jeunes gens fuyant à toutes jambes, terrifiés, poursuivis par des flics et des nuages de gaz orange.

« C'est la police qui a fait ça ?

— Oui, monsieur.

— Mais elle ne sait pas que je suis ici ? »

C'est à peu près à ce moment-là que Triple H atteint son point de rupture. C'était supposé être *sa* convention, *son* moment. Pourquoi a-t-il fallu que cela arrive ? Pourquoi faut-il que cela tourne toujours ainsi ? Et tout à coup, il a huit ans, dans le Dakota du Sud, et Tommy Skrumpf vient de gâcher sa fête d'anniversaire en faisant une crise d'épilepsie juste là, sur le sol de la cuisine, les médecins emmènent Tommy et tous les parents ramènent leurs enfants à la maison avec leurs cadeaux encore dans leurs emballages, des cadeaux qui étaient censés être les cadeaux de Hubert, et ce soir-là une part égoïste de lui se révèle, il pleure, non pas parce que Tommy aurait pu mourir sur le sol de la cuisine mais parce que Tommy n'est pas mort sur le sol de la cuisine. L'instant d'après, il a dix-neuf ans, il vient de finir sa première année de fac, il a eu des bonnes notes, il se plaît bien, à la fac, il s'en sort bien, il s'est fait des amis, il s'est trouvé une copine et sa vie prend enfin tournure, et c'est le moment que ses parents choisissent pour lui dire qu'il faut qu'il rentre parce qu'ils n'ont plus d'argent. Alors il rentre à la maison. Puis on est en 1948, il vient de se faire élire au Sénat des États-Unis pour la première fois et son père choisit ce moment pour tomber raide mort. Et voilà qu'il est sur le point d'être nommé président, et tout autour de lui, ce ne sont que combats, gaz lacrymogène, massacre, merde et mort.

Pourquoi c'est toujours comme ça ? Pourquoi est-ce que ses triomphes se paient toujours de peine et de sang ? Toutes ses victoires se terminent dans la douleur. En un sens, il est toujours le petit garçon de huit ans avec des pensées méchantes sur Tommy Skrumpf. Il ressent la blessure de ce jour-là jusqu'à la moelle, toujours intacte.

Pourquoi les meilleures choses de la vie laissent-elles d'aussi profondes cicatrices ?

C'est exactement le genre de pensées autodestructrices et négatives que ses conseillers sont là pour combattre. Il se répète ses mantras de confiance. *Je suis un gagnant.* Il annule la commande de vitamine C. S'habille. Se remet au travail. *Sic transit gloria mundi.*

27

Le vieux Cronkite penché sur la droite, appuyé sur son bureau d'une manière qui donne à l'écran l'impression d'un homme sérieux, concentré, déterminé, qui s'apprête à annoncer une mauvaise nouvelle au pays, ainsi penché, la tête légèrement inclinée, l'œil fixé sur la caméra d'un air douloureux, d'un air paternel, comme si c'était plus dur pour lui de l'annoncer que pour eux de l'apprendre : « La Convention démocrate est sur le point de commencer… », il marque une pause théâtrale, assez longue pour que la suite s'imprime dans tous les esprits, « … dans un *État policier.* »

Puis il ajoute : « Il n'y a pas d'autre mot pour le dire », à destination de ses producteurs dont il imagine, en ce moment même, les hochements de tête réprobateurs dans le camion de régie face à cette nouvelle et flagrante prise de position.

Mais il faut bien dire quelque chose pour que les téléspectateurs comprennent ce qui se passe. Toute la journée, le standard de CBS a explosé. Ils n'avaient pas eu autant d'appels depuis l'assassinat de Martin Luther King. Normal, a dit Cronkite, les gens sont furieux, la police a complètement perdu le contrôle.

Oui, les gens sont furieux, ont répondu ses producteurs, mais pas contre la police. Les gens sont furieux contre ces gamins. C'est aux gamins qu'ils en veulent. Ils appellent pour dire que ces gamins *n'ont que ce qu'ils méritent.*

Il faut bien reconnaître que certains militants ne sont pas tout à fait aimables. Ils s'ingénient à choquer. Appuient là où ça fait mal. Ils sont négligés, sales. Mais ceux-là ne sont qu'une infime partie de la foule rassemblée devant le Hilton. La plupart des gamins là-dehors sont absolument normaux, ils pourraient être les enfants de n'importe qui. Peut-être même qu'ils n'ont pas compris dans quoi ils s'embarquaient, que cela a pris des proportions qu'ils n'avaient pas anticipées. En tout cas, ce ne sont pas des criminels. Ni des détraqués. Ni même des extrémistes ou des hippies. Probablement qu'ils n'ont juste pas envie d'être enrôlés. Qu'ils sont juste sincèrement contre la guerre au Vietnam. Et d'ailleurs, qui est encore pour la guerre au Vietnam aujourd'hui ?

Pourtant, pour chaque image montrant un de ces gamins se faisant matraquer, CBS reçoit dix coups de fil en faveur du type qui tient la matraque. Les reporters se font gazer dans la rue, et quand ils reviennent à leur rédaction, ils trouvent un télégramme envoyé depuis l'autre bout du pays disant que les reporters n'ont rien compris à ce qui se passe à Chicago. Lorsqu'il a entendu cela, le vieux Cronkite a su qu'il avait échoué. Ils avaient tellement montré les extrémistes et les hippies que les téléspectateurs ne voyaient plus au-delà. La zone grise avait cessé d'exister. Et le vieux Cronkite en tirait deux conclusions. D'abord, que quiconque pense que la télévision puisse être capable de rassembler une nation et d'ouvrir un véritable espace de dialogue pour que les gens se comprennent et aient de la compassion, celui-là est dans l'illusion totale. Ensuite, que Nixon va gagner.

28

Mauvais calcul de la police : ordonner aux manifestants d'évacuer le parc sans leur donner les moyens de le faire. Les rassemblements dans le parc sont illégaux, soit, mais le franchissement des barrages de police également, et le parc est cerné de barrages de police. Le schéma classique de la double contrainte. Le seul endroit où le dilemme puisse se résoudre, la seule échappatoire se situe sur le côté est du parc, près du lac, exactement là où la bombe lacrymogène a atterri, bêtement. Alors les manifestants affluent, droit dans la gueule du loup, ils n'ont pas le choix, ils n'ont nulle part ailleurs où aller. Les premières vagues déferlent sur Michigan Avenue, jusqu'aux portes du Conrad Hilton. Ils viennent s'écraser sur le béton et les briques, coincés, tandis que la police commence à se rendre compte que quelque chose est allé de travers dans cette journée. Les enjeux sont inversés. Les manifestants — leur nombre, leur désespoir — sont désormais en position de force. Alors la police recule, les laisse s'écraser contre les murs de l'hôtel et se replie.

Sebastian et Faye sont quelque part là-dedans. Il serre sa main si fort qu'elle a mal, mais elle n'ose pas lâcher. Elle a l'impression d'être emportée par cette marée humaine, pressée de toutes parts, parfois même ses pieds ne touchent plus terre, elle flotte, nage dans la foule, avant de retomber sur le sol, elle ne peut se concentrer que sur une chose, garder l'équilibre, rester debout, car les gens autour d'elle sont en pleine panique et dix mille personnes qui paniquent, cela ressemble à une horde d'animaux, énormes et furieux. Si elle tombe, elle se fera piétiner. Sa terreur décuplée dépasse l'idée même de terreur pour déboucher sur une sorte de froide lucidité. C'est une question de vie ou de mort. Elle s'agrippe à la main de Sebastian.

Les gens courent en tenant un mouchoir sur leur

visage ou leur tee-shirt remonté pour se couvrir la bouche. Personne ne résiste au gaz. Personne ne peut rester dans le parc. Et cependant, ils commencent à comprendre que ce n'était pas non plus une bonne idée de partir dans cette direction, car plus ils s'approchent des zones sombres et sûres au-delà de Michigan Avenue, moins il y a d'espace. Ils tombent dans un entonnoir, il y a des barrages partout, des barbelés, des rangées de flics, la Garde nationale. Sebastian essaie d'atteindre les portes du Hilton mais la foule est trop compacte, le courant trop fort, et ils atterrissent à l'autre bout de l'immeuble, écrasés contre les vitres du Haymarket Bar.

C'est là que l'agent Brown les repère.

Il observait la foule, cherchant Alice. Perché sur le pare-chocs arrière d'un camion de transport de troupes de l'armée, dominant la foule, les casques bleu layette de la police de Chicago qui, vus d'en haut, ont l'air de s'agiter telle une colonie de champignons vénéneux. Quand tout à coup un visage est sorti de la masse, vers le bar, un visage de femme, un court instant il a éprouvé un élan d'optimisme, se disant que ce devait être Alice, car c'est la première fois de la journée qu'il aperçoit un visage familier et alors le film qui tourne en boucle dans sa tête — Alice le voyant bastonner du hippie, comprenant qu'il est en fait l'homme brutal dont elle a toujours rêvé — se remet en route jusqu'à ce que le visage lui apparaisse plus clairement et qu'il réalise avec une déception fracassante que ce n'est pas Alice, mais Faye.

Faye ! La fille qu'il a arrêtée la veille. Qui devrait être en prison en ce moment. Qui est la raison pour laquelle Alice l'a quitté.

Cette *salope*.

Il saute dans la foule et dégaine sa matraque. Il force le passage, se fraye un chemin vers la vitre contre laquelle Faye est coincée. Plusieurs rangées de flics et tout un amas de hippies puants, se débattant comme des thons pris au piège d'un filet, le séparent d'elle. Il joue des coudes en criant : « Dégagez le passage ! Arrière ! » Et les flics sont ravis de le laisser passer, cela fait toujours une personne de plus entre eux et la ligne de front. Il approche de la frontière entre les flics et les manifestants, la frontière est reconnaissable aux matraques qui s'abattent comme des mains tapant sur une machine à écrire. Plus il approche, plus il est difficile de se mouvoir. Il est pris dans une sorte de *haut-le-cœur* énorme, comme s'ils formaient à eux tous le corps d'un gigantesque animal malade.

Et c'est à ce moment-là qu'une escouade de la Garde nationale — parmi laquelle un homme porte même un *lance-flammes*, dont heureusement il ne se sert pas — encercle un groupe de manifestants sur Michigan Avenue, les maîtrise, les coupe du reste du troupeau, ce petit groupe près du Conrad Hilton se retrouve donc piégé entre la police d'un côté, la Garde nationale de l'autre et les murs de l'hôtel dans leur dos.

Aucune échappatoire.

Faye est écrasée contre la vitre, son épaule semble s'enfoncer dans le verre. Encore un peu, et elle se déboîtera. Elle regarde à l'intérieur du Haymarket Bar, derrière la vitre qui tremble et grince, et elle aperçoit deux hommes en costume noir et cravate noire qui la dévisagent. Ils sirotent leur verre. Ils semblent complètement impassibles. Autour d'elle, les manifestants se tortillent et se baissent pour se mettre à couvert. Les matraques pleuvent sur les têtes, dans les côtes, et lorsqu'ils sont à terre, ils sont ramassés et jetés dans des fourgons. Faye se dit que le fourgon est une bonne option. Entre un coup sur la tête et le fourgon, elle choisit le fourgon. Mais elle n'arrive même pas à se retourner, encore moins à se baisser, tellement les corps autour d'elle sont serrés les uns contre les autres. Elle n'arrive plus à tenir la main de Sebastian. Il y a quelqu'un entre eux, un autre manifestant entre Faye et Sebastian, qui fait exactement la même chose qu'eux, essayer de s'enfuir, essayer d'échapper aux coups le plus longtemps possible. De l'instinct de survie pur et simple, irrationnel. Il n'y a nulle part où aller. Mais ils y vont quand même. Et Faye doit faire un choix maintenant, car si elle persiste à se cramponner à la main de Sebastian, son coude risque de se casser avec ce type qui appuie dessus. En outre, telle qu'elle est positionnée, dos aux flics, elle est une cible trop facile. Si elle parvenait à se retourner, peut-être qu'elle pourrait se baisser et éviter la volée de matraques. Elle prend donc une décision. Et lâche la main de Sebastian. Elle laisse ses doigts moites lui échapper, elle sent qu'il tente de les agripper, de les retenir, mais en vain. Elle est libre. Elle récupère son bras, l'homme entre eux s'effondre contre la baie vitrée — qui vibre sous l'impact, avec un craquement puissant, comme des bottes sur la glace — et elle peut enfin se retourner.

La première chose qu'elle voit alors, c'est le flic qui charge.

C'est le flic d'hier soir, celui qui l'a arrêtée au dortoir. Il a l'air d'un illuminé. Cet homme atroce qui ne lui a pas adressé un seul regard la veille tout le temps qu'elle pleurait sur la banquette arrière de sa voiture, qu'elle l'implorait, le suppliait de la laisser partir, qu'elle scrutait son reflet dans le rétroviseur et qu'il ne disait pas un mot, à part : « Tu es une pute. »

Et il l'a retrouvée, ici, maintenant.

Son visage est d'un calme psychotique. Il fait tournoyer sa matraque à toute vitesse, sans la moindre émotion. Comme s'il taillait des herbes hautes, n'éprouvant rien d'autre que la nécessité de s'acquitter de sa tâche. Elle observe ce corps massif, brutal, la force avec laquelle il manie sa matraque, sa vélocité, frappant têtes, dos, bras, et elle comprend que la façon dont elle avait prévu d'esquiver les coups était à la fois naïve et irréalisable. Cet homme peut faire ce qu'il veut. Elle ne peut pas l'arrêter. Elle est totalement impuissante. Il arrive.

Alors elle essaie juste de se faire le plus petite possible. C'est tout ce qui lui vient à l'esprit. Devenir la cible le plus minuscule possible. Elle tente de se rétracter sur elle-même, referme ses bras autour d'elle, baisse la tête, plie les genoux pour s'abriter derrière les autres.

Cela ressemble à une posture de supplication. Toutes ses alarmes retentissent en elle, elle sent venir la crise de panique, il y a ce poids en fonte dans sa poitrine comme si elle était pressurisée de l'intérieur. Elle pense *Je vous en prie, pas maintenant*, tandis que le flic continue d'avancer vers elle en punissant tous ceux qui se mettent en travers de son chemin. Les manifestants crient « Paix ! » ou « Je ne résiste pas ! », ils lèvent les mains en l'air, paumes ouvertes, en signe de reddition, mais la matraque du flic s'abat quand même sur eux, sur la tête, le cou, le ventre. Il est tout près maintenant. Il n'y a plus qu'une seule personne entre lui et Faye, un jeune homme maigre, avec une barbe épaisse, une veste de camouflage, il saisit tout de suite le message et s'efforce d'esquiver, pendant ce temps-là, les poumons de Faye se ferment, le vertige la gagne, elle se met à frissonner, à transpirer, sa peau se couvre d'un film humide et froid, son front, sa nuque sont trempés en quelques secondes, tandis que sa bouche s'assèche, pâteuse, elle ne peut même plus demander au flic de ne pas faire ce qu'il s'apprête à faire — elle le voit dégager le type à la veste de camouflage, fendre la foule jusqu'à se retrouver à sa portée, se pencher de manière à pouvoir l'atteindre, lever son arme au milieu du chaos humain, quand soudain retentissent deux explosions derrière eux, deux très légères détonations, comme une main tapant sur le goulot d'une bouteille vide. Avant ce jour, un son pareil ne leur aurait rien évoqué, mais à présent les manifestants sont tous des vétérans en la matière, ils savent : ce bruit, c'est le gaz lacrymogène. Quelqu'un derrière eux a tiré de nouvelles bombes. La réaction ne se fait pas attendre — d'abord le son, puis, une seconde après, l'inévitable nuage de fumée —, prévisible : la panique s'empare de la foule, une houle de corps balaie Faye juste au moment où le flic se jette sur elle, et tout le monde s'écrase en bloc contre la baie vitrée.

En fin de compte, le verre ne résiste pas à une telle pression. C'est bien plus qu'il ne peut supporter.

La vitre ne se fissure pas, elle explose littéralement d'un coup. Et Faye, le flic et tous les manifestants qui se sont rués dessus s'effondrent et dégringolent au milieu des gens, de la fumée et de la musique du Haymarket Bar.

29

Jusqu'ici la journée a été si inhabituelle qu'il faut un moment aux clients du Haymarket Bar pour se rendre compte qu'il vient de se produire quelque chose d'encore plus inhabituel. La baie vitrée explose, projetant au milieu des éclats de verre un éboulement de manifestants et de flics, et il y a un moment de flottement, ils ne font que regarder, comme si tout cela était en train de se passer à la télévision au-dessus du bar. Positivement fascinés. Comme aimantés, et cependant à distance de l'événement. Spectateurs plutôt qu'acteurs.

Ainsi, durant quelques instants, tandis que les manifestants et les flics se débattent sur le carrelage noir et blanc du Haymarket, s'efforçant de reprendre pied dans cette mêlée humaine, les clients du bar se contentent de regarder, passifs, vaguement sidérés : *Waouh.*

Dingue.

Et qu'est-ce qui va se passer maintenant ?

Ce qui se passe, c'est que le gaz lacrymogène se répand, que les flics sont furieux, ils s'engouffrent dans l'ouverture du bar, déboulent du hall d'entrée car ce qui était censé ne jamais arriver à Chicago vient précisément de se produire : les délégués et les manifestants se retrouvent, ensemble, dans la même pièce.

Leurs ordres à cet égard étaient pourtant très

clairs : les délégués devaient être pris en charge à l'aéroport, dès qu'ils mettaient un pied hors de l'avion, emmenés au Hilton, puis déplacés dans d'énormes bus escortés par des militaires jusqu'à l'amphithéâtre, raccompagnés de la même manière — protégés, sous cloche, totalement séparés des hippies car *les hippies représentent un danger et une menace pour notre démocratie*, ainsi que l'a expliqué le maire à longueur de déclarations dans les journaux et à la télévision. (En réponse à ces déclarations, les leaders du mouvement ont rétorqué qu'une démocratie cessait d'être une démocratie lorsque ses représentants avaient besoin de se protéger du peuple qu'ils étaient censés représenter, réponse restée en grande partie inaudible et bien entendu jamais reprise par le maire ou son service de presse.)

Quoi qu'il en soit, les voilà, les policiers, tout rouges, essoufflés, se déplaçant aussi vite que le permettent leurs ceinturons lourdement armés. Et maintenant les clients du Haymarket Bar ont pris la mesure des événements. Tout à coup ils se mettent à tousser, à pleurer à cause du gaz, heurtés par les policiers qui foncent, par des matraques volant au hasard, ils comprennent qu'ils ne sont plus seulement de simples spectateurs ; désormais ils font partie de l'événement. En une fraction de seconde, la réalité de l'extérieur du bar s'est infiltrée et a effacé la réalité de l'intérieur. Désormais le bar est une extension de la rue.

Les lignes de front se sont déplacées.

Combien de temps faudra-t-il pour qu'elles gagnent encore du terrain ? Combien de temps avant que les chambres deviennent des cibles ? Et leurs propres maisons ? Leurs familles ? Pour la plupart d'entre eux, jusqu'ici la manifestation était une sorte de spectacle de rue, jusqu'à ce qu'ils soient gazés à leur tour. Et soudain ils songent que des briques pourraient être jetées à travers les fenêtres de leurs propres maisons, ils pensent à leurs petites filles, grandissant et tombant sous le charme de ces barbus à cheveux longs sentant la fumée, et même les plus fervents partisans de la paix parmi eux reculent et laissent les flics faire leur sale besogne.

En d'autres termes, c'est le chaos total. Le chaos et la panique. Faye atterrit violemment sur le flanc, noyée sous une masse de corps, têtes et mâchoires claquant les unes sur les autres, elle voit trente-six chandelles et lutte pour retrouver le souffle que la chute lui a coupé. Elle s'efforce de se concentrer sur de petites choses, de distinguer les carreaux du sol à travers l'écran vert-violet piqueté d'étoiles de sa vision, de repérer les morceaux de verre, certains glissant comme des palets de hockey sous les coups de pied de la mêlée qui a envahi le bar. Tout cela lui semble si loin. Elle cligne des yeux. Secoue la tête. Aperçoit des pieds de policiers courant dans sa direction, des pieds de clients fuyant dans le sens opposé. Elle se tâte le front et sent une bosse de la taille d'une noix en train de se former. Elle se souvient du flic qui, il y a un instant à peine, était sur le point de l'attraper, et le voit allongé sur le dos, à moitié dans le bar et à moitié dehors.

30

Il ne bouge plus. Le regard fixe, il aperçoit la paroi de verre déchiquetée — ce qu'il en reste — à près de deux mètres cinquante au-dessus de lui, traçant un équateur dans son champ de vision. Au nord, le plafond métallique du Haymarket Bar. Au sud, le ciel, plongé dans un crépuscule brumeux et vaporeux. Dans sa chute, il a senti une torsion, une vrille, puis il a basculé en arrière, il s'est effondré et il a éprouvé une douleur vive en touchant le sol. À présent il est allongé, parfaitement immobile, il fouille son cerveau en quête de sensations. Et n'en trouve aucune.

Autour de lui, les policiers s'engouffrent à travers la vitre cassée, sautent dans le bar à grandes enjambées. Il faudrait qu'il dise quelque chose à l'un d'entre eux mais il ne sait pas quoi. Tout ce qu'il sait, c'est qu'il y a quelque chose qui ne va pas. Il ne comprend pas ce qui se passe, mais il sent que c'est important — plus important que les délégués, les hippies ou le bar. Il essaie de leur parler tandis qu'ils bondissent à côté de lui, au-dessus de lui. Et il ne sort de sa bouche qu'un filet de voix. Il dit « Attendez », mais aucun d'entre eux n'écoute. Ils se ruent à l'intérieur du bar, ramassent les hippies et les éjectent dans la rue, où ils les matraquent, les hippies et peut-être aussi quelques délégués, il commence à faire noir, difficile de faire dans la dentelle quand on distribue des coups de matraque.

31

Sebastian se redresse, il avise Faye au sol et la soulève par le bras. Elle est étourdie, vacillante, elle ne rêve que d'une chose : s'installer confortablement dans l'un des fauteuils du Haymarket Bar, siroter un thé au miel et piquer un somme — oh mon Dieu, elle aimerait tellement pouvoir enfin dormir, même là, dans l'épicentre mondial de la violence. Les étoiles dansent devant ses yeux. Elle a dû se cogner la tête très fort.

Sebastian la traîne derrière lui, elle se laisse faire. Elle n'oppose aucune résistance. Ils ne partent pas dans la même direction que les autres qui se précipitent vers la grande porte et la rue, à la place, ils s'enfoncent dans le bar, dans le coin le plus reculé, où il y a un téléphone à pièces et des toilettes, et ces portes battantes avec un hublot derrière lesquelles on trouve toujours les cuisines. C'est là qu'ils vont, dans les immenses cuisines du Hilton, où l'on s'agite frénétiquement pour servir les repas en chambre — les résidents de l'hôtel sont trop terrorisés pour descendre, tout le monde veut dîner dans sa chambre —, des dizaines d'hommes en tablier blanc et toque blanche surveillant des grils où steaks et filets mignons crépitent, bâtissant des sandwichs à étages vertigineux, essuyant des verres jusqu'à la perfection. Ils regardent passer Sebastian et Faye sans un mot. Continuent à travailler. Ce n'est pas leur problème.

Sebastian la presse à travers le vacarme et l'agitation des cuisines, devant les grils, les fourneaux où cuisent les sauces et les pâtes, la plonge, le plongeur, dont le visage disparaît dans un nuage de vapeur, jusqu'à la porte de derrière, ils débouchent dans la zone des poubelles, ses odeurs puissantes de lait caillé et de vieux poulet, et au-delà, dans une ruelle, loin de Michigan Avenue, loin du bruit, du gaz lacrymogène, loin, enfin, de l'hôtel Conrad Hilton.

32

Toujours étendu sur le dos au milieu du trou béant de la vitrine du Haymarket Bar, l'agent Brown commence à comprendre qu'il ne sent plus ses jambes. En tombant, il a atterri sur quelque chose de pointu, il a ressenti une douleur aiguë près des reins, et maintenant il ne sent plus rien du tout. Juste le froid qui se répand dans son corps, un engourdissement. Il essaie de se lever mais il en est incapable. Il ferme les yeux, et il jurerait être coincé sous une voiture. C'est l'impression qu'il a. Mais lorsqu'il rouvre les yeux, il n'y a rien au-dessus de lui.

« À l'aide ! » lance-t-il à tout hasard, calmement, puis plus fort : « À l'aide ! »

Il n'y a plus aucun hippie dans le bar, et tous les clients ont regagné leurs chambres. Les seules personnes qui restent sont deux agents des Services secrets, qui arrivent à grandes enjambées et demandent d'un ton bonhomme : « Quel est le problème, mon vieux ? », mais leur légèreté part en fumée lorsqu'ils essaient de le redresser en vain et voient le sang sur leurs mains.

Au début, Brown pense qu'ils se sont blessés sur les tessons de verre jonchant le sol sous son corps. Puis il se rend compte que ce n'est pas leur sang. C'est le sien. Il saigne. Il saigne énormément.

Mais c'est impossible.

Puisqu'il n'a mal nulle part.

« Je vais bien, dit-il à l'agent qui s'est assis à côtéde lui, une main posée fermement sur sa poitrine.

— Bien sûr, mon vieux. Ça va aller.

— Vraiment. Je n'ai pas mal.

— Hmm. Reste où t'es, bouge pas. On va te trouver de l'aide. »

Brown entend alors l'autre agent, qui parle dans son talkie-walkie d'un homme à terre, envoyez une ambulance immédiatement, et à la façon dont il prononce le mot *immédiatement*, Brown ferme les yeux le plus fort possible et dit : « Je suis désolé, je suis désolé », pas à l'agent mais à Dieu. À l'univers. Aux puissances karmiques à l'œuvre à ce moment-là pour forger son destin. Il leur demande pardon à tous — pardon pour ses rencontres avec Alice, pour avoir trompé sa femme de manière si glauque, dans ce recoin obscur, cette ruelle, cette voiture, pardon de n'avoir pas eu la force, ni la discipline, ni la volonté nécessaires pour y mettre fin, pardon pour cela, et pardon aussi de ne s'en repentir que maintenant, maintenant qu'il est trop tard, et il sent le froid se répandre sous sa ceinture et il perçoit (bien qu'il ne sente pas) le tesson tranchant qui pénètre dans sa moelle épinière, et il n'est pas sûr de ce qui lui est vraiment arrivé mais il a l'impression que, quoi que ce soit, il regrette — que ce soit arrivé, qu'il l'ait mérité.

33

Partout dans Chicago, les églises ont ouvert leurs portes pour servir de sanctuaires. Les jeunes gens s'y engouffrent, gazés et battus. On leur donne à manger, à boire, une couverture. Après la violence de cette journée, ces petites attentions tirent des larmes à certains. Dehors, l'émeute s'est dispersée, brisée en mille fragments de lutte, d'échauffourées éparses dans les rues, quelques flics pourchassent encore des gamins dans les bars, les restaurants, dans le parc et aux abords. Pour le moment, on n'est pas en sécurité dehors, alors les gamins se réfugient deux par deux dans ce genre de lieux : la vieille église Saint-Pierre sur Madison Street dans le centre. Ils ne discutent même pas entre eux, pas la force de bavarder après la journée qu'ils ont vécue. Ils se contentent de rester assis, pénitents. Les prêtres leur donnent des bols de soupe en conserve, ils marmonnent des « Merci, mon père », dont ils pensent chaque mot. Les prêtres leur donnent des linges tièdes et humides pour leurs yeux rougis par le gaz.

Assis sur le premier banc, Faye et Sebastian sont silencieux, mal à l'aise, ne sachant par où commencer. Au lieu de parler, ils fixent l'autel, le retable ouvragé figurant des statues d'anges et de saints en pierre, le Christ sur une croix en béton, la tête penchée vers le sol, vers deux disciples debout à ses pieds, juste sous ses bras, l'un tournant vers lui un visage angoissé, l'autre baissant les yeux, honteux.

Faye tâte la bosse qu'elle a à la tête. Ce n'est presque plus douloureux, ce n'est plus que *fascinant*, cette espèce de grosseur, de corps étranger, cette bille dure sous sa peau. Peut-être qu'à force de la toucher elle arrivera à résister à la tentation de poser toutes les questions qui l'obsèdent depuis une vingtaine de minutes qu'ils sont assis là, hors de danger, et qu'elle a pu enfin rassembler ses esprits et poser un regard rationnel et logique sur les événements de la soirée.

« Faye, écoute, commence Sebastian.

— Qui es-tu *vraiment* ? » demande-t-elle, incapable de résister, malgré cette bosse fascinante.

Sebastian sourit d'un air triste, il fixe ses pieds. « Ouais. C'est bien ce que je pensais.

— Tu savais parfaitement comment sortir de cet immeuble, dit Faye. Comment le savais-tu ? Et la clé. Tu avais la clé de ma cellule. Et ces flics dans le sous-sol, tu les connaissais, comment ? Qu'est-ce que c'est que cette histoire ? »

Sebastian reste assis là, on dirait un enfant en train de se faire gronder. Incapable de soutenir son regard.

Derrière eux, Allen Ginsberg a fini par trouver lui aussi refuge dans cette église. Il y pénètre silencieusement et va d'un corps exténué à l'autre, bénissant chacun dans son sommeil, posant les mains sur ceux qui sont encore éveillés en disant « Hare Rama, Hare Krishna », secouant la tête de telle manière que sa barbe a l'air d'une mamelle frissonnante.

Il y a un mois, une apparition de Ginsberg aurait soulevé une énorme vague d'attention. Désormais il fait partie du décor du mouvement de contestation. Il fait le tour des jeunes gens qui le saluent d'un sourire las, épuisé. Il les bénit, puis poursuit sa route.

« Est-ce que tu travailles pour la police ? demande Faye.

— Non », répond Sebastian. Il se penche en avant, joint les mains en une sorte de prière. « Disons plutôt que je travaille *avec* eux. Pas officiellement. En fait, je ne travaille même pas vraiment avec eux. Plus en parallèle. Nous avons un arrangement, pour ainsi dire. Un compromis où tout le monde trouve son compte. Et où chacun comprend certaines données élémentaires.

— C'est-à-dire ?

— Par exemple, que nous avons besoin les uns des autres.

— Toi et la police ?

— Oui. La police a besoin de moi. La police *m'adore.*

— Vu ce qui s'est passé aujourd'hui, dit Faye, on n'avait pas cette impression.

— Mon rôle est d'échauffer les esprits. Je crée du spectacle, de l'émotion. La police a besoin de bonnes raisons pour réprimer l'extrême gauche. Je les lui fournis. J'imprime des articles annonçant que nous allons kidnapper les délégués, empoisonner l'eau potable, poser une bombe dans l'amphithéâtre, comme ça nous avons l'air de terroristes. Et c'est exactement ce dont la police a besoin.

— Pour pouvoir faire ce qu'elle a fait ce soir. Nous gazer et nous tabasser.

— Face aux caméras de télévision et aux gens qui l'acclament derrière leur poste. Oui. »

Faye secoue la tête. « Mais pourquoi tu l'aides ? Pourquoi tu encourages... », elle agite la main vers les jeunes gens ensanglantés installés dans le sanctuaire, « ... toute cette folie, toute cette violence ?

— Parce que plus la police réprime, dit Sebastian, plus notre camp a l'air fort.

— Notre camp.

— Le camp de la protestation. Plus les flics nous tapent dessus, plus nos arguments ont de poids. » Il se renfonce dans le banc, les yeux perdus dans le vide. « En fait, c'est assez génial. Les manifestants et la police, les progressistes et les conservateurs — ils ont besoin les uns des autres, ils n'existent pas les uns sans les autres, chacun a besoin d'un opposant à diaboliser. La meilleure façon de se sentir appartenir à un groupe, c'est d'en inventer un autre qu'on déteste. En un sens, aujourd'hui, c'était une journée extraordinaire, du point de vue de la publicité. »

Derrière eux, Ginsberg arpente les nombreuses allées de Saint-Pierre, bénissant en silence ceux qui se reposent sur les bancs. Faye perçoit sa voix monotone fredonnant des chants de louange hindous. Sebastian et Faye scrutent l'autel, les statues de saints et d'anges. Elle ne sait plus quoi penser de lui. Elle se sent trahie, ou, plus exactement, elle sent qu'elle *devrait* se sentir trahie — elle ne s'est jamais considérée comme un membre du mouvement de protestation de Sebastian, mais c'est le cas de tellement de gens, alors elle s'efforce de se sentir trahie en leur nom.

« Faye, écoute », dit Sebastian. Les coudes posés sur les genoux, il soupire un grand coup et fixe le sol. « Ce n'est pas tout. La vérité, c'est que je ne pouvais pas aller au Vietnam. »

Dans le sanctuaire, les lumières faiblissent, le flux de manifestants se déversant par la grande porte s'est tari. Partout, les gens s'endorment par grappes de deux, trois ou quatre. Bientôt l'église n'est plus éclairée que par quelques bougies sur l'autel qui diffusent une douce lueur orange.

« J'ai dit à tout le monde que j'étais en Inde cet été, commence Sebastian. Mais ce n'est pas vrai. J'étais en Géorgie. Dans un camp d'entraînement. Ils allaient m'envoyer au Vietnam jusqu'au jour où un type est arrivé et m'a proposé ce marché. Un officiel du bureau du maire, il avait le bras long. Il a dit, si tu publies ce genre d'informations, on te fait sortir de l'armée. Je ne supportais pas l'idée d'aller faire la guerre. Alors j'ai accepté. »

Il regarde Faye, la bouche pincée. « Tu me détestes maintenant, j'en suis sûr. »

Et oui, peut-être *devrait*-elle le détester, pourtant c'est tout le contraire, il l'attendrit. Car elle comprend qu'en fait ils ne sont pas si différents.

« Mon père travaille à la ChemStar, dit-elle. La moitié de l'argent qui a servi à m'envoyer à l'université provient de la production de napalm. Je ne crois pas que je suis en droit de te juger. »

Il hoche la tête. « On fait ce qu'on peut, n'est-ce pas ?

— J'aurais probablement accepté aussi, à ta place », dit Faye.

Ils reportent leurs regards sur l'autel, soudain une idée lui vient à l'esprit : « Mais alors, quand tu as dit que tu avais vu mon *maarr* ?

— Oui ?

— Tu as dit que tu avais appris ce mot chez les moines tibétains.

— Oui.

— Quand tu étais en Inde. Mais tu n'es jamais allé en Inde.

— J'ai lu un article là-dessus dans *National Geographic*. Ce n'étaient pas des moines tibétains. Maintenant que j'y pense, il me semble que l'article parlait d'une tribu aborigène, quelque part en Australie.

— Sur quoi d'autre m'as-tu menti ? demanda Faye. Et notre rendez-vous ? Avais-tu réellement envie de sortir avec moi ?

— Absolument, dit-il en souriant. C'était vrai. J'en avais vraiment envie. Je te le promets. »

Elle hoche la tête. Hausse les épaules. « Comment je peux savoir, de toute façon ?

— Il y a une chose, en fait, un autre petit mensonge.

— D'accord.

— Techniquement, ce n'est pas un mensonge que je n'ai raconté qu'à *toi*, en l'occurrence. Plutôt un mensonge que j'ai raconté à tout le monde.

— Allons-y.

— Sebastian, ce n'est pas mon vrai nom. Je l'ai inventé. »

Faye rit. Elle ne peut pas s'en empêcher. Cette journée a été si absurde qu'une folie de plus ne semble pas si importante. « C'est ça ta définition d'un *petit* mensonge ? dit-elle.

— Disons que c'est mon *nom de guerre**. Je l'ai emprunté à saint Sébastien. Tu sais, le martyr ? La police avait besoin d'un bouc émissaire. J'ai fait office de cible. Alors je me suis dit que c'était approprié. Il vaut mieux que tu ne connaisses pas mon vrai nom.

— Non, répond Faye. Pas encore. Pas maintenant.

— En tout cas, ce n'est pas le genre de nom derrière lequel les gens peuvent se rassembler, crois-moi. »

Ginsberg est à leur hauteur à présent. Il a sillonné le sanctuaire tout entier, chaque rangée de bancs, et le voilà. Debout devant eux, hochant la tête. Ils hochent la tête en retour. L'église est plongée dans le silence, seul le poète résonne, ses pendentifs en métal cliquettent, ses murmures et ses bénédictions se répondent en écho. Il pose une main sur leur tête, une main chaude et douce, délicate. Il ferme les yeux et chuchote des paroles incompréhensibles, comme s'il leur jetait un sort secret. Lorsqu'il s'arrête, il ouvre les yeux et retire ses mains.

« Je viens de vous marier, leur annonce-t-il. Vous êtes mariés désormais. »

Puis il repart en traînant les pieds et en marmonnant pour lui-même.

34

« Je t'en prie, ne répète à personne ce que je t'ai dit, implore l'homme qu'elle connaît sous le nom de Sebastian.

— Promis », dit-elle, et elle sait qu'elle tiendra cette promesse, car elle ne reverra jamais aucune des personnes qu'elle a croisées ici. Dès demain, elle quittera Chicago, quittera le Cercle. Cette certitude s'est enracinée en elle au fil de la journée. Elle n'a pas l'impression d'avoir pris une décision, c'est plutôt comme si la décision était en elle depuis toujours, déjà prête. Elle n'est pas à sa place ici, et tout ce qui s'est passé aujourd'hui en est bien la preuve.

Son plan est simple : à l'aube, elle partira. Pendant que tout le monde dormira, elle se faufilera dehors et s'en ira. En chemin, elle s'arrêtera au dortoir. Montera dans sa chambre, trouvera la porte ouverte, toutes les lumières allumées, et Alice endormie dans son lit. Faye ne la réveillera pas. Elle s'avancera sur la pointe des pieds jusqu'à sa table de chevet, ouvrira lentement le tiroir du bas, en sortira quelques livres et la lettre de demande en mariage de Henry. Puis elle partira en silence, non sans jeter un dernier regard à Alice, qui, sans ses lunettes de soleil et ses rangers, lui semblera redevenue humaine, douce, vulnérable, jolie même. Elle formera des vœux pour elle, pour la suite. Puis elle s'en ira — Alice ne saura jamais qu'elle était là. Faye prendra le premier bus qui la ramènera dans l'Iowa. Elle gardera les yeux fixés sur la lettre de Henry pendant près d'une heure avant d'être finalement submergée par la fatigue, et elle dormira jusqu'au terminus.

C'est son plan. Aux premières lueurs, elle s'échappera.

Mais on est encore à plusieurs heures de l'aube, et elle est à Chicago, avec ce garçon, dans un moment qui semble complètement hors du temps. Dans la pénombre et le silence du sanctuaire. À la lueur des bougies. Elle n'a pas envie de connaître le vrai nom de Sebastian, se dit-elle, pourquoi tout gâcher ? Pourquoi gâter le mystère ? Il y a quelque chose de merveilleux dans son anonymat. Il pourrait être *n'importe qui*. Elle pourrait être *n'importe qui*. Demain elle sera partie, mais pour l'instant elle est encore là. Demain sera lourd de conséquences, mais ce moment, là, est absolument sans conséquence. Quoi qu'il se passe maintenant, il n'y aura aucune répercussion. Quelle merveille, de se sentir si proche de l'abandon. De pouvoir agir sans s'inquiéter. De pouvoir faire tout ce dont elle a envie.

Et ce dont elle a envie, c'est de le prendre par la main et de l'emmener derrière l'autel, parmi les ombres. De sentir son corps chaud contre le sien. De se laisser aller à ses pulsions — comme cette autre nuit avec Henry sur le terrain de jeux, il y a un siècle. Et tandis qu'elle presse ses lèvres contre les siennes, qu'il résiste vaguement et murmure « Tu es sûre ? », qu'elle lui sourit en disant « Puisque nous sommes mariés… » et qu'ils tombent enlacés sur le carrelage, elle sait que le désir n'est qu'en partie la raison pour laquelle elle le fait. Elle le fait aussi pour se prouver quelque chose, pour se prouver qu'elle a changé. Car, une fois passée l'épreuve du feu, n'est-on pas censé devenir une autre personne ? Une personne différente, meilleure ? Et quoi de plus éprouvant que cette journée ? De toute façon, elle aimerait autant être une autre, ne plus être cette fille pleine d'inquiétudes et de doutes ridicules. Elle veut se prouver qu'après toute cette terreur elle est plus forte, plus grande, même si elle n'en est pas tout à fait sûre. Comment sait-on ce genre de choses ? Seuls les actes en attestent. Elle agira donc. Et elle a choisi comment. Elle lui ôte sa veste, puis elle ôte la sienne. Ils s'asseyent pour enlever leurs chaussures, s'amusent de la scène car il n'existe aucune façon sexy d'enlever ce genre de chaussures à lacets. Elle va prouver, au monde entier et à elle-même, qu'elle a changé, qu'elle est devenue une femme, qu'elle agit comme une femme et qu'elle n'a pas peur. Elle défait sa ceinture, baisse son pantalon, il se dresse hors de ses habits, fièrement. À présent les affiches de son cours d'économie domestique n'ont plus aucune prise sur elle, elle a beau sentir qu'elle est sale et l'odeur de cet homme devant elle, un mélange de sueur, de fumée, d'effluves corporels et de gaz lacrymogène, elle n'en a que plus envie de le dévorer, et lui de la dévorer, et pour être tout à fait honnête, c'est un pur délice, c'est si libérateur de rouler ainsi l'un sur l'autre, crasseux à souhait sur ce sol étincelant et lisse, ce sol divin, d'où, levant les yeux, elle aperçoit le Jésus de pierre qui, la tête penchée, semble les regarder, les condamner tel le Dieu terrible qu'il est, désapprouvant ce qu'elle est en train de faire dans sa demeure sacrée, et elle adore ça, elle adore que cela se passe ici justement, elle sait que demain elle retournera dans l'Iowa, dans sa peau de Faye, l'ancienne Faye, qu'elle regagnera son corps telle une âme un moment égarée dans un autre corps, renoncera à la fac et acceptera la proposition de Henry, qu'elle deviendra une épouse, une nouvelle créature étrange renfermant pour toujours le souvenir de cette nuit. Elle n'en parlera jamais, elle y pensera tous les jours. Elle se demandera comment elle peut être deux personnes si différentes : la vraie Faye, et l'autre, l'audacieuse, l'impulsive Faye. Cette Faye-là lui manquera. Les années passant, les jours s'accumulant, saturés de tâches domestiques, de soins maternels, le souvenir de cette nuit deviendra si présent qu'elle finira par le trouver plus réel que sa vraie vie. Elle commencera à penser que sa vie d'épouse et de mère est une illusion, la façade qu'elle projette au monde, et que cette Faye si vivante sur le sol de l'église Saint-Pierre est la vraie, l'authentique, et cette conviction s'agrippera à elle si fort, la transperçant de part en part, qu'elle finira par prendre le pas sur tout le reste. Par devenir irrépressible. Et alors, elle n'aura pas l'impression d'abandonner son mari et son fils, non, elle aura le sentiment de retourner à la vie réelle qu'elle a abandonnée des années plus tôt, à Chicago. En fait, elle n'en concevra aucun sentiment négatif, elle aura enfin l'impression d'être honnête avec elle-même.

L'impression d'avoir trouvé sa vérité profonde — du moins pendant quelque temps, jusqu'à ce que sa famille se mette à lui manquer et qu'elle replonge dans la confusion.

Dans l'histoire des aveugles et de l'éléphant, le plus souvent, on laisse de côté un aspect fondamental : chacune de leurs descriptions est *juste*. C'est précisément ce que Faye ne comprendra peut-être jamais : il n'y a pas une identité vraie cachée parmi de fausses identités. Mais plutôt une identité vraie cachée parmi de nombreuses autres identités vraies. Elle est l'étudiante docile, timide et travailleuse. Elle est l'enfant angoissée, apeurée. Elle est la séductrice audacieuse et impulsive. Elle est l'épouse, la mère. Et tant d'autres encore. La conviction qu'elle a, qu'une seule est réelle, lui cache une vérité plus grande, c'est le même problème qu'avec les aveugles et l'éléphant. Le problème n'est pas qu'ils soient aveugles, mais qu'ils cessent trop vite d'explorer l'animal et ne le saisissent jamais dans son ensemble.

Pour Faye, la vérité plus grande, à laquelle sont suspendus tous les épisodes importants de sa vie, comme au faîte d'une charpente, est la suivante : *Faye est celle qui fuit*. Elle panique et s'enfuit, fuit la disgrâce de l'Iowa, fuit Chicago pour se réfugier dans le mariage, fuit sa famille et finalement fuit son pays. Et plus elle est convaincue de n'être vraie que sous une seule de ses identités, plus elle fuit pour la trouver. On la croirait prise au piège de sables mouvants, tous ses efforts pour en sortir ne font qu'accélérer sa noyade.

Le comprendra-t-elle jamais ? Qui sait. Se voir avec lucidité, c'est l'affaire de toute une vie.

Ces pensées sont loin d'elle pour le moment. Pour

le moment tout est simple. Elle est un corps rencontrant un autre corps. Son corps à lui est chaud, sa peau pressée contre la sienne, salée, dégageant une odeur d'ammoniaque. À l'aube, elle retrouvera l'usage de son cerveau, mais pour le moment tout est simple — elle *savoure*. Son corps tout entier grand ouvert au monde, les sens en éveil.

35

La seule autre personne dans l'église à savoir ce qu'ils sont en train de faire est Allen Ginsberg, il est assis en tailleur contre un mur, il sourit. Il les a aperçus plongeant derrière l'autel, il entrevoit leurs ombres à la lueur des bougies, il reconnaît le son d'une boucle de ceinture qu'on défait. Cela le rend heureux, que ces gamins exultent dans leur chair épuisée et souillée. Tant mieux pour eux. Cela lui rappelle ce poème qu'il a écrit sur les tournesols il y a bien longtemps — combien, dix ans ? quinze ans ? Peu importe. *Nous ne sommes pas notre peau de crasse*, avait-il écrit, *nous sommes tous au-dedans de beaux tournesols dorés, bénis de notre propre semence & des corps-accomplissements beaux nus dorés poilus qui grandissent en tournesols fous noirs et formels dans le crépuscule…*

Oui, pense-t-il. Et tandis qu'il ferme les yeux et plonge dans le sommeil, il se laisse gagner par la félicité et le ravissement.

Car il sait qu'il avait raison.

DIXIÈME PARTIE

DÉSENDETTEMENT

Fin de l'été 2011

1

Une fois de plus, Faye avait menti à son fils.

Une fois de plus, il s'était trouvé une chose trop honteuse pour qu'elle la lui avoue. À Chicago, à l'aéroport, quand il lui avait demandé où elle prévoyait d'aller, elle lui avait menti. Elle lui avait dit qu'elle n'en savait rien, qu'elle y réfléchirait une fois à Londres. Alors qu'elle savait exactement où elle irait : dès qu'elle avait compris qu'en fin de compte elle voyagerait seule, elle avait résolu de venir ici, à Hammerfest, en Norvège. Dans la ville natale de son père.

Quand son père évoquait Hammerfest, la maison de famille paraissait toujours resplendissante : en lisière de la ville, une large maison en bois à deux étages avec vue sur l'océan, un long quai où la famille venait pêcher l'après-midi et repartait avec un seau plein de poissons arctiques, un champ d'orge perlé en face ondulant de reflets dorés en été, un petit enclos pour les animaux — quelques chèvres, des moutons, un cheval —, le terrain tout entier bordé d'épicéas bleu-vert, aux branches si alourdies de neige en hiver qu'elles ployaient parfois avec un grand *fwomp*. Chaque printemps, la maison était repeinte dans un flamboyant rouge saumon qui recouvrait l'empreinte du rude hiver. Faye se souvenait des heures passées assise aux pieds de son père, à écouter ces histoires, l'image de cette famille ancestrale s'imprimant en elle, augmentée avec les années d'une chaîne de montagnes en arrière-plan, du sable noir volcanique recouvrant les plages qu'elle avait vues une fois dans un *National Geographic* — et de toutes les autres choses qu'elle avait pu croiser dans des films, des magazines, toutes les images de sites champêtres idylliques, étrangers, s'agrégeant à ce lieu, à cette maison de Hammerfest. L'enfance avait entassé là tous ses rêves. Y avait déposé la meilleure partie de son imaginaire pour fabriquer un lieu qui était un mélange de paysage nordique, de campagne française et toscane et de cette scène extraordinaire dans *La Mélodie du bonheur* où les personnages chantent et dansent dans les vertes collines bavaroises.

Le vrai Hammerfest, constate Faye, ne ressemble en rien à cela. Après un vol de courte durée entre Londres et Oslo, puis un autre à bord d'un avion à hélices qui semblait trop lourd pour ses réacteurs, elle atterrit à Hammerfest et découvre un lieu rocailleux, misérable, un sol où rien ne pousse sinon d'épais et piquants buissons et broussailles. Un lieu où sifflent les vents du cercle polaire, des vents chargés d'une vapeur pétrochimique sucrée. Car c'est une ville pétrolière. Et gazière. Dans le port, les bateaux de pêche disparaissent, écrasés par les conteneurs orange géants qui transportent le gaz naturel liquide et le pétrole brut vers les raffineries disséminées sur toute la côte, vers les entrepôts blancs cylindriques et les réservoirs de distillation aux allures, vus du ciel, de champignons poussant sur quelque cadavre. Au large, on aperçoit les plateformes de forage. Au lieu des champs d'orge ondulant doucement sous le vent, une succession de terrains vagues servant de décharges pour vieux équipements rouillés et sales. Des collines rocailleuses, déchiquetées, couvertes de lichen. Au lieu de plages, une falaise inaccessible, dressée tel le vestige d'un accident à la dynamite. Quant aux façades jaunes et orange des maisons, elles sont un rempart érigé contre l'hiver plus qu'un manifeste joyeux. Est-ce là l'endroit merveilleux qu'elle s'est imaginé ? Cela semble si étranger.

Elle croyait qu'elle trouverait quelqu'un à l'office de tourisme qui pourrait l'aider, mais lorsqu'elle s'y est présentée en disant qu'elle cherchait la ferme Andresen, on l'a regardée comme si elle avait perdu la tête. Il n'y a pas de ferme Andresen, lui a-t-on dit. Il n'y a pas de ferme tout court. Alors elle leur a décrit la maison, et s'est entendu répondre que sans doute elle n'existait plus. Détruite par les Allemands pendant la guerre. Ils auraient détruit cette maison-là précisément ? Ils avaient détruit *toutes* les maisons. On lui a remis un dépliant sur le musée de la Reconstruction. Elle a expliqué qu'elle recherchait un endroit avec beaucoup de terrain, quelques épicéas peut-être et une maison face à la mer. Ne connaissaient-ils aucun endroit de ce genre ? Ils ont répondu que cela pourrait s'appliquer à des tas d'endroits différents et qu'il valait mieux qu'elle aille voir par elle-même en faisant un tour. En faisant un tour ? Oui, ce n'est pas très grand. Alors c'est ce qu'elle fait. Le tour de Hammerfest en quête d'un endroit qui corresponde à la description de son père, une ferme en lisière de la ville avec vue sur la mer. Elle passe devant des immeubles d'habitation cubiques en pierre, ils sont agglutinés comme s'ils essayaient de se tenir chaud. Ni champs, ni fermes, ni rien qui y ressemble. Elle s'éloigne encore un peu, le sol devient rocailleux, couvert de mauvaises herbes, les seules plantes qui résistent sont celles qui prennent racine entre les pierres, des herbes drues, cassantes, endormies pendant les deux mois d'obscurité de l'hiver arctique. Faye se sent stupide. Elle marche depuis des heures. Elle pensait vraiment savoir à quoi s'attendre, elle croyait sincèrement à ses rêves. Après toutes ces années, elle continue à faire les mêmes erreurs. Elle croise un chemin où l'herbe est aplatie, il mène à une crête, elle le suit, perdue dans ses tristes pensées, ponctuant chacun de ses pas à voix haute : « Stupide. Stupide. » Car c'est ce qu'elle est, stupide, et chaque décision stupide qu'elle a prise l'a conduite ici, dans cet endroit stupide, toute seule sur ce chemin de pierre et de poussière, dans ce bout du monde oublié de tous.

« Stupide », maugrée-t-elle en regardant ses pieds, elle monte le chemin abrupt qui grimpe en haut de la colline, stupide, pense-t-elle, d'être venue ici chercher cette vieille maison, même ses vêtements sont stupides — des chaussures blanches légères, à fines semelles, totalement ridicules pour marcher dans la toundra, et une chemise en coton qu'elle serre contre elle car, même en plein été, l'air est vif et froid. Encore des choix stupides, qui viennent s'ajouter à la longue liste de sa vie. Stupide de faire ce voyage. Stupide de reprendre contact avec Samuel, dont elle se sentait responsable après l'avoir abandonné à Henry, ce qui, là encore, était stupide. Non, ça non, mais épouser Henry, si, et quitter Chicago aussi.

Et à mesure que Faye gravit la colline, elle retrace l'interminable enchaînement de ses mauvaises décisions. Où cela a-t-il commencé ? Comment s'est-elle retrouvée sur la trajectoire de cette vie stupide ? Elle ne sait pas. Quand elle regarde derrière elle, tout ce qu'elle voit, c'est ce vieux désir familier de solitude. De se libérer du regard des gens, de leurs jugements et tous leurs inextricables imbroglios. Car chaque fois qu'elle s'est liée avec quelqu'un, le désastre a suivi. Au lycée, elle s'est liée avec Margaret et est devenue la paria de la ville. À la fac, sa relation avec Alice l'a menée directement en prison et au chaos. Quant à son mariage avec Henry, il n'a conduit qu'à ruiner l'existence de l'enfant qu'ils ont eu ensemble.

Quand, à l'aéroport, le nom de Samuel est apparu sur la liste des personnes interdites de vol, elle a été soulagée. Elle n'en est pas fière maintenant, mais c'est la vérité. Elle a éprouvé ce mélange d'émotions : la joie que Samuel semble avoir cessé de la détester, et le soulagement qu'il ne puisse pas venir avec elle. Comment aurait-elle pu survivre à un vol entier jusqu'à Londres — traverser tout un océan de questions ? Sans parler de voyager avec lui et de vivre avec lui, où que ce soit (pour une raison obscure, il avait l'air de privilégier Jakarta). Il était trop en demande — il l'avait *toujours* été —, c'était insoutenable.

Comment aurait-elle pu avouer à Samuel qu'elle voulait se rendre à Hammerfest à cause d'une histoire de fantôme idiote ? D'une histoire de son enfance, cette histoire de *nisse* racontée par son père la nuit de sa première crise de panique. Durant tout ce temps, jamais l'histoire ne l'avait quittée, et lorsque Samuel avait mentionné le nom d'Alice, elle s'était souvenue d'une chose que sa vieille amie lui avait dite : le seul moyen de se débarrasser d'un fantôme, c'est de le ramener chez lui.

Stupide, cette superstition. « Stupide, stupide », répète-t-elle.

À croire qu'elle est réellement hantée. Durant tout ce temps, elle a vraiment cru que son père avait emporté avec lui une malédiction du pays, un fantôme. Sauf qu'à présent elle se dit que peut-être elle n'est pas hantée, que peut-être *elle est le fantôme*. Que peut-être elle est la malédiction. Car chaque fois qu'elle s'est approchée de quelqu'un, elle l'a payé au centuple. Et peut-être que ce n'est que justice si elle se retrouve ici, au bout du monde, toute seule. Sans personne à qui se lier. Sans pouvoir gâcher d'autres vies.

Elle parvient au sommet de la crête, perdue dans ses pensées, ressassant son amertume, quand tout à coup elle sent une présence. En levant les yeux, elle voit un cheval en travers du chemin, à six mètres d'elle environ, à l'endroit où la crête redescend vers une petite vallée. Elle tressaille et pousse un « *Oh !* » de surprise, mais le cheval, lui, ne semble pas effrayé. Il ne bouge pas. Ne broute pas. Elle n'a pas l'impression de l'avoir interrompu. Il a un comportement étrange — comme s'il l'attendait. C'est un cheval blanc, musculeux. De temps à autre, ses flancs frissonnent. Ses grands yeux noirs semblent la considérer prudemment. Un mors dans la bouche, des rênes sur l'encolure, pas de selle. Il la fixe du regard comme s'il venait de lui poser une question et attendait sa réponse.

« Bonjour », dit-elle. Le cheval n'a pas l'air apeuré, ni sympathique. Il focalise toute son attention sur

Faye. Il y a quelque chose d'angoissant dans sa façon de guetter, comme s'il attendait qu'elle fasse ou dise quelque chose, sans qu'elle sache quoi. Elle fait un pas vers lui. Pas de réaction. Un autre pas. Toujours rien.

« Qui es-tu ? » demande-t-elle, et tandis qu'elle prononce cette question, la réponse explose dans son crâne : c'est un nix. Après toutes ces années, il lui est enfin apparu, ici, sur cette crête, dominant ce port glacial de Norvège, dans la ville la plus au nord du monde. Elle vient de basculer dans le conte de fées.

Le cheval la regarde droit dans les yeux, sans ciller, il semble dire : *Je sais qui tu es*. Et elle se sent attirée vers lui, elle a envie de le toucher, de lui caresser le flanc, de sauter sur son dos et de le laisser l'emmener où il le voudra. Cela ferait une bonne fin, se dit-elle.

Elle approche encore, elle tend la main maintenant, mais il ne recule toujours pas. Il attend. Elle pose la main entre ses yeux, cette zone qui a toujours l'air plus douce qu'elle ne l'est en réalité, où l'on sent le crâne juste en dessous.

« Est-ce que tu m'attendais ? » souffle-t-elle à son oreille gris et noir, tachée d'argent, pareille à une soucoupe en porcelaine. Elle se demande si elle arrivera à sauter sur son dos, si ce n'est pas trop haut pour elle. C'est la partie la plus difficile. Après ce sera facile. Si le cheval part au galop, il atteindra la falaise en une dizaine de foulées à peine. Puis la chute dans la mer ne prendra que quelques secondes. Cela paraît fou qu'après une si longue vie la fin puisse être si rapide.

Puis Faye perçoit un son, une voix portée par le vent depuis la vallée. Il y a une femme là en bas, elle avance dans sa direction, elle lui crie quelque chose en norvégien. Et derrière elle, juste après, il y a une maison : une petite bâtisse carrée avec une terrasse surplombant la mer, un chemin de pierre descendant jusqu'à un ponton en bois, un grand jardin à l'avant, quelques épicéas, un petit pâturage où paissent une poignée de chèvres et de moutons. La maison est grise, érodée, mais en quelques endroits protégés du vent — sous les avant-toits et derrière les volets — Faye aperçoit de vieilles traces de peinture : rouge saumon.

Elle manque s'évanouir. Elle n'est pas exactement telle qu'elle se l'imaginait mais elle la reconnaît cependant. Une impression familière, comme si elle était souvent venue là.

Lorsque la femme arrive à sa hauteur, Faye constate combien elle est jeune et belle, l'âge de Samuel peut-être, avec ces traits remarquables qu'elle voit partout depuis qu'elle a posé le pied dans ce pays : la peau claire, les yeux bleus, les cheveux longs et raides de cette couleur délicate entre le blond et le blanc. Elle sourit, dit quelque chose que Faye ne comprend pas.

« C'est votre cheval, sans doute », lui dit Faye. Elle se sent un peu présomptueuse de s'adresser à elle en anglais comme si c'était évident, mais elle n'a pas d'autre choix.

La femme n'a pas l'air de s'en offusquer. Elle incline la tête, semble chercher ses mots avant de répondre : « Vous êtes anglaise ?

— Américaine.

— Ah, dit-elle en hochant la tête comme si elle venait d'éclaircir un épais mystère. Le cheval s'échappe parfois. Merci de l'avoir attrapé.

— Je ne l'ai pas vraiment attrapé. Je l'ai trouvé là. C'est plutôt lui qui m'a attrapée. »

La femme se présente — elle s'appelle Lillian. Elle porte un pantalon à chevrons dans une étoffe rugueuse, résistante, un pull bleu clair, une écharpe en laine tricotée main apparemment. L'incarnation du style nordique — modeste et élégant. Certaines femmes subliment une écharpe sans effort. Lillian prend les rênes du cheval et elles se dirigent ensemble vers la maison. Faye se demande si elle pourrait être une parente lointaine, une cousine, car elle est presque sûre que c'est bien la maison. Il y a tant de détails qui correspondent, même si la version de son père était déformée : en fait de champ, devant la maison, c'est plutôt un jardin, la longue rangée d'épicéas se résume à deux arbres seulement, et le grand quai sur la mer est un ponton branlant assez large pour accueillir un canoë mais pas plus. Faye se demande s'il mentait consciemment, s'il enjolivait volontairement les choses, ou si, après des années d'absence, dans son imagination, la maison n'avait pas bel et bien pris ces proportions et cette majesté.

Pendant ce temps, Lillian fait la conversation agréablement, demande à Faye d'où elle vient, si son voyage se passe bien, où elle est allée avant. Elle lui suggère des adresses de restaurants, des choses à voir dans les environs.

« C'est votre maison ? demande Faye.

— Celle de ma mère.

— Est-ce qu'elle vit ici elle aussi ?

— Bien sûr.

— Depuis quand ?

— Depuis toujours ou presque. »

Le jardin à l'avant déborde d'une nature sauvage, de buissons, d'herbes, de fleurs abondantes et à peine domestiquées. C'est un jardin excentrique, indiscipliné, un endroit où la nature a cédé au chaos. Lillian conduit le cheval jusqu'à son enclos et referme derrière elle une barrière bancale avec un bout de ficelle. Elle remercie Faye de l'avoir aidée à ramener l'animal.

« J'espère que vous passerez de bonnes vacances », ajoute-t-elle.

C'était le but de son voyage depuis le début, mais Faye ne trouve pas les mots, elle est nerveuse, elle ne sait plus quoi dire ni comment faire, elle n'est pas sûre de pouvoir tout expliquer.

« En fait, je ne suis pas vraiment en vacances.

— Oh ?

— Je suis à la recherche de quelqu'un. De la famille, en fait. De lointains parents.

— Quel est leur nom ? Je peux peut-être vous aider ? »

Faye déglutit. Pourquoi a-t-elle si peur de le dire ?

« Andresen.

— Andresen, répète Lillian. C'est un nom assez banal.

— C'est vrai, mais je crois que c'est ici. Je crois que ma famille vivait autrefois dans cette maison, ici.

— Il n'y a jamais eu personne du nom d'Andresen dans notre famille, ni jamais personne qui soit parti en Amérique. Vous êtes sûre que c'est la bonne ville ?

— Mon père s'appelle Frank Andresen. À l'époque où il vivait ici, il s'appelait Fridtjof.

— Fridtjof », dit Lillian, et elle semble réfléchir, chercher pourquoi ce nom lui est familier. Et puis, tout à coup, elle trouve, et alors elle plante ses yeux dans ceux de Faye comme si elle allait la transpercer.

« Vous connaissez Fridtjof ?

— Je suis sa fille.

— Oh mon Dieu », dit-elle, et elle attrape Faye par le poignet. « Suivez-moi. »

Elle emmène Faye à l'intérieur, elles traversent un cellier plein de légumes bien rangés dans des bocaux dûment étiquetés, puis une cuisine chaleureuse où flotte une odeur de pain, de levure et de cardamome, et enfin entrent dans un petit salon dont le parquet craque et avec de vieux meubles en bois artisanaux.

« Attendez-moi ici », dit Lillian, qui lui lâche le poignet et disparaît derrière une autre porte. La pièce où elle se retrouve est douillette, richement décorée de couvertures, de coussins, avec des photographies aux murs. Certainement des photos de famille. Faye les examine attentivement. Aucun visage familier, à part peut-être quelques hommes dont le regard lui évoque celui de son père — ou bien est-ce le fruit de son imagination ? —, elle croit reconnaître une sorte de strabisme, le dessin des sourcils, de vagues rides entre les yeux. Partout autour d'elle, il y a des lampes, des chandeliers, des bougies, des appliques, sans doute pour compenser le manque de lumière pendant les mois d'obscurité hivernale. Une grande cheminée en pierre occupe tout un mur. Sur un autre mur, des livres à la couverture blanche, dont Faye ne reconnaît pas les titres. Et un ordinateur portable qui a l'air complètement anachronique dans ce décor d'un autre âge. De l'autre côté de la porte, Faye entend Lillian, elle parle doucement, mais à toute allure. Faye ne connaît pas un seul mot de norvégien, le langage demeure pour elle uniquement phonique, vaguement grave, un peu comme de l'allemand en mode mineur. De même que dans la plupart des langues en dehors de l'anglais américain, les mots semblent aller trop vite.

Mais bientôt la porte s'ouvre et Lillian réapparaît, suivie de sa mère, et lorsque Faye la voit elle a l'impression de se regarder dans une glace — quelque chose dans les yeux, dans la manière dont leurs épaules se voûtent, dont l'âge a laissé son empreinte sur elles. La femme se fait la même réflexion, elle s'immobilise d'un coup en voyant Faye, et elles se dévisagent un long moment, sans un geste. Pour n'importe quel spectateur extérieur, c'est évident, elles sont sœurs. Faye reconnaît les traits de son père chez cette femme : elle a ses pommettes, ses yeux, son nez. La femme incline la tête, l'air suspicieux. Elle porte ses cheveux gris en un chignon désordonné noué par un ruban au sommet de son crâne. Une chemise noire ordinaire et un vieux jean, tous deux couverts des traces laissées par ses innombrables tâches : de la peinture, du plâtre et de la boue aux genoux. Elle est pieds nus. Elle s'essuie les mains dans un chiffon bleu marine.

« Je m'appelle Freya », dit-elle, et le cœur de Faye bondit. Dans toutes les histoires de fantôme de son père, absolument toutes, il y avait toujours une jeune fille magnifique, et c'était le nom qu'il lui donnait : Freya.

« Je suis désolée de vous déranger, dit Faye.

— Vous êtes la fille de Fridtjof ?

— Oui. Fridtjof Andresen.

— Vous venez d'Amérique ?

— De Chicago.

— Alors, dit-elle sans s'adresser à personne en particulier, il est parti en Amérique. » Puis elle esquisse un geste en direction de Lillian, « Montre-lui », et Lillian attrape un livre sur une étagère et s'assied sur le canapé. C'est un vieux livre, aux pages jaunies, recouvert de cuir et avec un fermoir. Faye en a déjà vu un semblable : la Bible de son père, celle avec l'arbre généalogique plein de noms exotiques à l'intérieur, qu'il lui montrait en secouant la tête d'un air réprobateur, disant qu'ils étaient tous trop lâches pour venir chercher une vie meilleure en Amérique. La Bible sur les genoux de Lillian est pareille à celle-là, avec un arbre généalogique sur les deux pages de couverture. Mais là où celui de son père s'arrêtait à Faye, celui-ci n'en finit pas d'étendre les rameaux de la famille de Hammerfest. Lillian, constate Faye, est l'un des six enfants de Freya. La ligne du dessous est remplie de petits-enfants. Il a fallu ajouter une feuille pour dessiner l'arborescence complète. Au-dessus de Freya, les noms de ses parents sont inscrits : Marthe, sa mère, et un autre nom, noirci d'encre. Freya s'approche et, debout face à Faye, se penche pour pointer du doigt cet endroit.

« C'était Fridtjof, dit-elle, l'ongle planté dans le papier.

— C'est votre père aussi.

— Oui.

— Son nom a été effacé.

— C'est ma mère qui a fait ça.

— Pourquoi ?

— Parce qu'il était… oh, comment dit-on ? »

Elle se tourne vers Lillian, cherchant son aide.

Elle dit quelque chose en norvégien, Lillian hoche la tête et conclut : « Oh, tu veux dire *lâche*.

— Oui, dit Freya. C'était un lâche. » Elle scrute Faye, guettant sa réaction, se demandant si elle va se vexer, Freya est tendue, prête à en découdre.

« Je ne comprends pas, dit Faye. Pourquoi un lâche ?

— Parce qu'il est parti. Il nous a abandonnés.

— Non. Il a émigré, proteste Faye. Il est parti chercher une vie meilleure.

— Pour lui.

— Il n'a jamais parlé de la famille qu'il avait ici.

— Dans ce cas, vous ne savez pas grand-chose de lui.

— Racontez-moi. »

Freya soupire pesamment et jette à Faye un regard impatient ou peut-être dédaigneux.

« Est-ce qu'il est encore en vie ?

— Oui, mais il n'a plus toute sa tête. Il est très vieux.

— Qu'a-t-il fait en Amérique ?

— Il a travaillé dans une usine. Une usine chimique.

— Est-ce qu'il a eu une vie heureuse ? »

Faye réfléchit un moment, elle repense à toutes les fois où elle a vu son père distant, maussade, enfermé dans sa prison intérieure, debout des heures durant au fond du jardin à scruter le vide du ciel.

« Non, répond-elle. Il paraissait toujours triste. Et seul. Nous n'avons jamais su pourquoi. »

Freya semble se radoucir en entendant cela. Elle acquiesce. Et ajoute : « Restez pour le dîner. Je vous raconterai toute l'histoire. »

Elles partagent le pain sorti du four et un ragoût

de poisson. C'est l'histoire que la mère de Freya lui a racontée quand elle a été en âge de comprendre. Une histoire qui commence en 1940, la dernière fois qu'on a entendu parler de Fridtjof Andresen. Comme la plupart des jeunes gens de Hammerfest, c'était un pêcheur. Il avait dix-sept ans, jusque-là il avait travaillé à quai aux tâches réservées aux enfants : nettoyer, vider et lever les filets. Maintenant il travaillait sur le bateau, ce qui était sans conteste un meilleur poste : plus lucratif, plus amusant, bien plus excitant avec les pêches parfois miraculeuses de cabillauds, flétans, des filets gorgés de loups à l'air féroce et à l'odeur fétide, dont tout le monde s'accordait à dire qu'il valait mieux les attraper plutôt que les vider. Des journées entières à naviguer, perdant la notion du temps au long des interminables étés arctiques où le soleil ne se couche jamais. Avec la fierté de maîtriser le matériel de pêche, les bouées, les filets, les tonneaux, les lignes et les hameçons rangés dans la coque. Ce qu'il préférait, c'était faire le guet au sommet du plus haut mât parce qu'il avait une vue perçante. Il avait un don ; tout le monde en convenait. Il repérait les bancs de poissons qui balayaient la baie tout l'été, et quand il apercevait des remous à la surface il criait « Poi-sson ! » et tous les hommes sautaient de leurs couchettes, coiffaient leurs casquettes et se mettaient au travail immédiatement. Ils descendaient les canots à l'eau, deux hommes par chaloupe — l'un pour tenir les rames, l'autre pour tenir le filet —, déployaient le filet entre eux tandis qu'il pilotait l'opération de là-haut jusqu'à ce que le banc les rejoigne et que les poissons se retrouvent encerclés, puis hissés à bord triomphalement dans un filet débordant. Ils avaient un sentiment de pouvoir, de contrôle sur la mer, ils se sentaient invincibles même lorsqu'ils naviguaient trop près des côtes, frôlant le naufrage à tout moment s'ils n'avaient pas été d'aussi bons marins.

De mémoire de marin, Fridtjof repérait le poisson mieux que personne. Il avait l'œil le plus aiguisé de la ville, quand ils étaient au port, il ne manquait jamais une occasion de fanfaronner à ce sujet. Prétendait que l'océan était un livre ouvert qu'il était le seul à pouvoir lire. Il était jeune. Il avait un peu d'argent. Il traînait dans les bars. Il rencontra une serveuse nommée Marthe. On ne peut pas vraiment dire qu'il tomba amoureux d'elle. Plutôt, il s'agissait de désirs adolescents qu'ils éprouvaient tous les deux et qu'ils firent en sorte de satisfaire ensemble. La première fois qu'ils firent l'amour, c'était dans les collines, près de chez la jeune fille, il avait attendu la fermeture du bar pour la raccompagner, ils s'étaient étendus dans l'herbe drue sous un soleil gris-blanc. Puis elle lui avait fait visiter le domaine, la grande maison rouge saumon, le long ponton sur l'eau, la rangée d'épicéas, le champ d'orge. Elle aimait cet endroit, lui dit-elle. C'était une fille ravissante.

Cet été-là, la guerre commença. Tout le monde pensait que Hammerfest était trop retiré pour être concerné mais il s'avéra que les Allemands voulaient la ville pour perturber la navigation des Alliés vers la Russie, de plus c'était la base de réapprovisionnement idéale pour leurs sous-marins. De quai en quai, de bateau en bateau, la rumeur se répandit sur toute la côte norvégienne : la Wehrmacht arrivait. Sur le navire de Fridtjof, on parlait de s'enfuir. De gagner l'Islande. D'y démarrer une nouvelle vie. Ou de continuer. Certains disaient que de Reykjavík on pouvait s'embarquer pour l'Amérique. Mais les sous-marins, alors ? Ils ne s'arrêteraient pas à leur petit bateau de pêche. Mais les mines ? Fridtjof les repérerait, dirent-ils. C'était faisable.

Fridtjof avait envie de croire les plus âgés quand ils disaient que les Allemands étaient plus intéressés par les quais que par la ville elle-même, qu'ils les laisseraient tranquilles pourvu qu'on ne leur oppose pas de résistance, qu'ils se battaient contre la Russie et l'Angleterre, pas contre la Norvège. Mais les rumeurs qui arrivaient du sud parlaient d'attaques surprises, de villages brûlés. Fridtjof ne savait plus quoi penser. Durant son prochain débarquement à Hammerfest, l'équipage prendrait une décision : rester ou partir. Ceux qui voulaient rester étaient libres de le faire. Ceux qui voulaient tenter le voyage en Islande embarqueraient avec le maximum de provisions à bord.

Le seul qui n'avait pas le choix était Fridtjof. Ou du moins est-ce l'impression qu'il eut quand les plus âgés le prirent à part pour lui expliquer qu'ils avaient besoin de ses yeux. Il était le seul capable de repérer les mines qui rendaient les eaux au-delà des îles si dangereuses. Il était le seul capable de déceler la présence d'un sous-marin d'après la surface ourlée de l'eau. Il était le seul capable de distinguer la silhouette d'un navire ennemi à l'horizon, d'assez loin pour qu'ils puissent l'éviter. Il avait un don, ils étaient tous d'accord là-dessus. Sans lui, ils étaient morts.

Cette nuit-là, il attendit la fermeture du bar et alla voir Marthe. Elle était heureuse de le voir. Ils firent l'amour dans l'herbe, et puis elle lui annonça qu'elle était enceinte.

« Il va falloir qu'on se marie, bien entendu, ajouta-t-elle.

— Bien entendu.

— Mes parents disent que tu peux venir vivre avec nous. Un jour, nous hériterons de la maison.

— D'accord. Bien.

— Ma grand-mère pense que c'est une fille. Elle se trompe rarement sur ce genre de choses. Je veux l'appeler Freya. »

Ils passèrent le plus clair de la nuit à faire des projets. Au petit matin, il lui dit qu'il partait au large pour chasser le cabillaud vers le nord-est. Il serait de retour dans une semaine. Elle sourit. L'embrassa. Et ne le revit plus jamais.

Freya naquit dans une ville occupée. Les Allemands étaient venus, ils avaient chassé la plupart des familles de leurs maisons. Les soldats habitaient là désormais, tandis que la population s'entassait dans les immeubles, les écoles ou l'église. Marthe partageait un appartement avec seize autres familles. Certains des plus lointains souvenirs de Freya remontent à cette époque de famine et de désespoir. Ils vécurent ainsi durant quatre ans, jusqu'à ce que les Allemands se retirent. Ce jour-là, à l'hiver 1944, tous les habitants de Hammerfest reçurent l'ordre d'évacuer la ville. Ceux qui obéirent fuirent vers la forêt. Ceux qui désobéirent furent tués. Les Allemands brûlèrent la ville entière. Tous les bâtiments, sauf l'église. Quand les gens revinrent, ils ne retrouvèrent que des ruines, des décombres et des cendres. Ils passèrent cet hiver-là dans les collines, dans les grottes. Freya se souvient du froid et de la fumée des feux, de la fumée qui les empêchait de dormir, qui les faisait tousser. Elle se souvient des glaires acides et cendreuses qu'elle crachait dans sa main.

Au printemps, ils sortirent de leurs abris et commencèrent à rebâtir Hammerfest. Mais ils n'avaient pas les ressources nécessaires pour la reconstruire à l'identique. C'est pourquoi la ville a cet aspect par endroits, pauvre et anonyme, vestige de résilience et non de beauté. La famille de Marthe reconstruisit sa maison du mieux qu'elle put, la repeignit même de cette fameuse couleur rouge saumon, et puis un jour, quand Freya fut assez grande, Marthe lui raconta l'histoire de Fridtjof Andresen, son père. Personne n'avait plus jamais entendu parler de lui après la guerre. Ils supposaient qu'il avait fui vers la Suède comme tant d'autres. Parfois, Freya allait sur les collines regarder les bateaux de pêche au large, et elle l'imaginait au sommet de l'un d'entre eux, scrutant l'océan à sa recherche. Longtemps elle rêva de son retour, puis elle grandit, fonda sa propre famille et cessa d'espérer son retour, se mit à le détester, puis elle cessa de le détester et commença à l'oublier. Avant l'arrivée de Faye, elle n'avait plus repensé à son père depuis des années.

« Je ne crois pas que ma mère lui ait jamais pardonné, dit Freya. Elle a été malheureuse une grande partie de sa vie, en colère contre lui ou contre elle-même. Elle est morte, maintenant. »

Il est tout juste sept heures, le soleil envahit la cuisine de sa lumière oblique et dorée. Freya claque les mains sur la table et se lève.

« Allons voir la mer, dit-elle. Et le coucher de soleil. »

Elle apporte un manteau à Faye et lui explique qu'à Hammerfest les couchers de soleil sont une chose précieuse car trop rare. Ce soir, le soleil se couche à huit heures et quart. Il y a un mois, il se couchait à minuit. Encore un mois et il fera nuit dès cinq heures et demie. Et un jour, vers la mi-novembre, le soleil se lèvera à onze heures du matin, se couchera environ une demi-heure plus tard et ne reviendra plus durant deux mois.

« Deux mois d'obscurité, dit Faye. Comment supportez-vous ?

— On s'habitue. Est-ce qu'on a le choix ? »

Assises sur le ponton, elles boivent leur café en silence, une brise froide monte de l'eau tandis qu'un soleil de cuivre se couche sur la mer de Norvège.

Faye essaie d'imaginer son père dominant la mer, assis en haut du plus haut mât d'un bateau de pêche, le vent rougissant sa peau. Elle songe à ce qu'il a dû éprouver en comparaison, enfermé dans son usine ChemStar de l'Iowa — tournant des boutons, enregistrant des numéros, remplissant des papiers, les deux pieds sur le sol morne et plat. Qu'avait-il pu penser en s'embarquant pour l'Islande, en voyant Hammerfest disparaître à l'horizon, laissant derrière lui une maison, un enfant ? Combien de temps avait-il regretté ? Quelle place ce regret avait-il fini par occuper ? Toute la place, pense Faye. Au point d'occuper son cœur tout entier, enterré au plus profond de lui. Elle se souvient de l'expression qu'il avait quand il croyait que personne ne le voyait, quand il regardait au loin. Faye s'est toujours demandé ce qu'il voyait dans ces moments-là, à présent elle croit le savoir. Il revoyait cet endroit, ces gens. Se demandait ce qui serait arrivé s'il avait pris une autre décision. Impossible de passer à côté de la similitude de leurs prénoms : Freya et Faye. Pensait-il à son autre fille en l'appelant Faye ?

Percevait-il l'écho de cet autre prénom chaque fois qu'il prononçait le sien ? N'était-elle pour lui qu'un souvenir de la famille qu'il avait laissée derrière lui ? Une manière de se punir ? Lorsqu'il lui décrivait la maison de Hammerfest, il semblait y avoir vraiment vécu, il en parlait comme si c'était sa maison. Et peut-être que c'était le cas dans sa tête. Peut-être qu'à côté du monde réel il y avait ce monde rêvé, cette autre vie où il héritait de la ferme et de la maison rouge saumon. Parfois ces fantasmes semblent plus réels que notre vie, Faye le sait bien.

Les choses n'ont pas besoin de se produire pour paraître réelles.

Son père n'était jamais plus vivant, jamais plus heureux que lorsqu'il parlait de cet endroit, même enfant, Faye s'en rendait compte. Elle comprenait qu'une partie de son père était toujours ailleurs. Que lorsqu'il la regardait, ce n'était jamais *elle* qu'il voyait. Et elle se demande alors si toutes ses crises de panique, tous ses problèmes n'étaient pas des tentatives déguisées d'attirer l'attention, d'être vue. Si elle ne s'était pas convaincue d'être hantée par des fantômes du vieux pays pour — même si elle ne le comprenait pas ainsi à l'époque — devenir Freya à ses yeux.

« Vous avez des enfants ? demande Freya, brisant ce long silence.

— Un fils.

— Vous êtes proches ?

— Oui », dit Faye, car une fois de plus la vérité est trop embarrassante. Comment pourrait-elle avouer à cette femme qu'elle a fait à son fils ce que Fridtjof lui a fait à elle ? « Nous sommes très proches, dit-elle.

— Tant mieux, tant mieux. »

Faye pense à Samuel, à la dernière fois qu'elle l'a vu, à l'aéroport, quand elle lui a dit au revoir. Au besoin urgent qui l'a submergée à ce moment-là de se serrer contre lui, de sentir sa *présence* physique. Finalement, ce qui lui avait le plus manqué, c'était sa chaleur. Durant les longues années qui suivirent son départ, ce qui lui manqua plus que tout, c'était cette chaleur humaine, quand Samuel grimpait dans leur lit le matin, après un cauchemar terrifiant, ou quand, fiévreux, il se collait à elle pour être réconforté. Chaque fois qu'il en éprouvait le besoin, il venait vers elle, petit chaudron, boule de chaleur humide. Elle pressait son visage contre lui et respirait son odeur de petit garçon, mélange de sueur, de sucre et d'herbe coupée. Sa température pouvait monter si haut qu'elle en avait la peau moite là où elle le touchait. Et elle imaginait alors comment il brûlait l'énergie dont il avait besoin pour devenir un homme. C'est de cette chaleur qu'elle a eu soudain si désespérément besoin à l'aéroport. Elle n'avait plus éprouvé une chose pareille depuis très longtemps. La plupart du temps, elle est glacée — peut-être à cause des pilules, de ses anxiolytiques, de ses anticoagulants et bêtabloquants. Elle a toujours froid.

Le soleil s'est couché à présent, elles scrutent le ciel pourpre. Lillian est rentrée, elle allume un feu dans la maison. Freya écoute le bruit des vagues. Sur leur droite, Faye distingue une île dans la nuit tombante, comme une langue de lumière.

« C'est quoi là-bas ? demande-t-elle en la pointant du doigt.

— Melkøya, dit Freya. C'est une usine. Là où ils apportent le gaz.

— Et cette lumière ?

— C'est le feu. Il brûle constamment. Je ne sais pas pourquoi. »

Faye fixe la cheminée qui projette sa flamme orange dans la nuit et tout à coup elle se retrouve transportée dans l'Iowa, assise sur la rive du Mississippi avec Henry, regardant le feu s'échapper de l'usine de nitrogène. Le feu était visible de partout dans la ville. Elle l'appelait le phare. C'était il y a si longtemps que cela semble une autre vie. Et cette réminiscence soudaine lui fait monter les larmes aux yeux. Pas de sanglots, des larmes légères, douces. Elle pense au nom que Samuel aurait donné à ses larmes — Catégorie I — et elle sourit. Soit Freya n'a pas remarqué, soit elle fait comme si elle n'avait rien vu.

« Je suis désolée de l'avoir eu et pas vous, dit Faye. Notre père, je veux dire. Je suis désolée qu'il vous ait quittées. Ce n'est pas juste. »

Freya balaie ses regrets d'un geste de la main. « On s'en est sorties.

— Je sais que vous lui avez beaucoup manqué.

— Merci.

— Je crois qu'il a toujours voulu revenir. Je crois qu'il regrettait d'être parti. »

Freya se lève et regarde la mer. « C'est mieux qu'il soit resté loin d'ici.

— Pourquoi ?

— Regardez autour de vous », dit-elle en ouvrant les bras, embrassant la maison, les terres, les animaux, Lillian et le feu qu'elle prépare, la Bible et son arbre généalogique à rallonge. « Nous n'avions pas besoin de lui. »

Elle tend la main vers Faye, qui l'accepte. Elles

se serrent la main, dans un geste formel qui met fin à cette conversation et à la visite de Faye.

« J'ai été ravie de vous rencontrer, dit Freya.

— Moi aussi.

— J'espère que vous passerez un bon séjour.

— J'en suis sûre. Merci pour votre hospitalité.

— Lillian va vous déposer à votre hôtel.

— Ce n'est pas très loin. Je peux marcher. »

Freya hoche la tête et commence à remonter vers la maison. Mais après quelques pas sur le chemin, elle s'immobilise, se retourne vers Faye et la regarde de ce regard qui transperce, de ce regard qui lit en elle, qui connaît le moindre de ses secrets.

« Ces vieilles histoires n'ont plus d'importance aujourd'hui, Faye. Rentrez retrouver votre fils. »

Et Faye n'a pas d'autre choix que d'acquiescer et de la regarder gravir le reste du chemin et disparaître à l'intérieur de la maison. Elle s'attarde un moment sur le ponton, puis s'en va à son tour. Elle emprunte un sentier qui mène sur la crête, et arrivée en haut, exactement là où elle a trouvé le cheval, elle se retourne vers la maison dans la vallée, dont les fenêtres dardent à présent une lumière chaude et dorée, et la cheminée exhale un filet de fumée bleue. Peut-être son père s'est-il tenu là-haut lui aussi. Peut-être était-ce cette vue qu'il se rappelait. Ces nuits où ses yeux semblaient se perdre dans le vide de l'Iowa, peut-être revoyait-il ce panorama. Un souvenir qui l'avait nourri toute sa vie, qui l'avait hanté aussi. Et cette vieille histoire du fantôme qui a l'air d'une pierre lui revient tout à coup : plus on l'éloigne du rivage, plus il devient lourd, jusqu'au jour où il est trop lourd à porter.

Faye imagine son père emportant une poignée de

terre avec lui, comme un fétiche : de cette ferme, de cette famille, de ce passé. La *pierre de noyé* de l'histoire. Emportée en mer, en Islande et tout au bout du monde, en Amérique. Elle l'imagine cramponné à cette terre, coulant inexorablement.

2

Quand est-ce que les chambres d'hôpital se sont mises à ressembler à des chambres d'hôtel ? se demande Samuel en regardant autour de lui les murs beiges, le plafond beige, les rideaux beiges, et la moquette rugueuse d'une couleur indéfinissable, panaché de roux, blé et beige. Les tableaux aux murs, oubliables, neutres, inoffensifs et si abstraits qu'ils n'évoquent rien à personne. La télévision, avec un milliard de chaînes à disposition, dont HBO, annonce un petit carton posé sur la commode. La commode en faux chêne avec une Bible à l'intérieur. Le bureau dans le coin avec toutes les prises, et le « poste de travail sans fil » avec un mot de passe pour le Wi-Fi imprimé sur une carte plastifiée toute cornée et froissée. Le menu du service en chambre, avec du poulet grillé, des frites, des milkshakes servis où que vous soyez dans l'enceinte de l'hôpital, même dans l'aile de cardiologie. La télécommande scratchée sur la télévision. La télévision fixée au mur et orientée vers le lit de telle manière qu'on croirait que la télévision regarde le patient et non l'inverse. Un guide des visites incontournables de Chicago. Le canapé contre le mur opposé, qui est en fait un clic-clac, ce dont quiconque s'assied un peu trop lourdement se rend compte dans la seconde en butant sur la structure métallique. Un radioréveil digital à lumière verte qui clignote sur 00 : 00.

Il y a un médecin dans la chambre, chauve, en train d'expliquer le cas à un groupe d'étudiants en médecine. « Nom du patient, inconnu, dit-il. Il a un alias, apparemment, hum, voyons voir, *Piou-neye-dje* ? »

Le médecin se tourne vers Samuel.

« Pwnage, dit Samuel. En deux syllabes. Comme punaise mais avec *ge* à la fin.

— Comment ça, *punaise* ? demande l'un des étudiants.

— Il a dit quoi, pubère ? interroge un autre.

— Je crois qu'il a dit poubelle. »

Le médecin explique aux étudiants quelle chance ils ont d'être là aujourd'hui car ils ne reverront peut-être jamais un cas comme celui-ci, d'ailleurs le médecin envisage d'écrire un article sur ce patient dans le *Journal des curiosités médicales*, et bien entendu, les étudiants seront tous invités à le cosigner. Les étudiants dévisagent Pwnage avec une satisfaction médusée comme s'ils observaient un barman en train de leur préparer un cocktail gratuit.

Pwnage dort depuis trois jours. Il ne s'agit pas d'un coma, insiste le médecin. Il s'agit de sommeil. L'hôpital le nourrit par intraveineuse. Et Samuel doit bien admettre que Pwnage a l'air d'aller mieux, sa peau est moins cireuse, son visage moins boursouflé, les taches rouges qui constellaient son cou et ses bras se sont estompées pour laisser place à des tissus d'aspect plus humain. Même ses cheveux ont l'air mieux, mieux (et c'est le seul terme qui vienne à l'esprit de Samuel) *accrochés*. Le médecin dresse la liste des différentes affections que le patient présentait au moment de son admission aux urgences : « Malnutrition, épuisement, hypertension maligne, dysfonctionnement des reins et du foie, déshydratation telle que, franchement, je pense que le patient devait être sujet à des hallucinations liquides permanentes. » Les étudiants prennent note.

La tête, le visage et les bras du médecin sont d'un aspect si lisse qu'on croirait la peau d'un requin. Les étudiants en médecine ont tous avec eux des blocs-notes et exhalent une même odeur collective de savon antiseptique et tabac mélangés. Pwnage est relié à un moniteur de surveillance cardiaque par des câbles et des ventouses, qui n'émet aucun bruit. Debout à côté d'Axman, Samuel ne peut pas s'empêcher de lui jeter des regards en biais en espérant qu'il ne s'en rend pas compte. Samuel a entendu la voix d'Axman dans son ordinateur des tonnes de fois pendant les raids mais il ne l'avait jamais rencontré en vrai, et il éprouve ce décalage entre l'image et le son, comme lorsqu'on voit le visage d'un animateur radio pour la première fois et qu'on pense : *Vraiment ?* La voix d'Axman a cet accent nasal geignard qui lui donne l'air, en ligne, d'une de ces chochottes de quarante kilos, boutonneuses et binoclardes, la quintessence de la caricature du joueur en ligne. Sa voix fluette est l'équivalent sonore d'un coup de poing qui ne fait pas mal. Le genre de voix qui donne l'impression qu'il s'est fait enfoncer la bouche dans les cavités sinusales par quelque brute épaisse.

« … et arythmie cardiaque, poursuit le médecin,

acidocétose diabétique, diabète, dont probablement il n'avait aucune connaissance et qu'il ne soignait manifestement pas du tout, puisque son sang était aussi épais et consistant qu'un pudding industriel. »

Dans la vraie vie, Axman est plutôt du genre élégant, à la mode — son ensemble short moulant et débardeur, ses bras bronzés et musclés juste ce qu'il faut, ses chaussures bateau, ses cheveux légèrement bouclés comme une invitation à lui ébouriffer la crinière, tout en lui semble sorti du manuel du jeune gay branché. Gageons qu'il ne lui faudra plus longtemps pour découvrir le sexe et se demander pourquoi il a perdu autant de temps avec les jeux vidéo.

« Et donc, nous étions tous là, raconte Axman, sur la falaise qui domine le Cap des Eaux Brumeuses. Tu vois où c'est ? »

Samuel hoche la tête. C'est un endroit d'*Elfscape*, à l'extrémité sud du continent occidental, là où apparemment Pwnage a été frappé par une attaque presque fatale. C'est là qu'Axman l'a trouvé, enfin son avatar, nu et mort, et c'est là aussi qu'il a remarqué que Pwnage était AFK depuis un bon moment, ce qui n'arrivait jamais à Pwnage. Axman a donc prévenu les autorités, de la vraie vie, qui sont allées voir chez lui et ont aperçu par la fenêtre Pwnage affalé, inconscient, devant son ordinateur.

« J'ai donné rendez-vous à tout le monde devant les Eaux Brumeuses, murmure Axman pour ne pas déranger le médecin. J'ai posté un message : "Veillée à la bougie pour Pwnage." Ça a plutôt bien pris, on était une trentaine. Que des elfes, bien sûr.

— Bien sûr », dit Samuel. Il a l'impression qu'une des jolies étudiantes du groupe épie leur conversation et il éprouve cette gêne qu'il ressent chaque fois que quelqu'un dans la vraie vie découvre ce qu'il fait de son temps libre : jouer à *Elfscape*.

« Tous ces elfes debout avec leurs bougies allumées. À part un mec au fond qui faisait du breakdance et ne participait pas vraiment, c'était un moment de deuil sombre et magnifique. »

« … il avait une rougeur sur le bras qui ressemblait dangereusement à une fasciite nécrosante, mais heureusement ce n'en était pas une », poursuit le médecin. Le sommet de sa tête chauve brille. La chambre en paraît plus grande, comme si elle se reflétait sur son crâne.

« Mais en fait, le problème », continue Axman, désormais littéralement agrippé à la chemise de Samuel, tirant sur sa manche pour mobiliser son attention et exprimer sa propre agitation, « c'est que j'ai posté des plans pour la veillée en ligne, sur le forum exclusif des elfes. Mais des trolls les ont vus aussi.

— Des trolls ?

— Ouais, des orques.

— Attends, des trolls ou des orques ?

— Des orques en mode troll. Tu vois ce que je veux dire. Certains joueurs qui pratiquent les orques ont vu le post sur la veillée à la bougie et l'ont reposté sur le forum exclusif des orques, ce que bien entendu je n'ai pas vu parce que je ne m'abaisse pas à aller lire leurs forums. »

La raison pour laquelle le moniteur cardiaque n'émet aucun son, c'est parce que dans la vraie vie ces machines ne font pas de bruit, se dit Samuel. Encore un truc de Hollywood, pour faire partager au spectateur l'activité cardiaque du patient. La machine à côté de Pwnage se contente de recracher lentement une ligne accidentée sur un morceau de papier étroit qui se déroule comme un ticket de caisse.

« Et pendant qu'on se réunissait sur les falaises du Cap des Eaux Brumeuses, dans notre dos, cachés dans une grotte au nord, les orques nous attendaient, poursuit Axman. Et pile au milieu de notre cérémonie, qui, à part ce type qui faisait du breakdance et s'est ensuite foutu à poil en sautant dans tous les sens, était vraiment magnifique, recueillie et très calme, pile au milieu, en plein pendant mon discours où je disais que Pwnage est un mec génial et qu'on espère tous qu'il ira bientôt mieux, alors que je les encourageais à lui envoyer des messages de bon rétablissement en leur donnant l'adresse de l'hôpital pour qu'ils puissent envoyer de vraies cartes de vœux, tout à coup, une armada d'orques est sortie des bois et ils ont commencé à nous massacrer. »

La jolie étudiante en médecine mâchonne son crayon, soit pour réprimer le sourire ou carrément le fou rire provoqué par cette conversation, soit c'est une fumeuse et c'est un de ces tics inconscients qu'ont les fumeurs, une sorte de fixation orale. La tête du médecin est lisse comme une boule de bowling toute neuve encore dans son emballage.

« D'un coup, nos alarmes d'orques se mettent toutes à hurler en même temps et tout le monde se retourne pour les combattre, dit Axman. Sauf qu'on ne peut pas. Et tu sais pourquoi ?

— Parce que vous avez tous une bougie dans la main ?

— Parce qu'on a tous une bougie dans la main. »

Samuel a mis un moment à mettre le doigt dessus, mais il y a autre chose de troublant chez ce médecin : il n'a ni cils ni sourcils. Jusqu'ici il avait juste l'impression qu'il lui manquait quelque chose, mais il n'arrivait pas à savoir quoi.

« Et alors, il y a cet orque qui commence à m'attaquer, poursuit Axman, instinctivement je me retourne et le frappe, mais bien sûr je le frappe avec la bougie, avec zéro dégât, et ça le fait ROFLer. Alors j'ouvre ma station de contrôle, je sélectionne l'écran personnage, la bougie, je repère mon épée sur mon écran d'inventaire et je double-clique pour échanger, le jeu affiche la case *Êtes-vous sûr de vouloir échanger ?*, et pendant tout ce temps, l'orque m'émince façon carpaccio avec sa hache, tranquillement, et je suis planté là comme un arbre, totalement incapable de l'arrêter, à gueuler contre le jeu *Oui je veux échanger ! Oui putain je suis sûr !* »

L'éclat d'Axman a surpris le médecin et les étudiants, qui le dévisagent à présent avec cet air de dédain qui signifie clairement qu'il serait dehors depuis longtemps si ce n'était pas lui qui avait sauvé la vie de ce patient sur lequel ils vont pouvoir écrire un article dans leur journal de bizarreries.

« Quoi qu'il en soit, reprend Axman, plus bas, finalement je n'ai même pas le temps de changer d'armes, et avant d'arriver au bout de la procédure, je suis complètement mort. Mon fantôme ressuscite alors de la tombe la plus proche et je le fais courir jusqu'à mon corps, le réintègre, et devine quoi ?

— Les orques sont toujours là ?

— Les orques sont toujours là, et j'ai toujours cette saleté de bougie à la main. »

« … ainsi que de l'acidose lactique », poursuit le médecin, plus fort à présent, pour couvrir les messes basses d'Axman, « hyperthyroïdie, rétention urinaire et croup. » À bien y réfléchir, la calvitie totale du médecin a des airs de pathologie plus que de choix esthétique, il semble souffrir d'un désordre génétique, le genre de maladie qui a fait de lui la risée de l'école pendant toute son enfance, ce qui fait que Samuel se sent un peu honteux de l'avoir fixé de la sorte.

« Et ça recommence comme ça vingt fois, trente peut-être, continue Axman. Je retourne à mon corps, le réintègre et me fais tuer en quelques secondes. Encore et encore. Je me dis que les orques vont finir par se lasser mais ça n'arrive jamais. À la fin, je suis si furieux que je me déconnecte et vais sur le forum exclusif des orques poster une longue diatribe où je dis aux orques que leur comportement, cette manière d'interrompre une veillée funèbre, est répréhensible et immoral. J'ajoute que tous leurs comptes devraient être fermés et qu'ils devraient demander pardon personnellement à chaque membre de notre guilde. Ça a déclenché un débat très chaud.

— Qui a débouché sur quoi ?

— Les orques ont décrété que leur manœuvre était une manœuvre d'orque typique. Que venir nous tuer pendant notre veillée était tout à fait en accord avec la façon dont les orques sont censés se comporter dans le jeu. Ce à quoi j'ai répondu que parfois le jeu et la vraie vie se mêlent de telle manière que la vraie vie devrait prendre le pas sur le jeu comme par exemple pendant une veillée silencieuse où des amis prient pour leur chef de raid très malade. Ils ont dit que leurs avatars orques ne voyaient pas de quoi je parlais, que pour eux la "vraie vie" ça n'existe pas, seul *Elfscape* existe. Alors j'ai dit que si c'était la vérité je ne voyais pas comment ils avaient appris pour la veillée, car ils n'auraient jamais eu accès à un forum exclusif d'elfes, et même si c'était le cas, ils n'auraient pas pu comprendre ce qui était écrit puisque les orques ne parlent pas la langue des hommes.

— Tout cela me paraît bien compliqué.

— Ça a ouvert un vaste débat métaphysique sur la part de la vraie vie que chacun met entre parenthèses quand il joue à *Elfscape.* La plupart des membres de la guilde ont décidé de prendre la semaine pour y réfléchir.

— Tu t'es déjà reconnecté ?

— Pas encore. Mon elfe est toujours là-bas sur la falaise. En plusieurs morceaux. »

Pendant ce temps, le médecin poursuit : « Je jure devant Dieu que c'est la première fois de ma vie que je vois un patient chez qui l'embolie pulmonaire est *la moins mauvaise nouvelle.* Comparé à tout le reste, l'anticoagulant que nous lui avons administré pour l'embolie, c'était facile. »

Samuel sent le léger bourdonnement de son téléphone dans sa poche, un nouvel email. De sa mère. Contrairement à ce qui était convenu entre eux, elle lui a écrit. Il s'excuse et se retire dans le couloir pour le lire.

Samuel,

Je sais que nous avions dit que je ne devais pas t'écrire, mais j'ai changé d'avis. Si la police t'interroge, dis-leur la vérité, s'il te plaît. Je ne suis pas restée à Londres. Je ne suis pas allée à Jakarta. Je suis allée à Hammerfest. En Norvège, la ville la plus au nord du monde. Un endroit reculé et très peu peuplé. On pourrait croire que ce serait parfait pour moi. Je te dis ça parce que j'ai décidé de ne pas rester. J'ai rencontré des gens qui m'ont convaincue de rentrer à la maison. Je t'expliquerai plus tard.

D'ailleurs, je viens de découvrir que Hammerfest n'est plus la ville la plus au nord du monde. Techniquement, il y en a une autre encore plus au nord. Un endroit appelé Honningsvaag, en Norvège aussi, et qui est devenu une ville il y a quelques années. Mais avec une population d'à peine 3 000 habitants, je ne suis pas sûre qu'on puisse vraiment parler de « ville ». Le débat fait rage, donc. La plupart des gens à Hammerfest sont adorables, sauf avec les habitants de Honningsvaag, qu'ils considèrent comme des usurpateurs et des salauds.

On en apprend des choses, hein ?

Quoi qu'il en soit, Hammerfest est loin de tout et très isolé, il me faudra quelques jours pour rentrer.

Pendant ce temps, je voudrais que tu ailles voir ton ami Periwinkle. Demande-lui la vérité. Tu mérites des réponses. Dis-lui que je veux qu'il te raconte tout. Lui et moi nous connaissons depuis longtemps, il faut que tu le saches. Depuis la fac. J'étais amoureuse de lui à l'époque. Si tu veux des preuves, retourne à mon appartement. Sur l'étagère il y a un gros livre de poèmes, de Ginsberg. Regarde dedans. Tu trouveras une photo. Je l'y ai cachée il y a des années. S'il te plaît, ne sois pas fâché contre moi quand tu la trouveras. Bientôt tu auras toutes les réponses à tes questions, quand ce sera le cas, souviens-toi que tout ce que je voulais, c'était aider. Je me suis montrée maladroite, mais je l'ai fait pour toi.

Tendrement,

Faye

Samuel remercie Axman et lui demande de le prévenir quand Pwnage se réveillera. Il quitte l'hôpital et file chez sa mère. Il entre dans l'appartement facilement, la porte est restée telle quelle depuis le passage de la police. Il trouve le livre, le feuillette, le retourne, le secoue. Il a cette odeur de vieux livre, sec et moisi. Les pages jaunies, fragiles sous les doigts. Une photo s'en échappe alors et atterrit à l'envers. Au dos, il est écrit : *Pour Faye, en souvenir de votre lune de miel, tendrement, Al.*

Samuel la ramasse. C'est la même photo qu'aux informations, celle de la manifestation de 1968. Avec sa mère et ses grosses lunettes rondes. Alice est assise derrière elle, l'air très sérieux. Mais le plan est plus large qu'aux informations, le champ est ouvert sur les côtés. Il comprend alors que la photo qu'il pensait connaître par cœur était en fait un fragment de celle-ci, coupée pour cacher l'homme sur lequel sa mère est appuyée. Mais Samuel le découvre maintenant, avec son casque de cheveux noirs, son regard vif, en coin, ses yeux pleins de malice. Il est très jeune et son visage est à moitié dans l'ombre, pourtant il n'y a aucun doute. Samuel a déjà vu ce visage. C'est le portrait craché de Guy Periwinkle.

3

Le bureau de Guy Periwinkle est situé dans le centre de Manhattan, au vingtième étage, angle sud-est, d'une tour surplombant le quartier de la Bourse. Deux des murs sont entièrement vitrés. Les autres murs sont peints dans un gris ardoise neutre. Il y a un petit bureau au milieu de la pièce, une chaise pivotante. Ni œuvres d'art aux murs, ni photos de famille, ni sculptures, ni plantes vertes, rien d'autre sur le bureau qu'une unique feuille de papier. L'esthétique est au-delà du minimalisme — une sorte de renoncement monastique. La seule décoration dans cet immense espace est une photo encadrée d'une publicité pour des chips. Les chips en question sont en forme de torpille au lieu des classiques formes rondes ou triangulaires. La publicité est focalisée sur les yeux écarquillés d'un homme et d'une femme fixant les chips d'un air dément. Au-dessus d'eux, la légende, écrite en gras et en trois dimensions, propose : ENVIE DE PIMENTER VOTRE ENCAS HABITUEL ? La photo fait la taille d'une affiche de cinéma. Le fastueux cadre doré lui donne l'air décalé.

Samuel attend depuis vingt minutes, s'agitant

tel un haricot dans sa cosse, il fait le tour de la pièce, le regard allant et venant de la publicité à la fenêtre, jusqu'à ce qu'il n'y tienne plus et se mette à faire les cent pas. Il est venu à New York directement en quittant l'appartement de sa mère. C'est la deuxième fois de sa vie qu'il fait la route entre Chicago et New York, et l'impression de *déjà vu** est tellement intense qu'elle charrie avec elle une peur larvée : la dernière fois qu'il est venu à New York, ça ne s'est pas bien terminé. Impossible de ne pas y penser maintenant, alors qu'il regarde par la fenêtre du bureau de Periwinkle et aperçoit, à quelques rues côté est, ce vieil immeuble familier, ce bâtiment étroit avec des gargouilles au sommet : le 55 Liberty Street. Où vit Bethany.

Il fixe l'immeuble et se demande si elle est là-bas en ce moment, peut-être même en train de regarder dans sa direction, avec tout le boucan en bas. En effet, entre l'immeuble de Bethany et celui de Periwinkle, il y a Zuccotti Park — bien que « parc » soit un terme un peu exagéré pour ce petit rectangle de béton pas plus grand que quelques courts de tennis, où les manifestants se réunissent depuis plusieurs semaines. Samuel a dû jouer des coudes pour fendre la foule et atteindre l'immeuble. NOUS SOMMES LES 99 POUR 100, proclament leurs pancartes. NOUS OCCUPONS CET ESPACE. D'en haut, il domine la foule, les toiles de tente en nylon bleu fluorescent, les joueurs de percussions en cercle tout autour, dont l'écho est tout ce qui lui parvient de la manifestation à cette hauteur : un tam-tam sans fin.

Il reporte son attention sur la publicité. Apparemment, les nouvelles chips en forme de torpille sont présentées dans un emballage particulier, avec un opercule comme pour les yaourts. La manière dont le couple fixe les chips à l'idée de les manger est tellement démente que cela ressemble presque à de la terreur.

La porte s'ouvre et Periwinkle apparaît enfin. Dans son costume gris et sa cravate colorée habituels — aujourd'hui elle est turquoise. Ses cheveux sont teints de frais, noir corbeau. Il voit Samuel regarder la publicité pour les chips et dit : « Tout ce qu'il y a à savoir sur l'Amérique du XXIe siècle est là. »

Il bascule dans sa chaise et pivote pour faire face à Samuel. « Tout ce que j'ai besoin de savoir pour faire mon boulot est ici, dit-il en désignant l'affiche. Si tu comprends le sens de cette pub, alors le monde t'appartient.

— Ce n'est qu'une chips, dit Samuel.

— Bien sûr que ce n'est qu'une chips. Ce que j'aime, c'est cette expression : *encas habituel.* »

À l'extérieur, les percussions enflent puis se dissipent suivant une logique musicale improvisée.

« Cela m'échappe, je suppose, dit Samuel. Le génie de la chose.

— Réfléchis. Pourquoi les gens prennent-ils des encas ? Pourquoi en ont-ils besoin ? La réponse — et nous avons pondu des millions d'études sur le sujet — c'est que leurs vies sont si saturées d'ennui, de corvées, de labeur, qu'au milieu de tout cela il leur faut un peu de douceur pour repousser l'obscurité grandissante. Alors ils s'offrent un petit plaisir.

« Mais le truc, continue Periwinkle, l'œil animé, c'est que même les choses qu'on fait pour casser la routine *deviennent la routine.* Les choses qu'on fait pour échapper à la tristesse de la vie sont elles-mêmes devenues tristes. Ce que cette publicité pointe du doigt, c'est que malgré tous les encas ingurgités, la tristesse résiste, malgré toutes les émissions regardées, la solitude persiste, malgré toutes les informations déversées, le monde n'a toujours aucun sens, malgré toutes les heures passées à jouer, la mélancolie est de plus en plus profonde. Comment y échapper ?

— En achetant de nouvelles chips.

— En achetant des chips en forme de torpille ! Voilà la réponse. Cette publicité ne fait que mettre des mots sur une angoisse existentielle intense que chacun soupçonne sans l'admettre : le consumérisme est voué à l'échec, et, quelles que soient les sommes dépensées, il est inutile d'espérer y trouver le moindre sens. Le grand défi pour les gens comme moi, c'est de convaincre les gens comme toi que le problème ne vient pas du système. Le problème, ce n'est pas que l'encas te laisse sur ta faim, c'est que *tu n'as pas encore trouvé le bon encas*. Le problème, ce n'est pas qu'en fait la télévision est un piètre substitut aux relations humaines, c'est que tu n'as pas encore trouvé la bonne émission. Le problème, ce n'est pas que la politique est une impasse totale, c'est que tu n'as pas encore trouvé le bon politicien. C'est ça que dit cette publicité. Je te jure, c'est comme de jouer au poker contre quelqu'un qui montre ses cartes et continue de bluffer quand même.

— Ce n'est pas exactement de cela que j'étais venu te parler.

— Quand on y pense, c'est héroïque, ce boulot. Ce que je fais. C'est le seul truc que l'Amérique sache encore faire. On ne fabrique pas les encas. On fabrique de nouvelles façons d'envisager les encas.

— C'est patriotique, donc. Tu es un patriote.

— Tu as déjà entendu parler des peintures rupestres de la grotte Chauvet ?

— Non.

— Elles se trouvent dans le sud de la France. Les plus vieilles peintures jamais découvertes. Dans les trente mille ans. Représentant des scènes typiques du paléolithique — chevaux, bétail, mammouths, ce genre de choses. Aucune image d'hommes mais un dessin de vagin, pour ce que ça vaut. Le plus intéressant, c'est ce qu'ils ont découvert quand ils ont fait une datation carbone des lieux. Dans la même salle, ils ont trouvé des images peintes à six mille ans d'intervalle. Elles semblaient parfaitement *identiques*.

— OK. Et alors ?

— Eh bien, réfléchis. Durant six mille ans, il n'y a eu aucun progrès, rien qui atteste de la moindre tentative de changement. Les gens se contentaient du monde tel qu'il était. En d'autres termes, la désolation spirituelle leur était étrangère. Toi et moi, nous avons besoin de nouvelles diversions tous les jours. Alors que ces gens n'ont rien changé durant soixante siècles. Pas le genre à se lasser de leurs encas habituels. »

Dehors les percussions vont crescendo puis s'éteignent dans une sorte de glas funeste.

« La mélancolie n'avait pas encore été inventée, reprend Periwinkle. C'est un des effets secondaires involontaires de la civilisation, la mélancolie. L'ennui. La routine. La morosité. Et quand ces choses sont apparues, les gens comme moi sont apparus avec elles pour y remédier. Donc, non, il ne s'agit pas de patriotisme. Il s'agit d'évolution.

— Guy Periwinkle, pinacle de l'évolution.

— J'entends bien ton sarcasme, mais en matière d'évolution, un mot comme *pinacle* n'a aucun sens. Souviens-toi que l'évolution ne connaît pas d'échelle de valeur. Il ne s'agit pas d'être le meilleur, il s'agit juste de survivre. Je suppose que tu es venu me parler de ta mère ?

— Oui.

— Et où est-elle donc ?

— En Norvège. »

Periwinkle le scrute un moment, le temps d'assimiler l'information.

« Waouh, lâche-t-il finalement.

— Norvège septentrionale, ajoute Samuel, tout en haut.

— Pour la première fois peut-être, je reste sans voix.

— Elle veut que tu me dises la vérité.

— À quel sujet ?

— Tout.

— J'en doute très sérieusement.

— Sur elle et toi.

— Il y a certaines choses que les enfants, disons, ont le droit de ne pas savoir sur leurs mères.

— Vous vous êtes rencontrés à la fac.

— Ce que je veux dire, c'est que je doute très sérieusement qu'elle veuille que tu saches *tout*.

— C'est son mot. Le mot qu'elle a utilisé.

— Certes, mais pas sûr qu'elle l'entende de manière littérale ? Il y a certaines choses…

— Vous vous êtes rencontrés à la fac. Vous étiez amants.

— C'est bien ce que je dis ! Il y a certains détails, certaines choses d'ordre sexuel que…

— Dis-moi la vérité, s'il te plaît.

— Certaines spécificités, disons, particulières dont toi et moi préférerions nous épargner l'embarras, si tu lis entre les lignes.

— Tu as connu ma mère à la fac, à Chicago. Oui ou non ?

— Oui.

— Comment l'as-tu connue ?

— Au sens biblique du terme.

— Je voulais dire, comment l'as-tu rencontrée ?

— Elle était nouvelle sur le campus. Moi, j'étais un héros de la contre-culture. À l'époque, j'avais pris un autre nom. Sebastian. Sexy, n'est-ce pas ? Et bien mieux que Guy. On ne peut pas être un héros de la contre-culture *et* s'appeler Guy. C'est un nom bien trop banal. Bref, ta mère a eu une sorte de coup de foudre pour moi. Et ça a été la même chose pour moi. Elle était super. Douce, intelligente, compatissante, totalement indifférente au regard des autres, ce qui était très original dans mon cercle à l'époque, même les vêtements de mes amis proclamaient tous le même message : *Regardez-moi !* Faye était tout le contraire, c'était rafraîchissant. Quoi qu'il en soit, je dirigeais un journal qui s'appelait le *Chicago Free Voice*. C'était la lecture préférée de tous les gamins en révolte. La version fin des années soixante d'un mème Internet, pour le dire dans des termes susceptibles de t'évoquer quelque chose.

— Cela ne ressemble pas à ma mère d'être attirée par un truc pareil.

— C'était un journal influent, très sérieux. Vraiment. Tous les numéros sont consultables au musée d'Histoire de Chicago. Il faut mettre des gants blancs pour les toucher. Ou bien ils sont sur microfiches. Ils ont tous été archivés.

— Ma mère n'est pas quelqu'un de sociable. Pourquoi se serait-elle impliquée dans un mouvement de protestation ?

— Ce n'était pas son intention. Elle s'est en quelque sorte retrouvée parachutée au milieu de tout ça. Est-ce que tu sais seulement ce que c'est qu'une microfiche ? Ou bien tu es trop jeune ? Des petites bobines noir et blanc qu'on enroule dans une machine qui souffle de l'air chaud et fait *ka-chunk* chaque fois qu'on tourne la page. Analogique.

— Elle s'est retrouvée parachutée là-dedans à cause de toi ?

— À cause de moi, et d'Alice, et de ce flic, un mec passablement atteint côté jalousie maladive.

— Le juge Brown.

— Oui. Je ne m'attendais pas à le retrouver, celui-là. En 68, quand il était flic, je crois qu'il a vraiment voulu tuer ta mère.

— Parce qu'il croyait qu'elle avait une liaison avec Alice, dont il était amoureux.

— C'est exact ! C'est parfaitement exact. Félicitations. Continue. Je t'écoute. Dis-moi ce que tu sais sur 1988. Vingt ans plus tard, ta mère quitte ton père, te quitte toi. Où est-ce qu'elle va ? Dis-moi.

— Aucune idée. Elle part vivre à Chicago ? Dans son petit appartement ?

— Réfléchis un peu », dit Periwinkle. Il se penche en avant dans sa chaise, les mains jointes posées sur son bureau. « À un moment, ta mère est à la fac, en plein cœur du mouvement de protestation, et l'instant d'après, elle épouse ton père, le vendeur de surgelés, et mène une vie étriquée en banlieue. Imagine ce que ça a dû être pour elle après le grand frisson, la drogue, le sexe, sur lequel je ne te donnerai aucun détail. Combien de temps pouvait-elle rester la bonne petite épouse de Henry avant que ça se mette à la consumer, cette décision qu'elle n'avait pas prise, la vie qu'elle aurait pu avoir ?

— Elle est venue te voir, *toi* ?

— Elle est venue me voir, moi, Guy Periwinkle, héros de la contre-culture. » Il écarte les bras, comme s'il voulait un câlin.

« Elle a quitté mon père pour *toi* ?

— Ta mère, c'est le genre de personne qui ne se sent nulle part chez elle, où qu'elle se trouve. Et en l'occurrence, elle n'a pas quitté ton père pour moi. Elle a quitté ton père parce que quitter, chez elle, c'est une seconde nature.

— Donc elle t'a quitté, toi aussi ?

— Pas de manière aussi dramatique, mais oui. Avec des cris, quelque écœurement de sa part. Elle a dit que j'avais renoncé à mes principes. C'étaient les années quatre-vingt. Je commençais à devenir riche. Comme tout le monde. Elle aspirait à une vie de livres, de poésie, ce qui n'était pas exactement, disons, mon plan de carrière. Elle voulait une seconde chance pour mener une vie de militante, puisqu'elle avait gâché la première. Je lui ai dit de grandir. Je suppose que c'est ça qu'elle voulait dire par tout te raconter ?

— Il faut que je m'asseye.

— Tiens », dit Periwinkle en lui donnant sa chaise. Puis il fait quelques pas vers la fenêtre et scrute l'horizon.

Samuel, assis, se frotte les tempes, comme sous l'effet d'une migraine, d'une gueule de bois, d'une commotion cérébrale.

« Leurs percussions, en bas, on dirait de l'improvisation, complètement chaotique, dit Periwinkle, mais en fait ils suivent toujours le même enchaînement. Il suffit d'écouter assez longtemps pour s'en rendre compte. »

Pour l'instant, la réaction de Samuel à toutes ces nouvelles informations, c'est une impression d'anesthésie. Il se dit que sans doute, bientôt, il va éprouver quelque chose de puissant. Mais pour le moment, tout ce à quoi il pense, c'est à sa mère rassemblant son courage pour venir à New York et se heurtant dès son arrivée à une désillusion complète. Il l'imagine et il est triste pour elle. Triste qu'elle lui ressemble tant.

« Je suppose que mon énorme à-valoir n'était pas une énorme coïncidence.

— Ta mère fouinait sur Internet. Elle a découvert que tu étais un écrivain. Du moins que tu t'y essayais. Alors elle m'a appelé et m'a demandé une faveur. Je me suis dit que je lui devais bien ça.

— Dieu du ciel.

— Le décor se craquelle, n'est-ce pas ?

— Je pensais vraiment que j'étais devenu célèbre tout seul.

— Les seules personnes qui deviennent célèbres toutes seules, ce sont les serial killers. Tous les autres ont besoin de gens comme moi.

— Le gouverneur Packer, par exemple. Il a besoin de quelqu'un comme toi.

— Et nous voilà revenus à aujourd'hui.

— Je t'ai vu prendre sa défense à la télévision.

— Je travaille sur sa campagne. Comme conseiller.

— Et ce n'est pas un conflit d'intérêts ? De

travailler sur sa campagne tout en publiant un livre sur lui ?

— Je crois que tu confonds ton rôle ici avec une sorte de journalisme. Ce que tu appelles conflit d'intérêts, moi j'appelle ça de la synergie.

— Le jour où ma mère a attaqué le gouverneur, tu étais à Chicago, avec lui, n'est-ce pas. Au dîner, à lever des fonds.

— C'est sa façon délicieuse de nommer la chose, oui.

— Et pendant que tu y étais, continue Samuel, tu en as profité pour me voir. À l'aéroport. Pour m'annoncer que tu me poursuis en justice.

— Pour avoir totalement échoué à écrire ton livre. Pour avoir totalement flingué l'énorme contrat que je t'avais offert. Contrat que tu ne méritais pas à l'origine, ajouterais-je, puisqu'on en est à jouer cartes sur table.

— Et tu en as parlé à ma mère, du rendez-vous avec moi, des poursuites judiciaires.

— Comme tu peux l'imaginer, elle était plutôt bouleversée. Elle a demandé à me parler avant que je te voie. Elle voulait me convaincre d'y renoncer, je suppose. J'ai accepté et nous sommes convenus de nous retrouver dans le parc. Elle voulait qu'on se retrouve à l'endroit exact où la police nous avait balancé du gaz lacrymogène à l'époque. Ta mère peut parfois être une godiche nostalgique.

— Et tu t'es pointé avec le gouverneur Packer.

— Exact.

— Elle a dû trouver cela vraiment méprisable que tu travailles pour un type comme lui.

— Eh bien, réfléchissons. Elle a envoyé valser son mariage pour quelque vague idéalisme libéral antisystème. Et Packer est le candidat le plus prosystème et autoritaire que la terre ait jamais porté. Donc, oui, je pense qu'elle n'était pas ravie. Elle a cette haine viscérale qu'ont la plupart des libéraux à son égard, qui le comparent à Hitler, le traitent de fasciste. Elle ne comprend pas ce que moi je comprends.

— C'est-à-dire ?

— Que Packer est fait du même bois que n'importe quel autre candidat à la présidentielle. Gauche, droite, ils sont tous les mêmes. Il est juste taillé en forme de missile, alors que les autres sont en forme de chips. »

À l'extérieur, les percussions s'estompent un moment, se désagrègent. Le silence retombe durant quelques secondes, puis le *boum-ba-boum-ba-boum-ba* reprend. Periwinkle lève un doigt en l'air.

« Et voilà, c'est la reprise.

— Tu as *provoqué* les événements, dit Samuel. Tu as provoqué cette réaction chez ma mère.

— Aux yeux de certains, cela ressemble peut-être à un crime passionnel, moi je dirais plutôt que j'ai offert une opportunité à ta mère.

— Tu l'as piégée.

— Je lui ai fourni la chance de te livrer toute prête une histoire pour remplir ton contrat, de se dédouaner d'avoir gâché ta vie, et par la même occasion de faire faire à mon candidat un bond gigantesque en termes de visibilité. Gagnant-gagnant-gagnant-gagnant. Si tu es en colère contre moi, c'est que tu regardes les choses par le petit bout de la lorgnette.

— Je n'arrive pas à y croire.

— De plus, n'oublie pas que je n'ai fait

qu'élaborer un plan. C'est ta mère qui a ramassé du gravier et qui l'a lancé.

— Elle ne visait pas le gouverneur Packer. Elle te visait, *toi.*

— J'étais dans les parages, effectivement.

— Et la photo aux informations ? Celle de 68, où elle est appuyée contre toi, à la manifestation. Tu en avais une copie.

— Charmant cadeau d'un grand poète.

— Tu as recadré pour ne pas apparaître sur la photo et tu l'as donnée aux chaînes d'informations. Tu as fait fuiter la photo et le casier judiciaire de ma mère, dont tu connaissais également l'existence.

— J'ai fait monter la température. C'est ce que j'ai toujours fait, c'est ce que je fais de mieux. Soit dit en passant, l'attaque à coups de cailloux de ta mère était sincère. Je crois qu'elle me déteste vraiment. Mais après cela, nous sommes convenus tous les deux que pour exploiter au mieux la situation elle devait se taire. Surtout ne rien te dire. Ainsi tu n'aurais pas d'autre choix que d'abonder dans mon sens. D'ailleurs ? »

Periwinkle tire un livre de l'étagère derrière lui et le tend à Samuel. La couverture est entièrement blanche, avec en lettres noires : *Calamity Packer.*

« Ce sont les premières épreuves, déclare Periwinkle. J'ai fait bosser mes nègres jour et nuit. Je vais avoir besoin de mettre ton nom sur la couverture. Ou bien, malheureusement pour toi, nous serons obligés de lancer ces fameuses poursuites. Il y a une feuille de papier sur mon bureau qui le spécifie en termes juridiques imbitables. Signe, je t'en prie.

— Je suppose que ce livre ne lui fait pas de cadeau.

— C'est un massacre en bonne et due forme,

privé comme public. C'était ton idée, non ? *Calamity Packer.* C'est un bon titre. Accrocheur sans être prétentieux. Mais j'aime encore plus le sous-titre.

— Qui est ?

— *L'histoire secrète de l'activiste de gauche la plus célèbre d'Amérique, par le fils qu'elle a abandonné.*

— Je ne crois pas que je puisse mettre mon nom là-dessus.

— La plupart des livres de témoignage se vendent sur l'impact du sous-titre. Au cas où tu l'ignorerais.

— Je ne peux pas, je ne peux pas faire ça en toute bonne conscience. Ce ne serait pas bien, de mettre mon nom sur ce livre.

— Parce que quoi ? Cela ruinerait la réputation que je t'ai inventée ?

— Elle est vraiment l'activiste de gauche la plus célèbre d'Amérique ?

— Nous le vendons comme témoignage. C'est un genre qui permet une petite marge de manœuvre par rapport à la vérité.

— Ce qu'il y a, c'est que maintenant le livre m'apparaît comme un mensonge.

— C'est toi qui décides, bien entendu. Mais si tu refuses de mettre ton nom sur ce livre, nous serons obligés de continuer la procédure en justice contre toi, et ta mère restera une fugitive. Je ne suis pas en train de te dire ce que tu dois faire, je ne fais qu'éclairer les deux voies qui s'offrent à toi, dont l'une est, j'espère, évidente, à moins que tu ne sois complètement fou.

— Mais le livre n'est *pas vrai*.

— Et en quoi exactement est-ce important ?

— Je n'en dormirais plus, je crois. On ne devrait pas laisser imprimer des mensonges éhontés.

— Qu'est-ce qui est vérité ? Qu'est-ce qui est mensonge ? Au cas où tu n'aurais pas remarqué, le monde a à peu près abandonné le concept des Lumières selon lequel la vérité se construit sur l'observation du réel. La réalité est trop complexe et trop effrayante pour ça. C'est beaucoup plus facile d'ignorer tous les faits qui ne vont pas dans le sens de nos idées préconçues et de ne voir que ceux qui les confirment. Je crois ce que je crois, tu crois ce que tu crois, et nous pouvons très bien tomber d'accord sur nos désaccords. C'est la tolérance libérale qui rencontre le déni obscurantiste. C'est hyper branché.

— Épouvantable, oui.

— Nous sommes plus fanatiques que jamais dans le domaine de la politique, plus extrêmes que jamais dans le domaine de la religion, plus rigides que jamais dans nos raisonnements, de moins en moins capables de compassion. Nous ne voyons plus le monde que sous un angle totalitaire et inflexible. Nous passons totalement à côté des problèmes que la diversité et la communication globale engendrent. Plus personne, donc, ne se préoccupe de concepts éculés comme la vérité ou le mensonge.

— Il faut que j'y réfléchisse un peu.

— Il me semble que la dernière chose que tu devrais faire, littéralement, c'est réfléchir.

— Je te ferai part de ma décision, dit Samuel en se levant.

— La pire chose que tu pourrais faire à présent, c'est examiner la situation et t'efforcer de prendre la *bonne* décision.

— Je t'appelle.

— Écoute, Samuel, vraiment, tu veux entendre la voix de la raison ? L'idéalisme est le pire des fardeaux. Tout ce que tu feras après te semblera toujours fade. Tu seras toujours hanté, tu deviendras inévitablement l'être cynique que le monde veut que tu sois. Laisse tomber maintenant, les grandes idées, les bonnes décisions. Ainsi tu n'auras rien à regretter plus tard.

— Merci. Je te fais signe. »

4

À l'extérieur de la tour de Periwinkle, les trottoirs hurlent. Ceux qui occupent Zuccotti Park ont un nouveau souci : la police menace d'appliquer les lois qui interdisent à la population d'occuper les places publiques. La police cerne le parc et surveille les manifestants qui se réunissent en assemblée générale pour débattre à voix haute des avantages et des inconvénients à obéir à la police. C'est une journée sous haute tension. Et puis il y a les percussions : les gens commencent à se plaindre du bruit, du vrombissement permanent jusque tard dans la nuit, les riverains surtout, les familles qui habitent dans le quartier, avec des enfants censés aller au lit tôt, et les commerces du coin, qui jusqu'ici se sont montrés assez coulants, laissant les manifestants utiliser leurs toilettes, risquent de devenir beaucoup moins coulants si les percussions ne s'arrêtent pas très vite. À un bout du parc, le cercle des percussions, à l'autre bout la tente multimédia, l'estrade des orateurs, le kiosque, l'assemblée générale, et il semble que le premier fonctionne comme le Ça et le second comme son Surmoi. Quelqu'un est justement en train d'évoquer le problème des percussions, un jeune homme dans une veste de sport vintage, qui prononce quelques mots puis s'arrête pour que ses paroles soient reprises par des gens à côté de lui, puis par d'autres un peu plus loin, et encore d'autres dans une espèce de grande vague, qui commence par un murmure et s'amplifie de plus en plus, tel un écho infini. L'absence de micro rend cela nécessaire. La ville a interdit l'usage des amplificateurs pour éviter les nuisances sonores dans l'espace public. Qu'on n'ait pas encore arrêté les percussionnistes est incompréhensible.

L'orateur est en train de dire qu'il soutient totalement les percussionnistes, qu'il pense que la manifestation doit être un mouvement englobant, une sorte de grand chapiteau où chacun peut venir s'exprimer, car chacun est libre de traduire ses opinions politiques sous différentes formes, et tout le monde n'est pas forcément à l'aise pour les formuler dans un discours rationnel et démocratique dans le « micro du peuple », certains préfèrent délivrer leur message *d'une manière plus abstraite* qu'en termes de programme politique, de points presse, de manifestes, tels que ceux que ce groupe a réussi à élaborer à l'issue d'un processus douloureux pour déboucher sur un consensus, le tout dans une atmosphère de contrainte terrible, incluant une surveillance policière et une veille médiatique permanentes, ainsi que, a-t-il envie d'ajouter, la difficulté de couvrir le son des percussions pour dialoguer, mais ce n'est rien car il leur faut se montrer tolérants face à la diversité, se réjouir que leur mouvement réunisse des gens si différents, néanmoins il propose à l'assemblée qui occupe le parc de demander aux percussionnistes de cesser de jouer vers neuf heures à peu près, quand la nuit tombe, par égard pour les gens qui ont besoin de dormir, car tout le monde ici est sur les nerfs, et c'est déjà suffisamment difficile de dormir à même le sol sous les tentes, si en plus les percussions résonnent toute la nuit, c'est intenable. Il soumet sa proposition au vote de l'assemblée générale. Les mains se lèvent, nombreuses, doigts pointés vers le ciel. En l'absence d'opposition claire et tranchée, la motion semble votée, jusqu'à ce que quelqu'un dise que les percussionnistes n'ont pas donné leur avis et il faut qu'ils le donnent, car même s'ils ne sont pas forcément d'accord il est essentiel que chacun puisse exposer son point de vue pour ne pas se comporter en fascistes et, je cite, *leur faire ravaler leurs percussions par la force*. La grogne monte de plusieurs endroits. Cependant un émissaire est envoyé vers le cercle des percussionnistes en quête de leur porte-parole.

Samuel regarde tout cela d'un air hagard. Il se sent tellement à l'écart des événements, tellement seul et désespéré. Ces gens semblent avoir un but dans la vie, ce dont il est désormais complètement dépourvu. Que feriez-vous si vous découvriez que toute votre vie d'adulte est une mascarade ? Tout ce qu'il pensait avoir accompli — être publié, signer un contrat, obtenir un poste de professeur — il ne l'a acquis que parce que quelqu'un devait un service à sa maman. Il n'a jamais rien gagné par lui-même. Il est un imposteur. Et c'est à cela qu'être un imposteur ressemble : une sensation de vide. Il se sent creux. Éviscéré. Pourquoi personne ici ne remarque sa présence ? Il aimerait tant que quelqu'un dans la foule voie l'expression tourmentée qui a envahi son visage et s'approche en disant : *Tu as l'air accablé de douleur, je peux t'aider ?* Il a besoin qu'on le voie, besoin qu'on reconnaisse sa peine. Puis il réalise que c'est un désir puéril, la même chose que montrer un bobo à sa maman pour qu'elle fasse un bisou. Grandis, se tance-t-il.

« Au sujet de la police », reprend l'orateur, changeant de sujet en attendant qu'un des percussionnistes quitte son instrument pour venir parler avec eux.

« Au sujet de la police », répète la foule.

Samuel s'éloigne, remonte Liberty Street et parcourt les deux pâtés de maisons qui le séparent de l'ancienne adresse de Bethany. Il se plante au pied de l'immeuble et le regarde. Sans savoir ce qu'il cherche. Le bâtiment n'a pas changé d'un iota depuis sept ans. Il se dit que les endroits où l'on a vécu les moments les plus importants de sa vie ne devraient pas avoir le droit de rester tels quels, intacts, de simples lieux résistant à l'empreinte des histoires qui s'y déroulent. La dernière fois qu'il s'est trouvé là, elle l'attendait dans sa chambre, elle attendait qu'il fasse voler en éclats son mariage.

Encore aujourd'hui, il est incapable d'y penser sans être submergé par un flot d'amertume, de regret et de colère. Colère contre lui-même, d'avoir fait ce que Bishop voulait qu'il fasse ; colère contre Bishop, de lui avoir demandé de le faire. Samuel s'est rejoué ce moment tellement de fois, il l'a réécrit si souvent : Une fois lue, il avait reposé la lettre de Bishop sur le comptoir de la cuisine. Il avait ouvert la porte de la chambre et trouvé Bethany assise sur son lit, l'attendant, le visage dansant dans les ombres projetées par les bougies sur la table de chevet, l'immense pièce éclairée par cette seule lueur ambrée et délicate. Dans ses rêves, il s'approche d'elle, la prend dans ses bras et ils sont enfin réunis, elle quitte l'abominable Peter Atchison, tombe amoureuse de Samuel, et pour Samuel, tout ce qui s'est passé ces sept dernières années s'efface au profit d'un nouveau scénario. Comme dans ces films où le héros voyage dans le temps et, revenant dans le présent, constate que la fin heureuse à laquelle il aspirait et qui était impossible dans sa vie précédente s'est enfin réalisée.

Quand Samuel était enfant et lisait une Histoire dont vous êtes le héros, il plaçait toujours un marque-page à l'endroit où il devait prendre une décision très difficile, de sorte que, si l'histoire tournait mal, il pouvait revenir en arrière et recommencer autrement.

Plus que tout au monde, il voudrait que la vie puisse être faite ainsi.

Et c'est ce moment-là qu'il choisirait pour mettre un marque-page, ce moment où Bethany est si belle dans la lumière des bougies. Il prendrait une autre décision. Il ne ferait pas ce qu'il a fait à l'époque, lui dire : « Je suis désolé, je ne peux pas », parce qu'il pensait qu'il le devait à Bishop, qu'il devait honorer sa mémoire puisqu'il était mort. Il a fallu beaucoup de temps à Samuel pour se rendre compte que ce n'était pas la mémoire de Bishop qu'il honorait mais sa blessure la plus atroce. Quoi qu'il ait pu se produire entre Bishop et le proviseur, quels qu'aient été les fantômes de son enfance, ils avaient poursuivi Bishop par-delà les mers et dans la guerre, et c'était ce qui l'avait conduit à écrire cette lettre. Non pas le devoir, mais une bonne vieille haine, le dégoût de soi, la terreur. Et en l'honorant, Samuel avait une nouvelle fois trahi Bishop.

Samuel a mis très longtemps à s'en rendre compte, pourtant il l'avait senti sur le moment, il avait senti qu'il faisait le mauvais choix. Dans l'ascenseur, dans la rue, s'éloignant du 55 Liberty Street, il ne cessait de se répéter : *Retournes-y. Retournes-y.* Même après avoir rejoint sa voiture, quitté la ville, roulé toute la nuit dans l'obscurité du Midwest, il se répétait encore : *Retournes-y. Retournes-y.*

La nouvelle était tombée un mois plus tard, dans le *Times*, à la page Unions et Célébrations : le mariage de Peter Atchison et Bethany Fall. Un gourou de la finance mondiale et une violoniste soliste. L'alliance de l'art et de l'argent. Le *Times* buvait du petit-lait. Ils s'étaient rencontrés à Manhattan, où le fiancé travaillait pour le père de la jeune femme. Ils se marieraient à Long Island, dans la résidence privée d'un ami de la famille de la mariée. Le marié était spécialisé dans la gestion de risques sur les marchés des métaux précieux. La lune de miel prévoyait une croisière d'île en île. La mariée garderait son nom de jeune fille.

Oui, il voudrait tellement revenir en arrière, à cette nuit-là, et prendre une autre décision. Il voudrait pouvoir effacer ces dernières années — des années qui, vues d'ici, lui semblent interminables, indistinctes, monotones et pleines de colère. Ou peut-être remonterait-il plus loin encore, assez loin pour retrouver Bishop, pour l'aider. Ou pour convaincre Faye de ne pas partir. Mais ce ne serait pas encore assez loin pour recouvrer ce qu'il avait perdu, ce qu'il avait sacrifié à la toute-puissance brutale de sa mère, cette partie de lui qu'il avait enterrée le jour où il avait commencé à vouloir lui plaire. Quel genre de personne serait-il devenu s'il n'avait pas étouffé son instinct qui lui hurlait de retenir sa mère, qu'elle était à deux doigts de s'en aller ? Avait-il jamais été libre de ce poids ? Avait-il jamais eu la latitude d'être *lui-même* ?

C'est le genre de questions que vous vous posez quand vous êtes au bord du gouffre. Quand vous comprenez tout à coup que non seulement la vie que vous vivez n'est pas du tout celle que vous vouliez vivre mais qu'en plus vous avez le sentiment d'être agressé et puni par la vie que vous avez. C'est là que vous commencez à chercher à quel moment vous avez commencé à prendre les mauvaises décisions. À quel moment vous êtes entré dans le labyrinthe. Vous commencez à penser que la sortie du labyrinthe est peut-être au même endroit que l'entrée et qu'il vous suffit de revenir au moment où vous vous êtes trompé pour refaire le chemin à l'envers et vous sauver. C'est la raison pour laquelle Samuel pense que s'il pouvait revoir Bethany et renouer avec elle, même sous la forme d'une amitié platonique, alors il comblerait peut-être une perte importante, il se remettrait peut-être sur de bons rails. Tel est l'état où il se trouve, un état où ce genre de logique semble tout à fait sensée, où la seule réponse possible est le retour en arrière, la réinitialisation de sa vie — une sorte de politique de la terre brûlée qui, là, au pied de cet immeuble, lui apparaît de plus en plus urgente, tandis que son téléphone lui signale la réception d'un nouvel email de sa patronne, plongeant son moral dans des profondeurs plus abyssales encore : *Je tenais à vous informer que votre ordinateur de travail a été confisqué, pour être présenté comme pièce à conviction dans le procès qui vous opposera à l'Université* — il entend alors la voix de Bishop dans son oreille, ce jour-là, le jour du départ de sa mère, quand Bishop lui a dit que c'était l'occasion de devenir quelqu'un d'autre, quelqu'un de meilleur, et Samuel le voudrait tant aujourd'hui. Être meilleur. Il pénètre dans l'immeuble du 55 Liberty Street. Demande au gardien de bien vouloir transmettre un message à Bethany Fall. Il laisse son nom et son numéro. L'informe qu'il est en ville et qu'il aimerait la voir si elle le souhaite. Vingt minutes plus tard à peine, marchant sans but vers le nord sur Broadway, le long des vitrines des boutiques de vêtements de SoHo qui crachent leur musique et leur climatisation sur le trottoir, il reçoit un message de Bethany : *Tu es en ville. Quelle surprise !*

Il s'avère qu'elle est en pleine répétition mais doit sortir bientôt, est-ce qu'il voudrait la retrouver pour déjeuner ? Elle propose la bibliothèque Morgan. Près de l'endroit où elle répète. Il y a un restaurant à l'intérieur. Elle voudrait lui montrer quelque chose.

Et c'est ainsi qu'il se retrouve sur Madison Avenue face à une majestueuse bâtisse en pierre, ancienne demeure de J. P. Morgan, titan de la banque et de l'industrie. À l'intérieur, l'endroit semble conçu pour qu'on se sente minuscule — physiquement, intellectuellement, et financièrement. À neuf mètres au-dessus de la tête, les plafonds sont décorés de peintures qui s'inspirent des œuvres de Raphaël au Vatican, les saints remplacés ici par des héros plus profanes : Galilée, par exemple, et Christophe Colomb. Toutes les surfaces visibles sont en marbre ou en or. Il y a trois étages de rayonnages pour les innombrables livres anciens — premières éditions de Dickens, Austen, Blake, Whitman — qu'on aperçoit derrière le grillage en cuivre qui les protège des doigts indélicats. Une première édition de

Shakespeare. Une Bible de Gutenberg. Les journaux de Thoreau. La symphonie manuscrite *Haffner* de Mozart. Le seul manuscrit rescapé du *Paradis perdu*. Des lettres écrites par Einstein, Keats, Napoléon, Newton. Une cheminée aussi grande que la plupart des cuisines new-yorkaises, surmontée d'une tapisserie judicieusement intitulée *Le Triomphe de l'avarice*.

L'espace semble conçu pour intimider et rapetisser. Samuel se dit que les gens qui manifestent au Zuccotti Park ont au moins cent ans de retard.

Il contemple un moulage en bronze du visage de George Washington quand Bethany le rejoint.

« Samuel ? » dit-elle, et il se retourne.

Jusqu'à quel point les gens peuvent-ils changer en quelques années ? La première impression de Samuel — et c'est la meilleure façon de l'exprimer — c'est qu'elle a l'air plus *réelle*. Elle n'irradie plus de tous les fantasmes qu'il projetait sur elle. Elle a l'air de ce qu'elle est, en somme, d'une personne normale. Peut-être n'a-t-elle pas changé, et c'est le contexte qui a changé. Elle a les mêmes yeux verts, la même peau pâle, la même posture très droite qui a toujours donné à Samuel la sensation de se tenir avachi. Mais il y a quelque chose de différent chez elle, dans la façon dont son visage a ridé autour des yeux et de la bouche, suggérant davantage l'empreinte des émotions, de l'expérience, de la peine, de la sagesse, que l'œuvre de l'âge et du temps. C'est une de ces choses immédiatement reconnaissables mais impossibles à identifier précisément.

« Bethany », dit-il, et ils se donnent une accolade, raide, presque solennelle, comme s'ils étaient d'anciens collègues.

« Ça me fait plaisir de te voir, dit-elle.

— Moi aussi. »

Et comme elle ne sait sans doute pas comment enchaîner, elle regarde autour d'elle et dit : « Sacré endroit, hein ?

— Sacré endroit. Sacrée collection.

— Très beau.

— Magnifique. »

Durant un moment inutile, ils contemplent la pièce, posant leurs regards partout sauf l'un sur l'autre. La panique monte en Samuel — est-ce qu'ils n'ont déjà plus rien à se dire ? Mais Bethany rompt le silence : « Je me suis toujours demandé si toutes ces choses le rendaient vraiment heureux.

— Qu'est-ce que tu veux dire ?

— Tous ces grands noms — Mozart, Milton, Keats. Mais aucune preuve d'une authentique passion. Cette collection m'a toujours fait l'impression d'un investissement. D'un catalogue disparate. Sans aucun amour.

— Peut-être y avait-il quelques pièces qu'il aimait. Et qu'il a cachées au reste du monde. Gardées pour lui.

— Peut-être. Ou peut-être est-ce encore plus triste, peut-être était-il incapable de les partager.

— Tu voulais me montrer quelque chose ?

— Par ici. »

Elle l'entraîne dans un coin où sont exposées, sous une vitre, plusieurs partitions manuscrites. Bethany lui en désigne une en particulier : le *Concerto pour violon n° 1*, de Max Bruch, écrit en 1866.

« Le premier concert où tu m'as entendue jouer, dit Bethany. Tu t'en souviens ?

— Bien sûr. »

Aux yeux de Samuel, les pages jaunies sont un véritable chaos et pas seulement parce qu'il ne lit pas la musique. Il y a des mots raturés, des notes effacées ou barrées, une première couche écrite au crayon à papier sous l'encre, et des taches de café ou de peinture. Le compositeur a écrit *allegro molto* en haut de la page, puis il a barré *molto* et l'a remplacé par *moderato*. Sous le titre du premier mouvement, *Vorspiel*, il y a un long sous-titre qui court sur toute la largeur de la page et disparaît sous un tas de gribouillages griffonnés et raturés.

« C'est ma partie », dit Bethany en montrant du doigt un amas de notes tenant à peine sur la portée. Qu'un bazar pareil puisse devenir la musique que Samuel a entendue ce soir-là semble un véritable miracle.

« Est-ce que tu savais qu'il n'avait jamais été payé pour cette œuvre ? demande Samuel. Il a vendu la partition à un couple d'Américains, mais ils ne l'ont jamais payé. Je crois qu'il est mort pauvre.

— Comment tu sais ça ?

— Ma mère me l'a raconté. Le jour de ton concert.

— Et tu t'en souviens ?

— Très bien. »

Bethany hoche la tête. Elle n'insiste pas.

« Alors, reprend-elle, quoi de neuf de ton côté ?

— Je suis sur le point de me faire virer, répond-il. Et toi, quoi de neuf ?

— Divorcée », dit-elle, et ils sourient tous les deux. Et le sourire vire au rire. Puis le rire semble dissoudre quelque chose entre eux, les conventions, la réserve. Ils sont ensemble avec leurs catastrophes personnelles, pendant le déjeuner elle lui raconte ses quatre années de mariage avec Peter Atchison, comment, dès la deuxième année, elle a commencé à accepter toutes les propositions de concerts internationaux qui se présentaient juste pour ne plus être dans le même pays que Peter et ne pas avoir à constater ce qu'elle savait depuis le début : qu'elle l'aimait beaucoup mais qu'elle ne l'aimait pas, ou bien si elle l'aimait, ce n'était pas de cette sorte d'amour qui résiste au temps. Ils étaient bienveillants l'un envers l'autre, mais sans aucune passion. Durant la dernière année de leur mariage, alors qu'elle achevait une tournée d'un mois en Chine, elle s'était rendu compte qu'elle redoutait son retour à la maison.

« C'est là que j'ai décidé d'y mettre fin, dit-elle. J'aurais dû le faire bien plus tôt. » Elle pointe sa fourchette dans sa direction. « Si seulement tu n'étais pas parti ce soir-là.

— Je suis désolé, dit Samuel. J'aurais dû rester.

— Non, c'est une bonne chose, en fait. Ce soir-là je cherchais une échappatoire facile. Le chemin le plus difficile était le meilleur pour moi, en fin de compte. »

À son tour, il lui raconte ses tourments, à commencer par la réapparition de sa mère — « Calamity Packer est ta *mère* ? » s'exclame Bethany, ce qui leur attire l'attention des tables voisines —, la police, le juge, et toute l'histoire jusqu'au rendez-vous d'aujourd'hui avec Periwinkle et le dilemme dans lequel Samuel est plongé depuis, par rapport au livre.

« En fait, tu vois, dit-il, je crois que j'ai besoin de repartir de zéro.

— Dans quel domaine ?

— Ma vie. Ma carrière. Faire table rase. Réinitialiser

tous les programmes. L'idée de rentrer à Chicago m'est insupportable. J'ai passé les dernières années dans un trou dont j'ai désespérément besoin de sortir maintenant.

— C'est bien, dit Bethany. C'est la bonne décision.

— Et je sais que c'est effronté et présomptueux, et très inattendu, mais j'espérais que peut-être tu pourrais m'aider. J'ai un service à te demander.

— Bien sûr. De quoi as-tu besoin ?

— D'un endroit où dormir. »

Elle sourit.

« C'est juste pour quelque temps, ajoute-t-il immédiatement, le temps de me retourner.

— Ça tombe bien, dit-elle, il y a huit chambres dans mon appartement.

— Je ne te dérangerai pas. Tu ne remarqueras même pas ma présence. Je te le promets.

— À l'époque où j'y vivais avec Peter, nous ne nous croisions jamais. C'est donc parfaitement possible.

— Tu en es sûre ?

— Reste aussi longtemps que tu voudras.

— Merci. »

Ils terminent de déjeuner, puis Bethany repart pour sa deuxième répétition de la journée. De nouveau, ils se donnent une accolade, cette fois plus intime, plus amicale. Samuel s'attarde un moment devant la partition manuscrite de Bruch, examine les pages raturées. Cela le rassure que même un maître puisse se tromper, que même les plus grands doivent parfois tout recommencer. Il imagine le compositeur après qu'il a envoyé son manuscrit à l'étranger, il imagine l'impression que cela a dû lui faire d'être dépossédé de sa musique, de n'en conserver que le souvenir. Le souvenir de l'avoir créée, du son qu'elle produirait quand elle serait jouée. À court d'argent, avec la guerre qui éclatait, il ne lui restait que son imagination et peut-être le rêve de ce que sa vie aurait pu être si les choses avaient tourné autrement, de sa musique remplissant des cathédrales en des jours plus gais.

5

Le gros titre surgit un matin, en provenance du Bureau des statistiques sur le travail : TAUX DE CHÔMAGE STABLE.

La télévision reprend l'information quelques instants plus tard, interrompant ses programmes pour transmettre cette nouvelle saisissante : en un mois, l'économie n'a pas créé le moindre emploi.

C'est l'information principale de la journée. Une donnée concrète qui semble cristalliser le sentiment ambigu et désagréable qui a gagné la population en cet automne 2011 : le monde court à sa perte. Des États insulaires entiers sont en faillite. L'Union européenne est plus ou moins insolvable. Des banques de référence sont liquidées d'un seul coup. Le marché s'est cassé la figure durant l'été et la plupart des experts estiment que la dégringolade va continuer tout l'hiver. Dans la rue, les gens n'ont qu'un mot à la bouche : « désendettement » — car ils sont tous surendettés. Le monde, en fin de compte, recèle beaucoup plus de biens que d'argent pour les posséder. La mode est à l'austérité. Et à l'or. L'argent se déverse en masse sur les marchés de l'or depuis que les choses se sont dégradées au point que les gens commencent à remettre en question *la légitimité philosophique* du papier-monnaie. Selon certaines opinions, au début marginales mais qui gagnent du terrain, le papier-monnaie est une supercherie produite par un fantasme collectif. L'économie est devenue médiévale, et le seul trésor est désormais *un vrai trésor* — de l'or, de l'argent, du cuivre, du bronze.

Le repli est massif, sans précédent, global, presque trop grand pour en saisir l'ampleur, trop compliqué pour en comprendre tous les enjeux. Difficile de prendre assez de recul pour l'appréhender dans son ensemble, les informations s'attaquent donc à différents morceaux, un par un — les statistiques du chômage, les tendances du marché, les bilans comptables —, taillant dans le paysage général, découpant des coins où le phénomène se manifeste de manière criante, plus facile à mesurer.

C'est ainsi qu'une information comme le taux de chômage prend une telle ampleur. Parce que le chiffre concret donne tout son sens à une idée aussi abstraite que le « désendettement ».

Un logo est donc créé : ZÉRO POINTÉ *!* Des graphiques et des tableaux complexes et colorés sont élaborés dans la précipitation pour illustrer les dernières tendances du taux de chômage. Les présentateurs soumettent experts, commentateurs et autres politiciens au feu de leurs questions et tout ce petit monde se hurle dessus en plateau et en duplex. Les chaînes rassemblent des « Américains de la rue » autour de « tables rondes » sur la crise nationale de l'emploi. On dirait une avalanche d'informations périphériques qui n'en finit pas.

Assis devant la télévision, Samuel zappe d'une

chaîne d'informations à une autre. Curieux de savoir de quoi elles vont bien pouvoir parler aujourd'hui, il est soulagé de constater quel est le sujet du jour. Car plus les médias se focaliseront sur les chiffres du chômage, moins ils auront de temps pour évoquer l'autre potentielle grosse info de la journée, c'est-à-dire la sortie d'un livre : *Calamity Packer*, la biographie scandaleuse de Faye Andresen-Anderson, écrite par son propre fils.

Samuel est passé à la fête de lancement la veille. Cela faisait partie de son accord avec Periwinkle.

« Ne sois pas mal à l'aise, dit Periwinkle après que les photographes ont rempli leur office. C'est la chose la plus intelligente que tu aies jamais faite.

— J'espère que cela permettra d'aplanir la situation avec le juge ?

— Je m'en suis déjà occupé. »

En fait, le jour où le juge Brown a découvert que Faye Andresen-Anderson avait fui vers la Norvège — ce qui signifiait une procédure d'extradition susceptible de durer des années —, il a reçu un coup de téléphone de l'équipe de campagne présidentielle de Packer lui proposant un boulot : tsar du crime. La seule condition était qu'il abandonne le dossier. Alors, puisque l'affaire n'avait aucune chance de se résoudre dans un avenir proche, et que le job de tsar du crime pour un candidat à la présidentielle qui se promenait partout avec une arme chargée à la ceinture semblait impossible à refuser, le juge a accepté. Il a laissé le dossier disparaître dans un trou noir administratif, juridictionnel et juridique et a officiellement pris sa retraite de juge. Sa première proposition politique dans ses nouvelles fonctions impliquait une sérieuse restriction des droits du

Premier Amendement pour les activistes de gauche, proposition accueillie avec enthousiasme par le gouverneur Packer, qui espérait s'attirer les faveurs des conservateurs qui haïssaient tout le cirque d'Occupy Wall Street.

Samuel les entend chaque jour, les manifestants de Wall Street. Il se réveille, prend son café et écrit jusque tard dans l'après-midi assis dans un fauteuil en cuir près d'une fenêtre avec vue plongeante sur Zuccotti Park, où le mouvement semble durablement implanté. Il est évident maintenant qu'ils vont continuer à dormir là jusqu'à l'hiver. Bethany l'a laissé choisir sa chambre, il a pris celle-là, côté ouest, avec vue sur la manifestation, et le soir, sur le soleil couchant. Il a fini par aimer le son des percussions, surtout depuis que les percussionnistes ont accepté de ne jouer que pendant les heures ouvrables. Il aime les rythmes, leur élan, ce perpétuel mouvement vers l'avant, cette capacité qu'ils ont à jouer des heures durant sans jamais s'arrêter. Il tente de calquer sa discipline sur la leur, car il a un nouveau projet, un livre en préparation. Il en a parlé à Periwinkle une fois libéré de ses obligations contractuelles.

« J'écris l'histoire de ma mère, lui a dit Samuel. La vraie. Les faits.

— Lesquels en particulier ? Je suis curieux de le savoir, a demandé Periwinkle.

— Tous. Sans rien laisser de côté. Toute son histoire. De l'enfance à aujourd'hui.

— Donc ça va faire dans les six cents pages et intéresser dans les dix lecteurs ? Eh bien, je te félicite.

— Ce n'est pas pour cela que je l'écris.

— Oh, c'est *pour l'amour de l'art.* C'est ton nouveau credo ?

— Plus ou moins.

— Il faudra changer les noms, tu es au courant. Altérer les faits immédiatement identifiables. Je ne voudrais pas avoir à te poursuivre en justice une nouvelle fois.

— Calomnie ou diffamation ? Je n'arrive jamais à me souvenir de la différence entre les deux.

— Calomnie *et* diffamation. Et violation de la vie privée, déclarations mensongères, atteinte à la réputation, diminution du chiffre d'affaires, angoisse personnelle, et violation de la clause de non-concurrence de ton contrat avec nous. Et bien sûr, le remboursement des frais d'avocat et les dommages et intérêts.

— Ce sera un roman, a repris Samuel. Et je changerai les noms. Je ferai en sorte de t'en trouver un complètement idiot.

— Comment va ta mère ? a demandé Periwinkle.

— Aucune idée. Froidement, je suppose.

— Toujours en Norvège ?

— Oui.

— Au milieu des rennes et des aurores boréales ?

— Oui.

— J'ai vu une aurore boréale une fois. Dans le nord de l'Alberta. J'avais réservé un voyage avec cette agence appelée “Admirez une aurore boréale !”. J'espérais être émerveillé, et je l'ai été. J'étais très déçu, car c'était exactement ce à quoi je m'attendais. Exactement ce pour quoi j'avais payé. Que ça te serve de leçon.

— De leçon pour quoi ?

— Pour ce livre extraordinaire que tu veux écrire.

Et ce que tu en attends comme sentiment d'accomplissement. Pense aux aurores boréales. C'est une métaphore, bien entendu. »

Samuel n'est pas sûr de savoir ce qu'il essaie d'accomplir. Au début, il pensait qu'en rassemblant suffisamment d'informations il arriverait à isoler la raison pour laquelle sa mère avait quitté la famille. Mais comment la cerner vraiment ? Une explication unique, cela semblait trop facile, trop insignifiant. Alors, au lieu de chercher des réponses, il a juste commencé à écrire son histoire, en se disant que s'il parvenait à voir le monde tel qu'elle le voyait, elle, peut-être qu'il atteindrait plus que de simples réponses : peut-être qu'il parviendrait à la comprendre, à lui pardonner. Alors il a raconté son enfance dans l'Iowa, l'université à Chicago, le mouvement de 1968, ce dernier mois qu'elle avait passé dans sa famille avant de disparaître, et plus il écrivait, plus l'histoire prenait d'ampleur. Samuel écrivait sur sa mère, son père, son grand-père, il écrivait sur Bishop, Bethany, le proviseur, il écrivait sur Alice, le juge, Pwnage — il essayait de les comprendre, essayait de percevoir ce qu'il n'avait pas vu la première fois parce qu'il était trop centré sur lui-même. Même vis-à-vis de Laura Pottsdam, la vicieuse Laura Pottsdam, Samuel s'efforçait de trouver en lui un peu de compassion.

Laura Pottsdam, qui, au même moment, éprouve un sentiment de maîtrise sur sa vie et le monde parce que le pauvre type qui lui servait de professeur de littérature s'est fait virer et remplacer par un malheureux jeune professeur fraîchement diplômé, et que son devoir plagié sur *Hamlet* est tombé dans les oubliettes académiques. Tout va très bien dans le meilleur des mondes, donc, et c'est exactement la confirmation de ce que sa mère lui répète depuis qu'elle est toute petite : elle est une femme forte, elle aura tout ce qu'elle désire, et, quoi qu'elle désire, il faut qu'elle FONCE. Là tout de suite, ce qu'elle désire, c'est s'envoyer quelques cocktails alcool-boisson énergisante pour célébrer cette décision de justice : le professeur est parti, sa carrière est sauvée. C'est comme une fenêtre entrouverte sur son avenir, ses inévitables succès futurs devant elle comme une piste de décollage devant un F-16, un avenir où chaque fois que quelqu'un tentera de se mettre en travers de son chemin elle le réduira en morceaux. Cet épisode avec le professeur, c'était un test, le premier à grande échelle, et elle l'a remporté. De manière spectaculaire. C'est plus vrai encore pour ce qui concerne SAFE, l'association étudiante qu'elle a créée et qui s'est retrouvée propulsée au vingt-heures, aux réunions du conseil d'administration de l'université. Ses amis ont alors commencé à lui dire qu'elle devrait se présenter au sénat étudiant le semestre suivant, ce que pas une seconde elle n'avait envisagé, *même pas en rêve*, jusqu'au jour où le gouverneur Packer est venu faire campagne sur le campus et a voulu se faire prendre en photo avec elle, disant qu'il était très impressionné par ses efforts et qu'il la remerciait au nom de tous les contribuables de l'Illinois : « Il faut faire quelque chose pour protéger nos étudiants et nos portefeuilles de ces professeurs inutiles aux idées libérales et aux spécialités obsolètes. » Puis, durant la conférence de presse, un journaliste a demandé au gouverneur Packer ce qu'il pensait du courage et de l'audace de Laura, et le célèbre candidat à la présidentielle a répondu : « Je crois qu'un jour elle se présentera à l'élection présidentielle. »

Elle a donc changé de master. Fini la communication et le marketing. Elle s'est aussitôt inscrite à deux masters qui l'aideront bien davantage dans sa future course à la présidentielle : sciences politiques et théâtre.

Les cours à des étudiants comme Laura Pottsdam ne manquent pas à Samuel, mais le contenu des cours, si. Il esquisse une grimace en repensant au mépris qu'il éprouvait pour eux. Il avait fini par ne plus voir que leurs défauts, leurs faiblesses, leurs failles, leur incapacité à s'élever à son niveau. Niveau si exigeant que jamais les étudiants n'auraient pu s'y hisser, ce qui l'arrangeait car il s'était habitué à la colère. La colère est une émotion si commode, le refuge parfait pour qui ne veut pas faire d'efforts. Sa vie, durant l'été 2011, avait été si peu gratifiante, si vaine, il était tellement en colère. Contre sa mère de l'avoir abandonné, contre Bethany de ne pas l'avoir aimé, contre ses étudiants d'être si hermétiques à l'enseignement. Il s'était installé dans sa colère par facilité, pour ne pas avoir à produire l'effort nécessaire pour y échapper. Il était bien plus facile de reprocher à Bethany de ne pas l'aimer que de faire le travail d'introspection nécessaire pour comprendre ce qu'il faisait qui le rendait impossible à aimer. Il était bien plus facile de reprocher à ses étudiants de n'être pas très inspirés que de faire de ses cours une véritable source d'inspiration. Et il était toujours beaucoup plus facile de s'asseoir devant son ordinateur plutôt que de se confronter à sa vie stagnante, d'affronter le trou béant que sa mère avait creusé en lui en l'abandonnant, et à force de choisir la facilité, chaque jour qui passe, la facilité devient une habitude, et cette habitude devient votre vie. Il avait sombré dans *Elfscape* telle une épave dans les abysses.

Il peut se passer des années ainsi, comme cela a été le cas pour Pwnage, qui, à ce moment précis, ouvre enfin les yeux.

Il dort depuis un mois — la plus longue « sieste » jamais enregistrée à l'hôpital — et voilà qu'il ouvre les yeux. Son corps est bien nourri, son esprit bien reposé, ses systèmes circulatoire, digestif et lymphatique sont relativement sains et fonctionnent normalement, il n'éprouve plus ce bourdonnement migraineux, cette faim en tenaille, ces douleurs articulaires et ces tremblements musculaires habituels. En fait, il n'éprouve plus aucune des douleurs qui l'accompagnent depuis si longtemps, et cela lui semble relever du *miracle*. Vu la différence avec son état normal, il se dit qu'il est soit mort, soit drogué. Comment est-ce possible autrement ? Pour se sentir si bien, c'est soit qu'il est complètement défoncé, soit qu'il est au paradis.

Il regarde autour de lui, la chambre d'hôpital, et voit Lisa assise sur un canapé. Lisa, sa magnifique ex-femme, qui lui sourit, le serre contre elle, avec sous le bras son carnet de notes relié de cuir noir dans lequel il a rédigé les premières pages de son roman policier. Et elle lui annonce que plusieurs paquets sont arrivés d'une grosse maison d'édition new-yorkaise avec des tas de paperasses à signer, et quand Pwnage lui demande de quelles paperasses il s'agit, elle sourit jusqu'aux oreilles et lui dit : « Pour ton contrat de publication ! »

C'est l'une des conditions que Samuel a imposées

à Periwinkle, que Periwinkle publie le roman de son ami.

« Et de quoi s'agit-il au juste ? a demandé Periwinkle.

— Heu, un inspecteur médium sur la piste d'un serial killer ? a répondu Samuel. Le tueur s'avère être le petit ami de l'ex-femme de l'inspecteur, je crois, ou bien son beau-fils, ou autre chose, je ne sais plus.

— Tu sais quoi ? a dit Periwinkle. Ça a l'air *génial.* »

Pwnage avait dit à Samuel que chaque personne qui nous entoure représente un ennemi, un obstacle, une énigme ou un piège. Pour Samuel comme pour Faye, dans le courant de l'été 2011, le monde entier était un ennemi. La seule chose qu'ils espéraient encore de la vie, c'était qu'on les laisse tranquilles. Mais le monde n'est pas supportable pour qui y est seul, et plus Samuel a plongé dans l'écriture, plus il a compris à quel point il se trompait. Car en ne voyant les gens que comme des ennemis, des obstacles ou des pièges, on ne baisse jamais les armes ni devant les autres ni devant soi. Alors qu'en choisissant de voir les autres comme des énigmes, de se voir soi comme une énigme, on s'expose à un émerveillement constant : en creusant, en regardant au-delà des apparences, on trouve toujours quelque chose de familier.

Cela demande plus d'efforts, bien entendu, que de croire que les autres sont des ennemis. La compréhension est toujours plus ardue que la haine pure et simple. Mais elle élargit les horizons. Et rétrécit la solitude.

Alors il essaie, Samuel essaie, de faire de son mieux dans cette étrange nouvelle vie qu'il partage avec Bethany. Ils ne sont pas ensemble. Peut-être qu'ils finiront par devenir amants, mais ce n'est pas encore le cas. Et Samuel adopte l'attitude suivante sur ce sujet : ce qui doit arriver arrivera. Il sait qu'il ne peut pas revenir en arrière et revivre sa vie, qu'il ne peut pas corriger les erreurs du passé. Sa relation avec Bethany n'est pas une Histoire dont vous êtes le héros. À la place, il va se tenir à une règle : être lucide, les yeux grands ouverts à la lumière, s'efforcer de comprendre. Il parviendra à empêcher le présent d'être englouti par le passé. Il s'efforce de vivre le moment présent, de ne pas laisser ses fantasmes affadir la réalité. Il s'efforce de voir Bethany telle qu'elle est vraiment. N'est-ce pas là ce que nous voulons tous ? Être vus tels que nous sommes ? Il a toujours été obsédé par certains traits de Bethany : ses yeux, par exemple, sa posture. Mais un jour, elle lui a dit que Bishop et elle avaient les mêmes yeux et que chaque fois qu'elle se regarde dans un miroir elle se sent un peu triste. Puis une autre fois, elle lui a raconté que sa posture était le résultat des leçons de maintien qu'elle avait endurées pendant toute son enfance alors que les autres jouaient à la balançoire ou s'amusaient à courir entre les arrosages automatiques. Après avoir entendu cela, Samuel ne pouvait plus envisager ses yeux et sa posture de la même manière. Ces traits étaient comme diminués, mais dans le même temps il a compris que tout le reste avait incroyablement grandi.

Ainsi commence-t-il à voir Bethany telle qu'elle est, pour la première fois peut-être.

Pareil pour sa mère, il s'efforce de la comprendre, de porter un regard lucide sur elle, débarrassé de la distorsion de sa colère. Le seul mensonge que

Samuel a jamais raconté à Periwinkle, c'est que Faye serait restée en Norvège. Cela semblait une bonne idée — tant qu'on la croyait dans l'Arctique, on ne viendrait pas l'embêter. Mais la vérité, c'est qu'elle est rentrée chez elle, dans sa petite ville au bord du Mississippi, pour prendre soin de son père.

La démence de Frank Andresen avait beaucoup progressé. Le jour où Faye le revit pour la première fois, quand l'infirmière annonça : « Votre fille est ici », il regarda Faye avec un air éberlué, sidéré. Il était si maigre, squelettique. Il avait des taches rouges sur le front, la peau à vif à force de se gratter. Il la regarda comme si elle était un fantôme.

« Ma fille ? dit-il. Quelle fille ? »

Le genre de choses que Faye aurait mis sur le compte de la folie si elle n'avait pas pensé qu'il pût y avoir davantage, davantage qu'une simple confusion derrière cette question.

« C'est moi, Papa », dit-elle. Et elle décida de prendre un risque. « C'est moi, Freya. »

Le nom réveilla quelque chose en lui, profondément, son visage se fripa et il lui jeta un regard chargé d'angoisse et de désespoir. Alors elle s'avança vers lui et le prit dans ses bras.

« Tout va bien, dit-elle. Ne sois pas triste.

— Je suis désolé, dit-il en la fixant avec une intensité étonnante pour un homme qui avait passé toute sa vie à fuir le regard des autres. Je suis tellement désolé.

— Tout s'est bien terminé. Nous t'aimons tous.

— C'est vrai ?

— Tout le monde t'aime tellement. »

Il scruta son visage, très près, durant un long moment.

Quinze minutes plus tard, l'épisode avait complètement disparu de sa mémoire. Il s'arrêta au milieu d'une histoire qu'il racontait et lui demanda aimablement : « Mais qui êtes-vous donc, chère madame ? »

Cependant, quelque chose avait cédé en lui, quelque chose d'important s'était libéré : parmi les histoires qu'il racontait, désormais il y avait cette jeune Marthe se promenant la nuit sous un ciel clair, des histoires que Faye n'avait jamais entendues, des histoires qui plongeaient les infirmières dans l'embarras car les promenades en question étaient clairement post-coïtales. Il y avait quelque chose de plus léger en lui, un fardeau en moins. Même les infirmières le disaient.

Faye a donc décidé de louer un petit appartement près de la maison de repos et chaque matin elle franchit la distance qui le sépare de lui et passe toute la journée à ses côtés. Parfois il la reconnaît, mais la plupart du temps il l'a oubliée. Il raconte de vieilles histoires de fantômes, des histoires sur l'usine ChemStar, des histoires de pêche dans la mer de Norvège. Et, de temps à autre, il la regarde de cet air qui signifie clairement que c'est Freya qu'il voit. Alors elle l'apaise, le prend dans ses bras, lui dit que tout s'est bien terminé, chaque fois qu'il le lui demande elle lui décrit la ferme, et elle brosse un tableau si somptueux — plus qu'un champ d'orge, elle dessine des champs entiers de blé et de tournesols. Il sourit. Il imagine. Ces récits le rendent heureux. Ces paroles le rendent heureux : « Je te pardonne. Nous te pardonnons tous.

— Mais pourquoi ?

— Parce que tu es un homme bon. Tu as fait de ton mieux. »

Et c'est la vérité. Il a fait de son mieux. Il était un homme bon. Le meilleur père qu'il pouvait être. Même si Faye ne s'en était jamais rendu compte. Il arrive qu'on soit tellement enfermé dans sa propre histoire qu'on ne voit pas le second rôle qu'on occupe dans celle des autres.

C'est tout ce qu'elle peut faire pour lui aujourd'hui, le rassurer, lui tenir compagnie, et pardonner, pardonner, pardonner. Elle ne peut pas sauver son corps ou son esprit, mais elle peut alléger son âme.

Après un moment à parler, il a besoin de se reposer, parfois même s'endort au milieu d'une phrase. Pendant qu'il dort, Faye lit, elle se replonge dans l'œuvre poétique complète d'Allen Ginsberg. Parfois Samuel l'appelle, alors elle pose son livre et répond à ses questions, à toutes ses terribles, ses énormes questions : Pourquoi a-t-elle quitté l'Iowa ? La fac ? Son mari ? Son fils ? Elle s'efforce de répondre de manière honnête et complète, malgré la peur qu'elle ressent. Pour la première fois de sa vie, elle ne dissimule pas une grande partie d'elle-même, et elle se sent mise à nu, au point de paniquer. Elle ne s'est jamais livrée à personne auparavant — elle s'est toujours montrée par fragments. Un morceau pour Samuel, un autre petit bout pour son père, rien ou presque pour Henry. Cela semblait trop dangereux. Durant toutes ces années, elle était habitée par la peur que quelqu'un la découvre entièrement — sache qui Faye était vraiment, profondément, essentiellement — et ne trouve pas en elle de quoi l'aimer. Que son âme ne fût pas assez vaste pour nourrir une autre âme.

Mais aujourd'hui elle fait confiance à Samuel.

Elle répond à ses questions. Sans rien omettre. Même quand ses réponses réveillent la panique — à l'idée que Samuel la voie comme une horrible personne, qu'il cesse de l'appeler — elle lui dit la vérité. Et chaque fois qu'elle pense que son intérêt pour elle va se tarir, chaque fois qu'elle pense que ses réponses ont définitivement prouvé qu'elle n'était pas digne de son amour, il se passe exactement le contraire. Il semble *encore plus* intéressé, il appelle *encore plus* souvent. Et parfois aussi, il appelle juste pour parler — pas de son affreux passé mais de sa journée, du temps qu'il fait, des dernières nouvelles. Et elle espère qu'un jour peut-être ils pourront se retrouver comme deux personnes normales, sincèrement, sans se sentir défigurés par leur histoire, par toutes ses immuables erreurs.

Elle sera patiente. Elle sait qu'elle ne peut pas forcer le destin. Elle attendra, s'occupera de son père, répondra aux innombrables questions de son fils. Et quand Samuel voudra connaître ses secrets, elle les lui dira. Et quand il voudra parler du temps qu'il fait, elle parlera du temps qu'il fait. Et quand il voudra parler des dernières nouvelles, elle parlera des dernières nouvelles. Elle allume la télévision pour savoir ce qui se passe dans le monde. Aujourd'hui, il n'est question que de chômage, de désendettement global, de récession. Les gens ont peur. L'incertitude ne faiblit pas. La crise est imminente.

Mais d'après Faye, parfois une crise n'est pas vraiment une crise — c'est juste un nouveau départ. Si elle a appris une chose de toute cette histoire, c'est que lorsqu'un nouveau départ est vraiment *nouveau*, il ressemble à une crise. Tous les vrais changements commencent par faire peur.

Si vous n'avez pas peur, c'est que ce n'est pas un vrai changement.

Les banques et les gouvernements font le ménage dans leurs comptes après des années d'abus. Il y a trop de dettes, tel est le consensus, et nous sommes partis pour quelques années de douleur. Mais Faye pense : Soit. C'était probablement écrit. C'est l'ordre des choses. C'est comme cela que nous arriverons à retrouver notre chemin. C'est ce qu'elle dira à son fils, s'il lui demande. À la fin, il faut toujours payer ses dettes.

REMERCIEMENTS

Les événements de 1968 décrits dans ce roman sont un mélange de faits historiques, d'interviews de témoins présents à l'époque et de l'imagination, de l'ignorance et de la fantaisie de l'auteur. Par exemple, Allen Ginsberg a assisté aux manifestations de Chicago mais il n'était pas un professeur invité au Cercle. De même que le Cercle n'avait pas de dortoirs en 1968. Quant au Bâtiment des Sciences du Comportement, il n'a pas été ouvert avant 1969. Et mon récit des événements de Grant Park ne suit pas exactement l'ordre chronologique des choses. Etc. Pour une lecture plus historique des événements de 1968, je recommanderais les livres qui m'ont été d'une aide inestimable durant l'écriture de ce roman : *Chicago '68*, de David Farber, *The Whole World Is Watching*, de Todd Gitlin, *Battleground Chicago*, de Frank Kusch, *Miami and the Siege of Chicago*, de Norman Mailer, *Chicago 10*, mis en scène par Brett Morgen, *Telling It Like It Was : The Chicago Riots,* édité par Walter Schneir, et *No One Was Killed*, de John Schultz.

Je suis également redevable aux livres suivants qui m'ont aidé à brosser le tableau de l'époque d'une manière (que j'espère) convaincante : *Make*

Love, Not War, de David Allyn, *Young, White, and Miserable*, de Wini Breines, *Culture Against Man*, de Jules Henry, *1968*, de Mark Kurlansky, *Dream Time*, de Geoffrey O'Brien, et *Les Tessons de Dieu*, d'Ed Sanders.

Certaines des paroles attribuées à Allen Ginsberg dans ce livre sont extraites de ses essais et de sa correspondance, trouvés dans *Deliberate Prose : Selected Essays 1952-1995*, édité par Bill Morgan, et dans *Journals : Early Fifties Early Sixties*, édité par Gordon Ball.

Concernant les légendes de fantômes norvégiennes, je dois beaucoup à *Folktales of Norway*, édité par Reidar Christiansen et traduit en anglais par Pat Shaw Iversen. Le *nix* est le nom allemand donné à un fantôme qui, en Norvège, s'appelle en fait le *nøkk*.

Mes informations sur les crises de panique sont tirées de *Dying of Embarrassment*, de Barbara G. Markway *et al.*, et *Fearing Others*, d'Ariel Stravynski. Pour ce qui est du désir et de la frustration, je me suis référé à *Missing Out : In Praise of the Unlived Life*, d'Adam Phillips.

Pour ses recherches sur la psychologie et le comportement des gros joueurs de jeux de rôle en ligne multi-joueurs, je suis reconnaissant à Nick Yee et à son Dædalus Project. Mes réflexions sur les quatre sortes de défis des jeux vidéo s'appuient sur *Level Design for Games*, de Phil Co. Les divers désordres mentaux de Pwnage viennent du blog de Nicholas Carr, *Rough Type*, et de l'article « Microstructure Abnormalities in Adolescents with Internet Addiction Disorder », de Kai Yuan *et al.*, publié dans *PLoS ONE*, en juin 2011.

Les publicités sur l'hygiène féminine dans la

salle d'économie domestique de Faye sont tirées du site Internet « Found in Mom's Basement » sur pzrservices.typepad.com/vintage advertising. Certains détails au sujet de Laura Pottsdam ont été piochés dans les extraordinaires appels de *Savage Lovecast*, de Dan Savage. Ma description des clips de Molly Miller doit beaucoup au livre d'Andrew Darley, *Visual Digital Culture*. Quelques-unes des informations relatives à l'architecture brutaliste du Cercle viennent de la thèse d'Andrew Bean, Wesleyan University : « The Unloved Campus : Evolution of Perceptions at the University of Illinois at Chicago ». L'argument pour le boycott de la reproduction est extrait d'un article publié dans *Ain't I a Woman* 3, n° 1 (1972). La lettre au rédacteur en chef que Faye lit dans le *Chicago Free Voice* est extraite d'une lettre non publiée au *Chicago Seed*, donnée au musée d'Histoire de Chicago. Les informations de Sebastian sur le *maarr* viennent de l'article de Franca Tamisari, « The Meaning of the Steps Is Inbetween : Dancing and the Curse of Compliments », publié dans *The Australian Journal of Anthropology*, août 2000. L'histoire d'Allen Ginsberg « Mangez les mangues ! » est tirée de *Teachings of Sri Ramakrishna*.

Merci aux employés du musée d'Histoire de Chicago pour leur aide. Pour m'avoir soutenu durant les corrections de ce roman, un grand merci au Comité des arts du Minnesota et à l'Université de St. Thomas.

Merci à mon éditeur, Tim O'Connell, pour m'avoir guidé avec brio, et non sans un enthousiasme et un zèle à la Periwinkle, dans la mise en forme de cette histoire. Merci à toute l'extraordinaire équipe de Knopf : Tom Pold, Andrew Ridker,

Paul Bogaards, Robin Desser, Gabrielle Brooks, Jennifer Kurdyla, LuAnn Walther, Oliver Munday, Kathy Hourigan, Ellen Feldman, Cameron Ackroyd, Karla Eoff et Sonny Mehta.

Merci à mon agent, Emily Forland, pour sa sagesse, sa patience et ses encouragements. Merci à Marianne Merola, et à tous les gens merveilleux chez Brandt & Hochman.

Merci à ma famille, mes amis et mes professeurs pour leur amour, leur gentillesse, leur générosité et leur soutien. Merci à Molly Dorozenski pour ses conseils après lecture des premiers brouillons.

Et enfin, merci à Jenni Groyon, ma première lectrice, pour m'avoir aidé à tracer mon chemin au fil de dix années d'écriture.

DU MÊME AUTEUR

Aux Éditions Gallimard

LES FANTÔMES DU VIEUX PAYS, 2017 (Folio n° 6514).
Révélation étrangère 2017 du magazine *Lire*.

Composition Nord compo
Impression Grafica Veneta
à Trebaseleghe, le 20 juillet 2018
Dépôt légal : juillet 2018

ISBN : 978-2-07-279800-9./Imprimé en Italie

336949